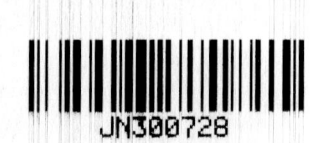

Unauthorized
Harry Potter
Magical Guide

ハリー・ポッター大事典 II

1巻から7巻までを
読むために

寺島久美子

原書房

ハリー・ポッター大事典

II

本書の特徴

●本書が出版された2008年4月現在、「ハリー・ポッター」シリーズ最終7巻“*Harry Potter and the Deathly Hallows*”は未邦訳であるため、未読の方に配慮し「1～6巻の事典」と「7巻の事典」の二つに分けて解説した。
●「1～6巻の事典」では、見出し語は英語名と静山社による日本語名を併記。6巻に出てきたすべての用語(人物、魔法、アイテムなど新出・既出の項目)と、それ以外に1～5巻に登場し7巻で再登場する用語を加えた総計約1,000語を、50音順に配列した。解説は6巻までとし、7巻の内容には触れていない。
●7巻の事典には、7巻“*Harry Potter and the Deathly Hallows*”『ハリー・ポッターと死の秘宝』に新出したすべての用語(人物、魔法、アイテムなど)約200語を収録。見出し語は英語名とカタカナ表記の発音を併記した。解説内に参考として試訳を付し、出典や作者J.K.ローリングの発言などを盛り込みながら、7巻の内容を分かりやすく説明した。

Contents

はじめに

—シリーズ完結編発売に寄せて—

第1巻『賢者の石』の発売から10年、世界中で愛されている「ハリー・ポッター」シリーズの第7巻“*Harry Potter and the Deathly Hallows*”(ハリー・ポッターと死の秘宝)が、ついに2007年7月21日全世界同時に発売になりました。待望の完結編とあって、米国では24時間で830万部、英国内でも265万部を売り上げるなど各国で新記録を達成。作者のJ.K.ローリングさんが執筆中に感極まり号泣したと報じられた通り、読者の期待を裏切らない素晴らしい作品になっています。すでにさまざまなメディアがレビューを掲載していますが、ここでも7巻の書評を述べてみたいと思います(以下、7巻の内容に触れますので、未読の方はご注意ください)。

6巻の最後で宣言した通り、ハリーは最終巻でいよいよ分霊箱を探し破壊する旅に出発しますが、目的は仲々達成できず、苛立《いらだ》った彼は曖昧《あいまい》なヒントや謎めいた遺言しか残さなかった校長に対し疑念を抱くようになります。さらに、ダンブルドアの若いころの秘密を暴いた伝記本が出版され、父のように慕《した》ってきた恩師が生前自分に生い立ちを隠していたことに失望し、不信感を強めていきます。その一方でヴォルデモートは着実に勢力を拡大し、魔法省は陥落。ハリーとヴォルデモートの対決の時が刻一刻《こくいっこく》と迫る中、ハリーは魔法界の秘宝の存在や、自分の隠された秘密を知ることになります。

7巻『ハリー・ポッターと死の秘宝』は、そのタイトルが示す通り、「死」と「愛」がテーマになっています。死を拒絶し複数の魂を作ったヴォルデモートと、母親の愛のお陰で1歳のときに死を免れたハリー。二人は予言通り対決することになりますが、このときハリーの心の支えとなったのは、彼を守るために命を落としていった両親や名付け親たちでした。この周囲の犠牲という名の愛に支えられたハリーは、最終的に自らの宿命を潔く受け入れる決意をし、この勇気ある行動は彼に新たな運命を与えます。「愛は人を死から救う」ことから始まった「ハリー・ポッター」の物語は、10年後、「愛によって死は克服される」ことを示して完結します。このエンディングには、“愛の永遠性”という著者の強いメッセージが感じられ、そこには「何故シリウスが死ななければならなかったのか」という疑問の答えも呈示されています。

また、「ハリー・ポッター」には人生の選択を誤ってしまう人物が登場しますが、そのような人でも自省した場合は赦《ゆる》され、再生の道が用意されています。7巻では、それが“remorse 深い悔恨(良心の呵責《かしゃく》)”という語で表現されており、これまでのストーリーで道を誤ったさまざまな人物が再登場し、自分の犯した過ちを認め反省した人は赦され名誉の回復がなされています。分霊箱を作ったヴォルデモートにさえ、過去の過ちを悔い改めれば魂が一つに戻るという更生の機会が与えられますが、傲慢《ごうまん》なヴォルデモートが後悔するはずもなく、破滅の道を進みます。構想に5年を掛けたというだけあり、著者が1巻で書いた「選択の重要性」という主張は、7巻まで一貫して変わることはありませんでした。

それにしても、『賢者の石』で自分が魔法使いであったことすら知らなかったハリーの7巻での成長ぶりには、感慨深いものがあります。「ハリー・ポッター」を取り巻く環境も、この10年間で大きく変わりました。映画は2001年にワーナー・ブラザーズによって製作され大ヒット。「不死鳥の騎士団」まで映画化され、全世界での興行収入は合計で44億8,500万ドル(約4621億円)超。「007」を抜いて史上最もヒットした映画シリーズとなりました。6、7作目の公開も決まっており、どこまで累計《るいけい》の興行収入を伸ばせるか注目されています。プロデューサーの膝《ひざ》に乗って写真を撮られていた子役たちも成長し、今ではハリポタ以外の映画や舞台で活躍するまでに。

DVDをはじめグッズも大人気で、「ハリー・ポッター」はここ10年間、社会現象と言われ続けてきました。

関連書籍も続々と出版され、『大事典』シリーズもお陰様で3冊目となりました。本書では、巻を重ねるごとに登場人物が増え、複雑な内容になっていくハリーの世界をより深く楽しむために、解説は分かりやすく年代順に記し、家族単位で解説が読めるよう人物の見出しは姓名順にするなどさまざまな工夫を凝らしました。本書は7巻日本語版発売前に出版されたため、解説は1巻～6巻の事典と7巻の事典の二つに分け、7巻未読者に配慮しています。6巻までの事典では、『謎のプリンス』に登場した人物・生物・魔法・アイテムなどすべての用語を網羅《もうら》。各解説には6巻だけでなく1巻～5巻の内容も入れるようにし、出典・語源のほか本に書かれていない著者のインタビューなど最新版の情報を盛り込みました。さらに、6巻に登場しなかった既出の項目でも、7巻に出てくるものはすべて抽出して解説し、「ハリー・ポッター」を初めて読む人でも完結編が理解できるよう心がけました。7巻の事典では、原書初心者のために、最終巻で新たに登場した項目を分かりやすく丁寧《ていねい》に説明。初めて挿入された宗教的テーマのエピグラフや、聖書からの引用も詳しく解説しています。最後に誰が生き残るといった結末だけでなく、そこに至るまでの過程やストーリー全体を楽しんで頂きたいので、7巻最後のエピローグ(19年後)の解説は、最低限の説明に留めています。

最後になりましたが、すてきなイラストや貴重なご感想、ご提案を綴《つづ》った葉書をお送り下さいました全国のポッターマニアの皆様へは、この場を借りて厚く御礼申し上げます。皆様のご意見は一つ一つすべて目を通し、本作の参考にさせて頂きました。また、出版にあたっては、原書房社長成瀬雅人氏をはじめ編集部の方々に多大なご助力を頂き、心より御礼申し上げます。前作に引き続き、かわいらしい装幀《そうてい》に仕上げて下さった渋川育由氏にも感謝を捧げます。

完結編は出版されましたが、「ハリー・ポッター」の魅力は謎解きだけではありません。7巻を読み終え、ますますその物語に夢中になってしまった読者も多いと思います。本書がそのようなポッターマニアの皆様の一助となりましたらこれに勝る喜びはありません。

2008年3月

寺島久美子

本書の使い方（1巻～6巻の事典）

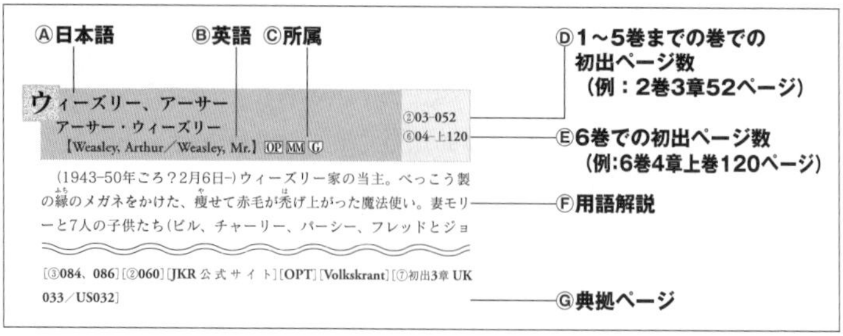

Ⓐ　日本語

・「ハリー・ポッター」6巻に登場したすべての用語と、1～5巻に登場し且つ7巻で再登場する用語を50音順に配列した。
・人名は一行目に「姓、名〈ファーストネーム〉（・中間名〈ミドルネーム〉）」の順で、二行目に「名（・中間名）・姓」の順で表記した。

Ⓑ　英語

・日本語に対応している原語を表記した。
・人名は「姓、名、中間名」の順で表記した。
・使用した原書はUK版ハードカバー。

Ⓒ　所属

・アイコンは以下の所属を示す
G：グリフィンドール寮
S：スリザリン寮
H：ハッフルパフ寮
R：レイブンクロー寮
DA：ダンブルドア軍団
OP：不死鳥の騎士団
MM：魔法省職員
DE：死喰《しく》い人《びと》

Ⓓ Ⓔ　初出ページ

・巻―章―ページの順で表記した。
・①や1巻は『ハリー・ポッターと賢者の石』日本語版
②や2巻は『ハリー・ポッターと秘密の部屋』日本語版
③や3巻は『ハリー・ポッターとアズカバンの囚人』日本語版
④や4巻は『ハリー・ポッターと炎のゴブレット』日本語版
⑤や5巻は『ハリー・ポッターと不死鳥の騎士団』日本語版
⑥や6巻は『ハリー・ポッターと謎のプリンス』日本語版　の各単行本を表す。
上、下は上巻、下巻を表す。
（以上、J・K・ローリング作、松岡佑子訳、静山社刊）

・初出ページは、見出し語が記載されていなくとも、特徴などの説明が最初に書かれたページを記した。
・「2004年4月」等の日付は原作者J.K.ローリング氏の公式サイト内のコーナー「今月の魔法使い」への登場を表す。

Ⓕ　用語解説

・①〜⑥、1巻〜6巻、上・下はⒹⒺ初出ページに準拠。
・→は「〜を参照せよ」を意味する。
・映画「賢者の石」はワーナー・ブラザーズ(WB)製作配給「ハリー・ポッターと賢者の石」
映画「秘密の部屋」はWB製作配給「ハリー・ポッターと秘密の部屋」
映画「アズカバンの囚人」はWB製作配給「ハリー・ポッターとアズカバンの囚人」
映画「炎のゴブレット」はWB製作配給「ハリー・ポッターと炎のゴブレット」
映画「不死鳥の騎士団」はWB製作配給「ハリー・ポッターと不死鳥の騎士団」を表す。
・文中の略語は以下を表す。
DA：ダンブルドア軍団
DADA：闇の魔術に対する防衛術
JKR：原作者J・K・ローリング氏
NEWT：NEWT《いもり》試験
OWL：OWL《ふくろう》試験
WWW：ウィーズリー・ウィザード・ウィーズ
聖マンゴ：聖マンゴ魔法疾患傷害病院
ホグワーツ：ホグワーツ魔法魔術学校

Ⓖ　典拠ページ、略語

・解説内で使用した作品とページを記した。解説中に言及できなかった箇所でも、その項目を理解する上で読者の参考となりうる情報が記載されているページは記した。
・使用した日本語版は静山社刊行ハリー・ポッターシリーズの単行本、英語版はUS版の記載がない限りUK版ハードカバー。US版はUS版ハードカバーを使用。
・UK⑦は原書イギリス版7巻ハードカバー、US⑦は原書アメリカ版7巻ハードカバーを表す。(J.K.Rowling, *Harry Potter and the Deathly Hallows*)
・典拠ページの略語は以下を表す。
[ク]：『クイディッチ今昔』(J.K.ローリング作、松岡佑子訳、静山社)
[幻]：『幻の動物とその生息地』(J.K.ローリング作、松岡佑子訳、静山社)
[BLC2007]：ブルームズベリー・ライブ・チャット2007
[B／N]：バーンズ&ノーブル・チャット
[EBF]：エディンバラ国際ブックフェスティバル2004
[HCG]：ハリー、キャリー&ガープの夕べ(2006年8月)
[OBT]：2007年オープン・ブック・ツアー
[TLC・MN]：ファンサイトThe Leaky CauldronとMuggleneｔのインタビュー
[Volkskrant]：オランダ大衆紙De Volkskrant2007年11月インタビュー
[WBC]：ワールドブックデイ・チャット

ハリー・ポッター

ホグワーツ教職員
フリットウィック
スプラウト
ビンズ
シビル・トレローニー
セブルス・スネイプ
ホラス・スラグホーン
マダム・フーチ
ベクトル
シニストラ
マダム・ポンフリー
フィレンツェ
グラブリー・プランク
マダム・ピンス
アーガス・フィルチ

［7巻］
チャリティ・バーベッジ
（Charity Burbage）

ケンタウルス（禁じられた森）
ベイン
マゴリアン
ロナン

水中人（ホグワーツ湖）

その他動物（ホグワーツ）
セストラル
バックビーク
アラゴグ（死亡）
アラゴグ子孫

巨人
グロウプ
（ハグリッドの異父弟）

その他の魔法使い（大人）
漏れ鍋亭主トム
アーニー・プラング
マダム・マルキン
妖女シスターズ
スタン・シャンパイク

その他の魔法使い、学校関係
ビクトール・クラム
セドリック・ディゴリー（死亡）
マダム・マクシーム

屋敷しもべ妖精
ドビー
クリーチャー
（ハリーのしもべ妖精）

不死鳥の騎士団メンバー
マーリン・マッキノン（死亡）
ベンジー・フェンウィック（死亡）
エドガー・ボーンズ（死亡）
キャラドック・ディアボーン（消息不明）
ギデオン・プルウェット（死亡）
フェービアン・プルウェット（死亡）
ドーカス・メドウズ（死亡）
ジェームズ・ポッター（死亡）
＝
リリー・ポッター（死亡）
フランク・ロングボトム（入院中）
＝
アリス・ロングボトム（入院中）
ピーター・ペティグリュー
（裏切り・死喰い人）

アルバス・ダンブルドア（死亡）
（不死鳥の騎士団創設、ホグワーツ校長）
ミネルバ・マクゴナガル
（ホグワーツ副校長）
ルビウス・ハグリッド（森番兼任）

マッド-アイ・ムーディ
ディーダラス・ディグル
エメリーン・バンス
リーマス・ルーピン
スタージス・ポドモア
エルファイアス・ドージ
アバーフォース・ダンブルドア
アラベラ・フィッグ
マンダンガス・フレッチャー
ニンファドーラ・トンクス
キングズリー・シャックルボルト
ヘスチア・ジョーンズ

セブルス・スネイプ
（ダンブルドア殺害。死喰い人）

シリウス・ブラック（死亡）

アーサー・ウィーズリー
＝
モリー・ウィーズリー

現在の不死鳥の騎士団メンバー

ホグワーツゴーストetc.
ほとんど首無しニック
グレイレディ（Grey Lady）
ピーブズ

DA軍団

グリフィンドール寮
ハリー・ポッター
ハーマイオニー・グレンジャー
ネビル・ロングボトム
ディーン・トーマス
ラベンダー・ブラウン
パーバティ・パチル
ケイティ・ベル
アリシア・スピネット
アンジェリーナ・ジョンソン
コリン・クリービー
デニス・クリービー
リー・ジョーダン
シェーマス・フィネガン

レイブンクロー寮
パドマ・パチル
チョウ・チャン
ルーナ・ラブグッド
アンソニー・ゴールドスタイン
マイケル・コーナー
テリー・ブート
マリエッタ・エッジコム（密告者）

ハッフルパフ寮
アーニー・マクミラン
ジャスティン・フィンチ-フレッチリー
ハンナ・アボット
スーザン・ボーンズ
ザカリアス・スミス

スリザリン寮
ドラコ・マルフォイ
ビンセント・クラッブ
グレゴリー・ゴイル
セオドール・ノット
モンタギュー
パンジー・パーキンソン
ワリントン
ミリセント・ブルストロード

ウィーズリー家
ビル・ウィーズリー
チャーリー・ウィーズリー
パーシー・ウィーズリー
フレッド・ウィーズリー
ジョージ・ウィーズリー
ロン・ウィーズリー
ジニー・ウィーズリー
（フラー・デラクール）

人物相関図
（死亡は6巻まで）

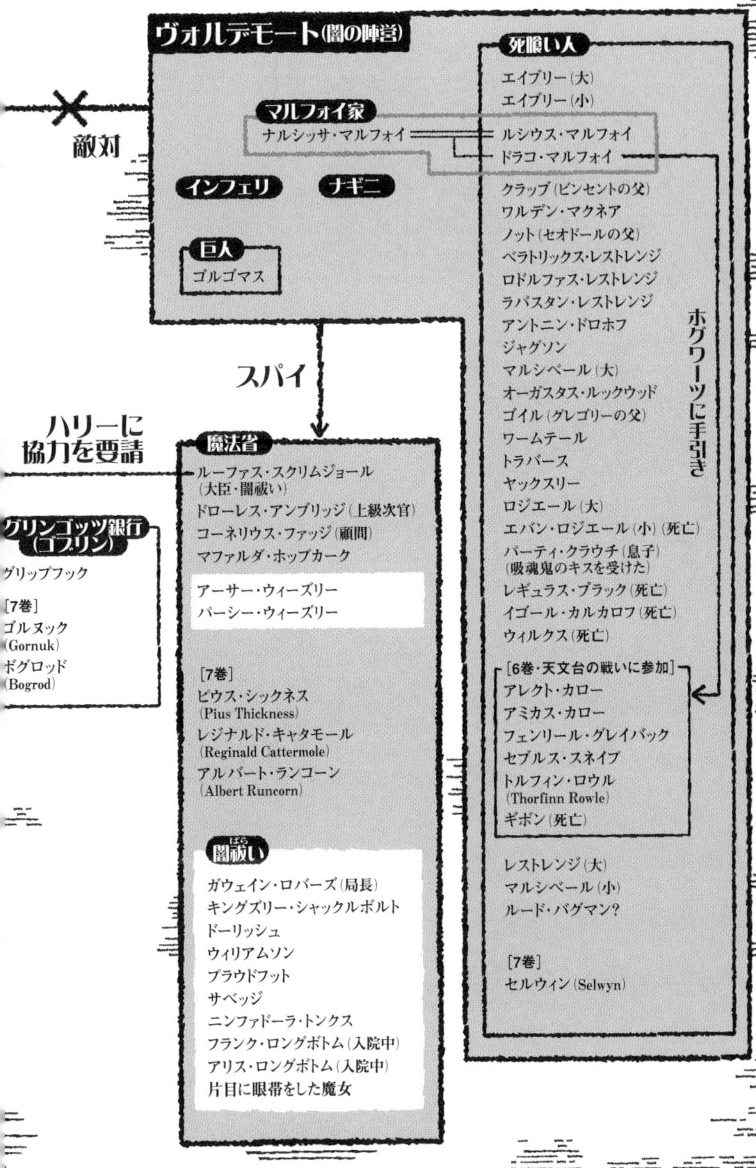

ヴォルデモート（闇の陣営）
敵対
マルフォイ家
ナルシッサ・マルフォイ
ルシウス・マルフォイ
ドラコ・マルフォイ
インフェリ
ナギニ
巨人
ゴルゴマス
死喰い人
エイブリー（大）
エイブリー（小）
クラッブ（ビンセントの父）
ワルデン・マクネア
ノット（セオドールの父）
ベラトリックス・レストレンジ
ロドルファス・レストレンジ
ラバスタン・レストレンジ
アントニン・ドロホフ
ジャグソン
マルシベール（大）
オーガスタス・ルックウッド
ゴイル（グレゴリーの父）
ワームテール
トラバース
ヤックスリー
ロジエール（大）
エバン・ロジエール（小）（死亡）
パーティ・クラウチ（息子）
（吸魂鬼のキスを受けた）
レギュラス・ブラック（死亡）
イゴール・カルカロフ（死亡）
ウィルクス（死亡）
［6巻・天文台の戦いに参加］
アレクト・カロー
アミカス・カロー
フェンリール・グレイバック
セブルス・スネイプ
トルフィン・ロウル
（Thorfinn Rowle）
ギボン（死亡）
レストレンジ（大）
マルシベール（小）
ルード・バグマン？
［7巻］
セルウィン（Selwyn）
ホグワーツに手引き
スパイ
ハリーに協力を要請
魔法省
ルーファス・スクリムジョール
（大臣・闇祓い）
ドローレス・アンブリッジ（上級次官）
コーネリウス・ファッジ（顧問）
マファルダ・ホップカーク
アーサー・ウィーズリー
パーシー・ウィーズリー
［7巻］
ピウス・シックネス
（Pius Thickness）
レジナルド・キャタモール
（Reginald Cattermole）
アルバート・ランコーン
（Albert Runcorn）
闇祓《ばら》い
ガウェイン・ロバーズ（局長）
キングズリー・シャックルボルト
ドーリッシュ
ウィリアムソン
プラウドフット
サベッジ
ニンファドーラ・トンクス
フランク・ロングボトム（入院中）
アリス・ロングボトム（入院中）
片目に眼帯をした魔女
グリンゴッツ銀行（ゴブリン）
グリップフック
［7巻］
ゴルヌック
（Gornuk）
ボグロッド
（Bogrod）

主な登場人物

ハリー・ポッター

生年月日：1980年7月31日(7月31日はJKRの誕生日)
フルネーム：ハリー・ジェームズ・ポッター
容姿：痩《や》せてクシャクシャの黒髪の、メガネをかけた魔法使い。顔は父親に生き写しだが、緑の目は母親ゆずり。額に稲妻形の傷痕《きずあと》がある。
血筋：半純血
家族と友人：
両親……ジェームズとリリー・ポッター
(1981年10月31日ヴォルデモートに殺された)
その他親戚……バーノンとペチュニア・ダーズリー(叔父と叔母)、
ダドリー・ダーズリー(従兄《いとこ》)
名付け親……シリウス・ブラック(1996年6月死亡)
親友……ロン・ウィーズリー、ハーマイオニー・グレンジャー
寮：グリフィンドール
ペット：メスふくろうのヘドウィグ
杖：柊《ひいらぎ》と不死鳥(フォークス)の尾羽根。28センチ、良質でしなやか。ヴォルデモートと兄弟杖。
箒《ほうき》：ニンバス2000(1年～3年生)、ファイアボルト(3年生～)
持ち物：透明マント、忍びの地図
将来の夢(職業)：闇祓《やみばら》い
特技：クィディッチ
受賞歴など：ホグワーツ特別功労賞、「三大魔法学校対抗試合」優勝
守護霊：牡鹿
まね妖怪：吸魂鬼《ディメンター》
ガールフレンド：(5巻)チョウ・チャン
(6巻)ジニー・ウィーズリー
名言：「ヴォルデモートの足下に跪《ひざまず》いて死ぬものか……父さんのように、堂々と立ち上がって死ぬのだ。たとえ防衛が不可能でも、僕は身を守るために戦って死ぬのだ」(4巻下466)
「だって僕は絶対に闇の魔法に屈服しないから！」(1巻396)
「僕は必ず、できるだけ多くの死《し》喰《く》い人《びと》を道連れにします。それに、僕の力が及ぶならヴォルデモートも」(6巻上116)

「僕にはいま、ひとりでやらなければならないことがあるんだ」(6巻下496)

世評：「きみはヴォルデモートが持ったことがない力を持っておる。……ハリー、きみは愛することができる」(ダンブルドア／6巻下288―289)

「きみは、愛する力によって護《まも》られておるのじゃ！」(ダンブルドア／6巻下292)

ロン・ウィーズリー

生年月日：1980年3月1日

フルネーム：ロナルド・ビリウス・ウィーズリー

容姿：赤毛で背が高く、痩せてひょろっとしている。手足が大きく、鼻は高いが、顔はそばかすだらけ。目はブルー。

血筋：純血

家族：

両親……アーサーとモリー・ウィーズリー

兄弟……兄にビル、チャーリー、パーシー、フレッドとジョージ、妹にジニーがいる

寮：グリフィンドール

ペット：チビふくろうのピッグウィジョン

杖：柳の木、33センチ。芯にユニコーンの尻尾《しっぽ》の毛を一本使用。

箒《ほうき》：クリーンスイープ11号

受賞歴：ホグワーツ特別功労賞

将来の夢(職業)：闇祓い

まね妖怪：大蜘蛛《おおぐも》

ガールフレンド：ラベンダー・ブラウン(1996年11月～1997年4月)
ハーマイオニー・グレンジャー？

特技など：魔法のチェス、ぼやき、思ったことをすぐ口に出す

世評：「ロン、あなたって、私がお目にかかる光栄に浴した鈍感な方たちの中でも、とびきり最高だわ」(ハーマイオニー／5巻下66)

「世の中に出て、少しは自分でもいちゃついてみなさいよ！そしたらほかの人がやってもそんなに気にならないでしょうよ！」(ジ

ニー／6巻上435）
「ロンて、ときどきとってもおもしろいことを言うよね……だけど、あの人、ちょっと酷《むご》いとこがあるな」（ルーナ・ラブグッド／6巻上471）
決意：「何があろうと、僕たちは君と一緒だ」（ロン→ハリー／6巻下504）

ハーマイオニー・グレンジャー

生年月日：1979年9月19日
フルネーム：ハーマイオニー・ジーン・グレンジャー
容姿：ふさふさした栗色の髪に褐色の瞳。前歯がちょっと出ていたが、4年のときにマダム・ポンフリーが矯正した。
血筋：マグル生まれ
家族：両親はマグルの歯科医、一人っ子
寮：グリフィンドール
ペット：巨大な赤猫のクルックシャンクス
杖：ブドウの木。芯はドラゴンの心臓の琴線。
将来の夢：しもべ妖精福祉振興協会（SPEW）の推進
守護霊：カワウソ
まね妖怪：ハーマイオニーに向かって「全科目落第です」と宣言するマクゴナガル先生
ボーイフレンド：（5巻）ビクトール・クラム
（6巻）ロン・ウィーズリー？
趣味・特技：ガリ勉、成績は学年トップ
名言：「私なんて！本が何よ！頭がいいなんて何よ！もっと大切なものがあるのよ……友情とか勇気とか……」（1巻421）
「今度ダンスパーティがあったら、ほかのだれかが私に申し込む前に申し込みなさいよ。最後の手段じゃなくって！」（4巻下114）
世評：「ハーマイオニー、君は、わたしがいままでに出会った君と同年齢の魔女の、誰よりも賢いね」（ルーピン／3巻447）
「君、モリーみたいだな」（シリウス／5巻上474）
「賢い人だよ、ハーマイオニーは」（ハリー／6巻下497）

アルバス・ダンブルドア

生没年：1881–1996(公式サイトより)

フルネーム：アルバス・パーシバル・ウルフリック・ブライアン・ダンブルドア

容姿：ヒョロリと背が高く、長い銀色の髪と顎鬚《あごひげ》に、瞳は淡いブルー。半月形のメガネをかけ、鼻は高いが途中で二回は折れたように曲がっている。

傷：左膝の上にロンドンの地下鉄地図の形の傷痕《きずあと》がある。

家族：

父……パーシバル・ダンブルドア

母……ケンドラ・ダンブルドア

弟……アバーフォース・ダンブルドア

妹……アリアナ・ダンブルドア

出身寮：グリフィンドール

経歴：もとは変身術の先生。1945年に闇の魔法使いグリンデルバルドを破ったこと、ドラゴンの血液の12種類の利用法の発見と、パートナーであるニコラス・フラメルとの錬金術の共同研究などで有名。

肩書き・受賞歴：大魔法使い、国際魔法使い連盟議長(上級大魔法使い)、ウィゼンガモット主席魔法戦士、マーリン勲章勲一等受賞

特技：開心術、変身術、透明マントがなくても透明になれる、マーミッシュ語を話し蛇語を理解する

好きなもの：冗談、「そーれ！わっしょい！こらしょい！どっこらしょい！(Nitwit! Blubber! Oddment! Tweak!)」のような面白いかけ声、レモン・キャンディー、ラズベリージャム

趣味：室内楽とボウリング

ペット：不死鳥のフォークス

守護霊：不死鳥

持ち物：憂いの篩《ふるい》、灯消しライター、みぞの鏡、繊細な銀の道具類、針が12本ある金時計

名言：「ハリー、おまえがやったことはヴォルデモートが再び権力を手にするのを遅らせただけかもしれん。そして次に誰かがまた、

一見勝ち目のない戦いをしなくてはならないのかもしれん。しかし、そうやって彼のねらいが何度も何度もくじかれ、遅れれば……そう、彼は二度と権力を取り戻すことができなくなるかもしれん」(1巻438〜439)

「きちんと整理された心を持つ者にとっては、死は次の大いなる冒険に過ぎないのじゃ」(1巻438)

「自分がほんとうに何者かを示すのは、持っている能力ではなく、自分がどのような選択をするかということなんじゃよ」(2巻489)

世評：「だからいつも言ってるだろう。ダンブルドアは狂ってるって」(ロン／1巻444)

「偉大なお人じゃ、ダンブルドアは」(ハグリッド／4巻下149ほか)

その他：「骨の髄《ずい》までダンブルドアに忠実」(スクリムジョール→ハリー／6巻下501)

ヴォルデモート

生年月日：1926年12月31日

本名：トム・マールヴォロ・リドル

容姿：背の高い痩《や》せた男。昔はハンサムだったが、1995年6月に復活してからは蒼白《そうはく》で恐ろしい蛇のような顔、縦に裂けたような瞳孔《どうこう》の真っ赤な目を持つ。

家族：マグルのトム・リドルとサラザール・スリザリンの末裔《まつえい》の魔女のあいだに生まれた半純血

誕生前に両親は別れ、母親はヴォルデモートを出産するとまもなく死亡

出身寮：スリザリン

杖：イチイの木と不死鳥(フォークス)の尾羽根。34センチ、強靭。ハリーの杖と兄弟杖。

ペット：メス蛇のナギニ

野望：死の克服、魔法界の支配

気になる発言：「おまえ(ハリー)の両親は勇敢だった……わしはまず父親を殺した。勇敢に戦ったがね……しかしおまえの母親は死

ぬ必要はなかった……母親はおまえを守ろうとしたんだ」(1巻432)

世評:「ヴォルデモートに理解できないことがあるとすれば、それは愛じゃ」(ダンブルドア/1巻440)

ジニー・ウィーズリー

誕生年:1981年8月11日

フルネーム:ジネブラ・モリー・ウィーズリー

容姿:赤毛のロングヘア。目は明るいとび色。

家族:

両親……アーサーとモリー・ウィーズリー

兄弟……兄にビル、チャーリー、パーシー、フレッドとジョージ、ロン

血筋:純血

寮:グリフィンドール

ペット:ピグミーパフのアーノルド

名言:「ジョージやフレッドと育ってよかったと思うのは、度胸さえあれば何でもできるって、そんなふうに考えるようになるの」(5巻下368)

「自分がもらった最高のキスが、ミュリエルおばさんのキスだから……」(6巻上434)

「あなたは、ヴォルデモートを追っていなければ満足できないだろうって、わたしにはわかっていた。たぶん、わたしはそんなあなたが大好きなのよ」(ジニー→ハリー/6巻下497)

セブルス・スネイプ

生年月日:1960年1月9日

容姿:ねっとりとした黒髪で鉤鼻《かぎばな》、土気色の顔。

出身寮:スリザリン

あだ名:スニベルス、半純血のプリンス

特技:闇の魔術、開心術、スパイ(裏切り?)、魔法薬調合

所属:(元)死《し》喰《く》い人《びと》、(元)不死鳥の騎士団

最悪の記憶：灰色に汚れたパンツをみんなに見られたこと
名言(?)：「我輩を一臆病者と呼ぶな！」(6巻下434)
その他：「ヴォルデモート卿が予言をどう解釈したのかに気づいたとき、スネイプ先生がどんなに深い自責の念に駆られたか、きみには想像もつかないじゃろう。人生最大の後悔だったじゃろうと、わしはそう信じておる。……わしは確信しておる。セブルス・スネイプを完全に信用しておる」(ダンブルドア／6巻下350–351)
「それでも、いやな野郎はいやな野郎だ」(ロン／5巻上116)
「おまえを信用していないってことさ、スネイプ」(ベラトリックス／6巻上40)
「スネイプは、過去が過去ですから……当然みんなが疑いました……しかしダンブルドアが私にはっきりと、スネイプの悔恨は絶対に本物だとおっしゃいました」(マクゴナガル／6巻下451)

ドラコ・マルフォイ

生年月日：1980年6月5日
容姿：滑らかなプラチナブロンドの髪ととんがった顎《あご》、薄青い目。
家族と子分：
両親……ルシウスとナルシッサ・マルフォイ
伯母夫妻……ベラトリックスとロドルファス・レストレンジ
腰ぎんちゃく……ビンセント・クラッブとグレゴリー・ゴイル
寮：スリザリン
血筋：純血
所属：死《し》喰《く》い人《びと》
杖：サンザシ(hawthorn)とユニコーンの毛。
箒《ほうき》：ニンバス2001
特技：悪だくみ
迷言：「君は負け組を選んだんだ、ポッター！友達は慎重に選んだ方がいいと僕が言ったはずだ」(4巻下566)
その他：「いま大切なのは、きみの情けではなく、わしの情けなのじゃ」(ダンブルドア→ドラコ／6巻下417)

１巻～６巻の事典

あ

合言葉
【password】

①07-192
⑥15-上467

ホグワーツの校長室や監督生の浴室などに入る際に使われる合言葉のこと。グリフィンドール寮やスリザリン寮の談話室に入るときも必要となる。校長室の合言葉は、ダンブルドアのお気に入りの菓子の名前が使われている。3巻でズタズタに切り裂かれた太った婦人《レディ》の後にグリフィンドール談話室を守ったカドガン卿は、とてつもなく複雑な合言葉をひねり出し、生徒たちの不評を買った。6巻までに登場した合言葉は以下の通り。

■グリフィンドール談話室

1巻：「カプート・ドラコニス」「豚の鼻」
2巻：「ミミダレミツスイ《ワトルバード》」
3巻：「フォルチュナ・マジョール。たなぼた！」「スカービー・カー、下賤《げせん》な犬め」「オヅボディキンズ」「フリバティジベット」
4巻：「ボールダーダッシュ《たわごと》」「フェアリー・ライト、豆電球」「バナナ・フリッター」
5巻：「ミンビュラス　ミンブルトニア！」
6巻：「ディリグロウト」「ボーブル玉飾り」「節制」「サナダムシ」「何事やある？クイッド　アジス？」

■スリザリン談話室

2巻：「純血」

■校長室

2巻：「レモン・キャンデー！」

4巻：「ゴキブリゴソゴソ豆板」
5巻：「フィフィ　フィズビー」
6巻：「ペロペロ酸飴」「タフィー　エクレア」

■ **監督生の浴室**

4巻：「パイン・フレッシュ《松の香爽やか》」

［⑥上**275**、**296**、**387**、**437**、下**046**、**158**、**264**、**325**］［⑤上**342〜343**、下**078**］［④上**296**、下**059**、**154〜155**、**346**］［③**125**、**299**、**323〜324**、**383**］［②**124**、**303**、**328**］［①**230**］［⑦初出**33**章 **UK531／US662**］

愛の妙薬
惚《ほ》れ薬
【Love Potion】

②13-352
⑥06-上183

相手に恋心を起こさせる薬。実際に愛を創り出すわけではないので、長期間惚《ほ》れさせるには相手に薬を飲ませ続けなければならない。魔法界で最も強力な愛の妙薬は、「アモルテンシア　魅惑万能薬」。フレッドとジョージの悪戯《いたずら》専門店ウィーズリー・ウィザード・ウィーズ(WWW)では、1回で最大24時間効果が持続する最高級の愛の妙薬を販売している。これらの製品のホグワーツへの持ち込みは禁止されているが、双子はふくろう通信販売サービスの一環として、香水や咳止め薬の瓶にこれを詰めて偽装しこっそり生徒たちに送っていた。ロミルダ・ベインはこれを大鍋チョコレートに仕込んでハリーに食べさせ、スラグホーンのパーティに誘ってもらおうと企《たくら》んだが、実際にはロンが食べ、彼がロミルダに夢中になってしまった。

薬は長く置けば置くほど強力になるが解毒剤の調合は難しくない。これを飲ませたときに相手の近くにいなくても、自分に惚れさせることができる。メローピー・ゴーントは片思いだったトム・リドルにこれを飲ませて騙《だま》し、駆け落ち結婚したとダンブルドアは考えている。ホグワーツでは調合が禁じられている薬だが、ウィーズリー夫人は娘のころ作ったことがあるという。その犠牲になったのは、アーサーかもしれない……。

[⑥上280、322、463～466、下110、112][④下236][③092][幻034]

赤い光（線）
赤い閃光
【(jet of) red light】

④09‒上200
⑥28‒下430

失神光線のこと。失神呪文（ステューピファイ！麻痺《まひ》せよ！）を唱えると、杖先からこの閃光が発射される。6巻でハリーはスネイプに失神呪文を唱えたが、呪いははずれて赤い光線はスネイプの頭上を通り過ぎてしまった。

[⑤下467、586、596、606][⑦初出4章 UK052／US056]

アガパンサス
【agapanthus】

⑥03‒上069

ダンブルドアがダーズリー家を訪れたときに庭に咲いていた花。

アガパンサスは、高さ50～100センチほどのユリ科の多年草。アフリカンリリーとも呼ばれ、6～7月ころに紫色または白色の花が咲く。花言葉は「恋の訪れ」。

アグアメンティ　水増し
アグアメンティ！水よ！
【Aguamenti!】

⑥11‒上329

6年のフリットウィックの授業で学んだ呪文。唱えた者の杖先から水が噴き出る。ハリーはヴォルデモートの洞窟でこれを唱え、ゴブレットに水を満たした。さらにハグリッドの小屋が炎上したときは、これを使ってハグリッドと二人で消火した。

Agua はスペイン語やポルトガル語などで「水」のこと。Menti はラテン語 mens「精神」、「意識」、「企《くわだ》て」の単数与格。

[⑥下390、436][⑦初出11章 UK182／US222]

アクシオ！出てこい！
(来い！など)
【Accio!】

④06-上105
⑥08-上237

離れたところにある物を自分の手元に呼び寄せる呪文。ハリーは4年の三校対抗試合の第一の課題でこれを使いファイアボルトを手に入れた。ヴォルデモートとの最初の戦いでもこの呪文が偉力を発揮。ハリーはこれで移動《ポート》キーを呼び寄せ、ホグワーツに帰還できた。5年のときはフリットウィックがこれを使ってOWL《ふくろう》の答案用紙を集めたが、百巻以上の羊皮紙が自分の伸ばした両腕にブーンと飛び込み、反動で吹っ飛んでしまった。神秘部の戦いで死喰《しく》い人《びと》に変な呪文をかけられ頭がおかしくなったロンは、この呪文で脳みそを呼び寄せてしまい思考の触手に絡まれた。6年生のときはハリーがこれを唱えてマダム・ロスメルタの箒《ほうき》を手に入れ、ダンブルドアとともに闇の印の打ち上がったホグワーツに向かった。

Accioは「呼び寄せる」という意味のラテン語動詞の原形。

［⑥下**370**、**401**］［⑤上**588**、下**348**、**397**、**584**］［④上**488**、**532**］［⑦初出**4**章 **UK057**／**US061**］

アクスミンスター織りの絨毯《じゅうたん》
【Axminster】

④07-上141
⑥01-上014

英国のマグルの首相の執務室に敷いてある高級絨毯《じゅうたん》。クラウチ氏の祖父も、これに魔法がかけられた空飛ぶ絨毯を持っていた。

アクスミンスター絨毯は、18世紀英国デヴォン州アクスミンスターの製作所で作られた代表的な機械織りの豪華な敷物のこと。生産地名を取り「アクスミンスター絨毯」と呼ばれている。この製造技術は19世紀に英ウィルトン・カーペットの製作所に継承された。

悪人エメリック
【Emeric the Evil】

①08-198

「魔法史」の授業に出てきた人物。ビンズの講義は一本調子なので、生徒たちは「奇人ウリック」と「悪人エメリック」を取り違えてしまった。エメリックがどのような悪行をしたのかは不明である。

［⑦初出**21**章 **UK334／US412**］

悪魔の罠
【Devil's Snare】

①16-407
⑥15-上481

暗闇と湿気を好む醜い植物。長い触手をゆらゆらさせ、触れるものは誰彼かまわず絞め殺そうとする。これを振りほどこうとすればするほど、蔓《つる》が蛇のように身体に巻きつくが、弱点の火を点けるとすくみ上って放す。

1巻では賢者の石を守る仕掛けの一つとして登場。ハリーたちに巻きつき殺そうとしたが、ハーマイオニーがリンドウ色の炎を噴射すると蔓をゆるめた。5巻では死《し》喰《く》い人《びと》が聖マンゴに入院していたブロデリック・ボードにこれを送ったため、ボードは絞め殺されてしまった。6巻ではスラグホーンのクリスマス・パーティに参加したハーマイオニーがコーマック・マクラーゲンからキスされそうになり、悪魔の罠の茂みと格闘してきたばかりのようなぐしゃぐしゃの姿で逃げ回った。

［⑤下**149**、**200**～**202**］［⑦初出**30**章 **UK483／US600**］

痣《あざ》消し
【bruise-remover】

⑥06-上179

パンチ望遠鏡でできた痣《あざ》を治す軟膏《なんこう》。丸い容器に入った黄色いどろりとした塗り薬で、軽く塗れば一時間以内に痣は消える。フレッドとジョージはウィーズリー・ウィザード・ウィーズ（WWW）のほとんどの商品を自分たちが実験台になって試し、治療薬などを開発したという。

足縛りの呪い
【Leg-Locker Curse】

①13-316
⑥24-下309

両足がぴったりくっついて歩けなくなる呪い。呪文の言葉は「ロコモーター・モルティス」。ホグワーツのトイレで泣いていたドラコに攻撃されたハリーは、彼にこの呪文をかけたが命中しなかった。

［①**323**］

足の爪が驚くほど速く伸びる呪詛《じゅそ》
爪伸ばし呪い
【hex that causes toenails to grow alarmingly fast】

⑥12-上359

謎のプリンス（スネイプ）が発明した呪文。彼の『上級魔法薬』の本に書いてあった。ロンはマクラーゲンにブラッジャーを打ち込まれて入院したハリーに「（マクラーゲンは）プリンスの爪伸ばし呪いをかけてやる価値、大いにありだな」と声をかけて慰めた。

［⑥下**143**］

アズカバン
【Azkaban】

②12-333
⑥01-上014

北海の真ん中にある魔法使いの監獄。ヴォルデモートが復活するまで吸魂鬼《ディメンター》が看守を務めた。ここに送られた囚人は楽しい気分や幸福な思い出を吸魂鬼から抜き取られてしまうので、おおかたは入所して数週間で気が狂ってしまう。脱獄不可能と言われていたが、シリウス・ブラックは12年間ここで過ごした後、犬に変身して脱出に成功した。シリウスがアズカバンで正気を保てたのは自分が無実であることを知っていたから。これは幸福な気持ちでなかったので吸魂鬼も吸い取ることが出来なかった。いよいよ耐え難くなったときは独房で犬に変身し正気を保っていたという。長いあいだ魔法省と手を組み看守をしてきた吸魂鬼は、ヴォルデモートが復活すると闇の陣営に加担。1996年1月に死喰《しく》い人《びと》を集団脱獄させ、1996年夏にはアズカバンを完全

に放棄した。

アズカバンのモデルは、脱獄不可能と言われた要塞監獄アルカトラズ(Alcatraz)であろう。サンフランシスコ湾の小島に建てられていた連邦刑務所(1934–63)である。

【アズカバンに収監された人物(6巻までの情報)】

- **マールヴォロ・ゴーント**(1925年夏入所・6ヵ月後出所)
- **モーフィン・ゴーント**(1925年夏入所・1928年出所／1943年夏再入所・監獄で死亡)
- **ハグリッド**(1993年5月8日入所・同年5月30日出所)
- **シリウス・ブラック**(1981年11月1日入所・1993年7月犬に変身して脱獄)
- **クラウチ息子**(脱獄後1995年6月吸魂鬼のキスを受ける)
- **イゴール・カルカロフ**(取引で釈放)
- **スタージス・ポドモア**(1995年8月末入所・6ヵ月後出所)
- **マンダンガス・フレッチャー**(1997年3月収監・時期は不明だが同年7月下旬には出所)
- **ベラトリックスとロドルファス・レストレンジ夫妻、ラバスタン・レストレンジ、アントニン・ドロホフ、オーガスタス・ルックウッド、マルシベール**(1996年1月集団脱獄)
- **ルシウス・マルフォイ、クラッブ氏、ワルデン・マクネア、ノット**(1996年6月魔法省の戦いで収監・1997年7月までに出所)
- **スタン・シャンパイク**(1996年9月逮捕・1997年7月下旬には出所)
- **トラバース**

[⑥上**320**、下**207**][⑤上**018**、**158**、**453**、下**197**、**199**、**313**][④下**357~358**、**368**][③**482~484**][②**387**][⑦初出**2**章 **UK021**／**US016**]

穴熊 【badger】

①**03–054**
⑥**20–**下**173**

ハッフルパフ寮のシンボルで、ホグワーツの紋章に描かれている動物。

穴熊は用心深く抜け目のないところから、紋章学では「不寝番」の意味を持つ。しかし一般には地下の暗い巣穴に棲《す》み、体の中に貯めた脂肪で暮らしているため「悪徳」のシンボルとされ、「貪欲」を表す動物とみなされている。平和や安全が乱されると激しく抵抗する性質があるため、イギリスではこれを利用して、穴に追い込んだ穴熊に犬をけしかけて噛《か》み殺させる「穴熊いじめ(badger baiting)」というスポーツもあったが、1830年から違法となっている。

［④上**368**］［⑦初出**29**章 **UK464**／**US577**］

あなたの魔力がわたしのハートを盗んだ
【You Charmed the Heart Right Out of Me.】

⑥**16**–下**016**

魔法界の人気歌手セレスティナ・ワーベックのバラード曲。1996年のクリスマス・イブに、魔法界のラジオで流れた。

歌詞は「♪ああ、かわいそうな私のハート　どこへ行ったの？／魔法にかかって　わたしを離れたの／……あなたが裂いた　わたしのハートを／返して、返して、わたしのハートを！」と、やや演歌調。

［⑥下**019**］

アナプニオ！気の道開け！
【Anapneo】

⑥**07**–上**219**

気道を開いて喉《のど》のつまりを取る呪文。ホグワーツ特急の昼食会でマーカス・ベルビィが雉《きじ》肉の塊《かたまり》を喉につまらせると、スラグホーンはこれを唱えてマーカスの気道を開通させた。

Anapneoはギリシア語で「呼吸する」、「息をする」の意。

アーノルド
【Arnold】

⑥**07**–上**201**

ジニー・ウィーズリーのペットの紫色のピグミーパフ。クルックシャンクスは密かにこれを狙っており、ジニーがアーノルドを肩に載せて歩くと、期待顔で鳴きながら後をついて回る。

［⑥上**455**］

アバダ　ケダブラ　【Avada Kedavra】

④14-上335
⑥17-下069

殺人魔法の呪文の言葉。これを唱えると、杖先から緑色の閃光が発射される。魔法界で使用が禁止されている許されざる呪文の一つで、これを使った魔法使いはアズカバン送りとなる。反対呪文は存在せず、唱えるには強力な魔力が必要。防ぎようのない呪文で、これを直接受けて生き残った者はハリー・ポッターただ一人である。通常これを受けても死亡するだけで体に何の損傷も残さないが、ハリーの額には傷《きず》痕《あと》ができている。5巻の魔法省の戦いでヴォルデモートがハリーにこれを唱えたときは、「魔法族の和の泉」の魔法使い像が二人のあいだに立ちはだかりハリーを呪文から護《まも》った。6巻ではスネイプがこの呪文を唱え、丸腰のダンブルドアを殺害した。

アバダ　ケダブラは、「そのものを破壊せよ（let the thing be destroyed）」という意味のアラム語で、アブラカダブラの語源と言われている。本来は病気を治療するための呪文で「そのもの」とは「病気」を指しているが、JKRは「わたしはそれをひねって『目の前に立っている相手』の意味で使うことにしました」と説明している。中世の人々は実際に「アブラカダブラ（abracadabra）」の言葉を逆三角形の形に羊皮紙に書き、それを亜麻布と一緒に首の周りに9日間巻きつけ、東向きに流れる川に後ろを向いて投げ入れていた。こうすることで疫病などから身を護ることができると信じていたのである。

［⑥下**422**、**448**］［⑤上**159**、下**609**、**612**、**623**］［**EBF**］［⑦初出**1**章 **UK018**／**US012**］

暴れ柳　【Whomping Willow】

②05-109

ホグワーツの校庭に生《は》えている柳の巨木。近づく者を巨大ハンマーのような太い枝で叩《たた》いて攻撃する。狼男のリーマス・ルーピンがホグワーツに入学した1971年、彼のためにホグワーツの校庭から叫びの屋敷に続くトンネルが作られ、その入り口にこの木が植えられた。ルーピンは月に一度トンネルを通って屋敷に行き、その中で狼に変身。柳の木は、危険な状態のルーピンにほかの生徒が会わないように植えられたのである。2巻では、ハリーとロンが乗った空飛ぶフォード・アングリアがこれに激突。木から激しく反撃され車はでこぼこになってしまった。この木はモリーが在学中には植えられていなかったので、4巻でホグワーツに来たときに興味を示した。

［④下**403**］［③**457**］［②**110、116、132**］［⑦初出**32**章 **UK522／US650**］

アボット、ハンナ
ハンナ・アボット
【Abbott, Hannah】 H DA

①**07–177**
⑥**11–上336**

(1980?–)ハリーと同級のハッフルパフの女の子。ピンク色の頬《ほほ》をした金髪の生徒。DAのメンバー。5年生のときに仲のいいアーニー・マクミランと一緒に監督生に選ばれた。プレッシャーに弱く、OWL《ふくろう》試験が近づくと「薬草学」の授業中に突然泣き出し、自分には試験は無理なので今すぐ学校を辞めたいと言って泣きじゃくり、マダム・ポンフリーに鎮静水薬を飲まされる第一号となった。OWLの「変身術」の実技試験では完全に舞い上がり、課題のケナガイタチを増やし続けてフラミンゴの群れにしてしまい、鳥を捕まえたり大広間から連れ出したりで試験は10分間も中断された。6年生では「薬草学」の時間に呼び出され、母親が死んでいるのが見つかったと知らされた。その後ハンナの姿はホグワーツで目撃されなかったので、学校に戻って来なかったようである。

［⑤上**301、531**、下**290、368、458、688**］［⑦初出**16**章 **UK266／US325**］

アラゴグ 【Aragog】

②15-408
⑥11-上347

(1942年ころ？-1997年4月20日)ハグリッドの親友の雄の巨大蜘蛛《ぐも》(アクロマンチュラ)。8つの目と鋭い鋏《はさみ》を持ち、小型の象並みに大きい。肉食で人間をも襲う。人の言葉を話し、禁じられた森の奥深くの窪地に住んでいたが、1997年4月に死亡した。

ホグワーツから遠い所(おそらくボルネオ)で生まれたアラゴグは、まだ卵だったときに旅人からハグリッドに貰《もら》われ、城の物置で飼われるようになった。孵化《ふか》したときはペキニーズ犬ぐらいの蜘蛛だったが、食事の残り物を餌《えさ》に巨大サイズに成長した。親友のハグリッドに対する敬意から人間を傷つけたことはなかったが、1943年6月13日トム・リドルの陰謀で城にいることが発覚。秘密の部屋の怪物と誤解され嘆きのマートル殺しの罪を着せられてしまう。ハグリッドも部屋を開けた張本人とされ退学処分を受けたが、アラゴグの無実を信じた彼はこっそり禁じられた森に逃がし、以来この森が巨大蜘蛛の住み処《か》となった。ハグリッドは森番となってからもアラゴグを訪れ、妻のモサグを探して来たのも彼である。お陰で子供もでき、大家族となった。アラゴグが仲間たちに食べることを禁じていたので、ハグリッドだけは巣のそばに行っても襲われなかった。

ハリーとロンが初めてこのアクロマンチュラと出会ったのは1993年5月24日。すでに老蜘蛛となっており、胴体や脚を覆う黒い毛には白いものが混じり、黒い8つの目は白濁《はくだく》し視力を失っていた。このときはまだ二人を食べようとする元気があったアラゴグだが(フォード・アングリアのお陰で二人は助かった)、1996年病気に倒れ瀕死《ひんし》の状態に。心配したハグリッドは、巨大な蛆虫《うじむし》を食べさせたりして看病したが、容態は悪化。ついに1997年4月20日死亡した。翌日の夕暮れ時に葬儀が行われ、ハリーとホラス・スラグホーンが列席。埋葬前にアラゴグから貴重な毒をたっぷり採集したスラグホーンは、上機嫌でハグリッドと酒を酌《く》み交わし、ハリーは泥酔したホラスからホークラックスに関する真の記憶を入手することができた。アラゴグの亡骸《なきがら》は、ハグリッドの小屋のかぼちゃ畑の近くに眠っている。

Aragog(アラゴグ)のAraの由来は、ギリシア神話のアラクネ(Arachne)。神話の中のアラクネは、技芸の女神ミネルヴァ(アテナ)に機織《はたおり》の技を挑んで怒りを買い、蜘蛛にされてしまった娘である。Gogの出典はアングロ・サクソン伝説に出てくる「ゴグとマゴグ(Gog and Magog)」であろう。アングロ・サクソン伝説で、ブリテンの始祖ブルータスに滅ぼされた巨人族の生き残りの一人である。

[⑥上**348～349**、下**122**、**227**、**244～262**] [⑤下**446**] [②**365～367**、**410～416**、**458**] [⑦初出**28**章 **UK452／US561**]

R.A.B. 【R.A.B.】

⑥**28**-下**442**

頭文字だけで6巻では実名の明かされていない死《し》喰《く》い人《びと》。すでに死亡しているが、亡くなる前にスリザリンのロケット(ホークラックスの一つ)を盗み、偽物《にせもの》とすりかえた。偽のロケットの中にヴォルデモートに宛てた手紙を入れ、ホークラックスを盗んだのは自分で、これから破壊するつもりであることを告白した。→7巻10章

[⑦初出**2**章 **UK020／US014**]

アルバニア 【Albania】

②**18-482**

1981年にハリーを殺し損ねて肉体を失ったヴォルデモートは、この国の森に隠れ住んだ。その10年後の1991年、この森に来たクィレルに取り憑《つ》き、ホグワーツで賢者の石を奪おうとしたが失敗。再びアルバニアの森に潜伏し、ロンの許《もと》を逃げ出したピーター・ペティグリュー(スキャバーズ)と1994年に再会した。アルバニアの森が潜伏に適している地であることを、ヴォルデモートは以前から知っていたようである。

アルバニアは1912年トルコの支配から独立したバルカン半島の共

和国。

［④下**453〜456**］［⑦初出**15**章 **UK237／US288**］

アロホモ(ー)ラ
【Alohomora】

①**09-235**
⑥**08-上241**

鍵の掛かった扉を開ける呪文。ハーマイオニーは、1巻でこれを唱えて禁じられた廊下の扉を開けた。3巻でシリウス・ブラックが幽閉された西塔の窓を開けるときにもこれを使用している。

すべての扉を解錠できるわけではなく、侵入者避け呪文が唱えられたものなどはこの魔法で開かない。

［⑤下**373**］［⑦初出**10**章 **UK154／US187**］

アンブリッジ、ドローレス・ジェーン
ドローレス・ジェーン・アンブリッジ
【Umbridge, Dolores Jane】MM

⑤**08-上224**
⑥**04-上103**

魔法省上級次官のガマガエルのような魔女。ずんぐりした体に、締まりのない大きな顔、首はバーノンおじさん並みに短い。だらしのない大きな口に、丸い大きな目はやや飛び出している。薄茶色の短いカーリーヘアに黒いビロードの蝶リボンやピンクのヘアバンドをつけ、女の子のように甘ったるい甲高《かんだか》い声で話す。半人間やマグル生まれを憎む差別主義者で、魔法省で反人狼法を起草し、水中人を一網打尽《いちもうだじん》にして標識をつけようというキャンペーンを行った。5巻で吸魂鬼《ディメンター》にハリーを襲うよう命令したのもアンブリッジである。ピンクの服や花柄模様、可愛い猫ちゃんがお気に入りだが、愛らしい趣味とは裏腹に、生徒たちに拷問道具さながらの羽根ペンを使った罰則を与えるなど残虐な面を持つ。

ハリーが初めてアンブリッジと会ったのは1995年8月の懲戒尋問《ちょうかいじんもん》の法廷。このときは尋問官として裁判に出席し、魔法省は吸魂鬼にハリー襲撃を命じていないとしらを切った。翌月「闇の魔術に対する防衛術」の教師としてホグワーツに派遣され、新入生歓迎会で口癖の「ェ

ヘン、ェヘン(hem hem)」という咳払いをして校長のスピーチをさえぎり、早くも先生方を敵に回した。表向きは教育水準が低下したホグワーツを改善する目的の赴任だったが、実はダンブルドアとハリーを追放しホグワーツを監視するために魔法省から送り込まれたスパイ。生徒の心を教育することには無関心で、ダンブルドアが私設軍団を組織して魔法省と抗争するつもりだという妄想に取り憑《つ》かれていたため、授業では防衛術の実技を一切行わず、理論ばかり教えた。

9月8日に高等尋問官の肩書きを得るとさっそく教職員の査察を開始。教科書通りのオーソドックスな教育を強要し、個性的な授業を行うトレローニーは問答無用で解雇、ハグリッドには奇襲をかけて追い出してしまった。1996年4月 DA の存在が発覚し、ダンブルドアがその責任をとって逃走すると、念願の校長に就任。“何から何まで自分の統制下に置きたい”という激烈な欲望のもと、尋問官親衛隊という取り巻きグループを結成し、マルフォイらスリザリン生を隊員にして、生徒の監視を強化した。

5月4日のウィーズリー双子の逃走後、生徒たちに反乱を起こされたが、6月17日ついに自分の部屋の暖炉を使ったハリーを捕らえることに成功する。しかしハーマイオニーの「ダンブルドアの秘密の武器がある」との言葉を信じて禁じられた森にずかずか踏み入り、ケンタウルスを「汚らわしい半獣」呼ばわりする愚《ぐ》を冒したため、彼らに森の奥に連れ去られてしまった。ダンブルドアに救出されたものの、ホグワーツから逃げるところをピーブズに見つかり、最後はマクゴナガルの歩行用の杖とチョークを詰め込んだソックスで交互に殴られながら追い出された。ホグワーツを混乱に陥れた人物だが、魔法省では何のお咎《とが》めも受けず、その後も省内に在籍し1997年6月にはダンブルドアの葬儀に参列した。

JKR は、「アンブリッジは(今も)元気に魔法省で働いています。省内に良いコネがあり逮捕されないのです。彼女のようにいつも体制側についている人たちは、現実社会にも存在しています。誰が魔法大臣になろうとも、アンブリッジはそこに居座り続けます。彼女は権力が好きなので、自分に力を与えてくれる側につくのです」と話している。

Umbridgeの名は、同音のumbrage「不愉快」、「立腹」から。Doloresの語源はラテン語dolor「憎しみ」、「苦痛」、「感情を害すること」、「侮辱」。

［⑥下**038**、下**490**～**491**］［⑤上**236**、**241**、**322**、**336**～**338**、**378**～**379**、**384**～**385**、**420**～**422**、**426**、**476**～**477**、**482**～**484**、**586**、下**051**～**052**、**199**、**208**～**209**、**274**～**278**、**281**、**295**、**321**、**326**～**327**、**332**、**396**～**398**、**400**～**403**、**419**、**465**～**470**、**472**、**499**、**520**、**528**、**617**、**664**～**665**］［⑦初出**11**章 **UK182**／**US222**］

い

生き残った男の子 【Boy Who Lived, The】

①01-030
⑥04-上113

ヴォルデモートの死の呪文からただ一人生き残った男の子、ハリー・ポッターを指す呼び名。

［⑤下**661**］［⑦初出**11**章 **UK172**／**US208**］

イギリスとアイルランドのクィディッチ・チーム 【Quidditch Teams of Britain and Ireland】

④23-下079

ハリーが4年のときのクリスマスに、ハーマイオニーがプレゼントした本。

［⑤上**087**］［⑦初出**6**章 **UK082**／**US094**］

生ける屍《しかばね》の水薬
【Draught of Living Death】

①08-205
⑥09-上285

アスフォデルの球根の粉末やニガヨモギなどを煎じて作った眠り薬の別称。あまりに強力なため、このような名前で呼ばれている。ほかに、カノコソウの根や催眠豆が材料として必要。スラグホーンの最初の授業では、これを一番うまく調合できた生徒に幸運薬のフェリックス・フェリシスの小瓶1本が与えられた。半純血のプリンスの『上級魔法薬』によると、催眠豆は銀の小刀の平たい面で砕き、薬がライラック色になってから、反時計回りに7回かき混ぜるごとに、1回時計回りで混ぜなければならない。ハリーはこの本に書き込まれた指示のお陰で優勝し、幸運薬を手に入れることができた。

［⑥上**485**］

石にされた
【petrified】

②09-213

闇の魔術などによって、石のように固く冷たくされてしまうこと。死んではおらず、マンドレイク回復薬を飲むと元に戻る。バジリスクは視線で人を殺すが、直接その目を見ないと石にされてしまう。ハリーが2年のときに秘密の部屋が開かれ、解放されたバジリスクによってこの犠牲者が6人出た。コリン・クリービーはカメラを通してバジリスクを見、ジャスティン・フィンチ-フレッチリーはほとんど首無しニックを通して、また、猫のミセス・ノリスは水に映ったバジリスクの姿を見たので石になった。ハーマイオニーとペネロピーは鏡を通して見たため死を逃れ、ニックは二度死ねないので石になった。

［⑦初出**13**章 **UK211／US257**］

癒《い》者《しゃ》

ヒーラー／癒師《いし》

【Healer】

⑤**22**-下**105**
⑥**01**-上**029**

魔法界の医者のこと。聖マンゴ病院の癒師団が、出来損ないの服従の呪文に頭をやられたマグルの政務次官ハーバート・チョーリーを診察したときは、三人の癒者が絞め殺されそうになった。ロンは三本の箒《ほうき》でマダム・ロスメルタに癒師の冗談を話したが、笑ってもらえなかったので30分もすねていた。

これまで登場した聖マンゴの癒者は、ディリス・ダーウェント、ヒポクラテス・スメスウィック、オーガスタス・パイとミリアム・ストラウト。

［⑥下**224**］［⑤下**109**、**200**］［⑦初出**8**章 **UK130**／**US156**］

癒《い》者《しゃ》のいろは

【Healer's Helpmate, The】

⑥**05**-上**151**

魔法界の家庭の医学書。隠れ穴に常備されている。ハーマイオニーがパンチ望遠鏡で目に痣《あざ》を作ったときに、ウィーズリー夫人はこの本を調べたが、「切り傷、すり傷、打撲傷」のページに治療法は載っていなかった。

石弓

【crossbow】

①**08**-**207**
⑥**19**-下**122**

ハグリッドの武器。おもに禁じられた森に行くときに携帯している。頑丈なはずだが、ハリーと会話中に気まずくなったハグリッドがこれを両手でねじると、ボキッと大きな音がして簡単に二つに折れてしまった……。

［⑥下**129**］［⑤下**414**］

イースター
復活祭
【Easter】

①14-335

十字架にかけられたキリストの復活を祝うキリスト教で最も重要な祭り。イースターは毎年一定の日ではなく、春分の日以降の最初の満月の後の最初の日曜日（＝イースター・サンデー）と定められているため、年によって3月22日〜4月25日のあいだを移動する。キリスト教圏の学校では、この前後に1〜3週間のイースター休暇（Easter holidays）をとる。ホグワーツにも復活祭の休みがあり、そのあとに夏学期（3学期）が始まる。

もともとイースターは、ゲルマン民族の自然崇拝宗教の古い祭りで、夜明けの女神エオステル（イースターの語源）のために春の到来を祝うものだった。それがキリスト教が広まる過程で、冬の眠りから目覚める春の新しい生命とキリストの復活が重なり合い、イースターの祭りとなった。卵は生命と再生の象徴であるため、復活祭当日の朝にこれを食べたり、色を塗ったゆで卵（イースター・エッグ）を贈り合う習慣がある。また復活祭の前日にウサギが卵を運んでくるという言い伝えから、野原や庭などに卵を隠して探す遊びが行われる。チョコレート製の卵を配る場合もあり、ハリーは5巻でウィーズリーおばさんから、小さなスニッチの砂糖飾りのついたイースターエッグを貰《もら》っている。

［⑤下**219**］［⑦初出**23**章 **UK370**／**US457**］

いたずら完了！
【Mischief managed!】

③10-251
⑥18-下105

忍びの地図を消すときの言葉。杖で地図を軽く叩《たた》いてこう言うと、現れていた地図は消え、ただの白紙に戻る。

イチイ
【yew】

①05-126

ヴォルデモートの杖に使われている木。ホグワーツの禁じられた森やリトル・ハングルトンの教会墓地に生《は》えている。

イチイは常緑樹で寿命が非常に長いため、古くから「不死」の象徴と見なされてきた。肉体の死を超えた永遠の生を表す木として、死者を守り浄化すると信じられたイチイは、昔からしばしば教会墓地に植えられていた。大弓を作る材料になったことから、弓を意味するギリシア語 taxus（タクサス）と同じ Taxus が、学名としてつけられている。イチイ属は心臓麻《ま》痺《ひ》を誘発するアルカロイドの一種であるタキシンを含有するため、戦士たちは槍先にその毒を塗っていたという。毒と弓を産み出すイチイは「二重に死を招く木」と言われるようになり、イングランドのウィリアム2世、ハロルド王、リチャード1世などがこの弓で亡くなっている。古代アイルランドではイチイは最も崇高な木とされ、「魂は不滅で、死ぬと他の体に入り永遠に再生を繰り返す」と考えたドルイド（ケルトの祭司）にとって、この木は死を超越した生のサイクルの象徴であった。これで作った杖には、未来を占う力や潜在的なパワーが秘められていると考えられ、触れたり打ったりすることで杖の所有者の意志などを伝えることができると信じられていた。

［⑤下**045**］［④下**430**］［⑦初出**1**章 **UK009**／**US002**］

移動キー
ポートキー
【Portkey】

④06-上107
⑥23-下282

魔法界の移動手段の一つ。これに触ると、ある地点から別のあらかじめ決められた場所に移動できる。ヤカンなどの目立たないアイテムに「ポータス」の呪文を唱えて作る。この使用は魔法省の移動キー局によって厳しく監視されているので、作る前には魔法省への届け出が必要。未承認の移動キーを作ると「命がいくつあっても足りない」（ルーピン談）ほど厳しいお咎《とが》めを受けることになるが、ダンブルドアは5巻で大胆にもこれを大臣の面前で作り出し、魔法省からさっそうとホグワーツへ消えて行った。これに触ると臍《へそ》の裏側がグイッと前方に引っ張られるような感じになり、足が離れて風の唸《うな》りと色の渦の中を前へ前へと猛スピードで移動する。目的地に到着すると、上から移動キーが落ちてくるので注意が必要である。映画「炎のゴブレット」では、ハリーたちは目的地の地面に乱暴に叩《たた》きつけられている。

これまで移動キーとして使用されたのは、「古いヤカン」や「汚らしい古ブーツ」、「古タイヤ」、「魔法使いの像の頭部」。

［⑤下**014**、**086**、**089**、**617**〜**618**］［④上**108**、**113**、**226**］［⑦初出**4**章 **UK044**／**US046**］

稲《いな》妻《ずま》に撃たれた塔（タロットカード）

【lightning-struck tower, the】

⑥25–下341

ダンブルドアがヴォルデモートの洞窟に出発する前に、トレローニーが引いたタロットカード。6巻27章のタイトルにもなっている。

「The（Lightning-struck）Tower（塔／落雷の塔）」は、タロットの大アルカナ（太陽・月・悪魔などを描いた絵札）の16番目のカード。塔の上部が稲妻に打たれ、そこから二人の人間が落ちる姿が描かれている。バベルの塔と同様に人間の思い上がりを表し、その意味は「災難」や「大惨事」、「突発事件」、「崩壊」、「滅亡」、「終局」など。トレローニーは、ホグワーツの天文台の“塔”から落下するダンブルドアを予見したのである。

命の霊薬（6巻）

命の水（1巻）

【Elixir of Life】

①13–320
⑥23–下278

飲むと不老不死になる魔法の薬。賢者の石から作る。不滅の命を保つには、定期的かつ永遠にこれを飲み続けなければならない。

Elixir は、卑金属を金に変成する練金薬で、不老不死の霊薬と考えられていた。アラビア語 al-iksir（賢者の石）に由来する語。

［⑥下**279**］

医務室
病棟
【hospital wing】

①**08-206**
⑥**12-上382**

ホグワーツの医務室。校医のマダム・ポンフリーが、ここで病人の診断や手当てをしている。部屋の中には白いシーツのベッドがいくつも並び、それぞれのベッドの脇には整理棚が設置されている。プライバシーを守るためにベッドの周りにはカーテンが引けるようになっていて、2巻では猫の毛入りのポリジュース薬を飲んで顔が毛むくじゃらになったハーマイオニーを隠してくれた。6月下旬でもホグワーツは寒いので羽布団をかけている。見舞い客は一度に6人まで入室できるが、ハグリッドは数人分に勘定され、マダム・ポンフリーから追い出されそうになった。校医の事務所が隣にあり、病人の容態を絶えず監視している。

5巻では、スリザリン生に毛生《は》え呪文をかけられ顔中を眉毛で覆われたアリシア・スピネットが治療を受け、さらにOWL《ふくろう》試験のストレスでパニックになったハンナ・アボットがここで鎮静水薬を飲まされた。双子に姿をくらます飾り棚の中に押し込まれ、5階のトイレに詰まっていた所を発見されたスリザリンのモンタギューもここに入院したが、長いあいだ混乱と錯乱が続き、怒った両親がホグワーツにやって来た。失神光線を4本同時に浴びたマクゴナガルは、いったん医務室に運び込まれたが、重体なので翌朝聖マンゴに移された。神秘部での戦いの後、ジニーは踵《かかと》の骨折、ネビルは鼻を、ロンは腕の傷痕《きずあと》、そしてハーマイオニーはドロホフにかけられた呪いを医務室で治してもらった。アンブリッジがケンタウルスの群れに襲われたときもここに入院している。6巻では呪われたネックレスに触れたケイティ・ベルがいったんここに搬送され、翌日聖マンゴ病院に移された。毒入りのオーク樽熟成蜂蜜酒《だるじゅくせいはちみつしゅ》を飲んだロンが入院した翌週には、クィディッチの試合中に味方のマクラーゲンにブラッジャーを打ち込まれ頭《ず》蓋骨《がいこつ》骨折したハリーが、入学以来三度目となる入院を果たした。そのハリーから「セクタムセンプラ！」の呪いをかけられたドラコ・マルフォイもここに入院している。

［⑥上**386**、下**118**、**122**、**142**、**147**、**310**、**318**］［⑤上**172**、下**008**、**290**、**481**、**661**、**664**］［④下**522**］［②**338**］［①**435**］

NEWT《いもり》試験

めちゃめちゃ疲れる魔法テスト／N・E・W・T.《いもり》

【NEWTs／Nastily Exhausting Wizarding Tests】

③16–408
⑥05–上157

ホグワーツ校が授与する最高の資格テスト。最上級生（7年生）が卒業前に受ける試験で、めちゃめちゃ疲れる魔法テスト（Nastily Exhausting Wizarding Tests）の頭文字を取りNEWTs（いもり）と呼ばれている。6年生から学ぶ授業は「NEWT（ニュート）レベル」といい、ホグワーツではOWL《ふくろう》試験で一定の成績を取った者だけが、このレベルの授業を取ることが許される。先生によってNEWTを受けられる成績が異なり、例えばマクゴナガルの「変身術」ではOWLで「良・E（期待以上）」以上の成績を取った生徒しかNEWTに進めない。スネイプのNEWTレベルの「魔法薬学」は、OWLで「優・O（大いによろしい）」を取らないと受けられないが、ホラス・スラグホーンは「良・E」の生徒も受け入れる。ハリーの「魔法薬学」は「良」だったが、6年から教師がホラスに変わったので授業を取ることができた。6年生以上の学生は、NEWT試験のための勉強を行うので 「NEWT学生」と呼ばれることがある。

この試験のモデルは、イギリスのA-levels（Advanced Level／Advanced Level of the General Certificate of Education）であろう。GCEの上級課程で、この試験で高得点を取ると（3科目において大体A〜Cの成績）大学に進学できる。

［⑥上**262〜264**］［⑤上**361**、下**244**］

イラクサ
【nettle】

①08-205
⑥10-上303

ゴーントの家の周りにはびこっていた植物。おできを治す薬の材料の一つでもある。これで作ったイラクサ酒は、賢者の石を守る論理パズルに使われた。クィディッチ発祥の地クィアディッチ湿原にはイラクサが群生しており、これを摘《つ》みに行った11世紀の魔女ガーティ・ケドルは、クィディッチの原型となる箒《ほうき》に乗った奇妙なゲームを見て「くだらない。しょうもない」と悪態をついた。

イラクサは山地の湿った場所に生《は》え、酸を含む刺毛《しもう》がある多年草の植物。触ると腫れやかゆみなどを引き起こす。刺《とげ》の形が雷を連想させるので北欧神話では雷神トールに因《ちな》む草とされている。また、チロル地方でも落雷除けにイラクサをいろりの火にくべるという。この草に尿をかけると怒りっぽくなるとも言われているが、どれも刺のある草に由来する迷信である。

[①**418**][ク**025**][⑦初出**16**章 **UK272**/**US332**]

色変わりインク(6巻)
【Colour-Change Ink】

①05-120
⑥03-上081

魔法界の文房具。変色呪文がかかっているインク。ダイアゴン横丁の文具店で売っており、ハリーはホグワーツ入学前に落ち込んでいたときにこれを見かけ、ちょっと元気になった。1巻では「書いているうちに色が変わるインク(ink that changed colour as you wrote)」で登場。

イーロップふくろう百貨店
イーロップの店
【Eeylops Owl Emporium/Eeylops】

①05-109
⑥06-上175

ダイアゴン横丁にあるふくろうのデパート。店内は暗くてバタバタ羽音がして、ふくろうの宝石のように輝く目があちこちでパチクリしている。ハリーはホグワーツ入学前、11歳の誕生日プレゼントとしてこの店でハグリッドからヘドウィグを買ってもらった。森ふくろう、このはずく、めんふくろう、茶ふくろう、白ふくろうなどが売られている。

6巻ではハリーとロンが、ヘドウィグとピッグウィジョンのためにこの店でふくろうナッツの大箱をいくつも買った。

［①**124**］

インカーセラス！縛れ！
【Incarcerous!】

⑤**33**–下**519**
⑥**26**–下**392**

杖先から太いロープを出して、相手（対象物）を縛り上げる呪文。6巻でハリーは亡者《もうじゃ》の軍団にこれを唱えたが、一、二体が縄で縛られただけであまり効果はなかった。ホグワーツから逃げるスネイプにもかけたが、呪文は簡単に回避されてしまった。

ラテン語 incarcero「投獄する」からの造語。

［⑥下**431**］

インスタント煙幕
【(Peruvian) Instant Darkness Powder】

⑥**06**–上**181**

ウィーズリー・ウィザード・ウィーズ（WWW）の商品。ペルー製。粉状の物で、空中に投げつけると、あたり一面まっ暗になる。これで作り出した暗闇は、「ルーモス」や「インセンディオ！燃えよ！」などの魔法では破れないが、輝きの手を使えば見える。

マルフォイは、ホグワーツに死喰《しく》い人《びと》を誘導した際、これを投げつけてジニーとネビルを出し抜いた。この話を後で聞いたロンは「相手を見て物を売れって、あいつら（フレッドとジョージ）に一言《ひとこと》、言ってやらなきゃ」と憤慨した。

［⑥下**454**］［⑦初出7章 **UK112**／**US132**］

インセンディオ！燃えよ！
【Incendio!】

④**04**-上**071**
⑥**28**-下**431**

火をつけて物を燃やす呪文。6巻のホグワーツの戦いでは、大柄でブロンドの死喰《しく》い人《びと》がこれを唱えてハグリッドの小屋に火をつけた。アーサー・ウィーズリーは4巻でこれを使ってダーズリー家の暖炉に火をおこした。

ラテン語 incendo「火をつける、燃え上がらせる」からの造語。

インパービアス！防水せよ！
【Impervius!】

③**09**-**230**

防水加工を施す呪文。3巻でハーマイオニーがハリーのクィディッチ・ゴーグルにこれを唱えると、レンズは雨で曇らなくなった。5巻では、グリフィンドールの選手全員がこれを唱えて雨の中の練習に臨んだが、滝のような雨だったので視界は最悪だった。

ラテン語 impervius は、「通行しにくい」の意。3巻では「インパービアス、防水せよ！」と表記されている。

[⑤上**596**][⑦初出**15**章 **UK201**／**US244**]

インペディメンタ！妨害せよ！
【Impedimenta!】

④**31**-下**415**
⑥**26**-下**392**

妨害の呪いの呪文の言葉。自分を襲う物や人のスピードを遅くしたり、動きを止めて妨害する。ハリーは6巻でこれを亡者《もうじゃ》の軍団にかけたが、何体かを倒しただけだった。その後ホグワーツに戻り死喰《しく》い人《びと》アミカスに唱えると、呪いは胸に当たりキーッと豚のような悲鳴を上げて吹っ飛んだ。

Impedimenta は「邪魔物」という意味を持つフランス語で、その語源はラテン語の impedimentum「妨害」、「阻止」。

[⑥下**426**][⑤上**650**][④下**339**][⑦初出**4**章 **UK054**／**US058**]

インペリオ！服従せよ！【Imperio!】

④14-上331

相手を完全に支配する呪文。使用が禁じられている許されざる呪文の一つ。これを唱えられると最高に素晴らしい気分になり、すべての悩みが拭い去られ、フワフワと浮いているような心地がして相手の言うことに従ってしまう。

4年の「闇の魔術に対する防衛術」の授業でマッド-アイ・ムーディ（クラウチ息子が変身していた）が蜘蛛《くも》にこの呪文を唱えると、空中ブランコのように前後に揺れたり、タップダンスをしたりと、ムーディの思うままに操られた。ハリーは生まれつきこの呪文に対する抵抗力があり、授業中何回か練習しただけで呪文を打ち破ることができた。死喰《しく》い人《びと》やヴォルデモートの専売特許だが、有事は普通の魔法使いでもこれを使うことがある。

ラテン語 impero「支配する、あやつる、命令する」からの造語。

［⑦初出**26**章 **UK428**／**US531**］

う

ウィザウィングズ【Witherwings】

⑥03-上080

ハグリッドが世話をしている大きな灰色のヒッポグリフ。剃刀《かみそり》のように鋭い爪と尖った嘴《くちばし》を持つ。5巻まで「バックビーク」と呼ばれていたが、かつて死刑宣告されたヒッポグリフだと魔法省に気づかれないために、ダンブルドアがしばらくのあいだ「ウィザウィングズ」と呼ぶことに決めた。

元々ハグリッドが禁じられた森で飼育し可愛がっていた動物だが、3巻で授業に使ったときにマルフォイに挑発され、鉤爪《かぎづめ》で怪我を負わせてしまった。危険生物処理委員会で死刑宣告され、首を刎《は》ねられてしまったが、ハリーとハーマイオニーが逆転時計で時間を処刑前に巻き戻して救出。ホグワーツに幽閉されていたシリウスを乗せて逃亡し、以来ずっとシリウスのペットとして生活を共にしていた。シリウスは遺言ですべての所有物をハリーに遺したため、彼の死後バックビークはハリーのペットとなった。今はハリーの希望でハグリッドが自分の小屋に繋《つな》ぎ、代わりに世話をしている。6巻のホグワーツの戦いで、ハリーがスネイプに襲われたときに救援に現れ、鋭い爪で飛びかかり、ハリーがこれまで聞いたことがないような甲高《かんだか》い鳴き声を上げながらスネイプを追いかけた。

英語 wither は「しおれる」、「衰える」、wings は「翼」の意。ウィザウィングズ(Witherwings)で、「萎《しな》びた翼」のこと。

[⑥上**343**、下**435**][③**150～155**、**282**、**354**、**378**、**542**]

ウィーズリー、アーサー
アーサー・ウィーズリー

【Weasley, Arthur／Weasley, Mr.】 OP MM G

②**03-052**
⑥**04-上120**

(1943-50年ころ？2月6日-)ウィーズリー家の当主。べっこう製の縁《ふち》のメガネをかけた、痩《や》せて赤毛が禿《は》げ上がった魔法使い。妻モリーと7人の子供たち(ビル、チャーリー、パーシー、フレッドとジョージ、ロン、ジニー)とともに隠れ穴に住んでいる。魔法省に勤務し、6巻で「偽《にせ》の防衛呪文ならびに保護器具の発見ならびに没収局」の局長に昇格。死喰《しく》い人《びと》のルシウス・マルフォイとは犬猿の仲である。不死鳥の騎士団の現メンバー。

魔法界の旧家で純血家族ウィーズリー家の三人兄弟の一人として生まれたアーサーは、11歳でホグワーツに入学しグリフィンドールに組分けされた。スラグホーンの授業を取ったが、野心がなく目立たなかったせいかスラグ《なめくじ》・クラブには選ばれなかった。在学中にモリーと付き合うようになり、寮を抜け出し朝の4時まで一緒に散歩し、当時の管理人のアポリオン・プリングルに捕まったことがある。このとき受けたお仕置きの痕は、今でも残っているという。卒業後は魔法省に入り、モリーと結婚。六男一女を儲《もう》けた。

マグル保護法を起草するほどのマグル贔屓《びいき》で、一番の望みは飛行機がどうして浮いていられるのかを解明すること。ハリーやグレンジャー夫妻に会うたびにマグル界のことをあれこれ質問攻めにしている。マグルが日常生活をしているところに遭遇すると興奮を抑えきれなくなり、地下鉄の駅では故障中の自動券売機に向かって愛しげにニッコリし、「驚くべき思いつきだ」と感激した。プラグと電池の熱心なコレクターで、ハリーがヒューズの銅線とネジ回しをプレゼントすると「こりゃ、すばらしい！」とウットリした。マグル好きが高じて自家用車のフォード・アングリアに魔法をかけて空を飛べるようにしたときは、モリーにこっぴどく叱られた。シリウス・ブラックの遠縁の又従兄《またいとこ》だが、このマグル贔屓《びいき》のせいで「血を裏切る者」のレッテルを貼られ、ブラック家の家系図に名前が載っていない。ファッジが魔法大臣の時代はマグル製品不正使用取締局の局長だったが、純血好きの大臣から変人扱いされていたので何年も昇進できなかった。

子供の自主性・判断力を信じる父親で、3巻でシリウス・ブラックが脱獄したときは「ハリーには知る権利がある。（ファッジは）彼を子ども扱いしている。もう13歳なんだ」と大臣との約束を反故《ほご》にして事実を伝えようとした。反対に、書き込むと返事が返ってくる「リドルの日記」に秘密を洗いざらい打ち明けたジニーには、「脳みそがどこにあるか見えないのに、一人で勝手に考えることができるものは信用しちゃいけないって教えただろう」と叱っている。ハリーのことを息子のように思い、彼が夏休みに吸魂鬼《ディメンター》に襲われたときは「叔父さん、叔母さんの家を離れないよう」と心配し、すぐに手紙を送った。フレッドとジョージを育てた父親だけあり、子供の行動を鋭く観察し、ハリーたちがウィーズリー・ウィザード・ウィーズ（WWW）を抜け出したこともお見通し。子供の意見にもきちんと耳を傾け、ドラコが何か企《たくら》んでいるとハリーから聞くと、半信半疑ながらマルフォイの屋敷を再び強制捜査した。

『ハリー・ポッター』の登場人物の中で唯一の理想的な父親だが、5巻で野心家のパーシーが、ダンブルドアや家族をスパイするために大臣付下級補佐官に就いたときは大喧嘩《おおげんか》した。大切な家族を軽視し権威や出世だけをひたすら追い求める者は、たとえ息子でも許せなかったのである。正義感があり人望が厚いので省内でも友人が多い。クィディッチ・ワールドカップのときは、ウィーズリー家のテントの前で大勢の役人がアーサーに丁寧な挨拶をした。ヴォルデモート復活後は、ダンブルドアも魔法省内部の人間との橋渡し役として、アーサーを頼っている。5巻で不死鳥の騎士団の任務で瀕死《ひんし》の重傷を負ったが回復し、6巻ではモリーの念願が叶い「偽の防衛呪文ならびに保護器具の発見ならびに没収局」局長に出世した。恐妻家だが、いざというときは「アーサー、なんとか言ってくださいな」と助けを求められる頼もしい父親である。

JKRの当初の計画では5巻でアーサーが死ぬはずだったが、これについて「アーサーは『ハリー・ポッター』の中で最もすぐれた父親です。誰もが彼のような父親が欲しいと思いますし、私も同じ気持ちです。ですから考えを改めました。また、父親が亡くなるとロンの子供っぽさが失われ、彼は大人に成長してしまうとも考えました。彼の成長は最後の本にとっておきたかったので殺さなかったのです」と明かしている。

Arthurのモデルは、“アーサー王伝説”の主人公アーサー王とされている。歴史に登場する実在の人物としてのアーサーは、サクソン人と戦いしばしばこれを打ち負かしたケルトの将軍。この人物が6～12世紀にかけて徐々に伝説的英雄に変容し、サクソン人に征服されたケルト王国を再建する人物として語られるようになり、これをもとにジェフリー・オブ・モンマス（モンマスのジェフリー）が12世紀に『ブリテン列王史』を執筆。本の中で彼の栄光を描き、これが偉大なアーサー王伝説の始まりとなった。『列王史』の中では、魔法使いマーリンがウーゼル(ユーサー)・ペンドラゴンに協力して彼をコーンウォール公の姿に変身させ、ウーゼルがコーンウォール公の王妃と関係を持ちアーサーが生まれる。マーリンの助力によってアーサーは聖剣エクスカリバーを獲得し、ブリテン王となってグィネヴィアと結婚する。諸国を平定してローマまで侵攻するが、妻グィネヴィアの不倫や甥のモルドレッドの裏切りで王位を奪われ、最後はモルドレッドを倒すが傷つき、アヴァロンのエトナ島に去る。この『列王史』の物語に、後年クレティアンやトマス・マロリーらが聖杯伝説や円卓の騎士団の恋愛物語などさまざまな伝説を付け加え、アーサー王伝説は壮大な物語へと発展していったのである。

アーサー・ウィーズリーの誕生年(1943–1950年ころ)は、モリーの誕生年から算出。

[⑥上**129**、**203**〜**204**、**354**、下**015**、**120**、**124**〜**126**、**130**、**460**、**489**][⑤上**049**〜**050**、**117**〜**121**、**133**、**136**、**148**、**202**〜**220**、**245**〜**252**、下**072**〜**076**、**088**、**092**、**096**、**110**、**139**〜**141**、**163**、**187**][④上**081**、**133**、**401**〜**402**][③**084**、**086**][②**060**][**JKR** 公式サイト][**OBT**][**Volkskrant**][⑦初出**3**章 **UK033**／**US032**]

ウィーズリー、ウィリアム(ビル)・アーサー
ウィリアム・アーサー・ウィーズリー
【Weasley, William (Bill) Arthur】 G OP

①**06–150**
⑥**05–**上**139**

(1970年11月29日–)ウィーズリー家のカッコイイ長男。背が高く、赤毛の髪を長く伸ばし、ポニーテールにしている。ハリーが初めて会ったときは片耳に牙《きば》のようなイヤリングをぶら下げ、ロックコンサートに行っても場違いな感じがしない服装で現れ、パーシーのようなタイプを想像していたハリーを驚かせた。ハンサムな魔法使いだったが、1997年6月のホグワーツの戦いでグレイバックに噛《か》まれ、傷だらけの顔になってしまった。

ウィーズリー家の第一子として生まれたビルは、1982年にホグワ

ーツに入学。OWL《ふくろう》試験を全12科目合格するほど優秀な成績を収め、監督生と首席に選ばれた。しかし、安定より冒険を好むところがあるため、卒業後はグリンゴッツ銀行に就職。エジプトに住み、墓場で呪い破りとして働いた。両親に倣《なら》い不死鳥の騎士団のメンバーとなり、1995年にヴォルデモートが復活すると騎士団の仕事ができるように事務職に転向、自宅に戻った。同じころグリンゴッツで働き始めた美人のフラー・デラクールと親しくなり、英語の個人レッスンと称しデートを重ねて1996年に婚約した。浮ついた身なりをしているが誠実な熱血漢で、1994年のクィディッチ・ワールドカップでマグル狩りを楽しむ一団が現れると、すぐに魔法省の援護に向かった。ヴォルデモートが復活し、ダンブルドアとファッジの決別がはっきりしたときは、「僕に任せてください」と父親にダンブルドアの伝言を送る役目を志願している。騎士団のメンバーとして小鬼《ゴブリン》と接触したり、父親が毒蛇に襲われ聖マンゴに入院した際はすぐに病院に駆けつけるなど、頼れる兄貴ぶりを見せている。家族との食事中は長髪を嫌う母親と髪型論争をするのが常であるが、小言を言われても反論せずに受け答えするスマートさを持っている。

非の打ちどころのないナイスガイであるが、1997年6月にホグワーツを警備した際、侵入してきた狼人間のフェンリール・グレイバックに噛《か》まれ、傷痕《きずあと》が残りマッド‐アイ・ムーディのような顔になってしまった。幸い狼人間に変身する前のグレイバックに襲われたため、人格はそのまま変わらず本物の狼男にはならなかったが、狼的な特徴は残りステーキのレアを好むようになった。母親は切り裂かれた息子を前に「この子はいつでもとってもハンサムだった……それにもうすぐ結―結婚するはずだったのに！」と泣き崩れたが、ビルを深く愛するフラーは「このいと（人）がどんな顔でも、わたしが気にしまーすか？わたしだけで十分ふーたりぶん美しいと思いまーす！傷痕は、わたしのアズバンド（夫）が勇敢だという印でーす！」と宣言。二人は予定通り1997年夏に結婚する。本名は7巻（8章 UK121／US145）に記載。

［⑥上138～141、164、下445～447、457、460～463、479、505］［⑤上116～117、133、142、263、274、下097、110］［④上079、185～186、218、237、下401、538］［②070］［JKR公式サイト］［⑦初出4章 UK044／US045］

ウィーズリー、ジネブラ（ジニー）・モリー
ジネブラ・モリー・ウィーズリー
【Weasley, Ginevra (Ginny) Molly】G DA

①06-139
⑥05-上136

（1981年8月11日-）ウィーズリー家の末っ子で一人娘。ロンより1歳年下のグリフィンドール生。赤毛をロングヘアにし、目は明るいとび色。6巻でハリーと付き合うようになった。6歳のころから庭の箒《ほうき》置き場に忍び込み、兄に負けじと練習していたので、寮代表選手に選ばれるほどクィディッチが上手い。ハリーが試合に出場できないときは代わりにシーカーを務めている。

1981年8月11日に生まれたジニーは、6人の兄に囲まれ活発な女の子に育った。幼いころからハリーに夢中で、兄たちを九と四分の三番線で見送るときに「汽車に乗って（ハリーを）見て来てもいい？」と母親にせがみ、たしなめられたことがある。1992年（2巻）にホグワーツに入学するが、いつもはおしゃべりなのに大好きなハリーの前では真っ赤になり、満足に話もできなかった。しかし、フローリシュ・アンド・ブロッツ書店でドラコがハリーに嫌味を言うと、「ほっといてよ。ハリーが望んだことじゃないわ！」と睨《にら》みつけ、これがハリーの前で発した初めての言葉となった。この年、トム・リドルの日記に心を開いて秘密を洗いざらい打ち明け、リドルに取り憑《つ》かれて秘密の部屋の中で殺されかけたが、危ういところでハリーに助けられている。

ハリーへの想いは続き、2年生（3巻）になっても彼と会うとどぎまぎし、3年生（4巻）でも笑いかけられると真っ赤になっていた。クリスマス・ダンスパーティの前に、ロンから「ハリーと行けばいい」と勧められるが、すでにネビルの誘いを受けてしまったあとだったので残念そうにうなだれた。そんな中、ハーマイオニーから「他の人と交際してもう少し自分らしくしていたら、ハリーは気づいてくれるかもし

れないわ」とアドバイスされたジニーは、3年の終わりからマイケル・コーナーと付き合い始める。そしてハーマイオニーの忠告通り、4年生(5巻)になるとハリーの前でも自然に話ができるようになった。ハリーがヴォルデモートに取り憑かれているのではないかと悩むと、リドルの日記に書き込んだときの体験を披露して元気づけ、「シリウスと話せたらいいんだけど」と落ち込むと、「きっと何かやり方を考えられると思うわよ」と励ました。変身ぶりは言葉遣いにも表れ、チョコを食べているところをマダム・ピンスに見つかると「やばいっ(Oh damn)」と逃げ出している。魔法省に行ったメンバーの中ではルーナとともに最年少だが、踵《かかと》を骨折しながらも死《し》喰《く》い人《びと》相手に堂々と戦った。学期末にはずっと交際していたコーナーを「棄《す》て」て、ディーン・トーマスと付き合うようになった。

5年生(6巻)になったジニーは美しさに磨きがかかり、口の悪いパンジー・パーキンソンでさえ「あの子が美人だと思っているでしょう。男の子に人気があるわ」と仲間に話すほど。行きのホグワーツ特急でお得意のコウモリ鼻糞《はなくそ》の呪いをザカリアス・スミスにかけたところをスラグホーンに見られ「すごくいい呪いだ」とスラグ《なめくじ》・クラブに誘われた。正義感が強く、はっきりと物を言う傾向はますます顕著になり、ルーナを「おかしなルーニー」と呼んだ男子生徒にからかうのをやめさせたり、自分のキスを咎《とが》めたロンに「十二歳並みの経験しかないから、(キスを)いやらしいもののように振る舞うのよ。世の中に出て少しは自分でもいちゃついてみなさいよ!」と吼《ほ》えた。ディーン・トーマスとは人前でキスしたりして熱々ぶりを見せていたものの、マクラーゲンがハリーにブラッジャーを叩《たた》きつけたことを彼が笑ったりしたことなどから亀裂が生じ、グリフィンドールの肖像画の穴を通るときにいつも助けようとした、といった他愛のない理由で別れてしまった。一時はハーマイオニーの忠告を受け入れ他の人と付き合ったジニーだが、子供のころから好きだったハリーのことが忘れられなかったのである。さらにクィディッチの最終試合でグリフィンドールが勝ち優勝杯を獲得すると想いは爆発。燃えるような表情でハリーに抱きつきキスをした。実は、ハリーも陽気で魅力的なジニーを徐々に女性として意識するようになり、密かに恋心を抱いていたのである。付き合い始めた二人は、しばらく幸せな時間を過ごすが、安全と思われたホグワーツに死喰い人が侵入し、ダンブルドアは殺されてしまう。これ以上自分とヴォルデモートのあいだに犠牲を立たせるわけにはいかないと決心したハリーは、ジニーとの別れを決意。気丈なジニーも「結局はこうなると、わたしにはわかっていた。あなたはヴォルデモートを追っていなければ満足できないだろうって」と理解したのであった。

仲のいい友人はハーマイオニーとルーナ・ラブグッド。ジネブラの名前は、JKR公式サイトから。Ginevra は Geneva（ジュネーヴ：スイス南西の都市）のイタリア語名。JKRは「ジニーはウィーズリー一族の中で数世代ぶりに生まれた女の子」だとし、「ハリーとジニーは気性の合うカップル。お互い心《しん》が強く、情熱的。それが二人を結びつけている」と明かしている。

［⑥上**206〜207、222、225、229、431、433〜436、455、471、**下**048、154〜155、241〜242、297〜298、304〜305、319、326、495〜497**］［⑤上**115、151、297、547〜549、617、619、**下**058、129〜130、243、245、368、489、492、528〜529、581〜582、586、603、661、691**］［④上**064**］［③**081、092**］［②**067、092、454**］［①**147**］［**JKR**公式サイト「**FAQ**そのほかのこと」「**FAQ**わたしについて」］［**WBC**］［**OBT**］［⑦初出**4**章 **UK049／US052**］

ウィーズリー、ジョージ
ジョージ・ウィーズリー
【Weasley, George】G DA

①**06-139**
⑥**05-上131**

（1978年4月1日-）ロンの2歳年上の兄。フレッドとは一卵性双生児。燃えるような赤毛はロンと同じだが、体格はもっと頑丈で身長が少し低い。頭の回転が早く、発明と冗談好きだが優しい面もある。ホグワーツ在学中は人気者だった。要領がよくて商才があり、1996年にフレッドとともに悪戯《いたずら》専門店「ウィーズリー・ウィザード・ウィーズ（WWW）」を開店した。

1978年にウィーズリー家に生まれたジョージは、子供のころから悪戯好きで、弟をからかって遊んでいた。1989年にフレッドとともにホグワーツに入学すると、兄たちと同じくグリフィンドール生となった。本人は「まだ1年生だったときのこと—まだ若くて疑いを知らず汚れなきころのこと」ととぼけているが、実際は新入生のときから学校中を暴れまわり、フィルチに捕まったときに事務所の書類棚の「没収品・特に危険」という引き出しから忍びの地図を盗み出した。禁じられた森に入り浸《びた》り、ハグリッドは「おまえさんの双子の兄貴たちを森から追っ払うのに、人生の半分を費やしている」とロンにこぼしている。クィディッチが得意で、寮代表チームのビーターを務め、熱血漢オリバー・ウッドからも「双子のウィーズリーにはブラッジャーもかなわない。人間ブラッジャーみたいなものだな」と一目置かれていた。

1991年9月(1巻)、3年生になった双子は、ホグワーツ特急でハリーに出会う。列車の中で重そうなトランクを持ち上げようと苦労している少年をジョージが発見し、「手伝おうか?」と声をかけると、それがハリー・ポッターだった。これが縁で知り合いになり、ロンはハリーと同じコンパートメントに座ることになった。ウィーズリー家がハリーと親しくなるきっかけを作ったのはジョージなのである。ハリーにとっては頼りになる兄貴のような存在で、もっぱら悪戯の知識や商品を提供して彼を陰で支えている。2巻ではダーズリー家に幽閉されたハリーを救出しようと空飛ぶ車で登場。ヘアピンを使って鍵の掛かった部屋を開け、「この二人にはまったく負けるよな」とハリーを驚かせた。さらに双子が5年生(3巻)になると、「これを必要なのは俺たちより君の方だ」と、ハリーに気前よく忍びの地図をプレゼント。ハリーはこの便利なグッズを今でも愛用している。

行動的で頭のいい双子は、悪戯グッズを買うだけでは飽き足らず、部屋に籠《こも》って爆発音を立てながら、自分たち独自のジョーク・グッズやお菓子の開発を続けていた。そして二人で悪戯専門店WWWを開くことを決心し、6年生(4巻)になるとこれまで作った商品を学校で売りさばき、開店資金に充てようとした。しかし、夏休みに商品の注文票が母親に見つかり、息子のために堅実な将来を考えていた母親は激怒。WWWを反対されるが、双子はそれでも諦《あきら》めず、大金を手に入れようとこの年に行われたクィディッチ・ワールドカップの賭けに全財産を注ぎ込んでしまう。賭けには大勝するものの、配当金をルード・バグマンに持ち逃げされ、結局一文無しになった双子は落ち込み、いったんは専門店を諦めようとする。しかし、帰りのホグワーツ特急の中でハリーから三校対抗試合の優勝賞金1千ガリオンをプレゼントされ、開店がにわかに現実味を帯びてくる。

二人の将来に学業は無縁であるので、7年生(5巻)になる前は学校に戻るべきか真剣に悩むものの、中退したら母親が悲しむと思い、卒業まで学校に留まることを決意。最後の年を市場調査に利用しようと学校に向かう。しかし意地の悪いアンブリッジにクィディッチを禁止され、さらにダンブルドアまでもが逃走。これまで「一線を守ってきた」双子だったが、校長がいないと学校はどうなるか目にもの見せることを決意。ウィーズリーの暴れバンバン花火や携帯沼地を使ってホグワーツを大混乱に陥れ、最後は「俺たちに代わってあの女を手こずらせてやれよ(Give her hell from us, Peeves.)」の名セリフとともに、ピーブズに後を託し自由へと飛び立った。

双子がダイアゴン横丁93番地に開店したWWWは大繁盛し、1996年には真面目な商品も開発。盾の帽子や盾のマントなどの「闇の魔術に対する防衛術」の商品群は人気を呼び、関心を持った魔法省から大量注文が入った。ふくろう通信販売サービスも開始し、フィルチの目を盗みながら、持ち込み禁止品を偽装工作してホグワーツに送っている。かくして事業は拡大の一途をたどり、ホグズミードのゾンコの店の買収も検討中。仕事が忙しくなったため、双子は隠れ穴を出て、今はWWWの上にある小さなアパートで暮らしている。

外見はそっくりな双子だが性格は少し違っており、ジョージはフレッドと比べると礼儀正しく温厚な性格である。優勝賞金1千ガリオンを貰《もら》ったときに「ハリー――ありがと」とモゴモゴ礼を述べたのはジョージであるし、悪戯お菓子の実験台の1年生に優しく「大丈夫かい」と声をかけたのも彼である。6巻では男子生徒にもてるジニーを心配し「(ワンダーウィッチ製品は)妹には売らないのである」と厳しく禁止している。

双子はお気に入りの登場人物だとJKRは話している。

[⑥上**465**、下**007**、**118**、**123**、**489**][⑤上**112**、**114**、下**396**～**398**、**400**～**402**][④上**083**、**290**][③**248**][②**040**][①**142**、**208**、**248**][⑦初出**4**章 **UK044**／**US045**][**JKR** 公式サイト]

ウィーズリー、チャーリー
チャーリー・ウィーズリー
【Weasley, Charlie】G OP

①**06–150**
⑥**06–**上**162**

(1972年12月12日–)ウィーズリー家の次男の魔法使い。赤毛で背が低くがっしりした体格で、人のよさそうな大振りの顔はソバカスだらけ。両腕は筋骨隆々で、片腕には大きな火傷《やけど》の痕がある。ホグワーツ在学中(1984–1991)はクィディッチ寮代表チームのキャプテンでシーカー、寮に優勝杯をもたらした伝説的な選手だった。イギリスのナショナル・チームでプレイできるほどの腕前だったが、卒業後はドラゴン使いとなり、今はルーマニアで働いている。不死鳥の騎士団のメンバーなので、仕事が休みの日には現地の魔法使いと接触し騎士団の勧誘活動を行っている。6巻のクリスマスは、隠れ穴に帰省しなかった。

チャーリーはビルより2歳年下でパーシーより3歳年上だが、JKRはチャットで「チャーリーはパーシーより2歳年上」と発言し、物議を醸《かも》した。その後公式サイトで「ごめんなさい、算数は得意でないの」と謝罪している。なお、チャーリーはハリーが入学する前年度(1991年6月)に卒業しているが、オリバー・ウッドは1巻で「あのクィディッチ・カップに今年(1991年度)は僕たちの寮の名前が入るぞ」と話しているので、7年生のときは優勝を逃しているようである。マクゴナガルも同様に「是が非でも去年よりは強いチームにしなければ」

と燃えているので、伝説的な選手がいたにも拘《かかわ》らず弱いチームだったことは間違いない。さらに双子も1巻で「オリバーの（試合前にキャプテンが行う）スピーチは空で言えるよ。僕らは去年もチームにいたからね」と述べているので、チャーリーは最終学年でキャプテンでなかった可能性がある。これらのことから、チャーリー＝クィディッチ名選手説に疑問を呈する向きもある。

［⑥下**009**］［④**078**］［①**224～225**、**249**、**270**］［**JKR**公式サイト］［⑦初出**6**章 **UK 094**／**US108**］

ウィーズリー、パーシー・イグネイシャス
パーシー・イグネイシャス・ウィーズリー
【Weasley, Percy Ignatius】Ⓖ MM

①**06-139**
⑥**05-**上**146**

（1976年8月22日-）ウィーズリー家三男の真面目で頑固な野心家。ロンの4歳上の兄。赤毛でべっこう製の縁《ふち》のメガネをかけている。品行方正で規則を破るとうるさくて、周囲を仕切るのが好きなタイプ。モリーお母さんのお気に入りの息子だが、年下の兄弟からはからかわれたり、煙たがられていた。学生時代から『権力を手にした監督生たち』という恐ろしくつまらない本を読み、魔法省大臣になることを夢見る野心家である。

ホグワーツでは監督生と首席を務め、NEWT《いもり》試験で一番の成績を獲得し、1994年に魔法省に入省。国際魔法協力部に配属され、無意味で退屈な鍋底報告書を真面目に作成した。上司のクラウチ氏を「宇宙の最高統治者」並みに崇拝したが、名前すら覚えてもらえず「ウェーザビー君」と呼ばれる影の薄い存在だった。そのクラウチ氏が正気を失った（本当はヴォルデモートに操作されていたのだが）ことに気づかず上層部に報告しなかったため、1995年に尋問《じんもん》を受けた。このような失態にも拘《かかわ》らず、入省2年目に魔法大臣付下級補佐官に昇格。名誉なことだと勘違いしたパーシーは、大得意で家族に報告する。しかし、この任命に疑問を持った父親が「ファッジが（パーシーを）大臣室に置きたいのはダンブルドアと家族をスパイするため」と指摘すると怒り、

「父親に野心がないから自分たちはいつまでもお金がない」などと暴言を吐き、家を飛び出してしまった。ロンドンで一人暮らしを始め、家族との交流を絶ち、魔法省の廊下で父親とすれ違っても知らんぷり。『日刊予言者新聞』の記事を鵜呑《うの》みにしてハリーやダンブルドアを信用しなくなり、監督生になったロンにはハリーとの交際を絶つよう手紙を送りつけた。父親が重傷を負って入院しても見舞いにも行かず、彼のこうした態度は家族から「世界中で一番の大バカヤロ」(ロン談)と嫌われた。1996年6月にヴォルデモートが魔法省に姿を現し、家族の主張が正しかったことが明らかになったが、「他人の正しさを許すより、間違いを許すほうがずっとたやすい」(ダンブルドア談)ため、家族との仲たがいは続いている。同年のクリスマスには魔法大臣スクリムジョールを連れて帰省。ハリーを魔法省に協力させようとして、兄弟たちからすりつぶしたパースニップを投げつけられた。ダンブルドアの葬儀にも大臣と出席し、「パーシーをぶん殴る」とロンを激怒させている。

ペットはふくろうのヘルメス。学生時代はペネロピー・クリアウォーターというガール・フレンドがいたが、卒業後の関係は不明である。

Percy(=Percival)はアーサー王伝説の円卓の騎士の一人。ガラハッド、ボールスと共に聖杯を見つけた騎士である。騎士道のことなど何も知らずに森の中で育ち、苦労をしながら王の許《もと》で高貴な騎士に成長していく人物。イグネイシャス(Ignatius)のモデルは、イエズス会の創設者の聖イグナティウス・デ・ロヨラであろう。スペイン北部ロヨラ城主の子として生まれ、軍人となる。対仏戦争で重症を負い、病床でキリストや聖人の伝記を読み、これまでの世俗的で奔放な生活を恥じて回心。マンレサの洞穴で修行を行い、1548年に『霊操(心霊修行)』を書き上げた。エルサレム巡礼後アルカラ、サラマンカ、パリで学び、モンマルトルでザビエルら6人の同志とともにイエズス会を創設。1540年教皇パウルス3世によってイエズス会創立が認可され、1622年に聖人の位に列した。

[⑥下**030〜044**、**487**、**502**][⑤上**117〜119**、**223〜224**、**467**、下**134**、**297**、

304］［④上084、140、下050、087］［②088］［⑦初出6章 UK094／US108］

ウィーズリー、フラー・イザベル・デラクール
フラー・イザベル・デラクール・ウィーズリー
【Weasley, Fleur Isabelle Delacour】

④16-上389
⑥05-上137

（1977？-）ハリーより3歳年上の元ボーバトン生。息を呑《の》むほど美しい背のすらりと高いフランス人女性で、おばあさんがヴィーラ。大きな深いブルーの瞳と真っ白できれいな歯並び、金髪をロングヘアにしている。1994年に三大魔法学校対抗試合の選手団としてホグワーツに来校し、ボーバトンの代表選手に選ばれた。当初は高慢さが見られ、ホグワーツの食べ物や飾り付けを馬鹿にするなど見下したような言動を取っていたが、対抗試合の第二の課題でハリーが妹ガブリエルを助け出してからは態度を改め、ハリーたちに心を開くようになった。第三の課題を観覧するためにホグワーツに来たウィーズリー家の長男ビルに一目《ひとめ》惚《ほ》れし、1995年に卒業すると英語の勉強と称してイギリスへ。グリンゴッツ銀行でパートタイマーとして働き始めた。同じく職種替えをしてエジプトからイギリスのグリンゴッツ銀行で働くようになったビルと、英語のレッスン兼デートを重ね、1996年夏に婚約。相手の家族を知るために隠れ穴に住むようになった。フラーの美貌《びぼう》やどんな男性をも虜《とりこ》にする妖しい魅力、はっきりとした物言いはウィーズリー家の女性の反感を買い、陰で「ヌラー」と呼ばれ疎《うと》まれたが、実際は情が深く面倒見のいい女性である。狼人間に噛《か》まれたビルが傷だらけの顔になり、誰もが婚約解消と思ったときには「狼人間なんかが、ビルに、わたしを愛することをやめさせられませーん。このい（ひ）とがどんな顔でも、わたしが気にしまーすか？わたしだけで十分ふーたりぶん美しいと思いまーす」と宣言し、ウィーズリーおばさんと抱き合った。二人とも気の強い女性だが、完全に理解し合えたようである。ビルとの結婚式は1997年夏に行われる。

名前はフランス語で「宮廷の花（Fleur de la cour：フルール・ド・ラ・クール）」の意。イザベルのミドルネームは7巻で判明。原書で

はHを発音しないフランス語訛《なま》りの英語を話す。
［⑥上**138～139**、下**014**、**019**、**028～029**、**461～463**、**479**、**489**、**505**］［⑤上**116**］［④上**391～392**、**416**、**422～425**、**476**、下**060**、**069**、**083**、**108**、**226～229**、**296～298**］［⑦初出**4**章 **UK044／US045**］

ウィーズリー、フレッド
フレッド・ウィーズリー
【Weasley, Fred】G DA

①06-139
⑥05-上131

（1978年4月1日-）ロンより二つ年上の兄で、ジョージとは一卵性双生児。ロンと同じ鮮やかな赤毛だが、体格はもっとがっしりしていて背は少し低い。陽気で悪戯《いたずら》好き、頭の回転が早く、冗談が大好き。ホグワーツ在学中はみんなの人気者だった。商才があり、悪戯専門店ウィーズリー・ウィザード・ウィーズ（WWW）を1996年に開店した。

1978年にウィーズリー家に生まれたフレッドは、小さいころから悪戯が大好きで、いつも弟のロンをからかって遊んでいた。すっぱいペロペロ酸飴を食べさせて母親から箒《ほうき》で叩《たた》かれたり（ロンの舌にぽっかり穴が開いた）、おもちゃの箒の柄を折られたことに腹を立て、その仕返しに彼のテディベアを大蜘蛛《おおぐも》に変えたこともある（ロンは大の蜘蛛嫌いになった）。ロンが5歳のときはジョージと一緒に破れぬ誓いをさせようとし、父親に見つかり厳しく叱られた（それ以来フレッドの尻の左半分はなんとなく調子が出なくなった）。

1989年にジョージとともにホグワーツに入学し、兄たちと同じグリフィンドールに組分けされた。1年生のときから学校中を暴れまわり、糞《くそ》爆弾を爆発させてフィルチに捕まったときには、事務所の書類棚の「没収品・特に危険」という引き出しから忍びの地図を盗み出した。禁じられた森に入り浸《びた》り、ハグリッドは「おまえさんの双子の兄貴たちを森から追っ払うのに、人生の半分を費やしている」とロンにこぼしている。クィディッチが得意で、寮代表チームのビーターを務め、熱血漢オリバー・ウッドからも「双子のウィーズリーにはブラッジャーもかなわない。二人は人間ビーターみたいなものだな」と一目置かれていた。

1991年9月(1巻)、3年生になったフレッドは九と四分の三番線でハリーと出会い、親しく付き合うようになる。組分け儀式でハリーがグリフィンドールに決まると「ポッターを取った！」と歓声を上げて喜んだ。2巻ではダーズリー家に幽閉されたハリーを救い出そうと、空飛ぶフォード・アングリアを運転して登場。その大胆さにハリーは「この二人にはまったく負けるよな」と舌を巻いた。さらに双子が5年生(3巻)になると、「これを必要なのは俺たちより君の方だ」と、ハリーに気前良く忍びの地図をプレゼント。この便利なグッズをハリーは今でも愛用している。

行動的で頭のいい双子は悪戯グッズを買うだけでは飽き足らず、部屋に籠《こも》って爆発音を立てながら、自分たち独自のジョーク・グッズやお菓子の発明を続けていた。そして、悪戯専門店「WWW」を開くことを計画し、6年生(4巻)になると資金集めのためにこれまで作っただまし杖などのグッズをホグワーツで売りさばこうと考える。しかし、夏休みにその注文書が母親に見つかり大喧嘩《おおげんか》。双子に将来役人になって欲しかった母親は悪戯専門店に反対するが、二人は決して諦《あきら》めず、大金を手に入れようとこの年に行われたクィディッチ・ワールドカップの賭けに全財産を注ぎ込む。賭けには大勝するものの、配当金をルード・バグマンに持ち逃げされ、一文無しになった双子は落ち込み、夢をいったん諦めようとする。しかし、帰りのホグワーツ特急の中で、ハリーから三校対抗試合の優勝賞金1千ガリオンをプレゼントされ、一転して夢が大きく実現へと近づく。

自分たちの将来に学業は無縁であるため、7年生(5巻)になる前の夏休みに学校に戻るべきか真剣に悩むが、中退したら母親が悲しむと思い、卒業することを決意。最後の年を市場調査に利用しようと学校に向かう。しかし底意地の悪いアンブリッジにクィディッチを禁止され、さらにダンブルドアも逃走。これまで「一線を守ってきた」双子だったが、とうとう我慢も限界に達し、校内でウィーズリーの暴れバンバン花火や携帯沼地を使って思う存分暴れると、最後に「俺たちに代わってあの女を手こずらせてやれよ」とピーブズに後を託し、さっそうと自由へと飛び立った。

双子がダイアゴン横丁93番地に開店したWWWは大繁盛し、1996年には真面目な商品も開発。盾の帽子や盾のマントなどの「闇の魔術に対する防衛術」の商品群は好評を博し、魔法省から大量注文が入った。ふくろう通信販売サービスも始め、フィルチの目を盗みながら持ち込み禁止品を偽装工作して、ホグワーツに送っている。かくして事業は拡大の一途をたどり、ホグズミードのゾンコの店の買収も検討されている。

外見はそっくりな双子だが性格は少々異なり、フレッドはジョージより毒舌で積極的、陽気なお調子者である。ロンとジニーのクィディッチの練習を見て、「ありゃ死刑もんだ。あいつらまったくのクズだ」とこき下ろしたり、ロンがラベンダー・ブラウンと付き合っていることを知ると、「いかにしてその女性はそれほどの脳障害を受けたのか？」とからかっている。ホグワーツの生徒の前で楽しげにWWWの商品の実演モデルをしたのは、いつもフレッドだった。兄弟の中では特にロンとパーシーを悪戯やからかいの標的にし、WWWの商品をただで持ち逃げしようとするロンに「金を出せ」とすごんだりしているが、誕生日には弟をびっくりさせようと大きなプレゼントを用意する優しい兄でもある。

JKR公式サイトによると、フレッドとジョージの名前の由来は『風と共に去りぬ』の双子（フレッド・クレーンとジョージ・リーブスという名の俳優が演じている）ではなく、JKRがその名を気に入っており、ウィーズリー家の他の兄弟の古風な名前にも上手く合っていたから使用したという。

［⑥上**465**、下**007**、**118**、**123**、**489**］［⑤上**112**、**114**、下**396**～**398**、**400**～**402**］［④上**083**、**290**］［③**248**］［②**040**］［①**142**、**208**、**248**］［**JKR**公式サイト］［⑦初出**4**章 **UK044**／**US045**］

ウィーズリー、モリー・プルウェット
モリー・プルウェット・ウィーズリー
【Weasley, Molly Prewett／Weasley, Mrs】G OP

①06-138
⑥04-上114

（1950年ころ？10月30日-）ウィーズリー家の肝っ玉母さん。赤毛で背の低いふっくらとした魔女。夫婦二人だけのときの愛称は「かわいいモリウォブル（Mollywobbles）」。料理と編み物が得意な家庭的な女性で、ギデオンとフェービアン・プルウェットは実の兄弟。親族は、ほかにミュリエル大叔母がいる。

魔法界の純血の良家、プルウェット一家に生まれたモリーは、兄弟のギデオンやフェービアンとともに育てられ、ホグワーツに入学しグリフィンドール生となった。在学中にアーサーと付き合うようになり、二人で夜の散歩を楽しみ、朝の4時に寮に戻って太った婦人《レディ》にこっぴどく叱られたこともある。卒業後、暗黒の勢力が強くなったころにアーサーと結婚。同じ時期、不死鳥の騎士団のメンバーとなっていたギデオンとフェービアンを、死《し》喰《く》い人《びと》五人に殺されている。1970年11月29日に第一子ビルを出産。その後11年のあいだに五男一女を生《な》した。子供たちがホグワーツに入学する前は、マグルの小学校に送らず、すべて自分の手で教育した。

優しそうな顔をしているが、短気ですぐカッとなり、怒ると牙《きば》をむいた虎そっくりになる。1992年に双子とロンが空飛ぶ車を運転してハリーをダーズリー家から連れ帰ると、「ベッドは空っぽ！メモも置いてない！車は消えている」とガミガミ怒鳴った。自分の子供には厳しいがハリーには優しく、「まあハリー、よく来てくださったわねえ。朝食をどうぞ」と温かく隠れ穴に迎え入れた。初めて九と四分の三番線で会ったときは、ホームへの入り方が分からないハリーに「心配しなくていいのよ」と親切に教え、あとで自分が話した少年がハリーだったと分かると、「かわいそうな子。本当にお行儀がよかった」と褒《ほ》めている。ハリーの母親のような存在で、1995年ヴォルデモートとの対決から戻ったハリーが、「僕と一緒に優勝杯を握ろうって、僕が

言ったんだ」とセドリックの死を悲しみ自分を責めると、「あなたのせいじゃないわ」と両手でハリーを包みこんだ。

正義感の強い優秀な魔女なので自分も騎士団のメンバーになったが、兄弟二人を死喰い人に殺されているため、ヴォルデモートに対しては人一倍恐怖心が強い。家族の半分が騎士団に加入してからは心配が頂点に達し、痩《や》せこけ青白い顔になってしまった。このため、ハリーにも過剰なまでに保護的な態度を見せ、5巻では「まだ若すぎる」と騎士団に関する質問を禁じ、シリウスと対立した。

情が深く、魔法省に勤めるお気に入りの三男パーシーが父親と大喧《おおげん》嘩《か》し家を飛び出すと、ロンドンまで会いに行き（「ママの鼻先でドアをぴしゃりさ」ロン談）、1996年クリスマスに彼がスクリムジョールを家に連れて来ると、ほかの家族が硬い表情をする中、一人だけ息子に抱きついた。長髪でハンサムな長男ビルとは食事時に髪型論争をするのが常であったが、その息子が狼男に襲われ無残な姿に変わると、「どんな顔になってもかまわないわ……でもこの子はとってもかわいい、ちっ―ちっちゃな男の子だった」と泣き崩れた。当初、長男の飛びきり美人の婚約者フラーとは反《そ》りが合わず、「早すぎる」と結婚を反対していたが、噛《か》まれた後でもビルと一緒になりたいというフラーの言葉を聞くと泣きながらに抱き合い、嫁として受け入れた。双子にはパーシーのように魔法省に入って欲しいと考えていたので、最初のうちはウィーズリー・ウィザード・ウィーズ(WWW)に反対していたものの、魔法省幻想が崩壊し、二人に商才があることが分かると、認めるようになった。ロンが監督生になったときは、「信じられない」と悲鳴をあげて驚いたが、すぐに喜び息子に抱きつき顔中にキス。ご褒美《ほうび》に箒《ほうき》をプレゼントした。7ふくろうの成績にも満足し、「よくやったわ！」と誇らしげな顔をした。ジニーがハリーと付き合ったことはまだ知らないようであるが、大喜びすることは間違いない。

ロックハートに熱を上げ、5巻でも『ギルデロイ・ロックハートのガイドブック――一般家庭の害虫』を愛用していた。好きな歌手はセレスティナ・ワーベック。18歳のときに彼女のジャズナンバーでアーサーと踊った思い出を、今もなお大切にしている純情な魔女である。

Mollyの名前は、英語mollycoddle「甘やかす」、「大事に育てる」を連想させる。誕生年(1950年ころ)は、ビル・ウィーズリー出産年やヴォルデモートが最初に台頭した時期に結婚したことから算出。

［⑥上**122**、**132**、**140**、下**031**～**033**、**044**、**461**～**463**］［⑤上**102**］［④上**084**、下**401**～**402**、**537**、**543**］［①**146**、**293**］［**JKR**公式サイト「噂」］［**WBC**］［⑦初出**4**章 **UK046**／**US048**］

ウィーズリー、ロナルド(ロン)・ビリウス
ロナルド・ビリウス・ウィーズリー
【Weasley, Ronald (Ron) Bilius】 G DA

①**06–138**
⑥**04–**上**118**

(1980年3月1日–)ハリーの親友のグリフィンドール生。ウィーズリー家六男の赤毛でひょろひょろのっぽの少年。手足が大きく、鼻は高いが顔はソバカスだらけ。瞳の色はブルー。優秀で個性派ぞろいの兄弟の陰で霞《かす》みがちな存在だったが、5年生から監督生に選ばれ、クィディッチ寮代表チームのキーパーになった。OWL《ふくろう》試験は「占い学」と「魔法史」は落としたが、7ふくろうを獲得している。DAのメンバー。

1980年に生まれたロンは、小さいころから5人の兄(おもにフレッド)の悪戯《いたずら》の標的にされながらたくましく育った。3歳のときにフレッドのおもちゃの箒《ほうき》の柄を折った仕返しに、自分のテディ・ベアを魔法で大蜘蛛《おおぐも》にされたり(このせいでロンは大の蜘蛛嫌いになった)、5歳で双子に破れぬ誓いを結ばされそうになったり、7歳のときはフレッドにすっぱいペロペロ酸飴を舐《な》めさせられ、酸にやられて舌にぽっかり穴が開いた。勉強やクィディッチの才能のある兄たちと比較され、持ち物は家族のお下がりばかりなので、少々イジケ気味の男の子だった。

1991年、11歳になるとホグワーツに入学。学校に行く列車の中でハリーの向かい側の席に座って友達になる。家族全員がグリフィンドールなので、組分け前は「もし僕がそうじゃなかったら、何て言わ

れるか」とドキドキしたが、無事兄たちと同じ寮になり、「よくやったぞ、えらい」と褒《ほ》められた。ハリーとは寮の寝室も同じで、一緒に授業を受けたりマルフォイと喧嘩《けんか》をするうちに親友になった。さらに、トロールに襲われそうになったハーマイオニーを助けたことから、彼女とも親しくなり、それからは三人で行動するようになった。友情に厚い少年で、賢者の石を守る巨大チェスの部屋ではチェスの上手い彼が陣頭指揮し、最後は自分が犠牲となり、ハリーとハーマイオニーを次の部屋に進めさせた。

2年生のときは、新学期初日にハリーと一緒にホグワーツ特急に乗りそこない、大胆にも父親の空飛ぶ車で登校することに。しかし車は途中で故障して、暴れ柳に激突。先生方や母親から説教される羽目になった。兄弟の中では年下の妹ジニーを可愛がっており、彼女が秘密の部屋の中に連れ去られたときは心配し、ハリーと一緒に救出に向かった。ロックハートの放った呪文で地下道の天井が崩落し、ロンは部屋の途中までしか行かれなかったものの、この勇気が称《たた》えられ、ホグワーツ特別功労賞を受賞した。

魔法界の純血の家族の中でも最も有名な一族に生まれているが、ドラコ・マルフォイのような差別的なところは見られず、ハーマイオニーがドラコに「穢《けが》れた血」と侮辱されるとカンカンになって怒り、彼に杖を向けた。しかし、杖がおんぼろだったため逆噴射し、呪文は自分にかかってナメクジをゲーゲー吐く憂《う》き目に。このように、肝心なところでボケる役回りなのか、3年のときは叫びの屋敷でピーター・ペティグリューを追い詰めたものの、途中で魔法をかけられ気を失ったため、シリウス救出劇には参加できなかった。5年の魔法省では命をかけた戦いが繰り広げられる中、一人だけ死喰《しく》い人《びと》から魔法を受けて頭がおかしくなり、エヘへと笑って脳みそを呼び寄せ、敵からも唖《あ》然《ぜん》とされた。

入学以来ハリーを陰ながら支えてきたロンだったが、4年生で彼が三校対抗試合の代表選手に選ばれると、これまで抑えてきた親友に対する嫉妬や、自分が注目されない不満が爆発。ハリーと喧嘩してしまう。内心は彼のことが気がかりで、夜遅く談話室に下りてきたりしたが、意地を張って口をきかないでいた。しかし第一の課題でハリーが凶暴なドラゴンを前に素晴らしい活躍を見せると、その感動がロンの心を開かせる。「君の名前をゴブレットに入れたやつが誰だったにしろ、やつらが君を殺そうとしてるんだと思う」と声をかけ、二人のわだかまりは一瞬にして消え去った。

5年生になり監督生に選ばれると、ジョージからは「まさか」、フレッドからは「間違いだろ」、ハーマイオニーには「確かなの？」と驚かれたが、母親は大喜び。褒美《ほうび》に新品のクリーンスイープ11号を手に入れたロンは、ウッドが卒業して空席となったキーパーの選抜に挑戦することに。これまで休暇中にチャーリー、フレッド、ジョージが自宅でトレーニングするときはキーパーをしていた彼だったが、さらに毎晩独りで練習を重ね、見事選抜に合格した。しかし、もともとプレッシャーに弱く、さらにこれまであまり注目されず、侮辱やからかい、脅しに耐えた経験のないロンは、少し野次《やじ》られただけでもミスを連発。最初のスリザリン戦は何とか勝ったものの、ハッフルパフとの試合では14回もゴールを抜かれてしまう。たまらず退部を申し出るが、当時のキャプテンのアンジェリーナは彼を信頼して辞めさせず、とうとう最後のレイブンクロー戦を迎える。それまで自信喪失していたロンであったが、試合当日になると「僕はこれ以上、下手になりようがないじゃないか」、「いまや失うものは何もないだろ？」と持ち前の明るさで開き直り、がっちりとゴールをセーブ。グリフィンドールを優勝に導き、兄たちのようにクィディッチの才能があることを、見事自分自身の手で証明してみせたのであった。

兄に囲まれて育ったせいか、恋愛には奥手で、面食いなので「きれいなお姉さん」にめっぽう弱い。ビルと婚約した美人のフラーが自宅に滞在したときは、頬《ほほ》にキスされたそうな顔をして、彼女の前でソワソワした。フラー嫌いの女性陣の前で、「まともな頭の男なら、フラーがいるのにトンクスを好きになるかよ」と言い放ち、顰蹙《ひんしゅく》を買ったことも。母親のような年齢のマダム・ロスメルタに長いこと密かに思いを寄せていて、見つめられるたびに赤くなっていた。4年生ごろからハーマイオニーを意識し始めるが、思いを伝えることができず、クラムに長い手紙を書く彼女に、「その小説、誰に書いているんだ？」と嫌味を言うのが精一杯だった。反対に、6年生になるとハーマイオニーの方がロンに対して積極的に行動するようになり、クィディッチ選抜で彼が選ばれるようにライバルのマクラーゲンに錯乱呪文をかけたりしたが、鈍感なロンはそんな彼女の苦労も知らず、自分の実力で合格したと思っていた。そんな中、ジニーとディーンの熱いキスを目撃したお子ちゃまロンは、過剰に反応。妹の男性遍歴を非難するが、逆にキスの経験がないことを暴露されてしまう。さらには、ハーマイオニーがクラムとキスをしていたことを聞かされて激怒し、その仕返しにラベンダー・ブラウンと付き合うようになる。本当はハーマイオニーのことが好きで、彼女の反応が気になっていたが、授業が終わるとラベンダーに捕まり、固く巻きつきキスをして過ごし、ハーマイオニーとは口をきかない日々が続いた。ラベンダーから「私の愛しいひと」の金文字がついたペンダントをプレゼントされ、ウォン-ウォンと呼ばれてがんじがらめになる中、誕生日に惚《ほ》れ薬入りのチョコレートを食べてしまい、スラグホーンに解毒剤を調合してもらう羽目に。惚れ薬からは回復したものの、誕生祝いに振る舞われたオーク樽熟《たるじゅく》成《せい》の蜂蜜酒《はちみつしゅ》が毒入りだったため瀕死《ひんし》の状態に陥り、ハリーの機転で一命を取り留めるが、病棟に入院することになる。独りになって頭を冷やしたロンは、これまで自分が本当に好きな女性を大切にせず、あてつけのような酷い仕打ちをしてきたことを反省、ハーマイオニーと仲直りをする。精神的に少し成長し、ルーナのことを面白いと思える心の余裕が出てきたものの、ラベンダーに対しては自分の気持ちをはっきり説明して別れることができず、相手が去るまで逃げ続けた。ハーマイオニーからは「意気地なし(coward)」と言われたが、彼女が宿題を直してくれたときに「愛してるよ」とさりげなく告白、赤面させた。ジニーの交際にもやや寛容になり、彼女とハリーが突然キスしたときは頭を棍棒《こんぼう》で殴られたような顔をしたが、首を小さくクィッ(P54へ)

ロン・ウィーズリー年表
(6巻まで)

1980年	
3月 1日	アーサーとモリー・ウィーズリー夫妻の六男として誕生。
1983年ごろ	3歳のとき、フレッドのおもちゃの箒の柄を折った仕返しに、自分のテディ・ベアを魔法で大蜘蛛にされた。これが原因で蜘蛛嫌いになる。
1985年ごろ	5歳ごろ、フレッドとジョージに破れぬ誓いを誓わされそうになる。
1987年ごろ	7歳のとき、フレッドに騙《だま》されすっぱいペロペロ酸飴を舐《な》め、酸にやられて舌にぽっかり穴が開いた。
1991年	
9月 1日	ホグワーツ1年生。ホグワーツ特急の中でハリーと同じコンパートメントに座り、意気投合し友達になる。グリフィンドールに組分けされる。
10月10日	トロールに襲われたハーマイオニーを助けて友達になる。
1992年	
3月 1日	12歳の誕生日。
春	ノーバートに手を噛《か》まれて医務室に入院。
6月 4日	ハリー、ハーマイオニーとともに仕掛け扉を通り、巨大な魔法チェスの部屋へ。チェスに勝ち、二人を次の部屋へと導く。
8月 3日	フレッドとジョージとともに空飛ぶフォード・アングリアに乗って、ダーズリー家からハリーを救出。
8月19日	煙突飛行粉《フルーパウダー》を使って隠れ穴からダイアゴン横丁へ。
9月 1日	ホグワーツ2年生。ホグワーツ特急に乗り遅れ、ハリーと一緒に空飛ぶフォード・アングリアで学校に向かうが、暴れ柳に衝突。
9月 2日	母親から吼《ほ》えメールが届く。
9月 5日	マルフォイにナメクジげっぷの呪いを唱えようとするが、杖が逆噴射して自分にかかり、ナメクジをゲーゲーする羽目に。
10月31日	ほとんど首無しニックの500回目の絶命日パーティに出席。
12月25日	ポリジュース薬を飲みビンセント・クラッブになる。
1993年	
3月 1日	13歳の誕生日。
5月24日	ハリーとともにアラゴグに会いに禁じられた森に行くが、襲われそうになりフォード・アングリアに助けられる。
5月29日	ハリー、ロックハートとともに秘密の部屋に向かう。

	ホグワーツ特別功労賞を受賞。
8月31日	ダイアゴン横丁でハリーと再会。
9月 1日	ホグワーツ3年生。ホグワーツ特急の中でルーピンと一緒になる。
1994年	
2月 3日	クルックシャンクスがスキャバーズを食べたとハーマイオニーを責める。
3月 1日	14歳の誕生日。
6月 6日	バックビークが処刑される。パッドフットにひきずられて叫びの屋敷に行く途中に骨折。屋敷の中でルーピン、シリウス・ブラック、ピーター・ペティグリューと会い真実を知る。ホグワーツ城に戻り医務室に入院。
6月 7日	退院。
8月22日	第422回クィディッチ・ワールドカップを観戦。
9月 1日	ホグワーツ4年生。
10月31日	炎のゴブレットが三校対抗試合の代表選手を選出。ハリーが選ばれたことに嫉妬して口をきかなくなる。
11月24日	三校対抗試合の第一の課題。ハリーと仲直り。
12月25日	クリスマス・ダンスパーティにパドマ・パチルと参加。クラムのパートナーになったハーマイオニーに激怒し大喧嘩。
1995年	
2月24日	第二の課題の人質になる。
3月 1日	15歳の誕生日。
6月24日	ヴォルデモートが復活したことをハリーから聞く。
8月 6日	グリモールド・プレイス12番地でハリーと再会。
8日 7日	ドクシー駆除。
8月31日	ホグワーツから教科書リストが届く。監督生になる。
9月 1日	ホグワーツ5年生。
9月 6日	グリフィンドール寮代表チームのキーパーに選ばれる。
10月 5日	ホッグズ・ヘッドで最初のDA集会。
12月18日	父アーサーが魔法省で巨大蛇に襲われ、聖マンゴ病院に入院。ハリーや家族とともに移動《ポート》キーでグリモールド・プレイス12番地へ。
12月19日	ハリーや家族と一緒に父アーサーを見舞うため聖マンゴ病院へ。
12月25日	クリスマス・ランチの後、ハリーや家族とともに再び聖マンゴ病院に行く。ヤヌス・シッキー病棟でギルデロイ・ロックハートやネビルの両親に会う。

1996年	
3月 1日	16歳の誕生日。
5月	(最後の週末)グリフィンドール対レイブンクローの試合でゴール・セーブして勝利を収める。グリフィンドールがクィディッチ優勝杯獲得。
6月 7日	OWL《ふくろう》試験スタート。
6月17日	試験最終日。17日夜から18日にかけて魔法省神秘部で死喰《しく》い人《びと》と戦う。脳みその触手に巻きつかれてホグワーツの医務室に入院。
6月	(学期終了の3日前)完治して退院。
7月	ハリーが隠れ穴に来る。その翌日OWL試験の結果が届く。結果は「7ふくろう」。
8月 3日ごろ	ハーマイオニー、ハリーらとダイアゴン横丁へ。ウィーズリー・ウィザード・ウィーズ(WWW)に行った後、ドラコ・マルフォイを尾行しボージン・アンド・バークスへ。
9月 1日	ホグワーツ6年生。
9月14日ごろ	クィディッチ選抜。ハーマイオニーのお陰でキーパーに選ばれる。
11月2日ごろ	クィディッチ試合(グリフィンドール対スリザリン)に勝利。祝賀会でラベンダーとキス。ハーマイオニーの小鳥に襲われる。
12月25日	ラベンダーから「私の愛しいひと」の金文字がついたペンダントをプレゼントされる。
1997年	
1月5日ごろ	隠れ穴からホグワーツへ。ラベンダーから「ウォン-ウォン」と呼ばれるようになる。
3月 1日	17歳の誕生日。惚《ほ》れ薬入りの大鍋チョコレートを食べ、スラグホーンに解毒剤を調合してもらう。誕生祝いに振る舞われたオーク樽熟成蜂蜜酒《だるじゅくせいはちみつしゅ》は毒入りだったため医務室に入院。
3月10日ごろ	退院。ハーマイオニーと仲直り。
4月21日	「姿現わし」試験に落第。ラベンダー・ブラウンと別れる。
6月	ホグワーツに死喰い人が侵入。ジニー、ネビルとともに必要の部屋を見張っていたが、マルフォイに出し抜かれる。
	ダンブルドアの葬儀に参列。何があってもハリーと一緒に行動すると宣言。

（P50から）と傾け二人の交際を受け入れた。

あまり目立たない生徒なので、スラグホーンからは無視され、「ラルフ」や「ルパート」と最後まで名前を覚えてもらえなかった。姿現わしには手こずり、1回目の試験では片方の眉を半分だけ置き去りにして不合格。2回目でパスした。暖かい家庭で苦労を知らずに育ったので親友二人と比べると成長が遅く、子供っぽくて「ちょっと思いやりのない所がある」（ルーナ談）が、ヴォルデモートを倒す旅に出るという親友に、「君と一緒にどこにでも行く」と力強く答える、忠実で陽気な、ハリーにとって誰にも代えがたい大切な友人である。

JKRによると、物語の主要登場人物のうち、姓が一度も変わっていないのはたったの三人で、ロンはそのうちの一人だという。ウィーズリー（Weasley）姓に関しては「イギリスとアイルランドにはウィーゼル（Weasel イタチ）は悪運を、あるいは邪悪さを象徴する動物というよくない評判があります。でも私の家族はずっとイタチを飼っていて、わたしは子供のころから大好きでした。別に意地悪でもなければ悪運ももたらさないと、個人的には思っています」とし、赤毛についても「イスカリオテのユダは赤毛だった、など悪い迷信がありますがこういう迷信はナンセンスで、自分はイタチと同じように赤毛にも好意を持っています」と述べている。ロンのモデルは、JKRの中等学校時代の親友、ショーン・ハリス氏。「ロンをショーンのような人物に仕立て上げるつもりはなかったけれど、ページの上に置くと、ロンは私の旧友（ハリス氏）のように振る舞うことがよくありました。しかしそうはいってもロンとショーンは大きく違っています」とし、「若いときに一度ならずロン（のモデル）とデートしたことがあります。ロンは面白いけれど、無神経なところがあります。未熟なところが多々あり、そこからユーモアが生まれています。デートするにはそんなに楽しくはないですが、友人として素晴らしい人物です」と評している。ミドルネームのビリウスはWBCで判明。グリムを見た24時間後に死んでしまったおじさんの名前である。ロンの気の小ささは、おじさん譲りなのかもしれない。

[⑥上**331**、**339**〜**340**、**353**、**431**、**434**〜**436**、**439**、**454**〜**455**、**461**、**468**、**475**、下**013**、**026**、**047**、**052**、**110**〜**116**、**154**〜**157**、**196**、**226**、**231**、**296**〜**297**、**504**〜**505**][⑤上**016**、**258**〜**270**、**302**、**428**、**433**、**456**〜**464**、**549**、**630**〜**631**、下**058**、**069**、**243**、**245**、**373**][④上**161**、**391**、下**114**、**223**][③**260**、**492**、**499**、**542**][②**103**、**116**、**129**、**166**、**432**、**435**、**493**][①**140**、**150**、**159**、**177**、**311**、**415**、**450**][**JKR** 公式サイト][**EBC**][**OBT**][⑦初出**4**章 **UK 043**/**US045**]

ウィーズリー・ウィザード・ウィーズ(店)
WWW/悪戯《いたずら》専門店
【Weasleys' Wizard Wheezes】

④**05**-上**082**
⑥**06**-上**176**

フレッドとジョージが開店したジョークショップ(悪戯専門店)。ダイアゴン横丁93番地にある。ショーウィンドウは目がチカチカするほど派手に飾りつけられ、左側のウィンドウには目の眩《くら》むような商品の数々が、回ったり跳《は》ねたり光ったり叫んだりしている。右側のウィンドウには巨大な「ウンのない人」のポスターが貼ってある。店内は商品が天井まで積み上げられ、お客でごった返している。店の奥にアーサーのようなマグル好きの変人のためにマグルの手品用品が置いてあり、その脇のカーテンの奥には盾の帽子などの真面目路線の商品が陳列されている。窓のそばにはワンダーウィッチ製品のピンク色の商品群が並べられ、興奮した女の子たちで混雑している。店員はベリティという名のブロンドの若い魔女。双子やベリティは赤紫色のユニフォームを着用している。これらWWWのすべての製品は、ホグワーツへの持ち込みが禁止されている。

双子たちは昔から、部屋に籠《こも》って爆発音を立てながら、だまし杖やひっかけ菓子などのオリジナル製品を作り、WWWの開店を夢見ていた。発明品を学校で売ろうと作った注文書が母親に見つかり、WWWは将来の夢にふさわしくないと叱られても、二人は諦《あきら》めずにこっそり学校でカナリア・クリームなどを地味に売って、資金を稼いでいた。ハリーから三校対抗試合の賞金を貰《もら》ってからは商品開発のピッチが上がり、『日刊予言者新聞』で通販をするまでに事業は拡大。7年生にな

ウィーズリー・ウィザード・ウィーズ
商品リスト

◆インスタント煙幕
◆ウィーズリーの暴れバンバン花火：「基本火遊びセット」が5ガリオン、「デラックス爆発」が20ガリオン
◆ウンのない人
◆おとり爆弾
◆カナリア・クリーム：7シックル
◆首なし帽子：2ガリオン
◆携帯沼地
◆冴《さ》えた解答（羽根ペン）
◆自動インク羽根ペン
◆ジョーク鍋
◆ずる休みスナックボックス：「気絶キャンディ」、「発熱ヌガー」、「鼻血ヌルヌルヌガー」、「ゲーゲー・トローチ」
◆盾の手袋
◆盾の帽子
◆盾のマント
◆食べられる闇の印
◆だまし杖
◆綴《つづ》りチェック羽根ペン
◆特許・白昼夢呪文
◆何度でも使えるハングマン首吊り綴り遊び―綴らないと吊るすぞ！
◆伸び耳
◆パンチ望遠鏡と痣《あざ》消し
◆ピグミーパフ
◆ベロベロ飴（トン・タン・トフィー）
◆マグルの手品用品

ワンダーウィッチ製品
◆（最高級）惚《ほ》れ薬
◆十秒で取れる保証つきニキビ取り

る前の夏休み、学校に戻るべきか二人は真剣に悩んだが、学校を中途で退学したら母親が悲しむと思い、卒業することを決意。最後の年を市場調査に利用しようと考えた。しかし思いもよらぬアンブリッジの学校介入によりクィディッチを禁止された挙句《あげく》、ダンブルドア校長まで逃走。1年生を実験台にして商品開発を完了した双子は、もはやホグワーツに留まる理由はないと見切りをつけ、ダイアゴン横丁にWWWを開店し学校を去った。ホグワーツでの最後の年を台無しにしてくれたアンブリッジへの「お礼」として、彼女をホグワーツから追い出すために自分たちの商品を使うと誓った生徒には、特別に割引サービスを行った。お店は大繁盛し、ホグズミード支店として、現在ゾンコの店の買収が計画されている。

[⑥上**132**、**177**～**186**、**251**、下**118**][⑤上**173**、**361**、下**398**、**406**][④上**083**～**084**][⑦初出7章 **UK098**／**US114**]

ウィーズリー家特製セーター

ウィーズリーおばさんの手編みセーター

【Weasley jumper／Mrs Weasley's hand-knitted sweater（6巻）】

①**12-293**
⑥**12-上361**

ウィーズリー夫人が、毎年クリスマスにハリーや子供たちにプレゼントしてくれる手編みのセーター。ハリーが最初に貰《もら》ったのは、エメラルドグリーンのものだった。1・2巻ではイニシャル付きとそうでないものの二種類しかなかったが、3巻から腕が上がり絵柄が編み込まれたセーターが登場するように。6巻ではフラーのために1着無駄にする気はなかったらしく、彼女には編まなかった。

[⑥下**027**～**028**][⑤下**133**][④下**079**][③**289**][⑦初出**16**章 **UK265**／**US324**]

ウィーズリー家の（大きな）時計

柱時計

【Weasley family clock／grandfather clock】

②**03-051**
⑥**05-上128**

ウィーズリー家の大きな柱時計。文字盤には数字の代わりに「家」、

「学校」、「仕事」、「迷子」、「移動中」といった家族がいそうな場所が書かれ、家族の名前の彫られた9本の金色の針が各人の居所を指している。「病院」や「牢獄」などもあり、ヴォルデモートの復活が明るみに出てからはずっと「命が危ない」を指している。よその家族も同じ状態なのであろうが、このような時計を持っている家がほかにないので確かめようがない。これまでウィーズリー家の居間に掛けてあったが、死《し》喰《く》い人《びと》の襲撃が増えてからは居場所がすぐ確認できるよう、ウィーズリー夫人が家中持ち歩いている。

［⑥上**094**、**163**］［⑤下**085**］

ウィーズリーはわが王者
【“Weasley is our King” song】

⑤**19**-上**640**
⑥**14**-上**449**

ロンの応援歌。もともとはプレッシャーに弱いロンを萎《い》縮《しゅく》させるためにスリザリンが作った歌で、クィディッチの試合でスリザリン生が歌っていた。しかし、5年生の最後の試合でロンがゴールを守りきりグリフィンドールに勝利をもたらしてからは、グリフィンドールの観衆がロンを応援するときに歌うお気に入りの歌となった。

本来の歌詞はマルフォイが考案し、「ウィーズリーは守れない」、「万に一つも守れない」、「いつでもクアッフルを見逃した」、「おかげで我らは大勝利　ウィーズリーこそ我が王者」というロンを皮肉った内容だったが、今は「ウィーズリーは守れるぞ」、「クアッフルをば止めたんだ」、「万に一つも逃さぬぞ」、「ウィーズリーは我が王者」と賞賛する歌詞に換えられている。

［⑤上**648**、下**438**］

ウィゼンガモット最高裁事務局
【Wizengamot Administration Services】

⑤**07**-上**211**

魔法省・魔法法執行部に直属する部局。オフィスはロンドンの魔法省2階。

［⑦初出**12**章 **UK201**／**US245**］

ウィゼンガモット法廷
ウィゼンガモット／ウィゼンガモット最高裁
【Wizengamot】

⑤05-上158
⑥03-上062

魔法使いの最高裁判所。長官（長たる裁判官）は主席魔法戦士と呼ばれている。メンバー（裁判官）はおよそ50名で、左胸に複雑なWの銀の飾り文字が入った赤紫色のローブを着用している。裁判は魔法省地下10階にある法廷で開かれ、尋問《じんもん》官が質問をする形で進行。評決は挙手によって行われる。アルバス・ダンブルドアは長らく主席魔法戦士だったが、1995年夏に魔法省の策略で罷免《ひめん》され、その後1996年6月に復職した。5巻でホグワーツに高等尋問官職が導入された際、ウィゼンガモットの古参のメンバー、グリゼルダ・マーチバンクスとチベリウス・オグデンが抗議の辞任をした。ふだんは刑事事件などを扱っているが、ハリーの尋問はコーネリウス・ファッジの陰謀で、この大法廷（最高裁判所の全員の裁判官で構成される合議体）で裁かれた。

Wizengamotは「witenagemot（アングロ-サクソン時代の賢人会議）」と「wizard（魔法使い）」の合成語であろう。

［⑤上**223**、**242**、**485**、下**661**］［⑦初出**2**章 **UK024**／**US020**］

ヴィーラ
【Veela】

④08-上160
⑥11-上334

魔性の女性。クィディッチ・ワールドカップでブルガリア・ナショナルチームのマスコットとして登場した。月の光のように輝く肌を持ち、風もないのに長い髪をなびかせて、踊りで男性の心を惑わせる。初めてヴィーラを見たハリーは幸せな気分になり、気がつくと椅子《いす》から立ち上がり片足をボックス席の前の壁にかけていた。ふだんは美しい女性だが、自制心を失うと獰猛《どうもう》な嘴《くちばし》を持つ鳥の頭に変身。鱗《うろこ》に覆われた長い翼を肩から出して、火の玉のようなものを投げつける（「だから、外見だけにつられてはダメなんだ！」とはウィーズリーおじさんの含蓄《がんちく》のある言葉）。ワールドカップ終了後、スタン・シャン

パイクはヴィーラを誘おうとして、自分は最年少の魔法省大臣になるんだと見栄を張った。フラー・デラクールの祖母はヴィーラ。彼女の杖の芯には、祖母の髪の毛が使われている。

ヴィーラは、東欧民話に登場する妖精（精霊）で、湖や小川、森などに住んでいる。髪の長い美しい女性の姿で現れ、歌声や踊りで男性を惑わす。特に月明かりの晩にヴィーラが踊っているところに出くわしてしまったら運のつき。それを見た男性はヴィーラの虜《とりこ》となり、恋い焦がれてついには死に至ると言われている。川などで溺死した女性がこの危険な精霊になると恐れられているが、人間にとって悪いことばかりするわけではない。ヴィーラが祭りの夜に踊った場所は草が繁り、小麦の収穫が増えるという言い伝えも残っているからである。

［④上**161**、**173**、**194**］［⑦初出**7**章 **UK099**／**US116**］

ウィンガーディアムレビオーサ！（浮遊せよ！） ①10–251

【Wingardium Leviosa!】

物を空中高く浮遊させる呪文。ハリーたちは1年のときに羽を使ってこれを練習した。「ビューン、ヒョイ」と手首を動かし呪文を唱えるが、シェーマス・フィネガンがやっても浮くはずの羽は机に張りついたまま。癇癪《かんしゃく》を起こしたシェーマスは羽に火をつけてしまい、ハリーは帽子で火を消す羽目になった。ロンはこれを授業中にやったときは上手くできなかったが、同じ日にトロールに襲われたハーマイオニーを助けるために唱えると、呪文は見事成功。トロールをノックアウトした。

Wingardium は、英語 Wing「翼（をつける）、飛んでいく」とラテン語 arduus「高くそびえた」の合成語、Leviosa はラテン語 levio（＝levo）「上げる、軽くする」からの造語と思われる。

［⑤下**603**］［①**257**］［⑦初出**4**章 **UK054**／**US058**］

ウェンロック、ブリジット
ブリジット・ウェンロック
【Wenlock, Bridget】
2005年8月

(1202–1285)著名な数占い師。数字の7の魔法特性を初めて立証した。

[**JKR** 公式サイト「今月の魔法使い」]

ウォープル、エルドレド
エルドレド・ウォープル
【Worple, Eldred】
⑥15–上479

『血兄弟―吸血鬼たちとの日々』の著者。メガネをかけた小男で、スラグホーンの昔の生徒。友人のサングィニとともに、スラグ《なめくじ》・クラブのクリスマスパーティに参加した。伝記を書かせて欲しいとハリー・ポッターににじり寄ったが、きっぱり断られた。

[⑥上**480**]

ヴォルデモート(卿)
【Voldemort／Lord Voldemort】Ⓢ
①01–020
⑥01–上015

(1926年12月31日–)ハリーの宿敵の最強の闇の魔法使い。背の高い痩《や》せた男で、蒼白《そうはく》の顔に蛇のように平らな鼻、真っ赤な瞳孔《どうこう》は縦に細く切れている。サラザール・スリザリンの末裔《まつえい》である純血の魔女メローピー・ゴーントと、マグルのトム・リドルのあいだに生まれた半純血。本名はトム・マールヴォロ・リドル。父親と、母方の祖父の名を取って命名された。友人を持たず、何事も隠し立てする傾向にあり、残忍で、自己充足的な人物。子供のころから支配欲が強く、凡庸《ぼんよう》さを嫌い、人と異なった特別な存在となることを熱望していた。成長してからは死喰《しく》い人《びと》という召使いを引き連れ、魔法界を征服しようとしたが、1981年ハリー・ポッター殺害に失敗し霊魂にも満たない姿となって逃走。その約14年後の1995年6月、ハリーの血液などを使い復活した。蛇語を話し、開心術に長《た》け、誰かが嘘をつくとほとんど必ず見破る。愛を知らずに育ち、その存在を理解できない。おおかたの魔法使いは恐怖心から「例のあの人」、「名前を呼んではいけないあの人」と呼び、死喰い人からは「闇の帝王」、ダンブルドアからは「トム」と呼ばれている。

リトル・ハングルトンに住んでいた母親のメローピー・ゴーントは、同じ村に住むハンサムな地主の息子トム・リドルに恋をし、愛の妙薬を飲ませて騙《だま》し1925年12月駆け落ち結婚した。数ヵ月後に妊娠し、愛する夫を魔法で操ることに耐えられなくなったメローピーは真実を打ち明けるが、魔法を嫌っていたリドルは妻を捨て、マグルの両親の許《もと》に戻ってしまった。絶望したメローピーは1926年の大晦日の極寒の雪の夜、マグルの孤児院で男の子を出産。トム・マールヴォロ・リドルと名づけると、すぐに死亡した。トム(ヴォルデモート)はそこで育てられながら、いつか自分を捨てた父親を見つけ出し復讐《ふくしゅう》してやると考えるようになり、このマグルの父親への憎しみはマグル全体への憎悪に繋《つな》がっていった。赤ん坊のトムはほとんど泣きもせず、成長すると魔法を使ってほかの子供たちを罰し制御するようになる。犯罪の戦利品を収集する性向があり、いじめの犠牲者からその記念品となるものを奪っていた。さらに、夏の遠足のときは、子供たちを洞窟に誘い込み、魔法を使って怖がらせた。

11歳の夏にダンブルドアが孤児院を訪れ、トムが魔法使いであることやホグワーツに入学することを説明したが、自身の特別な力に気づいていた彼はそれに驚くことはなかった。1938年9月にホグワーツに入学しスリザリンに組分けされ、サラザール・スリザリンが作ったとされる秘密の部屋の伝説を聞くと、その探索を開始。談話室では蛇語を話し、スリザリン生を脅したり感心させたりしていたが、ダンブルドアを除く教職員はトムのそのような攻撃性や傲慢《ごうまん》さに気づかず、稀有《けう》な才能とすぐれた容貌《ようぼう》、礼儀正しく物静かな孤児として、入学時から同情と注目を集めていた。高学年になると献身的な友人を取り巻きにし始め、その中の何人かはホグワーツ卒業後に最初の死喰い人となった。その友人たちを使いさまざまな悪行を働いたが、慎重に行われていたため明るみに出たことはなかった。

5年の歳月をかけて部屋を探し出したトムは、部屋の中の怪物バジリスクを解放。その結果、嘆きのマートルが犠牲となった。このことでホグワーツが閉鎖されそうになると、孤児院に戻りたくない彼は、ハグリッドに濡《ぬ》れ衣《ぎぬ》を着せて退学させ、自分は無実のふりをした。当時の校長のディペットはトムの話を信じ、事件の口封じのためにホグワーツ特別功労賞を与えたが、変身術の教師だったダンブルドアだけはハグリッドが無実であることを見抜き、トムをしつこく監視するようになった。

在学中に自分の両親の記録を調べていたトムであるが、父親がホグワーツに在籍した事実のない平凡なマグルであることを知ると、自分の名前を捨て、Tom Marvolo Riddleのアナグラム(綴《つづ》り換え)のヴォルデモート卿(I am Lord Voldemort)と名乗るようになる。母親のことは人間の恥ずべき弱みである「死」に屈した女だと軽蔑していたが、スリザリンの末裔であることが分かると、1943年の夏(16歳)、ゴーントの家に行く。伯父モーフィンに失神呪文をかけて杖を盗み、それを使ってリトルの屋敷で父親と祖父母を殺害。再びゴーントのあばら家に戻り、複雑な魔法で伯父に偽《にせ》の記憶を植えつけて杖を返し、彼の嵌《は》めていた指輪を盗みその場を去った。死を恐れ、永遠の生を望んでいたトムは、その年の9月に6年生になると、ホラス・スラグホーンからホークラックスの情報を聞き出し、日記を分霊箱にして16歳の自分自身をその中に保存した。

1945年にホグワーツを卒業し、そのまま教師となって学校にとどまることを希望したが、ダンブルドアの策略で断られ、ボージン・アンド・バークスに就職。得意客の一人、ヘプジバ・スミスがハッフルパフのカップとスリザリンのロケットを所持していることを知ると、ヘプジバを殺害してそれを盗み、屋敷しもべ妖精ホキーに罪をなすりつけて魔法界から忽然《こつぜん》と姿を消した。いくつかのホークラックスを作り出し、あちこちに旅行して魔法界で最も好ましからざる者(P67へ)

ヴォルデモート年表
(6巻まで)

1926年	
12月31日	メローピー・ゴーントとトム・リドルのあいだにトム・マルヴォーロ・リドル誕生。父親はマグル。母親はスリザリンの血を引く純血。母親は出産後まもなく死亡。マグルの孤児院で育つ。 孤児院ではいじめっ子だった。自分に特別な力(魔力)があることに早くから気づき、それを行使してほかの子供を怖がらせていた。夏の遠足の際、エイミー・ベンソンとデニス・ビショップを洞窟に誘い恐怖を与えた。
1937年	
12月31日	11歳の誕生日。(入学許可証は届かなかった)
1938年	
夏	ダンブルドアが入学許可証を届けに孤児院を訪問。自分が魔法使いであることを知るが、驚かなかった。
9月 1日	ホグワーツ1年生。秘密の部屋の存在を知り、探し始める。
1942年	
9月 1日	ホグワーツ5年生。
12月31日	16歳の誕生日。
1943年	
6月13日以前	秘密の部屋を開けバジリスクを解放。嘆きのマートルが殺される。
6月13日	ハグリッド退学。
6月	ホグワーツ特別功労賞受賞。
夏休み	ゴーントの家に行きモーフィン・ゴーントに失神呪文をかけ杖を入手。その杖でリトル・ハングルトンに住む父親のトム・リドルと祖父母を殺害。再びゴーントの小屋に戻り、複雑な魔法で偽《にせ》の記憶をモーフィンに植え付け、マールヴォロの指輪を盗んでその場を去った。
9月 1日	ホグワーツ6年生。
9月～12月31日までのあいだ	スラグホーンから分霊箱のことを聞き、自分の日記を分霊箱に。
12月31日	17歳の誕生日。

1944年

9月 1日　ホグワーツ7年生。首席に選ばれる。

12月31日　18歳の誕生日。

1945年

6月　ホグワーツを卒業。教職を志願するが当時の校長ディペットに断られる。ボージン・アンド・バークスで働き始める。

1946年ごろ

ヘプジバ・スミスを殺しハッフルパフのカップとスリザリンのロケットを盗み、屋敷しもべ妖精ホキーのせいにして失踪《しっそう》。このときを最後に魔法界から姿を消す。

自分の支持者を集め、ホークラックスを作る(マールヴォロの指輪、スリザリンのロケット、ハッフルパフのカップ、ナギニなど)。

1956年ごろ

ダンブルドアが校長に。「闇の魔術に対する防衛術」の教職を希望するふりをしてホグワーツへ。断られたためこの職に呪いをかけ1年以上教師が続かないようにした。「ヴォルデモート」を名乗り、顔は蛇のようになっていた。

死喰《しく》い人《びと》を結成。マルシベール、ノットなどがメンバーとなった。

1970年ごろ　ヴォルデモート卿の名前で大々的に出現。昔の面影はまったくない。

死喰い人とともに許されざる呪文を用い、多くの魔法使いやマグルを拷問、殺害して魔法界を恐怖に陥《おとしい》れる。

1980年　シビル・トレローニーがヴォルデモートに関する予言をし、その一部を盗聴したスネイプから報告を受ける。

1981年

10月31日　ポッター夫妻を殺害し、ハリーを殺そうとするが失敗。ハリーに唱えた殺人呪文は自分自身に跳《は》ね返り、肉体のない存在となって逃走。アルバニアの森へ。

1991年

潜伏していたアルバニアの森でクィレルの体に取り憑《つ》く。

1992年

6月 4日　賢者の石を取ろうとするがハリーに阻止される。

8月19日　ルシウス・マルフォイがジニーの持ち物の中にトム・リドルの日記を入れる。

1993年	
5月29日	秘密の部屋の中で、トム・リドルの記憶がハリーと対面。日記は破壊された。
1994年	
6月 6日	アルバニアの森に逃げて来たワームテールと再会。
7月下旬	バーサ・ジョーキンズからクラウチ(息子)が生きているとの情報を聞き出し、バーサを殺害。
8月23日	リトル・ハングルトンでフランク・ブライスを殺害。滞在1週間。
8月	ワームテールとともにクラウチ家へ。クラウチ(父)を服従させ、息子を解放。
8月31日	ワームテールとクラウチ(息子)がマッド-アイ・ムーディを襲う。
1995年	
6月24日	リトル・ハングルトンでハリーを捕らえ、復活を果たす。ハリーを殺そうとするが二つの杖が繋《つな》がり失敗。
夏?	魔法省から予言を盗み、全貌《ぜんぼう》を聞くことを決意。
12月	ブラック家を出てマルフォイ家にも仕えるようになったクリーチャーが、ハリーとシリウスの信頼関係をナルシッサに話してしまう。ヴォルデモートはこれを元にハリーを神秘部におびき寄せて予言の球を盗む計画を立てる。
1996年	
1月	死喰い人がアズカバンから集団脱獄。
6月	ルシウス・マルフォイ、予言の入手に失敗。ヴォルデモートは魔法省に姿を現しダンブルドアと戦う。勝ち目が無いと判断したヴォルデモートはハリーに取り憑くが、愛が満ちた体に長く留まることができず逃走。その姿が役人に目撃された。
夏	ルシウス・マルフォイに対する罰として、ドラコを死喰い人にし、ダンブルドアを殺すよう命令。できなければ殺すと脅した。
1997年	
6月	セブルス・スネイプ、天文台の塔でアルバス・ダンブルドアを殺害し、ヴォルデモートの許《もと》へ。

(P63から)たちと交わり、10年後にヴォルデモート卿としてホグワーツに現れたときは、奇妙に変形した蝋細工《ろうざいく》のような顔つきとなり、昔のハンサムでホグワーツの首席であったトムの面影はかけらも残っていなかった。1956年ごろホグワーツに行き、「闇の魔術に対する防衛術」の教職を志願するが、校長に就任したばかりのダンブルドアに再び断られる。怒った彼はこのポストに呪いをかけ、以来、1年を超えてこの職を続けた教師はいなくなった。表向きは教職の依頼であったが、ダンブルドアは彼に何か別の来訪目的があったと睨《にら》んでいる。

死喰い人という親衛隊を得たヴォルデモートは、ルシウス・マルフォイのような純血主義者や、差別主義者、欲望や野望に満ちた者をメンバーに加えていき、1970年代になると許されざる呪文を用いて多くの魔法使いやマグルを拷問、殺害して魔法界を恐怖に陥《おとしい》れた。彼らは「闇の陣営」と呼ばれ、強い者のおこぼれにあずかろうとする魔法使いや、恐怖に耐えられない弱い心を持つ者が、自衛のためにこの仲間に入っていった。恐怖支配時代の始まりである。さらに魔法界で偏見を持たれていた巨人や闇の生き物などを上手く操り仲間にし、巨人はこの時代に起きたマグル大量殺戮《さつりく》事件の中でも最悪のものにかかわっている。魔法省も負けておらず、抵抗に立ち上がり、ヴォルデモートに従う者に厳しい措置を取り始めたが、その魔の手はすでに省内にまで及んでおり、内部の情報は闇の陣営のスパイによって暗黒の勢力に流れていた。

しかし、そんなヴォルデモートにも凋落《ちょうらく》のときがやってくる。その原因となったのは、シビル・トレローニーの予言であった。1980年に彼女がヴォルデモートに関する予言をすると、これを盗聴したスネイプはすぐさまヴォルデモートに報告する。予言に当てはまる男の子は二人いたが、スネイプは予言の最初の部分しか聞いていなかったため、もっと予言の内容がはっきり分かるまで待つほうが賢いということや、どちらかの男の子はヴォルデモートの知らない力(＝愛)を持つであろうということ、また、どちらかを襲うことでその子に魔力を移してしまう危険があることをヴォルデモートに警告することができ

なかった。将来の敵となる候補者の選択を委《ゆだ》ねられたヴォルデモートは、自分と同じ半純血の男の子に脅威を感じ、ハリー・ポッターを殺すことに決める。もちろん、このときの彼にはハリーを襲うことの危険性など知る由《よし》もなかった。

1981年10月31日、ポッター家に現れたヴォルデモートは、まず父親のジェームズを殺害。次にハリーを殺そうとするが、母親がハリーを庇《かば》って死ぬことで彼に犠牲の印（永続的な保護）が残り、ヴォルデモートはハリーに触れることができなくなり、唱えた死の呪文はハリーの額を跳《は》ね返り、ヴォルデモート自身を襲った。この呪いはヴォルデモートを殺していたはずであるが、かねてよりホークラックスを作っていた彼は死なずに、しかし、肉体のないゴーストの端くれのような存在となって逃走した。

アルバニアの森に棲《す》みつき、忠実な死喰い人が自分の許《もと》に来るのを待つが、彼らの大半はヴォルデモートが凋落するやその関係を否定し、元の生活に戻っていったため、誰一人現れる者はいなかった。人目を避けて住処《すみか》とした森で、人間や動物に取り憑《つ》きながら生き永らえるうちに、ホグワーツの教師クィレルと出会う。彼に取り憑いたヴォルデモートは1991年ホグワーツに行き、永遠の命を確保できる賢者の石を奪おうとするが、ここでまたしてもハリーに阻止されてしまう。クィレルはヴォルデモートが体から離れると死亡し、もはや取り憑くべき魔法使いが都合よくやって来るとも思えず、死喰い人が自分の消息を気にかけるという望みも捨てかけたときに、ワームテールが現れる。彼はハリーたちに正体を暴かれ行き場がなくなったため、ヴォルデモートを追ってアルバニアの森にやって来たのであった。ワームテールから情報を得たヴォルデモートは、三校対抗試合を利用してハリーを捕らえ、その血を使って肉体を取り戻すことを計画。何も知らないハリーを第三の課題の最中にリトル・ハングルトンの教会墓地に連れ去ると、その場所で自分の父親の骨とハリーの血、ワームテールの肉を使い1995年6月、まんまと復活を遂げる。

驚くべき生還を果たすと、かつて支配下に治め従わせていた魔法使いや魔女、死喰い人、ありとあらゆる闇の生き物たちや巨人の召集を計り、その一方で今度こそハリーを殺せるよう予言の全貌《ぜんぼう》を聞こうと決意する。どのようにしたら予言が聞けるかという想いに捕われているうちに、自分がハリーを殺し損ねたときに二人のあいだに絆ができたことを知り、これを利用しようと考えた。ハリーがシリウスを父親のように慕っているという情報を入手したヴォルデモートは、1996年6月シリウスが予言の間《ま》で拷問を受けている映像をハリーに送り込む。しかし、彼を神秘部におびき寄せることには成功したものの、ルシウス・マルフォイの失態で、予言の球は内容を聞く前に破壊。怒ったヴォルデモートは直接自分の手でハリーを殺そうと魔法省に行くが、ダンブルドアに邪魔をされる。校長と一騎打ちをし、勝ち目の無いことを知ると、ハリーに取り憑きダンブルドアの手でハリーを殺させようとするが、愛の満ちているハリーの体内に長くとどまることができず、またしても逃走を余儀なくされる。

分霊箱の日記ばかりか予言の球まで破壊したルシウス・マルフォイに激怒したヴォルデモートは、1996年夏その息子ドラコを死喰い人にし、ダンブルドア殺害を命令。できなければ殺すと脅した。ドラコは1年かけて姿をくらますキャビネットを修復し、それを使って死喰い人をホグワーツ校内に招き入れ、天文台の塔でダンブルドアを追い詰めるが、無垢な者に殺人は成し難く校長に説得されて杖を収めようとする。しかし、そこにドラコを手助けする誓いを交わしていたスネイプが現れ、死の呪文でダンブルドアを殺害。ヴォデモートはハリーの守護者を討ち取ることに成功したのであった。

JKRによると、ヴォルデモートは死を恐れ、それを人間の恥ずべき弱点だと考えているため、まね妖怪は彼の前で「ヴォルデモート自身の死体」に変身するという。さらにみぞの鏡の前では「“全能で不滅の自分自身”を見る」と明かしている。

Voldemortはフランス語からの造語でVolは「飛行」、「盗み」、deは前置詞で「〜の（英語のofに当たる）」、mortは「死」のこと。Voldemortで「死の飛行」の意。

［⑥上052～055、393～419、下061～064、071、171～190、268～294、377、422］［⑤上016、153～154、599～602、下177～181、185、259～260、483、564、595、608～614、629～657］［④下438、442～443、445、449、452～458、466、532～534］［②360～367、458、459、461、465、482～483］［①440］［EBF］［TLC・MN］［⑦初出1章 UK011／US003］

ウォン‐ウォン【Won-Won】

⑥17-下047

ラベンダーがロンと付き合っているときにつけたあだ名。ウォン(Won)は、ロン(Ron)の幼児語。それを2回続けると、さらにかわいこぶった感じになる。6巻でロンと喧嘩《けんか》をしていたあいだ、ハーマイオニーはわざとこのあだ名を使って、ロンを馬鹿にしていた。

(動く)写真【moving photograph】

①06-154
⑥03-上062

魔法界の写真はモノクロで、中の人物はじっとしていないで、写真から出たり入ったり笑いかけたり自由に動き回っている。もちろん本や新聞などに載った写真の人物も動いている。

JKRによると、魔法の現像薬という物が存在し、それを使って現像すればふつうのマグルのカメラで撮った写真でも人物が動くという。コリン・クリービーは2巻でマグルのカメラを使ってハリーの動く写真を手に入れたが、それはこの魔法薬で現像したからだと説明している。

［⑥上168］［⑤上192、278、下196］［②142、156］［JKR公式サイト「FAQ作品について」］［⑦初出2章 UK020／US015］

蛆《うじ》虫《むし》【maggot(s)】

⑥11-上347

ハリーが6巻でクリーチャーから貰《もら》ったクリスマス・プレゼント。これを見たロンは、「いいねえ」と大声で笑った。

ハグリッドが病気で死にそうになったアラゴグに持って行った蛆虫は、体長が30センチはあろうかという大きなものだった。

［⑥下**028**］

ウッド、オリバー

オリバー・ウッド

【Wood, Oliver】G

①09–222
⑥19–下123

(1976？–)ハリーより4学年上の元グリフィンドール生。背が高くたくましい体格をした熱血漢。ホグワーツ在学中は、寮代表チームのキャプテン兼キーパーだった。1994年に卒業し、今はリーグ最古のチーム「パドルミア・ユナイテッド」の二軍選手として活躍している。在学中の夢は、クィディッチ優勝杯を獲得すること。3巻で見事それが実現したときは、とめどなく泣きに泣いた。その熱血ぶりは今でもチームメイトの語り草となっており、6巻でケイティ・ベルとロンが呪いや毒に倒れ、ジョージが「(いくらスリザリン生でもグリフィンドール)クィディッチ・チームを殺《や》っちまおうなんて(思う)やつはいないだろう」と考え込んだときは、「ウッドなら別だ。やれるもんならスリザリンのやつらを殺っちまったかもな」と彼を引き合いに出してフレッドが訂正した。「賢者の石」の映画では、初めてのクィディッチの試合で固くなるハリーに、「僕も初試合のときは緊張した。(でも)その後は覚えていない。開始2分で頭にブラッジャーを食らって、1週間後に医務室で目が覚めた」と語り、怖気《おじけ》づかせた。

［⑤上**357**］［③**405**］［②**155**］［⑦初出**30**章 **UK485**／**US603**］

占い学

占い術

【Divination】

②14–374
⑥05–上155

未来や物事の吉凶を判断する方法を学ぶ授業。3年生から学び始める選択科目の一つ。教師はシビル・トレローニーとケンタウルスのフィレンツェ。6巻でトレローニーは6年生、フィレンツェは5年生を

担当した。ハーマイオニーは、3年の途中で授業に出るのを止めて以来、この教科を履修していない。ハリーとロンは、5年まで続けたが、OWL《ふくろう》試験で不合格となったため、二人とも6年から取っていない。

トレローニーの授業は、北塔にある屋根裏部屋と昔風の紅茶専門店をかけ合わせたような教室で行われる。小さな丸テーブルおよそ20卓がところ狭しと並べられた部屋で、薄暗く、むっとするような香料が焚《た》かれているので、生徒は頭がボーッとなってしまう。3年のときは「お茶の葉占い(お茶の葉を読む)」、「手相学」、「水晶玉」といった占いの基本的な方法を学び、4年のときは「星座占い」、5年では『夢のお告げ』の本を使った夢解釈の勉強をした。

フィレンツェの「占い学」の授業は1階の11番教室で行われ、部屋の内部はケンタウルスの生息地に似せて造られている。樹木が植えられ森の空き地のようになっており、フィレンツェはここで天空を観察したり、薬草や木の葉を燃やして未来を占う方法を教えている。

トレローニーによると、「占い学」は魔法界で最も難解な学問で、書物はあるところまでしか教えず、眼力の備わった者しか会得できないという。一方、マクゴナガルは「占い学」は魔法の中で最も不正確な分野で、真の予言者は滅多にいないと断言している。ダンブルドアも「占い学」に懐疑的で、この科目を(ホグワーツで)続けること自体、自分の意に反していると語っている。

また、ケンタウルスはヒトとは違った占いの哲学を持ち、彼らによるとヒトが予言と呼んでいるものは自己満足の戯言《ざれごと》で、天体の動きで些細《ささい》な怪我や人間界の事故を占うのはヒトのバカげた考えだとしている。ケンタウルスが天空を見るのは、そこに時折しるされる邪悪なものや変化の大きな潮流を見るためで、見たものの正体がはっきりするまでに何年もかかることがあると考えている。何事も、ケンタウルスの叡智《えいち》でさえ絶対に確実なものなどないという立場をとっているが、魔法界に本物の予言が存在していることもまた事実である。

[⑥上**156〜157**、**262〜265**、下**160**][⑤上**358**、**374**、下**281**、**463〜464**、**651**、**666**][③**145**]

ウルクハート
【Urquhart】[S]

⑥14-上446

スリザリンの男子生徒。モンタギューの後を継いで、6巻でクィディッチ寮代表チームのキャプテンを務めた。

憂いの篩(ふるい)
ペンシーブ
【Pensieve】

④30-下352
⑥10-上299

頭の中の記憶や想いを保存、再現できる不思議な道具。平たい石の水盆で、縁(ふち)にはルーン文字の彫り物が施されている。魔法使いは、杖を使って頭の中の記憶や想いを銀白色の液体とも気体ともつかない物質にして取り出すことができ、その採取したものは、憂いの篩に注ぎ入れ、自身もその中に入り込むことで何度でも見直すことができる。銀白色の物質に顔を突っ込むと記憶の中に入っていける。杖で取り出した記憶(想い)はペンシーブで保存できるほか、瓶などに入れて保管することもできる。さらに篩の中身を揺らすことで、特定の人物一人を中から出現させることもできる。

この道具はダンブルドアの持ち物で、ふだんは校長室の扉の横のキャビネットの中に入っている。ハリーは4年のときに、この中でベラトリックス・レストレンジやルード・バグマンの裁判、カルカロフの審理の様子を目撃した。5年生ではスネイプがダンブルドアからこれを借り、ハリーとの閉心術の訓練の前に自分の最悪の記憶を保存していたが、ハリーにそれを見られたことに怒り、訓練をやめてしまった。6年生のときは、ダンブルドアと一緒にボブ・オグデン(ゴーントの家)、カラクタカス・バーク(スリザリンのロケット)、ダンブルドア(トム・リドルの孤児院時代)、モーフィン(16歳のトム・リドル)、スラグホーン(ホークラックスの授業)、ホキー(ヘプジバ・スミス)の記憶を見て、ヴォルデモートの生い立ちや思考の傾向、分霊箱を作っていたことなどを学んだ。

JKRは憂いの篩について、「この中の『記憶』は個人の見解ではなく事実を映し出しています。ですからダンブルドアに事実を知られたくなかったスラグホーンは記憶を改ざんしたのです」と述べ、「日記のように記憶を閉じ込めたものですが、『憂いの篩』は記憶をそのまま再現することができるのが魅力。記憶の中に入り込み、当時は気づかなかったものを追体験できるのです」と答えている。

Pensieveは、フランス語pensée（「思考」、「思索」、「考え」）と英語sieve「篩」の合成語。

［⑥上**390**、**394**、下**064**、**072**、**164**、**168**、**261**、**266～267**］［⑤上**187**、**222**、下**137**、**175**、**341**、**344**、**651**］［④下**353～375**］［**TLC・MN**］［⑦初出**12**章 **UK 188／US228**］

ウンのない人 【U-NO-POO】

⑥**06**-上**177**

ウィーズリー・ウィザード・ウィーズ（WWW）で売っている便秘薬（便秘になる薬）。「食べられる闇の印」のように、誰かに飲ませて便秘を起こさせる。

U-NO-POO（ユー・ノー・プー）は、You-Know-Who「例のあの人（ユー・ノー・フー）」の言葉遊び。英語でUは「あなた（You）」、NOは「～しない」、POOは小児語で「大便をする」を意味し、U-NO-POOで「大便がない（＝便秘）」の意。悪戯《いたずら》専門店の外に貼ったポスターには“Why Are You Worrying About You-Know-Who? You SHOULD Be Worrying About U-NO-POO—the Constipation Sensation That's Gripping the Nation!”と書かれており-ationで脚《きゃく》韻《いん》（Constipation, Sensation, Nation）を踏んでいた。日本語版は「『例のあの人』なんか、気にしてる場合か？うーんと気になる新製品『ウンのない人』　便秘のセンセーション　国民的センセーション！」と訳されている。

え

永久粘着呪文
永久粘着術
【Permanent Sticking Charm】

⑤05-上132
⑥01-上013

物をある場所に永久に貼り付け、取り外せなくする呪文。ブラック夫人はグリモールド・プレイスの自分の肖像画の裏にこれを唱え、取れないようにした。マグルの首相の執務室に飾られている醜い小男の肖像画の裏にもこの呪文がかかっており、大工から建築業者、美術史専門家や大蔵大臣まで大勢が壁から剥《は》がそうと躍起《やっき》になったが梃子《てこ》でも動かなかった。

[⑦初出**10**章 **UK148**／**US178**]

エイブリー(大)
【Avery】S DE

⑥17-下075

(1926ころ-?)スリザリンOBの死喰《しく》い人《びと》。ヴォルデモートとはホグワーツで同学年だった。闇の帝王の取り巻きの一人で、おそらく死喰い人結成当初のメンバー。勉強熱心ではなかったようで、在学中、スラグホーンから「明日までにレポートを書いてこないと罰則だぞ」と叱られている。

スネイプと同世代の(小)エイブリーの父親または親戚であろう。なお、「(大)(小)エイブリー」は解説の便宜上つけた名前で、本には記載されていない。

[⑤下**570**][④下**265**]

エイブリー(小)
【Avery】S DE

④27-下265
⑥02-上042

死喰《しく》い人《びと》。スネイプと同時期にホグワーツに在籍。スリザリン生の中で、のちにほとんど全員が死喰い人になったグループがあり、エイブリーやスネイプはその一員だった。ヴォルデモートが消え去ったあとは行方を捜さず、魔法省には服従の呪文で従わされていたと言い逃れをして捕まらなかった。復活したヴォルデモートの前で許しを乞うが、磔《はりつけ》の呪文を受けた。

初期の死喰い人メンバーのエイブリー(大)は、父親または親戚と思われる。魔法省神秘部でハリーたちを襲ったのは、おそらくこちらのエイブリー(小)。

[⑤下**259**、**263**、**570**][④下**446**][⑦初出**33**章 **UK540**/**US673**]

エクスペリアームス、武器よ去れ
【Expelliarmus!】

②11章283
⑥27-下404

武装解除術の呪文の言葉。相手から杖を取り上げる。6巻ではドラコ・マルフォイが天文台の塔でこれを唱えてダンブルドアの杖を吹き飛ばした。2巻の決闘クラブでスネイプがこれを唱えると、ロックハートは後ろ向きに宙を飛び壁に激突したので、武器だけでなくそれを持っている人ごと吹き飛ばす場合もあるようである。ヴォルデモートと初めて対決したときにハリーはこれを使って逃げることができた。ハリーのお気に入りの呪文で、5年のDA会合で最初に練習した。

ラテン語expello「追い払う」、「排除する」とarma「武器」を掛け合わせたJKRの造語。

[⑥下**448**][⑤上**617**、下**353**、**572**][④下**467**][③**438**、**444**、**468**、**498**][②**439**][⑦初出**4**章 **UK055**/**US059**]

エジプト
【Egypt】

②04-070

アフリカ北東部のマグルの共和国。ビル・ウィーズリーは、4巻までグリンゴッツ銀行の呪い破りとしてここで働き、古代エジプトの魔法使いが墓地にかけた呪いを解除していた。3巻では『日刊予言者新聞』のガリオンくじグランプリを当てたウィーズリー一家が、この国を旅行している。

エジプトの正式名は、エジプト-アラブ共和国。古代文明の発祥の地で、約5000年前に統一国家を形成した。ピラミッドやスフィンクスなどの遺跡で知られている。

[⑤上**116**] [③**014**] [⑦初出**2**章 **UK023**／**US019**]

エッグノッグ
【egg(-)nog】

②12-316
⑥16-下019

マグル界の飲み物。卵に牛乳と砂糖、香料を混ぜてかきまぜ、普通はラム酒やブランデーなどを加えて、温めるか冷やすかして飲む。アルコールを入れずにソフトドリンクとして飲む場合もある。ハリーたちは1996年のクリスマス・イブにこれを飲んだ。Egg-flip や nog ともいう。

ノッグ(nog)はノーフォーク産の強い ale(ビール)のこと。

エッジコム、マリエッタ
マリエッタ・エッジコム
【Edgecombe, Marietta】Ⓡ DA

⑤18-上531
⑥07-上216

(1979?-)チョウ・チャンの友人のレイブンクロー生。赤みがかったブロンドを巻き毛にしている。母親は魔法省の煙突飛行ネットワーク室の職員。

5巻でチョウに誘われ、しぶしぶ反魔法省運動のDAに入団したが、魔法省から派遣されたアンブリッジに、DAの存在をベラベラ密告し

てしまった。入団の際にサインした名簿(羊皮紙)には、告げ口したら分かるように強烈な呪いがかけられていたため、マリエッタの顔の真ん中には、「密告者」と描かれた醜い吹き出物ができてしまった。このでき物はマダム・ポンフリーでも治すことができず、6巻になってもニキビの奇妙な配列は残り、厚化粧でも完全に隠すことができなかった。

[⑥下**201**][⑤**557**、下**300～308**]

エバラード 【Everard】

⑤**22**-下**081**
⑥**29**-下**469**

ホグワーツの元校長。短く黒い前髪を垂《た》らした、土気色の顔の魔法使い。ふだんは校長室の肖像画の中でウトウトしている。ディリス・ダーウェントと並び、ホグワーツの歴代校長の中で最も有名な人物。高名なため、その肖像画は校長室だけでなく魔法界の重要な施設に掛かっている。5巻でアーサー・ウィーズリーが巨大な蛇に襲われたときは、ダンブルドアに命じられて魔法省の8階(アトリウム)に行き、大声で叫んで駆けつけた職員に、下の神秘部のフロアで何か物音がすると伝えた。このお陰でアーサーは発見され、病院に運ばれた。6巻ではダンブルドア死亡後、スクリムジョールが魔法省から姿くらましてホグワーツに向かったことをマクゴナガルに告げた。

[⑤下**082**、**084**]

エピスキー！鼻血癒《い》えよ！(唇癒えよ！) 【Episkey】

⑥**08**-上**239**

傷や骨折などを治す呪文。癒術(healing spells)の一種。トンクスはこれを唱えて、折れたハリーの鼻を治した。クィディッチの練習中、ハリーはこれでデメルザ・ロビンズの口の傷を治療した。

ギリシア語 episkeyi「治癒する」、「回復する」からの造語。

[⑥上**234**、**431**]

選ばれし者
【Chosen One, The】

⑥03-上060

ハリー・ポッターを指す呼び名。ヴォルデモートが1996年6月に魔法省に現れて以来、「神秘部に保管されていた予言が、ヴォルデモートを倒すことのできる唯一の者として、ハリー・ポッターを選んだ」との憶測が流れ、こう呼ばれるようになった。しかし、実際は予言を信じたヴォルデモートが自分を破滅させる可能性のある人物としてハリー・ポッターを選び、その結果、予言通りハリーに“闇の帝王の持たない力(=愛)”を与えてしまったのである。スクリムジョールは、選ばれし者と噂されているハリーを魔法省の宣伝に利用しようとしたが、拒否された。

[⑥下**035**、**291**、**500**][⑦初出**15**章 **UK246**／**US299**]

エレファント・アンド・キャッスル
【Elephant and Castle】

⑤07-上216
⑥05-上131

マグルの地名。ここでたちの悪い逆火《さかび》呪《のろ》いが発生し、ウィーズリー氏が部下を引き連れ駆けつけたが、到着したときはすでに魔法警察部隊が片付けていた。5巻ではウィリー・ウィダーシンが、ここの公衆トイレを逆流させた。

エレファント・アンド・キャッスルは、ロンドンの南西部に位置する街で、治安はあまり良くない。

エンゴージオ！肥大せよ！
【Engorgio!】

④14-上333

肥らせ魔法の呪文の言葉。4巻でマッド-アイ・ムーディ(クラウチ息子が変身)が授業中にこの呪文を唱えて、蜘蛛《くも》をタランチュラより大きくふくらませた。ウィーズリーの双子がベロベロ飴を作るときにもこれを使用した。クィディッチ・ワールドカップのキャンプ場で、ケビンという男の子がこの呪文でナメクジをふくらませ、母親から怒られた。

フランス語 engorger「腫らす」、「うっ血させる」からの造語。

[④上**078**、**126**][⑦初出**20**章 **UK318**／**US392**]

煙《えん》突《とつ》飛《ひ》行《こう》粉《ごな》
フルーパウダー
【Floo powder】

②**04-071**
⑥**01-**上**013**

煙突飛行(＝暖炉から暖炉へ移動)するときに使用するキラキラ光る粉。イグナチア・ワイルドスミスが発明した。使い方は、暖炉の炎にこれを一つまみ振りかけ、炎がエメラルド・グリーンに変わり高く燃え上がったら、その中に入り行き先を叫ぶ。すると、体が独楽《こま》のように速く回転し始め、耳が聞こえなくなるかと思うほどの轟音《ごうおん》とともに、炎の中を運ばれる。移動中は輪郭《りんかく》のぼやけた他の魔法使いの家の暖炉が次々と目の前を通り過ぎ、その向こう側の部屋がチラッチラッと見える。やがて回転速度が遅くなり、目的地の暖炉でピタリと停止する。はっきりと目的地の発音をしないと、間違った場所に運ばれてしまう。これを初めて使ったときにハリーは熱い灰を吸い込み「ダ、ダイア、ゴン横丁」とむせながら言ったため、到着した先は「ボージン・アンド・バークス」の店内だった。

これを使えば暖炉間を体ごと移動できるほか、体は元の場所に置いたまま、頭だけを別の暖炉に移動させて相手と会話することもできる。この場合は暖炉に頭だけを突っ込み、伸ばした首の下にこの粉を落として目的地を言う。ハリーは5年生のときにこの技を使い、ホグワーツのアンブリッジの暖炉から頭だけをグリモールド・プレイス12番地に移動させて、シリウスと話をした。

Floo powder(フルーパウダー)の floo(フルー)は、英語 flue「(煙突の)煙道」、「(古英語・方言)小さい煙突」からの造語(発音が同じ)。

[⑥上**026**～**027**、**030**、下**045**][⑤上**095**、**473**、下**089**、**387**～**388**、**394**、**499**][④上**246**～**249**、**510**～**516**][③**372**][②**072**～**074**]

煙突飛行ネットワーク
【Floo Network】

④**04**-上**068**
⑥**17**-下**044**

煙突飛行のための暖炉網。魔法界の個々の暖炉を結んだネットワーク（網状組織）。魔法使いはこれに組み込まれた暖炉のあいだを煙突飛行することができる。魔法省の煙突飛行規制委員会によって管理され、煙突飛行ネットワーク室が暖炉網を監視している。隠れ穴の暖炉がこれに組み込まれているほか、ボージン・アンド・バークス、漏れ鍋、ホグワーツのグリフィンドール談話室、「闇の魔術に対する防衛術」の教授の研究室、スネイプの研究室やマクゴナガルの研究室、魔法省アトリウムの暖炉がこれに接続されている。

［⑥下**045**］［⑤上**085**、**567**、下**089**、**331**、**387**～**388**］［④上**246**～**249**、**510**～**516**］［⑦初出**1**章 **UK013**／**US006**］

お

狼人間
狼男／人狼
【werewolf】

①**13**-**321**
⑥**06**-上**168**

満月の夜などに狼に変身し、凶暴になる人間のこと。魔法界では昔は治療法がなかったため、狼人間は月に一度、残忍な動物に変身していた。今ではトリカブト系の脱狼薬が発明され、満月の夜の前の一週間にそれを飲めば、変身しても自分の心が保てるようになった。狼男は魔法使いのあいだで差別されており、アンブリッジが起草した反人狼法のせいで就職することもできず、おおかたの人狼は通常の魔法社会を避け、盗みや殺しをしながら周辺に生きている。ヴォルデモートの支配下ならもう少しまともな暮らしができると考え、大半が闇の陣営についている。現存する狼人間の中で最も残忍なのは、フェンリール・グレイバック。魔法使いを憎み、できるだけ多くの人間を噛《か》み狼人間にすることが自分の使命だと考えており、ルーピンを噛んだのも彼である。ビル・ウィーズリーもホグワーツでグレイバックに噛まれたが、まだ変身する前だったので本物の狼人間にはならなかった。魔法省の狼人間援助室や狼人間登録室、狼人間捕獲部隊が彼らを管理している。

狼男は世界各地に伝わる伝説で、満月の夜などに狼に変身し、人や家畜を襲いその肉を食べる人間を指す。起源は東欧で、古くはヘロドトスの『歴史』に狼男に変身するスラヴ人の記述があり、ギリシア神話には、ゼウスに人間の肉を献じたため、怒ったゼウスに50人の息子ともども狼に変身させられたアルカディア王リュカオンの逸話が登場する。吸血鬼のようにほかの狼人間に噛まれて狼男になるものと、魔法使いが軟膏などを体にすり込み、人狼に変身する二つのタイプがある。そのほとんどは男だが、中には女性が狼に変身する場合もあり、魔女は猫や狼に変身すると考えられていた。

[⑥下**020**、**446**、**479**][⑤上**157**、**274**、**476**][③**456**、**514**][②**222**、**243**、**438**、**458**][①**365**][幻**019**][⑦初出**1**章 **UK016**／**US010**]

大《おお》蜘蛛《ぐも》
アクロマンチュラ／巨大蜘蛛
【giant spider／acromantula】

②15-408
⑥11-上348

8つの黒い目を持ち、人の言葉が話せる怪物蜘蛛。ボルネオ原産だが、禁じられた森にも生息している。肉食で、胴体には黒い毛がびっしりと覆い、脚を広げると5メートルにもなる。剃刀《かみそり》のように鋭い鋏《はさみ》には毒があり、怒るとカシャカシャと特徴的な音を立てる。卵は魔法生物規制管理部の取引禁止品目Ａクラスに指定されているが、ハグリッドは学生時代にそれを旅人から譲り受け、ホグワーツの物置で飼い始めた。アラゴグと名づけられたその雄蜘蛛は、トム・リドルの陰謀で城内にいることが暴露され秘密の部屋の怪物と誤解を受けたが、ハグリッドが禁じられた森に逃がし、以後そこに定住した。

巨大蜘蛛の毒は、生きているあいだに採取することはほぼ不可能であるため、魔法界では大変高価な品となっている。死んだばかりで乾ききってないものであれば、半リットルで100ガリオンの価値がある。このためアラゴグ死亡の知らせを聞いたスラグホーンは、この毒目当てに葬儀に立ち会い、埋葬の前にこっそりと採集した。ニュート・スキャマンダーによると、もともと大蜘蛛は魔法使いによって創り出され、家や宝物を守るために飼育されたという。人並みの知能を持っているが訓練することができないので、魔法使いやマグルにとっては危険な存在である。ハリーが初めてアラゴグに会ったときは、ハグリッドの友人であるにも拘《かかわ》らず襲いかかってきた。

［⑥下**244〜254**］［⑤上**539**、下**244〜247**］［④下**423**］［②**410**］［幻**032**］［⑦初出**15**章 **UK253**／**US308**］

大鍋（1〜6巻）
鍋（5巻）
【cauldron】

①05-102
⑥03-上081

魔法使いが魔法薬を調合するときに使う道具。ホグワーツで指定されているものは錫製《すずせい》・標準2型の大鍋。6巻でロンは、ロミルダ・ベインがハリーに贈った惚《ほ》れ薬入りの大鍋チョコレートを食べてしまい、ロミルダに夢中になってしまった。ガスパード・シングルトンは、自動攪拌《かくはん》鍋の発明者として有名な魔法使い。大鍋は歌の題名にもなっており、セレスティナ・ワーベックのジャズナンバー「大鍋は灼熱《しゃくねつ》の恋に溢《あふ》れ」は、ウィーズリー夫人が18歳のときにアーサーと一緒に踊った思い出の曲。

大鍋の魔術的意味合いは多くの文化圏に見られ、中でもケルト神話のダグダとブランウェンの魔法の大鍋は有名である。神々の王ダグダの「豊饒《ほうじょう》」の大鍋は、美味な食べ物に満ち溢れ、それをどんなに食べても決して空にならなかった。女神ブランウェンの持つ巨大な「再生」の大鍋は、その中に死者を投げ込むと翌日には生き返るというもの。ヴォルデモートも大鍋の中から再生を果たしている。また、ケリドウェン（女魔法使い）も大鍋を持ち、タリエシン（ウェールズの吟遊詩人）に知恵と霊感を与えたという。

［⑥下**014、105**］［⑤上**036**］［⑦初出**2**章 **UK020／US015**］

大鍋ケーキ 【cauldron cake】 ①**06-152**

魔法界の代表的なケーキ。ホグワーツ特急の車内販売のカートでも売っている。ハリーのお気に入りのお菓子。3巻では「魔女鍋スポンジケーキ」と和訳されている。

［⑤下**689**］［⑦初出**11**章 **UK179／US217**］

大鍋チョコレート 【Chocolate Cauldron】 ⑥**15-上468**

魔法界のチョコレート。おそらく大鍋の形をしている。6巻でロミルダ・ベインは、スラグホーンのクリスマス・パーティに誘ってもらおうとして、ハリーに惚《ほ》れ薬入りの大鍋チョコレートを送ったが、ロンが食べてしまいロミルダに熱を上げてしまった。

［⑥下**105**］

大鍋は灼熱《しゃくねつ》の恋に溢《あふ》れ 【Cauldron Full of Hot, Strong Love, A】 ⑥**16-下014**

セレスティナ・ワーベックの賑やかなジャズ・ナンバー。1996年のクリスマス・イブに、この曲がラジオで流れた。「♪ああ、わたしの大鍋を混ぜてちょうだい／ちゃんと混ぜてちょうだいね／煮えたぎる愛は強烈よ／今夜はあなたを熱くするわ」という、聴いていて恥ずかしくなるような歌詞だが、アーサーとモリーは18歳のときにこの曲で踊ったという。

［⑦初出**22**章 **UK355**／**US438**］

大広間 【Great Hall】

①07–170
⑥08–上236

ホグワーツの1階にある大きな部屋。玄関ホールの右手にあり、両開きの扉から出入りする。食堂として使われているほか、入学式や歓迎会などの特別行事もここで行われる。部屋の中には各寮の4つの長テーブルが並び、その奥の上座には教職員用のテーブルが生徒たちと向き合う形に置かれている。天井は魔法がかかっているので本物の空のように景色が変わる。9月1日の新学期の宴《うたげ》のときは何千という蝋《ろう》燭《そく》が宙に浮かび、テーブルに置かれた金の皿やゴブレットなどを照らし出す。クリスマスの時期の大広間は特に豪華絢爛《けんらん》で、霜に輝くクリスマスツリーが何本も立ち並び、柊《ひいらぎ》やヤドリギの小枝が天井を縫うように飾られ、天井からは魔法で暖かく乾いた雪が降りしきる。学年度末パーティでは教職員テーブルの後ろに寮対抗杯を獲得した寮の横断幕が飾られる。OWL《ふくろう》試験や三校対抗試合のクリスマス・ダンスパーティもこの部屋で行われた。

［⑥上**246**、**460**］［⑤上**320**、下**454**］［④上**268**］［②**316**］［①**173**、**448**］［⑦初出**16**章 **UK265**／**US324**］

オグデン、ボブ ボブ・オグデン 【Ogden, Bob】MM

⑥10–上300

魔法法執行部の魔法警察部隊の元部隊長。背の低い小太りの男。分厚いメガネをかけているせいで、奥の目が小さな斑点《はんてん》のように見える。1925年夏、マグルのトム・リドルに魔法を唱えたモーフィンに、召喚状を届けるため、ゴーントの家を訪問した。しかし話し合っても埒《らち》が明かず、さらに父子が襲いかかって来たのでいったん省に戻り、援軍を引き連れ二人を逮捕した。すでに亡くなっているが、死ぬ前にダンブルドアがオグデンを説得し、このときの記憶を採取した。ウィゼ

ンガモット古参のチベリウス・オグデンの先祖かもしれない。

[⑥上**301**、**319**]

オークビー、イドリス
イドリス・オークビー
【Oakby, Idris】

2006年10月

(1872–1985)SSS(スクイブ支援協会)の創設者。

[**JKR** 公式サイト「今月の魔法使い」]

牡鹿
【stag】

③20–503

ハリーの守護霊。動物もどきだったハリーの父親が変身した生き物でもある。5年生の「闇の魔術に対する防衛術」のOWL《ふくろう》実技試験で、試験官のトフティ教授から「特別点として守護霊を唱えてはどうか?」と聞かれたハリーはみごと牡鹿を創出し、「優・O」を貰《もら》った。先発護衛隊としてダーズリー家に来たルーピンは、ハリーに守護霊の形を質問して本人かどうか確かめた。牡鹿は3〜4本に枝分かれした角(prongs)を持つため、ハリーの父親の学生時代のあだ名は「プロングズ」だった。

牡鹿は古代ギリシア・ローマでは毒蛇の天敵とされ、その皮は蛇に噛《か》まれないためのお守りとなっていた。ケルト神話では純粋な魂を表し、「妖精が飼う家畜」として神々と人間界を結ぶ使者とされた。また牡鹿の角は周期的に生《は》え変わるため若返りや再生、不死、長命のシンボルとなり、5歳以上の成長したred deerは豊穣《ほうじょう》、温和を象徴している。

[⑤上**032**、**080**、下**459**〜**460**][⑦初出**11**章 **UK168**/**US204**]

オッタリー・セント・キャッチポール
【Ottery St Catchpole】

②03–048
⑥16–下010

隠れ穴があるイングランド南岸沿いの村。ジョージいわく、この村の雑貨屋に可愛い娘が働いていて、彼が見せるトランプ手品を「魔法みたいで素晴らしい」と感心しているという。

オッタリー・セント・キャッチポールはイギリスに実在しないが、Ottery St.Mary という名前の村が、デボン州エクセター（JKR が卒業したエクセター大学のある都市）の東にある。さらにその東を10マイルほど行った Dalwood には、Burrow Farm Gardens と呼ばれる広大なファームガーデンがある。

［⑦初出**8**章 **UK115**／**US137**］

オド【Odo】

⑥22-下256

英雄と歌われている魔法使い。歌によると、杖は真っ二つ、帽子は裏返った状態で殺され、青年時代を過ごした家に運ばれた。スラグホーンはアラゴグの埋葬のあと、この魔法使いの悲しい歌を歌った。

［⑦初出**8**章 **UK126**／**US151**］

オートミール【porridge】

②04-065
⑥09-上261

ホグワーツの朝食に出る料理。ウィーズリー家などの一般家庭でも朝ごはんとして食べている。

Porridge（ポリッジ）はオートミールのおかゆのことで、イギリスの朝食の定番。イギリスの寒い気候は小麦の生産に向かず、昔は麦といえば大麦やからす麦、ライ麦がほとんどだったので、朝食にからす麦をひき割りにしてからおかゆ状に煮込んだポリッジを食べるのが一般的だった。作り方は、水を沸騰させた鍋に塩を少量加え、オートミールを入れて弱火にし、ときどき軽く混ぜ合わせながら3分ほど煮ると出来上がり。

［⑤上**199**］

おとり爆弾【Decoy Detonator】

⑥06-上181

ウィーズリー・ウィザード・ウィーズ(WWW)の商品。自転車につけるラッパホーンのような形をした黒い物で、これをこっそり落とすとスタコラ勝手に逃げて行き、見えないところで一発、景気よく音を出す。相手の注意をそらす必要のあるときに使用する。WWWの中でも人気商品で、棚に並べたとたん足が生《は》えたような売れ行き。ジョージはこれをハリーに無料でプレゼントした。

[⑦初出**12**章 **UK194／US236**]

鬼婆【hag】

①05-108
⑥21-下224

醜い老婆の姿をした妖精。魔法界のジョークに登場し、ダンブルドアは「トロールと鬼婆とレプラコーン」の冗談を4巻の新入生歓迎会で披露しようとしたが、マクゴナガルに咳払いされ自《じ》重《ちょう》した。ハリーは「漏れ鍋」で、分厚いウールのバラクラバ頭巾に隠れて生の肝臓を注文した鬼婆を見かけたことがある。1巻で「闇の魔術に対する防衛術」の教授を務めたクィレルは、周囲の目を欺《あざむ》くために怯《おび》えたふりをしていたが、それをハグリッドは「鬼婆といやーなことがあったせい」だと勘違いしていた。ホノリア・ナットクーム(1665–1743)は、鬼婆改善協会を創立したことで有名。

ハッグ(hag／鬼婆)は古英語で「魔女」を意味し、夜中に眠っている人の腹の上に乗り、悪夢を見させると信じられていた。妖術にふけった醜い老婆はしばしばハッグと呼ばれ恐れられていたが、超自然のハッグも存在し、スコットランドのカリアハ・ヴェーラ(恐ろしい顔をした冬の化身)や、人食いアニス(青白い顔をし、鉄の爪を持った人食い妖婆)も巨大なハッグと考えられていた。

[④上**290**][③**066**][⑦初出**11**章 **UK182／US222**]

「斧振り男」ルパート・ブルックスタントン
【Brookstanton, Rupert 'Axebanger'】

⑥30-下482

R.A.B.と同じ頭文字で、そこそこ有名な魔法使い。ハーマイオニーが、R.A.B.のイニシャルを持つ人物を探したときに思いついた。

オパグノ！襲え！
【Oppugno!】

⑥14-上458

鳥などの生物に、相手を襲撃させる呪文。ハーマイオニーが、ロンに向かってこの呪文を唱えると、周囲をさえずっていた小鳥（カナリア）の群れは、弾丸のようにロンめがけて襲いかかり、ところかまわず突っつき、引っ掻《か》いた。

ラテン語 oppugno は、「襲撃する」、「戦う」の意。

［⑥上**474**］

オパールのネックレス（6巻）
呪われたネックレス（2巻）
【opal necklace（6巻）／cursed necklace（2巻）】

②04-079
⑥06-上192

ボージン・アンド・バークスに飾ってあった豪華なオパールのネックレス。1,500ガリオンもする高価な品。触れた者を即死させる呪いがかけられており、これまでに19人の持ち主のマグルの命を奪った。店内では「手を触れないこと」の注意書きとともに陳列されていた。ドラコ・マルフォイに魔法で操られていたマダム・ロスメルタはこれを1996年8月末～10月中旬ころ購入し、ホグズミード行きの日に三本の箒《ほうき》のトイレで待ち伏せして、やって来たケイティ・ベルに服従の呪文をかけ、ネックレスの入った紙包みをダンブルドアに届けるよう命令した。不審に思った友人のリーアンは、学校に持っていくなと忠告。二人がもみ合ううちに包みは開き、ネックレスに触ったケイティは、苦痛の悲鳴を上げながら宙に舞い上がった。幸い彼女は手袋をした手でネックレスに触ったので、一命はとりとめたが、重傷を負ったので聖マンゴ病院に搬送。半年ほど入院はしたものの、元気を取り戻して学校に復帰した。ネックレスを首にかけていたり、手袋なしで掴《つか》んでいたら、ケイティは即死していただろうとダンブルドアは話している。

「オパールのネックレス」の初出は6巻上378ページ。

［⑥上**375～386**、**390～391**、下**300～301**］

オーブリー、バートラム
バートラム・オーブリー
【Aubrey, Bertram】

⑥**24**–下**323**

ホグワーツの卒業生。在学中、ハリーの父親やシリウス・ブラックに不法な呪いをかけられ、頭が通常の二倍の大きさに膨れあがってしまった。

バートラムはジェーン・オースティンの『マンスフィールド・パーク』に登場する家族。主人公ファニー・プライスは口減らしのためにバートラム一家（サー・トーマス・バートラム）に引き取られた。

オブリビエイト！忘れよ！
【Obliviate!】

②**16–446**

忘却術の呪文の言葉。ロックハートは2巻でハリーとロンにこれを唱えたが、杖が壊れていて逆噴射し、呪文は自分にかかってしまった（「自らの剣に貫かれたか、ギルデロイ！」ダンブルドア談）。クィディッチ・ワールドカップのときは、キルトにポンチョを着て歩く魔法使いや、車のホイール・キャップぐらいの大きさの金貨でテント代を払おうとするつわものが、続々と会場に集結。これを見たマグルのロバートさんは外国人のパーティがあるのかと疑い出し、魔法省役人から日に10回もこの呪文をかけられた。これを唱えられると目は虚《うつ》ろになり、夢見るようなトロンとした表情になる。

ラテン語のoblivio「忘却」、「忘れること」と英語のate（「～させる」などの意味の動詞を作る接尾辞）の合成語。

［④上**120**］［⑦初出**9**章 **UK139**／**US167**］

想い
記憶
【thoughts／memories】

④30-下373
⑥10-上299

人間の頭の中にある「想い(thoughts＝考え)」や「記憶(memories)」のこと。液体とも気体ともつかない銀白色の物質で微《かす》かに光っている。魔法使いは杖(と魔力)を使い、頭の中から自分の想いや過去の記憶を自在に取り出すことができる。取り出したものは瓶などの中に保存することが可能で、それを再び見たいときは、この物質を「憂いの篩《ふるい》」という道具に注ぎ、その中に入ると再現される。

記憶(想い)を頭から採取するには、杖の先端をこめかみのあたりに当てて杖をひく。そうすると記憶(想い)は長い銀色の糸となって杖先についてくる。糸は長々と伸び、最後に切れて銀色に輝きながら杖の先に付着するので、それを器に入れて保存する。通常このように杖を使って採取するが、亡くなるときなどに杖なしで体から記憶を流出させることもできる。

他人に見せたくない記憶に対しては、採取するときに手を加えて改ざん処理することもでき、スラグホーンがダンブルドアに渡したホークラックスの記憶は修正され、憂いの篩で再現すると霧がかかっていた。手を加えられた記憶は凝結したような状態となり、篩の中になかなか入らない。ハリーが6年のときにダンブルドアとの個人授業で見た記憶は、ボブ・オグデン(ゴーントの家の記憶)、カラクタカス・バーク(同スリザリンのロケット)、ダンブルドア(同ヴォルデモートの孤児院とヴォルデモート)、モーフィン(同トム・リドル)、スラグホーン(同ホークラックス)、ホキー(同ヘプジバ・スミス)である。

JKRはこの記憶について、「個人の見解ではなく“事実”を映し出しています。ですからダンブルドアに事実を知られたくなかったスラグホーンは記憶を改ざんしたのです」と述べている。

［⑥上**300～301**、**395**、下**070**、**072**、**076～077**、**159**、**261**］［⑤下**181**］［**TLC・MN**］［⑦初出**UK／US32**章、**33**章］

オリバンダーの店 【Ollivanders】

①05–124
⑥06–上161

ダイアゴン横丁にある、紀元前382年創業の高級杖メーカー。狭くてみすぼらしい店内には古くさい椅子《いす》が一つだけ置かれ、何千という細長い箱が、天井近くまで整然と積み上げられている。ハリーが初めてここに来たときは、埃《ほこり》っぽいショーウィンドウの中の色あせたクッションの上に、杖が一本だけ置かれていた。

この店の杖には樫《かし》やイチイ、柊《ひいらぎ》などの木が材料として使われ、杖の中には魔力のある物(ユニコーンのたてがみや不死鳥の尾の羽根、ドラゴンの心臓の琴線など)が芯として入っている。一つとして同じ杖はなく、店主のオリバンダー老人は売った杖をすべて覚えている。もちろんハリー、ロン、ハーマイオニーの杖も、オリバンダー製。

オリバンダー老人 【Ollivander, Mr】

①05–125
⑥06–上161

オリバンダーの店の店主。銀色に光る大きな目をした魔法使い。魔法界で最高の杖作りだと広く認められており、今まで売った杖はすべて記憶している。銀色の目盛りの入った巻尺でお客の体の寸法を測り、ピッタリ合う杖を選び出す。入学前にハリーが店で杖を購入すると、オリバンダーはすぐにダンブルドアに手紙を書き、ヴォルデモートと兄弟杖を買ったことを報告した。ホグワーツで三校対抗試合が開催されたときは、代表選手の杖の状態を確認するためにホグワーツにやって来た。6巻では、1996年7月ころに突然行方不明となり、自分で出て行ったのか誘拐されたのか、誰にも分からなかった。

[⑥上**162**][④上**475**、下**516**][①**129**][**JKR**公式サイト「**FAQ**作品について」]
[⑦初出**5**章 **UK075**／**US084**]

オリファント、ゴンドリン
ゴンドリン・オリファント
【Oliphant, Gondoline】

2005年4月

(1720–1799)トロールの生活と習慣の研究で有名。コッツウォルズでスケッチ中に棍棒《こんぼう》で殴り殺された。

[JKR公式サイト「今月の魔法使い」]

オルドリッジ、ショーンシー
ショーンシー・オルドリッジ
【Oldridge, Chauncey】

2005年7月

(1342–1379)龍痘《りゅうとう》の最初の患者。

[JKR公式サイト「今月の魔法使い」]

温室
一号温室／三号温室
【greenhouse(s)／Greenhouse One／Greenhouse Three】

①08–198
⑥11–上328

「薬草学」の授業が行われる場所。ホグワーツ城を出て野菜畑を横切ったところにある。少なくとも一号から三号まであり、三号温室の中には、ほかよりずっと不思議で危険な植物が植えてあるため施錠されている。その鍵を持っているのはスプラウト先生。1年の薬草学の授業はもっぱら一号温室で行われ、ハリーが三号温室に入れたのは2年生になってから。そこには「マンドレイク」や「有毒食虫蔓《しょくちゅうづる》」(2巻の和訳は「毒触手草《どくしょくしゅそう》」)、「飛びはね毒キノコ」、「匂いのきつい傘ほどの大きさのある巨大な花」が植えてあった。6年生で学んだ「スナーガラフ」も人を襲う凶暴な植物なので三号温室にあるのかもしれない。このほか、「牙《きば》つきゼラニウム」や「キーキースナップ」、「ブボチューバー(腫れ草)」や「ピョンピョン球根」、変わったところでは本当にラッパを吹き鳴らす「ラッパ水仙」なども温室のどこかで育てられている。奇怪な植物がたくさん植えられている場所だが、「ミンビュラス・ミンブルトニア」はここにも置いてないかもしれないとネビルは自慢している。

［⑥上**422**］［⑤上**256**、**298**、下**280**、**447**］［③**412**］［②**131**〜**139**、**394**］

か

開心術
【Legilimency】

⑤24-下177
⑥02-上041

他人の心から感情や記憶を引き出す能力(術)のこと。呪文の言葉は「開心！レジリメンス！」。マグルの読心術と違い、これをマスターした者は相手の心の中を調べ、そこで見つけたものを判読することができる。これに対抗するには閉心術を習得し、心を空にしてすべての感情を捨てなければならない。ヴォルデモートは開心術に長《た》けており、誰かが嘘をついても必ずそれを見破る。閉心術を身につけた者だけが、彼の前で嘘を口にしても見破られることがない。開心術を行う場合は、相手と目を合わせることが不可欠であるが、ハリーとヴォルデモートの場合は二人のあいだに絆があり、ハリーは目を合わさずともヴォルデモートから開心術を使われるおそれがあった。このためダンブルドアは、閉心術を学ぶよう5巻でハリーに命じたのである。スネイプやダンブルドアは開心術の心得があり、ダンブルドアはハリーがトロールをやっつけたときや(1巻)、ミセス・ノリスが石にされたとき(2巻)にハリーの心の中を覗《のぞ》いていた可能性がある。スネイプはハリーが「あの人がパッドフットを捕まえた！」と伝えたとき(5巻)や、ハリーが誤ってドラコに「セクタムセンプラ！」を唱えたとき(6巻)にこれを使用した。6巻でダンブルドアは、ドラコが自分を殺そうとしていることを知っていたが、ヴォルデモートが彼に開心術を使うおそれがあったため、それについてドラコと話ができなかった。

Legilimency は、ラテン語 legibilis「読まれうる」（＜lego「読む、引き出す」）または legens「読者」と、ラテン語 mens「心」、「意識」の合成語。

[⑥下312、317、416][⑤下178～188、505、637][④下241][③366][②116、216][①259][⑦初出7章 UK108／US128]

階段下の物置
【cupboard under the stairs】

①02-033

ダーズリー家の階段の下にある小さな物置部屋。暗くて蜘蛛《くも》だらけ。ホグワーツから入学許可証が届くまで、ハリーはここで寝起きしていた。手紙が来てからバーノン叔父さんの態度は急に優しくなり、ダドリーの二つ目の部屋をハリーに与えた。ホグワーツ入学後は、ハリーが夏休みに帰ると、バーノンおじさんは呪文の教科書、魔法の杖、箒《ほうき》、鍋などみんなこの物置に押し込み、使えないよう鍵をかけていた。しかし凶悪犯のシリウス・ブラックがハリーの名付け親だと分かると態度を一変させ、彼が自室に学用品を持ち込んでも何も言わなくなった。

[④上037～038][③568][②009][①058][⑦初出4章 UK043／US044]

害虫相談室
【Pest Advisory Bureau】

⑤07-上211

魔法省・魔法生物規制管理部に直属する部署。オフィスはロンドンの魔法省地下4階。

[⑦初出12章 UK201／US245]

怪物的な怪物の本
【Monster Book of Monsters, The】

③01-019

ハグリッドが「魔法生物飼育学」の教科書に指定した本。ハリーの13歳の誕生日にハグリッドからプレゼントされた。スマートな緑色の表紙に、鮮やかな金の飾り文字で「怪物的な怪物本」と書いてある。外見は美しいが、蟹のようにガサガサ横這《よこば》いで移動したり、シャカシャカ背表紙を上に走ったりと暴れまわる。おまけに触ろうとすると手に噛《か》みつくので、ベルトや紐《ひも》でグルグル巻きにしておく必要がある。しかし撫《な》でるとなぜか大人しくなる。フローリッシュ・アンド・ブロッツ書店で販売されたときは、大きな鉄の檻《おり》に入れられてショーウィンドウに置かれたが、その中で本同士が取っ組み合いを演じたり店長の手に噛みついたので、「もう二度と仕入れるものか！」と、店長はヒステリーをおこした。

［③**069～070、149**］［⑦初出**6**章 **UK083**／**US095**］

蛙チョコレート 【Chocolate Frog】

①06-153

蛙の形をしたチョコレート。有名な魔法使いや魔女の写真のついたカードがおまけについている。5巻では神秘部の戦いで負傷して医務室に入院したロンが、双子からお見舞いにこれを山ほど貰《もら》った。映画「賢者の石」の中では、本物のカエルのように飛び跳《は》ねた。

蛙チョコレート（Chocolate Frog）のモデルは、JKRお気に入りの英バラエティ番組『空飛ぶモンティ・パイソン』（1969-1974 BBC）に登場したcrunchy frog（ガリガリ蛙）。テレビでは、死んだ蛙を生のままチョコレートで包みこんだお菓子だった（骨つきなのでガリガリした食感が楽しめるという）。

［⑤上**158、300～301**、下**071、134、662、664**］［⑦初出**6**章 **UK091**／**US105**］

蛙チョコレートのカード 【Chocolate Frog Cards】

①06-153

蛙チョコレートのおまけについているカード。有名な魔法使いや魔女の写真がついていて、カードの裏面にはその写真の主《ぬし》の解説が書かれている。ダンブルドアは、このカードにさえ残れば他のどんな肩書きを取り上げられても構わないと話している。魔法界の子供のあいだではこのカードを集めるのが流行っており、ロンはホグワーツ入学時にすでに500枚ぐらい持っていた。カードのやり取りも盛んに行われ、三本の箒《ほうき》でハンナ・アボットがアーニー・マクミランと交換していたほか、グリフィンドール談話室の掲示板には交換を呼びかける広告が貼ってある。ハリーは5年生のときに、「セドリックはこんなにたくさん蛙チョコカードをくれたわ！」とチョウ・チャンから迫られる夢を見た。本に登場したカードは、ダンブルドア、ウッドクロフトのヘンギスト、アルベリック・グラニオン、キルケ、パラセルサス、マーリン、クリオドナ、プトレマイオス、モルガナとアグリッパ。

［⑤上**158**、**553**、下**071**］［④上**494**］［⑦初出**2**章 **UK027**／**US024**］

顔のない顔に対面する【Confronting the Faceless】

⑥**09**-上**268**

「闇の魔術に対する防衛術」のNEWT《いもり》レベルの教科書。ハリーが6年のときに使用した。6巻213ページに磔《はりつけ》の呪文の解説がある。

［⑥下**213**］

輝きの手【Hand of Glory】

②**04**-**078**
⑥**07**-上**196**

ボージン・アンド・バークスの商品の一つ。萎《しな》びた手の形をしており、蝋燭《ろうそく》を差し込むと、手を持っている者だけにしか見えない灯《あか》りがともる。泥棒や強盗には最高の味方。インスタント煙幕の暗闇でも、これを使えば見える。6巻でドラコ・マルフォイはこれとインスタント煙幕を利用して、必要の部屋の前で見張りをしていたジニー、ネビル、ロンを出し抜き、死《し》喰《く》い人《びと》を城内に誘導した。

輝きの手（栄光の手）とは、絞首刑に処せられた罪人の手を切り取って作ったもの。フランス語ではMain de Gloire（マン・ド・グロワール）といい、その読みからマンドラゴラに由来する語とされる。これを見せられた者は麻痺《まひ》して身動きができなくなるとも、所持する者は姿を消すことができるとも信じられた。

［⑥下**454**］

隠れ穴 【Burrow, the】

②03-048
⑥03-上066

ウィーズリー一家が住んでいる家の呼称(家号)。オッタリー・セント・キャッチポール村から少しはずれたところにある。もともとは大きな石造りの豚小屋だったような建物に、いくつもの部屋をつけ足して数階建てにしたいびつな家。くねくね曲がっていて魔法で支えられている。赤い屋根には煙突が4、5本ちょこんと載っていて、入り口近くには「隠れ穴」という看板が少し傾いて立っている。1996年の夏休みにハリーが滞在したあいだは、最大級の安全策が魔法省によって施された。

【広い庭】

雑草が生い茂り、芝生は伸び放題。壁の周りは曲がりくねった木でぐるりと囲まれ、花壇という花壇は見たことのない植物で溢《あふ》れている。大きな緑色の池には蛙がいっぱい。芍薬《しゃくやく》や石楠花《しゃくなげ》の茂みには庭小人が巣を作っている。

■**納屋**…ウィーズリー氏がマグルのがらくたをこっそり保管している場所。かつては空飛ぶフォード・アングリアも置いてあった。

■**箒《ほうき》小屋**…普通の戸棚より少し小さいくらいの崩れかかった石小屋。1996年の夏休みにダンブルドアとハリーはこの中で話をした。ジニーは6歳のときからここに忍び込んで双子の箒に乗っていた。

■**鶏小屋**…丸々と太った茶色の鶏が数羽、餌《えさ》をついばんでいる。

■**果樹園**(orchard)…1996年の夏休みにハリーたちが二人制クィディッチをして遊んだ。

■**小さな牧場**(small paddock)…丘の上にあるウィーズリー家の牧場。草むらの周りは木立で囲まれ下の村から見えないので、子供たちはここでクィディッチの練習をしている。

【1階】

■**玄関**…ゴム長靴がごた混ぜになって転がり、思いっきり錆《さび》ついた大鍋がころがっている。

■ **台所**…暖炉やおしゃべり鏡のある狭苦しい台所。流しの横には古ぼけたラジオが置いてある。

■ **居間**…家族の居場所を知らせる大きな柱時計が掛かっている。

【2階】

■ **ジニーの部屋**

【3階】

■ **フレッドとジョージの部屋**…小窓の前に机、ベッド脇に小机が置かれ、火薬の臭いが漂っている。床の大半はダンボール箱。

■ **パーシーの部屋**…ここで鍋底報告書を書いた。

【4階】…不明(ビルやチャーリー、ウィーズリー夫妻の寝室があるのかも)

【最上階】

■ **ロンの部屋**…ベッドカバーから壁、天井に至るまで燃えるようなオレンジ色で、粗末な壁紙にはお気に入りのチャドリー・キャノンズのポスターがびっしり貼られている。

【屋根裏】

■ 屋根裏お化けが住みつき、四六時中パイプを叩《たた》いたり、うめき声を上げている。

英語 burrow は、「(キツネやウサギなどが掘った)(巣)穴」のこと。Weasley(weasel は英語で「イタチ」の意)に因《ちな》んで命名されている。エクセター(JKR が卒業したエクセター大学のある都市)北東部には、オッタリー・セント・キャッチポールと似た名前の Ottery St. Mary という村がある。そこから10マイルほど東に行った Dalwood 村には、The Burrow Farm Gardens という名の広大なファームガーデンがある。

[⑥上**114**、**120**、**122**、**132**、**160**、**469**、下**013**、**035**][⑤上**017**、下**085**、**089**、**243**][④上**076**、**085**、**228**、**235**][②**047**～**059**、**069**][⑦初出**4**章 **UK046**／**US048**]

かくれん防止器 スニーコスコープ【Sneakoscope】

③01-016
⑥04-上103

うさん臭い人物が近くにいると、光ってクルクル回り知らせてくれる道具。ロンがエジプトで購入し、ハリーの13歳の誕生日にプレゼントした。ガラスの独楽《こま》のような形をしている。マグル界ではこれの代わりに防犯ブザーを使用している。

[⑤上**613**][⑦初出**2**章 **UK020**／**US014**]

ガーゴイル(の石像)【stone gargoyle／gargoyle】

②11-303
⑥07-上231

ホグワーツの校長室の入り口に立っている像。醜い大きな石の像で校長室を護《まも》っている。これの前で正しい合言葉を言うと、像は生きた本物の姿に変わりピョンと脇に飛びのき、背後の壁が左右に割れ、動く螺旋《らせん》階段が現れる。ダンブルドアの合言葉は、お菓子の名前が使われており、6巻では「ペロペロ酸飴」と「タフィー　エクレア」だった。5巻では職員室の前にもガーゴイル像が置かれ、こちらは話すことができて1体はしゃがれ声、もう1体は甲高《かんだか》い声だった。

像のほかに、魔法界でガーゴイル(gargoyle)はしばしば驚きや罵《ば》倒《とう》の言葉として使われており、ハーマイオニーはアンブリッジのことを「怪獣ばばぁ(old gargoyle)」と罵《ののし》っている。バグマンは驚いた拍子に「おっとどっこい！(Gulping gargoyles!)」と口走り、マンダンガスはウィルという魔法使いを「脳たりんのガーゴイル(gormless gargoyle)」と馬鹿にした。

ガーゴイルは、コウモリのような翼ととがった嘴《くちばし》を持つ怪物。雨水を集める豊 穣《ほうじょう》の怪獣で、死者の国で護衛の役目をしていると考えられたため、ゴシック様式の教会などの屋根や雨どいの吐き出し口に取りつけられた。恐ろしい姿に作られたのは、一つには無信仰者に対し「信心しないと怪物に食べられてしまうぞ」という警告を与えるため。

同時に教会から悪霊を追い払う魔よけでもあったのでその姿が無気味であればあるほど好まれたという。

〔⑥上**296**、下**345～346**、**467**〕〔⑤上**142**、下**053**、**078**、**296**、**321**〕〔④上**205**、下**307**〕

瘡《かさ》蓋《ぶた》粉 【Wartcap powder】

⑤**06**-上**191**

グリモールド・プレイス12番地の客間の銀の嗅《か》ぎタバコ入れに入っていた粉。シリウスがこれに触ると、あっという間に気味の悪い瘡蓋ができ、皮膚が堅い茶色のグローブのようになってしまった。杖で軽く叩《たた》いて魔法を唱えると、元の皮膚に戻る。

〔⑤上**190**〕〔⑦初出**10**章 **UK156**／**US189**〕

樫《かし》（の木） 【oak】

①**05**-**126**
⑥**08**-上**245**

ハグリッドの杖などに使われている木。ホグワーツ城の入り口の巨大な扉も樫の木でできている。魔法界にはオーク樽《だる》で熟成された蜂蜜《はちみつ》酒《しゅ》（オーク樽熟成蜂蜜酒）もある。

樫（オーク）はブナ科コナラ属の落葉樹・常緑樹の総称。頑丈で耐久性にまさるオークは、造船や住宅産業をはじめとして、イギリスの主要産業を今に至るまで支えてきた。長寿な木で、ウィンザー城のオークは樹齢1000年を超えると言われている。ケルト神話の神々の王ダグダの木として有名で、ダグダの「魔法の大鍋」（別名「豊饒《ほうじょう》の大鍋」＝常に食物で満たされているが臆病者と嘘つきには中身が見えない鍋）のようにドングリをたわわにつけるオークは、多くの生き物に日々の糧とねぐらを与えている。ドルイドには最も神聖な木として崇められ、儀式で魔術を行うときに使われた。アーサー王の円卓はオークの木でできており、魔法使いマーリンの杖は最上のオークから作られている。

〔⑦初出**19**章 **UK298**／**US366**〕

数占い(学)【Arithmancy】

②14–373
⑥09–上276

ホグワーツの教科。3年から学ぶ選択科目の一つ。担当教授はベクトル先生。ハリーとロンが「占い学」の授業に出ているあいだ、ハーマイオニーはこのクラスに出席している。彼女のお気に入りの教科で、「『占い学』は、『数占い』のクラスに比べたらまったくのクズよ！」とロンに断言している。OWL《ふくろう》の中で一番手ごわい学科だが、ハーマイオニーは「優・O(大いによろしい)」の成績を獲得し、6年生でも継続して授業を取っている。有名な数占い師ブリジット・ウェンロック(1202–1285)は、数字の7の魔法特性を初めて立証した。

数占いとは、数を使って人の性格や運命を解明したり、未来を予見する占いのこと。別名「数秘学」とも呼ばれ、今日の数占いは「世界は数の力の上に構築されている」というピタゴラス派の哲学や、カバラ哲学ゲマトリアの伝統に基づくものとされる。古代のアルファベットには数値が定められていたため、それらの総和を1から9までの根本数に還元(減数)し、占いに応用していた。現行の数占いではアルファベットをABC順に1から9までの数をあてはめて(JとSで1に戻る)占っている。

[⑥上**155～156**、**464**][⑤上**496**、下**462**、**464**][**JKR** 公式サイト「今月の魔法使い」]

(学校に対する)特別功労賞【Special Award for Services to the School／award for special service】

②07–179
⑥20–下165

ホグワーツのためにすぐれた働きをした者に与えられる賞。金色の盾で、これまで受賞が分かっているのは、トム・リドル(ヴォルデモート)、ハリーとロン。リドルの場合は、ホグワーツで秘密の部屋の怪物の事件が起きたことを恥じた当時の校長が、真実を話さないようトムを口封じするために贈ったもの。ハリーとロンは2年生で秘密

の部屋の謎を解明し事件を解決した功績が認められ受賞した。ロンは「トロフィー・ルームで銀磨き」の処罰の最中に、発作を起こしてこの盾の上にナメクジのゲップを引っ掛けたことがある。

［②344〜345、358、485］

カッフ、バーナバス
バーナバス・カッフ
【Cuffe, Barnabas】　⑥04-上107

『日刊予言者新聞』の編集長(editor)。スラグホーンの昔の生徒でスラグ《なめくじ》・クラブのメンバー。毎日のニュースに関するスラグホーンの解釈に、常に関心を持っているという。

ガーディルート
【Gurdyroot】　⑥20-下156

エシャロットのような植物。ルーナによると、ガルピング・プリンピーを撃退するのにすごく効果があるという。ルーナのクィディッチ解説を褒《ほ》めたロンは、これを一つ貰《もら》った。JKR 公式サイト「そのほかのこと」で聴くことができるラジオ番組“Toots, Shoots 'n' Roots”では、次回の放送でガーディルートの正しい皮のむき方を話し合うことになっている。

英語 gourd「ウリ」、「ヘチマ」と root「根」の合成語であろう。

［⑥下157］［JKR 公式サイト「そのほかのこと」］［⑦初出8章 UK122／US146］

カドガン卿
【Cadogan, Sir】　③06-134

ホグワーツ8階の寂しい踊り場の大きな絵の中にいる小さな騎士。ずんぐりとした体型で太ったポニーにまたがっている。「下がれ、下《げ》賤《せん》のホラ吹きめ！」と口は悪いが騎士道精神の持ち主《ぬし》で、3巻では切り刻まれた太った婦人《レディ》の肖像画の代わりにグリフィンドールの入り口を守った。しかし、おかしな合言葉をひねり出してはそれを一日に何度も変えたり、誰かれ構わず決闘を挑んだので、生徒たちから顰蹙《ひんしゅく》を買った。結局、シリウス・ブラックをグリフィンドール塔内に入れてしまったため、入り口を守る仕事はあっさり首になり、現在は元の場所に戻り、絵の前を通る生徒に剣を抜き、相変わらず決闘を挑んでいる。勇ましいことを言う割にはへなちょこで、隣の絵に駆け込もうとして、その絵の主の怖い顔をしたウルフハウンド犬にはねつけられたことがある。酒好きなのか、クリスマスには数人の僧侶や歴代のホグワーツの校長、それに愛馬のポニーを交え、蜂蜜酒《はちみつしゅ》で宴会をした。4巻でビル・ウィーズリーがホグワーツに来たときは、「あのいかれた騎士の絵、まだあるかい？」と懐《なつ》かしがった。

カドガン卿のモデルは、イギリスに実在したカドガン将軍（ウィリアム・カドガン　1672–1726／初代カドガン伯爵）であろう。モールバラ公の許《もと》で主計総監となり、アン女王によって1711年にモールバラ公が失脚すると、自らも軍務を退いた律儀な人物。同14年ジョージ1世が王位につくと軍務に復帰し、ジャコバイトの反乱を鎮圧。彼の髪型を真似《まね》たリボンで髪をうなじで束ねたヘアスタイルは18世紀のフランスで「カトガン（catogan）」と呼ばれ大流行した。カドガン家はその後、第2代カドガン伯爵がハンス・スローン卿（大英博物館の創設に大きく貢献した医学者で収集家）の娘と結婚。それまでスローン家が所有していたロンドンの広大な土地を受け継ぎ、現在の当主（第8代カドガン伯爵）は、ロンドンのチェルシー・ナイトブリッジ地区に90エーカー（約10万坪）の土地を持ち、カドガン・ホテルやカドガン・ホールを運営する富裕貴族となっている。

［⑤上**373**］［④下**401**］［③**132〜133、350**］

金縛りの術
【Body-Bind Curse】

①**16–401**
⑥**28–**下**440**

全身を石のように硬直させる呪文。これを唱えられると両腕が体の脇にピチッと貼りつき、両足がパチッと閉じる。体が固くなって一枚板のようになり倒れるが、しばらくすると自然に解除される。呪文の

言葉は「ペトリフィカス　トタルス、石になれ！」。6巻ではマルフォイが天文台の塔に現れたときに、ダンブルドアがこれを無言でハリーに唱えた。ダンブルドアが亡くなると術は自然に解け、ハリーは動けるようになった。5巻では「全身金縛り術」、1巻では「全身金縛り(full Body-Bind)」と和訳されている。

［⑥下**404**、**424**］［⑤下**587**］［⑦初出**8**章 **UK116**／**US138**］

カナリア諸島【Canary Islands】

⑥**04**-上**102**

スラグホーンが滞在していたマグルの家の主《ぬし》が、休暇で出かけた場所。

カナリア諸島は、大西洋上のモロッコ沖に位置するスペイン領の火山群島。ランサロテ、グランカナリア、フエルテベントゥラなど7つの島と周辺の小島から成る。この諸島の存在はすでにローマ時代から知られ、「インスラエ・フォルトゥナタエ Insulae Fortunatae(幸運諸島／幸福の島々)」と呼ばれていた。大プリニウスは、「巨大な『犬(ラテン語で canis)』がたくさんいたので『犬の島 Canaria』と命名された」と『博物誌(第6巻)』に書いている。1950年以降は観光業が盛んになり、ヨーロッパ各地から多数の観光・保養客が訪れている。小鳥のカナリアの原産地でもある。

カノコソウの根【valerian roots】

⑥**09**-上**286**

生ける屍《しかばね》の水薬の材料の一つ。スラグホーンが「魔法薬学」の授業中、「水薬」を最も上手く煎じた生徒に褒美《ほうび》としてフェリックス・フェリシスを与えると発表すると、ドラコは全速力でこの根を刻んだ。

カノコソウ(valerian)は、オミナエシ科カノコソウ属の植物で、小さな白またはピンクがかった花をつける。カノコソウの根(valerian root)を乾燥させたものは「吉草根《きっそうこん》」と呼ばれ、神経鎮静剤や鎮痙《ちんけい》剤として使用される。

かぼちゃジュース
【pumpkin juice】

②05-107
⑥14-上442

蒸したかぼちゃをミキサーにかけて作ったジュース。ホグワーツの定番の飲み物で、ホグワーツ特急でも売っている。ハリーはクィディッチの試合当日(6巻)、自信喪失したロンの気持ちを盛り上げるために彼のかぼちゃジュースに幸運薬を入れるふりをし、ラッキーだと思い込んだロンは試合ですべてのゴールをセーブした。2巻では「魔女かぼちゃジュース」と和訳されている。

[⑤上**332**][⑦初出**8**章 **UK122／US146**]

噛《か》みつきフリスビー
【Fanged Frisbee】

④12-上285
⑥09-上261

歯をむき出している危険なフリスビー。ホグワーツで持ち込みが禁止されているグッズ。ハーマイオニーは6巻で、ライムグリーンの噛みつきフリスビーを持っていた4年生の男の子を見つけて没収した。ハリーがプリンスの本を隠すために入った必要の部屋には、盗品や禁じられた品々が山のように積まれ、まだ生気の残った噛みつきフリスビーがその上をふわふわ漂っていた。

[⑥下**315**][⑤下**326**]

紙飛行機
メモ飛行機
【paper aeroplane(米 paper airplane)】

⑤07-上210

魔法省内で使われている連絡メモ。建物の中を小型ロケットのようにビュンビュン飛び回りメッセージを運ぶ。薄紫色で両翼の先端に「魔法省」のスタンプが押してある。昔はふくろうを使っていたが、排《はい》泄物《せつぶつ》が机を汚すのでこれに替わったという。

[⑤上**211**][⑦初出**12**章 **UK201／US245**]

ガリオン(金貨)【Galleon】

①05-114
⑥05-上145

魔法界の金貨。1ガリオンは17シックルあるいは493クヌート。金貨の縁《ふち》には鋳造《ちゅうぞう》した小鬼《ゴブリン》を示す続き番号が打ってある。5巻でハーマイオニーは、変幻自在の呪文をかけた偽《にせ》のガリオン金貨を、DAの秘密の連絡手段として使った。フレッドとジョージは、マンダンガス・フレッチャーから有毒食虫蔓《しょくちゅうづる》の種を10ガリオンで入手。エディ・カーマイケルはOWL《ふくろう》試験の前に、パルッフィオの脳活性秘薬を半リットル瓶12ガリオンで、ロンに売りつけようとした。

JKRは「1ガリオンは約5ポンド(相場は変動)」と話している(1ポンドは2008年2月現在約210円)。

ガリオンの名前の由来は、16世紀からスペインなどで外国貿易に使用されたガリオン船(galleon)であろう。櫂《かい》を使わない全装帆船で、風による横流れが少なく速力が出たという。19世紀まで続く帆船の直接の祖先といわれている。

【魔法界の物価(ガリオン)】

■**ウィーズリーの暴れバンバン花火**…基本火遊びセットが5ガリオン、デラックス大爆発が20ガリオン

■**ハリーの杖**…7ガリオン

■**上級魔法薬の本**…9ガリオン

■**ユニコーンの尻尾《しっぽ》の毛1本**…10ガリオン

■**ハーマイオニーの14歳の誕生日のプレゼント(両親から)**…10ガリオン

■**万眼鏡**…10ガリオン

■**「姿現わし」練習コース**…12ガリオン

■**ボージン・アンド・バークスの髑髏《どくろ》**…16ガリオン

■**ユニコーンの角1本**…21ガリオン

■**アクロマンチュラの毒半リットル**…100ガリオン

■**ガリオンくじグランプリの賞金**…700ガリオン

- **三校対抗試合の優勝賞金**…1,000ガリオン
- **呪われたオパールのネックレス**…1,500ガリオン

［⑥上**193**、**333**、下**051**、**412**～**414**］［⑤上**173**、**275**、**627**］［④上**145**、**292**］［③**015**、**075**］［①**109**、**123**、**130**］［⑦初出**2**章 **UK027**／**US024**］

ガリオン金貨の連絡網
偽《にせ》ガリオン金貨
【contact Galleons／fake Galleon】

⑤**19**-上**627**
⑥**25**-下**356**

ダンブルドア軍団の秘密の伝達手段。DA集会の日時を連絡するために、ハーマイオニーがメンバー全員に配ったスグレモノ。金貨の縁《ふち》に刻まれた数字が、次の集会の日付けと時間に応じて変化する。変幻自在の呪文が唱えてあるので、ハリーが自分の金貨を変更すると、他のメンバーの金貨もそれを真似《まね》て変化する。日時が変化すると金貨が熱くなるので、ポケットなどに入れておけば変更されたことが感じ取れる。ハーマイオニーは死喰《しく》い人《びと》の印（闇の印）にヒントを得てこの方法を思いついたが、6巻ではドラコがこれを真似してコインに呪文をかけ、マダム・ロスメルタに命令を送っていた。1997年6月死喰い人がホグワーツを襲撃した夜、ハーマイオニーの金貨の呼びかけに応えたのは、ネビルとルーナだけであった。

［⑥下**412**、**489**］［⑦初出**26**章 **UK434**／**US538**］

カルカロフ、イゴール
イゴール・カルカロフ
【Karkaroff, Igor】DE

④**15**-上**379**
⑥**02**-上**045**

（-1996年）ダームストラング校の元校長。痩《や》せた背の高い魔法使い。短い白髪で、先が少しカールしたヤギ髭《ひげ》は貧相な顎《あご》を隠しきれていない。よく響く愛想のいい声で話し、歯はいくぶん黄ばんでおり、冷たい抜け目のない目をしている。死喰《しく》い人《びと》で、当時闇祓《やみばら》いだったマッド-アイ・ムーディに捕まりアズカバンに送られたが、魔法法執行部の部長のクラウチ氏と取引して仲間の名前を密告し、代わりに出

獄した。そののちダームストラング校の校長となり、生徒に闇の魔術を教えた。三大魔法学校対抗試合に参加するため、1994年にホグワーツに来たときは、ダンブルドアが引退していたマッド－アイ・ムーディを学校に呼び寄せ、彼を監視させた。1995年6月、腕につけられた闇の印が焼けるのを感じてヴォルデモートが復活したことを知り、多くの仲間の死喰い人を裏切ったことへの復讐《ふくしゅう》を恐れて逃走。しかし約1年後に北部の掘っ立て小屋で、死体となって見つかった。
［⑥上**160**］［④上**383～384**、**512～513**、下**358**、**536**］［⑦初出**33**章 **UK545**／**US680**］

ガルガンチュア
【Gargantua (gargantuan)】

⑥11-上349

危険極まりない肉食大蜘蛛《おおぐも》アラゴグを形容するのに使われた言葉。

ガルガンチュアは、フランソア・ラブレーの風刺小説『ガルガンチュアとパンタグリュエル』に登場する大食漢の巨人。もともとはフランス民話に登場する巨人だったが、ラブレーがこれを基に同書を著して以来、ガルガンチュアというと、この本の巨人を指すようになった。

英語 gargantuan は、「ガルガンチュアのような(巨大な)」という意味。

ガルピング・プリンピー
【Gulping Plimpy】

⑥20-下157

ルーナ・ラブグッドが存在を信じている生き物。これを撃退するにはガーディルートが効果的。プリンピーは JKR が創出した球形で斑《ぶち》のある魚。人や動物をガブガブ飲み込む(gulp)プリンピーなのかもしれない……。

カロー、アミカス
アミカス・カロー
【Carrow, Amycus】DE

⑥02-上042

死《し》喰《く》い人《びと》。ずんぐりとした歪《ゆが》んだ顔の魔法使いで、アレクトの兄。スネイプやルシウス・マルフォイと同じように、ヴォルデモートがハリーを殺し損ねて消えた後、その行方を捜さなかった。1997年6月にホグワーツに侵入した死喰い人の一人。ジニーと戦っている最中にハリーから妨害の呪いを受けて、キーッと豚のような悲鳴を上げて吹っ飛んだ。

Amycus（アミュコス）は、ギリシア神話に登場する海神ポセイドンの息子。拳闘好きで残忍な巨人。

［⑥下**418**、**425～426**、**429**］［**JKR** 公式サイト「**FAQ** 作品について」］［⑦初出**12**章 **UK186**／**US226**］

カロー、アレクト
アレクト・カロー
【Carrow, Alecto】DE

⑥02-上042

死《し》喰《く》い人《びと》。ずんぐりした小柄な魔女で、アミカスの妹。ヴォルデモートの失踪後、行方を捜さなかった。1997年6月に兄とともにホグワーツを襲撃。天文台の塔で仲々ダンブルドアを殺せないでいるマルフォイに、「ドラコ、殺《や》るんだよ」と甲高《かんだか》い声で急《せ》かした。カローの姓はJKRが公式サイトで明かした。

Alecto（アレクト）は、ギリシア神話のFuries（フューリーズ）と呼ばれる復讐《ふくしゅう》の三女神の一人。「名前を挙げられない女」、「名づけようもないもの」という意味。肉親間の犯罪、特に殺人を厳しく罰した。有翼で、頭髪は蛇、松明《たいまつ》を手に持って罪人を追い、狂わせたという。

［⑥下**429**、**433**］［**JKR** 公式サイト「**FAQ** 作品について」］［⑦初出**12**章 **UK186**／**US226**］

かわいいモリウォブル
【Mollywobbles】

⑥05-上130

モリー・ウィーズリーが、夫のアーサーと二人きりのときに呼んで欲しい愛称。

Mollywobblesは英語collywobble「激しい下痢」のもじり。英語wobbleには「よろめく」、「ゆさゆさ揺れる」という意味があるので、モリーの（揺れるような）ふっくらした体型とも掛けている。直訳すると「ゆさゆさモリー」？

かわい子ちゃん
【popkin】

①02-036

ダドリー・ダーズリーの愛称の一つ。ダドリーは、17歳になった今でも母親からこう呼ばれている。

Popkinは、「かわいい子」という意味のくだけたイギリス英語poppetに、接尾語の-kin（単語の後につけて「～の小さいもの」を表す）を加えた言葉で、「かわいい坊や（お嬢ちゃん）」という意。

［⑦初出**3**章 **UK038**／**US038**］

監督生
【Prefect】

①06-144
⑥06-上162

首席の補佐として、学校の規則や秩序を守る任務にあたる生徒のこと。ホグワーツでは、5年生になると各寮から男女1名ずつ、優秀な生徒が監督生に選ばれる。Pの文字がついたバッジが与えられ、ホグワーツ特急の専用車両や、学校の監督生用の特別な浴室などが使えるようになる。ホグワーツ特急の中では、首席から指示を受けたあと、一定時間ごとに通路をパトロールし、降車の際は生徒を監視しなければならない。新学期の宴《うたげ》が終わると、新入生の道案内の任務が待っている。このほか規則を破った生徒に減点・罰則を与えたり、クリスマスの飾りつけの監督や廊下の見張り、厳寒のときに1・2年生が休み時間中に城内にいるのを取り締まることもある。

ハリーが5年生のときの監督生は、グリフィンドールがロンとハーマイオニー、レイブンクローがアンソニー・ゴールドスタインとパドマ・パチル、ハッフルパフがアーニー・マクミランとハンナ・アボット、スリザリンがドラコ・マルフォイとパンジー・パーキンソンだった。6年生でもハーマイオニー、ロン、ドラコは選ばれているので、他の生徒も(記述はないが)おそらく引き続き任命されたと思われる。ハリーは監督生に選ばれなかったが、その理由についてダンブルドアは「(ヴォルデモートと戦う運命にある)きみはもう、十分すぎるほどの責任を背負っていると思ったのじゃ」と説明している。ウィーズリーの双子によると、監督生になるのはアホだけだとか。しかし魔法界には、そのアホの卒業後の出世を研究した『権力を手にした監督生たち』という恐ろしくつまらない本も出版されており、パーシーはそれを恐ろしく没頭して読んだ。トンクスやシリウス、ハリーの父親のジェームズは学生時代、監督生になれなかったが、ルーピンやパーシーは選ばれている。トム・リドル(ヴォルデモート)も在学中は監督生だった。

JKRは公式サイトで「これまでのところロンは権力を振りかざすタイプの監督生ではなかったようで、彼は誰からも減点していません」と述べている。

[⑥上**202**、**213**、**255**][⑤上**258**、下**658**][②**088**][⑦初出**18**章 **UK288**／**US 353**]

監督生用の浴室 【Prefects' bathroom／special bathroom】

④**23**-下**113**
⑥**06**-上**162**

ホグワーツ監督生専用の特別なバスルーム。6階にあり、ボケのボリスの像の左側4つ目のドアの前で「パイン・フレッシュ、松の香爽《さわ》やか」と合言葉を唱えると入室できる。浴室は白い大理石造りで、床の真ん中に埋め込まれたプールのような浴槽も白大理石。浴槽の周りには金の蛇口が百本ほどあり、取っ手の所にはそれぞれ色の違う宝石が嵌《は》め込まれている。蛇口をひねると、お湯と一緒に蛇口によって違う種類の入浴剤の泡が出る。飛び込み台もあり、壁にはブロンドの人魚の絵が掛けられている。

4巻でハリーが第二の課題の卵の謎を解き明かすためにここを使ったときは、入浴中に嘆きのマートルが現れ、ハリーを慌てさせた。クィディッチのキャプテンも、この浴室が使える。

[⑥下**215**][④下**155〜156**]

き

記憶修正術
【Memory Modifying Charm】

③03-059
⑥01-上016

記憶の一部を修正する複雑な魔法。ニーモン・ラドフォード(1562-1649)により発見された。ヴォルデモートは16歳の夏、伯父のモーフィン・ゴーントの杖で父親と祖父母を殺害、モーフィンにこの呪文で偽《にせ》の記憶を植えつけ、彼が三人を殺したことにして逃走した。ヘプジバ・スミスからハッフルパフのカップとスリザリンのロケットを盗んだときも、ヴォルデモートは同じように屋敷しもべ妖精ホキーの記憶を修正し、女主人を毒殺した張本人に仕立て上げて逃げた。

魔法省は、魔法を目撃したマグルに対し記憶修正措置を行っており、1996年夏に死喰《しく》い人《びと》や巨人が西部地域で破壊活動を行ったときは、忘却術士が何チームも出動し、現実の出来事を見たマグル全員に記憶修正の魔法をかけた。クィディッチ・ワールドカップの際は、マグル連絡室が、死喰い人の“マグル狩り”の犠牲になったマグルに修正措置を取った。

［⑥上022、下070、177］［JKR 公式サイト「今月の魔法使い」］

奇人ウリック 【Uric the Oddball】

2004年9月

（中世−正確な年代は不明）恐ろしく風変わりな魔法使いだったことで有名。くらげを帽子代わりに被《かぶ》り、少なくとも50羽のオーグリー（腹ペコの小型のハゲワシのような外見の鳥。雨が近づくと、胸が張り裂けるような悲しい鳴き声をあげる）をペットにし、同じ部屋で寝ていたことが知られている。雨の多いある冬のこと、オーグリーの哀《あい》悼《とう》の叫び声を聞いたウリックは、てっきり自分が死んでゴーストになったと勘違い。家の壁を通り抜けようとして、全治10日の脳震盪《のうしんとう》を起こした。

［幻035］［JKR 公式サイト「今月の魔法使い」］

キス 【kiss】

②18−501
⑥07−上201

ホグワーツの生徒たちは恋人ができると、談話室や人のいない教室などで、こっそりまたは大っぴらにいちゃついている。ハリーのファーストキスの相手は、1学年上の人気者チョウ・チャン。5年生のときに必要の部屋のヤドリギの下でキスを交わした。ハーマイオニーは4年生でビクトール・クラムとキス。ジニーは5年生でディーン・トーマスと、堅物パーシーでさえ同級生のペネロピー・クリアウォーターと6年のときにキスをした。挨拶のキス以外経験のなかったロンは6年のとき、ディーンと人前でキスしたジニーに難癖をつけたが、逆に経験不足を指摘されて逆上。ハーマイオニーがクラムとキスしたことにもショックを受け、自分に好意を寄せるラベンダー・ブラウンとキスするようになった。ハリーはチョウと別れたあとに、ジニーのことが気になり出すが、彼女は当初ディーンと付き合っており、ロンに対する気兼ねもあってなかなか告白できなかった。しかし、グリフィンドールがクィディッチ杯を獲得すると気持ちが抑えきれなくなり、生徒が大勢いる談話室でジニーと抱き合いキス。みんなから冷やかされた。

[⑥上432～436、下326][⑤下063、065]

傷《きず》痕《あと》

額の傷(痕)
【scar】

①02-034
⑥04-上088

ハリーの額にうっすらと残る細い稲妻《いなずま》形の傷。1歳のときにヴォルデモートによってつけられた。

トレローニーの予言の一部を聞いたヴォルデモートは1981年10月31日、まだ1歳のハリーを殺そうとするが、母親が彼を庇《かば》い盾となって死んだことでハリーの体に護《まも》りの魔法が宿り、そのお陰で死の呪いはヴォルデモート自身に撥《は》ね返って、ハリーは額に傷を受けただけで助かった。このハリーを殺し損ねた呪いは彼とヴォルデモートのあいだに「絆」を創り出し、ヴォルデモートがハリーの近くにいるときや、極めて強い感情に駆られているときに傷痕が痛み、ハリーに警告を発するようになった。ヴォルデモートの存在を知るこの能力は、ヴォルデモートが肉体を取り戻してから顕著になり、寝ているあいだなどハリーの心が無防備な状態になると、感情や思考を共有するようになっていった。当初ヴォルデモートはこの絆に気づいていなかったが、1995年12月にアーサー・ウィーズリーが襲われた夜、ハリーがヴォルデモートの中にあまりにも深く入り込んでしまったため、自分の中のハリーの存在を感知してしまう。さらに、自分が反対にハリーの思考や感情に入り込める可能性があることに気づいたヴォルデモートは、それを利用してハリーに予言の球を取らせることを計画する。

一方、ヴォルデモートのこの動きを知ったダンブルドアは、ハリーの心をヴォルデモートの襲撃に対して武装させようと決心し、1996年1月スネイプから閉心術を学ぶようハリーに命じる。しかし、スネイプが途中で訓練をやめてしまったことなどから、ヴォルデモートは、シリウスが神秘部内で拷問されている光景をハリーに送ることに成功。

幻覚を見たハリーは、5巻で神秘部に向かってしまったのである。

ダンブルドアが5巻でハリーと目を合わさず、自身で閉心術の訓練をしなかったのは、いずれヴォルデモートがハリーの心に入り込み、考えを操作したり捻《ね》じ曲げたりするであろうと予測したから。それを煽《あお》りたくなかったし、ハリーとダンブルドアが親しい関係にあることに気づけば、ヴォルデモートはそれに乗じてハリーを使ってダンブルドアをスパイすることも考えられたので、ハリーを避けていたのである。

6巻では、ハリーに自分の考えや感情を覗《のぞ》き見されることの危険性にヴォルデモートが気づき、彼に対して閉心術を使うようになったため、ハリーの傷痕は痛まなくなった。

映画でハリーの傷は、右目の上にルーン文字の「勝利のルーン」"N"の形で表されているが、JKRは「ハリーの傷で最も重要なのは形ではありません」と話している。「ヴォルデモートが半純血のハリーではなく、純血のネビルの方が脅威だと考えていたらどうなったのか?」という問いに対しては「(額に傷を持って生き残った)ネビルは、ハリーと同じように上手くヴォルデモートの攻撃をかわせたでしょうか?多くの試練を通じて強さと正気を失わなかったハリーと同じ資質が、ネビルにもあったでしょうか?ダンブルドアは、そう思ってはいません。むしろ、ヴォルデモートはまさしく自分を滅ぼす力を持った少年を選んだと思っています。なぜなら、ハリーは額の傷に多くを頼ることなく、生き延びてきたのですから」と答えている。JKRはこれまでシリーズ完結編第7巻の最終章の最後の言葉は「scar(傷痕)」だと話してきたが、実際にはエピローグの最後から11番目の言葉となった。

[⑤上**019、178、286、432、436、518、598**、下**178〜179、261、478、495、606〜607、617、629〜633**][④下**378、431**][①**086、376**][**JKR** 公式サイト][**WBC**]

北塔
【North Tower】

③06-131
⑥08-上249

トレローニー先生の住居と、「占い学」の教室がある塔。この塔の1階とホグワーツ城の8階が繋《つな》がっている。塔の1階の急な螺旋《らせん》階段を一番上まで登ると小さな踊り場があり、その天井の撥《は》ね扉を銀のはしごを使って上った先に、トレローニーの「占い学」の教室がある。ハリーは6年のとき、ふだんは滅多に北塔を離れないトレローニーが新学年の宴《うたげ》に出席していたのでびっくりした。

［⑤上**374**］

汚いぞ、ポッター
【POTTER STINKS】

④18-上460

三校対抗試合のときにスリザリン生が作った「セドリック・ディゴリーを応援しよう」バッジを押すと、現れる言葉。緑色に光る文字で書かれている。クリービー兄弟はこれに魔法をかけて、「ハリー・ポッターを応援しよう」に変えようと頑張ったが、魔力が及ばず、バッジは「ほんとに汚いぞ、ポッター」に変わってしまった……。

［④上**498**、**510**］［⑦初出**2**章 **UK020**／**US014**］

生粋《きっすい》の貴族―魔法界家系図
【Nature's Nobility：A Wizarding Genealogy】

⑤06-上191

グリモールド・プレイス12番地の客間にあった分厚い本。シリウスは客間の掃除をしているときに、ハリーの腕を刺そうとした毛抜きのような銀の道具を、これで叩《たた》きつぶした。

［⑦初出**10**章 **UK157**／**US190**］

キーパー
【Keeper】

①10-246
⑥11-上337

クィディッチのポジションの一つ。味方の三つのゴールを守り、敵にクアッフルを入れられないよう防ぐ役目の人。5巻では、卒業したオリバー・ウッドの後任を決めるキーパーの選抜が行われ、ロン・ウィーズリーが選ばれた。6巻の選抜のときは、ハーマイオニーがコーマック・マクラーゲンに錯乱呪文をかけたお陰で、ロンが再びキーパーとなった。この二人のほかに判明しているホグワーツのキーパーは、スリザリンのマイルズ・ブレッチリー。

『クィディッチ今昔』によると、キーパーのポジションは13世紀から存在していたが、この時代はキーパーが敵のゴールにクアッフルを打ち込み、得点することもあったという。

［⑥上**342**］［⑤上**357**、**433**］［ク**047**］

ギボン

【Gibbon】DE　　⑥**29**–下**446**

死喰《しく》い人《びと》の一人。1997年6月のホグワーツの戦いに参戦し、天文台の塔に上って闇の印を打ち上げた。そののち階下に駆け戻り戦いに加わったが、仲間の唱えた死の呪いに当たって死亡した。ギボンの名の初出は6巻下455ページ。

［⑥下**455**、**457**］

基本呪文集

【Standard Book of Spells, The】　　①**05**–**102**　⑥**09**–上**271**

ホグワーツの「呪文学」の教科書。著者はミランダ・ゴズホーク。各学年用が用意されており、ハリーが6年生で使ったのは『基本呪文集・六学年用』。「闇の魔術に対する防衛術」の授業で、ハーマイオニーが無言呪文の利点について答えると、スネイプはこの本の丸写しだとそっけなく言った。

［⑤上**257**］

キメラ
【Chimaera】

⑤21-下041

ギリシア神話に登場する怪物。ライオンの頭にヤギの胴体、ドラゴンの尾を持つ。凶暴で血に飢えているので非常に危険。ハグリッドはこれを飼おうとしたが、卵が取引禁止品目Ａクラスに指定されていて入手困難だったため断念した。

神話の中では、キメラはテュフォンとエキドナのあいだに生まれた恐ろしい怪獣で、ライオン、蛇　ヤギの頭を持ち、口から火を吐いた。小アジアのカリア地方に棲《す》み、周辺の土地を荒らしていたが、天馬ペガサスに乗った英雄ベレロポンテス（ベレロフォン）によって滅ぼされた。その後ベレロポンテスは奢《おご》りに取り憑《つ》かれ、神々の仲間入りをしようとペガサスに乗って昇天。ゼウスの雷に打たれ落馬して亡くなった。『幻の動物とその生息地』の中では、キメラとの戦いに疲労困憊《こんぱい》したため天馬から落ちて死んだことになっている。

［幻**041**］［⑦初出**2**章 **UK023**／**US018**］

逆転時計
タイムターナー
【Time-Turner】

③21-518
⑥11-上349

時間を戻すことができる時計。小さな砂時計のような道具で、細長い金の鎖がついている。これを首にかけ1回ひっくり返すと、1時間逆戻りする。ハーマイオニーは3年のときにマクゴナガルからこれを譲り受け、すべての授業を受けていた。これを使ってシリウス・ブラックとバックビークの命を助けることができたが、翌年も全教科を勉強するのは「気が狂いそうだった」ので、彼女は3年生の終わりに先生に返却した。すべての逆転時計は神秘部の時《とき》の間《ま》の戸棚に保管され、魔法省によって用途が厳しく管理されていたが、1996年夏の魔法省の戦いですべて破壊されてしまった

［⑤上**514**、下**580**］［③**516**、**562**］

キャッドワラダー
【Cadwallader】Ⓗ

⑥19-下140

ハッフルパフの体格のいいチェイサー。グリフィンドールとの試合でジニーからクアッフルを奪ったが、解説者のルーナから「何ていう名前だったかなあ、たしかビブルみたいな―ううん、バギンズかな―」と名前を正しく紹介されなかった。

Cadwallader はウェールズ語で battle arranger の意。

キャプテン・バッジ
【Captain's badge】

⑥06-上162

クィディッチのキャプテンに与えられるバッジ。6年生になる前の夏休みにハリーに届いたホグワーツからの手紙に同封されていた。チャーリー・ウィーズリーも在学中、このバッジをつけていた。新学期の初日、ケイティ・ベルはハリーの胸に輝くこのバッジを指差し、「君がそれをもらうだろうと思っていたわ」と祝福した。

[⑥上**266**]

吸血鬼
バンパイア
【vampire】

①05-107
⑥15-上477

人や動物の生き血を吸う魔物の総称。1996年のスラグホーンのクリスマス・パーティには、吸血鬼のサングィニが参加した。ルーナはスクリムジョールを吸血鬼だと信じている。吸血鬼の血を引くローカン・ドイース(1964-現在)は、魔女のあいだで大人気の歌手。そのヒット曲「あなたに首ったけ」は、19週連続ベスト1を記録した。ハグリッドは、5巻で巨人の村落に行く途中、ミンスクのパブで吸血鬼とちょいと言い争いをしたことがある。『バンパイアとバッチリ船旅』を書いたロックハートは、「自分にやっつけられてからレタスしか食べなくなった吸血鬼がいる」と豪語した。魔法界には、吸血鬼ハンターという職業がある。

吸血鬼はもともと死者の亡霊や復活した死体を指していたが、東欧に見られた吸血鬼伝説がヨーロッパに伝わり、18世紀ころからバンパイアという名前に統一された。近年の小説や映画では、鋭い犬歯を持つ青ざめた顔の男性として描かれ、ニンニクや十字架に弱いことになっているが、これは1897年に出版されたブラム・ストーカーの『吸血鬼ドラキュラ』の影響である。

[⑥上**479**][⑤下**015**、**474**][④上**194**][②**066**、**242**][**JKR**公式サイト「今月の魔法使い」]

吸《きゅう》魂《こん》鬼《き》 ディメンター 【Dementor】

③**05-113**
⑥**01-上014**

地上を歩く生物の中で最も忌《い》まわしいものの一つ。魔法省と手を組みアズカバンの看守をしていたが、ヴォルデモートが復活すると闇の陣営に寝返った。

マントを着た大きな黒い影のような存在で、すっぽり頭巾で覆われた顔には眼球がない。目が見えず、人の感情を感じ取って近づくので、透明マントを着ている者も見逃さない。腐ったような臭いを発し、滑るように浮かんで進む。ガラガラという恐ろしい音を立てて空気を吸い込み、冷気を放出して暑い夏でもぞっとするほど周囲を冷たくする。最も暗く最も穢《けが》れた場所にはびこり、凋落《ちょうらく》と絶望の中に栄え、平和や希望、幸福を周りの空気から貪《むさぼ》り尽くす。これに近づきすぎると楽しい気分も幸福な想い出も一かけらも残さず吸い取られ、最後はこれと同じ邪悪な魂の抜け殻《がら》の状態にさせられてしまう。徹底的に破滅させたい者には「吸魂鬼の接吻(ディメンターのキス)」を実行。獲物の口を自分の上下の顎《あご》で挟《はさ》み、相手の魂を吸い取ってしまう。これをされた者は記憶を失くし空っぽの抜け殻《がら》となり、息をするだけの存在となる。もちろんこうなった者に、回復の見込みはない。吸魂鬼に対抗できるのは守護霊の呪文のみ。5巻では、ハリーを退学させるきっかけを作るため、リトル・ウィンジングで彼を襲うようアンブリッジが吸魂鬼に命令した。長いあいだ魔法省の統制下でアズカバンの看守をしてきた吸魂鬼であるが、ヴォルデモートが復活すると、闇の陣営に加担。死喰《しく》い人《びと》を脱獄させ、1996年にはアズカバンを放棄して手当たり次第に人を襲い始めた。ぞっとするような冷気をあちこちで吐き、絶望や失望を撒《ま》き散らし、国中を冷たい霧で覆った。

Dement は英語で「発狂させる」、「理性を奪う」という意味で、-or は行為者を示す接尾語。Dementor で「発狂させる（理性を奪う）人」のこと。

[⑥上**007**、**024**～**025**、**333**] [⑤上**031**～**033**、**231**、**233**、下**199**、**507**、**660**、**669**] [③**111**、**122**、**242**～**244**、**320**～**321**、**482**] [⑦初出**3**章 **UK034**／**US035**]

吸《きゅう》魂《こん》鬼《き》のキス（接吻）【Dementors' Kiss】

③**12-321**
⑥**09-**上**270**

吸魂鬼の最後の最悪の武器のこと。犠牲者の口を上下の顎《あご》で挟《はさ》んで魂を吸い取り、死よりもむごい姿にしてしまう。これをされた者は、もはや自分が誰なのか記憶がなくなり、回復の見込みもなく、空っぽの抜け殻《がら》となる。吸魂鬼は、徹底的に破滅したい相手に対してこれを実行する。魔法省は、シリウス・ブラックを見つけたらこれを執行することを許可していた。4巻では、コーネリウス・ファッジが連れて来た吸魂鬼が、面接の際にクラウチ氏の息子にキスをして魂を吸い取ってしまったため、息子に証言させることができなくなってしまった。ダドリーは5巻で、危うく吸魂鬼からキスされそうになった。スネイプは、「闇の魔術に対する防衛術」の最初の授業で、吸魂鬼にキスされた魔法使い（壁にぐったりと寄りかかり、虚《うつ》ろな目をしてうずくまっている姿）の絵を生徒たちに見せた。

[⑤上**033**] [④下**525**] [③**320**]

九と四分の三番線 【platform nine and three-quarters】

①**06-135**
⑥**07-上202**

ホグワーツ特急が発着するプラットホーム。キングズ・クロス駅の中にある。ここに行くには、駅の9番線と10番線のあいだにある固い柵《さく》めがけてまっすぐ歩くだけ。立ち止まったり、ぶつかったりするんじゃないかと怖がらなければ、柵を通り抜けて九と四分の三番線に行ける。ただし、マグルに気づかれないように、突き抜けなければならない。このプラットホームから出るときは、硬い壁の中からいっぺんにたくさんの生徒が飛び出すとマグルが驚くので、車掌や駅員が確認し、数人ずつバラバラに外に送り出している。「ハリー・ポッター」映画の中の九と四分の三番線のシーンは、キングズ・クロス駅の4番線と5番線で撮影されている。

実在の9番線と10番線は本の記述と異なるが、これについてJKRは「マンチェスターにいるときに書いたので、プラットホームのイメージが違ってしまいました。あれはユーストン駅のことを思い描いていたのです。実際にキングズ・クロス駅の9番ホームや10番ホームに行くと、本に書かれているイメージとあまり似ていないことに気づかれるでしょう。マンチェスターにいたから、チェックできなかったのです」と話している。また九と四分の三番線については「ハリー・ポッター・シリーズ特有のひねりです。魔法界への入り口は、簡単に時空を超えるようなものにはしたくなかったのです。知識さえあれば見つかる場所にしたかった。それで自信を持って壁に走りこめば、ちゃんと入れるようにしたのです」と述べている。

[⑤上**291**、下**692**] [①**453**] [⑦初出**33**章 **UK536**／**US668**]

教科書のリスト 【booklist】

①**04-080**
⑥**06-上162**

ホグワーツ魔法学校が、夏休み中に生徒に送る手紙の中に入っているリスト。新学年に必要な教科書が書いてある。これを見たホグワーツ生は、ダイアゴン横丁のフローリシュ・アンド・ブロッツ書店などで本を買いそろえる。

［⑤上256］

教職員テーブル【staff table】

①07-173
⑥08-上246

大広間の一番奥の壁ぎわに置かれた教職員用の長テーブル。生徒たちに向き合うように設置され、中央にはダンブルドア校長用の背もたれの高い金色の椅子《いす》が置いてある。背が小さいフリットウィックは、クッションを何枚も重ねた椅子に座っている。ダンブルドアが亡くなってから、マクゴナガルは校長用の王座のような椅子を空席のままにしていた。このテーブルの後ろには扉があり、肖像画がずらりと並ぶ小部屋に続いている。

［⑥下486］［⑤上320］［④上269、271、415］

兄弟杖【twin cores／wand's brother, the】

①05-129

共通の材料が芯に使われている杖同士を「兄弟杖」という。ヴォルデモートとハリーの杖には同じ不死鳥フォークスの尾羽根が使われていたので、この二人の杖は兄弟杖となった。杖がその兄弟杖と出会うと相手に対して正常に作動しなくなり、無理に戦わせると、どちらかの杖で「呪文逆戻し効果（杖がそれまでにかけた呪文をいちばん新しいものから逆の順序で次々に吐き出させる）」が生じる。ハリーとヴォルデモートが1995年6月に戦ったときもこの現象が起こり、ヴォルデモートの杖先から殺された犠牲者のゴースト（木霊《こだま》）が順番に現れた。

［④下516～517］［⑦初出24章 UK400／US495］

巨人
女巨人
【giant／giantess】

④23-下109
⑥01-上022

身長が6メートルから大きいものは7、8メートルもある巨大な生き物。ハグリッドとマダム・マクシームは半巨人、グロウプは巨人である。

狂暴な性質で、前世紀に仲間内の戦争で殺し合い、絶滅の危機に瀕《ひん》した。そののち生き残った少数の巨人たちは、ヴォルデモート第一次全盛期に仲間となり、マグル大量殺戮《さつりく》事件に関与した。大半は闇祓《やみばら》いに殺されたが、ハグリッドの母親のフリドウルファを含む一握りは北部の山岳地帯にある巨人の集落に逃げ延びた。しかし世界中から何百という種族がこの集落に集まったためお互いに殺し合いをし、今では80人しか残っていない。

4巻でヴォルデモートの復活を知ったダンブルドアは、巨人に友好の手を差し伸べようと、巨人の村落にハグリッドとマダム・マクシームを使者として送り込んだ。死喰《しく》い人《びと》の邪魔が入り、企《くわだ》ては失敗に終わったが、ハグリッドは自分の異父弟グロウプがいじめられているのを発見し、そのまま残しておけず禁じられた森に連れて来てしまった。最初はたった5つの単語しか話せず、森の樹木を根元から引き抜く狂暴性を見せていたグロウプだが、徐々に進化し、今は普通の人間のように行動している。

魔法界では、巨人の血が流れている者は嫌われ、差別されている。もともと暴力的で数週間ごとにお互いを半殺しの目に遭わせるので集団生活には不向きだが、魔法使いが彼らを追放したため、自衛手段として固まって暮らさざるを得なくなり、結果として巨人は仲間内で殺し合いをしてしまった。彼らが絶滅しかかっているのは魔法使いに責任があると、ダンブルドアは考えている。巨人はトロール並みにタフなので、呪文で失神させるのは難しい。

[⑥上**257**、**377**、下**492**][⑤上**154**、下**009**～**028**、**421**～**424**、**471**][④下**123**]

［⑦初出3章 **UK037／US038**］

巨大イカ 【giant squid】

①**16-385**
⑥**21-下196**

ホグワーツの湖に棲《す》む大きなイカ。体は大きいが穏やかな性格なので、このイカと並んで泳ぐ生徒もいるほど。浅瀬で日向《ひなた》ぼっこをしたときは、ウィーズリー双子とリー・ジョーダンに足をくすぐられた。4巻では、湖に落ちたデニス・クリービーを、ボートに押し戻して助けている。しかし、なぜか生徒の評判は今一つで、「あいつ（ラベンダー）はしがみついてくるんだ。巨大イカと付き合っているみたいだよ」（ロン・ウィーズリー談）や、「あなた（ジェームズ）か巨大イカのどちらかを選ぶことになっても、あなたとはデートしない」（リリー・エバンズ談）と、あまりいい譬《たと》えとして登場しない。

巨大イカのモデルは北極海に棲むとされる怪獣、クラーケンであろう。背中の周囲が1.5マイル（2.4 km）もある巨大な生き物で、あまりに大きいので一見したところ海草などに取り巻かれた小さな島の集まりのようだという。触手（腕）で船を巻き込むことがあるので巨大なタコとする説があるが、巨大なヤリイカ（ヤリイカの群れ）とする向きもある。性質が大人しいのが特徴で、むやみやたらと人や船を襲ったりしないという。

［⑤下**355**、**667**］［④上**279**、**450**］

ギリーウォーター 【Gillywater】

③**10-261**
⑥**15-上468**

マクゴナガルやルーナ・ラブグッドが、三本の箒《ほうき》で注文した飲料。ハリーはグリフィンドール談話室でこれをロミルダ・ベインから勧められたが、惚《ほ》れ薬が盛られている恐れがあったので断った。

Gillywater の gilly は gilly flower の短縮形で、「ニオイアラセイトウ（ストック）」や「カーネーション」のこと。フランス語版でもギリーウォーターは、「カーネーションのジュース」と訳されている。おそらくこれらの花の香りをミネラルウォーターにつけた飲み物であろう。
［⑤下234］

キングズ・クロス（駅）
【King's Cross】

①05-131
⑥07-上201

イギリスに実在する駅。映画でおなじみのドーム型のガラス天井や鉄柵《てっさく》付きの陸橋が備わったロンドンのメイン・ターミナル。魔法界とマグル界が交差する場所の一つで、ホグワーツ特急が発着する九と四分の三番線は、ここの9番線と10番線のあいだの柵の向こう側にある。ホグワーツの生徒たちは毎年9月1日になると、重いトランクやペットを持ってここに集まり、11時に発車するホグワーツ特急で学校に向かう。グリモールド・プレイス12番地は、この駅から歩いて20分の場所にある。

キングズ・クロス駅は、1852年にグレート・ノーザン鉄道のターミナル駅として建設された。東洋的な駅舎で、中央に高さ約3.7mの時計塔があるのが特徴。「フライング・スコッツマン（空飛ぶスコットランド人）」の愛称で知られるグラスゴー（スコットランド）行きインターシティ225号は、ここから出発する。この愛称は、もともと1862年にロンドン・エディンバラ間を結んだ蒸気機関車につけられたものであるが、1963年に蒸気機関車からディーゼル車に代わり、1976年からインターシティ125号、1990年にインターシティ225号に交代されても使われ続けている。今でもインターシティの車両には、「ルート・オブ・ザ・フライング・スコッツマンROUTE OF THE FLYING SCOTSMAN」の文字が付いている。

JKRはキングズ・クロス駅について、「この駅で両親が出会ったので、私にとってとてもロマンチックな場所。両親は二人とも海軍に入って、スコットランドに向かうところでした。二人は駅を出発した列車の中で出会ったのです。だからハリーには、汽車でホグワーツに行って欲しかった」とテレビの特番で解説している。なお、映画ではこの駅の外観として、西側に隣接する美しい駅舎のセント・パンクラス駅が使用されている。

［⑤上**289**、**291**、下**691〜692**］［⑦初出**35**章 **UK570**／**US712**］

禁書の棚
閲覧禁止の棚
【Restricted Section】

①12-289
⑥18-下091

ホグワーツ図書室の奥にある書棚。他の棚とはロープで仕切られており、ここの本を見るには先生のサイン入り許可証が必要。ホグワーツでは決して教えない強力な闇の魔法に関する本が置いてあり、これらは上級生が「闇の魔術に対する上級防衛法」を学ぶときだけ、読むことが許されている。叫ぶ本や、ポリジュース薬の材料が書かれた『最も強力な薬』がここに並んでいるほか、ホークラックスについて唯一言及している『最も邪悪なる魔術』もこの棚にあると思われる。

［②**239**］［①**300**］

禁じられた森
【Forbidden Forest】

①07-188
⑥04-上103

ホグワーツ城の東にある森。「魔法生物飼育学」で入る以外は、生徒は立ち入り禁止になっている。管理人のハグリッドが森の端にある丸太小屋に住み、森にいるセストラルなどの世話をしている。森の中は川が流れ、木が深々と繁っているので日中でも暗い。毒イラクサやイチイ、樫《かし》の木、ニワヤナギなどが群生し、アラゴグら大蜘蛛《おおぐも》の巣に行く道がある。一角獣《ユニコーン》、ケンタウルスの群れ、アラゴグとその家族、トロール、セストラル、ボウトラックル、尻尾《しっぽ》爆発スクリュート（？）など、さまざまな魔法生物が生息し、ウィーズリー家のフォード・アングリアもこの中で野生化している。1巻では、クィレルに取り憑《つ》いたヴォルデモートが、一角獣の血を飲むためにここに現れた。5巻では、ハグリッドの異父弟の巨人グロウプが半年ほどここに棲《す》み、先住の生き物を恐怖で震撼《しんかん》させた。森の中ではケンタウルスが最も大きな影響力を持っており、仲間たちから殺されそうになっていたフィレンツェを偶然助けて以来、ハグリッドはケンタウルスの群れや他の生き物から敵視されるようになった。6巻では、森の奥に棲んでいたアラゴグが病気で死に、ハグリッドがその骸《むくろ》を自分の小屋まで運び葬儀をした。これまでアラゴグが食べないよう命じていたため、ハグリッドは大蜘蛛の巣のそばまで行くことができたが、死んでからは大蜘蛛の群れが襲ってくるので近づけなくなった。森の周りにはヒッポグリフの授業を行った放牧場(パドック)や、第一の課題のドラゴンを入れた囲い地があり、ボーバトン校の馬車もこの近くに置かれた。森の中は危険がいっぱいなので、ハグリッドは石弓を携帯して中に入っている。

JKRによると、三頭犬のフラッフィーも仕掛け扉を守る必要がなくなったあと、ここに放されうろうろしているそうである。3巻や6巻には、「太陽はすでに禁じられた森のむこうに沈みかけた」や、「禁じられた森の梢《こずえ》まで太陽が沈んだとき」とあり、森は西側にあるように思えるが、JKR直筆の地図では東側に描かれているのでそちらを優先した(地図は南が上になっている可能性もあるが……)。

[⑥下**239**、**247**、**493**][⑤上**319**、下**043**、**415**~**416**、**420**、**432**][④上**407**、**502**][③**148**、**423**][①**369**、**375**][⑦初出**14**章 **UK221**／**US268**]

キンス、ハンブルドン
ハンブルドン・キンス
【Quince, Hambledon】

2006年9月

(1936–現在)魔法使いは火星からやってきて、マグルの起源はキノコだとする、物議をかもしている学説の提唱者。

[**JKR** 公式サイト「今月の魔法使い」]

金時計
【gold(golden)watch】

①01-023
⑥18-下104

魔法界の金時計。ダンブルドアが持っている金時計は、12本も針があるのに文字盤に数字は書かれておらず、そのかわり小さな惑星がいくつも時計の縁《ふち》を回っている。ロンが17歳の誕生日に両親から貰《もら》った金時計は、縁に奇妙な記号がついていて、針の代わりに小さな星が動いている。

［⑤下**618**］［⑦初出7章 **UK097**／**US114**］

く

クアッフル 【Quaffle】

①**10-245**
⑥**19-下139**

クィディッチで使う直径12インチ(30センチ)の真っ赤な縫い目のないボール。チェイサーはこれを投げ合い、相手ゴールの輪の中に入ると10点得点する。1711年の豪雨の中で行われた試合で、ボールが地面に落下して泥にまぎれて見つからなくなるということがあったので、その年の冬に初めて赤く塗られた。ロンは5年生のキーパー選抜の前、自分の方にクアッフルが飛んでくるよう魔法をかけて練習した。

［⑥下**304**］［⑤上**428**］［ク**042**］［⑦初出7章 **UK096**／**US112**］

クィディッチ 【Quidditch】

①**05-117**
⑥**01-上016**

魔法界で人気ナンバーワンのスポーツ。1チーム7人の選手が箒《ほうき》に乗り、4個のボールと6つのゴールを使って競技する。試合はクィディッチ競技場で行われ、選手は競技用の箒を使う。

【選手】

■ **キーパー**…各チーム一人。相手から得点されないように三つのゴールを守る。

■ **ビーター**…チームに二人。二個のブラッジャーが味方の選手に襲いかかってくるのを棍棒《こんぼう》で食い止め、相手の陣地に打ち返す。

■ **チェイサー**…各チーム三人。クアッフルを相手のゴールに投げ入れる。ゴールに一回入ると10点獲得。

■ **シーカー**…各チーム一人いて、金のスニッチを見つけて捕まえる。スニッチをとると150点獲得し、その時点で試合は終了。

【ボール】

■ **クアッフル**…サッカーボール大の真っ赤なボール。これを相手のゴールに入れると10点得点。

■ **(金の)スニッチ**…胡桃《くるみ》大の動きの速いボール。これをとると150点獲得し試合が終わる。

■ **ブラッジャー**…直径25センチの真っ黒な鉄製のボール。試合中2個のブラッジャーが飛び回り、選手を箒から叩《たた》き落とそうとする。これを相手チームに打ち返すのがビーターの役目。

【ゴール】

高さ16メートルの金の柱で先端に丸い輪っかがついている。クィディッチ競技場の両端に、3本ずつ合計6本のゴールが立っている。輪の部分にクアッフルが入ると10点獲得。

【ホグワーツのクィディッチ】

寮対抗のクィディッチ・リーグ戦があり、各寮の代表チームがシーズンを通して試合をし、優勝した寮にクィディッチ・カップ(優勝杯)が贈られる。代表選手は、10月に行われる選抜(予選)で選ばれ、寮のチームに参加したい人は、あらかじめマダム・フーチまたは寮監に連絡することになっている。各チームには、監督のように戦略を考えたり、他の選手を指導する役目のキャプテンが1名おり、これに選ばれた生徒の家には、夏休み中にキャプテンバッジが届く。責任あるポストなので、彼らには監督生と同じ待遇が与えられる。クィディッチ・シーズン(ホグワーツでリーグ戦を行う時期)は、11月ころから始まり翌年の5月ころまで続き、試合はもっぱら土曜日に開催される。試合の審判はフーチ先生。クィディッチの試合の成績は寮対抗杯のポイントに加算されるので　生徒たちは試合が近づくと、旗や(相手が戦意を喪失するような)バッジ、歌を作り、試合当日はおおかたの生徒が競技場に行き応援に力を入れる。試合結果が気になるのは生徒だけではない。寮監の先生も、是が非でも自分の寮を勝たせると内心決意しているので、試合が近づくと「あなたがたには、今やるべきことがほかにたくさんあることと思います」と宿題を出すのをやめたり(マクゴナガル)、自分の寮の代表選手が他寮の選手に呪いをかけても知らんぷりしたりと(スネイプ)、皆必死である。しかし、中にはこのような騒ぎに加わらず、冷静に受け止めている生徒もおり、ハーマイオニーが「寮のあいだで悪感情やら緊張が生まれるから、クィディッチは困るのよ。たかがゲームじゃない」とつぶやいたときは、皆から睨《にら》まれた。

【イギリスや世界のクィディッチ】

イギリスとアイルランドのクィディッチ・リーグが設立されたのは1674年。当時からプロチームの数は制限され、現在まで13チームが毎年リーグ杯を目指して戦っている。アメリカやアジアでも普及しており、日本の最強チームは「トヨハシテング(豊橋天狗)」。負け戦のときに自分たちの箒を焼き払う儀式を行うので、せっかくの木材を無駄にしていると国際魔法使い連盟クィディッチ委員会は眉をひそめている。ワールドカップも開催され、1994年にイギリスで行われた第422回大会決勝では、アイルランドが170対160でブルガリアに辛勝した。

【その他】

700もの反則があり、そのすべてが1473年の世界選手権で起こった。クィディッチに退場はない。『クィディッチ今昔』や『賢い箒の選び方』などの関連本は、生徒のあいだで人気がある。「二人制クィディッチ」も存在する。

JKR はアマゾンなどのインタビューで「クィディッチを思いついたのは、マンチェスターのディズベリーにあるホテルに泊まっていた夜のこと。魔法使いに何かスポーツをさせたかったし、それには一度に二つ以上のボールを同時に使うゲームが面白そうだと思い、ずっと考えていたのです。人間のスポーツでは、バスケットに近いですね」と話し、「やってみたいポジションはシーカー」と述べている。一方、リンゼイ・フレイザーやスティーブン・フライに対しては、「クィディッチを考えたのは、マンチェスターで一緒に暮らしていたボーイフレンドと大喧嘩《げんか》したあと。猛烈な勢いで家から飛び出し、パブに行ってそこで発明しました。喧嘩との繋《つな》がりは、クィディッチの試合が乱暴なところかしら。彼がブラッジャーで殴られるところを見たかったのかもしれません」と違ったことを話している。

［⑥上**160**、**265**］［⑤上**095**、**629〜630**、下**245**］［①**121**、**188**、**244〜249**、**264**、**445**］［ク**057**、**067**］［⑦初出**2**章 **UK020**／**US015**］

クィディッチ解説者
【Quidditch Commentator】

①**11-271**
⑥**08-**上**252**

ホグワーツのクィディッチ・リーグ戦を実況解説する生徒のこと。5巻までは、リー・ジョーダンが務めていた。リーが卒業した6巻では、ザカリアス・スミスとルーナ・ラブグッドが担当。ザカリアスはグリフィンドールをこき下ろし、怒ったジニーが解説者の演台に箒《ほうき》で突っ込み、ザカリアスは壊れた演台の下敷きになった。そのあとを引継いだルーナは、試合などおかまいなしに観衆の注意をおもしろい形の雲に向けたり、ザカリアス・スミスがクアッフルを1分以上持っていられないのは「負け犬病」にかかっているからだと解説をし、マクゴナガルを当惑させた。

［⑥上**447**、下**139〜141**］［③**336**］［②**252**］

クィディッチ競技場
【Quidditch pitch】

①**10-241**
⑥**11-**上**336**

ホグワーツの競技場はホグワーツ城の北西に位置し、禁じられた森とは校庭をはさんで反対側にある。内部は、グラウンド周りに何百という座席が高々とせりあげられ、生徒が高い所から観戦できるようになっている。グラウンドの両端には、それぞれ16メートルの金の柱(ゴールポスト)が三本ずつ立っていて、その先端には輪がついている。

競技場の隣には、更衣室と箒《ほうき》置き場が設置されている。この競技場は、「闇の魔術に対する防衛術」の教授の部屋やダンブルドアの校長室、マクゴナガルの事務室の窓から見えるため、ハリーはアンブリッジの罰則の最中、キーパー選抜の様子を盗み見た。

一方、ワールドカップの競技場は、10万人が収容できる巨大なスタジアムで、イギリスの人里離れた荒地に建てられた。外側を囲む黄金の壁には、魔法省職員によってマグル避《よ》け呪文が一分の隙《すき》もなくかけられ、中に入ると細長い楕円形のグラウンドに沿って、観客席が階段状にせり上がっていた。競技場そのものから発せられた神秘的な黄金の光があたりにみなぎり、両サイドのゴールポストは金色で、グラウンドはビロードのように滑らかに見えた。ハリーたちが座った貴賓《きひん》席《せき》の真正面には巨大な黒板があり、広告を映し出していた。

[⑤上**416**、**430**、**455**、下**624**] [④上**107**、**148～149**] [①**215**、**244**、**328**]

クィディッチ選抜
【Quidditch Tryouts／Quidditch trials】

①**07-188**
⑥**09-上266**

クィディッチの寮代表選手を選ぶための入団テスト。受けたい生徒はマダム・フーチや寮監に申し出ることになっている。6巻では、キャプテンになった「選ばれし者」ハリー目当てに候補者が殺到し、新学期初日の時点で20人もの申し込みがあった。グリフィンドールの選抜当日、恐ろしく古い学校の箒《ほうき》を神経質に握り締めた1年生から、他に抜きん出た背の高さで冷静沈着に睥睨《へいげい》する7年生まで、寮の半数ほどの生徒が競技場に集まり、まずは基本的な飛行テストからスタート。数秒以上宙に浮いていられない1年生や、キャーキャー笑い転げるだけの女生徒、なぜか紛れていたハッフルパフ生やレイブンクロー生数名が退出させられた。苦情たらたら、癇癪《かんしゃく》数件、箒の衝突で歯を折る事故が1件あったあと、ケイティ・ベル、ジニー・ウィーズリー、デメルザ・ロビンズの三人がチェイサーに選ばれた。フレッドとジョージの後釜のビーターには、ジミー・ピークスとリッチー・クートが決まり、最後はいよいよキーパー選抜に。固い守りのコーマック・マクラーゲンはペナルティ・スローを4本セーブしたが、最後の１回はとんでもない方向に飛びつきミス。その後に登場した上がり症のロンは、蒼《あお》い顔をしていたものの5本ともすべてセーブし、正選手となった。すっかり満足したロンは、「僕、あのマクラーゲンよりよかったな」と自慢したが、実はハーマイオニーがマクラーゲンに錯乱呪文をかけてミスを誘発させ、ロンが選ばれたのであった。

［⑥上**265**、**329**〜**330**、**337**〜**342**、**351**、**444**］［⑤上**336**］

クィディッチのユニフォーム
クィディッチ用ローブ
【Quidditch robe】

①**11**–**269**
⑥**14**–上**444**

クィディッチをするときに着るローブ。ホグワーツの寮代表選手のユニフォームには寮のシンボルカラーが使われており、グリフィンドールは真紅、スリザリンは緑、ハッフルパフはカナリア・イエロー、レイブンクローは青。ワールドカップの決勝戦に出場したアイルランド・ナショナルチームのローブは緑、ブルガリア・ナショナルチームは真っ赤、審判が着ていたのはスタジアムにマッチした純金のローブだった。

［④上**163**〜**164**］［③**339**］［②**379**］［①**188**］［⑦初出**2**章 **UK020**／**US015**］

クィディッチ優勝杯
クィディッチ・カップ
【Quidditch Cup】

①**09**–**225**
⑥**24**–下**325**

クィディッチの寮対抗試合で優勝した寮に授与される銀色のカップ。グリフィンドールは1990年度（1990–1991）から一度も獲得できず、マクゴナガルとキャプテンのウッドをやきもきさせたが、ハリーが3年のときにめでたく優勝した。その後チームは快進撃を続け、ロンとジニー・ウィーズリーの活躍もあり、５・6巻で優勝杯を手にしている。因《ちな》みに6巻の試合結果は、初戦のグリフィンドール対スリザリンが250対0でグリフィンドールの勝ち、ハッフルパフ対グリフィンドールは320対60でハッフルパフの勝ち、そして最後のグリフィンドール対レイブンクローは、450対140でグリフィンドールが勝ち優勝杯を獲得した。

1巻ではスリザリンが優勝し、2巻では秘密の部屋の犠牲者が出たため途中で対抗試合は中止となり、4巻ではホグワーツで三校対抗試合が開催されたため、クィディッチの試合は行われなかった。1巻(1991年9月)で双子は「今年のクィディッチ・カップはいただきだぜ。チャーリーがいなくなってから一度も取っていないんだ」と喜んでいるが、チャーリーは前年度(1990–1991)まで在校しており、その年グリフィンドールは優勝していないので、話が矛盾している(チャーリーは7年生のときはドラゴンに夢中になり、クィディッチがおろそかになったのかもしれない)。なお、クィディッチの優勝杯(Quidditch Cup)と寮杯(House Cup)は別の物で、クィディッチの点数は寮杯に加算されるが、寮杯を獲得した寮が必ずしもクィディッチ・リーグで優勝しているとは限らない。

[⑥上**448～450**、下**143**、**326**][⑤上**629**、下**246**、**439**][④上**286**][③**188**、**405**][①**249**、**314**]

クィディッチ寮代表選手
【house player】

①**05–118**
⑥**14–上429**

ホグワーツの各寮のクィディッチ代表選手のこと。6巻のグリフィンドール代表選手は、ハリー(キャプテン・シーカー)、ロン(キーパー)、ケイティ・ベル(チェイサー)、ジニー(チェイサー)、デメルザ・ロビンズ(チェイサー)に、ジミー・ピークスとリッチー・クート(いずれもビーター)だった。ケイティの入院中はディーン・トーマス、ロンの入院中はコーマック・マクラーゲンが代わりに出場。ハリーが罰則で出場できなかった最後の試合は、ジニーがシーカーになり、ディーンがチェイサーを務めた。

[⑥上**252**、**338～339**、**439**、**442**、**444～445**、下**132**、**304**、**306**、**319**]

クィディッチ代表選手

Ⓖ グリフィンドール

ジェームズ・ポッター (1971年入学)	1970年代	チェイサー
★チャーリー・ウィーズリー	1985?-1990? (?-1989?)	シーカー キャプテン
★オリバー・ウッド	1988?-1993 (1990?-1993)	キーパー キャプテン
★アンジェリーナ・ジョンソン	1990-1995 (1995)	チェイサー キャプテン
ジョージ・ウィーズリー	1990-1995	ビーター
フレッド・ウィーズリー	1990-1995	ビーター
★ハリー・ポッター	1991-1996 (1996)	シーカー キャプテン
アリシア・スピネット	1991-1995	チェイサー
ケイティ・ベル	1991-1996	チェイサー
ロン・ウィーズリー	1995-1996	キーパー
ジニー・ウィーズリー	1995-1996	チェイサー／ シーカー (ハリーの代理)
アンドリュー・カーク	1995	ビーター (5巻で退学した双子の後継)
ジャック・スローパー	1995	ビーター (5巻で退学した双子の後継)
リッチー・クート	1996	ビーター
ジミー・ピークス	1996	ビーター
デメルザ・ロビンズ	1996	チェイサー

ディーン・トーマス （補欠）	1996	チェイサー （ケイティ・ベルの代理）
コーマック・マクラーゲン （補欠）	1996	キーパー （ロンの代理）

スリザリン

★マーカス・フリント	1991-1993 （1991-1993）	チェイサー キャプテン
エイドリアン・ピュシー	1991-1992、1995	チェイサー
マイルズ・ブレッチリー	1991-1995	キーパー
テレンス・ヒッグズ	1991	シーカー
ドラコ・マルフォイ	1992-1996？	シーカー
デリック	1993-1994	ビーター
ボール	1993-1994	ビーター
★モンタギュー	1993-1995 （1995）	チェイサー キャプテン
ワリントン	1993-1995	チェイサー
ビンセント・クラッブ	1995-1996	ビーター
グレゴリー・ゴイル	1995-1996	ビーター
★ウルクハート	？-1996 （1996）	？ キャプテン
ベイジー	1996	チェイサー
ハーパー	1996	シーカー （マルフォイの代理）

ハッフルパフ

★セドリック・ディゴリー	1993 (1993)	シーカー キャプテン
ザカリアス・スミス	1995-1996	チェイサー
サマービー	1995	シーカー
キャッドワラダー	1996	チェイサー

レイブンクロー

★ロジャー・デイビース	1993-1995? (1993-1995?)	チェイサー キャプテン
チョウ・チャン	1993-1996	シーカー
ブラッドリー	1995	チェイサー

※表は左から、選手名、プレイ期間(キャプテン在任期間)、ポジションの順に記載
※プレイおよびキャプテンの期間は、学年度で表示(例1990=1990年度=1990年9月～1991年6月)
※6巻までの情報
※1994年(4巻)にクィディッチ対抗試合は行われなかった(三校対校試合開催のため)
※名前の横の★はキャプテン

クィディッチ・ワールドカップ 【Quidditch World Cup】

③22-562
⑥01-上016

クィディッチの世界選手権大会。第1回目は1473年に行われ、以後4年に一度開催されている。1994年(4巻)に魔法省の国際魔法協力部と魔法ゲーム・スポーツ部が協力し、イギリスで開かれたが、これは30年ぶりのこと。人気イベントなので切符は入手しにくいが、ウィーズリー一家は当時魔法ゲーム・スポーツ部の部長だったルード・バグマンから決勝戦のチケットを手に入れ、ハリーやハーマイオニーも一緒に観戦した。

およそ10万人もの魔法使いが集まるため準備は困難を極め、1994年のときはまず人里離れた格好な荒地を探し出し、マグル避《よ》け対策を講じた。観客が会場に到着する時間を少しずつずらし、安い切符の人は2週間前までに到着するよう決めた。姿現わしする人のために、マグルの目に触れなさそうな森を姿現わしポイントとし、200個の移動《ポート》キーをイギリスの重要拠点に設置。競技場には500人もの魔法省の特務隊が、マグル避け呪文を一分の隙《すき》もなくかけた。競技場と森をはさんだ隣にキャンプ場があり、観客はそこにテントを張って宿泊した。試合前の夕方にはキャンプ場などに行商人が現れ、踊るクローバー帽子などの土産物を販売。切符は羊皮紙でできており、プログラムはビロードの表紙に房飾りがついていた。

1994年の決勝戦はアイルランド対ブルガリアで行われ、ブルガリアの代表選手としてビクトール・クラムが出場。アイルランドのチェイサーが上手すぎて点差を縮められないと判断したクラムは、負けていたにも拘《かかわ》らずスニッチを捕り160対170でアイルランドが辛勝した。

試合終了後の深夜、死喰《しく》い人《びと》が競技場の横の森で騒ぎを起こし、闇の印が打ち上げられた。バグマンは試合が始まる前に「第422回クィディッチ・ワールドカップ決勝戦に、ようこそ!」と呼びかけたが、1473年から4年ごとに開かれているのであれば、まったく計算が合わない。

［⑥上**363**］［⑤上**472**］［④上**047**、**107**、**144**、**148**、**159**、**472**］［ク**069**］［⑦初出**14**章 **UK224**／**US271**］

クィディッチ・ワールドカップの森
【woods of Quidditch World Cup】

④07-上117

1994年にクィディッチ・ワールドカップが開かれた森のこと。イギリスのどこかにある。この森のはずれに巨大なクィディッチ競技場が建設され、観客の魔法使いは森の横のキャンプ場にテントを張り宿泊した。決勝戦終了後の深夜、死《し》喰《く》い人《びと》がこの森でマグル狩りの騒ぎを起こし、クラウチ氏の息子がハリーから盗んだ杖で、闇の印を打ち上げた。

［④上**047**、**184**、**188**、**198**］［⑦初出**14**章 **UK224**／**US271**］

クィレル
【Quirrell】

①05-106
⑥02-上044

ハリーが1年のときの「闇の魔術に対する防衛術」の先生。青白い顔の若い魔法使いで、片方の目がピクピク痙攣《けいれん》している。頭におかしな(absurd)ターバンを巻き、やっかいなゾンビをやっつけたお礼にアフリカの王子様から貰《もら》ったものだと言い張っていたが、実はそこにヴォルデモートが取り憑《つ》いていた。秀才だが野望や憎しみに満ちた人物で、1991年世界旅行の最中にアルバニアの森で肉体を持たないヴォルデモートと出会い、忠実な下僕となった。ホグワーツに戻りDADAの教師となり、ヴォルデモートに命ぜられるまま学校に保管されていた賢者の石を奪おうとしたが、スネイプとハリー・ポッターに阻止され、ヴォルデモートが肉体から離れると死んでしまった。愚かな野心家だが、アンブリッジは「これまでの『闇の魔術に対する防衛術』の中では、唯一魔法省の査察をパスした可能性のある先生」と高く評価した。

JKRは「『闇の魔術に対する防衛術』を教える前は、クィレルは『マグル学』を担当していた」と2007年のチャットで明かしている。

［⑤上**268**、**436**、**499**、下**118**］［④下**454**～**455**］［①**187**、**199**、**428**、**434**、**440**］［**BLC2007**］［⑦初出**33**章 **UK545**／**US679**］

薬問屋 【apothecary】

①**05-109**
⑥**06-**上**168**

魔法薬の材料を販売しているお店。ダイアゴン横丁にある。店内は、悪くなった卵と腐ったキャベツの混じったような、ひどい匂いがするが、それが気にならないほど面白いところ。ヌメヌメしたものが入った樽《たる》が床に並び、壁には薬草や乾燥させた根、鮮やかな色の粉末などが入った瓶が並べられ、天井からは羽根の束、牙《きば》やねじ曲がった爪が糸に通してぶら下げられている。お店の前には、ドラゴンの糞《ふん》が入った樽が置かれていて、ハリーはハグリッドに煤《すす》を払われたときに、すんでのところでその中に突っ込むところであった。6巻ではこの店先に、ベラトリックス・レストレンジの写真が入った魔法省の大ポスターが貼《は》ってあった。

［⑥上**175**］［②**082**］［①**123**］

糞《クソ》爆弾《ばくだん》 【Dungbomb】

③**10-248**

魔法界の悪戯《いたずら》グッズ。本当に臭《にお》う。フレッドとジョージは、これを爆発させてフィルチの気をそらせ、事務室から忍びの地図をこっそり盗んだ。ハリーが4年のときのロンからのクリスマス・プレゼントは、糞爆弾がぎっしり詰まった袋であった。5巻でジニーはグリモールド・プレイスの厨房《ちゅうぼう》の扉にこれを投げ、邪魔よけ呪文がかけられているかどうか調べた。フレッドとジョージが退学してから1週間もたたないうちに、二人が箒《ほうき》に乗って戻ってきてアンブリッジにこれを浴びせかけて逃走したという噂がホグワーツで流れた。絶対に「被爆」したくない品。

［⑤上**115**、**447**～**448**、**588**、下**400**～**401**］［④下**079**］［③**274**］［⑦初出**2**章 **UK028**／**US026**］

クート、リッチー
リッチー・クート
【Coote, Ritchie】G

⑥11-上339

グリフィンドールの生徒。6巻でビーターに選ばれた。ひ弱そうだが、狙いが的確。選抜された当初はフレッドとジョージのような冴《さ》えはなかったが、練習するにつれ尻上がりに上達。スリザリンとの試合では、シーカーのハーパーにブラッジャーを打ち込んだ。対ハッフルパフ戦では、味方のマクラーゲンからブラッジャーを食らったハリーをクートと共に受け止め、大怪我から救った。

［⑥上**431**、**448**］

クヌート
【Knut】

①05-095
⑥06-上185

魔法界の銅貨。29クヌートが1シックルで、493クヌートが1ガリオン。ロンが初めて双子の悪戯《いたずら》専門店ウィーズリー・ウィザード・ウィーズ(WWW)に行ったとき、手に取った商品の合計は3ガリオン9シックル1クヌートだった。フレッドから1クヌートだけ負けてやると言われたが、そんな大金を持っていなかったロンは、フレッドに向かって下品な手まねをし、「今度そんなことをしたら、指がくっつく呪いをかけますよ」と母親に叱られた。魔法省のアトリウムの魔法族の和の泉には、シックル銀貨やクヌート銅貨が投げ込まれている。1巻で『日刊予言者新聞』の配達料は5クヌートであったが、5巻では1クヌートに値下げされている(5巻ではハーマイオニーが払っているので学割料金の可能性がある)。JKRはBBCのチャットで「1ガリオンは約5ポンド」と話しているので、1クヌートは約0.01014ポンドとなる(2008年2月現在1ポンドは約210円なので1クヌートは約2.13円)。

［⑤上**207**］［⑦初出**21**章 **UK338**／**US416**］

熊皮のオーバー 【bearskin coat】

⑥19-下122

ハグリッドがロンを見舞いに来たときに着ていたコート。熊の皮でできている。

組分け儀式 【Sorting Ceremony】

①07-170
⑥08-上247

新入生を4つの寮に分ける儀式。毎年9月1日の新学期の宴《うたげ》で行われる。マクゴナガルが4本足のスツールを1年生の前に置き、その上に組分け帽子を載せると、帽子はおもむろに歌い出す。それが終わると先生が新入生の名前を読み上げ、呼ばれた生徒は組分け帽子を被《かぶ》って椅子《いす》に座り、組分けされるのを待つ。そして帽子が寮の名前を発表したら、それぞれの寮のテーブルに向かう。シェーマス・フィネガンの組分けのときは、帽子はグリフィンドールに決めるまで、まるまる1分間もかけた。ハリーが被ったときは、「勇気に満ちている、頭も悪くない、才能もある…(中略)…スリザリンに入れば間違いなく偉大になる可能性が開ける」と帽子から言われたが、ハリーは「スリザリンはダメ、スリザリンはダメ」と思い続けたので、グリフィンドールに選ばれた。トム・リドルが入学したときは、帽子はリドルの頭に触れるや否や、スリザリンに組分けした。ホラス・スラグホーンによると、組分けは普通、家系で決まるが、シリウスのような例外もあるという。組分け方法について、入学前にロンはトロールと取っ組み合いさせられるとフレッドから聞いていたので、事実を知ったときに「やっつけてやる」と息巻いた。

[⑥上**105**][⑤上**331**][①**171**、**177**、**181**]

組分け帽子 【Sorting Hat】

①07-174
⑥08-上248

つぎはぎだらけでボロボロの汚らしい三角帽子。9月1日の新学期の宴《うたげ》で、新入生を4つの寮に組分けするのが、その仕事。組分けの前にはつばの裂け目が口のようにパックリ開き、自作の歌を歌う。その内容は、通常、ホグワーツの4つの寮の特性や、帽子自身の役割についてだが、5巻では学校に対して忠告を与えて生徒を驚かせた。必要とあれば警告する義務があると考えている帽子は、これまでも学校が大きな危機に直面したときに警鐘《けいしょう》を鳴らしてきたという。警告の内容はいつも同じで、「団結せよ。内側を強くせよ」というもの。6巻でも「敵に立ち向かうために全員が結束せよ」と呼びかけた。帽子はふだん校長室の机の後ろの棚に置いてあるので、先生方などの話を盗み聞きし、学校の危機などを察知しているのかもしれない。もともとはゴドリック・グリフィンドールの所有物で、真のグリフィンドール生(＝勇敢な生徒)だけが、帽子の中からグリフィンドールの剣を引き出すことができる。ハリーが秘密の部屋の中でバジリスクと戦った際、「お願い、助けて」と祈ると、被《かぶ》っていた帽子が縮み、固くて重いグリフィンドールの剣が頭の上に落ちてきた。

[⑥下**060**、**467**][⑤上**323〜333**][②**469**、**490**][⑦初出7章 **UK109**／**US129**]

蜘《く》蛛《も》【spider】

①02-033
⑥04-上115

ロンの苦手な生き物。まね妖怪ボガートはロンの前では大きな蜘蛛に変身する。2巻でロンが禁じられた森の奥に入り、巨大蜘蛛アラゴグに遭遇したときは、ロンの目は恐怖で飛び出し、声にならない悲鳴を上げた。6巻ではその大蜘蛛が死亡。ハグリッドは葬儀を行い、参列したスラグホーンは、その骸《むくろ》からこっそり毒を採集した。ハリーのかつての寝室、プリベット通り4番地の「階段下の物置」は蜘蛛だらけ。三校対抗試合の第三の課題に登場したスフィンクスの質問の答えは、蜘蛛だった。JKRも蜘蛛を苦手としており、まね妖怪が自分の前に現れたら蜘蛛に変身するだろうと述べている。

蜘蛛はさまざまな神話に登場するが、中でも有名なのはギリシア神話のアラクネの物語であろう。オウィディウスの『変身物語』によると、小アジアのリュディアの寒村に住む機織《はたおり》の名手アラクネは、慢心《まんしん》して工芸の神アテナ(ローマ神話のミネルヴァ)に腕比べを挑み、女神の前で神々の非行を描いた見事な織物を織り上げる。怒った女神に打ちすえられ、侮辱されたアラクネは首を吊《つ》って自殺するが、哀れを催したアテナは彼女をギリシア語でアラクネと呼ばれる蜘蛛の姿に変身させ、機織りの巧みさを残したという。キリスト教の世界では蜘蛛は吝嗇《りんしょく》の象徴となっているが、これは貧者から金銭を搾取《さくしゅ》する守銭奴《しゅせんど》のように、蜘蛛が捕まえた獲物の血を搾《しぼ》り取るからである。イギリスでは蜘蛛は繁栄をもたらすシンボルとされ、衣服の中に蜘蛛がいるとお金が入ってくるという俗信がある。また、蜘蛛はアイルランドの木に巣をかけないと言われているが、これはアイルランドの守護聖人、聖パトリックが、蜘蛛と蛇とヒキガエルに敵意を持っているからである。

[⑤上**191～192**][③**179**、**182**][②**231**、**408**][⑦初出**4**章 **UK043**/**US044**]

クラウチ、バーテミウス(バーティ)
バーテミウス(バーティ)・クラウチ(父)

④05-上087

【Crouch, Bartemius(Barty)/Crouch, Mr】MM

(?-1995)魔法省国際魔法協力部の部長。パーシーの元上司で、息子は死喰《しく》い人《びと》。短い銀髪の分け目は不自然なまでにまっすぐで、歯ブラシ状の口髭《ひげ》はまるで定規を当てて刈り込んだよう。靴はピカピカでシャキッと背筋を伸ばし、1994年ワールドカップ会場では、銀行の頭取と見まがうような非の打ちどころのない背広を身につけていた。語学に堪能《たんのう》で200ヵ国語以上を話し、パーシーから崇拝されていた。権力欲に取り憑《つ》かれ、魔法省大臣になることに一生をかけるが、家庭を顧みなかったため、死喰い人の息子に殺されてしまった。

ヴォルデモート第一次全盛期(1970年ころ)の魔法省でめきめきと頭角を現し、魔法法執行部の部長となり、闇の帝王に従う者に極めて厳しい措置をとった。闇祓《やみばら》いたちに新しい権力を与え、疑わしい者に対しては許されざる呪文の使用を許可。シリウス・ブラックを裁判せずにアズカバンに送ったのもクラウチ氏である。多くの闇の陣営の人間と同様、彼もまた冷酷無情に人を処分し、ヴォルデモートが逃走したときには彼が魔法省大臣につくと誰もが考えた。しかし、息子が死喰い人の一味とともに捕まったことで、その人生は大きく狂ってしまう。自分の評判が傷つくことを嫌った彼は、息子をアズカバンに送るが、死期の迫った妻から最後の願いとして息子を救出するよう嘆願され、妻を愛していた彼はそれを承知してしまう。妻は獄中でポリジュース薬を飲み息子と入れ替わり、息子は妻の姿に変身し出獄。息子になり替わっていた妻が獄中で死ぬと、息子が死んだと思った世間はその死に同情し、クラウチ氏に疑問を持ち始める。息子を構わなかったから道を誤ったのだと非難されて彼の人気は落ち込み、魔法省大臣にはコーネリウス・ファッジが就任。クラウチ氏は国際魔法協力部という傍流《ぼうりゅう》に押しやられてしまった。

出獄させた息子には服従の呪文をかけ、自宅で監禁していたが、それが詮索《せんさく》好きな部下のバーサ・ジョーキンズに気づかれてしまう。さらにバーサは旅行中にヴォルデモートに捕らえられ、死喰い人の息子がまだ生きていることを知った闇の帝王は、この情報を元に自らを復活させる計画を立てる。クラウチ家は襲撃され、息子は釈放。今度はクラウチ氏が服従の呪文をかけられ、幽閉されてしまう。これまでの自分の行動を悔いたクラウチ氏は、ダンブルドアにすべてを打ち明けようと、監視の目をかいくぐりホグワーツに向かうが、禁じられた森で待ち伏せしていた息子に捕まり、殺されてしまったのであった。

英語 crouch は「卑屈に腰を低くしてペコペコする」という意味。

[⑤上**118**][④上**138～139**、**214**、下**257～262**、**498～500**、**504～507**][⑦初出**6**章 **UK082／US094**]

くらげ足の呪い
【Jelly-Legs Jinx】

④31-下391
⑥09-上271

相手の足を、くらげのようにクニャクニャにする呪文。ハーマイオニーは、6年生の「闇の魔術に対する防衛術」で無言呪文を練習したとき、ネビルの呟《つぶや》くくらげ足の呪いを一言《ひとこと》も発せずに跳《は》ね返すのに成功した。ハリーが三校対抗試合の第三の課題に備えてさまざまな呪文を練習したときは、ハーマイオニーがこれを唱えて、ハリーの盾の呪文を粉々にした。治すための反対呪文を彼女が探しているあいだ、ハリーはクニャクニャする足で教室を歩き回る羽目になった。

クラッグ、エルフリーダ
エルフリーダ・クラッグ
【Cragg, Elfrida】

⑤22-下084
2005年6月

(1612–1687)魔法評議会(魔法省の前身)の委員長、および魔法使い協会の会長を務めた魔女。当時、クィディッチの試合にはスニジェットという超小型で敏捷《びんしょう》な鳥が使用され、鳥が殺されると試合が終了することになっていた。しかし、スニジェットの数があまりにも減ったため、見識のあるクラッグはその使用を禁止して保護する政策をとり、それからは代わりに金のスニッチが使われるようになった。クラッグの肖像画は魔法省に飾られており、ウィーズリーおじさんが毒蛇に噛《か》まれたときは、エバラードがその中に駆け込み、おじさんの容態を確認した。なお、『クィディッチ今昔』では14世紀の魔女として登場。同書やゲームでは、スペルがClaggとなっている。

[ク**034**][**JKR**公式サイト「今月の魔法使い」]

クラッパム
【Clapham】

⑤14-上452
⑥11-上333

スタン・シャンパイクやスタージス・ポドモアの自宅がある地区。

クラ(ッ)パムは、ロンドン南部に実在する地区で、総じて治安はあまりよくない。かつて夏目漱石が下宿した場所で、ロンドン漱石記念館がある。

クラッブ、ビンセント
ビンセント・クラッブ
【Crabbe, Vincent】[S]

①06-162
⑥07-上227

ハリーと同学年のスリザリン生。鍋底カットのヘアスタイルに太い首、鼻はぺちゃんこで、手足はゴリラのように長い。この上なく意地悪そうな顔で、唸(うな)るような豚声で話す。父親は死喰い人(しくいびと)。

ドラコ・マルフォイの横にぴたっと張りつき、ボディーガード的な存在だが、頭が悪いので気の効いたセリフは何一つ言えない(もとより会話のシーンがないので、本当は口がきけないのかもしれない)。代わりにお追従(ついしょう)笑いや筋肉隆々(りゅうりゅう)のガッチリ体型を使い、ハリーたちに嫌がらせをしている。1年のときは「魔法薬学」の授業中にハリーに冷やかし笑いをし、3年の「魔法生物飼育学」では、マルフォイを非難したディーン・トーマスに向かって力瘤(ちからこぶ)を見せて脅かした。4年生の帰りの列車の中ではハリーを威嚇(いかく)しようとしたが、反対にできものの呪いやくらげ足の呪いをかけられ無残な姿に。5年生ではクィディッチ寮代表チームのビーターに選ばれ、スニッチを取ったハリーに向かってブラッジャーを強打するという卑怯(ひきょう)な反則をした。尋問(じんもん)親衛隊となったときは、ネビルを絞め殺そうとした。帰りのホグワーツ特急内で再びハリーを待ち伏せしたが、OWL(ふくろう)の「闇の魔術に対する防衛術」に落第しただけのことはあり、あっさり返り討ちされ、巨大なナメクジと化した。6年生ではポリジュース薬を飲み、1年生の女子生徒に変身。マルフォイが必要の部屋の中で姿をくらますキャビネットを修理するあいだ、部屋の前で見張りをした。ハリーからこっそり足の爪が驚くほど速く伸びる呪詛(じゅそ)をかけられ、笑われたりしたが、ボスのマルフォイがホグワーツを去ってからは、ゴイルと一緒に寂しそうな様子を見せた。

英語crabには「ケンカ好きでつむじ曲がりの人」という意味がある。

[⑥上**492**、下**093**〜**094**、**100**〜**101**、**203**〜**204**、**208**、**218**、**487**][⑤上**302**、**568**、**637**、**648**、下**500**、**505**、**668**、**670**、**688**][④上**261**、**454**、下**450**][③

148］［②323～324］［①202］［⑦初出4章 UK048／US050］

グラブリー-プランク、ウィルヘルミーナ
ウィルヘルミーナ・グラブリー-プランク
【Grubbly-Plank, Wilhelmina】

④24-下118
⑥11-上350

「魔法生物飼育学」の代用教員。白髪を短く刈り込み、顎《あご》が突き出た老魔女。パイプを吹かす。4巻ではハグリッドがリータに出生の秘密を暴露されて落ち込み授業に出て来なかったあいだ、代わりに一角獣《ユニコーン》の授業を行った。5巻ではハグリッドが巨人を説得する任務に出発したため、9月1日に新入生を迎えにホグズミード駅に出向き、その後彼がホグワーツに戻るまで、ボウトラックルの授業をした。パーバティ・パチルやラベンダー・ブラウンのお気に入りの先生で、授業が面白くOWL《ふくろう》に出題されそうな安全な生き物を教材に使うので、ほかの生徒にも人気が高い。アンブリッジも査察で合格点をつけている。ダンブルドアのことを「すばらしい」と賞賛し、ハグリッドについても「ホグワーツのセストラルはハグリッドがしっかり躾《しつ》けてある」と評価している。サバサバした性格で、ハグリッドに関するアンブリッジの質問をさらりとかわす一方、うるさい生徒には「女生徒たち、声を低くしとれ！」と注意する厳しい面も持ちあわせている。ハリーも内心ではこの先生の授業が模範的だと考えているが、ハグリッドに気を使い、「ひどい先生だった」と嘘をついている。ウィルヘルミーナの名前は5巻上564ページに登場。

英語 plank には「頼み（支え）になるもの」や俗語で「まぬけ」の意があるが、この先生の出典は前者であろう。

［⑤上311、408～409、507、563～564、下042］［④下119～121］

クラム、ビクトール
ビクトール・クラム
【Krum, Viktor】

④05-上096
⑥14-上435

（1976年ころ-）元ダームストラング生。1994年（4巻）のクィ

ディッチ・ワールドカップでは弱冠18歳でブルガリア・ナショナルチームのシーカーを務めた天才プレイヤー。色黒で黒髪の痩《や》せた魔法使い。大きな曲がった鼻に真っ黒なゲジゲジ眉、育ちすぎた猛禽類《もうきんるい》のような顔つきをしている。クィディッチの試合が始まると箒《ほうき》を使っていないかのように自由自在に飛び回り、ハリーを驚かせた。しかし、地上ではO脚に猫背で、箒の上ほどカッコよくはない。

三校対抗試合の代表選手としてホグワーツを訪問したクラムは、ハーマイオニーに熱を上げ、「こんな気持ちをほかの女の子に感じたことはない」と告白。その年のクリスマス・ダンスパーティのパートナーに誘い、ハーマイオニーのファーストキスの相手となった。ホグワーツを去ったあとも彼女と文通を続け、「いったいクラムのどこがいいんだろう？」とロンを嫉妬《しっと》させたが、国際的に有名なクィディッチ選手であるのに鼻にかけたところが見られない、真面目で謙虚な好青年である。6巻で、ハーマイオニーがクラムとキスしたことを知ったロンは激怒。あてつけにラベンダー・ブラウンといちゃいちゃするようになったが、実際には、二人の仲はロンが考えているほど深いものには進展しなかったようである。

JKRはWBCで、クラムは7巻で再登場すると話している。誕生年は、ロンが1994年に「まだ18かそこらだよ」と話しているところから算出。

［⑥上**437**、**454**、**461**］［⑤上**521**〜**522**、下**069**〜**070**］［④上**129**、**164**、下**235**］［**WBC**］［⑦初出**8**章 **UK120**／**US143**］

クリアウォーター、ペネロピー
ペネロピー・クリアウォーター
【Clearwater, Penelope】Ⓡ

②**14-326**

（1976？–）ハリーより4学年上の元レイブンクロー生（在校1987–1994）。マグル生まれ。在学中は長い髪を巻き毛にし、パーシー・ウィーズリーと付き合っていた。愛称はペニー。2巻（6年生）でパーシーとともに監督生となり、学校のあちこちで二人で会っていた。

空っぽの教室でキスをしているところを、ジニーに見られたこともある。秘密の部屋の怪物(バジリスク)の犠牲者となったときは、パーシーが猛烈に心配した。3巻ではハリーの新しい箒《ほうき》、ファイアボルトを手に取ってみてもいいかと尋ねてきたので、クィディッチ・ファンかもしれない。

ペネロピーのモデルは、『オデュッセイア』の主人公の妻「ペネロペ(Penelope)」であろう。夫の留守中、求婚者が次々と現れたが、知恵を絞って貞節を守り抜いた貞淑な妻の象徴的存在。堅物パーシーのお相手として、これほどふさわしい女性はいない。ペネロピーの学年は出版後にJKRによって修正され、当初2巻で「5年生」となっていたが、現在の版(原書)ではパーシー・ウィーズリーと同学年の「6年生」に変更されている。

［③**334**］［②**381、500～501**］［⑦初出**23**章 **UK363**／**US448**］

クリスマス 【Christmas】

①**12-284**
⑥**07-上205**

イエス・キリストの誕生を祝う祭り。ホグワーツでは、この日が近づくとハグリッドが12本のクリスマスツリーを大広間に運び込み、柊《ひいらぎ》やヤドリギの小枝が天井を縫うように飾られる。城内の鎧《よろい》の兜《かぶと》の中から永久に燃える蝋燭《ろうそく》が輝き、廊下には大きなヤドリギの塊《かたまり》が一定間隔を置いて吊《つ》り下げられる。ハリーが6年のときは、彼が通りかかるたびにヤドリギの下に大勢の女の子が集まり、廊下が渋滞した。飾りつけ担当のフリットウィック先生は、杖の先からフワフワした金色の泡を出してツリーを装飾。三校対抗試合の年の飾りつけはとりわけ豪華で、大理石の階段の手すりに万年氷の氷柱《つらら》が下がり、大広間に並んだツリーの飾りは、赤く輝く柊の実から本物のホーホー鳴く金色のふくろうまで、盛りだくさんだった。

学校はクリスマスの1週間ほど前から休暇に入り、おおかたの生徒はクリスマスを祝うために自宅に戻る(4巻ではクリスマス・ダンスパーティが開催されたので、逆にほとんどの生徒がホグワーツで過ごした)。しかし、ハリーは毎年ダーズリー家に帰宅せず、学校に残ったり(1～3年)、グリモールド・プレイス12番地(5年)や隠れ穴(6年)でウィーズリー家の子供たちと一緒に過ごしている。

ホグワーツのクリスマス・デー(12月25日)は、大広間の天井から魔法で暖かく乾いた雪が降りしきり、丸々太った七面鳥のロースト、クリスマスケーキ、クリスマス・プディングなどの伝統的なご馳走《ちそう》が出される。テーブルの上には山積みになった魔法のクラッカーも登場。ハリーが3年のときは学校に居残った生徒が少なかったので、職員と生徒が一緒にランチを楽しんだ。グリモールド・プレイスで過ごした年はシリウスが屋敷の飾りつけに精を出し、くすんだシャンデリアには柊の花飾りと金銀のモールがかかり、本物の妖精を飾った大きなクリスマスツリーがブラック家の家系図を覆い隠すように置かれ、屋敷しもべ妖精の首の剥製《はくせい》には、サンタクロースの帽子と白髭《ひげ》がつけられた。6年のときは、ホグワーツでスラグホーンのクリスマス・パーティが開催。ハリーはルーナ・ラブグッドと参加し、ハーマイオニーはロンへのあてつけでコーマック・マクラーゲンを誘ったが、ヤドリギの下で迫られ、ぐしゃぐしゃの恰好《かっこう》で逃げ回った(ロンは先生から招待されなかった)。隠れ穴のクリスマスはジニーが賑《にぎ》やかに飾りたて、ミニチュアのチュチュに押し込まれた庭小人がてっぺんについたクリスマスツリーが、居間に置かれた。クリスマス当日、ランチの最中にパーシーとスクリムジョールが現れ、魔法省に協力するようハリーに迫ったが拒否された。

【6巻のクリスマス・プレゼント】

■ **ラベンダーからロンへ**…「My Sweetheart(私の愛しい人)」の文字がついたネックレス

■ **ウィーズリーおばさんからハリーへ**…金のスニッチが編み込まれた手編みセーター

■ **双子からハリーへ**…ウィーズリー・ウィザード・ウィーズ(WWW)の商品が入った大きな箱

■ **クリーチャーからハリーへ**…蛆虫《うじむし》ごっそり

■ **双子からウィーズリーおばさんへ**…輝くダイヤがちりばめられた三角帽子と、金のネックレス。

［⑥上**460**、**463**、**477**、下**009**～**042**］［⑤下**055**～**056**、**089**、**131**～**135**、**138**、**140**］［④下**055**、**068**］［③**288**、**295**］［②**314**］［①**287**～**299**］［⑦初出**8**章 **UK119**／**US142**］

クリスマス・ダンスパーティ
【Yule Ball】

④**22**-下**040**

1994年のクリスマスに行われた三大魔法学校対抗試合の伝統行事。外国の魔法使いと知り合いになれ、羽目をはずせる絶好のチャンス。12月25日の夜8時から夜中の12時までのあいだ、ホグワーツの大広間で開かれた。参加できるのは4年生以上だが下級生を招待することもでき、参加者はドレスローブの着用が義務づけられた。パーティ当日、会場の壁は銀色に輝く霜で覆われ、星の瞬《またた》く黒い天井には何百というヤドリギや蔦《つた》の花綱が飾られた。各寮のテーブルは消え去り、その代わりにランタンの仄《ほの》かな明かりに照らされた10人ほどが座れる小さなテーブルが百あまり設置。参加者はまずクリスマスの食事を堪《たん》能《のう》し、それから妖女シスターズの演奏する曲にあわせて踊りを楽しんだ。対抗試合の代表選手とそのパートナーは最初に踊るのが伝統になっており、ハリーはパートナーのパーバティ・パチル、クラムはハーマイオニー、フラー・デラクールはロジャー・デイビース、そしてセドリックはチョウ・チャンを相手にダンスを披露した。ハリーとロンは、パートナーのパチル姉妹が本命の女の子でなかったこともあり、一緒にダンスも踊らず冷たい態度を取ったので、気分を害した姉妹は途中でボーバトンの男子生徒とどこかに消えてしまった。ロンはこの日、クラムと参加したハーマイオニーに怒って彼女と大喧《おおげん》嘩《か》。ハグリッドもマダム・マクシームが半巨人であることを本人の前で口にして怒らせてしまい、さらに出生の秘密をリータ・スキーターに盗聴され新聞にスクープされるなど、ハリーたちにとって散々な一日となった。

■ダンスパーティのパートナー

ハリー・ポッターとパーバティ・パチル／ロン・ウィーズリーとパドマ・パチル／ビクトール・クラムとハーマイオニー・グレンジャー／ネビル・ロングボトムとジニー・ウィーズリー／ドラコ・マルフォイとパンジー・パーキンソン／フレッド・ウィーズリーとアンジェリーナ・ジョンソン／セドリック・ディゴリーとチョウ・チャン／ロジャー・デイビースとフラー・デラクール／シェーマス・フィネガンとラベンダー・ブラウン／ハグリッドとマダム・マクシーム／ステビンズとミス・フォーセット

[⑤上**302**][④下**042**、**080～111**][⑦初出**33**章 **UK545**／**US679**]

クリスマス・プディング

【Christmas pudding】

①**12-298**
⑥**16-下032**

イギリスの伝統的なクリスマス・デザート。ウィーズリー家のクリスマス・ランチに毎年出る。6巻では、ランチの最中にパーシーが突然スクリムジョールを連れて現れ、驚いたモリーは「どうぞ、召し上がってくださいな。八面鳥とか、プディンゴとか……」とうろたえた。

クリスマス・プディングは、プラムやレーズンなどのドライフルーツを刻んだものをラム酒（またはブランデー）に漬け、それに小麦粉、スエット、卵と砂糖を加えて蒸したお菓子。正式には食べる一年前に作って十分熟成させ、クリスマス当日に2時間ほど蒸す。食べる直前にブランデー少量を鍋に入れて温め、火をつけて炎が上がったらプディングにかけ、部屋を暗くしてブランデーが燃えるのを楽しんでからいただく。中にコインや指輪、ボタンなどを入れる習慣があり、自分に切り分けられたプディングに入っている物で将来を占う。例えばコインは富（幸運）と健康、指輪は一年以内の結婚を意味するという。

[⑤下**138**]

クリスマス・ランチ
【Christmas lunch／Christmas dinner／Christmas feast】

①**12-297**
⑥**16-**下**028**

クリスマス・デー(12月25日)に食べる伝統的な昼食のこと。イギリスではクランベリーソースの添えられた七面鳥のロースト、クリスマス・プディング、ミンスパイにワインが一般的なメニュー。クラッカーを鳴らし、とんがり帽子をかぶって食事をする。昼食のことだが、通常Christmas dinner(クリスマス・ディナー)と呼ばれており(dinnerは1日のうちのメインの食事を指すので夕食とは限らない)、「ハリー・ポッター」でも4巻まではこの表現やChristmas feast(クリスマスのご馳走《ちそう》)という名称が使われていた。ハリーは4年生までクリスマスシーズンを学校で過ごし、先生やウィーズリー家の子供たちとこれを食べていた。5年生ではグリモールド・プレイス12番地でシリウスらと一緒にこれを楽しんでいる。6年のときは隠れ穴でクリスマス休暇を過ごしたが、ランチの最中に突如スクリムジョールを連れたパーシーが訪れ、家族やハリーを硬直させた。

[⑥下**031～042**][⑤下**138**]

クリーチャー
【Kreacher】

⑤**04-**上**125**
⑥**03-**上**077**

ハリーの年老いた醜い屋敷しもべ妖精。豚のような鼻、血走った大きな目を持ち、コウモリのような巨大な耳から白髪がぼうぼうと生《は》えている。垢《あか》まみれのボロをまとい、禿《は》げ頭で皮膚はだぶついている。もともとはブラック家の屋敷しもべ妖精であったが、最後の一人のシリウス・ブラックが死に、名付け子のハリーに全財産を遺《のこ》したためハリーの妖精となった。ふだんはホグワーツの厨房《ちゅうぼう》で働き、ハリーが呼ぶとしぶしぶ現れる。純血主義者のブラック家の考え方に倣《なら》い、マルフォイ家の人間には敬語を使うが、ハリーのことは「汚らわしい『穢《けが》れた血』の仲間」、「こんな主人を持って恥ずかしい」と侮辱している。

グリモールド・プレイス12番地で長年奴隷としてブラック家に仕

えてきたクリーチャーは、シリウスの高慢な母親やレギュラス・ブラックを慕い、母親が死んで肖像画となってからもその狂った命令に従っていた。1995年(5巻)にグリモールド・プレイスが不死鳥の騎士団の本部となり、シリウスが屋敷内にあるブラック家伝来の貴重品を捨てようとしたときは、こっそり回収し自分のねぐらに集めていた。シリウスにとって、クリーチャーは憎んでいた家を生々しく思い出させる存在であったため愛情が持てず、このしもべ妖精をろくでなし呼ばわりして無関心でいた。一方のクリーチャーもまた、シリウスに対し心から忠誠心を感じることができずにいた。そんな中、シリウスから「出て行け！」と言われたクリーチャーは、それを言葉通り屋敷を出て行けという命令だと解釈し、自分が尊敬できるナルシッサ・マルフォイのところに行ってしまう。二君《にくん》に仕えるようになったクリーチャーであるが、しもべ妖精の立場に縛られていたため、他言を禁じられていた騎士団の機密情報を漏らすことはできなかった。しかし、彼が些細《ささい》なことと考えてマルフォイ夫妻に打ち明けた「ハリーが最も大切に思っているのはシリウスで、彼のためならどんなところにでも助けに行く」という情報がヴォルデモートに伝わり、闇の帝王はそれを利用して、ハリーに予言の球を取らせる計画を立ててしまう。クリーチャーはヴォルデモートから言われた通り、あらかじめ屋敷の上階に棲《す》んでいるバックビークに怪我をさせておき、ハリーがグリモールド・プレイスの暖炉に現れたときにシリウスはペットの手当てで上階にいて、二人が会えないように仕向けておいた。そして1996年6月、ヴォルデモートがハリーの心にシリウスが拷問されている偽《いつわ》りのイメージを送り、ハリーが確認のために屋敷の暖炉に現れると、クリーチャーは「ご主人様は神秘部から戻ってこない」と嘘を伝えた。こうして騙《だま》されたハリーは魔法省に向かい、跡を追ったシリウスは神秘部で殺されてしまったのである。

6巻でハリーのしもべ妖精となってからは、ドラコ・マルフォイを尾行する仕事を命じられたが、「マルフォイ様は大広間で食事をなさり、地下室にある寮で眠られ、授業はさまざまなところで—」といい加減な報告しかせず、ハリーのために働こうとはしなかった。クリスマスにはハリーに蛆虫《うじむし》ごっそりの箱をプレゼントして、「思いやりがあるね」とロンを喜ばせた。

Kreature は creature の同音異義語。英語 creature には「隷属者」、「奴隷」という意味もある。「純血主義者に隷属し、支配されている生き物」を指している。

［⑥下**027**、**147**～**152**、**197**］［⑤上**126**、**138**、**163**、**168**、**176**～**181**、**192**～**193**、**252**、下**090**、**098**、**135**～**136**、**156**、**497**～**499**、**634**、**636**、**640**～**641**］［⑦初出**10**章 **UK156**／**US189**］

グリップフック
【Griphook】

①05-112

グリンゴッツ銀行で働いている小鬼《ゴブリン》。ハリーが初めて銀行に行ったとき、トロッコを運転して彼とハグリッドを地下の金庫に案内した。

［⑦初出**15**章 **UK242**／**US295**］

クリービー、コリン
コリン・クリービー
【Creevey, Colin】G DA

②06-141
⑥14-上454

(1981？-)ハリーより一学年下の薄茶色の髪をしたグリフィンドール生。弟はデニス・クリービー。ハリーの熱烈なファンのカメラ小僧で、父親はマグルの牛乳配達人。マグル生まれなのでホグワーツから手紙を貰《もら》うまで、自分の周りで変なことが起きてもそれが魔法だとは気づかないでいた。入学すると(2巻)、有名なハリーの写真を父親に送ろうと、マグルのカメラを持ち歩きハリーを追いかけまわした。ナメクジを吐くロンを撮ろうとしたときは叱られたが、腕の骨を抜き取られたハリーの激写には成功。日に何度も「ハリー、元気かい？」と声をかけるので、煙たがられていた。一度などは、ハリーに断られたがサインをねだったこともある。この年、入院中のハリーにブドウを一房持ってお見舞いに行く途中、カメラを通してバジリスクを見てしまったため石にされている。3年(4巻)になると、弟のデニスも入学。兄弟二人で力を合わせて「セドリック・ディゴリーを応援しよう」バッジを、「ハリー・ポッターを応援しよう」に変えようとしたが、力が及ばず「ほんとに汚いぞ、ポッター」バッジになってしまった。体は小さいがガッツがあり、4年生(5巻)では弟のデニスとともにDAのメンバーとなり、努力を重ねて3回目のレッスンで妨害の呪いを習得した。6巻には「クリービー兄弟」で登場。弟と一緒にハリーからスリザリン戦の試合の様子を聞きたがった。

[⑤上**334**][④上**510**][②**142**、**154**、**167**、**259**、**269**、**428**][⑦初出**34**章 **UK556**／**US694**]

クリービー、デニス
デニス・クリービー
【Creevey, Dennis】G DA

④**12**-上**270**
⑥**14**-上**454**

(1983?-)コリン・クリービーの弟で、ハリーより3学年下のグリフィンドール生。薄茶色の髪の男の子。ホグワーツ初登校の日(4巻)、ハグリッドに引率され湖を渡っている最中にボートから転落。嵐に波立つ湖に投げ込まれ、巨大イカに助けられた。兄に負けず劣らず根性のある生徒で、その後の新入生歓迎会で1年生全員が寒さと緊張で震える中、一人だけガッツポーズをして「僕、湖に落ちたんだ！」と嬉しそうに兄に報告した。5巻ではふたたび気骨のあるところを見せ、どのような手を使ったのか、2年生なのにホグズミード行きに参加。ホッグズ・ヘッドでDAメンバーになった。6巻には「クリービー兄弟」で登場。スリザリン戦に勝利した後の祝賀パーティで、兄と一緒にハリーから試合の様子を逐一《ちくいち》聞きたがった。

[⑤上**334**]

グリフィンドール、ゴドリック
ゴドリック・グリフィンドール
【Gryffindor, Godric】

②09-224
2007年7月
⑥23-下283

（中世-正確な年代は不明）ホグワーツ魔法学校の四人の偉大なる創立者の一人で、グリフィンドール寮を作った魔法使い。その時代の最も練達した決闘家であり、マグル差別に対する啓蒙的《けいもうてき》闘士、そして有名な組分け帽子の最初の所有者。その帽子の歌によると、荒野（wild moor＝エクスムーアやダートムーアで有名なイギリス西部地方のこと）出身の勇猛《ゆうもう》果《か》敢《かん》な人物で、勇気ある者をグリフィンドール生として選んだという。魔力を示した若者なら誰でもホグワーツに入学できると考え、魔法教育は純粋に魔法族の家系にのみ与えられるべきだという考えのサラザール・スリザリンと対立した。持ち物には組分け帽子のほか、柄《つか》に大きなルビーが嵌《は》め込まれたグリフィンドールの剣がある。JKR公式サイト「今月の魔法使い」では、たてがみのような赤毛の髪と髭《ひげ》を持つ魔法使いの姿で描かれている。

God は「神」、-ric は「管轄」、「領域」を表す接尾語なので、Godric は「神の住まい」の意。Griffin（グリフィン）はギリシア神話に出てくるライオンの胴、ワシの頭と翼を持つ怪物で、dor はフランス語で「金の（d'or）」のこと。グリフィンドールで「金のグリフィン」を意味する。

［⑤上**324**］［②**225**］［**JKR** 公式サイト「今月の魔法使い」］［⑦初出7章 **UK109**／**US 129**］

グリフィンドール塔
【Gryffindor Tower】

①07-184
⑥11-上353

グリフィンドールの談話室や寮（寝室）がある塔。城の8階と繋《つな》がっている。玄関ホールの大理石の階段を上り、8階で右に曲がった廊下の一番奥が談話室の入り口で、太った婦人《レディ》の肖像画が守っている。婦人に向かって正しいパスワードを言うと絵の後ろの壁に丸い穴が現れるので、それを登って談話室に入る。円形の談話室には古ぼけたふかふかの肘《ひじ》掛《かけ》椅《い》子《す》や、ぐらつく古いテーブルがたくさん置かれ、シリウス・ブラックが現れた暖炉がある。掲示板を通り過ぎた奥に女子寮と男子寮に続くドアが一つずつあり、そこから寝室に行くことができる。城の3階のタペストリーの裏に、この塔に続く近道がある。ほとんど首無しニックはこの塔に住んでいる。

[⑥上432、436、下298][⑤上343、426、623]

グリフィンドールの剣

【(Godric)Gryffindor's sword】

②17-469
⑥23-下283

ゴドリック・グリフィンドール縁《ゆかり》の銀の剣。柄《つか》に卵ほどの大きさのルビーがちりばめられ、鍔《つば》のすぐ下にその名が刻まれている。真のグリフィンドール生(勇気を示した生徒)だけが組分け帽子の中からこれを取り出すことができ、ハリーは2年のときに秘密の部屋でこれを帽子から出してバジリスクを刺し殺した。ダンブルドアが校長のあいだは、校長室の机の後ろのガラスケースに収められていた。

[⑥下467][⑤上538][④下352][⑦初出7章 UK109/US129]

グリフィンドール寮

【Gryffindor】

①06-159
⑥04-上105

ホグワーツの四つの寮の一つ。創立者のゴドリック・グリフィンドールの名に因《ちな》んで命名された。ダンブルドア校長やマクゴナガルなど、すぐれた魔法使いや魔女を数多く輩出している。寮のカラーは赤と金色で、シンボル動物はライオン。寮監はマクゴナガルでゴーストはほとんど首無しニック。クィディッチ・ローブは真紅である。真のグリフィンドール生だけが、組分け帽子の中からゴドリック・グリフィンドールの剣を取り出すことができると言われ、ハリーは2年のときに秘密の部屋の中でこれを抜き出した。勇敢さが何よりも重んじられ、組分け帽子は「グリフィンドールに行くならば勇気ある者が住まう寮 勇《ゆう》猛《もう》果《か》敢《かん》な騎士道で 他とは違うグリフィンドール」と(P165へ)

グリフィンドールの生徒と卒業生(7巻まで)

創立者：ゴドリック・グリフィンドール
寮監：ミネルバ・マクゴナガル(1948年ごろ)
ゴースト：ニコラス・ド・ミムジー・ポーピントン
(ほとんど首無しニック)

入学年	
1892年	アルバス・ダンブルドア
1940年	ルビウス・ハグリッド
1971年	リリー・エバンズ
〃	シリウス・ブラック
〃	ピーター・ペティグリュー
〃	ジェームズ・ポッター
〃	リーマス・ルーピン
1954〜1961年ころ	アーサー・ウィーズリー
1961年ころ	モリー・プルウェット
1982年	ビル・ウィーズリー
1984年	チャーリー・ウィーズリー
1987年	パーシー・ウィーズリー
〃	オリバー・ウッド
1989年	ジョージ・ウィーズリー
〃	フレッド・ウィーズリー
〃	リー・ジョーダン
〃	アンジェリーナ・ジョンソン
〃	パトリシア・スティンプソン
〃	アリシア・スピネット
〃	ケネス・タウラー
1990年	ケイティ・ベル
〃	コーマック・マクラーゲン
1991年	ロン・ウィーズリー

〃	ハーマイオニー・グレンジャー
〃	ディーン・トーマス
〃	パーバティ・パチル
〃	シェーマス・フィネガン
〃	ラベンダー・ブラウン
〃	ハリー・ポッター
〃	ネビル・ロングボトム
1992年	ジニー・ウィーズリー
〃	コリン・クリービー
1993年	ロミルダ・ベイン
1994年	デニス・クリービー
〃	ジミー・ピークス
〃	ナタリー・マクドナルド
1995年	ユーアン・アバクロンビー
入学年不明	アンドリュー・カーク
〃	リッチー・クート
〃	ジャック・スローパー
〃	ジェフリー・フーパー
〃	ビッキー・フロビシャー
〃	デメルザ・ロビンズ

(P162から)歌っている。談話室や寮(寝室)はグリフィンドール塔の中にあり、入り口は太った婦人《レディ》が守っている。クィディッチ寮代表チームはこの2世紀(1797ころから)最下位になったことがない。

Griffin(griffon)はライオンの体とワシの頭と翼を持つ怪鳥。黄金の宝を守るとされ、「知識」を表す象徴として多くの王家の紋章となった。dor はフランス語で d'or「金の(=of gold)」の意。Gryffindor で「金のグリフィン(=griffin of gold)」のこと。JKR は「勇気が何よりも大切なので、(四つの寮の中では)グリフィンドールに入りたい」と明かしている。

[⑥上**430**、**442**、下**138**、**306**][⑤上**260**、**325**、下**122**、**439**][④上**273**][③**396**][②**490**][①**184**、**200**、**269**、**452**][⑦初出**7**章 **UK109**／**US129**]

クリベッジの魔法クラッカー 【(Cribbages) Wizarding Cracker】 ①12-297

魔法界のクラッカー。ホグワーツのクリスマスの昼食のテーブルにはこれがあちこちに置かれ、生徒や先生が楽しんでいる。マグル製のそれとは比べものにならないほど派手な仕掛けが施されており、紐《ひも》を引っ張ると大砲のような音をたてて爆発し、青い煙が周囲にモクモク立ちこめる。ハリーが初めて手にしたクラッカーからは、「海軍少将の帽子」と「生きたハツカネズミ」数匹が飛び出した。このほか中に入っていたものは「ジョークの紙」、「花飾りのついた婦人用の帽子」、「破裂しない光る風船」、「自分でできるいぼつくりのキット」、「新品のチェスセット」、「ハゲタカの剥製《はくせい》をてっぺんに載せた、大きな魔女の三角帽子」。

クリベッジの名前の初出は4巻下80ページで、それまでは「魔法のクラッカー」として登場していた。7巻にも「クラッカー(Cracker)」と書かれている。

Cribbage は通常二人でプレイするトランプゲーム。得点となる一組の番号札を取り合う遊び。

[④下**080**][③**295**][⑦初出**16**章 **UK265**／**US324**]

グリモールド・プレイス12番地

【number twelve, Grimmauld Place】

⑤03-上098
⑥03-上073

ハリーがシリウス・ブラックから相続した屋敷。もともとはブラック家の屋敷で、代々ブラックの姓を持つ直系の男子に引き継がれていたが、最後の生き残りのシリウスが亡くなったため、遺言でハリーのものとなった。グリモールド・プレイスの11番地と13番地のあいだで12番地のことを考えると、突然古びた屋敷が両側の家を押しのけて膨《ふく》れあがったように現れる。逆にこの屋敷から外に出て建物を振り返ると、両側の11番地と13番地の家が横に張り出し、12番地はそのあいだに押しつぶされるようにどんどん縮んで見えなくなり、瞬《まばた》きする間に消滅してしまう。

シリウスの父親が、生前ここにありとあらゆる安全対策を施したので、位置探知は不可能。マグルがここを訪れることは、絶対にない。1985年に母親が死んでからは、シリウスがアズカバンに収監されていたためクリーチャーを除いて住人がいなくなり、埃《ほこり》まみれの状態だった。その10年後の1995年にヴォルデモートが復活すると、脱獄したシリウスが不死鳥の騎士団の本部として提供。ダンブルドアが秘密の守人となり追加の保護策を講じ、さらに安全な屋敷となった。シリウスの死後、屋敷にかけた魔法が持続するかどうか危ぶまれ、不死鳥の騎士団のメンバーはいったんこの家を脱出。彼の遺言書が見つかりすべての財産がハリーに遺されていたことが分かり、ハリーがクリーチャーに命令するとしもべ妖精は従ったため、ハリーがクリーチャーとグリモールド・プレイス両方の正当な所有者であることがはっきりした。マンダンガス・フレッチャーはシリウスの死後、この屋敷からゴブレットなどの貴重品を盗み、売りさばいていた。

【屋敷入り口】(以下6巻までの情報、最上階は7巻を参考)

- **黒い扉**…すり減った石段を上がると、ペンキの剥《は》がれた鍵穴のない黒い扉があり、蛇がとぐろを巻いた形の銀のドア・ノッカーがついている。

【1階】

- **玄関ホール**…湿った埃っぽい臭いと饐《す》えたような臭いが鼻につく大きなホール。天井には蛇の形をしたシャンデリアが一つ輝き、カーペットはボロボロ、トロールの足を切って作ったような巨大な傘立てが置かれ、黒ずんだ肖像画が壁全体に斜めに傾いて掛けられている。
- **シリウスの母親の肖像画**…玄関ホールの虫食いだらけの長い両開きカーテンの背後に隠れている。誰かが大きな音を立てると拷問を受けたような叫び声を上げる。その騒がしさにホール全体に掛かっている肖像画も目を覚まし、一緒になって叫びだすので、誰もがこの周りでは音を立てないよう気を配っている。
- **ダイニングルーム**…食器棚が置かれ、中にはブラック家の紋章と家訓を書き入れた食器類や銀の写真立てなどが入っていたが、シリウスが大掃除のときに捨ててしまった。

【階段】

- 階段の壁には、歳をとって働けなくなり首を刎《は》ねられた屋敷しもべ妖精の萎《しな》びた首がずらりと並んでいる。

【2階】

- **客間**…天井の高い長い部屋。ドクシーがはびこったモスグリーンのカーテンや暖炉、その両脇にはガラス扉の飾り棚が置いてある。飾り棚の中には瘡蓋《かさぶた》粉《こ》や誰も開けることができない重いロケットなどが雑多につまっていたが、5巻でシリウスがゴミ袋に入れた。壁には高貴なブラック家の家系図のタペストリーが掛かり、鍵の掛かった文机にはボガートが閉じ込められていた。
- ハーマイオニーとジニーが5巻で寝室に使った部屋。

【3階】

- **階段を上って右側の部屋**…5巻でハリーとロンの寝室になった。天井の高い陰気な部屋で、洋箪笥《だんす》と絵のないカンバス（フィニアス・ナイジェラス不在の肖像画）が一枚だけ掛かっていた。扉には蛇の頭の形をした取っ手がついている。

【4階】

- **ハリーたちの寝室の真上の部屋**…5巻で双子が寝室として使った。

【上階】（何階かは不明）

- **シリウスの母親の部屋**…5巻でシリウスはバックビークを飼っていた。上階のトイレには年老いたグールお化けがうろついている。

【最上階】

- **シリウス・ブラックの部屋**
- **レギュラス・ブラックの部屋**

【地下】

- **厨房**《ちゅうぼう》…粗《あら》い石壁のがらんとした広い部屋。玄関ホールから階下に降りるための扉を開けると狭い石の階段が続き、それを下りてさらに扉を通ると、この部屋に行ける。1階のホールと同じように暗く、明かりといえば部屋の奥にある大きな暖炉の火ぐらいしかない。暗い天井からは重い鉄鍋や釜がぶら下がり、無気味な姿を見せている。古びた食器棚や竈《かまど》が置かれ、貯蔵室（食料庫）と反対側の角に薄汚い扉があり、納戸に続いている。部屋の中央には長い木のテーブルと椅子《いす》があり、食事や騎士団の会議に使われていた。
- **納戸**…クリーチャーの寝床。ぷんぷん臭う古毛布や、腐ったパンくず、シリウスが捨てたブラック家にまつわる品々が泥棒カササギのように回収されていた。

グリモールド・プレイス（Grimmauld Place）は、Grim Old Place（無気味な古い場所）を縮めた言葉遊び。

［⑥上**074～079**、上**371**、**392**］［⑤上**100～104**、**113**、**115**、**128～132**、**134**、**136**、**138**、**140**、**168**、**188**、**192**、**194**、**253**、**281**、下**135**、**167**、**497**］［⑦初出**6**章 **UK079**／**US090**］

グリンゴッツのトロッコ

【Gringotts cart】

①05-113

グリンゴッツ銀行の地下を走っている乗り物。小鬼《ゴブリン》が運転し、利用者を金庫まで案内する。

銀行のホールの扉を開けると線路の敷かれた石造りの通路があり、小鬼が口笛を吹くと、小さなトロッコが元気よく現れる。乗り込むとすぐにトロッコは走り出し、ミニ線路の上をビュンビュン矢のように移動する。小鬼が舵《かじ》取りをしなくとも、トロッコは行き先を知っているかのように勝手に目的の金庫まで運んでくれる。速度は一定となっていて猛スピードで走り、おまけに線路はクネクネと曲がりくねっているので、ハグリッドは乗っていて吐きそうになった。

［②**086**］［⑦初出**26**章 **UK430**／**US533**］

グリンゴッツ魔法銀行
【Gringotts Wizarding Bank】

①**05-096**
⑥**03-上073**

小鬼《ゴブリン》が経営する魔法界唯一の銀行。ロンドンのダイアゴン横丁にある。小さな店の立ち並ぶ中、ひときわ高くそびえる真っ白な建物で、ブロンズの観音開きの扉の両脇には真紅と金色の制服を着た小鬼が立っている。二つ目の銀色の扉を開けると広々とした大理石のホールが広がり、百人を超える小鬼が細長いカウンターの向こう側で大きな帳簿に書き込みをしたり、秤《はかり》でコインの重さを計ったり、片眼鏡《へんがんきょう》で宝石を吟味している。ホグワーツ以外では世界一安全な場所で、「ここから盗もうなんて狂気の沙汰」（ハグリッド談）。

ホールには無数の扉があり、それを開けると石造りの通路が地下に向かって続いている。床には線路がついていて、ここからは小鬼と一緒にトロッコに乗って移動する。トロッコはクネクネ曲がりながら深く潜《もぐ》っていき、地下湖や天井から下がった鍾乳石《しょうにゅうせき》や石筍《せきじゅん》などを通り抜け、ロンドンの地下数百キロのところにある金庫まで向かう。重要な金庫はドラゴンが守っていると噂されており、ハリーは初めてトロッコに乗ったときに、行く手にその炎を見たような気がした。ダンブルドアの金庫は713番、シリウス・ブラックは711番、ハリー・ポッターの金庫は映画「賢者の石」によると687番。そこには両親の残してくれたかなりの財産が預けられている。金庫の鍵は黄金製で小鬼が扉を開けてくれるが、ダンブルドアの金庫には鍵穴はなく、小鬼が指一本でそっと撫でると扉は溶けるように消え去った。ビル・ウィーズリーはホグワーツ卒業後グリンゴッツに就職し、エジプトで呪い破りとして働いていたが、1995年に職種替えし、今はロンドンの銀行で事務職の仕事をしている。婚約者のフラーも英語の勉強のために、同じくここでパートとして働いている。この銀行に就職するには「数占い」が必要。従業員で名前が分かっているのは、グリップフック。ハリーが初めてグリンゴッツに来たときに、トロッコで金庫まで案内した小鬼である。6巻では警備が厳しくなり、一般客がお金を下ろすのに5時間もかかるようになった。銀行の入り口の扉には「盗人《ぬすびと》よ気をつけよ　宝のほかに潜《ひそ》むものあり」と刻まれ、行内に何かが隠れていることが警告されている。

グリンゴッツ(Gringotts)は、Goblin-Run(小鬼が経営)の頭文字GRとIngot(インゴット=溶融した金などを鋳型に流して固めたもの)の合成語かもしれない。

[⑥上**139**、**164**][⑤上**116**、下**371**][③**565**][②**070**][①**097**、**099**、**110～115**]
[⑦初出**15**章 **UK239**/**US290**]

クリーンスイープ11号
【Cleansweep Eleven】

⑤09-上265
⑥11-上340

新型のクリーンスイープ社製の箒《ほうき》。ロンが監督生になったご褒美《ほうび》に母親から買ってもらった。柄《え》はスペイン樫《かし》で、呪い避《よ》けワックスが塗ってある。振動コントロール内蔵で、10秒でゼロから120キロに加速する。上がり症のロンは6年生のクィディッチ選抜で緊張し、これにまたがりながら、いまにも失神しそうだった。

[⑤上**266**、**269**、**274**、**277**、**427**、下**327**]

グリンデルバルド、ゲラート(1)
ゲラート・グリンデルバルド(1)
【Grindelwald, Gellert】

①06-154

アルバス・ダンブルドアが1945年に倒した闇の魔法使い。このことは、蛙チョコのカードの「アルバス・ダンブルドア」の裏に記載されている。

グリンデルバルドは、スイスのベルナー・アルプスにある町。ユングフラウヨッホやアイガーに向かう登山客で賑わっている。この魔法使いが倒された1945年は第二次世界大戦が終結した年であるため、ヒトラーに関係しているのではないかという人も多い。JKRは6巻発売時のTVインタビューで、「グリンデルバルドが1945年に死んだのは偶然か？」との質問に「いいえ」と答え、「マグル界で世界規模の戦争が行われている最中に、魔法界でも世界戦争が行われているのよ」と話している。Gellertの名前の初出は、7巻288(US353)ページ。

→グリンデルバルド、ゲラート⑵

［⑦初出**2**章 **UK024／US020**］

グールお化け
【ghoul】 **②03-045**

隠れ穴のロンの部屋の真上に住んでいるお化け。グリモールド・プレイス12番地の上階のトイレにも年老いたグールがうろついている。

グールは、イスラム教伝説に登場する、墓をあばき死肉を食らう悪霊のこと。「食人鬼」や「食屍鬼」と訳されることもある。発祥の地のアラビアでは、毛深い黒人の姿で描かれることが多いが(ただし女性のグーラーは美人)、これが西洋に輸入されたときに、なぜか恐ろしい食人鬼になってしまった。ロンの家に住みついているグールはパイプを叩《たた》いたりうめいたりするだけなので、そんなに怖くはなさそうである。ハーマイオニーが本で読んだ、鎧《よろい》に変身するという「カメレオンのお化け(Cameleon Ghoul)」もグールの一種。2巻ではただの「お化け」と訳されている。

［⑤上**194**］［②**275**］［⑦初出**6**章 **UK085／US098**］

クルーシオ！苦しめ！
クルーシオ
【Crucio!】

④14-上334
⑥24-下309

許されざる呪文の一つ。磔《はりつけ》の呪文の呪文の言葉。死ぬほどの耐え難い苦痛を相手に与える。ネビル・ロングボトムの両親は、死喰《しく》い人《びと》にこれをかけられ、正気を失ってしまった。これを唱えるには相手を苦しめようと本気で思い、それを楽しむ必要があり、義憤《ぎふん》などでは長く相手を苦しめることができないという。6巻ではマルフォイがハリーにこれをかけようとして、逆に「セクタムセンプラ！」を受けた。おもに死喰い人が使う呪文で、ハリーはスネイプに唱えようとしたが「これを使う度胸や能力がない」として軽くかわされてしまった。

Crucio はラテン語で「拷問する」という意味。

［⑥下**426**、**430～431**］［⑤下**154**、**477**、**589**、**605**］［⑦初出**30**章 **UK477**／**US593**］

クルックシャンクス
【Crookshanks】

③04-078
⑥05-上124

ハーマイオニーのペットの巨大な猫。ガニ股で、オレンジ色の毛はフワフワし、気難しそうな顔はおかしな具合につぶれている。ハーマイオニーが3年のときに、誕生日のプレゼントとして両親から貰《もら》ったお金で購入した。ニーズル*の血が半分混じっているため賢く、スキャバーズを目撃するやその正体（ワームテール）を見破った。ハリーがシリウスの正体を知らずに殺そうとしたときは、彼の心臓の真上に乗って庇《かば》い、「わたしの出会った猫の中で、こんなに賢い猫はいない」と褒《ほ》められた。趣味は魔法チェスの駒や庭小人を追いかけること。6巻ではピグミーパフのアーノルドを狙っていた。

クルックシャンクスのモデルは、JKRが1980年代の終わりごろロンドンで働いていたときに出会った猫。当時昼食を取っていた公園に、周りの人間のあいだをのんびり歩き回る大きなふわふわの茶猫がいた。

尊大で、撫《な》でられるのを拒絶するような雰囲気があり、JKRは気に入っていたので、ハーマイオニーには普通ではない知性を持った猫を持たせることにしたときに、その尊大な猫をガニ股ということにして使ったという。英語crookは「曲がった」、shank(s)は「脚」の意。

Crookshanksで「ガニ股」のこと。6巻の名前の初出は上125ページ。

＊猫に似た小型の生物で、特大の耳とライオンのような尾を持つ。知的で自立しており、誰かになつくと素晴らしいペットとなる。摩訶《まか》不思議な能力が備わっていて、怪しい人を見分けたり、道に迷ったときに道案内として頼りになる。猫との異種交配も可能。

[⑥上**125**、**267**、**455**][⑤上**125**、**136**、**139**、**398**、**581**、下**157**、**691**][④上**087**][③**075**、**079**、**442**、**472**][幻**070**][**JKR** 公式サイト「そのほかのこと」登場人物][⑦初出**6**章 **UK081**／**US093**]

グレイバック、フェンリール

フェンリール・グレイバック

【Greyback, Fenrir】DE

⑥**02**-上**042**

現存する中で最も残忍な狼人間。もつれた灰色の髪をした、大柄で手足の長い死喰《しく》い人《びと》。動物のような口髭《ひげ》を生《は》やし、汚らしい両手には長い黄ばんだ爪が伸びている。狼人間は人の血を流す権利があり、普通の人々に復讐《ふくしゅう》しなければならないと考え、魔法使いを打ち負かすのに十分な数の狼人間を作り出すために、できるだけ多くの人間を咬《か》み、汚染することを自らの使命としている。子供を専門に狙い、ルーピンを咬んだのもグレイバック。若いうちに狼人間にして親から引き離し、普通の魔法使いを憎むよう教育している。ヴォルデモートは、自分に仕えれば代わりに獲物を与えると彼に約束し、死喰い人にさせて第一次全盛期(1970年代)のときからその名前を利用。「娘や息子をフェンリールに襲わせる」と親を脅《おど》して、服従させていた。闇の帝王が倒れたあとは行方を捜さなかったが、1995年に帝王が復活すると再び合流。1997年6月のホグワーツの戦いに参戦し、ビル・ウィーズリーを切り裂いた。子供が集まるホグワーツ校にとって、最大の敵である。

Fenrir（フェンリル）は北欧神話に登場する怪狼。ロキと巨人の女アングルボザの息子。フェンリルの怪力を恐れた神々は、魔法の網を作り、それで彼を岩に縛りつけた。世界の終末ラグナレクまで繋《つな》がれたが、世界が破滅するときに解放され、主神オーディンを呑み込み殺してしまった。しかし、すぐにオーディンの息子ヴィーダルに顎《あご》を掴《つか》まれて引き裂かれ、最期《さいご》を遂《と》げた。

［⑥上**190〜191**、下**021**、**050**、**232**、**418**、**445**］［⑦初出**8**章 **UK121**／**US144**］

グレゴロビッチ
【Gregorovitch】

④18-上478

ヨーロッパ（おそらくブルガリア）の杖職人。すぐれた杖を作るが製作様式は今一つ。ヴィクトール・クラムの杖はこの人の作。

［⑦初出**7**章 **UK095**／**US111**］

クレスウェル、ダーク
ダーク・クレスウェル
【Cresswell, Dirk】 MM

⑥04-上106

魔法省小鬼《ゴブリン》連絡室の室長。マグル生まれ。ホグワーツでは、リリー・ポッターよりは下の学年の、才能のある学生だった。スラグ《なめくじ》・クラブのメンバーで、今でもスラグホーンにグリンゴッツの内部情報を報告しているという。

［⑦初出**12**章 **UK201**／**US245**］

グレート・ハングルトン
【Great Hangleton】

④01-上009
⑥10-上302

リトル・ハングルトンの隣村。1943年にリドル一家が死体で発見されたとき、庭番のフランク・ブライスが殺害の容疑をかけられ、この村の警察で取り調べを受けた。

グレンジャー、ハーマイオニー・ジーン
ハーマイオニー・ジーン・グレンジャー
【Granger, Hermione Jean】G DA

①06-157
⑥04-上091

(1979年9月19日-)ハリーの親友のグリフィンドールの女子。ふさふさ(ボサボサ)した栗色の髪に褐色の瞳、前歯がちょっと出ていたが4年のときにマダム・ポンフリーに縮めてもらった。マグル生まれで成績は学年で一番。ペットは猫のクルックシャンクス。OWL《ふくろう》試験は「優・O」が9個、「良・E」が1個(闇の魔術に対する防衛術)の10ふくろうだった。守護霊はカワウソ。DAとスラグ《なめくじ》・クラブのメンバー。

1979年にマグルの歯科医夫婦の一人っ子として生まれたハーマイオニーは、家族に魔法使いが一人もいなかったので、11歳でホグワーツから入学許可証が届いたときは驚いた。しかし、最高の魔法学校だと知って喜び、入学前には教科書をすべて暗記。参考書も数冊読んでいたので、ハリーのことは会う前から全部知っていた。練習のつもりで簡単な呪文を試してみたところ、すべて上手くいったという。1991年9月にホグワーツ特急の中でハリーやロンと出会い、二人とともにグリフィンドールに組分けされるが、賢いので組分け帽子はレイブンクローに入れるべきか真剣に悩んだという。入学当初は出しゃばりで、ちょっと鼻持ちならないところがあり、授業中に自分が知っているところを見せたくて、聞かれてもいないのに必死に手を挙げるような女の子だった。ハリーとロンが校則を破ろうとすると、うるさく止めに入ったこともあり、そんな性格のせいで友達もできず、クラスでは浮いた存在だった。しかし、ハロウィーンの日にロンから「悪夢みたいなヤツさ」と陰口を叩《たた》かれトイレで泣いているところをトロールに襲われ、ハリーとロンに助けられたことで友達に。そして二人と行動を共にしていくうちに、親友になった。勉強となると熱くなるガリ勉で、必要な知識はすべて本から得られると思っており、知りたいことがあると真っ先に図書館に駆け込んでいる。1年のときは、彼女が本でニコラス・フラメルを調べたお陰で、ハリーは賢者の石の

謎を解き明すことができた。その反面、「私なんて！本が何よ！もっと大切なものがあるのよ……友情とか勇気とか……」と、勉強や本以上に重要なものがあることを理解する聡明さも持ち合わせている。この年のフリットウィックの試験では百点満点中百二十点も獲得した。

女の子らしい面もあり、2年のときはハンサムな「闇の魔術に対する防衛術」の新任教授ロックハートに夢中に。先生から貰《もら》ったお見舞いのカードを大切に枕の下に入れて眠っていた。ハリーとロンの影響で少しずつ校則違反に寛大になり、秘密の部屋が開けられたときは、マルフォイから「部屋」の情報を聞き出すためにポリジュース薬の調合を提案。自ら二角獣の角と毒ツルヘビの皮をスネイプの研究室から盗み出した。完成したポリジュース薬にミリセント・ブルストロードの毛を入れたつもりが猫の毛だったため、毛むくじゃらの顔になり入院することになるが、病棟でも精力的に宿題をこなして、「ヒゲが生《は》えてきたりしたら、僕なら勉強は休むけどなあ」とロンに呆《あき》れられた。このブルストロードとは因縁の関係にあり、決闘クラブで対決したときにはヘッドロックをかけられ悲鳴を上げた。「部屋」の謎を探るうちに怪物バジリスクに石にされてしまったが、硬直した手に握り締められていた紙切れが手がかりとなり、ハリーとロンはその入り口を見つけることができた。学期末には元気を取り戻し、怪物が無事退治されたお祝いとして期末試験がキャンセルされると、「えぇっ、そんな！」と残念がった。

3年になると尊敬するマクゴナガルから逆転時計《タイムターナー》を借り、すべての授業を受けることにする。毎日たくさんの本を抱えて学校中を移動し、寝不足になりながらも全教科の宿題と取り組んでいた。しかし、過労のせいで些細《ささい》なことにもすぐ癇癪《かんしゃく》を起こすようになり、マルフォイがハグリッドを馬鹿にすると、「この汚らわしい—この悪党—」と横っ面を張り倒した。「占い学」の授業でトレローニーから「救いようのない『俗』な心を持った生徒」と侮辱されると、ついに爆発。「やめた！私、出ていくわ！」と扉を蹴《け》飛ばし、授業を取るのを止めてしまった。心配性で、ハリーに匿名《とくめい》でファイアボルトが届くと、呪いがかけられているかもしれないとマクゴナガルに調査を依頼し、ハリーとロンからお節介だと文句を言われたことも。さらに、ロンのスキャバーズが蒸発するとペットのクルックシャンクスが疑われ、彼と大喧嘩《おおげんか》してしまう。お互いに対しカンカンになり、二人の友情ももうこれまでかと思われたが、バックビークの処刑が決まるとロンは打ち萎《しお》れるハーマイオニーを優しく慰《なぐさ》め、彼女も「ほんとにごめんなさい」と彼に抱きつき謝った。「ハーマイオニーの心はまっすぐだ」とハグリッドが言う通り、素直な少女なのである。叫びの屋敷の中では、鋭い観察力でルーピンが狼人間であることを指摘し、「今までに出会った君と同年齢の魔女の、誰よりも賢い」と感心された。無実のシリウスが魔法省に捕まると、逆転時計で時間を巻き戻し救出。バックビークの背に乗せて、彼を逃亡させた。

4年生では、魔法界の超人気クィディッチ・プレイヤー、ビクトール・クラムに一目惚《ひとめぼ》れされ、彼のパートナーとなりクリスマス・パーティに参加。パーティ当日、別人のように美しく変身して現れるとハリーの口はあんぐり、ドラコですら侮辱する言葉が一言《ひとこと》も見つからなかった。しかし「自分の女」を横取りされた気になったロンは、クラムに嫉妬し、「敵とベタベタしている」と言いがかりをつける。二人は火花を散らすが、ハーマイオニーが「今度ダンスパーティがあったら、ほかのだれかが私に申し込む前に申し込みなさいよ。最後の手段じゃなくって！」と正論を吐くと、ロンはぐうの音も出ず、ただ口をパクパクさせるだけであった。

正義感の強い彼女は小人妖精の奴隷制度に憤慨し、「しもべ妖精福祉振興協会《S・P・E・W》」なるものを設立。彼らには賃金や休暇を貰う権利があると生徒を説得して回ったが、「連中は幸せなんだ」(ジョージ談)と、周囲の反応は今一つ。当の妖精たちも迷惑顔で、運動は完全にむだ骨折りだった。三校対校試合の取材でホグワーツを訪れたゴシップ記者リータ・スキーターとは犬猿の仲になり、「あなたって、最低な女よ」と宣戦布告。そのお返しに「擦《す》れっ枯らしのミス・グレンジャー」と記事に書かれたりしたが、最後は彼女が未登録(P181へ)

ハーマイオニー・グレンジャー年表
(6巻まで)

1979年	
9月19日	マグルの歯科医夫婦の娘として生まれる。
1991年	
9月 1日	ホグワーツ1年生。グリフィンドールに組分けされる。
9月19日	12歳の誕生日。
10月31日	トロールに襲われるがハリーとロンに助けられる。三人は友達に。
1992年	
6月 4日	ハリー、ロンとともに仕掛け扉を通って論理パズルを解き、ハリーを賢者の石の部屋へ導く。
9月 1日	ホグワーツ2年生。
9月19日	13歳の誕生日。
10月31日	ほとんど首無しニックの500回目の絶命日パーティに出席。
12月10日	スネイプの部屋から二角獣の角と毒ツルヘビの皮を盗み出す。
12月25日	ポリジュース薬に間違えて猫の毛を入れ毛むくじゃらの顔になる。
1993年	
5月 8日	バジリスクの犠牲になる(石になった)。
5月29日	石化から回復。
8月31日	ダイアゴン横丁でハリーと再会。クルックシャンクスを購入。
9月 1日	ホグワーツ3年生。マクゴナガルから逆転時計《タイムターナー》を借りる。
9月19日	14歳の誕生日。
1994年	
春	ハグリッドをからかったマルフォイに激怒し、力いっぱい殴る。
6月 6日	バックビークが処刑される。叫びの屋敷の中でルーピン、シリウス・ブラック、ピーター・ペティグリューと会い真実を知る。逆転時計を使い処刑前に時間を戻しバックビークを救出。シリウスを西塔のフリットウィックの事務所から解放し、バックビークの背に乗せ逃亡させる。

8月22日	第422回クィディッチ・ワールドカップを観戦。
9月 1日	ホグワーツ4年生。
9月19日	15歳の誕生日。
11月24日	三校対抗試合の第一の課題。ハリーとロンが仲直りし、それを見て嬉し泣きする。
12月25日	クリスマス・ダンスパーティにビクトール・クラムと参加。
1995年	
6月	コガネムシに変身したリータ・スキーターを捕らえて瓶詰めに成功。
8月 6日	グリモールド・プレイス12番地でハリーと再会。
8日 7日	ドクシー駆除。
8月31日	ホグワーツから教科書リストが届く。監督生になる。
9月 1日	ホグワーツ5年生。
9月19日	16歳の誕生日。
9月24日	「闇の魔術に対する防衛術」の実技を生徒に教えるようハリーを説得。
10月 5日	ホッグズ・ヘッドで最初のDA集会。
1996年	
2月14日	三本の箒《ほうき》でリータ・スキーターと会い、ハリーのインタビュー記事を書かせる。
6月 7日	OWL《ふくろう》試験がスタート。
6月17日	ハリーは「魔法史」の試験中、シリウスが神秘部で拷問されている夢を見る。確認のためアンブリッジの部屋の暖炉を使いグリモールド・プレイスのシリウスと話そうとするが、アンブリッジに捕まる。ハーマイオニーはダンブルドアの秘密の武器があると騙《だま》し、アンブリッジを禁じられた森へ連れて行く（アンブリッジは森に棲《す》むケンタウルスに捕獲された）。ハリーらとともに魔法省に行き、死喰《しく》い人《びと》と戦う。
6月18日	アントニン・ドロホフの魔法に倒れホグワーツの医務室に入院。
6月	学期が終わる3日前に完治して退院。
7月	夏休みに隠れ穴へ。
8月3日ごろ	ロン、ハリーらとダイアゴン横丁へ。ウィーズリー・ウィザード・ウィーズ（WWW）に行った後、ドラコ・マルフォイを尾行しボ

	ージン・アンド・バークスへ。
9月 1日	ホグワーツ6年生。
9月14日ごろ	クィディッチ選抜。コーマック・マクラーゲンに錯乱呪文をかけ、ロンをキーパーにする。選抜後ハグリッドの小屋へ。
9月19日	17歳の誕生日。
11月2日ごろ	グリフィンドール対スリザリン戦。グリフィンドールが勝ち、祝賀会でロンがラベンダーとキス。ロンに「オパグノ！襲え！」を唱え復讐《ふくしゅう》する。
12月20日ごろ	スラグ《なめくじ》・クラブのクリスマス・パーティ。マクラーゲンを誘うがキスされそうになり逃げ回る。
1997年	
2月1日ごろ	第1回姿現わし練習。
3月10日	ロンと仲直り。
4月21日	「姿現わし」試験が行われ合格する。
6月	死喰い人がホグワーツに侵入。スネイプの部屋の前を見張ったが、スネイプに騙されフリットウィックの面倒を見るあいだにダンブルドアは殺害されてしまう。 ダンブルドアの葬儀に参列。ロンとともに、何があってもハリーと一緒に行動すると宣言。

(P177から)の動物もどき(コガネムシ)であることをつきとめ、瓶詰めに成功した。

5年生でロンとともに監督生に選ばれたハーマイオニーは、ハリーのよき理解者となり、「(私たちに)八つ当たりするのはやめて欲しい」と文句を言いながらも、たびたび癇癪を起こし自虐的に孤立しようとする彼を母親のように見守った。スネイプとの閉心術の個人レッスンにきちんと取り組むよう繰り返し忠告し、ハリーがアンブリッジの暖炉を使ってシリウスと話そうとしたときは、危険だからと止めに入った。そして、魔法省から学校に送り込まれた「闇の魔術に対する防衛術」教授のアンブリッジが、ホグワーツ支配やハリー追放を企《たくら》んでいることを察知すると、学校や親友を守るために対抗策を講じ始める。授業で実技を教えないアンブリッジに対しては、防衛術の自習を計画し、さまざまな学年や寮の生徒に呼びかけて、ダンブルドア軍団を結成。さらに、魔法省がヴォルデモートの復活を隠蔽《いんぺい》しハリーを嘘つき扱いすることに反発し、リータを脅して『ザ・クィブラー』に彼の記事を書かせ真実を公表した。神秘部では、アントニン・ドロホフに強烈な呪いをかけられて気絶しホグワーツの病棟に入院したが、すぐに回復している。真面目でお節介なところがあるので、5年生では引き続きしもべ妖精の解放活動に力を入れたが、洋服を寮内のあちこちに置くという強引な手段を用いたため、運動は失敗。妖精たちに嫌われてしまった。

6年生になると"意中の人"ロンのために、クィディッチ選抜でライバル候補に錯乱の呪文をかけたりして内助の功を見せたが、鈍い彼にはまったく気づいてもらえなかった。反対に、4年生のときにクラムとキスしていたことが知られてしまい、怒ったロンはあてつけにラベンダーと付き合うようになってしまう。ハーマイオニーも負けずにマクラーゲンをスラグ・クラブのクリスマス・パーティに誘ったり(「女は復讐《ふくしゅう》のためならどこまで身を落とせるのか」ハリー談)、小鳥の群れに魔法をかけて自分の前でラベンダーとキスするロンを襲撃させたりしたが、陰では傷つき泣いていた(「嘆きのマートルかと思った」ルーナ談）。しかし、ロンが誕生日に毒入り蜂蜜酒《はちみつしゅ》を飲んで入院すると真っ青な顔で駆けつけ、泣きそうになるのをこらえながら、そばに付き添った。これがきっかけで二人は仲直りし、宿題を直してもらったお礼にさりげなくロンから「愛してるよ、ハーマイオニー」と告白されほんのり頬《ほほ》を染めた。自分の恋にはなかなか冷静になれないが、周囲の恋愛はすべてお見通しで、ハリーの前で本当の自分が出せずにいたジニーには「（ハリー以外の）誰かほかの人と付き合ってみたら？」とアドバイス。ハリーがジニーのことを気になり出したこともいち早く気づいており、二人の恋のキューピッド役となった。優秀な魔女なので誰よりも早く無言呪文を習得。「姿現わし」練習では教官のトワイクロスに褒《ほ》められ、試験も1回で合格した。

誠実な性格なので約束は必ず守り、マクゴナガルから口止めされていた逆転時計のことはハリーやロンにも秘密にしていた。グロウプに英語を教えるとハグリッドと約束したときは、それを反故《ほご》にしようとするロンに厳しく「私たち約束したの」と言い張った。ルーナから「何でも目の前に突きつけられないとだめ」と批判される“頭の固さ”はときどき見られるが、勇敢で賢く友達想いでまっすぐな心を持った女性である。7巻ではハリーと一緒にヴォルデモートを倒す旅に出ることになっている。

ハーマイオニーの出典は、シェークスピアの『冬物語』に登場する王妃ハーマイオニー。いわれなき疑惑の犠牲となった女性で、高慢でない尊厳さ、弱さのない優しさを持ち合わせている。ハリー・ポッターのハーマイオニーも「正しいことをしているのに誤解される知性」は共通しているように見える。JKRは「ハーマイオニーは若いころの自分に少し似たところがあり、（自分は）優秀でなければいけないといつも考えていました。彼女のガリ勉の裏には『アズカバンの囚人』における“まね妖怪（マクゴナガルから全教科落第だと宣言される）”のように、失敗することへの大きな不安と恐怖があることを分かってもらえるといいのですが」と話し、「初期の構想ではハーマイオニーに妹がいたのですが、使いにくかったので一人っ子にしました」と明かしている。

ミドルネームは2004年のインタビュー(WBC)では「ジェーン」だと述べていたが、7巻でジーン(Jean)に変更されている。おそらくドローレス・ジェーン・アンブリッジとの重複を避けたのであろう。

[⑥上**155~157、262~265、327、350~351、426、435、453、455~456、460、469~470、474、481、**下**013、046、084、119、154~155、178、195、198、222、224、237、299、321、330、413、497、504**][⑤上**016、375、380、517、543、548、**下**065、126、142、229、231、446、662**][④上**349、372、**下**031、034、070、084~114**][③**170、241、300、304、325、356、379、447、518、561~562**][②**239、277、286、335、338、499**][①**158~159、176、204、251、292、397、450**][**JKR** 公式サイト][**WBC**][⑦初出**2**章 **UK019/US014**]

グロウプ 【Grawp】

⑤**30-**下**421**
⑥**08-**上**257**

ハグリッドの父親違いの弟。巨人としては約5メートルの“小柄な”体に、醜い大岩のようなまん丸な頭がついている。ずんぐりした不恰《ぶかっ》好《こう》な鼻にひん曲がった口、レンガ半分ほどの大きさの黄色い乱ぐい歯、目は巨人の尺度で言えば小さく、濁った緑褐色をしている。手はビーチパラソル、足はソリのように大きい。頭にはくるくるカールした蕨《わらび》色の髪の毛がびっしり生《は》えている。

ハグリッドの母親フリドウルファは、マグルの夫(ハグリッドの父)を捨てたあと巨人と一緒になり、グロウプを産んだ。北部の山岳地帯の巨人の村で、巨人にしては体が小さいためいじめられていたところを、訪れたハグリッドが見かねて1995年11月、無理やりホグワーツに連れて来た。“樹木を根元から引っこ抜く才能”のある凶暴な巨人だったが、ハグリッドは禁じられた森の奥深くに住まわせ、「礼儀作法を教えたら、巨人は無害だとみんなに見せることができる」と考えて、殴られて体中傷だらけになりながら面倒を見ていた。ハグリッドの試みは失敗すると誰もが思ったが、予想に反しグロウプは徐々に言葉を学んでいき、ハーマイオニーを「ハーミー」、ハグリッドを「ハガー」と呼ぶように。禁じられた森でハリーとハーマイオニーがケンタウルスの群れに襲われそうになったときは、助けに駆けつけた。1996年6月に森を出て、現在はダンブルドアがホグズミードの村はずれの山の中に設《しつら》えた新居に住んでいる。だいぶ進化して行儀もよくなり、ダンブルドアの葬儀では、おとなしく普通の人間のように座り、嘆き悲しむハグリッドを抱きかかえて慰《なぐさ》めていた。

[⑥上**377**、下**492**][⑤下**422～437**、**445**、**523～526**][**EBF**][⑦初出**3**章 **UK037**／**US038**]

黒ずんだティアラ 【tarnished tiara】

⑥**24**-下**315**

ハリーが『上級魔法薬』の本を隠そうとして必要の部屋を訪れたときに見つけたティアラ。過去のホグワーツの住人が隠した宝物。ハリーは本を戸棚の中に隠したが、あとで見つけられるように戸棚の上に醜い魔法戦士の胸像を置き、さらにその頭に古い鬘《かずら》とこの黒ずんだティアラを載せて目立つようにした。

[⑦初出**31**章 **UK505**／**US628**]

け

穢《けが》れた血 【Mudblood】

②**07**-**165**
⑥**06**-上**171**

マグル生まれ（マグルの両親から生まれた魔法使いや魔女）に対する最低の蔑称。ヴォルデモートや死《し》喰《く》い人《びと》などの差別主義者が使う言葉。マールヴォロ・ゴーントは家に押しかけてきた魔法省の役人に、「小汚い穢《けが》れた血」と威嚇《いかく》した。スネイプは学生時代、自分を助けようとしたリリー・エバンズに向かって「『穢れた血』の助けなんか必要ない！」と罵《ののし》った。ドラコ・マルフォイは、ダンブルドアの前でハーマイオニーを「穢れた血」と呼び、そのような表現をやめるよう諭《さと》されたが、「いまにも僕に殺されるというのに気になるのか？」と残忍に笑った。

［⑥上**312**、下**148**、**202**、**413**、**452**］［⑤上**177**］［⑦初出**1**章 **UK016／US010**］

ゲーゲー・トローチ
【Puking Pastilles】

⑤**06**－上**171**
⑥**05**－上**133**

ウィーズリー・ウィザード・ウィーズ（WWW）のずる休みスナックボックスに入っている菓子の一つ。オレンジと紫の2色に色分けされた軟らかいタイプのキャンディで、授業中にオレンジ色の半分を食べるとゲーゲー吐く。医務室に行くふりをして教室から出て、残りの紫色の半分を食べると、あら不思議。たちまち元気いっぱいになり、残りの時間を好きなことをして過ごせる。開発中の段階では二人は吐き続けるだけで、紫色の方を飲み込む間がなかったが、最後は完成させてグリフィンドール寮でデモンストレーションを行い、やんやの喝采を浴びた。ハリーが6巻で隠れ穴のフレッドとジョージの部屋に泊まったときに、枕カバーの中から、溶けたこのトローチが出てきた。

［⑤上**578**］［⑦初出**12**章 **UK194／US235**］

潔白検査棒
【Probity Probe】

⑥**06**－上**164**

闇検知器の一種。警戒措置を厳しくするためにグリンゴッツ銀行に導入された道具。アーキー・フィルポットが、体のどこかにこれを突っ込まれた。

［⑦初出**26**章 **UK427／US529**］

解毒剤

毒消し

【antidote】

①08-205
⑥05-上152

毒を体外に排除、または無毒化する薬。解毒剤の効かない毒薬も存在するが、ベゾアール石はたいていの毒薬の解毒剤となる。ロンが毒入り蜂蜜酒《はちみつしゅ》を飲んだときは、ハリーがこの石をロンの口に押し込み命を救った。魔法界には、解毒剤に関する法則や標語が存在し、ハリーは6年の魔法薬の授業で「ゴルパロットの第三の法則」(数種が混ざった毒の解毒剤の量は、各毒の成分に対する解毒剤の総和より大きい)を学んだ。聖マンゴ病院には、「無許可の解毒剤は無解毒剤」という早口言葉のようなポスターが貼ってある。スネイプが4巻で解毒剤を研究課題に出したときは、誰か一人の生徒に毒を飲ませてみんなの研究した解毒剤が効くかどうか試すとほのめかしたので、生徒は全員真剣に取り組んだ。

[⑥上**251**、下**082**、**085**][⑤上**170**、下**106**][④上**364**]

玄関ホール

【Entrance Hall】

①07-170
⑥08-上245

ホグワーツ魔法学校の玄関ホール。城の正面玄関の樫《かし》の扉を開けると、このホールが目の前に広がる。ダーズリーの家がまるまる入りそうなほど広く、床は石畳、石壁は松明《たいまつ》の炎に照らされ、天井はおそろしく高い。右手には大広間に続く観音扉があり、正面には大理石の階段が二階へとそびえ立っている。この階段の左右には扉があり、左側の扉はスネイプの地下牢教室やスリザリンの談話室へ、そして右側の扉は厨房《ちゅうぼう》やハッフルパフ談話室に続く下り階段にそれぞれ繋《つな》がっている。このほか、箒《ほうき》置き場(物置)や、ハリーたちが新入生歓迎会の前に案内された空き部屋とも隣接している。樫の扉の両脇には鎧《よろい》が置かれ、三校対抗試合が開催されたときには、階段下に掲示板が立てられた。

［⑥上365］［⑤上319、342、623、下006、273］［④上365、467、下022］［③517］［②319、326］

賢者の石
【Philosopher's Stone／Sorcere's Stone】

①13-320
⑥02-上040

あらゆる金属を金に変えたり、命の水(不老不死の霊薬)の源になると信じられた石。ハーマイオニーがホグワーツの図書館で見つけた本によると、ニコラス・フラメルがこれを創り出すことに唯一成功し、1991年までグリンゴッツの自分の金庫に預けていた。しかし、ヴォルデモートに石が狙われていることを知ったフラメルは、ホグワーツで保管するようダンブルドアに依頼。石を受け取った校長は、先生方の協力を得て、さまざまな仕掛けを施して警護した。クィレルに取り憑《つ》いたヴォルデモートが学校に侵入し、仕掛けは破られ危うく石は盗まれそうになったが、最後はハリーがその手に渡るのを阻止し、石はダンブルドアが破壊した。

賢者の石は、「哲学者の石」とも言われ、西洋錬金術では卑金属を金に変える変成能力を持つと考えられた。病気を治し、不老長寿の妙薬が得られるとも見なされたため、中世の錬金術師が熱心にこれを探求した。実在のフランスの錬金術師ニコラ・フラメル(Nicolas Flamel)が偶然入手した『ユダヤ人アブラハムの書』をもとに、二十数年の苦労の末、これを使い金の造成に三度成功したと言われている。このときの様子を『象形寓意図の書』に著したとされるが、偽書説が強い。また、聖ドミニコ会士の神学者で科学者のアルベルトゥス・マグヌスがこの石を発見したという伝説も伝わっているが、彼の著書にそのような記述はないという。

［⑥下278］［⑤上110］［①321］［⑦初出21章 UK338／US416］

ケンタウルス
【centaur】

①15-370
⑥04-上103

魔法界に生息する上半身が人間で下半身が馬の姿をした生き物。ホグワーツでは、禁じられた森に群れを作って棲《す》んでおり、森の中で最も大きな影響力を持っている。その習性は謎に包まれているが、一般にマグルも魔法使いも信じておらず、実は両者をほとんど区別すらしていないようである。

気位の高い孤高の種族で、自分たちはヒト族の召使いでも慰《なぐさ》み者でもなく、人間のために働くのは種族を裏切る行為だと考えている。それゆえ、5巻でダンブルドアから頼まれ「占い学」の教授職を引き受けたフィレンツェは、「ヒトの奴隷になり下がった」と罵《ののし》られ、群れから追放された。魔法族による侵略や侮辱を許さず、森の中にずかずか踏み込み自分たちを汚らわしい半獣呼ばわりしたアンブリッジを捕らえ、森の奥に連れ去った。仔馬(＝若い生き物)を殺すのは恐ろしい罪だと考え、無垢《むく》な子供には攻撃しないが、ハーマイオニーがアンブリッジ退治にケンタウルスを利用したときは、「我々のことをきれいなしゃべる馬とでも思っていたんじゃないかね?」と怒り狂った。

禁じられた森には50頭以上が生息し、マゴリアン、ベイン、ロナンのほか、灰色、月毛、白毛、顎鬚《あごひげ》のケンタウルスなどが確認されている。人間に協力することを拒んでいるものの、ダンブルドアには一目置いているため、校長が単身森に乗り込むと、即座にアンブリッジを解放した。1997年にダンブルドアが亡くなった際は、葬儀に参列。空に向かって弓矢を放ち、弔意を表した。魔法の癒《いや》し、占い、洋弓、天文学に精通しているが、人間が天空に個人的な兆候を見ているのに対し、ケンタウルスはそこから邪悪なものや変化の大きな潮流を読み取っている。そして何事も自分たちの叡智《えいち》でさえ、絶対に確実なものはないと考えている。

高い知性を持ち、ヒトの言葉を話すので厳密には動物とは言えないが、ケンタウルス自身の要求により、魔法界では動物に分類されている。魔法省の魔法生物規制管理部の動物課には、ケンタウルス担当室という部署があるが、ケンタウルスは魔法使いとは別に自分たちのことは自分たちで管理すると宣言しているため、彼らがそこを利用したことはない。魔法省では「ケンタウルス室に送られる」というと、当の人物がまもなくクビになるという意味の内輪《うちわ》のジョークになっている。

ケンタウロス(Kentauros)はギリシア神話に登場する上半身が人間で腰から下は馬の形をした怪物の一族。イクシオン(ギリシア神話の最初の親族殺人者)とネフェレ(雲で作った女神)から生まれ、テッサリアの山中に棲《す》み、野蛮で酒と色欲にふけっていた。ラピタイ族の王が彼らを結婚の宴《うたげ》に招いたところ、花嫁たちを襲おうとして戦闘になり、敗れたケンタウロス族はテッサリアを追われアルカディアに移住した。しかし、この地でも酒が原因でヘラクレスと争うことになり、この英雄に痛めつけられた。乱暴な性格だが、中にはケイロンやフォロスのように温和なものもいる。

[⑥下**490〜495**][⑤上**206**、下**282〜289**、**415〜416**、**432〜436**、**517**、**521〜525**、**528**][幻**019**、**040**][⑦初出**31**章 **UK489**／**US608**]

こ

ゴイル、グレゴリー
グレゴリー・ゴイル
【Goyle, Gregory】Ⓢ

①06-162
⑥07-上227

ハリーと同学年のスリザリン生。筋肉隆々、肩幅ガッチリ体型の巨漢で、腕はゴリラのように長い。窪《くぼ》んだドンヨリまなこに、たわしのような短く刈り込んだ髪型、低いしゃがれた声でブーブー話す。父親は死喰《しく》い人《びと》。意地悪なばかりか頭も悪いが、寛大なホグワーツはいまだゴイルを退学にしていない。

ドラコ・マルフォイの腰ぎんちゃく的存在で、ドラコの横でおべっか使いのアホ笑いをしたり、拳《こぶし》をボキボキ鳴らして相手を威嚇《いかく》したりと、もっぱら体を使って援護している。食い意地が張っていて、1年生ではロンの蛙チョコを失敬しようとして、スキャバーズに指を噛《か》まれた。2年生では、階段の手すりに置かれた眠り薬入りのケーキをガツガツ食べ、仰向けにバタンと床に倒れた。女子生徒にもてるはずもなく、4年生のクリスマス・ダンスパーティでは相手が見つからなかった。勉強は苦手で、5年生の「魔法薬学」で作った安らぎの水薬に「安らぎ」の効果は見られず、瓶に詰めたとたんに粉々に割れ、ローブに火がついた。6年生では、マルフォイの命令でポリジュース薬を飲み、1年生の女子生徒に変身。必要の部屋の前で見張りをし、誰かが部屋の外にいるときは秤などを落として、部屋の中のマルフォイに知らせていた。ボスのマルフォイがホグワーツを去ってからは、寂しいのか、クラッブとともに大柄な体を奇妙にしょんぼりさせた。クィディッチ寮代表チームでは、5年生からビーターをしている。

ゴイルの出典は、その醜い外見から「ガーゴイル」であろう。

[⑥上**492**、下**094**、**100～101**、**203～204**、**208**、**218**、**487**] [⑤上**302**、**372**] [④上**261**、**454**、**462**、下**450**] [③**106**] [②**323～324**] [①**452**] [⑦初出**4**章 **UK048**／**US050**]

校長室

ダンブルドアの校長室(住居)

【Dumbledore's office (and residence)／Headmaster's Study(Office)】

①**16-390**
⑥**05-上148**

校長が仕事や生活をしている部屋。入り口はホグワーツ城8階の廊下にあり、石のガーゴイルに守られている。正しい合言葉を言うと像に命が吹き込まれ、ピョンと脇に跳び、背後の壁が二つに割れて石の階段が現れる。階段は螺旋《らせん》状のエスカレーターのように上へ上へとクネクネ動いており、それに乗ると背後で壁が閉まり、磨《みが》き上げられた樫《かし》の扉の前まで運ばれる。扉にはグリフィンの形をした真鍮《しんちゅう》のドア・ノッカーがついていて、訪問者はそれを打ちつけ来訪を知らせる。

中に入ると、そこは広くて美しい円形の部屋。細い脚のテーブルの上に繊細《せんさい》な銀の道具類が置かれ、ポッポと煙をあげたりくるくる渦巻いたりしている。大きな鉤爪《かぎづめ》足の校長の机が扉と向かい合う形で置かれ、机の後ろの棚には、みすぼらしいボロボロの組分け帽子が載っている。その隣のガラスケースには、グリフィンドールの剣が収められ、扉の脇のキャビネット棚には、憂いの篩《ふるい》と一緒にワインなどの瓶が保管されている。このほか、移動《ポート》キーに使われた黒ずんだ古いヤカンなどが入った戸棚や、西向きの窓がある。ダンブルドアの時代には、扉の裏側に金の止まり木が置かれ、ペットの不死鳥フォークスが止まっていた。壁一面に歴代の校長の肖像画が掛かっていて、絵の主《ぬし》たちは来客のないときは校長とガヤガヤ話しているが、訪問者が来ると急に会話をやめ、狸寝入りをしながら話をこっそり聞いている。ダンブルドアの死後、彼の肖像画は、校長の背もたれの高い椅子《いす》の後ろに掛けられた。

正当な校長以外の者がここに入ろうとすると、部屋はひとりでに封鎖され、部屋の中は荒らされても自動的に元通りに修復される。校長が変わっても、部屋の中の様子は変わらない。ダンブルドアの時代の入り口の合言葉は、お気に入りのお菓子の名前で、ハリーが2年のときは「レモン・キャンデー！」、4年では「ゴキブリ・ゴソゴソ豆板」。5年生では「フィフィ　フィズビー」、6年生では「ペロペロ酸飴」と「タフィー　エクレア」だった。

［⑥上**275**、**286**〜**297**、**390**、下**054**、**158**、**220**、**266**、**354**、**467**］［⑤下**078**〜**089**、**296**〜**317**、**321**、**620**〜**628**］［④下**352**］［②**306**］［⑦初出**6**章 **UK088**／**US102**］

コウモリ鼻糞《くそ》の呪い　⑤06-上166
【Bat(-)Bogey Hex】　⑥07-上222

ジニーの得意技。これを唱えると、特大の空飛ぶ鼻糞が相手に襲いかかり、動けなくする。5巻でジニーがこれをマルフォイにかけると、彼の顔はものすごいビラビラでべったり覆われた。6巻で、ジニーが見事な鼻糞呪いをかけるところを見たスラグホーンは、彼女を気に入

り、昼食会に招待した。

［⑥上439］［⑤上528〜529］

校門
【gates】

③05-116
⑥08-上241

ホグワーツ魔法学校の入り口に設置されている鋳鉄《ちゅうてつ》製の壮大な門。両脇に高い2本の石柱が立ち、そのてっぺんには羽の生《は》えたイノシシの像が載っている。ホグズミード駅から学校に続く道の途中に置かれ、1993年から1994年のあいだは、二人の吸魂鬼《ディメンター》が門の両脇に立って警護した。1996年にハリーが他の生徒から遅れて登校した際は、鎖が掛けられ、内側からスネイプが開けるまで校内に入れなかった。

［⑥上242］［⑤上318］［⑦初出37章 UK488／US607］

小鬼
ゴブリン
【goblin】

①05-097
⑥06-上164

ハリーよりも頭一つ小さい、浅黒く賢そうな顔つきの生き物。先の尖《とが》った顎鬚《あごひげ》を持ち、手の指と足の先が長い。ヒトの言葉のほかにゴブリディグック語という言葉を話す。

魔法界唯一の銀行グリンゴッツを経営し、金貨の供給という重要な役目を担っているが、魔法使いからは何世紀にもわたり自由が与えられていない。杖の使用が許されておらず、第一回魔法使い連盟では出席を拒否された。このような差別に反発し、1612年と18世紀に反乱を起こしている。今のところ、ヴォルデモートと魔法省（ハリー・ポッター）のどちら側につくのか態度を明らかにしていないが、5巻でビル・ウィーズリーは、彼らに自由を提供すれば自分たちの味方につくのではないかと期待している。実際、ヴォルデモートが最初に台頭した時代（1970年代）、その手にかかって殺された小鬼の一家がいるため、闇の陣営に敵意を持っているが、その一方で魔法使いへの反感も相当強い。小鬼の実力者の中に、ルード・バグマンから貸した金を集金できなかったのは魔法省が隠蔽《いんぺい》工作をしたせいだと考えている者（ラグノック）がいるからである。

銀行の運営のほか、魔法界の硬貨を鋳造《ちゅうぞう》し、ガリオン金貨にはそれを製造した小鬼のナンバーが打ってある。金属の細工に長け、見事な宝飾品や銀食器・武具などを製造するが、人間と異なった所有意識を持ち、ゴブリンが製造した品は人間の手に渡ったあとでもすべて自分たちの物だと考えている。

モリーのミュリエル大叔母は、ゴブリンの作った美しいティアラを所有。ブラック家はゴブリンが鍛えた家紋入りの最高級の銀食器を持っていたが、シリウスの死後、マンダンガスがこれをグリモールド・プレイス12番地から盗み、売りさばいた。

ゴブリンは、人間に対して敵意や悪意を持つ妖精の一般名称で、おおかたは小柄でずる賢く、奇怪な容貌《ようぼう》をしている。ただし、同じゴブリンでも名前の前に「ホブ」がついたホブゴブリンは毒気が抜け、たまに悪戯《いたずら》をするものの、家事好きで人間に好意的な性格を持つとされる。「ハリー・ポッター」のゴブリンは、地下の金庫を守り素晴らしい宝飾品を造り出すので、ノーム（地中の宝を守る精霊）やゲルマンのドワーフ（冶金《やきん》術にすぐれた妖精）に近い。

［⑥下**171**、**463**］［⑤上**138**、**141**、**206**、**307**、**627**、下**474**、**476**］［⑦初出**15**章**UK242**／**US295**］

ゴキブリ・ゴソゴソ豆板 【Cockroach Cluster】

③**10-255**
⑥**12-上368**

魔法界のお菓子。ハニーデュークスの一番奥にある「異常な味」のコーナーに売っている。4巻では、ダンブルドアの校長室に入る合言葉になった。有名人好きのスラグホーンは、目立たないロンのことをゴキブリ・ゴソゴソ豆板の展示品であるかのように無視して、彼を落ち込ませた。

Cockroach ClusterはJKRお気に入りのバラエティ番組『空飛ぶモンティ・パイソン』（1969–1974 BBC）に登場したお菓子。

［④下346］

国際（魔法戦士連盟）機密保持法

【International Confederation of Warlocks' Statute of Secrecy／International Confederation of Wizards' Statute of Secrecy（US版）／International Statute of Secrecy】　②02-033

　魔法界の法律。13条で非魔法社会の者（マグル）に気づかれる恐れのある魔法行為を禁じている。吸魂鬼《ディメンター》に襲われたハリーは1995年夏、ダドリー・ダーズリー（マグル）の前で守護霊の呪文を行使し、この条例に違反したため、魔法省で懲戒尋問《ちょうかいじんもん》を受けた。シリウスによると、この法律には、自らの生命を救うためなら魔法を行使してもいいことが規定されているという。機密保持法違反論者として知られるカーロッタ・ピンクストーンは、魔法使いが今も存在することをマグルに話し、公の場であからさまに魔法を使い、何度か投獄されている。

［⑤上**038**、**047**、**138**、**189**、**226**、下**474**］［**JKR**公式サイト「今月の魔法使い」］

［⑦初出**2**章 **UK024**／**US020**］

黒《こく》斑《はん》病

【spattergroit】　⑤23-下142

　聖マンゴ病院の階段の壁に掛かった中世の癒師《いし》の肖像画が、ロンに下した病名。ロンの顔のソバカスを見て、「間違いなく重症の黒斑病だ」と叫んだ。その癒師によると黒斑病とは、あばた面になる恐ろしい皮膚病で、治療法は、ヒキガエルの肝を取り出し首にきつく巻きつけ、満月の晩に素っ裸になってウナギの目玉が詰まった樽《たる》の中に立ち……（以下不明）。

　Spattergroit はJKRの造語。Spatter「斑点」と、groit（groatのスコットランドでの表現）「グロート（イギリスの昔の4ペンス銀貨）」の合成語のようである。

［⑦初出**6**章 **UK086**／**US098**］

孤児院（マグルの孤児院）【orphanage】

②13-362
⑥13-上397

ヴォルデモートが生まれ育ったロンドンの孤児院。おそらくトム・リドル（ヴォルデモート）が日記帳を買ったボグゾール通りの近くにある。院長はミセス・コール。高い鉄柵《てっさく》に囲まれたかなり陰気な白い建物で、内部は全体的にみすぼらしいが、染《し》み一つなく清潔に保たれている。1階には玄関ホールのほかに、院長の粗末な事務所兼居間がある。階上のトム・リドルの小部屋は殺風景で、置いてあったのは古い洋ダンス、木製の椅子《いす》一脚と鉄製の簡易ベッドのみ。

職員（ヘルパー）はエプロンを着用し、子供たちは全員灰色のチュニックを着ている。全体的に世話は行き届いているものの、憂いの篩《ふるい》の中でこの孤児院を覗《のぞ》いたハリーは、子供たちが育つ場所としては暗いところだと感じた。1年に1回だけ、子供たちを遠足に連れて行く慣わしがあり、トム・リドルはヴォルデモートとなってから、そのときに訪れた海辺の洞窟にホークラックスを隠した。

この孤児院のモデルは明かされていないが、かつてロンドンのボグゾール通り（Vauxhall St）の近くには「ストックウェル孤児院（Stockwell orphanage）」という施設があった。メトロポリタン・タバナクル教会を建設したことで有名なバプテスト派の牧師チャールズ・ハッドン・スポルジョンが、1869年にストックウェル・パーク通り（Stockwell Park Rd）に建てた孤児院で、当初は男子専用だったが、のちに女子用の棟も造られた。第二次大戦で破壊されてケント州バーチントン（Birchington）に移転するまで、何百人もの孤児がここで生活した。

【職員（1938年のダンブルドア来訪時）】 ミセス・コール（院長）、マーサ、だらしない身なりのヘルパー、別のヘルパー

【孤児（同）】 トム・リドル、ビリー・スタッブズ、エリック・ホエイリー、エイミー・ベンソン、デニス・ビショップ

［⑥上**398～406**、下**347**］［②**344**］［⑦初出**15**章 **UK237**／**US288**］

ゴースト
【ghost】

①07-172
⑥08-上247

真珠のように白く半透明の存在。死者がこの世に残した魂の痕跡《こんせき》。空中をフワフワ漂い、壁などの固いものでも通り抜けできる。ホグワーツには少なくとも20人のゴーストが棲《す》んでいて、移動が早いのでときどき伝令に使われている。各寮のゴーストが決まっており、グリフィンドールは「ほとんど首無しニック」、スリザリンは「血みどろ男爵」、ハッフルパフは「太った修道士」、レイブンクローは「灰色のレディ(Grey Lady)」。寮監と同じように、寮のゴーストはかつてはその寮の学生だった。生徒の前で余興《よきょう》をすることがあり、ハリーが3年のハロウィーンの祝宴では、編隊を組んで空中滑走したり、ほとんど首無しニックがしくじった打ち首の場面を再現して、生徒に大受けした。ゴーストたちのあいだでは、ゴースト評議会なるものが開かれ、重要なことはここで決定されている。4巻でピーブズが新入生歓迎会に出たいと駄々をこねたときも、評議会で協議されたが、参加は許されなかった。ホグワーツの教授陣では、ビンズ先生が唯一のゴースト。変わったところでは、女子トイレに取り憑《つ》いている嘆きのマートルがいる。ゴーストの体は冷たいので、人間が通り抜けると冷水の入ったバケツに突っ込んだようにゾーッとする。太陽の光の下ではほとんど見えないため、ダンブルドアの葬儀に参列したときは、動いたときに姿が朧《おぼろ》げに光っただけであった。ほとんど首無しニックによると、ゴーストとして現世に戻ってこられるのは、魔法使いだけ。魔法使いは地上に自らの痕跡を残すことができ、死んでからも生きていた自分がかつて辿《たど》ったところを影の薄い姿で歩くことができるという。ニックは死を恐れ、現世に残ることを選んだのでゴーストとなったが、この道を選ぶ魔法使いは滅多にいない。死を恐れていない、またはそれほど恐怖を感じていない魔法使いは、ゴーストとなって戻ってこないのである。

6巻までのところ、灰色のレディは登場していないが、イギリスで

2001年に放送されたTV特番でJKRが見せたゴーストのリストに「グレイレディ―レイブンクロー」と書いてあったため、早くからその存在は知られていた。1巻306ページの「背の高い魔女のゴースト」や、6巻下126ページの「長い髪の女性のゴースト」のことかもしれない。

［⑥下**126**、**212**、**489**］［⑤上**320**、**333**、下**395**、**682**～**684**］［④上**282**］［③**208**、**212**］［①**181**、**306**］［**JKR**公式サイト「**FAQ**作品について」］［**EBF**］［⑦初出**17**章**UK270**／**US351**］

古代ルーン文字
【Ancient Runes】

②**14-373**
⑥**05-上152**

ホグワーツの3年から学ぶ選択科目の一つ。担当の先生は不明。ルーン語の辞書や、『スペルマン音節文字表』などの参考書を使い、古代ルーン語で書かれた文章の翻訳などを勉強する。参考書はほかに、『魔法象形文字と記号文字』や、『古代ルーン語のやさしい学び方』がある。ハーマイオニーは3年生のときからこれを取っており、OWL《ふくろう》試験で一つ訳し間違えたとイライラしたが、成績は「優・O」であった。

［⑥上**157**、下**208**］［⑤上**304**］［⑦初出**16**章**UK259**／**US316**］

ゴドリックの谷
【Godric's Hollow】

①**01-021**
⑥**30-下503**

ヴォルデモートに追われたポッター一家が隠れ住んだ村。ハリーの両親の墓がある。1981年ごろ、一家はダンブルドアの勧めでこの場所に忠誠の術をかけて潜伏していたが、秘密の守人に指定したワームテールが敵のスパイであったため、1981年10月31日ヴォルデモートに襲撃された。両親は殺されたが、ハリーは母親の犠牲のお陰で、額に稲妻《いなずま》形の傷を受けただけで助かった。ハリーは17歳の誕生日を迎えた後、ダーズリー家を出て、墓参りのためにここに戻ろうと考えている。金のスニッチを発明した魔法使いボーマン・ライトも、この村の住人。

ゴドリックの谷が村であることは、6巻までの本に書いてないが、

JKRのインタビューで明らかになっている。Godは「神」、-ricは「管轄」、「領域」を表す接尾語。Godricで「神の住まい」という意味。

[③**265**][①**011、019、086**][ク**034~035**][**JKR**公式サイト「**FAQ**作品について」][⑦初出**6**章 **UK087**/**US100**]

コーナー、マイケル
マイケル・コーナー
【Corner, Michael】R DA

⑤**16**-上**531**
⑥**06**-上**184**

(1980?-)ハリーと同学年のレイブンクロー生。黒髪の男子生徒。1994年12月のクリスマス・パーティでジニーと出会い、3学期の終わり(1995年6月)ころから交際を始めた。ジニーと一緒にDAのメンバーになったが、クィディッチの試合でグリフィンドールがレイブンクローに勝ったのが気に入らないと臍《へそ》を曲げたのが仇《あだ》となり、棄《す》てられてしまった。1996年6月ころには、チョウとつき合っている。

マイケル・コーナーの学年は、BBC放送の特番『ハリー・ポッターはこうして生まれた』で判明。JKRが見せたハリーと同学年の生徒のリストに、マイケルの名前が載っていた。しかし、そのリストではハッフルパフ生となっている。

[⑤上**547~548**、下**690~691**][⑦初出**29**章 **UK463**/**US575**]

護《ご》符《ふ》
お守り
【amulet】

②**11**-**276**
⑥**06**-上**168**

ヴォルデモートの復活が明らかになり、魔法界が死《し》喰《く》い人《びと》の脅威《きょうい》にさらされるようになると、ダイアゴン横丁の屋台などでは狼人間や吸魂鬼《ディメンター》、亡者《もうじゃ》に有効だとする怪しげな護符が販売されるようになった。2巻でホグワーツの秘密の部屋が開き、怪物が生徒を襲ったときは、お守りや魔よけなどの護身用グッズの取引が、学校内で爆発的に流行った。

「護符(amulet)」は災厄が起こる前に未然にそれを避ける予防的な

物で、すでに被《こうむ》っている災厄を退け幸いをもたらす「呪符(talisman)」と区別されることもあるが、現実には両者にそれほどの違いは見られず、両方の意味を持つものも多い。護符や呪符は、先史時代から現代まで、すべての社会に見られる。神など超自然的な存在の力を形に表したもので、爪や髪、石や金、宝石、貨幣、骨、刃、貝殻、植物の根、種子・枝や葉、人形、聖者の遺品や聖像、聖地の砂や水、墓の破片、聖句や呪文の書かれた紙など、さまざまな物が護符として使われている。使い方もいろいろあり、身につけるものから、家の中や門口に置いたり、川に流したり、焼いたり、服用したりと、まちまちである。

ゴブストーン
【Gobstones】

③04-067
⑥25-下331

魔法界のゲーム。ビー玉に似ており、失点するたびに石が一斉にイヤな匂いのする液体を、負けた方のプレイヤーの顔めがけて吹きかける。人気のゲームで、魔法省の魔法ゲーム・スポーツ部に公式ゴブストーン・クラブが設置されているほか、ホグワーツでも同好会が結成され、寮の談話室などで生徒たちがこれに興じている。

[⑤上**210**、**440**、**554**]

ゴブストーン・チーム(6巻)
ゴブストーン・クラブ(5巻)
【Gobstones Team／Gobstones Club】

⑤17-上554
⑥25-下331

ホグワーツのゴブストーン同好会。スネイプの母親アイリーン・プリンスは、在学中、これのキャプテンだった。1995年のホグワーツ高等尋問《じんもん》官令(教育令24号)で校内の組織やクラブの解散が通達されたときは、このクラブも閉鎖されるか心配した生徒が出た。

小鬼《ゴブリン》連絡室 【Goblin Liaison Office】

④07-上133
⑥04-上106

魔法省の魔法生物規制管理部に直属する部署。現室長はダーク・クレスウェル。前室長はカスバート・モックリッジ。オフィスはロンドンの魔法省の地下4階にある。

[⑤上**211**][④上**211**][⑦初出**12**章 **UK201**/**US245**]

ゴブルディグック語 【Gobbledegook】

④07-上138

小鬼《ゴブリン》の話す言葉。バーティ・クラウチ(父)やダンブルドアはこの言葉を話すことができる。ルード・バグマンによると、「ブラドヴァック」は「つるはし」という意味らしい。

Gobbledegook(Gobbledygook)は英語で「(公文書などの)難解な(もったいぶった)言葉遣い」や「(口)たわごと」の意。

[④下**134**][⑦初出**15**章 **UK244**/**US296**]

誤報局 【Office of Misinformation】

⑥01-上022

魔法省の部署の一つ。ヴォルデモートが死喰《しく》い人《びと》や巨人を使い、マグル界に大惨事を引き起こした1996年夏、誤報局は24時間体制で働いた。『幻の動物とその生息地』では「誤報室」と訳されており、同書によると、魔法界とマグル界の衝突が最悪の事態に至った場合にのみ、誤報室が出動することになっている。魔法による大惨事や事故があまりにも露骨で、外部機関の助けなしにはマグルだけの力でマグルをごまかせないときに、誤報室はマグルの首相と直に連絡を取り、事件に関してもっともらしい非魔法的な言い訳を探し出すという。

[幻**029**]

コムストック、マゼンタ
マゼンタ・コムストック
【Comstock, Magenta】

2007年4月

(1895–1991)実験芸術家。彼女の描く肖像画の目は、部屋の中で鑑賞者を追い回すだけでなく、自宅までつきまとう。

[**JKR** 公式サイト「今月の魔法使い」]

コメット260
【Comet Two Sixty】

①**10–242**
⑥**11–上338**

ドラコが1年のときに自宅で使っていた箒《ほうき》。チョウ・チャンも4年生のときに乗っていた。ファイアボルトと比べるとおもちゃのような箒。6巻のグリフィンドールのクィディッチ選抜では、これの衝突で歯を数本折る事故が1件あった。

[③**330**]

ゴールドスタイン、アンソニー
アンソニー・ゴールドスタイン
【Goldstein, Anthony】Ⓡ DA

⑤**10–上301**

(1980?–)ハリーと同学年のレイブンクローの男子生徒。5年生で監督生に選ばれた。DAのメンバー。「呪文学」のOWL《ふくろう》実技試験をハーマイオニーと一緒に受けた。5巻の帰りのホグワーツ特急の中で、他のDAメンバーとともに、マルフォイ、クラッブ、ゴイルの三人に魔法をかけて、巨大なナメクジの姿にした。

[⑤上**531**、下**456**、**688**][⑦初出**29**章 **UK466**/**US578**]

ゴルパロットの第三の法則
【Golpalott's Third Law】

⑥**17–下082**

「魔法薬」の授業で学んだ法則。混合毒薬(複数の毒がブレンドされた毒薬)の解毒剤の量は、それぞれの毒の解毒剤の総和より多いとい

うもの。ゴルパロットという魔法使いが発明した法則であろう。

ゴールポスト
【goalpost／goalhoop】

①10-244
⑥11-上337

クィディッチ競技場の両端に3本ずつ立てられたゴールポストのこと。高さ16メートルの金の柱で、先端に金の輪がついている。チェイサーが敵のゴールポストめがけてクアッフルを投げ、輪に入ると10点得点する。キーパーは味方のゴールポストの周りを飛び回り、敵に点を入れられないようガードする。6巻で、ロンの後釜としてキーパーを任されたコーマック・マクラーゲンは、試合中に味方の選手に口出しばかりしてゴールを守らなかった。かつては金の輪の代わりにバスケットが取り付けられていたが、1883年に現在の形になったという。

［⑥下**140〜142**］［⑤上**431**］［①**245〜246**］［ク**040**］

コール、ミセス
ミセス・コール
【Cole, Mrs】

⑥13-上397

トム・リドル（ヴォルデモート）が生まれ育ったマグルの孤児院の院長。目鼻立ちのはっきりとした（sharp-featured）痩《や》せたマグルの女性。18歳ぐらいからこの孤児院で働き始め、1926年12月31日に自分と同じぐらいの年齢の臨月のメローピーがここを訪れると、部屋の中に招き入れ、出産を手伝った。1938年に孤児院を訪れたダンブルドアと面会し、トムの生い立ちや、彼がいじめっ子であること、他の子供と一緒に洞窟に入り、そこで何かが起きたことなどを洗いざらい打ち明けた。

［⑥上**398〜407**］

コーンウォール地方
【Cornish／Cornwall】　**②06-150**

イングランド南西端の州(地方)。「ハリー・ポッター」では、ピクシー小妖精が多く見られる場所となっている。

砂浜の続く湾や岩の多い入り江で名高く、早くから人が住んでいた地域なので、州内にはドルメン、メンヒルなど先史時代の巨石記念物が多い。イギリスの先住民であるケルト系のブリトン人が、この地域で11世紀ころまでアングロ・サクソン人の支配に抵抗していたため、アーサー王伝説の舞台となった。独自のケルト文化を保持し、トリスタンとイゾルデの悲話もこの地を舞台としたケルト伝承に起源を持つ。ケルト系の言語であるコーンウォール語が18世紀まで用いられ、今でも地名や人名などにその名残りが見られる。

［幻**083**］［⑦初出**20**章 **UK261**／**US319**］

コンガ
【conga】　**⑥24-**下**297**

ジニーがディーン・トーマスと別れたことを知ったハリーは嬉しくなり、胸の中がコンガを踊りだした。

コンガはキューバの踊り・音楽およびその伴奏に用いられる打楽器。語源はアフリカの「コンゴ」で、アフリカ原住民からキューバに伝わったものとされる。踊りはカーニバルなどで一列に並んで踊るもので、通常3回のステップのあと、足を蹴《け》り上げる。音楽は4分の2拍子で、シンコペーションを持ったリズムが特徴。1930年代後半にアメリカで流行った。楽器は長円錐《すい》の形をした一面太鼓で、底は抜けており、両膝のあいだに挟《はさ》んで素手で打つ。

ゴーント、マールヴォロ

マールヴォロ・ゴーント **⑥10-上304**

【Gaunt, Marvolo】

ヴォルデモートの祖父で、サラザール・スリザリンの末裔《まつえい》。広い肩幅に長すぎる腕、奇妙な体の釣り合いをした小柄な魔法使い。目は褐色に光り、チリチリ短い髪の毛と皺《しわ》くちゃの顔は、年老いた強健な猿のよう。

ゴーント家は古くから続く魔法界の家柄であったが、いとこ同士が結婚する習慣のせいで、情緒不安定と暴力の血筋で知られていた。常識がなく、壮大なことを好んだため、マールヴォロが生まれる数世代前には先祖の財産を浪費しつくし、惨めさと貧困の中で暮らしていた。マールヴォロもその血を受け継ぎ、凶暴で怒りっぽく、傲慢《ごうまん》で純血を鼻にかけていた。リトル・ハングルトン村の汚い掘っ立て小屋に、息子のモーフィンとメローピーの三人で暮らし、先祖代々伝わる家宝のマールヴォロの指輪、スリザリンのロケットと息子は大切にしたが、魔法の才能の見られない娘は乱暴に扱っていた。

1925年夏、モーフィン宛てに召喚状を届けに来た役人ボブ・オグデンに暴力をふるったマールヴォロは、息子とともに逮捕され、ウィゼンガモット法廷で有罪となり、6ヵ月間アズカバンに収監。刑期を終えて自宅に戻ると娘は家出しており、そのショックやアズカバンで衰弱していたことなどから、息子が出獄する前に亡くなった。

Gauntは英語で「やせ衰えた」、「無気味な」の意。マールヴォロの名が6巻に初出するのは上320ページ。

[⑥上**301～324**、下**068**] [⑦初出**22**章 **UK347／US428**]

ゴーント、メローピー

メローピー・ゴーント **⑥10-上309**

【Gaunt, Merope】

（1907年-1926年12月31日）ヴォルデモートの母親の魔女。マールヴォロ・ゴーントの娘で、サラザール・スリザリンの末裔《まつえい》の純血。蒼白《あおじろ》くぼってりとした顔立ちで、目は兄と同じく両眼が逆の方向を見ている。父親と兄から虐待を受けて育ち、18歳のときはこれ以上はないというほど打ちひしがれた表情をしていた。スリザリンのロケットのかつての持ち主。

家族と共にリトル・ハングルトン村のはずれに住んでいたメローピーは、同じ村の金持ちでハンサムなマグル、トム・リドルに恋をし、トムが家の前を通るときはいつも庭の生垣から覗《のぞ》いていた。18歳(1925年)の夏、父親と兄がアズカバンに収監され、生まれて初めて自由になったメローピーは、抑圧されていた自分の魔力を解放し、これまでの絶望的な生活から逃げる計画を立てる。片想いのリドルに愛の妙薬入りの飲み物を飲ませて両想いにすると、その数ヵ月後、二人でロンドンに駆け落ちして結婚し、翌年には赤ん坊を身ごもった。しかし、このころになると、トムを心から愛していたメローピーは愛する男の心を魔法で操作することに耐えられなくなり、妙薬を飲ませるのをやめてしまう。魔法を使わずとも夫は自分の許《もと》に留まるだろうと考えたメローピーであるが、目の覚めた夫は彼女を捨て、リトル・ハングルトンの実家に戻ってしまった。絶望のあまり魔法を使うのをやめてしまったメローピーは、お金に困り、唯一の家宝スリザリンのロケットをボージン・アンド・バークスで売却。冷たい雪の降る大晦日の晩、マグルの孤児院で赤ん坊を出産し、「子供は父親に似ますように」と願い、「父親のトムと、自分の父親のマールヴォロの名前を子供につけて欲しい。姓はリドル」と告げるとまもなく亡くなった。

自分を必要としている息子がいるのに死を選んだメローピーに対し、ハリーは「子供のために生きようともしなかったのですか?」と非難したが、ダンブルドアは「メローピーを厳しく裁くでない。長い苦しみの果てに弱りきっていた。そして元来、きみの母親ほどの勇気を持ち合わせていなかった」と弁護している。

メローピー Merope は、ギリシア神話のアトラスの7人の娘(「プレイアデス」という)の一人。他の6人の姉妹はオリオンに追われプレアデス星団（おうし座にある散開星団。肉眼で6個見える）の星になったが、メローピーだけは人間のシーシュポス*と結婚したことを恥じ、顔を隠した。プレアデス星団の中でメローピーだけは、唯一肉眼で見えない星である。

＊邪悪なコリントの王。死後地獄に落ち、大石を山頂に押し上げる罰を負わされたが、石は頂上に近づくと元の場所に転がり落ち、その苦行に終わりはなかった。

［⑥上**310～324**、**395～396**、**401～402**］

ゴーント、モーフィン

モーフィン・ゴーント　　**⑥10－上305**

【Gaunt, Morfin】

ヴォルデモートの伯父の魔法使い。髪はぼうぼうで泥まみれなので何色だか分からない。歯が何本か欠け、小さい目は暗く、両目がそれぞれ逆の方向を見ている。サラザール・スリザリンの末裔《まつえい》の一人。純血で蛇語を話す。

父親マールヴォロや妹メローピーと一緒に、リトル・ハングルトンの村はずれに住んでいたモーフィンは1925年夏、村のマグル（ヴォルデモートの父親のトム）に魔法をかけ、魔法省の尋問《じんもん》を受けることになる。尋問の召喚状を届けに来た役人ボブ・オグデンに襲いかかったため、その場で逮捕され、三年間のアズカバン送りとなった。1928年に出所するが、このときすでに父親は死亡、妹はスリザリンのロケットを盗み、村のマグルと駆け落ちをしていた。1943年夏ゴーントのあばら家ですさんだ生活を送っていたモーフィンの許《もと》に、甥のヴォルデモートが訪ねて来る。ヴォルデモートはモーフィンに失神呪文をかけ、杖を奪ってリドルの家に行き、一家三人を殺害。あばら家に戻り、複雑な魔法で伯父に偽《にせ》の記憶を植えつけ、マールヴォロの指輪を盗んで姿をくらました。モーフィンはリドル一家殺害の容疑で取調べを受けたが、すぐに自白したためアズカバンに収容され、そのまま牢獄で人生を終えた。モーフィンの遺体はアズカバンの脇に埋葬されている。

Morfin は英語 morphine（モルヒネ）の同音異義語。モルヒネはアヘンに含まれるアルカロイドで麻酔剤、鎮痛剤に用いられるが、習慣性が著しいため麻薬に指定されている。モルヒネの語源は、ギリシア神話の夢の神モルペウス（眠りの神ヒュプノスの子）。

［⑥上**306～324**、下**065～070**］

ゴーントの小屋
【Gaunt cottage／Gaunt shack】 ⑥**10**-上**303**

マールヴォロ・ゴーントとその二人の子供が住んでいた小屋。リトル・ハングルトンの村はずれの森の中に、隠れるように建っている。家の壁は苔むし、屋根瓦《やねがわら》がごっそり剥《は》がれ落ちて、垂木《たるき》がところどころむき出しになっている。はびこったイラクサの先端が窓まで達し、小さい窓には汚れがべっとりこびりつき、入り口の扉には蛇の死骸《しがい》が釘で打ち付けられている。小屋の内部には小さな部屋が三つあり、台所と居間を兼ねた部屋が中心に使われていた。

この家の木立のそばに、村に続く曲がりくねった道が通っており、村のハンサムなマグル、トム・リドルはよく馬に乗ってそこを通り過ぎていた。トムに恋したマールヴォロの娘メローピーは、彼が通るたびに覗《のぞ》いていたため、怒った兄のモーフィンはトムに呪いをかけ、蕁《じん》麻疹《ましん》だらけに。魔法法を破った彼に対し、ボブ・オグデンは1925年夏、尋問《じんもん》の召喚状を持ってこの小屋に現れた。その18年後の1943年には、子孫のヴォルデモート（トム・マールヴォロ・リドル）がここを訪れたが、このときの小屋は前よりさらに荒れ果て、天井には蜘蛛《くも》の巣がはびこり、床はべっとりと汚れ、テーブルには腐った食べ物や汚れた深鍋が転がっていた。後日マールヴォロの指輪を分霊箱にしたヴォルデモートは、この廃屋に隠して幾重にも強力な呪いを施して保護したが、1996年にダンブルドアに発見され、破壊された。「ゴーントの小屋」初出は6巻上321ページ。

［⑥上**302～326**、下**064～070**、**281**］［⑦初出**27**章 **UK444**／**US550**］

棍棒《こんぼう》(バット)　【bat／club】

①10-246
⑥14-上438

野球のバットに似た短い棍棒。クィディッチでビーターがブラッジャーと呼ばれるボールを叩《たた》くときに使う道具。ジニーを女性として意識し始めたハリーは、自分が彼女と付き合い、棍棒を持ったロンに追いかけられる夢を見た。

[⑤上638]

さ

サイクス、ジョクンダ
ジョクンダ・サイクス
【Sykes, Jocunda】

2006年1月

（1915–現在）箒《ほうき》による大西洋横断飛行の最初の成功者。

［JKR 公式サイト「今月の魔法使い」］

催眠豆
【Sopophorous Bean】

⑥09–上286

生ける屍《しかばね》の水薬の材料の一つ。銀の小刀の平たい面で砕くと、普通に切ったときよりも多くの汁が出る。

Sopophorous は、ラテン語 sopor「眠気」、「睡眠剤」と、英語の -phorous「～を持つ（=bearing）」の合成語。

冴《さ》えた解答羽根ペン
【Smart Answer quill】

⑥06–上178

双子のウィーズリー・ウィザード・ウィーズ（WWW）の商品。気の利《き》いた答えを勝手に書き込んでくれる羽根ペンのようである。「綴《つづ》りチェック」のように、長く使っていると、ペンにかかっている呪文の効果は消えるのかもしれない。

逆《さか》火《び》呪い
【Backfiring Jinx】

⑥05–上131

1996年8月、エレファント・アンド・キャッスルで発生した性質《たち》の悪い呪い。この垂《た》れ込みを受けてウィーズリーおじさんが部下とともに現場に駆けつけたが、幸いにも到着したときは魔法警察部隊が事態を収拾していた。

ザ・クィブラー
【Quibbler, The】

⑤07-上215
⑥07-上207

魔法界の異色の雑誌。この世に存在しないとされる生き物の目撃情報や、有名人に関する有り得ないでたらめの記事などが載っている月刊誌。ルーナ・ラブグッドの父親が編集長(editor)。リータ・スキーターは「あたしゃあのボロ雑誌の臭い記事を庭の肥やしにするね」とこき下ろすが、ルーナは「大衆が知る必要があると思う重要な記事を載せている」と信じている。ふだんは「シリウス・ブラックは本当に黒なのか？大量殺人鬼？それとも歌う恋人？」などの怪しげな記事を紹介しているが、1996年3月号では、ハリーの独占インタビューを掲載。『日刊予言者新聞』が隠していた真実を明らかにした。この号は、かつてないほどの売れ行きを見せて増刷され、記事は魔法省がヴォルデモートの復活を認めたのちに、『予言者新聞』に高く売れたため、ラブグッド親子はそのお金でしわしわ角スノーカックを捕まえにスウェーデンに行った。ハーマイオニーは、当初この雑誌のことをクズだと酷評していたが、最近では黙認するようになっている。雑誌の寄稿者にギャラは払わないという。

Quibbler は英語で「屁理屈屋」、「難癖屋」、「どうでもいいことを議論する人」の意。

［⑤上**308**、下**233**～**235**、**250**～**252**、**257**、**663**］［⑦初出**15**章 **UK246**／**US 299**］

桜
【cherry】

⑥07-上208

ネビルの杖に使われている木。

桜の木は、古くから「災いから守る木」とされ「教育」や「偉大なる精霊」のシンボルと見なされていた。紋章学では「謙譲」、「富」や「歓待」を表徴している。

［⑦初出**13**章 **UK214**／**US260**］

錯乱(の)呪文 【Confundus Charm／Confunded】

③**21-506**
⑥**11-上342**

相手を混乱させる呪文。これを唱えられた人をconfunded(錯乱呪文をかけられた)と呼ぶ。3巻ではスネイプが、「シリウスがハリーたち三人に錯乱の呪文を唱えた」とファッジに言い張った。4巻では、クラウチ氏の息子がこれを炎のゴブレットにかけ、試合には三校しか参加しないということを忘れさせてから、ハリーの名前を四校目の候補者としてゴブレットの中に入れた。6巻では、クィディッチ選抜の最中に、ハーマイオニーがこれをマクラーゲンに唱えてミスを誘発させ、ロンがキーパーに選ばれるよう仕向けた。

Confundusはラテン語confundo「混乱させる」の所相的形容詞。

［⑥上**351**、**432**］［⑦初出**1**章 **UK011**／**US004**］

叫びの屋敷 【Shrieking Shack】

③**05-102**

ホグズミードにある薄気味悪い屋敷。村はずれの小高い場所に建っている。窓には板が打ちつけられ、庭は草ボウボウで、昼日中《ひるひなか》でも薄気味悪い。『魔法の史跡』の本には、ここが「イギリスで一番恐ろしい、呪われた幽霊屋敷」と書いてあるが、実はリーマス・ルーピンが学生時代、満月の晩になるとここに来て、狼人間に変身していたため、そういう噂が立った。ここで狼になり、噛《か》むべき対象の人間から引き離されたルーピンは、代わりに自分自身を噛んだり引っ掻《か》いたりしていたので、その騒ぎや吼《ほ》え声を聞いた村人は「呪われた屋敷」と考えたのである。ルーピンがホグワーツに入学すると、校庭からこの屋敷に繋《つな》がるトンネルが作られ、その入り口に暴れ柳が植えられた。内部の部屋は雑然として埃《ほこり》っぽく、壁紙は剥《は》がれかけている。床は染みだらけで、家具という家具はすべて破損している。3巻でハリーたちは、犬に変身したシリウス・ブラックの跡を追ってこの屋敷内に入り、ピーター・ペティグリューやルーピン、シリウスの正体を知った。5巻でベラトリックス・レストレンジらがアズカバンから集団脱獄したときは、彼らがここに潜伏しているという噂が、生徒のあいだで流れた。

[⑤上**585**][③**361**、**436**、**456**~**457**][⑦初出**15**章 **UK251**/**US305**]

砂糖羽根ペン
【sugar quill】

③05-102
⑥12-上368

ハニーデュークスで売っている、羽根ペンの形をした甘いお菓子。授業中に舐《な》めていても、次に何を書こうか考えているように見えるので、先生に気づかれない。ハリーが6年のときは、これの特大サイズの新商品「デラックス砂糖羽根ペン」が発売された。

サナダムシ
【tapeworm】

⑥23-下266

グリフィンドール寮に入るときの合言葉。1997年4月ころに使われた。

ザビニ、ブレーズ
ブレーズ・ザビニ
【Zabini, Blaise】Ⓢ

①07-182
⑥07-上217

(1980?-)ハリーと同学年のスリザリン生。頬骨《ほほぼね》が張り、細長い目が吊《つ》り上がった背の高い黒人の男子生徒。高慢な風貌《ふうぼう》をしている。スラグ《なめくじ》・クラブのメンバー。マグルの血に偏見を持ち、ジニーのことを「血を裏切る汚れた小娘」と罵《ののし》った。そのジニーからは「あなたには、格好をつけるという才能があるものね」と嫌味を言われている。

[⑥上**231**、下**100**]

サベッジ
【Savage】MM

⑥08-上240

闇祓《やみばら》い。ハリーが6年のときに、トンクスやプラウドフット、ドーリッシュとともにホグワーツの警備に当たった。

Savageは、英語で「野蛮人」、「新入りの(やたらに逮捕したがる)ポリ公」(俗語)などの意味がある。

サマセット州
【Somerset】

⑥01-上022

イギリスの西部地域に属する州。1996年夏(6巻)に恐ろしい惨事に見舞われた。ハリケーンに襲われたことになっているが、実は死喰《しく》い人《びと》と巨人の仕業《しわざ》。しかし、魔法生物規制管理部の大半の職員がサマセットを捜索したが、巨人の姿は見つからなかった。

サマセットは、西部地域の中では最も北(東)の州。パレット川が流れるサマセット平野を中心に、エクスムア、ブレンドン、メンディップなどの丘陵地帯から成る。イギリスの代表的な温泉地バースや、貿易で発展した港町ブリストル、エクスムーア国立公園、チェダー峡谷などが有名。

サマービー、フェリックス
フェリックス・サマービー
【Summerbee, Felix】

2004年5月
2005年5月

(1447-1508)元気の出る呪文の発明者。

Felixは、ラテン語で「幸福な」という意味。

[JKR公式サイト「今月の魔法使い」]

三角帽
とんがり帽子(6巻)
【pointed hat／witch's hat】

①05-101
⑥03-上068

魔法使いや魔女がかぶる先の尖《とが》った帽子のこと。ウィーズリー双子は、小さな星のように輝くダイヤがちりばめられた濃紺の三角帽子を、1996年のクリスマスに母親にプレゼントした。ダンブルドアは、旅行用の長い黒マントにとんがり帽子という、ずばり魔法使いそのものの出《い》で立ちでダーズリー家を訪れ、バーノン叔父さんの息を一時的に止めてしまった。スプラウト先生は、いつもは継ぎはぎだらけの帽子をかぶっているが、ダンブルドアの葬儀に列席したときは、こざっぱりとした恰好《かっこう》で、帽子の継ぎは一つもなかった。

ホグワーツの制服に指定されているのは、黒い無地の(プレーンな)三角帽子。ハリーが1年のときのクリスマス・ディナーのとき、ダンブルドアは自分の三角帽子と花飾りのついた婦人用の帽子を交換してかぶり、フリットウィック先生の読み上げるジョークを楽しんだ。

[⑥下**028**、**488**][①**297**]

サングィニ
【Sanguini】

⑥15-上479

吸血鬼。背が高くやつれていて、目の下に黒い隈《くま》がある。友人のエルドレド・ウォープルと一緒に、スラグホーンのクリスマス・パーティに参加した。

サングィニは、フランス語 sanguin「血の」、またはラテン語 sanguino「血に飢えている」からの造語であろう。

三大魔法学校対抗試合
三校対抗試合
【Triwizard Tournament】

④12-上290
⑥01-上016

ヨーロッパの三大魔法学校、ホグワーツ、ダームストラング、ボーバトンが集まって行う親善試合。魔法界の相互理解を深める目的で、約700年前に始まった。各校から代表選手が一人ずつ選ばれ、三人が三つの魔法競技（課題）を争う。課題をいかに上手くこなすかによって点数がつけられ、三つの課題の総合点の最も高い者が優勝する。

5年ごとに三校が持ち回りで競技を主催していたが、何百年か前におびただしい数の死者が出たため、それ以降中断されていた。しかし、イギリス魔法省の国際魔法協力部と魔法ゲーム・スポーツ部が準備を行い、再開のときが来たと判断され、ハリーが4年生の年（1994-1995）にホグワーツで開催されることになった。審査員は、三校の校長とバーティ・クラウチ、ルード・バグマンの五人。優勝した学校には優勝杯と名誉が、選手個人には優勝賞金1000ガリオンが与えられた。1994年10月30日にボーバトンとダームストラングの代表団が来校し、10月31日のハロウィーンの日に炎のゴブレットが代表選手を選出。その後杖調べの儀式を経て、11月24日に第一の課題、翌年2月24日に第二の課題、そして6月24日に第三の課題が行われた。三校対抗試合の伝統として、クリスマスにはダンスパーティが開かれ、代表選手とそのパートナーが、最初に踊ることになっている。

選手にエントリーできるのは17歳以上の生徒で、候補者を受け付ける炎のゴブレットの周りには、16歳以下の者が立候補できないように年齢線が引かれた。代表者選出の当日、ダームストラングからはビクトール・クラム、ボーバトンからフラー・デラクールが代表選手に選ばれるが、ヴォルデモートの陰謀で、ホグワーツからセドリック・ディゴリーとハリー・ポッターの二人が指名されてしまう。

第一の課題は母親ドラゴンが抱えた卵の中から金の卵を取って来るというもので、ハリーは、ファイアボルトに乗って最短時間で金の卵を取り、クラムとともに50点満点中40点を獲得し同点一位となった。続く第二の課題はホグワーツの湖に潜《もぐ》り、水中人歌《マーピープルソング》を頼りに一時間以内に代表選手の人質を探し出し、連れ戻すという内容。ハリーはドビーから貰《もら》った鰓《えら》昆布を使って湖底に潜り、ロンだけを助ければ良かったが、フラーが水魔に襲われ湖底に来れなかったため、彼女の人質の妹ガブリエルまでも一緒に水上に連れて帰った。ハリーの行動には道徳点が加算され、ハリーが45点、フラーが25点、セドリックは47点、クラムは40点で、ハリーとセドリックが同点一位になった。最後の第三の課題では、迷路の中心に置かれた優勝杯に最初に触れた選手に満点が与えられるというもので、ほぼ同時に優勝杯の前に到着したハリーとセドリックは話し合い、二人一緒にカップに触り引き分けで優勝することにする。しかし、カップに触れるとそれは移動《ポート》キーにすり変えられており、両者ともリトル・ハングルトン村へ連れ去られてしまう。セドリックはそこであっけなく殺され、ヴォルデモートはハリーの血などを使い復活。二人は対決することになるが、ハリーとヴォルデモートの杖は同じ材料を使った兄弟杖であったため、二つは繋《つな》がり、ヴォルデモートの杖から殺された犠牲者のゴースト（木霊《こだま》）が現れる。ハリーはその木霊に助けられながら、危ういところでホグワーツに生還。優勝者となりヴォルデモートの蘇《よみがえ》りや陰謀を伝えるが、魔法大臣ファッジは信じようとせず、ダンブルドアと決別してしまったのであった。

［⑤上**173**、**342**、**539**］［④下**556**］［⑦初出**2**章 **UK029**／**US027**］

三本の箒《ほうき》 【Three Broomsticks】

③08-206
⑥12-上369

ホグズミードの居酒屋。店内は広々としていて暖かく清潔、いつもお客で賑《にぎ》わっている。主人は小粋《こいき》な顔をした脚線美《きゃくせんび》のマダム・ロスメルタ。人気の飲み物は、泡立った熱いバタービール。古くからある店で、シリウス・ブラックやジェームズ・ポッターも在学中はよくここを訪れていた。先生方もここに立ち寄ることがあり、3巻でマクゴナガルは「ギリーウォーターのシングル」、ハグリッドは「ホット蜂蜜《はちみつ》酒《しゅ》4ジョッキ分」、フリットウィックは「アイスさくらんぼシロップソーダ　唐傘《からかさ》飾りつき」、ファッジは「紅い実のラム酒［redcurrant rum レッドカーラント（赤フサスグリ）のラム］」を注文した。ダンブルドアも、しばしばここに飲みに来るという。6巻では、ドラコに操られていたロスメルタがここのトイレで待ち伏せし、入ってきたケイティ・ベルに服従の呪文をかけて、呪われたネックレスをダンブルドアに届けるよう命令した。

［⑥上**378**、下**222**、**358～359**］［⑤上**527**、**581**、下**214**、**509**］［③**259**、**264**］

［⑦初出**28**章 **UK447**／**US554**］

し

シェリー酒 【sherry】

⑤**25**-下**209**
⑥**10**-上**296**

トレローニーが常飲している酒。5巻でアンブリッジの執拗《しつよう》な査察を受けたトレローニーは、そのストレスから酒に手を出すようになり、6巻でも飲酒癖は直らず、料理用の安物のシェリー酒の臭いをプンプンさせながら、ホグワーツを徘徊《はいかい》していた。

シェリー酒はスペイン南西部アンダルシア地方原産のアルコール度の強い白ワイン。独特の香りがあり、イギリスでは食前酒として愛飲されている。フィノ型とオロロソ型に大別され、フィノ型にはフィノ、マンサニリャ、アモンティリャドの3種類があり、オロロソ型にはオロロソとパロ・コルタドがある。最も品質のよくないものが料理用になる。

［⑥上**482**、下**336**］

シーカー 【Seeker】

①**09**-**223**
⑥**24**-下**319**

クィディッチのポジションの一つ。シーカーの役目は各選手のあいだを縫うように飛び回り、相手のシーカーより早く金のスニッチを捕まえること。通常、最も身軽ですばしこく、速く飛べる者がシーカーになる。同時に目がきくことと、片手または両手を箒《はうき》から離して飛ぶ技術も必要である。金のスニッチを捕まえさえすれば負けていた試合を逆転勝利に持ち込むこともしばしば可能なので、シーカーの役目はとても重要。華やかなポジションであるが、試合中敵側から妨害されることも多く、一番ひどい怪我をするのもシーカーである。ハリーは1年生のときに最年少の寮代表選手に選ばれ(百年ぶり)、以来ずっとこれを務めてきたが、5年生では1995年11月からクィディッチ終身禁止の処罰を受け(学年末に解除)、また6年生では1997年5月からスネイプの罰則で試合に出られず、そのあいだは代わりにジニー・ウィーズリーがシーカーを務めた。

英語でseekerは「探し求める人(探索者)」という意味。

【歴代シーカー】

■ **グリフィンドール**…チャーリー・ウィーズリー(1985?–1991?)、ハリー・ポッター(1991–1997)、ジニー・ウィーズリー(1995–1996、1997–)。

■ **レイブンクロー**…チョウ・チャン(1993–1997)。

■ **ハッフルパフ**…セドリック・ディゴリー(1993–1994)、サマービー(1995–)。

■ **スリザリン**…テレンス・ヒッグズ(1991–1992)、ドラコ・マルフォイ(1992–1997?)、ハーパー(マルフォイ)の代理。

[⑤上**300**、**656**、下**058**][③**220**、**330**][②**163**][①**274**][ク**050**][⑦初出7章 **UK108**／**US127**]

死《し》喰《く》い人《びと》

デス・イーター

【Death Eater】DE

④**09**–上**221**
⑥**01**–上**022**

ヴォルデモートに忠誠を誓った闇の魔法使い。ヴォルデモートのことを「闇の帝王」と呼んでいる。左腕の内側に死喰い人を示(P221へ)

死《し》喰《く》い人《びと》メンバー

名前	1970年代 ヴォルデモート 第一次全盛期	1995年復活後 ヴォルデモート 第二次全盛期
アントニン・ドロホフ	○初・教	○神
ロジエール(大)	○初・教	?
レストレンジ(大)	○初	?
エイブリー(大) (ヴォルデモートと同学年)	○初	?
ノット (セオドール・ノットの父)	○教	○神
マルシベール(大)	○教	○神
ラバスタン・レストレンジ(小)	○	○神
ロドルファス・レストレンジ(小)	○	○神
ベラトリックス・レストレンジ	○	○神
ヤックスリー	○	○
ルシウス・マルフォイ	○	○神
ワルデン・マクネア	○	○神
クラッブ (ビンセント・クラッブ父)	○	○神
ゴイル (グレゴリー・ゴイル父)	○	○神?
エイブリー(小) (スネイプと同期)	○	○神
オーガスタス・ルックウッド	○	○神
トラバース	○	○
セブルス・スネイプ(?)	○	○ホ
ワームテール	○	○
フェンリール・グレイバック	○	○ホ
レギュラス・ブラック	○死亡 (1979年)	—

ウィルクス	○死亡 (1980年)	—
エバン・ロジエール(小) (スネイプとホグワーツで同グループ)	○死亡 (1980年頃)	—
バーティ・クラウチ(息子)	○	○吸魂鬼《ディメンター》のキス (1995年)
イゴール・カルカロフ	○	逃亡後殺害 (1996年)
ジャグソン	?	○神
アミカス・カロー	?	○ホ
アレクト・カロー	?	○ホ
Thorfinn Rowle トルフィン・ロウル(A) (C と同一人物の可能性あり)	?	○ホ (巨大なブロンド)
ギボン(B) (C と同一人物の可能性あり)	?	○ホ死亡 (1997年)
厚ぼったい野蛮な顔(C) (B または A と同一人物の可能性あり)	?	○ホ
マルシベール(小) (スネイプと同期)	?	?
ドラコ・マルフォイ	—	○ホ
Selwyn セルウィン	?	○
ルード・バグマン(?)	?	?

※死亡は6巻までの情報

※初：初期のメンバー(学生時代からの友人)

※教：1956年ごろホグワーツ教職志願時にホッグズ・ヘッドで待機

※神：1996年6月神秘部(魔法省)の戦い(5巻)

※ホ：1997年6月ホグワーツの戦い(6巻)

※トルフィン・ロウルとセルウィンは7巻で登場

(P218から)す闇の印が烙印《らくいん》され、お互いを見分ける手段かつ召集する方法となっている。メンバーはマルフォイのような差別的な純血主義者や野心家、ワームテールのように帝王が下す罰に怯《おび》え恐怖心から従う心の弱い者によって構成。ヴォルデモートの最も忠実な従者となることを望み、闇の帝王から信頼や寵愛《ちょうあい》を得ようとやっきになっているが、実はヴォルデモートに欺《あざむ》かれ、敵と同じように情け容赦なく扱われている。純血のふりをしているが大半のメンバーは半純血の出身。マグル生まれや血を裏切る者を嫌悪しているため、マグル生まれはごくまれな場合を除いて死喰い人になることが許されない。一度死喰い人となった者は辞めることはできず、死ぬまでヴォルデモートに仕えることになる。逃げ出した者には、死が待っている。

ホグワーツに入学したヴォルデモート(トム・リドル)は、高学年になると献身的な「友人」を取り巻きにし始める。友人といっても名ばかりで、実際は彼らに友情を感じたことはなかったが、彼の許《もと》には保護を求める弱い者や栄光のおこぼれに与《あずか》りたい野心家、自分たちより洗練された残酷さを見せてくれるリーダーに惹《ひ》かれた乱暴者などが集まった。ヴォルデモートに厳重に管理されていたため、明るみに出たことはなかったが、彼らは陰で生徒に悪行を重ね、陰湿な事件を起こしていた。ノットやロジエール(大)、マルシベールなど、その中の何人かはホグワーツ卒業後に最初の死喰い人になり、ヴォルデモートが教職を求めてホグワーツを訪れた際にホッグズ・ヘッドまで同行している。

ヴォルデモートの第一期全盛期(1970年代)には許されざる呪文を使い、多くの魔法使いやマグルを拷問・殺害・服従させて魔法界を恐怖に陥《おとしい》れた。しかし、ヴォルデモートがハリーを殺し損ねてひとたび姿を消すと、その多くがアズカバン行きを逃れるために闇の帝王との関係を否定し日常生活に戻っていった。このためヴォルデモートが蘇《よみがえ》ると、復讐《ふくしゅう》を恐れて逃げ出した死喰い人(カルカロフ)もいる。

1995年の闇の帝王復活後は、その許に馳《は》せ参じ、再び恐怖の殺戮《さつりく》を開始。許されざる呪文を使い魔法使いや魔女を従わせ、闇の陣営を拡大していった。魔法省の神秘部から予言を盗み出す任務には失敗したものの、1997年6月にはホグワーツに侵入。死喰い人のグレイバックがビル・ウィーズリーを襲い、スネイプがダンブルドアを殺害した。

英語でデス death は「死」、イーター eater は「食べる人」のこと。デス・イーター Death Eater で「死喰い人」を指す。JKR は2003年のインタビューで、死喰い人はかつて Knights of Walpurgis（ヴァルプルギスの騎士）と呼ばれていたと明かしている。これは Walpurgis Night ヴァルプルギスの夜祭（ドイツ語名は Walpurgisnacht）の言葉遊び（Night と Knight を掛けている）で、ヴァルプルギスの夜祭とは、聖ヴァルプルガの祝日（5月1日）の前夜を指し、ドイツではこの晩ブロッケン峰（ドイツ中部ハルツ山地の最高峰）に魔女が集まり魔王と酒宴を開くという言い伝えがあった。転じて Walpurgis Night には、「悪夢（魔女の狂宴）のような出来事」という意味もある。

[⑥上**064～065**、**363**、**419**、下**050**、**062～063**、**186～187**、**405**、**409**、**420**、**426**、**429～430**、**446**、**457**][⑤上**080**、**184～185**、下**263**、**606～697**][④下**441**、**451**、**486**、**490**][①**438**][**EBF**]

舌を口蓋《こうがい》に貼りつけてしまう呪い
【jinx that glues the tongue to the roof of the mouth】

⑥12−上359

謎のプリンス（スネイプ）が発明した呪文。呪文の言葉は「ラングロック！金縛り！」。スネイプの『上級魔法薬』の本に書かれていた。ハリーはこれをアーガス・フィルチに二度仕掛けて、やんやの喝采《かっさい》を受けた。

シックル
【Sickle】

①05−109
⑥06−上185

魔法界の銀貨。1シックルは29クヌートに相当。17シックルで1ガリオン。1巻の初期の版ではドラゴンの肝1オンス（約30g）は当初17シックルであったが、この値段だと1ガリオンになり、シックルで表すのは不自然であるため、原書改訂版では16シックルに変更された。

【魔法界の物価(シックル)】

- **両腕いっぱいのお菓子**(ホグワーツ特急)…11シックル7クヌート
- **夜の騎士《ナイト》バスの運賃**(マグノリア・クレセント→ロンドン)…11シックル
- **夜の騎士バスの運賃**(グリモールド・プレイス12番地→ホグワーツ)…11シックル
- **夜の騎士バスの熱いココア**…2シックル
- **夜の騎士バスの湯たんぽと好きな色の歯ブラシ**…2シックル
- **ドラゴンの肝1オンス**(約30グラム)…16シックル

[⑤上**207**、下**169**][③**048**][①**152**]

実験(的)呪文委員会

【Committee on Experimental Charms／Experimental Charms】 **②03-058**

魔法実験に使われた動物や器具などを取り締まる委員会。メンバーに角の生えたギルバート・ウィンプルという人物がいる。1992年にモートレイクという魔法使いが、奇妙なイタチのことでこの委員会の尋問《じんもん》を受けた。2巻では「実験的呪文委員会」だが、4巻では「実験呪文委員会」と和訳されている。

[④上**133**][⑦初出**13**章 **UK209／US253**]

失神(の)呪文

【Stunning Spell】 **④19-上503** **⑥16-下013**

相手を失神させる魔法。呪文の言葉は「ステューピファイ！麻痺《まひ》せよ！」。これを唱えると杖先から炎のように赤い失神光線が発射される。6巻では、フレッドの踵《かかと》に噛《か》みついた庭小人がこれをかけられ、天使の恰好《かっこう》でクリスマスツリーのてっぺんに飾られた。ヴォルデモート(トム・リドル)は16歳の夏ゴーントの家に行き、伯父のモーフィンにこれを唱えて杖を奪った。ホグワーツの戦い(1997年6月)では、スネイプがフリットウィックにこれをかけた。

[⑥下070][⑤下468][⑦初出4章 UK053／US057]

実践的防衛術と闇の魔術に対するその使用法
【Practical Defensive Magic and its Use Against the Dark Arts】 ⑤23-下133

「闇の魔術に対する防衛術」に関する本。ハリーが5年生のときのシリウスとルーピンからのクリスマスプレゼント。呪いや呪い崩しの呪文の記述一つ一つに、動くカラーの素晴らしいイラストがついている。

[⑦初出2章 UK025／US021]

尻尾《しっぽ》爆発スクリュート
【Blast-Ended Skrewt】 ④13-上303 ⑥11-上329

ハグリッドが火蟹とマンティコアをかけ合わせて創った新種の生物。ハリーはこれを4年生の「魔法生物飼育学」で学んだ。

孵《かえ》ったばかりのスクリュートは、殻《から》をむかれた奇形の伊勢エビのような姿をし、青白いヌメヌメした胴体から勝手気ままな場所に脚が突き出し、顔らしい顔が見えなかった。体長は約15～6センチで腐った魚のような強烈な臭いを発し、100匹ほどが一つの箱の中に入れられた。2ヵ月後には体長が1メートル近くに成長し、早くも凶暴性を発揮。お互いに殺し合いを始め、ハグリッドは残っていた20匹を別々の箱に入れることにした。その数日後には1メートルを超え、分厚い灰色に輝く鎧《よろい》のようなものに覆われた巨大なサソリと引き伸ばした蟹をかけ合わせたようなシロモノに成長した。相変わらずどこが頭か目なのか皆目《かいもく》分からない姿で、その先端からバンとびっくりするような爆発音をたてた。ハグリッドは授業中、この状態のスクリュートに引き綱をつけて散歩させるよう命じ、クラス中をゾッとさせた。12月になると残りわずか10匹となり、スクリュートの殺し合い願望は運動させても収まらないことが証明された。それぞれが2メートル近くまで成長し、灰色のぶ厚い甲殻《こうかく》と強力で動きの速い足や、火を噴射する尾と刺《とげ》と吸盤などを持ち、ハリーがこれまで見た中で、最も気持ちの悪い姿になった。フワフワの毛布と枕を置いた巨大な箱に入れ冬眠するか試してみるが、予想に反してかぼちゃ畑で暴れまわり、生徒は逃がすものかと必死で取り押さえた。この模様をリータ・スキーターに目撃され、『日刊予言者新聞』上で“危険極まりない生物”と、彼女にしては平凡な表現で記事にされた。第三の課題では、長さ3メートルのものすごい大きさで登場。巨大なサソリそっくりの姿で長い刺を背中の方に丸め込み、尻尾から火を吹きながらハリーめがけて襲いかかった。ハリーはかろうじて妨害の呪いを殻のない肉の部分にあてて逃げ切った。結局、最後まで何が好物なのか分からずじまいだったが、口があるように見えないのに一体どのようにして餌《えさ》を食べていたのか、こちらも大いに謎である。

6巻では、ハーマイオニーがクラムとキスしたことを知ったロンが、一夜にして平均的な尻尾爆発スクリュート並みの凶暴な生き物に変身し、爆発寸前でいまにも尻尾で打ちかかりそうになった。

[⑥上**438**][⑤上**409**、下**053**、**473**][④上**304～305**、**408**、**456**、下**013**、**123**、**414**、**551**][⑦初出**2**章 **UK024**／**US021**]

自動インク羽根ペン
【Self-Inking quill】

⑥**06**–上**178**

ウィーズリー・ウィザード・ウィーズ(WWW)の商品。インク瓶がなくても自動でインクが出てくる羽根ペン。

自動速記羽根ペンQQQ
【Quick-Quotes Quill】

④**18**–上**470**

でっちあげの記事を書く、魔法のかかった羽根ペン。ペン先を口に含んでちょっと吸い羊皮紙の上に垂直に立てると、ペンは勝手に動き出し目の前で話されていることを脚色して、デタラメの記事を書き始める。リータ・スキーター愛用のQQQは長くて黄緑色。リータのような醜聞《しゅうぶん》を書き立てるゴシップ記者の必須アイテム。

[⑤下**229**、**231**][⑦初出**2**章 **UK027／US024**]

死神犬 グリム 【Grim】

③06–141

墓場に取り憑《つ》く巨大な亡霊犬のこと。大凶の前兆とされ、この姿を見た者は死ぬと言われている。3巻の「お茶の葉占い」の授業で、ハリーのカップの中にこの模様を見たトレローニーは、彼に死の予告をした。

グリムはゴブリン(悪意を持つ妖精の一般名称)の別名の一つで、おおかたは黒妖犬(全身真っ黒な毛むくじゃらの大きな犬。燃えるような赤い目を持つ)の姿で現れる。たいていは危険で、人間に話しかけられたり攻撃されると恐ろしい力を発揮する。ただし、「教会グリム」と呼ばれるものは悪魔や魔女から教会の墓地を守る霊と信じられ、人間の手助けをすると考えられていた。初期キリスト教時代には、新しい教会墓地ができたときは最初に埋葬された人が墓地を悪魔から守らなければならないという俗信があったが、人の霊にその義務を負わせないために、代わりに真っ黒い犬が墓地の北側に埋められるようになったという。この教会グリムは滅多に人の前に現れないが、その姿を見た者は、まもなく死ぬと信じられていた。

[⑦初出**8**章 **UK119／US142**]

死の呪文(呪い) 【Killing Curse】

④14–上335
⑥03–上061

殺人呪文の「アバダ　ケダブラ」のこと。これを唱えると杖先から緑色の閃光が発射される。防ぎようのない呪文で、これを直接受けて生き残った者は、ハリー・ポッターただ一人である。

[⑥下**455**][⑦初出**4**章 **UK053／US057**]

忍びの地図 【Marauder's Map】

③10-249
⑥18-下100

ホグワーツ城と学校の敷地全体の詳しい地図。ハリーの所有物。一見、何も書かれていない大きな古ぼけた羊皮紙だが、杖を軽く当て「われ、ここに誓う。われ、よからぬことをたくらむ者なり」と言うと、たちまち地図が現れる。そして軽く叩《たた》いて「いたずら完了」と唱えると地図は消える。城の各階の詳細な図面のほか、抜け道やそこを通るのに必要な呪文までもが現れるので、たいへん便利。城の住人は、名前入りの小さな黒い点で表示される。

作者はムーニー(リーマス・ルーピン)、ワームテール(ピーター・ペティグリュー)、パッドフット(シリウス・ブラック)とプロングズ(ジェームズ・ポッター)。学生時代、月に一度狼に変身するリーマスに付き合い、親友の三人も満月の晩に動物に姿を変えて校庭やホグズミードを歩き回っているうちに、隅々《すみずみ》まで詳しくなり、この地図を作り上げた。その後フィルチに没収され、地図は事務所の「没収品・特に危険」の引き出しに保管されたが、フレッドとジョージが1年のときに盗み出し、1993年の冬、自分たちは暗記したのでもう必要ないからとハリーにプレゼントした。

透明マントを着ていても、動物もどきが動物に変身していても地図上に名前が現れてしまうが、必要の部屋だけは例外で、この地図にも表示されない。魔法によって、中に作者の言葉が記録されているため、3巻でスネイプが「汝の正体を現わせ!」と地図を突きながら唱えたときに、「スネイプ教授はろくでもない、いやなやつだ」とすでに死んでいるプロングズのメッセージが現れた。6巻では、ハリーがこれを使ってドラコ・マルフォイを見張っていた。大切な地図なので、ハリーは毎回使ったあとにトランクの中に隠している。

[⑥下**103**、**133**、**218**、**356**、**454**][⑤上**610**][④下**184**][③**370**〜**371**、**448**、**454**、**459**][**JKR** 公式サイト「**FAQ** 作品について」][⑦初出**2**章 **UK020**/**US015**]

しもべ妖精福祉振興協会 S・P・E・W《スピュー》

【Society for the Promotion of Elfish Welfare／S.P.E.W.】

④14-上348
⑥20-下178

屋敷しもべ妖精の奴隷制度に反発したハーマイオニーが、その法的立場を向上させようと4年のときに設立した団体。英語名 Society for the Promotion of Elfish Welfare の頭文字を取り、会員バッジには SPEW（エス・ピー・イー・ダブリュー）と書いてあるが、spew（スピュー）は英語で「反吐《へど》」のことなので、ロンにしばしばからかわれている。設立当初からハリーとロンは強制的に加入させられ、それぞれ書記と財務担当を押しつけられた。グリフィンドール談話室でしつこくメンバー集めをしたものの、そもそもしもべ妖精自身が望んでいない運動なので、評判は今ひとつ。入団したのはネビルのような気の弱い数人だけだった。ハーマイオニーは、5年生になっても引き続き解放活動に力を入れたが、洋服を寮内のあちこちに置くという強引な手段を用いたため、妖精たちから嫌われてしまった。ハリーはこの運動に積極的に取り組んでいないが、6巻で屋敷しもべ妖精ホキーが女主人の飲み物に毒を入れた廉《かど》で魔法省から簡単に有罪判決を受けたことを知ったときは、SPEW に強く共鳴した。

JKR は「ハーマイオニーは、助ける人たちを間違えているのです」と話している。

［⑤上**126**、**255**、**363**、**404**、**525**、**552**、**605**～**606**、下**055**］［④上**284**、**349**］

石《しゃく》楠《な》花《げ》

【rhododendron】

⑥16-下035

ウィーズリー家の庭に植えられている植物。

石楠花はツツジ科の常緑低木で、5～6月ころに紅紫色の花をつける。花言葉は「威厳」。Rhododendron は、ツツジ科ツツジ属の総称。落葉性と常緑性の二種類があり、日本では一般に前者をツツジ類、後者をシャクナゲ類と分けて呼んでいるため混乱を起こしているが、系統的には常緑と落葉とで本質的な差異はなく、ツツジ類とシャクナゲ類の区別は便宜的なものとなっている。

しゃっくり咳薬《ぜきやく》
【Hiccoughing Solution】

⑥22-下236

「魔法薬学」の授業で、スラグホーンから「何かおもしろいものを煎じてみてくれ」と言われたマルフォイが作った薬。これを見たスラグホーンは、「まあまあ」と評価した。

シャックルボルト、キングズリー
キングズリー・シャックルボルト
【Shacklebolt, Kingsley】MM OP

⑤03-上079
⑥01-上028

頭の禿《は》げた背の高い黒人の魔法使い。片方の耳に金のイヤリングをつけ、人を落ち着かせる深いゆったりした声で話す。魔法省の高度に訓練された闇祓《やみばら》いで、6巻ではマグルの首相の新しい秘書官として、首相を保護する任務についていた。もともとはシリウス・ブラックを追跡する責任者だったが、不死鳥の騎士団のメンバーに説得され入団。魔術に長《た》け、5巻でDA軍団の存在がアンブリッジに知られてしまいハリーが捕まったときは、ファッジら周囲の者に悟られぬよう、素早く密告者マリエッタ・エッジコムに呪文をかけ、記憶を修正して窮地を救った。先発護衛隊のメンバーとして5巻で初めてハリーに会った際、「ジェームズに生き写しだ」と感心しているので、ハリーの父と面識があった可能性がある。ダンブルドアの葬儀には、マッド-アイ・ムーディら騎士団のメンバーと参列した。

姓のシャックルボルト(shackle bolt)は、英語で「シャックル(U字型の鉄製の掛金)を掛ける棒状のねじくぎ」や「手錠」(方言)のこと。死喰い人を捕獲する闇祓いにふさわしい名前である。

[⑥下**488**][⑤上**083**、下**305**][⑦初出**3**章 **UK033**/**US032**]

車内販売のおばさん(魔女)
【witch with the food trolley】

①06 152
⑥30-下489

ホグワーツ特急の車内販売のおばさん。丸っこい体型でえくぼがある。ふだんは一番前の運転手の所にいて、お昼時になるとお菓子や飲み物を積んだカートを押してコンパートメントを売り歩く。6巻ではダンブルドアの葬儀に参列した。

[④上260][③105]

車内販売のカート
ランチ・カート
【trolley／lunch trolley】

①06-152
⑥07-上213

ホグワーツ特急の車内販売のこと。お昼ごろになると、丸っこい魔女が魔法界のお菓子をどっさり積んだカートを押して列車内を巡回する。おおかたの生徒は、この車内販売で昼食を調達するので、時間になると通路はお腹をすかした子供たちでごった返す。販売された商品は、バーティーボッツの百味ビーンズ、杖型甘草あめ、ドルーブルの風船ガム、蛙チョコレート、かぼちゃパイ、大鍋ケーキとかぼちゃジュース(魔女かぼちゃジュース)。このお菓子どっさりの車内販売は年寄りの消化器官にはきついので、スラグホーンは自分でランチを用意してきた。

[⑥上216][⑤上300][③105][②106]

邪魔よけ呪文
【Imperturbable Charm】

⑤04-上115
⑥06-上189

扉などに魔法のバリアを張り、盗聴から守る呪文。これがかけられていると伸び耳は使えない。扉に何か物を投げつけ、接触できなかったら「邪魔よけ」されている証拠。5巻では、双子たちがグリモールド・プレイス12番地で伸び耳を使っていたので、ウィーズリー夫人が厨房《ちゅうぼう》の扉にこれを唱えた。6巻では、ドラコ・マルフォイがボージン・アンド・バークスを訪れた際、扉にこれがかかっていなかったため、ハリーたちは伸び耳で盗聴できた。

シャンパイク、スタンレー(スタン)
スタンレー(スタン)・シャンパイク
【Shunpike, Stanley (Stan)】

③03-046
⑥11-上333

(1975?-)夜の騎士《ナイト》バスの車掌。痩《や》せてニキビだらけの、耳が大きく突き出た魔法使い。4巻では、クィディッチ・ワールドカップの森でヴィーラを口説こうとして、自分は将来魔法大臣になるんだと豪語した。6巻では、死喰《しく》い人《びと》に服従の魔法をかけられ、秘密の計画をペラペラ吹聴しているところを通報され、魔法省に逮捕されてしまった。彼の面接をした役人は全員、スタンが死喰い人ならこのみかんだってそうだという意見で一致したが、魔法省のトップは何か手を打っているという印象を世間に与えるために、そんな彼をアズカバンに拘置し続けた。ハリーは何度かスクリムジョールから協力を要請されたが、そのたびにスタンの不当な拘留を引き合いに出し、魔法省のやり方は受け入れられないと断った。

原書ではひどいコックニー訛《なま》り(ロンドンの下町ことば)を話し、ハリー(Harry)を「アリー('Arry)」、ホグワーツ(Hogwarts)を「オグワーツ('Ogwarts)」と発音している。Shunpikeは英語で「(高速道路を避けるために使う)わき道や裏道」のこと。アーニーとスタンリーはJKRの祖父の名前。騎士バスの運転手と車掌は、二人に因《ちな》んで命名されている。

[⑥上**334**、下**015**、**039**、**501**][⑤下**168〜171**][⑦初出**4**章 **UK055**/**US059**]

十秒で取れる保証つきニキビ取り
【Ten-Second Pimple Vanisher】

⑥06-上184

ウィーズリー・ウィザード・ウィーズ(WWW)のワンダーウィッチ商品。おできから黒ニキビまでよく効く。小さなピンクの壺に入っている。

守護霊
パトローナス
【Patronus】

③12-308
⑥08-上239

守護霊の呪文によって創り出される銀色に光る霊。吸魂鬼《ディメンター》やレシフォールド*とのあいだで盾になってくれる保護者。創り出す魔法使いによってその形はまちまちで、ハリーの守護霊は「牡鹿」、チョウは「白鳥」、ハーマイオニーは「カワウソ」、ダンブルドアは「不死鳥」で、5巻のディーン・トーマスは「何か毛むくじゃらなやつ」だった。本物の守護霊を創り出すのは大人でも難しいが、ハリーは13歳で有体の守護霊(はっきりとした形を持つ守護霊)を出すことに成功し、魔法法執行部部長のアメリア・ボーンズを驚かせた。呪文が正しくかからないと、杖先から銀色の霞《かすみ》のような気体しか出てこない。5巻のDA会合でこれを練習したときは、ラベンダーの杖先から銀色の煙がポッポッとしか噴出せず、彼女をいらだたせた。ネビルもこれを出すのに苦労し、顔を歪《ゆが》めて集中しても杖から出たのはヒョロヒョロした煙だけだった。リトル・ウィンジングで吸魂鬼に襲われたときに、ハリーが「やっつけろ!」と大声をあげると、守護霊は吸魂鬼に向かって突進したので、唱えた者の命令に従うようである。精神的な動揺や強い衝撃で形が変わることがあり、ルーピンとの恋に悩んだニンファドーラ・トンクスの守護霊は、四本足の生き物(おそらく狼)に変化した。「不死鳥の騎士団」の映画の中で、ルーナの守護霊は「野うさぎ」、ロンは「テリア犬」だった。

JKRによると不死鳥の騎士団のメンバーは守護霊を使って連絡を取り合っており、このような使い方を知っているのは彼らだけだという。守護霊を使う理由は、闇の魔法使いの影響に対する抵抗力が強いこと、物理的な防壁に邪魔されないこと、そしてそれぞれの守護霊は他の守護霊とまったく異なっているので、騎士団の誰が送ってきたのか一目で分かり、しかも他人の守護霊を召喚することは誰にもできないので、メンバーのあいだに偽《いつわ》りのメッセージが紛れ込む心配がないからだという。
＊黒いマントのような生き物。眠っている者に覆いかぶさって窒息死させる。
[⑥上**243**、下**030**][⑤上**032**～**033**、**059**、**227**～**228**、**521**、**538**、下**290**～**292**][③**309**][幻**072**][**EBF**][⑦初出**7**章 **UK103**／**US121**]

首席
【Head Boy/Girl】

①**04-085**
⑥**20-**下**165**

ホグワーツの首席のこと。毎年7年生の中から男女1名ずつが首席に選ばれ、学校の規則や秩序を守る任務にあたっている。監督生のリーダー役で、ホグワーツ特急などで彼らに指示を出している。ハリーの父親ジェームズは監督生にはなれなかったが、7年生で首席に選ばれた。これまで分かっている首席経験者は、ほかにリリー・エバンズ、ウィーズリー家のビルとパーシー、トム・リドル(ヴォルデモート)。

イギリスの学校には先生や生徒から選ばれた「首席」がいて、監督生をまとめたり公的な行事で学校代表を務めている。

[⑤上**263**、**273**、**294**][⑦初出**18**章 **UK288**／**US353**]

主席魔法戦士
【Chief Warlock】

①**04-080**
⑥**03-**上**062**

ウィゼンガモットの長官に対する称号。ダンブルドアはこの肩書きを持っていたが、魔法省の陰謀で1995年夏に罷免《ひめん》され、翌年6月にヴォルデモートの復活が公になると復職した。1巻では「魔法戦士隊長」と和訳されている。

[⑤上**158**、**484**、下**661**][⑦初出**2**章 **UK024**／**US020**]

呪文
呪い／呪詛《じゅそ》
【Spell／Charm／Hex／Jinx／Curse】

①**04-086**
⑥**03-**上**063**

ハリー・ポッターにはさまざまな呪文や呪い、呪詛が登場するが、作者のJKRはこれらをおおよそ次のように分類している。

- **Spell**（日本語訳はおもに「呪文」）

  一つの魔法を示す一般名称。例：変身呪文（Transforming Spell）。

- **Charm**（同「呪文、術」）

  対象の特性を根本的に変化させるのではなく、性質を付け加えたり変化させる。ティーカップをネズミに変えるのはSpellで、ティーカップを踊らせるのはCharm。失神呪文（Stunning Spells）などはグレーゾーンで、Charmだと思うが頭韻《とういん》のためにSpellにしている。

  例：毛生《は》え呪文（Hair-thickening Charm）。

- **Hex**（同「呪い、呪詛」）

  Jinx（同「呪い」）と同じようにわずかに闇の魔法との繋《つな》がりがある。ただしHexの方がやや強力。Jinxは苛《いら》立《だ》たしいけれど面白い効果を持つ呪文に使用。

  例：コウモリ鼻糞《はなくそ》の呪い（Bat-Bogey Hex）、くらげ足の呪い（Jelly-Legs Jinx）。

- **Curse**（同「呪い、術、呪文」）

  最悪の闇の魔法に使用。

  例：死の呪い（Killing Curse）、磔《はりつけ》の呪文（Cruciatus Curse）。

［**JKR**公式サイト「そのほかのこと」の「その他」］［⑦初出**1**章 **UK012／US005**］

呪文学
妖精の魔法（1巻）
【Charms】

①08-198
⑥05-上155

さまざまな呪文を学ぶ授業。担当はフリットウィック。教科書は各学年用の『基本呪文集』を使う。教室は4階。授業中は人や物が盛んに動いているので、生徒が勝手なおしゃべりをするにはもってこいの時間。ハリーが1年生のときは「ウィンガーディアム　レヴィオーサ！」を勉強し、3年生で元気の出る呪文、4年生で呼び寄せ呪文と追い払い呪文、5年生で呼び寄せ呪文の復習と、黙らせ呪文やカップに脚を造る呪文を練習した。ハリーとネビルのOWL《ふくろう》試験の成績は「良・E」、ハーマイオニーは「優・O」、シェーマス・フィネガンとロンも合格し、それぞれNEWT《いもり》レベルに進んだ。6年生では無言呪文が要求され、「清らかな水の噴水」の課題のときにシェーマスは散水ホースのように杖から水を噴出させて、フリットウィックを弾《はじ》き飛ばしてしまい、「僕は魔法使いです。棒振り回す猿ではありません」を何度も書く「書き取り罰」をさせられた。酢をワインに変える課題のときは、ハーマイオニーは完璧だったが、ハリーの酢は氷に変化。ロンのフラスコは爆発したため二人とも先生から「練習しなさい」と宿題に出された。ネビルの祖母は、学生時代に呪文学のOWLに落第したので、この教科を学ぶ価値がないと考えている。

[⑥上**156～157**、**263～265**、**328**、下**053～054**] [⑤上**406**、**588～589**、下**403**、**451～458**] [④上**364**、下**188**] [③**382**] [①**251**] [⑦初出**30**章 **UK483**／**US601**]

純血 【pure-blood】

②**07-171**
⑥**03-上075**

魔法使いの両親から生まれ、先祖に一人もマグルがいない魔法使いや魔女のこと。マルフォイ家やブラック家などは自らを純血と称し、生まれを鼻にかけているが、実はそういう家系では単にマグルやスクイブを家系図から消し去り、そんな者はいなかったふりをしているだけ。今どき本当の純血は、魔法界にほとんど残っていない。このような偽りの純血の多くは、自分たちを優等だと何の根拠もなく傲慢《ごうまん》に決めつけている。純血の中にはウィーズリー家やロングボトム家のように、マグルの血に対して偏見を持たず彼らと自由に交流している人たちもいるが、純血主義者にとってそのような家族はマグル生まれと同じぐらい憎い存在で「血を裏切る者」と呼び毛嫌いしている。純血と呼ばれる家族はみな姻戚《いんせき》関係にあり、マグルやマグル生まれとの結婚を拒否して断絶した家系もある。

JKRは公式サイトで、「純血」や「半純血」、「マグル生まれ」という言葉は、そうした区別を重視する人々だけが使うもので、その発言者の偏見を反映していると語っている。

[⑥上307、364][⑤上184、下564][JKR公式サイト|FAQ作品について」][⑦初出1章 UK018／US012]

純血よ永遠なれ 【Toujours pur】 ⑤06-上182

ブラック家のモットー。家系図に書かれている。

Toujours pur はフランス語で、英語に直すと Always pure.

[⑦初出10章 UK155／US187]

上級次官 【Senior Undersecretary to the Minister】 ⑤08-上224

ドローレス・アンブリッジの魔法省での肩書き。

Undersecretary はイギリスの「次官」のこと。日本の「事務次官」に当たるため、アンブリッジは大臣の次の地位にいることになる。

[⑦初出13章 UK206／US250]

上級魔法薬 【Advanced Potion-Making】 ⑥09-上278

「魔法薬学」のNEWT《いもり》レベルの教科書。リバチウス・ボラージ著。9ガリオン。生ける屍《しかばね》の水薬の調合法(10ページ)や毒薬の章があり、ゴルパロットの第三の法則が載っている。

6年生の新学期にこの教科書を用意していなかったハリーは、授業の初日に学校の古い本を借りた。それには調合の指示書きや呪文がぎっしりと書き込まれており、持ち主の名前はなかったが、裏表紙に「半純潔のプリンス蔵書」と書いてあった。最初は指示に懐疑的だったハリーだが、それに従って作業をすると生ける屍の水薬が上手く調合でき、フェリックス・フェリシスの瓶を獲得できたので、本を信頼するように。指示書きのお陰で突然「魔法薬学」が得意科目となったハリーは、プリンスが考案した呪文も試すようになり、足の爪が驚くほど速く伸びる呪詛《じゅそ》、舌を口蓋《こうがい》に貼りつけてしまう呪い、「マフリアート　耳塞《ふさ》ぎ」、「レビコーパス、身体浮上(無)」や「リベラコーパス！身体自由！」を次々とマスターしていった。しかし、呪文の効果は知らなかったが、ドラコ・マルフォイとの決闘で、「敵に対して」と書かれた「セクタムセンプラ！」を唱えると、マルフォイの体は見えない刀で切り刻まれたように全身血だらけになり、ハリーは処置に駆けつけたスネイプから、すべての教科書を見せるよう命じられる。ハリーは必要の部屋にプリンスの本を隠し、ロンから借りた教科書を提出し難を逃れたが、後日ホグワーツでの戦いでスネイプ本人からこの本が彼の所有物であることを知らされ、長いあいだプリンスを信じていたことを後悔したのであった。

［⑥上**285〜286**、**291**、**294**、**332〜333**、**358〜360**、下**081〜083**、**330**、**434**、**484〜485**］［⑦初出**31**章 **UK505**／**US628**］

上級ルーン文字翻訳法
【Advanced Rune Translation】

⑥07-上196

ハーマイオニーが6年生になる前の夏休みに、隠れ穴で読んだ本。おそらく「古代ルーン文字」のNEWT《いもり》レベルの教科書または参考書。

消失呪文
【Vanishing Spell】

⑤13-上406
⑥26-下380

物を消し去る魔法。呪文の言葉は「エバネスコ！消えよ！」。5年生の「変身術」の授業で学んだ。ハリーはこれをホークラックスの洞窟で、水盆に満たされていたエメラルド色の魔法薬に唱えたが、効果はなかった。

肖像画
【portrait】

①07-191
⑥01-上008

魔法界の建物の廊下や壁に飾られている人物画の主《ぬし》。彼らはすでに死んでいるが、どれも絵の中で動いたり話したり、ときにはお酒を飲

んで酔っ払ったりしている。自分の肖像画であれば、違う建物に飾られていても自由に行き来できるので、アーサーが魔法省で襲われたときはエバラードがホグワーツの校長室から省内の自分の絵の中に行き、大声をあげて助けを呼んだ。マグルの首相の執務室に掛かった蛙顔の醜い肖像画は、魔法大臣のメッセンジャーとなっている。ホグワーツの校長室に掛かった歴代校長の肖像画は、ふだんは校長とガヤガヤ話しているが、来客があると急に静かになり狸《たぬき》寝《ね》入《い》りを始める(しかし当然、話は聞いている)。太った婦人《レディ》の肖像画は、3巻でシリウス・ブラックにズタズタに切り裂かれたが、のちに見事な技術で修復された。死んでいても呪文に当たるのは怖いらしく、1997年(6巻)のホグワーツの戦いでハリーの唱えた呪文が当たりそうになると、肖像画の主《ぬし》たちは悲鳴を上げて隣の絵に逃げ込んだ。ダンブルドアの死後、校長室に彼の肖像画が追加された。

JKRは「肖像画は、ゴーストとはまったく違うものとして認識されています。ダンブルドアの校長室で歴代校長の肖像画は話をしていますが、これはそれまでの校長たちのかすかな痕跡がそこに残っているからです。校長室に自身のオーラのようなものが残っているので、現在の校長の相談に乗るくらいのことはできますが、ゴーストと違い、彼らは決まり文句のようなものを繰り返しているだけなのです。シリウスの母親の肖像も陰のような存在で、生きていたときのお得意のセリフを繰り返しているだけなのです」と解説し、「校長室の肖像画は、死んですぐには現れません。死者となる必要があるのです」と明かしている。

[⑥上**014**、**025**、下**054**、**428**、**467**][⑤上**107**～**108**、**128**、**162**、**266**、**286**、下**079**、**081**～**084**、**297**、**318**、**480**、**629**][④**080**][**JKR**公式サイト][**EBF**][**OBT**][⑦初出**1**章 **UK010**／**US002**]

城内持ちこみ禁止の品　④**12**-上**285**
【objects forbidden inside the castle】　⑥**24**-下**315**

ホグワーツ城内に持ち込みが禁止されている品々。4巻の時点で、その数437項目。リストは管理人フィルチの事務所で閲覧することができる。4巻から、叫びヨーヨー、噛《か》みつきフリスビーと殴り続けのブーメランが禁止され、6巻ではウィーズリー・ウィザード・ウィーズ(WWW)のすべての悪戯《いたずら》用具がこれに加わった。必要の部屋の中でハリーが見つけた羽の生《は》えたパチンコも、おそらく持ち込み禁止の品。

［⑥上**251**］［④上**286**］

職員室
【staff(-)room】

①**08–198**

ホグワーツ城の1階にある教職員用の部屋。奥行きのある部屋で、ちぐはぐな古い椅子《いす》がたくさん置いてある。3巻では、古い洋箪笥《だんす》に入り込んだまね妖怪を使い、ルーピンがこの部屋で、まね妖怪追放呪文の授業を行った。5巻では、部屋の扉の前に一対のガーゴイルの石像が設置された。先生方は職員室とは別に、自分専用の研究室を持っている。

［⑤上**562**、下**206**］［③**173**、**175**］［⑦初出**31**章 **UK498**／**US619**］

ジョーク鍋
【joke cauldron】

⑥**06**–上**182**

ウィーズリー・ウィザード・ウィーズ(WWW)の商品。ハリーが初めて双子の悪戯《いたずら》専門店を訪れたとき、これを買いに来たお客さんがいた。

ジョーダン、リー
リー・ジョーダン
【Jordan, Lee】 G DA

①**06–142**
⑥**14**–上**447**

(1978?–)ハリーより2年上の元グリフィンドール生。縮れた毛をドレッドヘアにした長身の魔法使い。在学中はDAのメンバーだった。フレッドとジョージの親友で、5巻では双子の「ずる休みスナックボックス」の開発や販売を手伝った。卒業するまでクィディッチの試合で解説を担当。グリフィンドール贔屓《ひいき》のコメントをして、たびたびマクゴナガルを怒らせた。しかし、双子が学校を去ってからは元気をなくし、解説にも覇気《はき》がなくなってしまった。双子が学校に残したニフラーを浮遊術でこっそりアンブリッジの部屋に入れたが、アンブリッジはこれをハグリッドの仕業《しわざ》と勘違いし小屋に夜襲をかけた。1巻では学校に大きなタランチュラを持って来た。

［⑤上**292**、**294**、**400**、**436**、**532**、**639**、下**411**、**419**、**472**］［⑦初出**8**章 **UK126**／**US151**］

ジョーンズ、グウェノグ
グウェノグ・ジョーンズ
【Jones, Gwenog】

⑥**04**–上**107**
2004年**6**月

(1968–現在)女性のみで結成された唯一のクィディッチ・ナショナルチーム、「ホリヘッド・ハーピーズ」のキャプテン兼ビーター。ホグワーツの1986年度卒業生で、スラグ・クラブ《なめくじ》のメンバー。スラグホーンとは、ファーストネームで呼び合うほど親しく、頼まれると無料でチケットを渡している。1996年10月半ばに行われたスラグホーンのディナーにやって来て、ハーマイオニーはそこで彼女と挨拶した。ハーマイオニーによると、ちょっと自意識過剰なところがあるらしい。

［⑥上**423**］［**JKR** 公式サイト「今月の魔法使い」］［⑦初出**7**章 **UK098**／**US115**］

ジョンソン、アンジェリーナ
アンジェリーナ・ジョンソン
【Johnson, Angelina】G DA

①**11**–**270**

(1977年10月–)背の高い黒人の元グリフィンドール生でDAメンバー。長く垂《た》らした髪をドレッドヘアにした魅力的な魔女。在学中はハリーより2学年上で、クィディッチ寮代表チームのチェイサーだった。6年生のとき(4巻)に行われた三校対抗試合で、代表選手に立候補したが、選ばれなかった。その対抗試合のダンスパーティには、フレッドと一緒に参加。元気を爆発させて踊り興《きょう》じ、怪我をさせられてはかなわないと、フロアの周りの人から距離を置かれた。7年生(5巻)で代表チームのキャプテンを務めたが、このときはストレスで終始気が立っていた。ハリーがアンブリッジから罰則を受け、キーパー選抜に参加できなくなるとカンカンに怒り、オリバー・ウッドが乗り移ったかのような勢いで説教した。さらに、ハリーが罰則を食らい、再び練習に参加できなくなったときは、大声で詰め寄り、マクゴナガルからこれ以上怒鳴り合いをしたらキャプテンから降ろすと言われてしまった。パンジー・パーキンソンから「頭から虫がはい出しているような髪」と野次(やじ)られたことがある。

[⑤上**356〜357**、**416〜417**、**424**、**434〜435**、**457**、**501**、**531**][④上**404**、下**094**][⑦初出**30**章 **UK485**/**US603**]

シリウスのバイク
ハグリッドのオートバイ/空飛ぶオートバイ
【flying motorbike/Hagrid's motorbike/Sirius's bike】

①**01-025**

シリウス・ブラックが愛用していた空飛ぶ乗り物。ポッター夫妻が亡くなった日、ハグリッドはこれをシリウスから譲り受け、ヴォルデモートの襲撃から生き残ったハリーをプリベット通りに届けるときに使用した。巨大なのはハグリッドが魔法をかけたから?

[⑤上**213**][③**267〜268**][⑦初出**4**章 **UK043**/**US044**]

白ふくろう
【Snowy owl】

①**05-109**
⑥**03-**上**063**

ふくろうの一種。ハリーのペットのヘドウィグは、雌の白ふくろう。

JKRはハリーのペットに白ふくろうを選んだ理由を「主人公には私が一番美しいと考えるふくろうを持たせました。イギリスには生息していない種類なので、ホグワーツでハリーに名声を与えるだろうと考えたのです」としているが、「『賢者の石』の出版が決まった後、白ふくろうは昼行性でほとんど鳴かず、しかも雌は雄よりさらにおとなしいことを知りました。だからヘドウィグが夜中に飛び回りしょっちゅう

ホーホー鳴くのは、“その大いなる魔法の証明”あるいは“私のお粗末な調合能力の証明”のどちらかです。お好きな方を選んで欲しい」と告白している。

[⑤上**105**][**JKR** 公式サイト「そのほかのこと」その他]

しわしわ角スノーカック
【Crumple-Horned Snorkack】

⑤**13**-上**413**

魔法界の未確認生物。普通の人はこれが存在するとは思っていない。生息地はスウェーデン。『ザ・クィブラー』が取材したハリーのインタビュー記事が、高値で『日刊予言者新聞』に売れたので、ラブグッド親子は1996年の夏休みにこれを捕まえにスウェーデンに行った。ルーナによると、空は飛べないという。

[⑤下**238**、**530**、**663**][⑦初出**8**章 **UK124**／**US149**]

新学期の宴（会）
新入生歓迎会
【start-of-term feast／start-of-term banquet】

①**07**-**170**
⑥**08**-上**243**

毎年9月1日にホグワーツで開かれる新入生を歓迎する祝宴。会場の大広間には見事な飾りつけが施され、何千という蝋燭《ろうそく》が宙に浮かび、テーブルに置かれた食器類をキラキラ照らし出す。先生方は部屋の奥の教職員テーブル、上級生は4つの長テーブルに寮ごとに分かれて着席。全員が見守る中、新入生がマクゴナガルに引率されて入場し、組分けの儀式が行われる。最後の一人が組分けされると、やおらダンブルドア校長が立ち上がり、「かっ込め！」といった独創的な号令を掛けて食事がスタート。目の前の空っぽのお皿は、食べ物でいっぱいになる。ひとしきりご馳走《ちそう》を食べて生徒のお腹が満たされると、再び校長が立ち上がり、学年始めのお知らせが始まる（この二つは順序が逆になる場合がある）。新任の先生の紹介やクィディッチの日程の告知のほか、管理人フィルチからの伝達事項として、城内持ち込み禁止品やらの報告が毎年繰り返されている。このダンブルドアもやや持て余し気味の伝達は、ハリーが5年のときに462回目を迎えた。5巻では、ダンブルドアのスピーチの最中、アンブリッジがバカげた咳払《せきばら》いとともに割り込むというウルトラC級の無礼度の高い技を見せ、スプラウト先生の眉毛を思い切り吊《つ》り上がらせた。

ホグワーツの校歌は1巻以降歌われていないが、JKRは「ダンブルドアは特に気分のいいときに校歌を歌わせます。魔法界にとって時代はどんどん暗くなっており、ダンブルドアが校歌斉唱を求めるとすれば、きっとそれはまた最高の気分になったときでしょう」と答えている。

[⑥上**246**][⑤上**320**、**323〜341**][④上**268〜293**][③**120〜125**][②**112〜113**][①**173〜191**]

心眼
内なる眼
【Inner Eye／Seeing Eye】

③06-136
⑥25-下339

占いの際に必要な心の働き。トレローニーいわく、限られた者だけに与えられる天分。これを持っていない生徒には、「占い学」の授業で教えられる事柄はほとんどないという。トレローニーは自分にはこれが備わっていると豪語し、実際、本物の予言をしたこともあるが、日常生活では突然アンブリッジに解雇されたりと、未来を見《み》透《とお》せないでいる。

[⑥下**340**][⑤上**375**、**576**、下**274**][③**297**]

シングルトン、ガスパード
ガスパード・シングルトン
【Shingleton, Gaspard】

2005年9月

(1959-現在)「鍋が勝手に中身を掻《か》き混ぜる大鍋」の発明者として名高い。

[**JKR** 公式サイト「今月の魔法使い」]

寝室

寮

【dormitory】

①07-193
⑥08-上255

ホグワーツの各寮内にある生徒の寝室。男子寮(boys' dormitories)と女子寮(girls' dormitories)に分かれている。グリフィンドール寮の場合は、談話室の奥に男子寮と女子寮に繋《つな》がるドアが別々にあり、それを開けて石のらせん階段を上ると寝室に行ける。女子は男子寮に自由に入れるが、男子が女子寮に上がろうとすると、警報が鳴り阻止《そし》される。ロンは5年生のとき、無邪気にもハーマイオニーに会うため女子寮に向かったが、6段上がったところでクラクションのような音が鳴り響き、階段は溶けて1本のツルツルのジェットコースターのような滑り台に変わり、ひっくりかえってそのまま滑り落ちた。賢明なホグワーツの創始者は、男子の方が女子より信用できないと考え、このように魔法をかけたのである。

ハリーたちの寝室はグリフィンドール塔のてっぺんにある丸い部屋で、細長い高窓から禁じられた森やハグリッドの小屋が見える。部屋の中には真紅のビロードのカーテンのかかった4本柱の天蓋《てんがい》つきベッドが5つあり、各ベッドの脇には小机が置かれている。ハリーと同室の生徒はロン、ネビル・ロングボトム、ディーン・トーマス、シェーマス・フィネガン。ハーマイオニーの同室の生徒はラベンダー・ブラウンとパーバティ・パチルで、残りの2名は明かされていない。

［⑥上**356**、**437**、**469**、下**475**］［⑤上**343**、**355**、**405**、**555**～**556**、下**374**～**375**］［⑦初出**6**章 **UK088**／**US102**］

真実薬

ベリタセラム

【veritaserum】

④27-下243
⑥09-上279

魔法界の自白薬。無味無臭で、3滴も飲まされれば心の奥底にある秘密をすべて話してしまう。材料にジョバーノールの羽が使われ、熟成させるのに満月から満月までを要するので調合に約1ヵ月かかる。解毒剤が存在し、ホークラックスに関する本当の記憶をダンブルドアから採取されることを恐れたスラグホーンは、解毒剤をいつも携帯していた。5巻でアンブリッジはこれを使い、ハリーからシリウスの居場所などを聞き出そうとしたが、スネイプから渡された真実薬は偽物《にせもの》だったので効果はなかった。

JKRは真実薬について「この薬が最もよく効くのは、それを飲まされたことに気づいておらず、無防備で薬に対して抵抗する技術が不十分な相手に使う場合です。(4巻の)バーティ・クラウチ(息子)が薬を飲まされたときは、その前に襲われフラフラの状態でした。そうでなければいろいろな方法で対抗できたはずです—喉《のど》を塞《ふさ》いで飲んだふりをして無罪を申し立てたり、薬が唇に触れる前に何か別のものに変えてしまうとか、薬の効果に対して閉心術を使ったり—つまり、真実薬は絶対に効く薬ではないのです。魔法使いによってその影響に対抗できたりできなかったりするので、裁判で使用するには不公平で信頼できない薬です」と解説している。

Veritaserumはラテン語veritas「真実」とserum「血清」の合成語。

[⑤上**080**、下**329**、**375**、**503**、**639**][④下**497**][**JKR**公式サイト「**FAQ**作品について」][幻**067**][⑦初出**18**章 **UK290**／**US355**]

侵入者避け【Intruder Charm】 ⑥04-上101

侵入者を感知して知らせる魔法。人が強引に入り込もうとすると、音を出して知らせてくれる。スラグホーンは、住処《すみか》にしていたマグルの家にこれを唱えて警戒していた。

侵入者避け呪文【anti-intruder jinx】 ⑥08-上241

建物などに侵入できなくする呪文。1996年の夏休みのあいだにホグワーツの警備が強化され、これが城壁の至る所にかけられた。

審判(1巻〜5巻)
レフェリー(6巻)
【referee】

①11-270
⑥14-上446

クィディッチの試合で14人の選手のとっぴな行為を監視し、反則の有無や勝敗などを判定する人のこと。ホグワーツの寮対抗試合では、おもにマダム・フーチが審判をしている。クィディッチ・ワールドカップ(4巻)の審判は、国際クィディッチ連盟の名チェア魔《マ》ン、ハッサン・モスタファーが務めた。

かつて魔法界で審判の職は、試合中に呪いをかけられ死亡したり、箒《ほうき》に細工されて事故を起こすケースが多かったため、最も勇敢な魔法使い・魔女の仕事とされていた。シプリアン・ユーデルというノーフォークの審判は、1357年に地方の友好的な試合中に呪いをかけられ命を落としたが、張本人は捕まらずじまいだった。審判の箒をポートキーに変えるという大変危険な行為も見られ、審判が試合の途中でさらわれ、数ヵ月後にサハラ砂漠にポッと現れるということもあった。しかし、魔法ゲーム・スポーツ部が選手の箒に関する厳しい安全指針を定めてからは、この手の事故は少なくなった。

プロの試合では、主審を助ける審判員が数人、競技場の周囲に立ち、選手やボールが境界線の外に出ないように監視している。イギリスでクィディッチの審判を選んでいるのは、魔法ゲーム・スポーツ部。審判候補は過酷な飛行試験やルールについての厳しい筆記試験を受けたあと、集中実技試験を受け、どんなにプレッシャーがかかっても攻撃的なプレイヤーに対し呪いをかけたりしないことを証明しなければならない。

[⑤上**639**][④上**164**][①**315**][ク**055〜056**]

神秘部
【Department of Mysteries】

④07-上133

魔法省の地下9階にある謎めいた部局。無言者と呼ばれる役人が働き、さまざまな神秘的な課題が研究されている。エレベーターを降りて正面の1本道の廊下を歩き、最初の扉に入るとそこは円形の部屋。床も天井も何もかもが黒い、丸い形の部屋で、12のまったく同一で取っ手のない黒い扉が壁一面に等間隔に並んでいる。そのうちの5つの扉は脳の間《ま》、死の間、時の間、惑星の間と鍵の掛かった部屋(開かずの間)に続いている。残りの6つの扉がどの部屋に繋《つな》がっているのかは分かっていない(扉の一つはエレベーターへの出入り口)。この部屋の壁は一定時間が経つと急速回転し、どの部屋から入ってきたのか分からなくなってしまう。時の間の奥には予言の間があり、ハリーの予言などが保管されていた。5巻では、この予言の球を守るため、不死鳥の騎士団のメンバーが交代で神秘部の前で見張りをしていた。

■脳の間

細長い長方形の部屋。濃い緑色の液体が入った巨大なガラスの水槽が中央に置かれ、その中には半透明の脳みそが漂っている。

■死の間

脳の間より大きい薄暗い長方形の部屋。ここでは死の秘密に関する研究が行われている。すり鉢型の部屋で、円形劇場のように中心から外に向かって階段が刻まれている。中央には石の台座が置かれ、その上には黒いベールのかかった石のアーチがそびえ立っている。ベールはかすかに波打ち、裏側から人の声が聞こえる。シリウス・ブラックはその奥に倒れて死亡した。

■時の間

「時」が研究されている部屋。ありとあらゆる種類の時計が、部屋全体に並んだ本棚のあいだや机の上などに置かれている。部屋の奥には釣鐘《つりがね》型のクリスタルがそびえ立ち、そこからダイヤのようなきらめきが発せられている。逆転時計もこの部屋に保管されていたが、神秘部の戦いですべて破壊されてしまった。

■惑星の間

惑星がいっぱい詰まった暗い奇妙な部屋。この中に入ると、しばらくのあいだ宙に浮かぶ。

■ **予言の間**

大聖堂のように広く天井の高い部屋。室内には予言の球が置かれた棚がぎっしりそびえ立ち、それ以外は何もない。通路は暗く、部屋の中はとても寒い。ハリーの予言は97列目の棚に置かれていた。ヴォルデモートの陰謀で、ハリーたちは1996年6月、この部屋におびき寄せられた。

■ **鍵の掛かった部屋(開かずの間)**

鍵が掛かっていて、アロホモラやシリウスのナイフでも開けられない部屋。ダンブルドアによると、部屋の中には「愛」が収められている。

[⑤上**219**、下**037**、**072**、**125**、**202**、**337**、**408**、**476~478**、**483**、**541~603**、**656**、**684**][⑦初出**11**章 **UK172**/**US209**]

シンプリング、ダーウェント

ダーウェント・シンプリング

【Shimpling, Derwent】

2005年1月

(1912–現在)賭けで有毒食《しょく》虫《ちゅう》蔓《づる》を全部食べ、死ななかったが、まだ紫色のまま。

[**JKR** 公式サイト「今月の魔法使い」]

尋《じん》問《もん》官親衛隊

【Inquisitorial Squad】

⑤**28**–下**322**
⑥**07**–上**214**

アンブリッジが、5巻でホグワーツの校長に就任した際に結成した集団。魔法省を支持する少数の選ばれた学生のグループで、おもにスリザリンの生徒で構成されていた。「I」の字型の小さな銀バッジがトレードマーク。通常、監督生同士は減点できないが、このメンバーには特別にその権限が与えられた。ホグワーツ城を出入りするふくろう便をすべて開封してチェックしたほか、アンブリッジの部屋に忍び込んだハリー、ロン、ハーマイオニー、ジニー、ネビル、ルーナの6人を捕まえた。

■ 尋問官親衛隊メンバー

ドラコ・マルフォイ、モンタギュー、パンジー・パーキンソン、ワリントン、ミリセント・ブルストロード、クラッブ、(記述はないがおそらくゴイル)。

[⑤下**323**、**331**、**396**、**401～402**、**500**、**502**、**511**]

尋《じん》問《もん》

懲戒《ちょうかい》尋問

【Hearing／disciplinary hearing】

⑤**02**-上**047**
⑥**10**-上**312**

犯罪の容疑をかけられた魔法使いに対して魔法省(ウィゼンガモット)が行う尋問のこと。容疑についての取り調べの後、ウィゼンガモットのメンバーによる評決が下される。モーフィン・ゴーントは1925年夏、マグルに呪いをかけた咎《とが》で口頭尋問を受けることになったが、召喚状を届けにきた役人に暴力をふるい、その場で逮捕されてしまった。ハリーは1995年8月、吸魂鬼《ディメンター》に襲われダドリーの前で魔法を唱えてしまったため、8月12日に魔法省で尋問を受けた。第10法廷で開かれたこの尋問は、ウィゼンガモットのメンバーおよそ50名の前で行われ、ハリーの行為が未成年魔法使いの妥当な制限に関する法令C項と国際魔法戦士連盟機密保持法13条違反に当たるかどうかが争われた。魔法省は、ハリーの信用を失墜《しっつい》させようと、強引に有罪に持ち込もうとしたが、ダンブルドアの巧みな弁護によって無罪となった。

[⑥上**315**][⑤上**200**、**217**、**223～242**]

す

水晶玉
【crystal ball】

③06-135

水晶占いで使う道具。トレローニーの「占い学」の教室には、銀色の水晶玉が数えきれないほど置いてある。3年の学期末試験の「占い学」の問題は、この中に見えるものを答えよというものだった。ハリーは何も見えなかったので、「元気に飛び去るヒッポグリフが見える」と適当にでっちあげたが、帰り際にトレローニーが、「召使い（ペティグリュー）は自由の身となり、ご主人様（ヴォルデモート）の許《もと》に馳《は》せ参じるであろう」という二つ目の本当の予言をした。

［③418〜419］［⑦初出32章 UK519／US646］

水中人
マーピープル
【merpeople】

④07-上138
⑥30-下490

世界中の水中に生息している半人半魚。マーミッシュ語を話す。外見はさまざまだが、ホグワーツの湖底に棲《す》んでいる水中人は、灰色を帯びた肌とボウボウとした長い紫がかった髪を持ち、目やあちこち欠けた歯は黄色で、尾びれがある。おおかたが槍を持ち、荒削りの石の住居に住んでいる。ホグワーツの水中人村の首長は、女長《おんなおさ》（Merchieftainess）のマーカス。1995年の三校対抗試合の第二の課題は、湖底に潜《もぐ》ってこの村に捕らわれている代表選手の人質を連れ戻すというものだった。音楽を愛好する点がすべてのマーピープルに共通する特徴で、ダンブルドアが亡くなったときは葬儀に参列し、別れと悲嘆を雄弁に伝える葬歌を歌った。

［⑥下**491〜495**］［⑤上**476、539**］［幻**078**］［⑦初出**2**章 **UK027／US024**］

水中人歌
マーピープルソング
【mer-song】

④25-下160
⑥30-下490

水中人の歌う歌のこと。三校対抗試合の第二の課題では、代表選手を湖底に呼び寄せるために水中人コーラス隊がこれを歌った。ダンブルドアの葬儀では、水中人がホグワーツの湖面から姿を現し、この世のものとも思えない不思議な歌を合唱した。歌詞はマーミッシュ語なのでハリーに言葉の意味は理解できなかったが、喪失感と深い悲しみの気持ちを雄弁に伝える歌だった。6巻では「歌」として登場している。

［⑥下**491**］［④下**216**］

水《すい》魔《ま》（グリンデロー）
【Grindylow】

③08-201

ハリーが3年の「闇の魔術に対する防衛術」の授業で学んだ生物。鋭い角を生《は》やした無気味な緑色の生き物で、水中に生息し、細長い指は強力だがもろい。ホグワーツ湖底に棲《す》む水中人の中には、水魔をペットにしているものもいる。

Grindylow（グリンディロー）は、ヨークシャーに出没する、水中に棲む魔物。深いよどみに潜《ひそ》み、水辺に近づいた子供を中に引きずり込む。「子供部屋の化け物（Nursey Bogies）」の一つと考える向きもある。これは「脅かすためのお化け」で、親が子供に「川に近づくとグリンディローに捕まりますよ」などと言って怖がらせ、子供を危険な場所から遠ざけるために使われた。いまどきの子供にこのようなことを言っても、笑われるのがおちであろうが……。

［⑦初出**5**章 **UK063／US069**］

水《すい》魔《ま》(ケルピー)
【Kelpie】

②07–169
⑥26 下372

スコットランドの邪悪な水の精。ハリーはヴォルデモートの洞窟の中で、ダンブルドアから「分霊箱を手に入れるためには、湖を渡らねばならない」と言われたとき、水魔や大海蛇など、ありとあらゆる水中の怪物(との遭遇)を想像して不安を感じた。2巻では、ロックハートが井戸の中から水魔を追っ払う方法を、ハグリッドに教えようとした。

水魔(ケルピー)は人の姿に変身することもできるが、たいていは馬の姿で出現し、人を騙《だま》してその背に乗せ、川や湖の深みに引きずり込み食い殺す。しかし、手綱《たづな》を首にかけることができれば、逆に乗り手の意に従う。嵐の前になると大声でわめき、実際に嵐が来ると水面を駆け回るが、その姿を見るのは水難事故にあう前兆とされる。

『幻の動物とその生息地』によると、世界最大のケルピーはスコットランドのネス湖に棲《す》んでいるというが……?

[幻**068**]

数秘学と文法学
【Numerology and Grammatica】

③16–409

ホグワーツの「数占い(学)」の教科書。ハーマイオニーが3年の学年末の試験のために読んだ本。

[⑦初出**6**章 **UK082**/**US093**]

姿現わし(術)
【Apparate】

③09–213
⑥04–上088

好きなところに姿を現す術。これを唱える前に「姿くらまし」する必要がある。難解な魔法なので、唱えるには魔法運輸部が実施する「姿現わしテスト」に合格し、免許を取得しなければならない。無免許で姿現わしした魔法使いには、罰金が科せられる。テストは17歳以上の魔法使いが受験でき、ホグワーツでは試験の前に「『姿現わし』練習コース」が実施される。

これを唱えるとポン、バシッといった音がして体が回転し、きついゴム管の中にぎゅうぎゅう押し込められているような感覚に襲われる。息ができず、体中のありとあらゆる部分が我慢できないほど圧縮され、窒息すると思う瞬間、目的地に到着する。この術に失敗すると、体のあちこちが分離する「バラけ(Splinched)」の状態になり、通常こうなるとにっちもさっちもどっちにも行けなくなるので、魔法事故リセット部隊などに助けてもらうしかない。高度な術なので、大人の魔法使いでもこれを使わず、代わりに安全な箒《ほうき》を移動手段としている人が多いが、ウィーズリー氏は毎日これで通勤している。魔法界では入室を拒む機会を与えるのが礼儀となっているので、たとえ友人であっても相手の家に直接姿現わしはしない。また、おおかたの魔法界の建物は、好ましからざる姿現わしに対して魔法で護《まも》られており、例えばホグワーツの敷地内では、姿現わしも姿くらましもできない。未成年者のために、免許を取得した人と一緒に移動する「付き添い姿現わし(姿くらまし)」という術が用意され、ハリーはダンブルドアとホークラックスの洞窟に行ったときなどに、これを経験した。

姿現わしする人を原書ではApparatorと呼んでいる(日本語訳では“姿現わしする魔法使いや魔女”といった表現になっている)。Apparateは、ラテン語のappareoまたはフランス語apparaître「現れる」からの造語。

[⑥上**087**、**090**、下**051**、**092**〜**093**、**193**、**237**、**360**、**396**][⑤上**015**、**113**〜**114**、**202**、**207**][**JKR**公式サイト「**FAQ**作品について」][⑦初出**1**章 **UK013**/**US006**、**14**章]

姿現わしテスト

「姿現わし」試験

【Apparition Test(6巻)/Apparation Test(5巻)】

⑤**04**-上**114**
⑥**04**-上**087**

魔法運輸部の姿現わしテストセンターが実施しているテスト。17

歳以上の者が受験できる。これに合格すると免許状が与えられ、公然と姿現わしできるようになる。試験に先立ちホグワーツでは「『姿現わし』練習コース」という訓練講座が開かれる。ハリーが6年のときの第1回目の試験は4月21日に実施され、ハーマイオニーは合格、ロンは眉毛を半分置き去りにしてしまい不合格となった。ハリーはこのときすでに姿現わしできるようになっていたが、17歳になっていなかったので受験できなかった。ウィーズリー家ではフレッドとジョージは1回で合格。体の大きいチャーリーは、最初のテストで姿を現す目的地より8キロも南の買い物中のおばあさんの上に姿現わしして不合格となり、2回目のテストで免許を貰《もら》った。

［⑥下**051〜053、193**］［⑤上**085、210**］［④**103**］

「姿現わし」のよくある間違いと対処法
【Common Apparition Mistakes and How to Avoid Them】 ⑥22-下226

魔法省が発行した姿現わしに関するパンフレット。姿現わし試験の当日、ハーマイオニーとロンはこのパンフレットを握りしめていた。

「姿現わし」練習コース
【Apparition Lesson】 ⑥17-下051

ホグワーツで行われた、姿現わし試験に合格するための練習講座。６巻では1997年8月31日までに17歳になる生徒が受講できた。12週間の講習で、料金は12ガリオン。魔法省から派遣された姿現わしの指導官ウィルキー・トワイクロスが教えた。練習は2月から始まり毎土曜日の朝に行われ、第1回目は雨だったため大広間で実施。通常ホグワーツでは、姿現わしも姿くらましもできないが、レッスンのあいだの1時間だけ、大広間に限って呪縛《じゅばく》が解除された。生徒は前の人と1.5メートルずつ離れて並び、教官が杖を振ると生徒の前に古くさい輪っかが出現した。姿現わしに重要な三つの「D」、「どこへ」（どこへ行きたいかしっかり思い定める）、「どうしても」（どうしてもそこに行きたいという決意を体中にみなぎらせる)、「どういう意図で」(どういう意図で行くかを慎重に考えながら動く)に集中するよう教わり、輪っかに向かって一斉に姿現わしするよう命じられた。最初から上手くいくはずもなく、ハリーはその場で回転したのはいいが転びそうになり、ネビルは完全に仰向けにひっくり返り、大広間は集団よろけ状態になった。スーザン・ボーンズに至っては、「バラけ」て元の場所に左足だけを残してしまい、修復のため寮監たちに囲まれバンバン魔法をかけられた。3回目の練習が終わっても相変わらず術は難しく、数名が「バラけ」られただけだった。焦燥感《しょうそうかん》が高まると、生徒のあいだでトワイクロスの口癖と「3D」に対する反感が出てきて、「ドンクサ」、「ドアホ」など指導官にさまざまなあだ名がつけられた。第1回目の姿現わしテストが4月21日に決まり、その前にはホグズミードで追加練習が開催。この時点でハーマイオニーは二度、ハリーは一度成功していたが、ロンは習得できずにいた。追加練習には17歳になっているロンとハーマイオニーが参加し、ハーマイオニーは完璧にこなしたものの、ロンはマダム・パディフットの喫茶店の外に姿現わしするはずが、行き過ぎてスクリベンシャフト羽根ペン専門店の近くへ移動。しかし、何とか動いたので大喜びだった。1回目の試験は、ハーマイオニーが合格。ロンは片方の眉を半分だけ置き去りにしてしまい、不合格だった。ハリーは17歳になっていなかったので、追加練習も試験も受けられず、免許を持っていなかったが、6月にダンブルドアを連れて「付き添い姿現わし」したときは、洞窟からホグズミードへの脱出に見事成功した。

[⑥下**092〜098、102、193、216、222、237、358**]

姿くらまし 【Disapparate】

③**22-547**
⑥**05-上124**

今いる場所から姿を消す術。消えるときにバシッ、パチンなどの音がする。姿現わしと併用され、姿現わしテストに合格した者のみが使用できる。なかなかこれが上達しなかったロンは、ドビーが消えたあたりを見つめ、「屋敷しもべ妖精みたいに『姿くらまし』できたらなあ」とぼやいた。ホグワーツ内では、通常姿現わしも姿くらましもできないが、姿現わし練習のあいだだけ、練習会場となった大広間に限り、呪縛《じゅばく》が解かれた。ダンブルドアを殺害したスネイプは、ホグワーツの校門の外で姿くらましして逃げ去った。

Disapparate は apparate「姿現わし」に接頭語 dis-(動詞につけて反対の動作を表す)を加えた JKR の造語。6巻で「姿くらまし」が初出するのは上371ページ。

[⑥下**202**、**205**、**371**、**435**] [⑤上**010**] [⑦初出**3**章 **UK036**／**US037**]

姿をくらますキャビネット棚 【Vanishing Cabinet】

②**08-190**
⑥**06-上189**

ホグワーツに飾られている金と黒の大きなキャビネット棚。あまり知られていないが、ボージン・アンド・バークス店内にあるもう一つの「キャビネット棚」と対になっており、魔法の通路が二つの「棚」を結んでいる。ホグワーツの「棚」の方は、最初は城の上階に置かれていたが、2巻でほとんど首無しニックに焚《た》きつけられたピーブズが、フィルチの事務所の真上(2階)に落としたため壊れてしまった。その後しばらくのあいだはそのまま2階に放置され、5巻でフレッドとジョージがこの中にモンタギューを押し込むと、本来はボージンの店に直行するはずのところを二つの場所を行ったり来たりして、どっちつかずに引っ掛かり、やむなくモンタギューは姿現わしで脱出。しかし、まだ姿現わし試験に合格していなかったのでトイレに詰まり、死にそうになった。この話を聞いたドラコは、学校の「キャビネット棚」を修理すればそれを通ってボージンの店からホグワーツ内に入り込めることに気づき、「棚」を必要の部屋に持ち込み修理を開始。最初は無理かと思われたが修繕は成功し、1997年6月ドラコはこれを使って死喰《しく》い人《びと》をボージンの店から校内に侵入させてしまった。

2〜5巻では「姿をくらます飾り棚」と和訳されている。

[⑥上**190**、下**315**、**323**、**356**、**408**〜**410**] [⑤下**323**、**342**] [②**075**、**080**、

192］［⑦初出31章 UK504／US627］

スカーピンの暴露呪文
【Scarpin's Revelaspell】

⑥17-下082

スカーピンが発明した呪文。これを唱えると魔法（毒）薬（potion）の成分を正確に鑑定できる。

スキーター、リータ
リータ・スキーター
【Skeeter, Rita】

④10-上228
⑥30-下490

（1951？-）『日刊予言者新聞』の辣腕《らつわん》記者（特派員）。角ばった顎《あご》の顔に、宝石で縁《ふち》が飾られたフォックス型メガネをかけ、ブロンドの髪をかっちりセットした派手な女性。大きな男っぽい手の爪を長く伸ばし、真っ赤なマニキュアを塗っている。得意技は、自動速記羽根ペンQQQで書くスキャンダラスな暴露記事。明かす必要のないプライバシーを勝手にあばき、他人の人生を滅茶苦茶にしても、記事が売れればそれでいいと考えている。ダンブルドアを「時代遅れの遺物」、ビル・ウィーズリーを「長髪のアホ」と罵《ののし》ったこともある。『週刊魔女』などにも記事を書いているが、普通では知りえない特ダネが書けるのは、無登録の動物もどきで、コガネムシに変身し情報を集めているから。4巻ではネタ探しにホグワーツをブンブン飛び回り、ハグリッドの出生の秘密などの情報を得ていたが、最後はハーマイオニーに見つかり瓶に閉じ込められてしまった。5巻では失業し、かつてカールされていた髪はクシも入れずにだらりと垂《た》れ下がり、爪のマニキュアはあちこち剥《は》げ落ち、メガネの宝石は2、3個欠けたみすぼらしい姿で登場。未登録の動物もどきであることをしかるべき所に通報するとハーマイオニーに脅され、ハリーのインタビューをノーギャラで書く羽目になった。外見はボロボロになっても毒舌ぶりは健在で、『ザ・クィブラー』を「あたしゃ、あのボロ雑誌の臭い記事を庭の肥やしにするね」、『予言者新聞』を「売るためにに存在するざんすよ」と痛烈に批判した。6

巻ではダンブルドアの葬儀に参列し、復職したのか爪は真っ赤に塗られ、その手にはメモ帳ががっちり掴《つか》まれていた。

JKRはリータについて、「いやな人間でモラル的に最低な女性」であるが、「そのタフさ加減は賞賛せずにいられません。仕事に対する意気込みはすさまじく、そこには何か魅力があります」と語っている。

リータ(Rita)はヒンドゥー教で天則(ヴェーダにおける全宇宙の秩序を保つ原理)のこと。

［⑤上**122～123**、下**228～236**］［④下**015**、**121**］［**EBF**］［⑦初出**2**章 **UK026**／**US 023**］

スクイブ 【Squib】

②**09-213**
⑥**10-上310**

魔法使いの家に生まれながら(片親は少なくとも魔法使い)、魔法が使えない人たちのこと。「マグル生まれ」の正反対の存在で、JKRによると「魔法の遺伝子は優勢で活発であるため、魔法界では珍しい」とのこと。これまでに登場したスクイブは、フィッグばあさんとアーガス・フィルチ。スクイブは生徒として魔法学校に入ることができず、たいていは恵まれない人生を送っている。というのも、魔法界の知識はあるが、それに参加することができないからである。しかし、中には居場所を見つけて暮らしている人もおり、フィルチは管理人としてホグワーツ魔法学校に収まり、フィッグばあさんも魔法界とマグル界のあいだでダンブルドアの連絡係を務めている。二人とも魔法は使えないが、猫とニーズルを交配するフィッグばあさんの商売が大繁盛しているように、魔法界の道具や魔法生物の力を借りて、魔法界でそれなりに活躍しているのである。

フィッグばあさんによると、マグルには吸魂鬼《ディメンター》は見えないが、スクイブには見えるという。魔法界には、イドリス・オークビーが設立した「スクイブ支援協会(SSS)」という団体がある。ペチュニア・ダーズリーは、両親がマグルなのでスクイブではない。フィルチは犬猿の仲のハグリッドから、「こそこそスクイブ(sneaking Squib)」と呼ばれている。

英語squibは「シュシュシュッと音を出す小花火」や「不発弾」のこと。「とるに足らんやつ」(俗語)の意もある。

[⑥下**010**、**129**、**489**][⑤上**036**、**231**、下**333**][**JKR**公式サイト「そのほかのこと」その他][**WBC**]

スクリベンシャフト羽根ペン専門店
【Scrivenshaft's Quill Shop】

⑤**16**-上**548**
⑥**21**-下**222**

ホグズミードのハイストリート通りに面したお店。ショーウィンドウに、雉《きじ》羽根のペンがスマートに並べられている。ロンはホグズミードで姿現わしテストの追加練習をしたとき、マダム・パディフットの喫茶店の外に姿現わしするところを、行き過ぎてこのお店の近くに出てしまった。

スクリムジョール、ルーファス
ルーファス・スクリムジョール
【Scrimgeour, Rufus】MM

⑤**07**-上**199**
⑥**01**-上**026**

ファッジの後任の魔法大臣。年老いたライオンのような風貌《ふうぼう》の行動派の人物。もともとは闇祓《やみばら》い局の局長で、人生の大半を闇の魔法使いと戦ってきたが、1996年にクビになったファッジの後を継いで大臣に就任した。

たてがみのような黄褐色《おうかっしょく》の髪やふさふさした眉は白髪《しらが》交《ま》じり、黄色味がかった鋭い目に細縁メガネをかけている。わずかに足を引きずり歴戦の傷痕《きずあと》があるように見えるが、軽やかで大きな足取りには一種の優雅さがある。強靭《きょうじん》そうな魔法使いだが、考えることはバーテミウス・クラウチやファッジと同じ。体裁《ていさい》を取り繕《つくろ》うことに専心し、魔法省が仕事をしているという印象を人々に与えることにやっきになった。ハリーもそれを見抜き、「選ばれし者」として魔法省に協力するようスクリムジョールから要請されると、「僕は利用されたくない」と断った。ダンブルドアとは立場を異にしていたが、葬儀には参列し、保護の提供を餌《えさ》に再度ハリーを懐柔《かいじゅう》しようとしたが、「何もお話しすることはありません」と拒絶された。

Scrimgeourはスコットランドの氏族の名前。もともとはフランス語escrimeur「剣士」または英語skirmisher「頑強な戦士」のニックネームだったと言われている。Rufusはラテン語で「赤毛の」の意。しかしスクリムジョールは赤毛ではない。ルーファスの初出は6巻上26ページ。

［⑥上**027**、**091**、**477**、下**031**～**042**、**474**、**490**、**498**～**501**］［⑦初出**1**章 **UK012**／**US005**］

スタッブズ、ビリー
ビリー・スタッブズ
【Stubbs, Billy】
⑥13–上398

トム・リドル（ヴォルデモート）と孤児院で一緒だったマグルの男の子。トムと喧嘩《けんか》した翌日に、ペットのウサギが天井の垂木《たるき》から吊《つ》るされていた。

［⑥上**404**］

スタンプ、グローガン
グローガン・スタンプ
【Stump, Grogan】
2006年4月

（1770–1884）人気のあった魔法省大臣。1811年に任命された。

［**JKR** 公式サイト「今月の魔法使い」］

ステーキ・キドニーパイ
【steak and kidney pie】
①09–224

イギリスの伝統料理。牛肉・腎臓・たまねぎ・マッシュルームなどを炒めて味付けしたものを、パイ生地に詰めて焼いた食べ物。ホグワーツの新入生歓迎会や夕食に出されたメニュー。

キドニーは「（子牛や子羊などの）腎臓」のこと。このキドニーが2

割、ステーキ（小間切れの牛肉）が8割入っているので、「ステーキ（・アンド）・キドニーパイ」という。この料理を「キドニーパイ」と呼ぶ人がいるが、「腎臓のパイ」になってしまうのでご注意を。19世紀には雲雀《ひばり》の肉や牡蠣《かき》を入れた豪華なものもあったという。

［⑤上**335**、**424**］［③**157**］［⑦初出**12**章 **UK194**／**US236**］

ステューピファイ！麻痺《まひ》せよ！
麻痺せよ！
【Stupefy!】

④**09**-上**200**
⑥**28**-下**430**

相手を失神させる呪文。これを唱えると、杖先から失神光線と呼ばれる赤い閃光《せんこう》がほとばしる。5巻でアンブリッジは「ウィーズリーの暴れバンバン花火」にこれを唱えたが、空中で固まるどころか大爆発し、ホグワーツの肖像画に穴を空けた。6巻のホグワーツの戦いでは、ハリーがスネイプにこれをかけたが、光線ははずれてスネイプの頭上を通り過ぎた。

英語 stupefy は「麻痺させる」の意で、語源はラテン語の stupefacio（「啞然《あぜん》とさせる」、「麻痺させる」）。

［⑤下**333**、**569**、**571**〜**573**、**591**、**606**］［⑦初出**4**章 **UK052**／**US056**］

ステンライト、エリカ
エリカ・ステンライト
【Stainwright, Erica】

2006年**8**月

（1932–2001）1950年代のカリスマ主婦。「お掃除」魔法薬を売って財をなしたが、この薬はカビと汚れを増殖させ、名声は失墜《しっつい》した。

［**JKR** 公式サイト「今月の魔法使い」］

スナーガラフ
【Snargaluff】

⑥**14**-上**422**

6年生の「薬草学」で学んだ植物。グレープフルーツ大のピクピク震える緑色の鞘《さや》を持つ。一見《いっけん》節くれだった株のようだが、鞘を取ろうとすると急に触手《しょくしゅ》のような刺《とげ》だらけのイバラのような蔓《つる》を出し、鞭《むち》のように動かして相手を攻撃する。授業では取り出した鞘を割り、中に詰まっているイモムシのように蠢《うごめ》く薄緑色の塊茎《かいけい》を採集した。

英語 snarge（「(俗語)いやな野郎」、「不愉快なやつ」）からの造語であろう。

［⑥上**423～428**］［⑦初出**20**章 **UK323／US398**］

スニッチ
金のスニッチ
【Snitch／Golden Snitch】

①**10-248**
⑥**14-**上**447**

クィディッチで使用する、胡桃《くるみ》ほどの大きさの銀色の羽の生《は》えた金色のボール。ものすごいスピードで飛び回るので、捕まえるのが非常に難しい。シーカーがこれを取ると150点獲得し、その時点で試合は終了する。スニッチを捕ったチームが勝つことが多いので、各チームは何としてでもシーカーがこれを取るのを妨害しようとする。スニッチが捕まらない限り、試合はいつまでも続き、1試合の最長記録は3ヵ月。選手を次々と投入して、正選手は交代で眠ったという。金のスニッチを発明したのは、ゴドリックの谷に住む魔法使いボーマン・ライト(1492–1560)。ボールには、競技場内に留まるよう前もって魔法がかけられている。

英語 snitch は「ひったくる」の意。

［⑥下**141**］［⑤上**460**、**646**］［ク**035**］［⑦初出**7**章 **UK101／US119**］

スニベルス
なきみそ
【Snivellus】

⑤**23-**下**162**

セブルス・スネイプのあだ名。学生時代に同級生のシリウス・ブラックやジェームズ・ポッターからこう呼ばれていた。スニベリー(Snivelly)と呼ばれるときもある。

Snivel は英語で「めそめそする」、「泣き言をいう」という意味。

［⑤下**352～353**］［⑦初出**33**章 **UK539／US672**］

スネイプ、アイリーン・プリンス
アイリーン・プリンス・スネイプ
【Snape, Eileen Prince】S ？

⑥**25**-下**331**

セブルス・スネイプの母親の純血の魔女。15歳ころの写真では痩《や》せていて、太く濃い眉に蒼白《あおじろ》い面長な顔は、イライラしているようにもすねているようにも見え、お世辞にも可愛いとは言えない。ホグワーツ在学中は、ゴブストーン・チームのキャプテンだった。マグルのトビアス・スネイプと結婚し、セブルスを出産した。夫婦仲が悪く、ハリーは閉心術の授業で、スネイプの母親が夫に怒鳴られている映像を見た。おそらくスリザリン生。

［⑥下**483**］［⑤下**269**］

スネイプ、セブルス
セブルス・スネイプ
【Snape, Severus】S OP ？ DE ？

①**07**-**187**
⑥**02**-上**035**

(1960年1月9日-)べっとりとした黒い長髪、鉤鼻《かぎばな》で土気《つちけ》色の顔をした魔法使い。薄い唇に冷たい暗い目を持ち、育ちすぎたコウモリのような姿でホグワーツを徘徊《はいかい》する。スリザリンの寮監で、元死《し》喰《く》い人《びと》。6巻では念願の「闇の魔術に対する防衛術」の教授となったが、授業では相変わらずハリーをいじめ抜き、マルフォイらスリザリンの生徒をえこひいきした。不死鳥の騎士団のメンバーであったが、1997年6月天文台の塔でダンブルドアを殺害した。

1960年にマグルのトビアスと純血の魔女アイリーンのあいだに生まれたスネイプは、マグルの貧しい場所で子供時代を送った。両親の喧嘩《けんか》が絶えず、家では孤独な思いをしていたが、近所の幼なじみの女の子と暴れ箒《ほうき》に乗ったりして一緒に過ごしていた。11歳になると許可証が届きホグワーツに入学。スリザリンに組分けされたが、このときすでに7年生の大半の生徒より多くの呪いを知っていた。同級生に

はハリーの両親のジェームズ・ポッターとリリー・エバンズ、それにシリウス・ブラックやリーマス・ルーピン、ピーター・ペティグリューなどがおり、彼らから「スニベルス」（なさみそ）という情けないあだ名をつけられ、在学中は理由もないのに攻撃されていた。5年生の「闇の魔術に対する防衛術」のOWL《ふくろう》試験の後、自分の発明した「レビコーパス」の呪文をジェームズから唱えられて、皆の前で汚いパンツを見られ、さらに仲裁に入ったリリーに「穢《けが》れた血」と暴言を吐いてしまったことがあり、これがスネイプの最悪の記憶となった。傲慢《ごうまん》なジェームズとは犬猿の仲であったが、シリウスにそそのかされて狼男に変身したルーピンに襲われそうになったときは、その彼に命を助けられた。

優秀な生徒であったが、闇の魔術に魅せられていたため、その能力はもっぱら敵を逆さ吊《づ》りする魔法や、相手を切り刻む邪悪な呪いなどを発明することに使用された。魔法薬にも秀《ひい》でており、数々の正確な調合法を編み出しては、母親のお古の『上級魔法薬』の本に書き込んでいった。スリザリンでは、のちにほとんどが死喰い人になったグループに属し、「プリンス（母親の旧姓）の血を半分引く」半純血なので、自らを「半純血のプリンス」と名乗っていた。1978年に卒業すると死喰い人となり、ヴォルデモートに命じられてダンブルドアに関する諜《ちょう》報《ほう》活動を開始。しかし1980年、ホッグズ・ヘッドでトレローニーの予言を盗聴したスネイプは、人生最大の過ちを犯してしまう。途中で居酒屋から追い出されたため、予言の最初の部分しかヴォルデモートに報告できなかったが、それを聞いた闇の帝王はポッター夫妻の赤ん坊こそが将来自分の敵となると考え、殺害を決めてしまったのである。予言を伝えたときは、ヴォルデモートがそれをどう解釈するのかスネイプには知る由もなかったが、知り合いのジェームズとリリーが殺されると聞いた彼は、深い自責の念にかられ、それからはダンブルドアの側に寝返り、密偵（スパイ）となった。1981年にホグワーツに赴き、「魔法薬学」の教授に就任。ダンブルドアが保証人になっているため魔法法律評議会で無罪となったが、左腕には死喰い人の名残りの闇の印がはっきりと残っている。

1991年にハリーが入学すると、緑の目を除けばジェームズそっくりの顔をした彼を目の敵《かたき》にし、難解な質問をしていびり、答えられないとせせら笑った。その一方で、学生時代にジェームズに命を救われたことが許せなかったスネイプは、その借りを返すべく、クィレルの策略からハリーを守るために全力を尽くした。1994年(3巻)に叫びの屋敷の内部でシリウスを見つけたときは、積年の恨みを晴らそうと「吸魂鬼《ディメンター》のキス」の生贄《いけにえ》にしようとしたが、ハリーとハーマイオニーに阻止され、「こいつらがヤツの逃亡に手を貸した！」と悔しがった。1995年6月(4巻)にヴォルデモートが復活すると、ダンブルドアの命を受け、闇の帝王のスパイ活動に出発。その後はハリーに閉心術の個人授業を行ったり、アンブリッジに偽《にせ》の真実薬《ベリタセラム》を渡すなど不死鳥の騎士団のために働いた。1996年6月(5巻)にハリーが禁じられた森から戻らなかったときは、魔法省に行ったのではないかと推測し、騎士団のメンバーに連絡。しかし、グリモールド・プレイス12番地を訪問するたびに、隠れていたシリウスを「臆病者」と皮肉っていたので、そのせいでシリウスが神秘部に行き亡くなったのだとハリーからは責められている。

6巻では、マールヴォロの指輪の強力な呪いを受け瀕死《ひんし》の状態となったダンブルドアを手当てするなど、相変わらず校長のために忠実に働いたが、その裏ではドラコの母親と「破れぬ誓い」を結び、ヴォルデモートからダンブルドア殺害を命じられたドラコを校内で見守ることを約束していた。そして1997年6月、天文台の塔の上でドラコが校長を殺せそうにないことを見て取ると、自ら殺人魔法を唱えダンブルドアを一思いに殺害。ドラコら死喰い人を引き連れて、ホグワーツから逃走した。ダンブルドアは「スネイプは自分の伝えた予言のせいでポッター夫妻が殺されたことを深く後悔し、それゆえ自分の側に寝返った」と最後まで信じていたが、ハリーは「あいつは僕の父さんもシリウスも、同じように憎んでいた！(優秀な開心術者の)ヴォルデモートはスネイプを今でも味方だと信じているのに、(ダンブルドア)先生はなぜスネイプが自分の味方だと確信しているのですか？」と疑っている。

スネイプがどちらの陣営であるにせよ、双方から疑いの目で見られ、孤独な人生を送っていることは間違いない。

JKRは「スネイプは誰かに愛されたことがありますか？」との質問に、「ええ、あります。ですから愛を知らないヴォルデモートより、ある意味ずっと罪は重いのです」と述べ、さらに「見かけ以上のものを隠している人物」だと明かしている。

Snapeの出典は、イギリスノースヨークシャーにある同名の小さな村。英語snapeには方言で「冷遇」、「叱責」や「妨害」という意味がある。Severusはラテン語で「厳格な」、「苛酷な」の意。BBCの記事によるとスネイプのモデルは三人おり、一人はJKRのタッツヒル時代の小学校の担任教師モーガン先生、二人目はチェプストーのワイディーン・コンプリヘンシブ・スクール時代の化学主任、ジョン・ネトルシップ氏で、三人目は分かっていない。

〔⑥上**036、042～058、242、264、281、344、350～351、422、431、434、483**〕〔⑤上**115、127、137、358、372～373、571～572、630、**下**157～158、172、176～188、212～213、269～270、272、345～356、376、390～394、503～506、639～640、655**〕〔④下**264、363、536、542**〕〔③**466、548～549**〕〔②**116**〕〔①**202、204、441**〕〔⑦初出**1**章 **UK009／US001**〕

スネイプ、トビアス
トビアス・スネイプ
【Snape, Tobias】

⑥**30**–下**483**

セブルス・スネイプの父親。鉤鼻《かぎばな》のマグルで、純血の魔法使いアイリーン・プリンスと結婚した。セブルスは純血の血統が半分しかないので、「半純血のプリンス」と自称していた。

スネイプの家
【Snape's house】

⑥02-上035

セブルス・スネイプの自宅。スピナーズ・エンドという袋小路《ふくろこうじ》の一番奥にある。玄関がなく、入った所がすぐ居間になっている。居間は小さな暗い独房のような部屋で、すり切れたソファや古い肘掛《ひじか》け椅子《いす》、ぐらつくテーブルなどが置かれている。壁は本棚となっていてびっしりと本で覆われているが、その一部は隠し扉となっており、扉の裏の階段から2階に行くことができる。隠し扉は少なくとも二つあって、ナルシッサが訪ねてきた日は、ワームテールがそのうちの一つの裏で聞き耳を立てていた。

［⑥上**036〜039**］

スネイプの研究室（部屋）
【Snape's office】

②05-115
⑥09-上273

ホグワーツの地下牢にあるスネイプの部屋。6巻で「闇の魔術に対する防衛術」を教えるようになっても、スネイプはこの研究室を明け渡さず、使い続けていた。薄暗い壁の棚には何百というガラス瓶がびっしりと置かれ、死んだ蛙やウナギやらの動物や、植物のヌルッとした断片が浮かんでいる。片隅《かたすみ》には材料がぎっしり入った薬戸棚があり、この中から材料を盗んだという言いがかりで、ハリーはスネイプから詰問されたことがある（身に覚えのないものではなかったが）。この研究室は呪文で封印されているが、ハーマイオニーと偽《にせ》ムーディ（クラウチ息子）は「毒ツルヘビ」を、ドビーは「鰓《えら》昆布」を失敬している。ハリーがここに初めて来たのは2年生のとき。ロンの運転する空飛ぶフォード・アングリアが暴れ柳に激突して、この部屋に連行された。その1年後、ホグズミードに透明マントで出かけたことが発覚し、再びここに連れて来られたが、そのときは気味の悪いヌメヌメした物の瓶詰めコレクションがいくつか増えていた。ハリーは5年生のときに、この部屋で閉心術の特別授業を受け、6年のときは、ハリーの父親やシリウスらが在校中に行った悪行を整理するという、無意味で退屈な罰則を受けた。

[⑥上356、489、下322][⑤下161、175、266〜268、341、669][④下171、488][②277]

スピナーズ・エンド
【Spinner's End】 ⑥02-上035

セブルス・スネイプの家のある通り。汚い袋《ふくろ》小路《こうじ》で、スネイプは一番奥の家に住んでいる。ベラトリックスいわく「マグルのはきだめ」のような場所にあり、付近には荒れ果てたレンガ建ての家が並び、通りの上には廃墟《はいきょ》になった紡績工場の煙突が浮かんで見える。

イギリスにスピナーズ・エンドという通りは実在しないが、この場所のモデルは、同中部ダービシャー州のダーウェント渓谷の工場群や、クロムフォードがモデルであろう。ダーウェント渓谷には、18世紀の産業革命時に建設された紡績工場が川沿いに点在しており、世界遺産に指定されている。クロムフォードは、水力紡績機を発明したアークライトが紡績工場を建てた場所である。

Spinnerは英語で「紡績機」や「紡績工」、Endは地名によく使われるが「(通りの)つきあたり」の意。

[⑦初出33章 UK534/US665]

スピネット、アリシア
アリシア・スピネット
【Spinnet, Alicia】 G DA ①11-271

(1978?-)ハリーより2歳年上の元グリフィンドール生。DAメンバー。在校期間は1989〜1996年。1990年から1年間はクィディッチ寮代表チームの補欠だったが、91年にオリバー・ウッドに見出され、それ以降、卒業までチェイサーの正選手として活躍した。5巻ではスリザリンとの試合の前に、マイルズ・ブレッチリーから毛生《は》え呪文をかけられ、眉毛がぐんぐん伸びて視界を遮《さえぎ》り、口まで塞《ふさ》がれた状態で医務室に行った。マダム・ポンフリーのお陰で眉は無事元通りになり、校医の腕を信頼した彼女は、マクゴナガルが失神光線で倒れたときに「マダム・ポンフリーが治すわ。いままで治せなかったことがないもの」と言い張った。ロンが初戦前に心ここにあらずの状態になり、更衣室でユニフォームを前後逆さまに着ようとジタバタしたときは、哀れに思ったのか手伝いに行った。DAの防衛術の練習で、テリー・ブートに杖をぶつけられたことがある。

［⑤上**435**、**531**、**622**、**630**、**635**、**637**、下**473**］［⑦初出**30**章 **UK485**／**US603**］

スフィンクス
【sphynx】

④**31**-下**419**
⑥**01**-上**016**

1995年6月の三校対抗試合の第三の課題のために、魔法省が外国から入国させた生き物。『幻の動物とその生息地』によると、魔法界では1000年以上の長きにわたり、貴重品や秘密の隠れ家などを守るためにスフィンクスを使ってきた。知能が高く、パズルや謎々が大好き。スフィンクスが危険な動物になるのは、守っている物が危機にさらされたときだけである。

神話や伝説の中のスフィンクスは、人間の頭部とライオンの胴体を持った怪物。古代エジプトでは頭が人、体がライオンの姿で、神殿や墳墓《ふんぼ》の守り神として設置された。一方、ギリシア神話では、胸から上は女性、下はライオンの怪物で翼を持つ。テーベ付近で「朝は4本足、昼は2本足、夜は3本足で歩く動物は何か？」という謎を旅人に出し、解けない人を殺していたが、オイディプスが「それは人間だ」と答えると、谷に身を投げ自殺したという。

［⑤上**110**］［幻**095**］

スプラウト、ポモーナ
ポモーナ・スプラウト
【Sprout, Pomona】II

①08-198
⑥09-上263

薬草学を教えるずんぐりとした小柄な魔女。ふわふわと散らばった髪に、つぎはぎだらけの帽子を被《かぶ》っている。服はいつも泥だらけで、爪もおそろしく汚い。快活な先生で、ベルトには温室の大きな鍵をつけている。お気に入りの生徒はネビル・ロングボトム。

6巻ではスナーガラフの授業中、ハリーたち三人が私語に夢中になっていると、「そこ、おしゃべりが多すぎる」と怖い顔をした。気前のいい先生なので、スラグホーンから頼まれると、魔法薬の材料となる葉をたっぷり茂らせた植物をたくさん渡した。ダンブルドアに忠実で、校長の殺害後、学校存続を危惧《きぐ》するマクゴナガルに、「ダンブルドアは間違いなく学校の存続をお望みだったろうと思います。たった一人でも学びたい生徒がいれば、学校はその生徒のために存続すべきでしょう」と説得した。ダンブルドアの葬儀には、つぎはぎ一つない帽子を被り清潔な恰好《かっこう》で出席し、「こんなにこざっぱりしている先生を見たことがない」とハリーを驚かせた。

誕生日の5月15日は、JKR公式サイトで明らかになった。Pomonaはローマ神話の果実や果樹の女神。Sproutは英語で「芽」の意。

[⑥上**423**、下**243**、**470**、**488**] [⑤上**298**、**336**、**415**、**610**、下**199**、**206**、**248**、**256**、**277**] [④上**454**] [②**132～133**] [**JKR** 公式サイト] [⑦初出**12**章 **UK186**／**US226**]

スペシアリス・レベリオ！化けの皮剥《は》がれよ！
【Specialis revelio!】

⑥09-上291

そのものの正体をあばく呪文。6巻でハーマイオニーは半純血のプリンスの本にこれを唱えたが、一切何も起こらなかった。6年の魔法薬学の授業で、解毒剤を調合するよう指示されたとき、アーニー・マクミランは毒薬の入った鍋にこっそりこの呪文を唱えた。それがいかにも迫力があったので、ハリーとロンも真似《まね》をしてみたが、役には立たなかった。

Specialis はラテン語で「特別な」、「特殊の」、「固有の」の意。Revelio はラテン語 revelo「あらわにする」、「現す」からの造語。

[⑥下**084**]

スペルマンのすっきり音節（6巻）
スペルマン音節文字表（5巻）
【Spellman's Syllabary】

⑤**26**-下**244**
⑥**24**-下**302**

「古代ルーン文字」の参考書。ハーマイオニーが持っている。

Syllabary とは、日本語の五十音図のような「字音表」のこと。

[⑤下**243**] [⑦初出**6**章 **UK082**／**US094**]

スペロテープ
【Spellotape】

②**06**-**140**

魔法製品を修理するときに使う魔法のテープ。ロンは2年のときに、真っ二つに折れた杖をこれでつぎはぎしてみたが、直らなかった。ハーマイオニーは、『怪物的な怪物の本』を縛るのに、このテープを使った。ジニーは3年生になる前の夏休み、これを使って兄のお古の『薬草ときのこ千種』の教科書を繕《つくろ》った。

[⑤下**137**] [④上**235**] [③**149**] [⑦初出**13**章 **UK207**／**US251**]

スポークス魔《マ》ン
【spokeswizard】

⑤**25**-下**200**
⑥**03**-上**061**

魔法界の肩書き。マグルのスポークスマン（spokesman）のもじり。6巻では、『日刊予言者新聞』の紙面上で、予言の間《ま》の存在を否定した。5巻では、ブロデリック・ボードが悪魔の罠《わな》に首を絞められて殺されたときに、聖マンゴ病院のスポークス魔ンが声明を発表した。

スミス、ザカリアス

ザカリアス・スミス

【Smith, Zacharias】Ⓗ DA

⑤16-上531
⑥07-上225

ハッフルパフのチェイサーで、DAのメンバー(学年は不明)。痩《や》せて背の高い、鼻がつんと上を向いたブロンドの青年。5巻でヴォルデモートの復活を信じようとせず、DAでも反抗的だったので、ハリーはこの生徒が大嫌い。6巻では、魔法省で何が起こったのかとジニーにしつこく聞いたので、行きのホグワーツ特急の中で、コウモリ鼻糞《はなくそ》の呪いをかけられた。その仕返しに、スリザリン対グリフィンドール戦でクィディッチの解説者を務めたときは、ハリーたちをこき下ろした。ダンブルドアが亡くなり授業が中止されると、気位の高そうな父親に護衛されて、城から連れ出された。ジニーからは、「ハッフルパフ生のバカ」と呼ばれている。

Zacharias(ザカリア)は旧約聖書の預言者。新約聖書の「マタイによる福音書」では、イエスによって「最後の殉教者」と呼ばれた人物。

[⑥上**447**、下**132**、**478**][⑤上**535**~**537**、**541**、**547**、下**059**][⑦初出**5**章 **UK064**/**US071**]

スミス、ヘプジバ

ヘプジバ・スミス

【Smith, Hepzibah】Ⓗ ?

⑥20-下168

年老いた大金持ちの魔女。骨董品の蒐集《しゅうしゅう》家《か》のでっぷり太った婦人。ヘルガ・ハッフルパフの遠い子孫で、トム・リドル(ヴォルデモート)に「ヘルガ・ハッフルパフのカップ」と「スリザリンのロケット」を見せた二日後に何者かによって殺害され、カップとロケットを盗まれた。犯人はトム・リドルだが、屋敷しもべ妖精のホキーが誤って主人に毒を入れたとして魔法省で有罪となった。

Hephzibah(ヘフジバ)は、旧約聖書のユダ王国のヒゼキヤ王の妻でマナセの母。ヘブライ語で「わが喜びは彼女にある」の意(「列王記下」21章、「イザヤ書」62章）。

［⑥下**169～181**］［⑦初出**26**章 **UK434**／**US538**］

スラグ・クラブ
（スラグ・）ナメクジ・クラブ

【Slug Club】

⑥**07**-上**224**

スラグホーンが作った取り巻きクラブ。ホグワーツで二度教えたスラグホーンは、そのたびに優秀な人物や野心家、有名人や成功者の師弟、魅力ある者などの「お気に入り」の生徒を選び出し、このクラブのメンバーにしていた。クラブ内で定期的に食事会などを開催し、メンバー間で人を紹介して便宜《べんぎ》を図り、その見返りとして好物など常に何かを得ていた。

6巻ではクリスマス・パーティを開き、昔のメンバーが大勢ホグワーツに集まった。スラグホーンは死《し》喰《く》い人《びと》（ヴォルデモート）を嫌っているので、ノット氏、ルシウス・マルフォイやトム・リドルは在学中メンバーだったが、今は交流していない。ディナーなどの招待状には、紫のリボンが飾られている。

■スラグ《なめくじ》・クラブのメンバー（6巻）　1996-1997年度

ハリー・ポッター、ハーマイオニー・グレンジャー、ジニー・ウィーズリー、コーマック・マクラーゲン、ブレーズ・ザビニ、メリンダ・ボビン。

■メンバーになり損《そこ》ねた生徒（6巻）

マーカス・ベルビィ、ネビル・ロングボトム。

■スラグ・クラブの昔からのメンバー

リリー・エバンズ、ダーク・クレスウェル、バーナバス・カッフ、アンブロシウス・フルーム、シセロン・ハーキス、グウェノグ・ジョーンズ、ダモクレス、チベリウス、エルドレド・ウォープル。

［⑥上**112**、**367**、**422**、**425～426**、**479**］

スラグホーン、ホフス・E・F
ホフス・E・F・スラグホーン
スラッギーじいさん
【Slughorn, Horace E. H.／old Sluggy】Ⓢ

⑥04-上096

1996年9月から「魔法薬」を担当している太った丸顔の教授。目が突き出た小男で、セイウチ髭《ひげ》を生《は》やし、目は淡いスグリ色。現在は禿《は》げているが、若いころは麦わら色の髪を茅葺《かやぶき》屋根のように生やしていた。口ぐせは「ほっほう（Oho）」。ダンブルドアのかつての同僚で友人。トム・リドル（ヴォルデモート）在学中に「魔法薬学」を教えた。閉心術の心得があり、肘掛《ひじか》け椅子《いす》に変身できるほどの優秀な魔法使い。一度引退してからは、死喰《しく》い人《びと》から仲間に勧誘されることを恐れて、留守にしているマグルの家を転々としていた。スリザリン出身であるが、本人いわく差別的な思想は持っておらず、お気に入りの生徒はマグル生まれのハリーの母親、リリー・エバンズだと言い張っている。しかし、マグル生まれの者が優秀であると異常に驚くこと自体が差別的なことに、本人はまったく気づいていない。

陽気な人物であるが、甘えた生き方をしており、有名で成功した力のある者と一緒にいることを好み、そのような魔法使いに自分が影響を与えていると感じることを楽しんでいる。ホグワーツではスラグ《なめくじ》・クラブというサロンを主催し、有名人や成功者の子弟、優秀な生徒などをメンバーにして目をかけ、有用な人などを紹介。その見返りに、好物など何かしら得ていた。ぜいたく品に目がなく、持ち物はどれも高級品ばかり。パジャマはシルクで、上着はビロード。ドラゴンの革のブリーフケースを持ち、ハリーがホグズミードで会ったときは、毛皮の襟《えり》のついたオーバーに、巨大な毛皮の帽子を被《かぶ》っていた。

スラグホーンの人物蒐集《しゅうしゅう》癖を知っていたダンブルドアは、1996年夏ハリーを連れて彼の家に行き、ホグワーツで再び教鞭をとるよう説得。校長の思惑《おもわく》通り、「選ばれし者」ハリーを見たスラグホーンは復職を受け入れ、行きのホグワーツ特急の中で早くもスラグ・クラブを開催し、ハリーに声をかけた。プリンスの教科書のお陰で突然「魔法薬学」が得意科目になったハリーを、「母親と同じ才能がある！」と絶賛し、彼を懐柔《かいじゅう》しようとたびたび夕食に誘うが、当初ハリーはダンブルドアの忠告に従い、ホラスとは距離を置いて接していた。しかし、ハリーが彼の記憶を採取するようダンブルドアに命じられてから、この関係は逆転する。実は、安穏な人生を送っているように見えるスラグホーンにも秘密があり、ヴォルデモート在学中、ホークラックスの知識を伝授していたのであった。自分がヴォルデモートに教えたことが、とんでもない惨事を引き起こしたのではないかと密かに恐れていたスラグホーンは、ダンブルドアからこの記憶を無理やり提供させられそうになると、偽《にせ》の記憶を与えて警戒するように。さらに、ハリーも同じ記憶に興味を持っていることに気づくと、彼との接触も避けるようになった。しかし、最後はフェリックス・フェリシスの力を借りたハリーが、ホラスを言葉巧みにアラゴグの葬儀に誘い、高価な毒が入手できるチャンスにつられて参加したスラグホーンはその場で泥酔させられ、本当の記憶を提供。ハリーとダンブルドアはそれを見て、ヴォルデモートが分霊箱を複数作ったことを知ったのであった。

平凡な生徒には興味がないため、ロンを「ラルフ」や「ルパート」と呼び、最後まで名前を覚えなかった。美味しいものは人に与えずに自分でとっておく性分なので、ダンブルドアへのクリスマスプレゼントとして使うつもりでマダム・ロスメルタから送ってもらったオーク樽《だる》熟成蜂蜜酒《じゅくせいはちみつしゅ》も渡さず、自分用にしまっておいた。この酒には毒が盛られていたため、知らずに飲んだロンは危うく命を落としかけた。1997年にスネイプが逃亡した後は、スリザリンの寮監に就任。

英語 slug は「ナメクジ」、horn は「角」の意。Slughorn を直訳すると「ナメクジの角」になるが、スコットランド方言で slughorne は「家系や人種などに見られる遺伝的な特徴」を意味する。

［⑥上**099**、**101**、**105**、**108**、**112～113**、**125**、**215**、**229～230**、**277**、**352**、**367～368**、**477～478**、**486**、下**076～077**、**088～091**、**111～112**、**115**、**122**、**217**、**229**、**243～246**、**250～262**、**267～274**、**466**、**469～470**、**488**］［⑦初出**6**章

UK089／US102〕

スラグホーンの部屋
【Slughorn's office】

⑥15-上477

6巻で魔法薬学を担当したスラグホーンの研究室。階は不明だが、ホグワーツ城の上階にある。ハリーが初めてここを訪れたのは、クリスマス・パーティのとき。スラグホーンが魔法をかけたのか、室内はほかの先生の部屋よりずっと広かった。パーティの日は、天井と壁がエメラルドや紅、金色の垂《た》れ幕のひだ飾りで優美に覆われ、天井の中央から本物の妖精が中に入った金色のランプが下がり、煌《きら》びやかな光を放っていた。

ふだんは房飾りつき足置き台などの家具がごてごて詰まった、暖房の効きすぎた部屋で、テーブルにはバタービールやワインなどのお酒が、ぎっしり並んでいる。誕生日に惚《ほ》れ薬入りのチョコを食べ、この部屋に担《かつ》ぎ込まれたロンは、スラグホーンに薬を調合してもらい回復。しかし、その後に振る舞われたオーク樽《だる》熟《じゅく》成《せい》蜂蜜《はちみつ》酒《しゅ》に毒が盛られていたため、危うく死を落としかけた。

〔⑥上478、下113～115〕

スリザリン、サラザール
サラザール・スリザリン
【Slytherin, Salazar】Ⓢ

②09-224
⑥10-上313
2007年6月

（中世-正確な年代は不明）。ホグワーツ魔法魔術学校の4人の著名な創立者の一人で、スリザリン寮を作った人物。記録に残っている最初のパーセルマウス（蛇語使い）の一人で、熟練した開心術士であり、純血至上主義の悪名高き擁護《ようご》者。公式サイトのイラストによると、目つきの悪い禿《は》げた男。彼が蛇語を話すため、スリザリン寮のシンボルは蛇になった。組分け帽子は、「湿原（fen＝the Fens＝イングランド東部）からやってきた俊敏《しゅんびん》狡猾《こうかつ》な人物」と歌っている。持ち物はスリザリンのロケット曲がりくねった飾り文字の「S」がついた金のロケット）。

ホグワーツには純血の子供のみが入学を許されるべきだと考えたスリザリンは、魔力を持つ者なら誰でも入学できるというグリフィンドールの思想と対立して学校を去るが、離れる前にほかの創設者に隠れて秘密の部屋を城内に作り、自分の真の継承者以外は開けられないよう蛇語で密封した。その継承者が部屋の封印を解き、中の怪物バジリスクを蛇語で操り、ホグワーツから魔法を学ぶにふさわしくない、マグルの親を持つ生徒を追放することを願ったからである。この利己的な思いは、千年以上経って現れたトム・リドル（ヴォルデモート）によって叶えられ、犠牲者が出たため、学校は存続の危機に陥《おちい》った。

サラザールの名の由来は、ポルトガルの独裁者、アントニオ・サラザール（1889–1970）であろう。1928年に政界に入り、蔵相に就任して国家財政を見事再建し、「ポルトガルの救世主」となるが、32年に首相に就任後、徐々に独裁色を強めていく。33年ファシズムとカトリック精神を基調にした憲法を発布。政党政治の否定、言論の自由の圧殺を行う一方で、家族主義、保護主義的な改革を続行し、事実上独裁者に。68年まで政権につくが、その間ポルトガルの経済は極端に低下、ポルトガル人の国外への大量移民を生み出した。スリザリンは slithering「（蛇のように）滑るように進む」のもじり。

［⑥下**060**、**283**］［⑤上**324**］［**JKR** 公式サイト「今月の魔法使い」］

スリザリンの継承者 【Heir of Slytherin】

②**09**–**225**
⑥**23**–下**277**

トム・マールヴォロ・リドル（ヴォルデモート）のこと。ホグワーツの伝説によると、スリザリンの継承者とは、「サラザール・スリザリンが作った『秘密の部屋』の封印を解き、その中の恐怖（＝バジリスク）を解き放ち、それを用いてホグワーツから魔法を学ぶにふさわしからざる者（マグルの親を持つ生徒）を追放する」者で、継承者だけが「バジリスクを操ることができる」とされていた。従って、サラザール・スリザリンの末裔《まつえい》で、蛇語を操れるヴォルデモートが継承者となる。ハリー・ポッターも蛇語を話すが、これはヴォルデモートに死の呪文をかけられたときに力の一部が移ってしまったため。彼のパーセルタングは生まれつきではないので、該当しない。

[②**226**、**466**][⑦初出7章 **UK109**／**US129**]

スリザリンのロケット
【Slytherin's locket】

⑥**10**-上**313**

サラザール・スリザリンの縁《ゆかり》のどっしりとした金のロケット。スリザリンの印(曲がりくねった飾り文字の「S」)がついている。スリザリンの末裔《まつえい》のゴーント家の家宝となり、娘のメローピー・ゴーントが身につけていたが、妊娠中にお金に困りカラクタカス・バークに10ガリオンで売ってしまった。それを金持ちのヘプジバ・スミスが高値で買い取り大切に保管していたが、ヴォルデモート(トム・リドル)に見せたため殺害され盗まれた。ヴォルデモートはこれをホークラックスにし、子供のころ孤児院の遠足で行った洞窟に、何重にも魔法をかけて保管。しかし、R.A.B.が盗み出し、偽物《にせもの》とすり替えた。そのことを知らなかったダンブルドアは、1997年6月ハリーと洞窟に入り、衰弱しながら偽物を手に入れた。「スリザリンのロケット」が初出するのは6巻上394ページ。

[⑥上**394**、**395**、下**175**、**441**][⑤上**191**][⑦初出**10**章 **UK156**／**US189**]

スリザリン寮
【Slytherin】

①**05**-**118**
⑥**04**-上**105**

ホグワーツの四つの寮の一つ。創立者のサラザール・スリザリンの名に因《ちな》んで命名された。ヴォルデモートや死《し》喰《く》い人《びと》など、闇の魔法使いや魔女は、すべてこの寮の出身。俊敏《しゅんびん》で狡猾《こうかつ》、勇敢だが常に自分自身を救う方を選ぶタイプの生徒が選ばれている。寮のカラーは緑と銀色で、シンボルは蛇。寮監は1997年6月までスネイプであったが、ホグワーツ逃走後はスラグホーンに代わった。クィディッチ・ローブは緑、ゴーストは血みどろ男爵。ハリーが入学する前ま(P281へ)

スリザリンの生徒と卒業生(7巻まで)

創立者：サラザール・スリザリン

寮監：セブルス・スネイプ(1997年6月まで)

ホラス・スラグホーン(1997年6月〜)

ゴースト：血みどろ男爵

入学年	
1858年	フィニアス・ナイジェラス
19世紀？(不明)	ホラス・スラグホーン
〃	アラミンタ・メリフルア
1861年ころ	エラドーラ
1936年ころ	ブラック夫人(シリウス母)
1940年ころ	ブラック氏(シリウス父)
1937〜40年代	アルファード・ブラック(シリウス叔父)
1938年	トム・マールヴォロ・リドル
〃	エイブリー(大)
〃	レストレンジ(大)
〃	ロジエール(大)？
1960年代ころ	ラバスタン・レストレンジ
〃	ロドルファス・レストレンジ
1962年ころ	ベラトリックス・ブラック
1965年ころ	ルシウス・マルフォイ
1966年ころ	ナルシッサ・ブラック
1971年	セブルス・スネイプ
1972年ころ	レギュラス・ブラック
1970年代	ウィルクス(スネイプと同年？)
〃	エイブリー(小／スネイプと同年？)
〃	エバン・ロジエール(ロジエール・大と同人物の可能性あり／スネイプと同年？)
1986年	マーカス・フリント

1988年	デリック
〃	ボール
1989年？	エイドリアン・ピュシー
〃	モンタギュー
〃	ワリントン
1991年	ドラコ・マルフォイ
〃	グレゴリー・ゴイル
〃	ブレーズ・ザビニ
〃	セオドール・ノット
〃	パンジー・パーキンソン
〃	ミリセント・ブルストロード
〃	ビンセント・クラッブ
1992年	ハーパー
1994年	マルコム・バドック
〃	グラハム・プリチャード
1990年代	ウルクハート
〃	テレンス・ヒッグズ
〃	マイルズ・ブレッチリー
〃	ベイジー

＊ブラック家の入学年は、ブラック家家系図から算出。

(P278から)で、6年連続で寮杯を獲得していた。談話室は地下牢にあり、2年生のときの合言葉は「純血」だった。談話室は石造りの細長い部屋で、低い天井から丸い緑がかったランプが、鎖で吊《つ》り下げられている。暖炉には壮大な彫刻が施されており、その周りには同じく彫刻の入った椅子《いす》が置かれている。

スリザリンはslithering「(蛇のように)ずるずる滑るように進む」のもじり。

[⑥上**446**、下**218**、**466**][⑤上**301**、**325**、下**122**、**439**、**667**][③**396**][②**328**][①**185**、**269**、**314**、**448**][⑦初出7章 **UK109**/**US129**]

ずる休みスナックボックス
【Skiving Snackbox】

⑤**06**–上**171**
⑥**06**–上**177**

病気にしてくれるお菓子もろもろ。2色に色分けされており、生徒が授業をさぼりたいときに食べる。ウィーズリー・ウィザード・ウィーズ(WWW)の商品で、気絶キャンディ、発熱ヌガー、鼻血ヌルヌルヌガー、ゲーゲー・トローチの4種類がある。片側の半分を食べると発熱などの病気になり、病棟に行くという言い訳で教室を出て、残りの半分を食べると回復するので、生徒は残った時間を自由に使うことができる。フレッドとジョージは在学中、生徒を実験台にしてこれらを開発した。

スローパー、ジャック
ジャック・スローパー
【Sloper, Jack】Ⓖ

⑤**21**–下**059**
⑥**09**–上**274**

グリフィンドールの男子生徒。学年は不明。5巻で双子の代わりにグリフィンドール寮代表チームのビーターになった。冴《さ》えない選手だが、ほかに志願したのはさらにまぬけな生徒だったため、選ばれた。案の定、ブラッジャーを撃ちそこねて代わりに棍棒《こんぼう》でアンジェリーナの口をひっぱたいたり、自分の棍棒で自分をノックアウトして医務室に連れて行かれたりと、いろいろやってくれた。6巻では、ダンブルドアの手紙をハリーに届けた。

［⑤下**215、245、366**］

せ

精の探求 【Quintessence : A Quest】 ⑥15-上461

「呪文学」の参考書。6年生は、1学期の最後の「呪文学」の授業までにこれを読むよう求められた。ロンがラベンダーとの交際について「あいつ（ハーマイオニー）はクラムといちゃいちゃした……僕は悪いことはしていない」と自己弁護するあいだ、ハリーはこの本に没頭しているふりをした。

西部地域 【West Country】 ⑥01-上006

イギリスの地域。1996年（6巻）にハリケーンに襲われ、家の屋根が吹き飛び、街灯は曲がり、住人は大怪我をするなど多大な被害を受けた。マグルは異常気象のせいだとしたが、実は死《し》喰《く》い人《びと》と巨人の仕業《しわざ》であった。

西部地域（ウェスト・カントリー）は、イングランド南西部地方のこと。サマセット、デヴォン、コーンウォールの3州を指す。

［⑥上**022**］

聖マンゴ魔法疾患傷害病院
【St Mungo's Hospital for Magical Maladies and Injuries】 ④08-上158 ⑥01-上018

魔法界の病院。16世紀後半または17世紀に、有名な癒者《いしゃ》マンゴ・ボナムがロンドン市内に設立した。マグル界のような「医者」はおらず、代わりに「癒者(ヒーラー)」が治療に当たっている。紋章は杖と骨がクロスした図柄で、この模様は癒者が着ている緑色のローブの胸についている。

6階建ての建物の1階部分は「物品性事故」のフロア、2階は「生物性傷害」、3階は「魔《バ》クテリア性疾患《しっかん》」、4階は「薬剤・植物性中毒」、5階は「呪文性損傷」のフロアで、6階には「外来者喫茶室と売店」がある。1階にはホグワーツの校長も務めたディリス・ダーウェントの肖像画が掛かり、案内係のデスクでは、案内魔女が外来患者に、どの課で治療を受けたらいいかなどの説明をしている。一般病棟のほか、重篤《じゅうとく》な噛《か》み傷を治療する「『危険な野郎』ダイ・ルウェリン記念病棟」があり、アーサー・ウィーズリーが大蛇に襲われたときに入院した。「ヤヌス・シッキー病棟」という5階の隔離《かくり》病棟には、ギルデロイ・ロックハートやネビルの両親が入院中。ロックハートは、ホグワーツにいたときと変わらず部屋を自分の写真だらけにし、「変わってないね」とハリーに呆《あき》れられた。

病院は、ロンドン市内の「パージ・アンド・ダウズ商会」という流行遅れの大きなデパートに隠されている。ダイアゴン横丁には十分な広さの場所がなく、衛生上魔法省のように地下に潜《もぐ》らせることができないため、魔法省は病院にふさわしい場所を探すのに苦労し、最終的には病気の魔法使いが出入りしても人ごみに紛《まぎ》れてしまうという理由で、ロンドン中心部のデパートを手に入れたという。ここの癒師《いし》になるには、「魔法薬学」、「薬草学」、「変身術」、「呪文学」と「闇の魔術に対する防衛術」のNEWT《いもり》試験で「良・E」という高い成績を取る必要がある。魔法省アトリウムの噴水に投げ込まれたお金は、この病院に寄付される。魔法による疾患や傷害の治療にあたっているため、魔法使いだけでなくマグルもときどき入院している。6巻では、呪われたネックレスに触ってしまったケイティ・ベルが入院した。

St.Mungo（聖マンゴー）は、グラスゴーの守護聖人の聖ケンティゲルン（St.Kentigern）の別称。Mungo は dear friend の意。

［⑥上**390**、下**232**］［⑤上**207**、**568**、下**102～114**、**139**、**200**、**370**］［⑦初出**8**章 **UK130／US156**］

世界の肉食植物 【Flesh-Eating Trees of the World】

⑥**14**-上**427**

6年生の「薬草学」でスナーガラフを勉強したときに、ハーマイオニーが持っていた参考書。スナーガラフの種から汁を搾《しぼ》る正しいやり方が書いてある。

セクタムセンプラ！（切り裂け）【Sectumsempra!】

⑥**21**-下**192**

半純血のプリンスが発明した闇の魔術。この呪文を敵に唱えると、相手の皮膚は見えない刀で切られたようにパックリ割れ、血が噴き出す。ハリーは呪文の効果を知らずにこれをドラコに唱えてしまい、顔や胸を血だらけにさせてしまった。スネイプによると、これをかけられた者は多少傷痕《きずあと》を残すこともあるが、すぐにハナハッカを飲めば、それも避けられるという。ハリーは、ホークラックスの洞窟で亡者《もうじゃ》にこれを唱えたが、亡者は流すべき血を持たないので、何も感じない様子だった。おそらくスネイプは15歳のときに、これをジェームズ・ポッターに唱えている。

Sectumsempra は、ラテン語 sectum（動詞 secto「ずたずたに切る」、「傷つける」の目的分詞）とラテン語 semper「常に」の合成語。

［⑥下**309**～**311**、**392**］［⑤下**356**］［⑦初出**5**章 **UK066／US073**)

セシリア【Cecilia】

⑥10-上316

マグルのきれいな若い女性。トム・リドルがメローピーと結婚する前に付き合っていた。葦毛《あしげ》の馬に乗り、トムと一緒にゴーントの家の前を通ったときに、「おやまあ、何て目障《ざわ》りなんでしょう！あなたのお父さま、あんな掘っ立て小屋、片付けてくれないかしら？」と甘えた。

セストラル【Thestral】

⑤10-上313
⑥08-上237

天馬の一種の有翼《ゆうよく》の馬。死を見たことがある者だけに見える爬虫《はちゅう》類《るい》のような生き物。ホグズミード駅とホグワーツ城のあいだを運行している、学校の「馬なしの馬車」を牽《ひ》いている。巨大な黒い馬の胴体にはまったく肉がなく、黒い皮が骨にぴったり張りつき、骨の一本一本が見えている。ドラゴンのような頭に、瞳のない白く濁った目、黒く長い尾を持ち、背中の隆起した部分から翼が生《は》えている。魔法使いのあいだでは、見た者に恐ろしい災難が降りかかる、縁起の悪い生き物という迷信があるが、実は賢いし役に立つ。方向感覚はバツグンで、行き先を告げるだけで、どこにでも行きたい所に運んでくれる。乗り手を見つけるのが上手く、血の臭いに引かれて集まってくる。ホグワーツの禁じられた森に生息しているセストラルは、ハグリッドが育てたイギリスで唯一の飼育種。最初は雄1頭と雌5頭で飼育を始め、今では群れをなしている。ダンブルドアが姿現わしをしないで遠出するときや、学校の馬車牽きとして働いており、ときどき鳥を狙うが、ふくろうには手を出さないようきちんと躾《しつ》けてある。ハグリッドが特別に可愛がっているのは、群れで最初に生まれたテネブルス。5巻の「魔法生物飼育学」の授業で学んだときに、真っ先に森から現れた。この授業でセストラルの姿が見えた生徒は、ハリー、ネビル・ロングボトム、セオドール・ノットの三人だけだった。魔法省に行くときにハリー、ロン、ハーマイオニー、ジニー、ネビル、ルーナの6人は禁じられた森からこれに乗ったが、行き先を告げると素早い動きで両翼がさっと伸び、ロケット弾のように急上昇した。移動速度はバックビークより高速で、広い翼をほとんど羽ばたかせずに、猛スピードで飛翔《ひしょう》した。魔法省に到着してからは、お腹が減ったのか、通りのゴミ容器の中から食べ物のゴミをあさっていた。

ハリーは5年生になって初めてセストラルが見えるようになったが、JKRは「ハリーは両親の死ぬ場面を見ておらず、クィレルの死ぬ場面も見ていません。その前に気を失ってしまい、最後の章でダンブルドアから話を聞いただけです。ただセドリックの死は目撃していて、それでようやくセストラルが見えるようになったのです。4年生の最後にホグズミード駅に戻るときにセストラルが見えなかったわけは、4巻の最後になって、しばらくは解決されない新たな謎を作りたくなかったから。だから、ハリーが最初のショックを克服し、死とはどのようなものかを本当に理解するまで、セストラルは見えないということにしておきました」と答えている。

［⑤上**444**、下**037**、**043**～**053**、**530**～**539**］［**JKR**公式サイト「**FAQ**作品について」］［⑦初出**4**章 **UK043**／**US045**］

せっせい《節制》　**【Abstinence】**　⑥**17**-下**046**

6巻のクリスマス休暇後に使われたグリフィンドール寮の合言葉。クリスマスのあいだ、太った婦人《レディ》は友達のバイオレットと二人で、「酔っ払い修道士たち」の絵の中にある500年物のワインを一樽《たる》飲み干し、二日酔いに。自戒《じかい》の念を込めて合言葉をこれに変えた。

英語abstinenceには、「節制」のほか、「禁酒」という意味もある。

［⑥下**048**］

切断の呪文
【Severing Charm】

④23-下081

洋服などを切断する呪文。ロンは4巻のクリスマス・ダンスパーティの前にこれを唱え、自分の古くさいドレスローブの襟《えり》と袖口《そでぐち》のレースを切り取ることに成功した。呪文の詰めが甘く、襟や袖口は、惨めにボロボロになってしまったが……。

英語で sever は「切断する」という意味。

［⑦初出**17**章 **UK283**／**US346**］

「セドリック・ディゴリーを応援しよう」バッジ
【Support CEDRIC DIGGORY badge】

④18-上460

4巻でハリーが三校対抗試合の代表選手に選ばれてから、スリザリン生が作って胸につけていたバッジ。赤い蛍光色の文字で「セドリック・ディゴリーを応援しよう―ホグワーツの真のチャンピオンを！」と書かれている。バッジを押すとその文字は消え、今度は緑に光る「汚いぞ、ポッター」の文字が浮き上がる。クリービー兄弟は、これをごっそり手に入れ、魔法をかけて「ハリー・ポッターを応援しよう」に変えようと頑張ったが、力及ばず、バッジは「ほんとに汚いぞ、ポッター」に変わってしまった。

［④上**498**、**510**、**517**］［⑦初出**2**章 **UK020**／**US014**］

ゼラニウム
【geranium】

⑥07-上223

ホグワーツ特急内で開かれたスラグホーンの昼食会で、神秘部の予言の話題が出たときに、ネビルはゼラニウムのようなピンク色になりながら「僕たち予言を聞いてません」と言いハリーを庇《かば》った。

ゼラニウムは、フウロソウ科の多年草。夏に真紅やピンクなどの花を散形状に多数つける。「憂鬱《ゆううつ》」や「愚かさ」の象徴で、イギリスの詩人・批評家T.S.エリオットは、『風の夜の狂詩曲 Rhapsody on a Windy Night』の中で、"Midnight shakes the memory／As a madman shakes a dead geranium." (真夜中がわたしの記憶を揺さ振る／狂人が枯れた天竺葵[寺島注：ゼラニウム]の小枝を揺さ振るように『三月兎の調べ』村田辰夫訳)と詠《うた》い、失われた記憶を表現した。

詮《せん》索《さく》センサー【Secrecy Sensor】

④20-上528
⑥11-上354

闇の魔術や闇の物品を探知する道具。見つけ出すと振動して知らせる。闇祓《やみばら》いが使う器具だが、6巻でホグワーツの安全対策が強化されてからは、管理人フィルチがこれを使い、城を出入りする生徒やふくろう便を検査した。呪いや呪詛《じゅそ》、隠蔽《いんぺい》の呪文は見破るが、単に瓶と中身が違っているだけの品は認識しない。このためウィーズリー・ウィザード・ウィーズ(WWW)は、香水や咳止《せきど》め薬などに中身を偽装して、持ち込みが禁止されている「愛の妙薬」などの品をこっそりホグワーツに送っていた。4巻・5巻では「秘密発見器」と和訳されていた。

[⑥上**366**、**465**〜**466**、下**217**] [⑤上**613**]

そ

空飛ぶ車【flying car】

②03-048
⑥08-上245

アーサー・ウィーズリーが魔法をかけて、空を飛べるようにしたトルコ石色のフォード・アングリアのこと。2年のときにホグワーツ特急に乗りそこなったハリーとロンは、この車で空を飛んでホグワーツに行った。途中でエンジンが止まり、車は暴れ柳に激突してでこぼこに。怒った車はそのまま禁じられた森に走り去り、そのまま野生化してしまった。

この車のモデルは、JKRの中等学校時代の親友ショーン・ハリス氏が乗っていたトルコ石色のフォード・アングリア。当時の退屈な生活からこの車が救ってくれたので、彼女にとって「自由」の象徴となったという。

そーれ！わっしょい！こらしょい！どっこらしょい！

【Nitwit! Blubber! Oddment! Tweak!】

①07-183
⑥30-下492

ハリーが入学した年の新入生歓迎会で、ダンブルドアが述べた挨拶の言葉。その約6年後、校長の葬儀に参列したハリーは、小柄な魔法使いが話す美辞麗句《びじれいく》を羅列《られつ》しただけの単調な弔辞《ちょうじ》を聞きながら、これを思い出して校長の人柄を偲《しの》んだ。

英語nitwitは「ばか者」や「まぬけ」、同blubberは「ぽっちゃりとした」、同oddment「残り物」や「がらくた」、同tweak「微調整する」や「マイナーな改良」の意。ダンブルドアは、「愚か」で「太った」、「がらくた」な生徒を、「微調整するぞ」と彼流のユーモアで伝えたかったのかもしれない。4つの寮を逆説的に示していると見ることもできる。

Nitwitは「頭のいい」レイブンクロー、blubberは「勇猛果敢な騎士道（＝活発でスマートな）」グリフィンドール、oddmentは「純血を重んじる」スリザリン、tweakは「勤勉で忠実な（改良する必要がない）」ハッフルパフ。

ゾンコの悪戯《いたずら》専門店

ゾンコの店

【Zonko's（Joke Shop）】

③08-190
⑥12-上366

ホグズミードのハイストリート通りにある悪戯《いたずら》の道具やジョーク・グッズの専門店。5巻でフレッドとジョージは、「長くてなにやら危険そうな金属の道具」をこの店で購入し、生意気な態度のザカリアス・スミスにちらつかせながら、「耳の穴をかっぽじってやろうか？」と脅かした。このほか、臭《くさ》い玉、ゲップ粉、ヒューヒュー飛行虫、糞爆弾、しゃっくり飴、カエル卵石鹸《せっけん》、鼻食いつきティーカップなどを販売している。ホグワーツで持ち込み禁止になった叫びヨーヨー、噛《か》みつきフリスビーや、殴り続けのブーメランもこの店の商品かもしれない。6巻では閉店したため、双子がホグズミード支店として買収を考えた。

［⑥下**118**］［⑤上**527**、**541**］

存在課 【Being Division】

⑤**07**-上**211**

魔法省・魔法生物規制管理部に設けられた課の一つ。この中に、狼人間援助室(Werewolf Support Service)や、屋敷しもべ妖精転勤室(Office for House-Elf Relocation)が設置されている。グローガン・スタンプが魔法省大臣の時代に、動物課、存在課と霊魂課の3課が魔法生物規制管理部の中に設置された。当該課が担当している生き物は、小鬼《コブリン》や水中人、鬼婆、吸血鬼など。狼人間は長年に亘り動物課と存在課の両方から疎《うと》まれ、ゆえに狼人間に関係する部署は、双方の課に設置されている。オフィスはロンドンの魔法省地下4階。

［幻**018**～**019**］［⑦初出**12**章 **UK201**／**US245**］

た

ダイアゴン横丁
【Diagon Alley】

①05-109
⑥05-上132

ロンドンにある魔法界の商店街。石畳《いしだたみ》の通りがくねくねと続き、ショーウィンドウはキラキラと色鮮やかに飾りつけられ、買い物客でごったがえしている。本屋や薬問屋があるので、ホグワーツの学生やその父兄は夏休みのあいだにここに来て、必要な学用品などを揃えている。4巻と5巻では、ハリーや子供たちの代わりに、ウィーズリーおばさんがここで教科書や衣類などを買っていた。ヴォルデモートが復活してから様変《さまが》わりし、6巻では魔法省の保安上の注意のポスターがここかしこに貼られ、店主が拉致《らち》されて閉鎖した店の前では、怪しげな護符《ごふ》売りなどが商売をしていた。

■入り口

チャリング・クロス通りに面した居酒屋・漏れ鍋の裏庭で、ゴミ箱の上の壁のレンガ「三つ上がって横に二つ目（または左側の三番目）」を三回叩《たた》くとレンガが震え、クネクネと揺れ始める。そして真ん中に小さな穴が現れ、どんどん広がり、あっという間に目の前に大きなアーチ型の入り口ができる。ダイアゴン横丁の中に入ると、アーチはみるみる縮み、元の固いレンガの壁に戻ってしまう。

■ダイアゴン横丁のお店

フローリシュ・アンド・ブロッツ書店、グリンゴッツ銀行、高級クィディッチ用具店、ギャンボル・アンド・ジェイプスいたずら専門店、マダム・マルキンの洋装店、薬問屋、イーロップふくろう百貨店、オリバンダーの店、フローリアン・フォーテスキュー・アイスクリーム・パーラー、魔法動物ペットショップ、雑貨屋、鍋屋、文房具屋、古着店、ウィーズリー・ウィザード・ウィーズ(93番地)、ウィズ・ハード・ブックス(129番地B=『クィディッチ今昔』の出版社)、オブスキュラス・ブック(18番地a=『幻の動物とその生息地』の出版社)。

ダイアゴン横丁の名前の由来は、英語のdiagonally「対角線上に」、「斜めに」から(発音が同じ言葉遊び)。マグル社会とは正反対の対角線上にある所から、命名された。ここでは、お店も斜めに(diagonally)建てられている。

[⑥上**167〜170**、下**489**][⑤上**261**][③**066**、**076**][②**087〜088**][①**108〜110**、**116**、**122**、**124**、**138**][ク**005**][幻**003**][⑦初出**11**章 **UK182**/**US222**]

ダーウェント、ディリス
ディリス・ダーウェント
【Derwent, Dilys】
⑤**22**-下**081**

長い銀色の巻き毛の老魔女。1722年から1741年まで聖マンゴの癒者《いしゃ》として活躍し、その後1768年までホグワーツ魔法学校の校長を務めた。現在は、校長室の肖像画の中でウトウトしている。エバラードと並び、ホグワーツの歴代校長の中でも最も有名な人物。高名であるため、彼女の肖像画は校長室だけでなく、魔法界の重要な施設に掛かっている。アーサー・ウィーズリーが巨大な蛇に襲われたときは、聖マンゴ病院1階の自分の肖像画に駆けつけ、その容態を確認し、ダンブルドアに報告した。

[⑤**082**、**106**][⑦初出**36**章 **UK598**/**US747**]

ダグワース-グレンジャー、ヘクター
ヘクター・ダグワース-グレンジャー
【Dagworth-Granger, Hector】
⑥**09**-上**281**

超一流魔法薬師協会の設立者。ハーマイオニーの苗字を初めて聞いたホラス・スラグホーンは、この人物と関係があるかと尋ねた。

ダーズリー、ダドリー
ダドリー・ダーズリー
【Dursley, Dudley】

①01-006
⑥03-上070

(1980–)ハリーの同い年の従兄《いとこ》で、ダーズリー家の一人息子。ピンクのでかい顔に、薄水色の小さい目、ブロンドの髪をした巨漢。フィッグばあさんいわく「役立たずのどてかぼちゃ」。ハリーいわく「豚が(金髪の)かつらをつけたみたい」。あまりにも豚そっくりなので、ハグリッドが魔法で豚にしようとしたときは、変えるところが見つからず、尻尾《しっぽ》しか生えなかった。

欲しい物は何でも与えられ、両親から甘やかされたせいでわがままに育ち、子供のころは近所の悪友たちとハリーいじめを楽しんでいた。11歳で父親の母校のスメルティングズ男子校に入学。成績が悪く、いじめっ子の不良であったが、両親は“学校の先生が息子を理解していないだけ”と都合のいい言い訳をし、相変わらず過保護に育てていた。しかし、3年生の終わりに養護の先生から太りすぎを指摘され、これには両親ともグウの音も出ず、ダドリーは4年生(4巻)から食事制限をさせられる羽目に。この厳しいダイエットは功を奏し、さらに、新たにボクシングの能力が発見されたことで体が鍛えられ、イギリス南東部中等学校ボクシングのジュニアヘビー級チャンピオンになった。父親はこれを自慢の種にしていたが、いじめっ子でパンチ力があるので、近所の子供たちからは誰よりも恐れられていた。15歳の夏休み(5巻)のあいだは、友人の家に食事に招かれたと嘘をつき、毎晩悪友たちと外出。公園で物を壊したり、街角でタバコを吸ったりと、悪行三昧《ざんまい》の日々を送っていた。これまで怖いものなしで生きてきたダドリーであったが、その夏ハリーと一緒にいるところを吸魂鬼《ディメンター》に襲われ、人生最悪のものを見てしまう。ハリーの守護霊に助けられてからは、これまでの不良ぶりは影をひそめ、すっかり大人しい少年になってしまった。1996年夏(6巻)にダンブルドアが自宅に来たときは、震えあがり、一言《ひとこと》も発しなかった。

JKRは、ダドリーが吸魂鬼に襲われて見たものはいずれ分かるだろうと話している。英語dudleyには「失敗者」、「だめな人」の意味（俗語）がある。

［⑤上007～008、018～037］［WBC］［⑦初出2章 UK 019／US013］

ダーズリー、バーノン
バーノン・ダーズリー
バーノン叔父さん
【Dursley, Vernon／uncle Vernon】

①01-006
⑥03-上067

ハリーの叔父のマグルで、穴あけドリル製造会社のグラニングズ社の社長。でっぷりと太った体のせいで首はほとんどない。そのかわりでっかい赤ら顔に巨大な口髭《ひげ》が目立っている。不思議とか神秘的とかそんな「まとも」でない非常識は一切認めず、ポッター一家のことが世間にばれるのを何よりも恐れ、「ま」のつく言葉には特に神経質。文句を言うのが大好きで、ハリーを怒鳴ることが生きがい。息子のダドリーを溺愛《できあい》し、自分の母校である私立スメルティング校に通わせている。妻は詮索《せんさく》好きのペチュニア。家族はほかに姿も性格もダーズリー叔父さんそっくりの妹、マージがいる。

ハリーを預かったことで、叔父さんはこれまで数々の面倒に巻き込まれてきた。1巻では息子ダドリーのお尻に豚の尻尾《しっぽ》をつけられ、2巻では大切な接待の席でデザートが破裂して、人生最大の商談に失敗。3巻ではマージおばさんがふくらんで天井をポンポン、挙句《あげく》の果てに4巻では客間の半分をウィーズリーおじさんに破壊された。我慢の限界に達していたところに、5巻では息子が吸魂鬼《ディメンター》に襲われ、さらに闇の帝王ヴォルデモートが復活したことを知り、これ以上愛する家族を危険にさらすことはできないとハリーを追い出す決心をした。しかし、ハリーに「出ていけ！」と怒鳴ると、すぐさまペチュニア叔母さんの許《もと》に抗議の吼《ほ》えメールが届き、断念せざるを得なくなった。

一方のハリーも、叔父さんが被《こうむ》った災難よりずっと酷い扱いをダーズリー家から受けているが、これらについてダンブルドアは「（ハリーの）せめてもの救いは、ダドリーが両親から被ったような言語道断な被害（＝甘やかし）を免れたことじゃ」と皮肉っている。

1981年10月ポッター夫妻が殺されハリーだけが生き残ると、ダンブルドアはダーズリーの家に古《いにしえ》の魔法をかけ、この家をハリーが家庭と呼べるうちは、強力な保護を彼に与えるようにした。この家の中では、ヴォルデモートですらハリーに手出しができず、5巻で叔父さんがハリーの首をがっちり締めたときは、体に目に見えないエネルギーのようなものが走り、掴《つか》んでいられなくなった。この魔法はハリーが成人した時点で（1997年7月31日）効力を失うが、誕生日まで確実に護《まも》りを継続させるため、ダンブルドアは6巻でダーズリー家を訪れ、ハリーが17歳の誕生日を迎える前にもう一度ここに戻ることを許して欲しいと依頼した。

JKR は EBC で、一番嫌いなキャラクターはバーノン叔父さんだと話している。JKR が生まれたチッピング・ソドベリーの近くに Dursley という町がある。

［⑥上**082～083**、下**502**］［⑤上**006**、**011～012**、**052**、**066**、下**693～697**］［①**042**、**050**］［**EBC**］［⑦初出**2**章 **UK020**／**US015**］

ダーズリー、ペチュニア・エバンズ

ペチュニア・エバンズ・ダーズリー
ペチュニア叔母さん
【Dursley, Petunia Evans／aunt Petunia】

①**01-006**
⑥**03-**上**070**

ハリーの母親の実の妹。マグルなので魔法は使えない。金髪で首が鶴のように長く、ガリガリに痩《や》せた馬面《うまづら》の女性。姉とはまったく似ていない、色の薄い大きな目をしている。趣味は垣根越しにこっそり行うご近所さんのあら探しと、息子のダドリーを甘やかすこと。お隣さんの動きには目が鋭いが、息子の悪評には固く目をつぶり、近所の不良と連《つる》んで弱い者いじめをしていても放ったらかし。息子のことを、いい友達に囲まれた人気者だと勘違いしている。

マグルの両親から生まれたペチュニアは、家族の中で姉だけが魔力を示し魔法学校に入学したことを、子供のころから妬《ねた》んでいた。しかし、その姉夫婦が1981年に亡くなり、かつて手紙のやり取りをしたことのあるダンブルドアから、生き残ったハリーを育てて欲しいと頼まれると、何故か素直に引き取った。ダンブルドアは、実の息子同様にハリーを世話するよう望んだが、彼女はそれを無視してハリーを階段下の蜘蛛《くも》だらけの物置に押し込め、残酷に扱った。満足に食べ物も与えず、ダドリーのお古を与え、魔法界の知識があったものの、それを彼に隠していた。ハリーがダーズリー家で保護されていることを知っていたため、追い払うことだけはしなかったが、1995年夏ダドリーが吸魂鬼《ディメンター》に襲われ、夫のバーノンが彼を家から追い出そうとしたときは、ダンブルドアから抗議の吼《ほ》えメールが届き、ペチュニアは慌《あわ》ててハリーを家に引き止めた。翌1996年夏には、自宅に訪ねてきたダンブルドアから、ハリーを長年虐待し続けたことを非難されたが、反論せずに顔を赤らめただけであった。ときどき奇妙な言動を見せるペチュニアであるが、JKRは「彼女はマグルですが、見た通りの人物とは少し違っていて、それは7巻を読めば分かります。マグルなのでもちろんスクイブではありません」と述べている。

ペチュニアはナス科の植物で、花言葉は「あなたがいてくれて心が和む」。英語 petulant「いらいらした」、「怒りっぽい」にも掛けている。

［⑥上**082**］［⑤上**006**、**054**～**055**、**063**～**064**、**086**、下**644**～**645**］［④上**042**～**043**］［③**025**］［①**013**、**083**］［**EBF**］［**OBT**］［⑦初出**2**章 **UK020**／**US015**］

ダッダー（ちゃん） 【Dudders】

③**02-028**
⑥**03-上081**

ダドリー・ダーズリーの愛称の一つ。ダーズリー夫妻は16歳になった息子のことをいまだにこのように呼び、甘やかしている。

英語 dudder には「詐欺師」、「いかさま野郎」（豪俗）という意味がある。

［⑦初出**3**章 **UK039**／**US041**］

盾の呪文【Shield Charm】

④31-下390
⑥03-上064

一時的に自分の周りに見えない壁を築き、小から中程度の弱い呪いなら跳《は》ね返すことができる術。呪文の言葉は「プロテゴ！護《まも》れ！」。ウィーズリー双子はウィーズリー・ウィザード・ウィーズ(WWW)の商品として、ほんのジョークのつもりで盾の帽子を作ったが、魔法使いの中にはこの呪文すらできない者が驚くほど多いため、魔法省が補助職員全員のために500個も注文した。これに味を占めた二人は商品群を広げ、今では盾のマントや盾の手袋なども開発されている。ハリーは6年生の「闇の魔術に対する防衛術」の授業で、スネイプから急に杖を向けられたとき、本能的にこの呪文を唱えてしまった。術は強烈だったためスネイプはバランスを崩して机にぶつかり、ハリーは罰則を受ける羽目になった。5巻のDAのレッスンで、これを練習をした。

[⑥上**180**、**271～272**][⑤下**210**][④上**391**][⑦初出**6**章 **UK082**／**US094**]

盾の手袋【Shield Glove】

⑥06-上181

軽い呪いを跳《は》ね返す手袋。ウィーズリー・ウィザード・ウィーズ(WWW)の“まじめ路線”の商品。地味なパッケージに入れられて、店の奥の暗い売り場に並んでいる。

盾の帽子【Shield Hat】

⑥06-上181

小から中程度の軽い呪いや呪詛《じゅそ》を跳《は》ね返す帽子。これを被《かぶ》ってから、誰かをけしかけて自分に呪文をかけさせ、その呪文がかけた人自身に跳ね返るときの反応を見て楽しむというもの。もともとは双子がジョークで作った商品であるが、魔法界には盾の呪文すら満足に唱えられない人が多く、護身用にと魔法省から大量注文がきたため、二人は商品群を拡大。今では“まじめ路線”と称し、盾のマントや盾の手袋なども販売している。

盾のマント 【Shield Cloak】

⑥06-上181

軽い呪いを跳《は》ね返すマント。ウィーズリー・ウィザード・ウィーズ(WWW)の中でもまじめな商品。許されざる呪文にはあまり役に立たないが、小から中程度の呪いや呪詛《じゅそ》には効果がある。

ダドちゃん 【Diddy】

④03-上042

ダドリー・ダーズリーの愛称の一つ。彼は17歳になっても、まだ母親からこう呼ばれている。

Diddy は英語(俗語)で「ちっちゃな」、「可愛い」の意。

[⑦初出**3**章 **UK037**／**US038**]

ダドリー坊や 【Diddykin／Ickle Diddykins】

①03-052

ダドリー・ダーズリーの愛称。17歳になっても相変わらずダドリーは母親からこう呼ばれている(6巻では Diddykins で登場)。

英語 ickle は little「小さい」の幼児言葉で、「ちっちゃい」の意。-kin(s)は、語の後につけて「〜の小さいもの」を表す接尾語。

[⑦初出**3**章 **UK035**／**US036**]

駄《だ》馬《ば》さん 【Dobbin】

⑥15-上482

トレローニーは、ケンタウルス(半人半馬)のフィレンツェのことを馬鹿にしてこう呼んだ。

英語 dobbin は、「おとなしくてよく働く(野良仕事用の)馬」のこと。

タフィー　エクレア
【toffee eclairs】

⑥20-下158

ダンブルドアの校長室の合言葉。

タフィーエクレアは、中にチョコレートなどが入ったタフィー（砂糖・バターを煮詰めたキャンディ）のこと。

WWN 魔法ラジオネットワーク
【Wizarding Wireless Network（WWN）】

④22-下049

魔法界のラジオ放送局。魔法族の子供たちはこの放送局の番組を聴いて育っている。妖女シスターズが出演している。ハリーが初めて隠れ穴に行ったときに流れていた「魔女の時間」も WWN の番組かもしれない。

［②**051**］［⑦初出**22**章 **UK356**／**US439**］

食べられる闇の印
【Edible Dark Marks】

⑥06-上180

ウィーズリー・ウィザード・ウィーズ（WWW）で売っている悪戯《いたずら》お菓子。食べた人に吐き気を催《もよお》させる。もちろん誰かにこっそり食べさせて悪戯する。ハリーが初めて WWW に行ったとき、これを万引きしようとした小さな少年がいた。

だまし杖
【trick wand／fake wand】

④05-上083
⑥06-上177

フレッドとジョージが発明した悪戯《いたずら》グッズ。本物そっくりの杖だが、振るとおもちゃの動物などに変わる。一番安い杖はゴム製の鶏やパンツに変わるだけだが、一番高い杖は油断していると持ち主の頭や首を叩《たた》く。もちろんウィーズリー・ウィザード・ウィーズ（WWW）で売っている。4巻では、fake wand として登場した。

ダ ムストラング専門学校
【Durmstrang Institute】　④11-上257

ヨーロッパの三大魔法学校の一つ。ビクトール・クラムはこの学校の卒業生。純血の魔法使いと魔女だけが入学でき、闇の魔術の教育に力を入れている。ハリーが4年のとき(1994年)、三校対抗試合に参加するため、校長のカルカロフと代表選手が船に乗ってホグワーツにやって来た。

ホグワーツほど大きくはないが4階建ての城を持ち、広い校庭と湖や山がある。魔法を使う目的だけに火をおこし、冬にはほとんど日が射さない。ルシウス・マルフォイはドラコをダームストラングに入学させたかったが、妻のナルシッサが息子を遠くの学校に送るのに反対したためホグワーツに入れた。制服に毛皮のケープがついていることや、冬の日照時間が短いことから、ヨーロッパ北部の学校と推測される。

ダームストラングの語源は、Sturm und Drang(シュトゥルム・ウント・ドランク／疾風《しっぷう》怒《ど》濤《とう》)であろう。1760年終わりから80年半ばにかけてドイツに起こった若い世代による文学運動で、その名称はクリンガーの同名の戯曲に由来する。シェークスピア崇拝とルソーの影響の許《もと》、ヘルダー、クロプシュトックらが中心となり、ドイツ的に屈曲した啓蒙《けいもう》思想の合理主義、形式主義を否定し、感情と内発的生命力を極度に強調する非合理主義を唱えた。その後のドイツ文学をはじめ、英仏のロマン主義文学にも大きな影響を与え、その代表作にゲーテの『若きウェルテルの悩み』、シラーの『群盗』などがある。

[⑤上**522**] [④上**259**、**382**、下**089**] [⑦初出**8**章 **UK124**／**US148**]

ダモクレス
【Damocles】　⑥07-上218

マーカス・ベルビィのおじさん。優秀な魔法使いで、トリカブト(系脱狼)薬を発明、マーリン勲章を受賞した。ホグワーツ在校中は、スラグホーンの生徒で、おそらくスラグ《なめくじ》・クラブのメンバー。マーカスの父親とは、あまり仲がよくない。

ダモクレスは、前5～前4世紀の人物で、シラクサの僭主《せんしゅ》ディオニュシオス1世の廷臣。1世の権勢と幸福を賞賛しすぎたため、1世は彼を食事に招待し、天井から馬の毛一本(一説には毛髪1本)で剣を吊《つ》るした席に座らせ、王者には常に危険がつきまとっていることを悟らせたという。ここから繁栄の中にも常に危険のあることを「ダモクレスの剣」と言うようになった。J.F.ケネディ大統領が1961年9月25日に国連総会で行った演説の中でこの言葉を引用し、偶発核戦争の危険性を訴えたことから、「ダモクレスの剣」は特に有名になった。

誰も開けることができない重いロケット
【heavy locket that none of them could open】

⑤**06**-上**191**

グリモールド・プレイス12番地にあった重いペンダント。2階の客間のガラス扉の飾り棚の中に、銀の嗅《か》ぎタバコ入れや不吉な音を出すオルゴールと一緒に入っていた。屋敷の大掃除のときに、シリウスはこれらをすべて捨ててしまったが……。

[⑦初出**10**章 **UK156**／**US189**]

ダンブルドア、アバーフォース
アバーフォース・ダンブルドア
【Dumbledore, Aberforth】OP

④**24**-下**148**
⑥**12**-上**369**

(1884？-)居酒屋「ホッグズ・ヘッド」のバーテン。痩《や》せて背が高く、長い白髪に顎鬚《あごひげ》をぼうぼうと伸ばした、不機嫌な顔をしたじいさん。ヤギに不適切な魔法をかけた罪で起訴され、あらゆる新聞に大きく掲載されたが、どこ吹く風でいつも通り仕事を続けたつわもの。ハリーはこのじいさんと初めて会ったときに見覚えがあるような気がしたが、それもそのはずアルバス・ダンブルドアの実の弟である。不死鳥の騎士団の創立メンバーの一人だが、任務は分かっていない。記憶力がいいので、居酒屋を訪れるうさん臭い客を監視しているのかもしれない。1980年には、シビル・トレローニーの予言を盗み聞きしたスネイプを居酒屋から追い出している。1975年に、マンダンガス・フレッチャーをホッグズ・ヘッド出入り禁止にしたが、6巻ではその彼とこっそり会い、ブラック家からくすねた品を買っていた。マッド-アイ・ムーディはアバーフォースのことを、「奇妙なやつ」と表現している。

2004年のエディンバラ国際ブックフェスティバルで、JKRはアバーフォースがアルバス・ダンブルドアの弟であることを認めている。

[⑥下**344~345**、**489**][⑤上**279**、**529**、**582**、下**557**、**656**][**EBF**][⑦初出**2**章 **UK022**／**US018**]

ダンブルドア、アルバス・パーシバル・ウルフリック・ブライアン
アルバス・パーシバル・ウルフリック・ブライアン・ダンブルドア

【**Dumbledore, Albus Percival Wulfric Brian**】OP G

①**01-016**
⑥**01-**上**016**

(1881-1996)ホグワーツ魔法魔術学校の校長。ハリー・ポッターの偉大なる庇護《ひご》者で、ヴォルデモートが恐れた唯一の人物。ヒョロリと背が高く、長い銀色の髪と顎鬚《あごひげ》に、瞳は淡いブルー。鼻は高いが途中で二回は折れたように曲がっている。留め金つきの靴を履《は》き、半月形のメガネをかけ、髪の色は若いときは鳶《とび》色だった。強力な魔力と叡《えい》智《ち》、指導力をあわせ持ち、あらゆることに博識な魔法使い。マーミッシュ語や蛇語を話し、狼男のルーピンにホグワーツ入学を許可するなど、すべての存在に対して差別することなく公平に接した。近代で最も偉大な魔法使いと言われ、気位の高いケンタウルスでさえダンブルドアには一目置いていたほど。愛用品は、灯《ひ》消しライター、憂いの篩《ふるい》、針が12本ある金時計と繊細な銀の道具類。グリンデルバルドを破ったこととドラゴンの血液の12種類の利用法の発見で知られ、ホグワーツ校長のほか、マーリン勲章勲一等、魔法戦士隊長、最高大魔法使い、国際魔法使い連盟議長、ウィゼンガモット主席魔法戦士などの

勲章や肩書きを有している。趣味は室内楽とボウリング。ペットは不死鳥のフォークスで、守護霊も不死鳥。ホッグズ・ヘッドのバーテンのアバーフォースは、実の弟である。不死鳥の騎士団を創設し、悪の陣営との戦いに生涯をかけたが、1997年6月セブルス・スネイプによって殺害された。

1881年7〜8月ころパーシバルとケンドラ・ダンブルドアのあいだに生まれたアルバスは、1892年にホグワーツに入学、グリフィンドールに組分けされた。在学中に数々の賞を獲得し1899年にNEWT《いもり》試験を受けたが、このときの「変身術」と「呪文学」の試験官だったマーチバンクス教授は、「あれほどまでの杖使いは、それまで見たことがなかった」と賞賛した。卒業後、ホグワーツの「変身術」の先生となり、トム・リドルに入学許可証を渡すため、1938年にマグルの孤児院を訪問。リドルの邪悪さを見抜き、学校で彼を監視する決心をした。1943年6月ハグリッドが秘密の部屋を開けた罪で退学になると、彼の無実を信じ、禁じられた森の森番として学校に置くよう当時の校長を説得、トム・リドルへの警戒を厳しくした。1945年には闇の魔法使いグリンデルバルドと戦い、打ち負かしている。1956年ころホグワーツの校長に就任し、来校したヴォルデモートが「闇の魔術に対する防衛術」の教授職を志願すると断った。1970年代のヴォルデモート第1次全盛期に、不死鳥の騎士団を設立。ハリーの両親らとともに、闇の陣営との戦いを開始した。ファッジの前任者のミリセント・バグノールドが引退したときは、彼を魔法大臣にと願う者が大勢いたが、それを退けホグワーツの校長にとどまった。

1980年シビル・トレローニーとの面接中に、闇の帝王に関する予言を聞いたダンブルドアは、リリーが身ごもったのち、ヴォルデモートが彼女の息子を殺すつもりであることを知り、忠誠の術を使ってゴドリックの谷に身を隠すようポッター夫妻に勧める。しかし、夫妻の居所が敵に漏れ、1981年10月31日ヴォルデモートはポッター一家を襲い、夫婦を殺害。ハリーだけが母親の犠牲の魔法で生き残った。ヴォルデモートは肉体のない姿で逃亡したが、彼が分霊箱を作っていると考えたアルバスは、闇の帝王が必ずや復活しハリーを再び襲うと確信し、母親がハリーの体内に残した護《まも》りの力を信じて、彼女の唯一の血縁であるペチュニア・ダーズリーの家に預けることにする。そしてペチュニアの家に古《いにしえ》の魔法をかけ、ハリーがその家を家庭と呼べる限り、何者もヴォルデモートであっても、そこでは彼を傷つけることができないようにした。ペチュニアとはかつて手紙をやり取りした知己の仲であったため、再び手紙を書いて、ハリーを実の息子同様に育てて欲しいと頼み、その手紙とともにハリーを彼女の家の戸口に置いた。さらに、近所にフィッグばあさんを住まわせ、ハリーの監視役を命じた。

その10年後の1991年9月、ハリーがホグワーツに入学して来る。幸福で丸々とした子であって欲しいとのダンブルドアの願い通りの姿ではなかったのものの、それでも健康で、ちやほやされた高慢な王子様になっておらず、育てられた環境の中では望みうる限りの純真な男の子だった。予言の全貌《ぜんぼう》をただ一人聞き、ハリーがいずれヴォルデモートと対決しなければならない運命にあることを知っていたダンブルドアは、ハリーを注意深く見守りながらも、彼が事件に巻き込まれたときは、すぐに援助の手を差し伸べたりせず、まずは自力で解決する機会を与え、指導することにした。1991年のクリスマスには、持っていたハリーの父親の透明マントを返却。ハリーがこれを使ってみぞの鏡の仕組みを知るよう導いた。賢者の石を隠した部屋で、クィレルに取り憑《つ》いたヴォルデモートに彼が襲われると、すぐさま救助に駆けつけた。2年生のハリーが秘密の部屋の中でバジリスクに殺されそうになったときは、ペットのフォークスと組分け帽子を差し向けた。3年のときに、ハリーとハーマイオニーに逆転時計《タイムターナー》のヒントを与えたのもダンブルドアである。1995年6月にヴォルデモートが復活すると、その1時間後に不死鳥の騎士団を召集。闇の陣営の計画を阻止するための対抗策を打ち出した。ヴォルデモートが呼び戻そうとした巨人には、その居住地にハグリッドとマダム・マクシームを送り込んで仲間になるよう説得を試み、魔法省の予言を死喰《しく》い人《びと》が(P308へ)

ダンブルドア年表

(6巻まで)

1881年	
7〜8月	Mould-on-the-Woldで、パーシバルとケンドラ・ダンブルドアのあいだに生まれる。
1892年	
9月 1日	ホグワーツ1年生。グリフィンドールに組分けされる。在学中は優秀な成績を修め数々の賞を受賞。
1899年	
6月	NEWT《いもり》試験を受ける。このときの「変身術」と「呪文学」の試験官だったマーチバンクス教授は、「あれほどまでの杖使いは、それまで見たことがなかった」と話す。
時期不明	ホグワーツの「変身術」の先生となる。
1938年	
夏	トム・リドルにホグワーツ入学許可証を届けるため孤児院へ。
1943年	
6月	ハグリッドが退学になる。彼を禁じられた森の森番として学校に置くよう当時の校長ディペットを説得。トム・リドルの行状を監視するようになる。
1945年	闇の魔法使いグリンデルバルドを倒す。
1956年ころ	ホグワーツの校長に。ヴォルデモートが教職を志願するが断る。
1970年代	ヴォルデモートの第一次全盛期に「不死鳥の騎士団」を設立。
1980年	シビル・トレローニーと面接しヴォルデモートの予言を聞く。スネイプに予言の一部を盗聴される。
7月31日	ハリー・ポッター誕生。
7月31日以降？	ハリーがヴォルデモートに狙われていることを知り、忠誠の術で身を隠すようポッター夫妻に忠告。
1981年	
9月	スネイプをホグワーツ教師として雇う。
10月31日	ヴォルデモートがポッター夫妻を殺害。ハリーを殺そうとするが、リリーの護りの力によって、唱えた死の呪文は自身に跳《は》ね返り逃走。ヴォルデモートが分霊箱を作っていると考えたダンブルドア

は、その復活を予測。リリーの血を信頼し、生き残ったハリーに古くからの魔法をかけてペチュニア・ダーズリーの家に預けた。

1990年

ファッジの前任者のミリセント・バグノールドが引退。ダンブルドアを魔法大臣にと願う者が大勢いたがホグワーツ校長にとどまった。

1991年

9月 1日　ハリー・ポッター入学。

12月25日　ジェームズ・ポッターの透明マントをハリーに返却。

1992年

6月 4日　ハリーが友人二人と賢者の石の仕掛けを破る。クィレルに取り憑《つ》いたヴォルデモートとハリーが対決。ハリーの救出に向かう。

1993年

5月 8日　ルシウス・マルフォイの陰謀で停職処分を受ける。

5月29日　秘密の部屋でハリーがトム・リドルと対決。不死鳥フォークスと組分け帽子を送り込む。

1994年

6月 6日　シビル・トレローニーが二つ目の予言。シリウスが捕まるが、ハーマイオニーに「必要なのは時間じゃ」とアドバイス。

1995年

6月24日　ヴォルデモートが復活したことをハリーから聞く。復活の1時間後に「不死鳥の騎士団」を再結成。

8月12日　魔法省で行われたハリーの懲戒尋問《ちょうかいじんもん》に、被告側の証人として出席、勝訴する。

12月18日　アーサー・ウィーズリーが巨大蛇に襲われる。歴代校長を使って彼を聖マンゴ病院に搬送させる。ハリーとウィーズリー家の子供を校長室からグリモールド・プレイス12番地へ送る。

1996年

4月20日　アンブリッジがダンブルドア軍団を発見。ダンブルドアが責任を負い不死鳥フォークスの尾を掴《つか》み炎とともに消える。

6月17〜18日　魔法省でヴォルデモートと対決。18日ハリーに予言の全貌《ぜんぼう》を話す。

夏　マールヴォロの指輪を嵌《は》め致命傷を受ける（公式サイトでは1996年が没年）。

7月　ダーズリー家を訪問。ハリーが17歳になる前にもう一度だけ家に戻ることを許して欲しいと頼む。ハリーを連れてホラス・スラグ

	ホーンに会いに行きホグワーツ復職を依頼。
9月 7日	ハリーとの1回目の個人授業。「ゴーントの家」の記憶を見る。
10月14日	ハリーとの2回目の個人授業。「ヴォルデモートの孤児院」などの記憶を見る。
1997年	
1月6日ころ	2学期初日。ハリーとの3回目の個人授業。スラグホーンの偽《にせ》の記憶などを見る。
3月10日	ハリーとの4回目の個人授業。ホキーとダンブルドアの記憶(ヴォルデモート卿の頼み)を見る。
4月21日	ハリーが首尾よくスラグホーンから分霊箱の本当の記憶を採取。それを見て、ヴォルデモートが分霊箱を複数作ったことや、その隠し場所についての推測を語る。
6月	ハリーとともにスリザリンのロケットの洞窟へ。魔法薬を飲み衰弱。ホグワーツに死喰《しく》い人《びと》が侵入し、天文台の塔でスネイプに殺害される。
	ホグワーツで葬儀。湖の前の白い墓に埋葬された。

(P304から)狙っていることを察知すると、騎士団のメンバーに神秘部を見張らせた。ヴォルデモートがハリーの血を使って復活したことを聞いたときは、目に勝ち誇ったような光が現れた。

ヴォルデモートの復活を認めない魔法省と決別したため、1995年夏に国際魔法使い連盟の議長職などの要職の地位を剥奪《はくだつ》され、『日刊予言者新聞』で要注意人物扱いされてしまうが、ハリーの尋問《じんもん》ではファッジの訴えを巧みに退け、無罪に導いた。魔法省役人のアンブリッジがホグワーツに送り込まれてからは、教員や生徒がその支配下に置かれ、ダンブルドアはDAを組織したハリーを庇《かば》い、学校からの逃亡を余儀なくされる。しかし、ハリーが神秘部におびき出されると即座に魔法省に向かい、姿を現したヴォルデモートと対決。ふだんは温厚な人物だが、ひとたび敵を前にすると凄《すさ》まじい形相となり、体中から強烈なエネルギーを発散させながら素早い杖の動きで強力な魔術を発し、ヴォルデモートを追いつめた。誰よりも敵に詳しいダンブルドアは殺そうとしなかったため、ヴォルデモートは逃走してしまうが、その姿を目撃したファッジは闇の帝王の復活を認め、アルバスは校長に復職。失った資格も回復した。シリウスが殺され自暴自棄になるハリーには、このとき初めて予言の全貌を告白。毎年大きな試練に遭遇し、どの学生よりも多くの重荷を負い、もがいていたハリーに更なる苦しみを与えることができず、過酷な予言の事実を伝えることを先延ばしにしていたと話し、「責めはわしのものであり、わしだけのものじゃ」と謝った。

1980年に予言がなされて以来、ハリーを生き延びさせ、同時に敵を滅ぼすための計画を練ってきたダンブルドアは、ヴォルデモートが闇の魔術の実験を行ったとの報告やリドルの日記の現象などから、闇の帝王が分霊箱を作成したと考えていた。そしてときどき学校を抜け出して方々を旅行し、その推理を裏付ける証拠や隠し場所の情報を集めていた。1997年夏、とうとうゴーントのあばら家で分霊箱の指輪を見つけ出すが、興奮のあまり指輪を嵌《は》めてしまい、その呪いで致命傷を負ってしまう。スネイプの治療で一命を取りとめたものの、先の長くないことを悟り、その年、ハリーと個人授業を行うことを決意する。校長室で憂いの篩を使い自分がこれまで集めた記憶の中に入り、ヴォルデモートの生い立ちから性格、思考の傾向に至るまでそのすべてに関する自分の知識をハリーに伝授していった。さらに、ハリーが採集したスラグホーンの本当の記憶が決め手となり、ヴォルデモートが複数の分霊箱を作っていたことが確定的となると、それらのおおよその数量と候補となる品、すべての分霊箱を壊さない限りヴォルデモートは倒せないことをハリーに教え込んだ。

1997年6月、そのうちの一つが、ヴォルデモートがかつて遠足で訪れたことのある洞窟に隠されていることを発見したダンブルドアは、ハリーを連れて破壊に向かう。数々の仕掛けを破り分霊箱のロケットを手に入れるが、毒薬を飲み重体に陥《おちい》ってしまう。ハリーに助けられながら戻ったホグワーツには死喰い人が侵入。闇の印が打ち上がった天文台の塔の屋上に急行すると、そこにドラコ・マルフォイが現れる。ドラコから命を狙われていたことを知っていたダンブルドアは、杖を奪われながらも説得を試み、一時はドラコも持っていた杖を下ろそうとする。しかし、そこに駆けつけたスネイプに死の呪文を唱えられ、ダンブルドアはハリーの目前で死亡、遺体は空中に吹き飛ばされてしまった。

ホグワーツで行われた葬儀には、老若男女、質素な身なりから格式ある服装まで何百もの魔法使いや魔女、禁じられた森のケンタウルス、湖に棲《す》む水中人が参列。最後の別れを告げた。ダンブルドアが自身を弱めながら手に入れた分霊箱は偽物《にせもの》であったが、葬儀に列したハリーは校長の遺志を継ぎ残りの分霊箱を破壊することを心に決め、ヴォルデモートとの対決に向けて覚悟を新たにするのであった。ダンブルドアの墓はホグワーツの湖の前に建てられている。

アルバス(Albus)はラテン語で「白い」、「恵まれた」、「よい」の意。ダンブルドア(Dumbledore)は、古英語で「マルハナバチ(bumble-bee)」のこと。JKRによると、ダンブルドアにはいつも鼻歌を歌いながら動き回っている気のいい魔法使いのイメージがあり、言葉の響きも好きなのでこう名づけたという。ミドルネームのPercivalはアーサー王伝説の円卓の騎士の一人。ガラハッド、ボールスと共に聖杯を見つけた騎士である。騎士道の事など何も知らずに森の中で育ち、苦労をしながら王の許《もと》で高貴な騎士に成長していく人物。スネイプに殺されたのは1997年6月であるが、公式サイトでは没年が1996年となっている。JKRはマールヴォロ・ゴーントの指輪を嵌め致命傷を負った日を死亡日と考えているようである。誕生年は公式サイトから。
［⑥上**065、255、326、335、358、373、382、393～397、417、**下**055、058、061、063、071～078、127、160～190、285、351、359～422、440、448、451、492、494**］［⑤上**019、153～159、224～242、306、**下**012、298～316、453、609～658**］［④下**515、556**］［③**121、265**］［②**487**］［①**027、154、445**］
［⑦初出**2**章 **UK 021／US016**］

ダンブルドア軍団

DA（軍団）
【Dumbledore's Army／DA】

⑤**18**-上**617**
⑥**07**-上**209**

「闇の魔術に対する防衛術」を自習するために、ハリーたちが結成した学生組織。5年生の「闇の魔術に対する防衛術」の教師アンブリッジが理論しか教えないことに危機感を持ったハーマイオニーが提案し、組織した。最初の会合はホッグズ・ヘッドで行われ、会の趣旨に賛同した生徒たちが羊皮紙に署名し、メンバーとなった。ドビーの情報で、ホグワーツ内の必要の部屋で練習を行うことが決定。会の名前は、ダンブルドア軍団（Dumbledore's Army）の頭文字を取ってDAとなった。メンバーは遅れて入会したシェーマス・フィネガンを入れて29名。ハリーが先生となって週に一回、防衛呪文を練習した。集会の日時の連絡には、ハーマイオニーが変幻自在の魔法をかけて作った偽《にせ》ガリオン金貨を使用。1996年1月にベラトリックスら死《し》喰《く》い人《びと》が脱獄してからはメンバー全員に力が入り、特にネビルは長足の進歩を遂げた。しかし、マリエッタの密告で会の存在がアンブリッジの知るところとなり、1996年4月の守護霊の呪文の練習後、DAは休止となった。

署名した羊皮紙には、誰かが告げ口したらすぐ分かるよう呪いがかかっていたため、密告したマリエッタの顔にはでき物で「密告者」と描かれ、その痕《あと》は学年末になっても消えなかった。1996年6月にアンブリッジが学校を去ってからは、自習の必要がなくなり、会合は行われなくなったが、寂しく思ったネビルとルーナはその後も定期的にガリオン金貨を確認していた。このため1997年6月に死喰い人がホグワーツに侵入した際、この二人だけはハーマイオニーのコインの呼びかけに応じ、死喰い人と戦った。ドラコ・マルフォイはこのDAの伝達手段を真似《まね》してコインに呪文をかけ、ホグズミードのマダム・ロスメルタと連絡を取っていた。

■DAメンバー

ハリー・ポッター、ハーマイオニー・グレンジャー、ロン・ウィーズリー、ネビル・ロングボトム、ディーン・トーマス、ラベンダー・ブラウン、パーバティ・パチル、パドマ・パチル、チョウ・チャン、ルーナ・ラブグッド、ケイティ・ベル、アリシア・スピネット、アンジェリーナ・ジョンソン、コリン・クリービー、デニス・クリービー、アーニー・マクミラン、ジャスティン・フィンチ-フレッチリー、ハンナ・アボット、スーザン・ボーンズ、アンソニー・ゴールドスタイン、マイケル・コーナー、テリー・ブート、ジニー・ウィーズリー、フレッド・ウィーズリー、ジョージ・ウィーズリー、リー・ジョーダン、ザカリアス・スミス、シェーマス・フィネガン、マリエッタ・エッジコム。

■練習した呪文

「エクスペリアームス、武器よ去れ」(武装解除の呪文)、「レダクト！粉々！」(粉々呪文)、「インペディメンタ！妨害せよ！」(妨害の呪い)、「ステューピファイ！麻痺《まひ》せよ！」(失神術)、「プロテゴ！防げ！」(盾の呪文)、「エクスペクト・パトローナム！守護霊よ来たれ！」(守護霊の呪文)。

[⑥下**146**、**356**、**412**、**489**][⑤上**531**~**532**、**534**、**541**、**542**、**544**、**557**、**585**、**626**~**627**、下**059**、**210**、**290**、**298**、**302**~**304**、**309**][⑦初出**5**章 **UK064**

US071］

ダンブルドアの銀の道具類
【Dumbledore's silver instruments】

②12-306
⑥10-上297

ダンブルドアの校長室にある繊細な道具類。部屋の脇の華奢《きゃしゃ》な脚のテーブルの上に置いてあり、ふだんはそれぞれがクルクル回りながらポッポッと小さな煙を吐いている。1995年12月にアーサー・ウィーズリーが毒蛇に襲われたときに、ダンブルドアがこの中の一つを取り出し杖の先でそっと叩《たた》くと、道具はひとりでに動き出し、リズムに乗りチリンチリンと鳴り始めた。そしててっぺんの極小の銀の管から薄緑色の小さな煙がポッポッと立ち昇り、煙は徐々に濃くなっていき、数秒後には蛇の頭の形になって口をかっと開いた。ダンブルドアが煙の上がる様子を観察し「本質において分離しておるか？」と聞くと、煙の蛇は二つに裂け、二匹とも暗い空中にくねくね渦を巻いて立ち昇っていった。ダンブルドアは、この道具で蛇の本質がハリーと分離しているのか調べたようである。

［⑥下467］［⑤下079、083〜084、620、625］［⑦初出7章 UK105／US124］

ダンブルドアの葬儀
【Dumbledore's funeral】

⑥29-下472

1997年6月ホグワーツの湖の前で営まれたアルバス・ダンブルドアの葬式。晴れた美しい日に行われた。湖の近くに大理石の台座が置かれ、それに向かって何百もの椅子《いす》が並べられ、その真ん中には台座に続く通路が一本作られた。生徒は何人かを除いておおかたが参列し、式の当日、朝食を取った後に寮監に引率されて席についた。追悼《ついとう》者は老若男女、質素な身なりから格式ある服装までまちまちで、その中には不死鳥の騎士団のメンバーや妖女シスターズのベース奏者、マダム・マクシームや魔法大臣率いる魔法省の役人たちの姿もあった。ホグワーツの教職員はスネイプ以外は全員参列し、ホラス・スラグホーンは銀色の刺繍《ししゅう》を施した豪華なエメラルド色の長いローブ、スプラウト先生はこれまで見たこともないほどこざっぱりとした恰好《かっこう》で、マダム・ピンスは膝《ひざ》まで届く分厚い黒のベールを被《かぶ》り、フィルチは樟脳《しょうのう》のにおいがプンプンする古くさい黒の背広にネクタイ姿で参列した。ダンブルドアの亡骸《なきがら》は、金色の星をちりばめられた紫色のビロードに包まれ、水中人が湖面下で悲歌を合唱する中、ハグリッドに抱きかかえられて登場。通路を歩き、台座の上に載せた。黒いローブの喪服を着た魔法使いが弔辞を述べ始めると、水中人が水面に姿を現し聞き入った。弔辞が終わると亡骸を載せた台の周りにまばゆい白い炎が燃え上がり、炎はだんだん高く上り、白い煙が渦を巻いて立ち昇った。ほんの一瞬、煙は青空を楽しげに舞う不死鳥の姿を描くと次の瞬間炎は消え、遺体は台座ごと地中に納まり、あとには白い大理石の墓が残された。式が終わるとケンタウルスは、追悼の意の弓矢を天空に打ってから森の中に戻り、水中人は緑色の湖底に姿を消した。葬儀の後、自分の最後の、そして最も偉大な庇護者を失ったハリーは、これまで以上に孤独を感じ、自分とヴォルデモートのあいだにもう誰も立たせるわけにはいかないと固く決意したのであった。

Albus（アルバス）はラテン語で「白い」の意。西洋の墓は白いものが多いが、30章のタイトルを「The White Tomb（白い墓）」とつけたのは、「アルバスの墓」を意味するためであろう。

■参列者

全教職員（スネイプ除く）、全生徒（パチル姉妹、ザカリアス・スミスなど何人かを除く）、城のゴースト、キングズリー・シャックルボルト、マッド-アイ・ムーディ、アラベラ・フィッグ、ニンファドーラ・トンクス、リーマス・ルーピン、ウィーズリー夫妻、フラー・デラクール、ビル・ウィーズリー、フレッドとジョージ・ウィーズリー、マダム・マクシーム、漏れ鍋亭主トム、妖女シスターズベース奏者、アーニー・プラング、マダム・マルキン、アバーフォース・ダンブルドア、ホグワーツ特急の車内販売カートのおばさん、グロウプ、コーネリウス・ファッジ、ドローレス・アンブリッジ、リータ・スキーター、ケンタウルスの群れとフィレンツェ、水中人、スクリムジョールと魔法省役人、パーシー・ウィーズリー、その他大勢の魔法使いと魔女。

［⑦初出**6**章 **UK083**／**US096**］

談話室 【common room】

①**07-170**
⑥**09-**上**260**

ホグワーツの各寮内にある部屋。生徒はここで自由におしゃべりしたり、宿題をしたり、本を読んだりしている。グリフィンドールの談話室は居心地のよい丸い部屋。古ぼけたふかふかの肘掛椅子《ひじかけいす》や、ぐらつく古いテーブルがたくさん置かれ、暖炉の火が楽しそうに燃えている。ハリーのお気に入りの場所は暖炉の脇のふわふわした古い肘掛椅子。掲示板があり、フィルチの校則備忘録や呪文の古本いろいろ譲ります広告、クィディッチ・チームの練習予定表、蛙チョコカード交換しましょう広告、ホグズミード行きの週末予定表、落し物のお知らせなどなどが貼ってある。

スリザリンの談話室は地下牢にあり、玄関ホールで厨房《ちゅうぼう》やハッフルパフの談話室とは別の階段を下り、迷路のような暗い廊下を歩き、湿ったむき出しの石が並ぶ壁の前で合言葉(2年のときは「純血」)を言うと、壁に隠された石の扉がするする開く。談話室は細長くて天井が低く、壁と天井は荒削りの石造り。天井からは、丸い緑がかったランプが鎖で吊《つ》るされている。壮大な彫刻を施した暖炉の周りには、同じく彫刻の入った椅子が置いてある。

ハッフルパフの談話室は厨房近くの地下の部屋で、静物画から入ることができる。部屋の中は快適で、温かく迎えてくれる場所。黄色いカーテンやふかふかした肘掛け椅子がたくさんあり、寝室に繋《つな》がる小さな地下トンネルがある。レイブンクローの談話室は7巻で紹介されるが、城の西側のレイブンクロー塔の中にある。

［⑥上**489**、下**218**］［⑤上**343**、**440**、**553**、**623**、下**667**］［②**326**～**328**］［**BLC 2007**］［⑦初出**23**章 **UK365**／**US450**］

ち

チェイサー
【Chaser】

①10-245
⑥11-上338

クィディッチのポジションの一つ。各チームに三人のチェイサーがいて、クアッフルを相手のゴールに投げ入れるのがその役目。ゴールに一回入ると10点獲得する。クィディッチがゴールで得点するだけのゲームだった時代があるので、チェイサーは最も古くからあったポジションである。1884年にルールが改正され、クアッフルを持ったチェイサー以外はスコアエリアに入れなくなった。これは、今では反則となっている「打ちのめし作戦(スコアエリアにチェイサーが二人入り、キーパーを襲って押しのけ、守るもののいなくなったゴールの輪を三人目のチェイサーが狙うというもの)」を禁止するための措置だという。6巻の時点で名前の分かっているチェイサーは以下の通り。

【歴代チェイサー】

- **グリフィンドール**…ジェームズ・ポッター(1970年代)、アンジェリーナ・ジョンソン(1990–1996)、アリシア・スピネット(1991–1996)、ケイティ・ベル(1991–1997)、ジニー・ウィズリー(1996–1997)、デメルザ・ロビンズ(1996–1997)、ディーン・トーマス(1996–1997補欠)。
- **スリザリン**…マーカス・フリント(1991–1994)、エイドリアン・ピュシー(1991–1993、1995–1996)、モンタギュー(1993–1996)、ワリントン(1993–1996)、ベイジー(1996–1997)。
- **ハッフルパフ**…ザカリアス・スミス(1995–1997)、キャッドワラダー(1996–1997)。

■**レイブンクロー**…ロジャー・デイビース(1993–1996?)、ブラッドリー(1995–1996)。

[⑥上**429**][⑤上**456**][ク**049**][⑦初出7章 **UK096／US112**]

地下牢(教室)

地下室

【dungeons(classroom)】

①08–202
⑥09–上276

ホグワーツの地下にある部屋。「魔法薬学」の教室や、スネイプの研究室、スリザリンの談話室、さらにはほとんど首無しニックが絶命日パーティを開いた「広めの地下牢」や、2巻で3年生の誰かが爆発事故を起こし天井いっぱいに蛙の脳みそがくっついた「第5地下牢」などがある。1巻で賢者の石が置かれた部屋も地下牢にあった。6巻ではポリジュース薬の大きな貯蔵桶《おけ》が「魔法薬学」の地下牢教室に置かれ、ドラコ・マルフォイがくすねていた。

[⑥下**200**、**203**、**217**~**218**、**322**][⑤上**219**、**367**][②**193**][①**436**]

血兄弟—吸血鬼たちとの日々

【Blood Brothers：My Life Amongst the Vampires】

⑥15–上479

エルドレド・ウォープルの著書。

チットック、グレンダ

グレンダ・チットック

【Chittock, Glenda】

2004年10月

(1964–現在)WWN(魔法ラジオネットワーク)放送局「魔女の時間」の人気司会者。

[**JKR** 公式サイト「今月の魔法使い」]

チベリウス
【Tiberius】

⑥07-上220

コーマック・マクラーゲンのおじ。コーマックやバーティ・ヒッグズ、スクリムジョールと一緒に、ノグテイル狩りに行った。おそらくスラグ・クラブのメンバー。ウィゼンガモットの古参のチベリウス・オグデンのことかもしれない。

チベリウスは第2代ローマ皇帝(在位14–37)。辺境を平定し、属州支配の合理化を行いローマ帝国時代の礎《いしずえ》を作った人物。初代皇帝アウグストゥスへの忠誠を政治の基本とし、彼の神殿を建設するなど皇帝の死後神化の先例を開いたが、自らの神格化は拒否し、皇帝の生前神化を避ける原則を作った。治水・治安に努め、節約を説くなどすぐれた政治を行ったが、暗い性格で、皮肉な表現、言語不明瞭だったため、元老院や民衆には不人気で、彼の死の知らせはローマ市で歓迎された。

血みどろ男爵
【Bloody Baron】Ⓢ

①07-185
⑥23-下265

スリザリン寮の身の毛のよだつようなゴースト。うつろな目、げっそりとした顔で、衣服は銀色の血でベットリ。趣味は呻《うめ》いたり鎧《よろい》をガチャつかせること。グリフィンドールの温厚なほとんど首無しニックとは違って強面《こわもて》で、悪戯《いたずら》の達人ピーブズでさえ、この男爵の命令には従っている。

血みどろ男爵の名を聞いて連想されるのは、マンフレード・リヒトホーフェン(Manfred Freiherr von Richthofen)男爵。「レッドバロン」の異称を持つ、第一次世界大戦中のドイツの撃墜王。1882年生まれのリヒトホーフェンは、ドイツ空軍に参加し、第一次世界大戦では真っ赤に塗った戦闘機に乗り、80機もの戦闘機を撃墜させた。レッドバロンのほか、“Bloody Baron”、“the Red Devil(le Diable Rouge)”など数々のニックネームで呼ばれていた。最後はイギリス軍に撃墜されて死亡したが、衣服が血みどろだったかどうかは不明である。

［⑤上**333**］［⑦初出**31**章 **UK495／US616**］

チャドリー・キャノンズ

【Chudley Cannons】

②**03-061**

ロンの贔屓《ひいき》のクィディッチ・チーム。隠れ穴の彼の部屋の粗末な壁紙には、このポスターがびっしりと貼ってある。ローブはオレンジ色で、アルファベットのCを二つ組み合わせた文字と、風を切る砲丸の絵が黒々と描かれている。過去21回リーグ優勝を果たしたが、最後に勝ったのは1892年。その後一世紀の成績はパッとしない。このためチーム・モットーが、以前は「勝つぞ」だったが、1972年に「祈ろう、何とぞうまくいきますように」に変わってしまった。ジョーイ・ジェンキンズというビーターがいる。

エクセター（JKRが卒業した大学のある町）の南南西およそ15キロの場所に、Chudleighという町がある。

［④下**051**］［ク**058**］［⑦初出**7**章 **UK096／US112**］

チャリング・クロス通り

【Charing Cross Road】

③**03-056**
⑥**06-**上**166**

居酒屋・漏れ鍋のある通り。3巻では夜の騎士《ナイト》バスがこの通りをバンバン飛ばした。

チャリング・クロス通りは、ロンドンに実在するストリート。チャリング・クロス駅から北に延びていて、古書店やレコード店が多い。『ハリー・ポッター』の本の中でも、漏れ鍋の両隣は、本屋とレコード店となっている。

［⑦初出**9**章 **UK137／US164**］

チャン、チョウ
チョウ・チャン
【Chang, Cho】R DA

③13-330
⑥07-上216

(1979?-)ハリーより1学年上のレイブンクロー生。ハリーの初恋の相手。長いつやつやした黒髪のとても可愛い快活な女の子。人気者で、いつも取り巻きに囲まれている。友人はマリエッタ・エッジコム。6歳からトルネードーズのファンで、チョウ自身もクィディッチ寮代表チームでシーカーを務めている。DAのメンバー。守護霊は白鳥。

4年(3巻)のときのレイブンクロー対グリフィンドール戦で「とても可愛い」とハリーに見染められ、5年生(4巻)のクリスマス・ダンスパーティの前にパートナーに誘われるが、すでにセドリック・ディゴリーと約束をしていたので残念そうに断った。パーティのあとはセドリックと付き合い始め、二人で仲良く手を繋《つな》いで校内を歩いたりしていたが、その彼は三校対校試合の最中に死亡。ショックを受けたチョウは、別れの宴《うたげ》でダンブルドアのスピーチを聞きながら涙に暮れた。

6年生(5巻)では、マリエッタ・エッジコムと一緒にDAのメンバーに。セドリックとの思い出に浸《ひた》る一方で、徐々にハリーのことも好きになっていき、自分はどちらが本当に好きなのか分からなくなり、悩むようになる。クリスマスのDA会合のあと、ハリーとキスをするが、これもセドリックに対する冒瀆《ぼうとく》だと自分を責め、泣いてばかりいた。ハリーと付き合い出したらみんなからどう思われるのかも心配で、クィディッチもひどい飛び方になり、チームから放り出されるのではないかと恐れるようになっていった。

一方、女の子と付き合った経験のないハリーは、ファースト・キスでチョウが泣いていたことに動揺し、「恋愛の先輩」ハーマイオニーに説明してもらい、ようやく彼女の気持ちを理解する。二人はバレンタインデーにデートするが、ハーマイオニーに嫉妬したチョウは怒って途中で帰ってしまう(「女ってやつは!」ハリー談)。その後『ザ・クィブラー』にハリーのインタビューが掲載され、それがきっかけで仲直りするものの、マリエッタがアンブリッジにDA会合を密告したことで二人のあいだに決定的な亀裂が生じてしまう。自分の気持ちで精一杯のチョウは一方的に友人を弁護するが、却《かえ》ってハリーの怒りを買い、結局二人は別れてしまった。その学年の終わりにマイケル・コーナーと付き合い、7年生(6巻)のクィディッチ最終戦では、ジニーと対決。450対140で負け、グリフィンドールに優勝杯をさらわれてしまった。別れたあとのハリーとは気まずい関係が続き、互いに目を合わすことさえできなくなっている。

JKRは「ハリーとチョウは決して幸せにはならなかったでしょうね。早く終わってよかったのよ」と話している。Chang(チャン)は「長江」の英語名。

[⑥上**428**、下**324**、**326**][⑤上**300**、**365**〜**367**、**531**、下**061**〜**069**、**174**、**215**〜**225**、**239**〜**242**、**256**、**291**、**340**〜**341**、**689**〜**690**][④下**057**、**554**][③**336**][**WBC**][⑦初出**29**章 **UK 468**/**US582**]

忠誠の術 【Fidelius Charm】

③**10-265**

一人の人間の中に魔法で秘密を封じ込める、恐ろしく複雑な術。選ばれた者は「秘密の守人」と呼ばれ、秘密を自分の中に隠す。守人が口を割らない限り、その情報を見つけることは不可能となる。ポッター夫妻がヴォルデモートから隠れるときにこれを使ったが、二人が守人として選んだのはヴォルデモートのスパイ、ペティグリューだったため、秘密は漏れ、二人ともゴドリックの谷でヴォルデモートに殺害された。

Fideliusはラテン語fidelis「信頼すべき」に由来する造語。

[⑦初出**6**章 **UK079**/**US090**]

厨《ちゅう》房《ぼう》
キッチン
【Kitchen(s)】

①13-331
⑥03-上079

ホグワーツのキッチン。大広間の真下に位置し、同じくらいの広さがある。天井の高い部屋で、石壁の周りにピカピカの真鍮《しんちゅう》の鍋やフライパンが、ずらりと山積みになっている。部屋には四つの長いテーブルが置かれ、料理はそこから天井を通じて、真上にある大広間のそれぞれの寮のテーブルに送られる。奥には大きなレンガの暖炉があり、少なくとも百人ほどのしもべ妖精が、ホグワーツの紋章の入ったキッチンタオルをトーガ風に巻きつけた姿で働いている。彼らは、日中は厨房の中で食事を作って過ごし、夜になると外に出てきて掃除や洗濯などの家事を行っている。この部屋へ行くには、1階の玄関ホールで大理石の階段の右側のドアから階段を下り、明々と松明《たいまつ》に照らされた広い石の廊下を通り、壁に飾られた「巨大な果物皿の絵」の中の緑色の梨をくすぐる。すると梨はくすくす笑いながら身をよじり、大きな緑色のドアの取っ手に変わり、厨房の中に入ることができる。ハリーの父親のジェームズは、在学中に透明マントを使って台所に忍び込み、食べ物を失敬していた。この部屋の近くにハッフルパフの談話室がある。1巻では「キッチン」や「台所」と訳されていたが、3巻以降は「厨房」になった。

[⑥下**218**][⑤上**623**][④上**282**、下**011**、**023**][①**441**][⑦初出**31**章 **UK502**/**US625**]

超一流魔法薬師協会
【Most Extraordinary Society of Potioneers】

⑥09-上281

魔法薬師(potioneers)の団体。設立者はヘクター・ダグワース-グレンジャー。

直前呪文
【Priori Incantatem】

①33-ト470

杖がそれまでにかけた呪文を、直前にかけたものから順々に吐き出させる魔法。呪文の言葉は「プライオア・インカンタート！直前呪文！」。共通の芯を使った兄弟杖同士が戦うと、相手に対して杖が正常に作動せず、杖の持ち主が無理に戦わせると、片方の杖がもう一本に対してこの魔法を唱えてしまう。ハリーとヴォルデモートが初めて対決した1995年6月、二人の杖が兄弟杖であったため、お互いの呪文がぶつかったときにヴォルデモートの杖にこの魔法がかかり、杖が殺《あや》めた犠牲者のゴースト(木霊《こだま》)が、一番最後に殺された人から順々に現れた。

なお、原書の初期の版では、このときに杖先から出てくる人物の順番が誤っており、ジェームズの次にリリー・ポッターが出現していた。しかし、この順序では、リリーはジェームズの前に殺されたことになってしまうため、現在の版では修正され、最後に父親が登場している(日本語版は初版から正しい順番で訳されている)。JKRはこれについて、「最初の草稿では正しい順番になっていましたが、大急ぎで校正をしなければならない中で、US版の編集者がその順番は違うと言い出し、細かい間違いを見つけるのがとても上手い人だったので、私はつい何も考えずにそのまま直してしまいました。そのあと元の順番でよかったことに気がついたのです。あのときはみんな睡眠不足でしたから」と釈明している。

Prioriはラテン語で「更に古い」、Incantatemはラテン語incanto「魔法をかける」の造語。

[④上**208**、下**516~518**][①**432~433**][**JKR**公式サイト「**FAQ**作品について」]
[⑦初出**24**章 **UK401**／**US496**]

チョーリー、ハーバート
ハーバート・チョーリー
【Chorley, Herbert】

⑥**01**-上**007**

イギリスのマグルの政務次官。死《し》喰《く》い人《びと》から服従の呪文をかけられたが、呪文は失敗。頭をやられて混乱し、公衆の面前でアヒルに扮しガーガー鳴くようになった。聖マンゴに送られたが、癒《い》師《し》三人を絞め殺そうとした。

チョーリーは、イングランド北西部ランカシャー州南部の町の名前。

［⑥上**029**］

血を裏切る者
【blood traitor】

⑤**04**-上**129**
⑥**07**-上**229**

マグルやマグル生まれに対して偏見を持たず、彼らと平気で付き合う純血の魔法使いに対する蔑称。純血と呼ばれる魔法使いの多くは、自らの血統に誇りを持ち、マグルの血を悪いものだと考えているため、そのような人々にとって、純血でありながらマグルの血の混じった人々と親交を持つ同類は「(純)血」を「裏切」る者となる。

純血主義者のブラック夫妻にとって息子シリウスは血を裏切る者であり、シリウスがハリーに話したように、「血を裏切る者ばかり排出した家族がいるとすれば、それはウィーズリー家」である。

［⑥上**318**、**364**］［⑤上**186**］［**JKR** 公式サイト「**FAQ** 作品について」］［⑦初出**10**章 **UK157**／**US191**］

つ

杖 【wand】

①04-090
⑥01-上013

魔法を唱えるときに使う道具。さまざまな材質の木でできており、「ハリー・ポッター」の世界では、一角獣《ユニコーン》のたてがみや不死鳥の羽根などの魔力を持った物が芯に使われている。長さはまちまちだが、大体25〜30センチ前後。持ち主の魔法使いを選び、他の魔法使いの杖を使っても自分の杖ほどの力は出ない。魔法界にはグレゴロビッチなどいくつかの杖職人がいるが、中でもオリバンダーは最高の杖作りだと広く認められている。ハリーとヴォルデモートの杖は、それぞれ共通の芯(フォークスの尾羽根が1枚ずつ)が入っている兄弟杖。二人が最初に対決したときは、両者の杖が繋《つな》がり「呪文逆戻し効果」が生じ、ヴォルデモートの杖から犠牲者のゴースト(木霊《こだま》)が新しいものから順々に出現した。三校対抗試合の試合前には、杖の状態を調べる「杖調べの儀式」を行う。マッド-アイによると、ズボンの尻ポケットに入れておいた杖が発火し、お尻の半分をなくした魔法使いがいるという。ハリーがルーナに初めて会ったとき、彼女は杖を左耳に挟《はさ》んでいた。杖は持っていなくてもすぐ近くにあれば呪文を唱えることができ、ハリーが吸魂鬼《ディメンター》に襲われたときに「ルーモス」の呪文を唱えると、落ちていた杖の先に灯《あか》りがともった。退学処分になると、杖は真っ二つに折られてしまうが、ハグリッドは冤罪《えんざい》が晴れるまで、その折られた杖をピンクの傘にしまいこんで使っていた。杖に関する呪文もあり、ハリーのお気に入りは「エクスペリアームス、武器よ去れ」。魔法界には「杖規制法」や「杖の使用細則」などの法律が存在し、後者の第3条でヒトにあらざる生物は杖を携帯し、またはこれを使用することが禁じられている。ハーマイオニーは、しもべ妖精福祉振興協会《S・P・E・W》の長期目標として、この法律の改正を掲げている。

JKRは杖について、「ハリーがマージおばさんをふくらましたように、制御されてない魔法は杖なしでも唱えられますが、ちゃんとした魔法をかけるには杖は必要」だとし、「杖とそれを使う魔法使いのあいだには極めて深い関係があり、これに関しては7巻で詳しく知ることになります。杖を正しく機能させるためには（それに見合った）能力が備わっている必要があるのです」と明かしている。登場人物の杖については、「1990年に『賢者の石』第6章の初稿を書いたとき、ハリーには柊《ひいらぎ》の木の杖を持たせました。これは適当に決めたものではなく、柊は伝統的にイチイの木（ヴォルデモートの杖の材料）と対比されていることもあり、ハリーにぴったりでした。ヨーロッパの伝統では柊（ホーリー）が神聖さ（ホーリー）に通じ、邪悪を祓《はら》うとされるのに対し、イチイは驚くほど長生きすることがあり、死と再生の象徴とされ、その樹液には毒があります。二人の杖を決めた少し後にケルトの木の暦のことを聞き、まったくの偶然でハリーの誕生日の「正しい」木を選んでいたことを知りました。そこでロンとハーマイオニーにも対応するケルト人の木を杖として持たせることにし、ロンの誕生日は3月1日なのでトネリコの杖（もともとはブナの木にしていました）、ハーマイオニーは9月19日なのでブドウの木にしました。でもケルト人の木を使ったのはロンとハーマイオニーだけ。ハグリッドは樫《かし》の杖にしましたが、ケルト方式ではニワトコの木になります。イギリスでは樫の木は“森の王”と呼ばれ、強さと守りと豊穣《ほうじょう》さを象徴します。ほかにハグリッドに見合う木があるでしょうか？」と説明している。

［⑤上**011**、**031**、**047**、**080**、**296**、下**354**］［④上**350**、**475**～**479**、下**516**］［①**126**～**130**］［**JKR** 公式サイト「**FAQ** 作品について」］［**HCG**］［⑦初出**1**章 **UK014**／**US008**］

杖腕
【wand arm／wand hand】

①**05-127**
⑥**04-**上**087**

魔法使いが呪文を唱えるときに、杖を持つ方の腕のこと。夜の騎士《ナイト》バスを呼ぶときにも使う。ダンブルドアもハリーも、杖腕は右手。

杖のいろいろ

(7巻まで)

◆**ハリー・ポッター**：柊《ひいらぎ》に不死鳥(フォークス)の尾羽根。28センチ、良質でしなやか。めったにない組み合わせ。ヴォルデモートの杖と兄弟杖。

◆**ロン・ウィーズリー**(新しい杖)：柳の木、33センチ(14インチなので正確には約36センチ)。芯にユニコーンの尻尾《しっぽ》の毛が一本入っている。

◆**ハーマイオニー・グレンジャー**：ブドウの木にドラゴンの心臓の琴線。

◆**ヴォルデモート**：イチイの木と不死鳥(フォークス)の尾羽根。34センチ、強靭。ハリーの杖と兄弟杖。

◆**ビクトール・クラム**：グレゴロビッチ製。クマシデにドラゴンの心臓の琴線。26センチ、あまり例のない太さでかなり頑丈。

◆**セドリック・ディゴリー**：トネリコ材に際立って美しいオスのユニコーンの尻尾の毛。30センチ、心地よくしなる。

◆**フラー・デラクール**：紫檀《したん》にヴィーラ(フラーのお婆さん)の髪の毛。24センチ、しなりにくい。

◆**ハグリッド**：樫《かし》の木。41センチ、よく曲がる。退学になったときに真っ二つに折られてしまった(現在は杖の使用が認められている)。

◆**ジェームズ・ポッター**：マホガニー。28センチ、よくしなる。どれより力があって変身術には最高。

◆**リリー・ポッター**：柳の木。26センチ、振りやすい。呪文(charm work)にぴったりの杖。

◆**ルシウス・マルフォイ**：楡《にれ》にドラゴンの心臓の琴線。[7巻 UK014/US008]

◆**ドラコ・マルフォイ**：サンザシにユニコーンの毛。25センチ。ほどよくしなる。[7巻 UK399/US493]

◆**ベラトリックス・レストレンジ**：クルミにドラゴンの心臓の琴線。32センチ。曲がらない(堅い)。[7巻 UK398/US493]

◆**ネビル・ロングボトム**：桜とユニコーンの毛。

◆**ワームテール**：クリの木にドラゴンの心臓の琴線。23センチ。壊れやすい。[7巻 UK399/US494]

杖型甘草《かんぞう》あめ

【Liquorice Wand／licorice wand（US 版）】

①06-152
⑥07-上218

甘草の風味がついている杖の形をしたキャンディ。ホグワーツ特急のランチ・カートには、これがどっさり置いてある。

甘草はマメ科の多年草で、漢方薬では、これの根を干したものを「甘草」と呼び、重用している。サポニン、グリチルリチン、ブドウ糖やフラボノイドを含有しているので、咳《せき》止め、鎮痛《ちんつう》や利《り》尿《にょう》作用があり、風邪や喉《のど》の病気、胃腸薬として利用されている。ビールやタバコ、醤《しょう》油《ゆ》などの甘味料として使われることも多い。

付き添い姿現わし

付き添い姿くらまし

【Side-Along-Apparition】

⑥03-上064

「姿現わし」の免許を持っている人が、誰かを連れて一緒に姿現わし（姿くらまし）すること。これを使えば姿現わしテスト受験前の未成年者などでも、姿現わし（姿くらまし）できる。これで移動するあいだ、同行者は姿現わしできる人の腕などにつかまっていなければならない。ハリーの生まれて初めての姿現わしは、ダンブルドアに連れられての「付き添い姿現わし」だった。その後、ヴォルデモートの洞窟からホグズミードに戻るときには、ハリーは免許を持っていなかったが、衰弱したダンブルドアを連れて、付き添い姿現わしを成功させた。

［⑥下**054、360、398**］［⑦初出**3**章 **UK037／US037**］

綴《つづ》りチェック羽根ペン

「綴り修正付き」（羽根ペン）

【Spell-Checking quill】

⑥06-上178

ウィーズリー・ウィザード・ウィーズ（WWW）で売っている羽根ペン。書いた単語のスペルに間違いがないか、自動でチェック・修正してくれる。長く使っているとペンにかかっている呪いの効果はなくなり、逆に間違いだらけのスペルを書くようになる。ロンは6年生のときにこれを使っていたが、1年もたたないうちに呪文の効果が切れ、卜占《ぼくせん》を木占《ぼくせん》、吸魂鬼《きゅうこんき》を球根木《きゅうこんき》、「ロン」の名前を「ローニル・ワズリブ」と書くようになり、彼を絶望させた。

原書では、ペンは間違って belligerent（好戦的）の書き出しを bum（おしり）、Dementor（ディメンター）を Dugbogs（dug は「母獣の乳房」、bogs は「トイレ」）と書いた。

［⑥下**195**］

て

ディグル、ディーダラス

ディーダラス・ディグル

【Diggle, Dedalus】OP

①01-018

不死鳥の騎士団の創立当初からのメンバーで、ハリーを迎えにダーズリー家に来た先発護衛隊(5巻)の一人。キーキー声で話す小さな魔法使い。シルクハットがトレードマーク。興奮しやすい性質で、感情が高まると必ずシルクハットを落としてしまう。まだハリーが小さかったころ、マグルのお店で彼にお辞儀をしたことがあり、のちに漏れ鍋でそのことを指摘されると感激し、「覚えていてくださった！みんな聞いたかい？覚えていてくださったんだ」と叫び、シルクハットを取り落とした。ハリーを迎えに来たときも、ダーズリー家で2回落としている。

ディダラス（ダイダロス）はギリシア神話に登場する名工。クレタ王ミノスのために迷宮ラビュリントスを造り、アテナイ王子テセウスが怪物退治に来たときには、彼に恋した王女アリアドネに、王子が迷路の中で道に迷わないための秘策を教えた。しかしそれに怒ったミノス王によって息子イカロスともども迷路内に幽閉されてしまう。名工は2対の人工の翼を考案し、空を飛んでの脱出を図るが、息子は高く飛ぶことに夢中になり、太陽の熱で膠《にかわ》が溶けて海へ墜落して死んでしまった。斧や鋸《のこぎり》、錐《きり》やマストを発明したのもディダラスとされている。なお、1巻2章(48ページ)には、「店の中でスミレ色の三角帽子をかぶった小さな男の人がハリーにお辞儀をした」とあるが、原書には top hat と書かれているので、マグルの店でもシルクハットを被《かぶ》っていたものと思われる。

[⑤上**083～084、278**][①**048**][⑦初出**3**章 **UK034／US034**]

ディゴリー、セドリック
セドリック・ディゴリー
【Diggory, Cedric】Ⓗ　**③09-220**

(1977年9月または10月-1995年6月24日)ハリーより2歳年上の元ハッフルパフ生。在学中はクィディッチ寮代表チームのキャプテンでシーカーを務めた。鼻筋がすっと通り、黒髪にグレーの瞳のずば抜けたハンサム。女の子に人気があり、成績も優秀で、6年のときに監督生だったほか、三校対抗試合のホグワーツ代表選手に選ばれた。しかし、ヴォルデモートの陰謀で、第三の課題の最中にハリーとともにリトル・ハングルトンの墓場に連れ去られ、ワームテールに殺されてしまった。ダンブルドアはその年の別れの宴《うたげ》で、「セドリックはハッフルパフ寮の特性の多くを備えた、模範的な生徒じゃった……忠実なよき友であり、勤勉であり、フェアプレイを尊《たっと》んだ……セドリックを忘れるでないぞ。正しきこと、易《やす》きことのどちらかの選択を迫られたとき、思い出すのじゃ。一人の善良な、親切で勇敢な少年の身に何が起こったかを」と追悼《ついとう》した。ハリーはセドリックの死を目撃してから、セストラルが見えるようになった。

セドリック(Cedric)は、ケルト語で「リーダー(chieftain)」のこと。

[⑤上017、027、346、365、388、396～397、下062、184、223][④上366～367、404、453～454、458、460、494～495、524～526、下112、424～432、554～558][⑦初出2章 UK020／US014]

デイビース、ロジャー
ロジャー・デイビース
(3巻ではロジャー・デイビス)
【Davies, Roger】[R]

③13-336

ハリーより1～2歳上のレイブンクロー生。6巻から登場していないので卒業した可能性がある。在学中はクィディッチ寮代表チームのキャプテン(チェイサー)を務めた。4巻のクリスマス・ダンスパーティでは、フラーをパートナーにできた幸運にクラクラし、バラの茂みの中で彼女とお取り込み中のところを、ロンに目撃された。5巻では、バレンタインデーの前にチョウ・チャンを誘いフラれてしまったが、チョウはハリーとデートしたときにこのことを話し、ハリーにやきもちを焼かせようとした。

[⑤下219、222、411][④下105、109][⑦初出33章 UK545／US680]

ディフィンド！裂けよ！
【Diffindo!】

④20-上524
⑥11-上332

物を引き裂く呪文。ハリーはこの呪文を唱えて、プリンスの『上級魔法薬』の本と新品の同じ教科書の表紙をはずして交換した。

Diffindo はラテン語で「物を裂く」という意味。

[⑤下585][⑦初出9章 UK138／US166]

ディペット、アーマンド
アーマンド・ディペット
【Dippet, Armando】

②13-358
⑥20-下162

ダンブルドアの前任者。パラパラと白髪の残る禿頭(はげあたま)の、しわくちゃで弱々しい小柄な老人。ヴォルデモートがまだトム・リドルと名乗っていたころのホグワーツの校長。リドルの本性を見抜けず、秘密の部屋を開けて中の怪物を自由にさせたのはハグリッドだと誤解し、退学させてしまった。リドルから卒業後にホグワーツの教師として残れないかと尋ねられたが、ダンブルドアからあらかじめ断るよう進言されていたので、採用しなかった。すでに亡くなっており、今は肖像画の主《ぬし》として校長室の壁に飾られている。

［⑥下**165～**］［⑤下**087**］［②**458**］

ディリグロウト
【Dilligrout】

⑥**12**-上**387**

グリフィンドール寮の合言葉。

Dilligroutは、伝統的なポタージュ(ポリッジ)。イギリス国王の戴《たい》冠式《かんしき》の日の食事に、サレー州のアディントン領主がこれを国王に供した。

デザート
【pudding】

①**07**-**185**
⑥**08**-上**247**

イギリス英語でpuddingは、「プディング菓子」のほかに「デザート(コース)」という意味がある。ホグワーツの食事には必ずデザート(pudding)が出され、ハリーのお気に入りのデザートは糖蜜タルト。

［⑤上**066**］

デラクール、アポリン
アポリン・デラクール
フラー・デラクールの母
【Delacour, Apolline】

④**31**-下**400**

フラー・デラクールの美しい母親。金髪のフランス人で家事の魔法が上手い。三校対抗試合(4巻)の第三の課題のときにホグワーツに招待され、試合を観戦した。アポリンの名前は7巻6章に登場する。

アポリンの出典はギリシア神話の医術・音楽・予言を司る神アポロ

ンであろう。ゼウスとレト女神の子でアルテミスの双子の兄。若く力強い美青年として表される。

［⑦初出6章 **UK081／US092**］

デラクール、ガブリエル

ガブリエル・デラクール

【Delacour, Gabrielle】

④26-下216
⑥05-上138

フラー・デラクールの妹。銀色の豊かな髪を持つ女の子。三校対抗試合の第二の課題で、フラーが救出しなければならない人質となったが、フラーは水魔に襲われ湖底まで行かれなかったので、代わりにハリーが助けた。それ以来、ハリー・ポッターのことをいつも話しているという。

［⑤下**487**］［⑦初出6章 **UK087／US100**］

デラックス砂糖羽根ペン

【Deluxe Sugar Quills】

⑥12-上368

特大サイズの砂糖羽根ペン。何時間舐《な》めてもなかなか減らない。ハニーデュークスの新商品。

テルジオ！拭え！

【Tergeo!】

⑥08-上246

汚れを取り去る呪文。ハーマイオニーは、この呪文を使ってハリーの顔についた血糊《ちのり》をきれいに吸い取った。「スコージファイ！清めよ！」との違いははっきりしないが（両者とも液体の汚れを除去する）、「スコージファイ！」は液体や固体を“ゴシゴシこすって磨”き、「テルジオ！」は乾いた液体などを“ふき取る（吸い取る）”のかもしれない。

Tergeo は、ラテン語で「ふき取る」、「清潔にする」という意味。

［⑤上**300**］［⑦初出6章 **UK082／US094**］

天文学 【Astronomy】

①15-361
⑥05-上155

真夜中に天文台の塔に行き、望遠鏡で夜空を観測して星の名前や惑星の動きを学ぶ学科。担当はシニストラ先生。5巻のOWL《ふくろう》筆記試験には木星の衛星などに関する問題が出た。夜11時から行われた実技試験では、恒星や惑星を望遠鏡で観測し正しい位置を図に書き込んだ。この最中にアンブリッジがハグリッドの小屋を襲撃したため生徒はそちらに気を取られ、試験どころではなくなってしまった。OWL試験結果はハリーが「可・A(まあまあ)」、ハーマイオニーは「優・O(大いによろしい)」で、ロンも合格した。ハリーは実技試験で星座図に「オリオン座」を書き込んだが、この冬空の大星座が6月に本当にイギリス(スコットランド)で見えたのか疑問が残る。

［⑥上**156**、**262**～**265**］［⑤上**356**、下**242**、**285**、**450**、**463**～**470**］［①**198**］

天文台の塔 【Astronomy Tower】

①15-356
⑥23-下265

ホグワーツ城で一番高い塔。授業以外は立ち入り禁止になっている。屋上には銃眼《じゅうがん》つきの防壁が張り巡らされており、天文学の授業や試験が行われている。6巻では、ホグワーツに侵入した死喰《しく》い人《びと》が塔の上空で闇の印を打ち上げ、屋上に駆けつけたダンブルドアがスネイプに殺され、地面に落下した。屋上から城の1階の正面玄関に戻るには、屋上の扉を開けて急な螺旋《らせん》階段を下り、三つの廊下を通り抜け(角を2回曲がる)、さらに玄関ホールに続く大理石の階段を下りなくてはならない。

［⑥下**403**、**422**、**424**～**428**、**439**］［⑤下**245**］［①**353**］［⑦初出**23**章 **UK365**／**US450**］

と

ドイース、ローカン
ローカン・ドイース
【d'Eath, Lorcan】

2006年11月

（1964–現在）女性に大人気の歌手。バンパイアの血を引く。ヒット曲「あなたに首ったけ」で19週連続ベスト1を記録した。

［**JKR** 公式サイト「今月の魔法使い」］

トウィルフィット・アンド・タッティング
【Twilfitt and Tatting's】

⑥06–上174

魔法界の洋装店。おそらくダイアゴン横丁か夜の闇《ノクターン》横丁《よこちょう》にある。ナルシッサ・マルフォイは、マダム・マルキンの店内で、ハリーたちと言い争いになったとき（6巻）、「この店の客がどんなクズかわかった以上、トウィルフィット・アンド・タッティングの店のほうがいいでしょう」と捨てゼリフを残し店を出た。

Tatting（タッチング）は、「一本の糸で作る手工レース」のこと。ロンの中古のドレスローブについていたレースも、タッチングだったのかもしれない。

洞《どう》窟《くつ》
(ヴォルデモートの洞窟)
(ホークラックスの洞窟)
【cave】

⑥13-上405

ヴォルデモート(トム・リドル)が、分霊箱のスリザリンのロケットを隠した洞窟。かつて年に一度の孤児院の遠足で、ヴォルデモートは二人の子供をここに連れて来て脅したことがある。ホグワーツから何キロも離れた海岸にあり、ダンブルドアとハリーは1997年6月、分霊箱を取るためにここに入ったが、本物はすでにR.A.B.に盗み出されており、ダンブルドアが衰弱しながら手に入れたロケットは、すりかえられた偽物《にせもの》であった。

洞窟内に直接姿現わしできないので、二人は近くの崖まで行き、そこから岩場を降りて海を泳ぎ、崖の割れ目の中に入っていった。その奥は幅が1メートルたらずの暗いトンネルになっており、泳ぎ続けるとトンネルは左に折れ、崖のずっと奥まで伸びていた。最奥にたどり着くと大きな洞穴《ほらあな》に続く階段があり、二人は水から上がりその階段を這《は》い登った。洞穴は洞窟全体の入り口の小部屋となっていて、魔法を使った形跡があり、ダンブルドアが調べると岩壁にアーチ型の入り口が隠されていた。通るには血の代償が必要で(「なんと幼稚な」ダンブルドア談)、校長が腕を傷つけて岩の表面に血しぶきを散らすと、アーチ型の入り口がはっきりと現れた。その先を歩いていくと、向こう岸が見えないほど巨大な黒い湖が目の前に出現。洞窟の天井は高く、遠い湖の真ん中と思《おぼ》しきあたりに滑らかな岩で出来た小島が見え、そこから神秘的な緑色の光が発せられていた。湖の中はおびただしい数の亡者《もうじゃ》で溢《あふ》れ、ふだんは水中に横たわっているが、分霊箱に手を出したり水に触れると襲ってくる仕掛けになっていた。あたりは普通の闇より濃い暗闇が包んでいる。湖の縁を歩くと再び魔法の形跡があり、ダンブルドアが空中で何かを掴《つか》みながら握った手を杖で叩《たた》くと、赤みを帯びた緑色の太い鎖がどこからともなく現れた。鎖を叩くとひとり

でに蛇のように滑り出し、幽霊のように小舟が湖から姿を見せた。ダンブルドアによると舟には一度に一人の魔法使いしか乗れないよう呪文がかけられていたが、ハリーは未成年なので人数に勘定されず、同乗することができた。二人が乗り込むと小舟はひとりでに湖の中央の小島に向かって行き、着いた先はダンブルドアの校長室ほどの大きさの島で、台座が設置されており、その上に燐光《りんこう》を発するエメラルド色の液体が満たされた水盆が置いてあった。水盆の中にはスリザリンのロケットが入っていたが、液体に触れることはできず、ロケットを取るには飲み干すしか方法がなかった。ダンブルドアは、何があっても自分に薬を飲み続けさせることをあらかじめハリーに約束させ、苦しみながらも薬を飲み干し、ロケットを手に入れた。水を欲しがるダンブルドアのために、ハリーが湖の水を汲もうとすると、亡者の軍団が目を覚まし、ハリーは湖に引きずり込まれそうになるが、すんでのところでダンブルドアが杖先から炎の輪を噴出し、亡者を撃退。ハリーは疲労困憊《ひろうこんぱい》したダンブルドアを連れて崖の割れ目まで戻り、姿現わしでホグズミードに帰ったのであった。

［⑥下**347、362～396**］［⑦初出**10**章 **UK160／US193**］

凍結呪文
【Freezing Charm】

②06-152
⑥04-上103

人や物の動作を止める呪文。これをかけられると動けなくなる。スラグホーンはマグルの空き家に忍び込み、マグル製の防犯ブザーにこの呪文をかけ、作動を停止させて住んでいた。2巻では「縛り術」と和訳されている。

［⑥下**404**］

陶《とう》酔《すい》感を誘う霊薬
【Elixir to Induce Euphoria】

⑥22-下235

ハリーが6年生の「魔法薬」の時間に調合した薬。飲んだ人を幸福(euphoria)な気分にさせる。太陽のように輝かしい黄金色をした薬で、半純血のプリンスの調合法では、ペパーミントの小枝(a sprig of peppermint)を1本入れる。

トゥーツ、ティルデン
ティルデン・トゥーツ
【Toots, Tilden】 **2007年3月**

(1959–現在)3本の緑の親指を持つ魔法使い。有名な薬草学者でラジオのパーソナリティ(妻はデイジー・フーカム)。

[**JKR** 公式サイト「今月の魔法使い」]

動物課
【Beast Division】 **⑤07–上211**

魔法省・魔法生物規制管理部に設けられた課の一つ。この内部にケンタウルス担当室(Centaur Liaison Office)、危険生物処理委員会、狼人間登録室(Werewolf Registry)、狼人間捕獲部隊(Werewolf Capture Unit)、ドラゴンの研究および制御室(Dragon Research and Restraint Bureau)が置かれていると思われる。グローガン・スタンプが魔法省大臣の時代に、魔法生物規制管理部の中に動物課、存在課と霊魂課の3課が設置され、その際トロール、妖精(屋敷しもべ妖精は含まれない)、ピクシー小妖精、庭小人、アクロマンチュラ、マンティコア、スフィンクスなどが「動物」と分類された(すなわち動物課が担当することとなった)。ケンタウルスは鬼婆と同じ「ヒトたる存在」と分類されることを拒否。「動物」にとどまり自分たちのことは自分たちで管理すると宣言した。魔法省はしぶしぶその要求を受け入れ、動物課の中にケンタウルス担当室が設けられたが、今までこれを利用したケンタウルスはいない。魔法省内で「ケンタウルス室送り」というと、その人がまもなく解雇されることを意味する省内ジョークになっている。魔法使いの中には、マグルを「動物」に分類せよと主張する過激な者もいるという。オフィスはロンドンの魔法省地下4階。

[幻**006**、**018**~**019**][⑦初出**12**章 **UK201**/**US245**]

糖《とう》蜜《みつ》タルト 【treacle tart】

①07-185
⑥08 上248

ハリーの好物のデザート。ホグワーツの新学期の宴会に毎年出る。

糖蜜タルトは、タルト生地の上に、糖蜜、レモン汁(またはレモンの皮)を混ぜたものをフィリングにしてオーブンで焼いた伝統的なイギリスのケーキ。暖かいうちにカスタードを添えて頂くのが昔ながらの食べ方。1巻では「糖蜜パイ」と訳されている。

［⑤上335］［⑦初出12章 UK193／US235］

透明マント 【Invisibility Cloak】

①12-294
⑥03-上081

輝く銀色の布でできたマント。着ると姿が見えなくなる。魔法界には目くらまし呪文やデミガイズ*の毛皮で作られた透明マントが販売されており、マンダンガス・フレッチャーやマッド-アイ・ムーディ、クラウチ家などが持っていた。ハリーの父親が所持していたのは、水を織物にしたような、不思議な手触りの透明マント。ホグワーツ在学中これを着て厨房《ちゅうぼう》に忍び込み、食べ物を失敬していた。このジェームズのマントを持っていたダンブルドアは、1991年のクリスマスの日ハリーに返却。それ以来、ハリーはこれを着て悪戯《いたずら》を重ねていた。6巻では、常にこれを携帯するようダンブルドアから指示され、ハリーはホグワーツ内でも必ずこれを持っていた。ダンブルドアが殺されてから、天文台の塔に置きっぱなしにしていたが、後日取りに戻ったようである。

JKRによると、このマントはポッター家の先祖伝来の品で、ジェームズは父親から相続されたという。ダンブルドアは透明マントを透視できるが、それはhomenum revelio(人の姿を露出させる呪文。7巻で登場)を使っていたから。公式サイトのNAQ(誰もしなかった質問)では、「ダンブルドアはジェームズが死んだとき、なぜ透明マントを持っていたのでしょう?ダンブルドアはマントがなくても姿が消せるのに」と読者に問いかけている。

＊優美な猿のような姿をしたおとなしい魔法動物で、脅されると姿を消してしまう。

[⑥上**120**、**188**、**489**、下**101**、**208**、**218**、**240**、**354**、**402**、**474**][⑤上**040**][①**440～441**][幻**045**][⑦初出**2**章 **UK020**／**US015**]

ドクシー
【Doxy】

⑤**05**-上**140**
⑥**11**-上**337**

噛《か》みつき妖精。しばしば妖精と間違えられるが別種。ヒトをミニチュアにした姿をしており、体には黒い毛が密生し、腕と脚が一対ずつ余分についている。羽は厚くて湾曲《わんきょく》し、テラテラとコガネムシのように輝いている。針のように鋭い小さな歯には毒があり、噛まれたら解毒剤を服用しなければならない。ハリーたちは5年生になる前の夏休み、グリモールド・プレイス12番地でこれの駆除をした。コーマック・マクラーゲンは、賭けでドクシーの卵を500グラム食べ、病棟に入院したことがある。

英語 doxy には、「ふしだらな女」、「情婦」などの意味がある。

[⑤上**170**][幻**046**][⑦初出**28**章 **UK452**／**US560**]

ドージ、エルファイアス
エルファイアス・ドージ
【Doge, Elphias／Dodgy／Dogbreath】 OP

⑤**03**-上**083**

不死鳥の騎士団の創立および現メンバーで、5巻でハリーを迎えにダーズリー家に来た先発護衛隊の一人。ゼイゼイ声の魔法使い。ダンブルドアの学生時代からの友人。

Doge（ドージェともいう）は、ベネチア共和国（697–1797）およびジェノバ共和国（1339–1797, 1802–05）における「総督」のこと。彼らは「三角帽子（cornette）」を被《かぶ》っていた。不死鳥の騎士団結成当初、ドージはバカバカしい帽子（stupid hat）をかぶっていたが、この三角帽子を指していると思われる。愛称の Dodgy は7巻 UK27（US24）

ページ、Dogbreathは7巻UK289（US354）ページに記載。

［⑤上**279**］［⑦初出**2**章 **UK021**／**US016**］

図書室
図書館
【Library】

①09-213
⑥15-上462

ホグワーツの図書室のこと。室内は広く、何万冊もの蔵書、何千もの書棚、何百もの細い通路がある。古い『日刊予言者新聞』なども保管されている。奥の方には閲覧禁止の棚があり、ここの本を見るには先生のサイン入りの特別許可証が必要。そこにはホグワーツでは決して教えない強力な闇の魔法に関する本が置かれ、上級生が「闇の魔術に対する上級防衛法」を勉強するときだけ読むことが許されている。司書は飢えたハゲタカのようなマダム・ピンス。館内を脅《おど》すように行き来し、自分の大切な書籍に触る者をしつこく監視している。1巻に「キッチン（地下1階）より5階ぐらい上の方」と説明されているので4階あたりにあり、グリフィンドール塔からは15分の距離。夜8時に閉まり、室内で食事は厳禁。6巻ではロンが談話室でラベンダーといちゃついていたので、ハリーとハーマイオニーはもっぱらここで過ごしていた。これまで謎に直面したとき、図書室の蔵書は必ず答えを与えてくれたが、ホークラックスに関しては何の文献も見つからず、ハーマイオニーを愕然《がくぜん》とさせた。すべての蔵書には呪文がかけられており、ダンブルドアが『超物質的変身術理論』の本に何気なく悪戯《いたずら》書きをしたところ、次の瞬間、その本に頭を激しくぶたれてしまったという。日本語版では、4巻まで「図書館」と訳されていた。

［⑥下**091**、**333**、**482**］［⑤上**407**、**544**、下**189**、**257**、**369**］［④下**097**、**202**、**207**］［①**289**］［ク**014**］［⑦初出**6**章 **UK088**／**US101**］

特許・白昼夢呪文
白昼夢呪文
【Patented Daydream Charm／Daydream Charm，patented】

⑥06-上178

ウィーズリー・ウィザード・ウィーズ(WWW)の商品。簡単な呪文を一回唱えるだけで、現実味のある最高級の夢の世界に30分間入り込むことができる(呪文の内容は本に書いてない)。授業中に使ってもほとんど気づかれないが、副作用としてボーッとうつろな表情になったり、微量のよだれを垂《た》らすことがある。16歳未満の購入は禁止。箱には海賊船の甲板に立っているハンサムな若者と、うっとりとした顔の若い女性の絵が、ど派手な色で描かれている。ハーマイオニーが「すばらしい魔法だわ！」と賞賛したので、フレッドが彼女に一箱無料進呈した。

ドッダリッジ、デイジー
デイジー・ドッダリッジ
【Dodderidge, Daisy】

2006年3月

(1467-1555)漏れ鍋の最初の女主人。

[**JKR** 公式サイト「今月の魔法使い」]

ドビー
【Dobby】

②02-015
⑥17-下071

(6月28日-)ホグワーツで働いている屋敷しもべ妖精。萎《しな》びた小さな茶色の顔に、テニスボールのような緑の大きな目と尖《とが》った耳、鉛筆のような鼻を持ち、キーキー声で話す。誕生日は6月28日。

もともとはマルフォイ家の屋敷しもべ妖精であったが、1993年5月30日(2巻)ハリーが自由の身にした。解雇されてからは給料を貰《もら》って働こうと考え、職を探して国中を旅したが、おおかたの魔法使いは給料を要求する屋敷しもべ妖精を欲しがらないため二年間断られ続けていた。仲間のウィンキーも解雇されたことを知ったドビーは、ホグワーツなら二人の屋敷しもべ妖精を雇ってくれるだろうと思いつき、1994年12月ダンブルドアの所へ。校長はドビーの申し出を快く受け入れ、現在は1週間に1ガリオン、1ヵ月に1日のお休みを貰って働いている。

自由な屋敷しもべ妖精となってからは、誰でも自分の好きな人に従うことができるため、ハリー・ポッターの望むことは何でもしてあげたいと考え、実践している。4巻の三校対抗試合でハリーが水中で1時間過ごす方法が見つからなかったときは、鰓《えら》昆布を持って現れた。5巻でDAの防衛術の部屋を探したときは、必要の部屋の存在を教え、さらにアンブリッジが「部屋」に踏み込み、メンバーを一網打尽《いちもうだじん》にしようとすると、いち早く警告にやってきた。6巻でドラコ・マルフォイを見張るようハリーから命じられると、1週間寝ないで尾行し続けた。ハリーの頼もしい味方であるが、2巻でマルフォイ家のしもべ妖精として現れたときだけは、ハリーを危険なホグワーツから遠ざけようとして、ダーズリー家でペチュニア叔母さんの傑作デザートに浮遊術を唱えたり(ハリーが魔法の実行犯と誤解され魔法省から警告を受け取った)、キングズ・クロス駅の柵《さく》に魔法をかけて通れなくしたり(空飛ぶ車で学校に行きハリーとロンは先生から大目玉を食らった)、ブラッジャーに魔法をかけてハリーを襲わせ大怪我をさせたり(治療したロックハートに骨を抜かれ病棟に入院した)と、散々な目にあわせた。

趣味は洋服集め。ホグワーツでハリーがドビーと最初に会ったときは、帽子代わりにキラキラしたバッジをたくさんつけたティーポット・カバーを被《かぶ》り、裸の上半身に馬蹄《ばてい》模様のネクタイを締め、子供用のサッカー用パンツに、左右別の色のソックスを履《は》いていた。ハリーを侮辱するクリーチャーとは仲が悪く、6巻では取っ組み合いの喧嘩《けんか》をしてクリーチャーの歯を半分吹き飛ばした。

Dobby「ドビー」は、ブラウニー(働き者の家事の精)の一タイプ。イングランド北部やスコットランドではこの名で呼ばれていた。賢さではブラウニーの足元にも及ばず、かつてスコットランドの境界地方の人々は大切な財産を土の中に埋め、ブラウニーやドビーにその監視をさせていたが、ドビーの方は悪人に簡単に騙《だま》され頼りにならなかったという。このため英語 dobby には「間抜け」という意味もある。

［⑥下**147〜150**、**197〜200**］［⑤上**015**、**239**、**605〜610**、下**055**、**057**、**134**、**293〜295**］［④下**027〜033**］［②**263〜268**、**497**］［**JKR**公式サイト］［**EBC**］［⑦初出**23**章 **UK378**／**US467**］

トーマス、ディーン
ディーン・トーマス
【Thomas, Dean】Ⓖ DA

①09-213
⑥06-上184

(1980？-)ハリーと同級のグリフィンドール生。黒人のロンドンっ子。父親が魔法使いで母親はマグル。DAのメンバー。ウエストハム・サッカーチームの大ファン。6巻ではケイティ・ベルやジニーの代わりの選手(チェイサー)として試合に出場した。ハリーやロンと同じ寝室で、親友はシェーマス・フィネガン。

5年生の終わりごろからジニー・ウィーズリーと付き合い始め、ロンやハリーの前でキスを交わしたり、二人でホグズミードに出かけたりするなど熱々ぶりを見せていた。しかし、マクラーゲンがハリーにブラッジャーを叩《たた》きつけたことをディーンが笑ったりしたことなどから亀裂《きれつ》が生じ、グリフィンドールの肖像画の穴を通るときにディーンがいつも助けようとした、といった他愛のない理由で別れてしまった。その後も彼女に未練があるらしく、ハリーがジニーとキスをしたときは、怒りで手にしたグラスを握りつぶした。

JKR公式サイトによると、ディーンを育てたのは母親と継父(マグル)で、実の父親(魔法使い)は彼がまだ幼いころ家族を捨てていた。しかし、ディーンはこのことを聞かされておらず、ずっと自分は純粋なマグルだと考え、父親の違う弟や妹と幸せに暮らしていた。彼にホグワーツの入学通知が届いたときに、母親はディーンの実の父親が魔法使いだったのだろうかと考えたが、真相は分からずじまい。実は、ディーンの父親は妻を守るために何も言わなかったが、死喰《しく》い人《びと》の仲間になることを拒絶してヴォルデモートに殺されたのであった。ディーンは在学中にこの事実を発見することになっていたが、本筋にとってより重要なネビルの話の方を優先したとのこと。

［⑥上365、429～430、432、下097、154～155、241～242、297、303、319、326］［⑤上343、384～385、531、下283、472、493、691］［JKR公式サイト「そのほかのこと」］［⑦初出15章 UK 243／US295］

トム【Tom】

①05-105
⑥06-上167

居酒屋・漏れ鍋の店主。禿《は》げていて、歯の抜けたクルミのような萎《しな》びた顔をしたじいさん。6巻でダンブルドアの葬儀に参列した。

［⑥下489］［⑦初出26章 UK423／US524］

ドラゴン【dragon】

①05-099
⑥01-上012

最も有名な魔法動物。グリンゴッツ銀行の重要な金庫を守っていると噂されている。一般的に雌の方が雄より大きく、より攻撃的であるが、どちらにせよ訓練されたドラゴン使いでないと扱うことは難しい。一番の弱点は目で、戦うときは結膜炎《けつまくえん》の呪いが効果的。皮、血液、心臓、肝臓、角は強力な魔法特性を持っている。その卵は取引禁止品目Aクラスに指定され、飼育は1709年のワーロック法により禁じられているが、ハグリッドはこれを自分の小屋で孵化《ふか》させたことがある。血は緑色がかっていて、生肉には鎮静《ちんせい》作用がありハグリッドいわく「ズキズキ（疼痛《とうつう》）に効く」とか。ダンブルドアは、この血液の12種類の利用法を発見した。ホラス・スラグホーンは人間の血のカモフラージュとして使っており、これも利用法の一つかもしれない。革は高級品とされ、ウィーズリー・ウィザード・ウィーズ（WWW）が大繁盛しているフレッドとジョージはこの革のジャケットを愛用。ホラスのブリーフケースもドラゴンの革製である。魔法界では、「卵泥棒で捕まるより、いっそドラゴンを盗んで捕まるほうがいい」といったことわざがあり、ホグワーツのモットーは「眠れるドラゴンをくすぐるべからず」。4巻の三校対抗試合では、母親ドラゴンを出し抜いて金の卵を取ってくるという課題が出された。

ドラゴンはヨーロッパの架空の生き物。鋭い牙《きば》と鉤爪《かぎづめ》を持ち全身を鱗《うろこ》でおおわれた爬虫《はちゅう》類で、口から火を吐くとされる。名前の由来は、ヘビを意味するギリシア語ドラコン(drakōn)。凶暴で邪悪な存在で、神話や伝説の中で財宝など物欲の守護者、王女や娘の迫害者として描かれ、英雄や勇者と戦い、最後は退治される野蛮な獣性や悪を表す象徴となっている。ギリシア神話ではヘラクレスが9つの頭を持つヒドラとラドン、アケロオスの3頭のドラゴンを倒し、『ベーオウルフ』では宝を300年間守り続けたドラゴンと英雄ベーオウルフが死闘を繰り広げ、聖書の世界では聖ジョージが猛毒を吐く竜を槍で突き殺している。強大なドラゴンは王権と豊穣《ほうじょう》の象徴ともなり、赤いドラゴンはウェールズの国旗に描かれている。プリニウスの『博物誌』によると薬の原料となり、ドラゴンの目を乾燥させそれに蜂蜜《はちみつ》をかき混ぜると、悪夢に効果のある塗布薬《とふやく》ができるという。その血は不老長寿の霊薬《れいやく》となり、肉を食べると予知能力がつくという俗信もあった。

[⑤上**110**][⑦初出**1**章 **UK014**／**US008**]

ドラゴンの血液の十二種類の利用法の発見 【discovery of the twelve uses of dragon's blood】 ①06-154

アルバス・ダンブルドアの功績の一つ。蛙チョコのアルバスのカードの裏に書かれている。

ハリー・ポッター映画の脚本を手がけているスティーブ・クローブスがJKRから聞いた話によると、12番目の利用法はオーブン・クリーナーだという。

[①**319**、**335**][⑦初出**2**章 **UK024**／**US020**]

ドラゴンの心臓の琴線
【heartstring of dragon】

①05-127

強力な魔力を持つもので、杖の芯に使われる。ビクトール・クラムやルシウス・マルフォイの杖に入っている。

［⑦初出**1**章 **UK014**／**US008**］

取らぬふくろうの羽《は》根《ね》算用《ざんよう》
【count your owls before they are delivered】

⑥04-上119

魔法界のことわざ。“Count one's chickens before they are hatch ed”「捕らぬ狸《たぬき》の皮算用」の魔法界バージョン。

トラバース
【Travers】DA

④30-下361

死《し》喰《く》い人《びと》。マッキノン一家の殺害に手を貸した。アズカバンに収監されていたが7巻で脱獄した。

Travers はフランス語で「欠点」という意味。

［⑦初出**5**章 **UK065**／**US073**］

トランシルバニア
【Transylvania】

②10-242

ロックハートは、ここの村人(villager)にかけられたおしゃべりの呪いを解いたことがあるという。4巻でパーシーは、国際決闘禁止条約に署名するよう、クラウチ氏(父)の代理でこの国に説得を続けていた。クィディッチ・ワールドカップでは、390対10でイングランドに圧勝した。

トランシルバニアは、ルーマニア北西部および中央地方の総称。11から16世紀までハンガリー領。16-17世紀はオスマントルコの侵入に乗じて公国として独立したが、17世紀末にハプスブルグ(ハンガリー)領に。1918年、ルーマニア領に復帰した。吸血鬼伝説が有名で、ブラム・ストーカーの『ドラキュラ』でもドラキュラ伯爵の故郷になっている。

［④上**096**、下**102**］［⑦初出**26**章 **UK426**／**US528**］

トリカブト(系脱狼)薬
【Wolfsbane Potion】

③**18-457**
⑥**07-上219**

狼人間が狼に変身しても、自分の心を保つことができるようになる薬。満月の夜の前の一週間、これを服用する。ダモクレスがごく最近発明した薬で、調合は難しく、出来上がった薬からは煙が立ち昇る。ルーピンがホグワーツで「闇の魔術に対する防衛術」の教師を務めたあいだ、スネイプが彼のためにこれを煎じていた。ひどい味であるが、砂糖を入れると効き目がなくなるという。

［⑥下**018**］［③**205～206**］

ドーリッシュ
【Dawlish】MM

⑤**27-下297**
⑥**08-上240**

魔法省の闇祓《やみばら》い。短い白髪頭で、いかめしい顔つきをしている。NEWT《いもり》試験で全科目「優・O」を取った優秀な人物であるが、5巻でファッジの護衛としてホグワーツに来たときは、ダンブルドアに魔法をかけようとして逆襲されてしまった。さらに、6巻でもスクリムジョールに命ぜられ、ダンブルドアを尾行したが、このときも逆に呪文をかけられてしまった。

ドーリッシュは、イギリス南西部デボン州にある町の名前。JKRが大学時代を過ごしたエクセターの南南東に位置する海沿いの町。

［⑤下**313**］［⑦初出**1**章 **UK011**／**US004**］

ドレスローブ
式服
【dress robe】

④**10-上242**
⑥**06-上169**

魔法使いの礼服。冠婚葬祭やパーティなどで着る正装用のローブ。

ハリーがこれを初めて着たのは、4年のクリスマス・ダンスパーティのとき。ウィーズリー夫人は、ハリーの目の色に映《は》える深緑色のローブを選んでくれた。ロンのドレスローブは古着屋で買ったので、襟《えり》にカビが生《は》えたようなレースのフリルつき。ロンはこれに切断の呪文を唱え、何とかレース無しにした。パーバティ・パチルはショッキング・ピンク、パドマは明るいトルコ石色、フラー・デラクールはシルバーグレーのサテンのドレスでダンスパーティに参加。ドラコはイギリス国教会の牧師のような黒いビロードの詰襟《つめえり》ローブ、パンジー・パーキンソンは淡いピンクのフリルだらけのドレス、クラッブとゴイルは緑色、クラムはブルー、ハーマイオニーはふんわりした薄青色の布地のローブを着ておしゃれをした。6年のダンブルドアの葬儀では、全員がドレスローブ(式服)を着用して参列した。

[⑥下**486**][⑤上**263**][④上**243**、下**081**][⑦初出**8**章 **UK115**/**US137**]

トレバー
【Trevor】

①06-168
⑥07-上208

ネビルのペットのヒキガエル。ホグワーツの入学祝いにアルジー大伯父さんが買ってくれた。ネビルが新入生のときに、ホグワーツ特急の中で脱走を試みるも失敗。その後、隙《すき》あるごとに逃走を企《くわだ》てているが未だ成功していない。呪文の実験台にさせられることもあり、フリットウィック先生の授業でブンブン飛び回らされたり、ハリーに「呼び寄せ」られたことも。6巻でも列車の中で逃げようとして、座席の下に入り込んだ。

[⑥上**211**][⑤上**296**][④上**534**][①**142**、**186**、**249**、**400**]

トレムエット、ドナガーン
ドナガーン・トレムエット
【Tremlett, Donoghan】

⑤14-451
⑥30-489
2004年7月

(1972-現在)人気魔術師バンド妖女シスターズのベースを担当。

ダンブルドアの葬儀に参列した。5巻ではドナガーンが結婚するというゴシップ記事が、『日刊予言者新聞』に掲載された。

［JKR 公式サイト「今月の魔法使い」］

トレローニー、カッサンドラ
カッサンドラ・トレローニー
【Trelawney, Cassandra】

⑤15-上493
⑥25-下343

シビル・トレローニーの曾々《そうそう》祖母《そぼ》。魔法界で有名な予見者。

カッサンドラの出典は、ギリシア神話のトロイの王女カッサンドラ。アポロンに愛され、その愛人になると約束して予言能力を授けられるが、そのあとで彼を拒絶したため、怒ったアポロンから予言能力に「正しく未来を予言できるが誰もその言葉に耳を傾けない」という条件をつけられてしまう。このため王女はトロイがギリシア人の木馬によって陥落することを予知し、予言によって食い止めようと努めるが、狂言のたわごととして信じてもらえず、トロイは滅亡してしまう。落城の夜にアイアスに操《みさお》を穢《けが》されたカッサンドラは、そののちアガメムノンの愛人としてミュケナイに連れ去られ、そこでもアガメムノン暗殺の企《くわだ》てを予言するが防ぐことができず、最後は彼女自身もアガメムノンとともに、その妃クリュタイムネストラに殺されてしまった。

トレローニー、シビル・パトリシア
シビル・パトリシア・トレローニー
【Trelawney, Sybill Patricia （US 版は Sibyll）】

③06-134
⑥08-上249

「占い学」のガリガリに痩《や》せた先生。ショールを何重にも巻きつけ、ビーズや腕輪をジャラつかせてか細い声で話す。大きなメガネが目を何倍にも拡大してみせるので、ハリーはいつもキラキラした昆虫を想像してしまう。有名な予見者のカッサンドラ・トレローニーの曾々《ひひ》孫《まご》で、カッサンドラ以来初めての「第二の眼」を持っているとされる人物。ふだんの授業では行き当たりばったり的な当て推量をしているが、1980年と1994年に魔法界にとって重要な“本当の”予言をした。

1980年にホグワーツの「占い学」の教授職を志願し、ホッグズ・ヘッドでダンブルドアと面接したが、才能の片鱗《へんりん》が見られなかったので断られた。しかし、帰る間際にヴォルデモートに関する本当の予言をし、闇の陣営に狙われる恐れが出てきたため、ダンブルドアは「占い学」の教授として雇うことにした。それからというものトレローニーはホグワーツの北塔に住み、屋根裏部屋と昔風の紅茶専門店をかけ合わせたような部屋で授業を続けている。二度も本当の予言をするなど実績はあるものの、ハリーには入学当初から「ぞっとするような死に方で早死にする」と当てずっぽうの死の予言を繰り返している。ハーマイオニーは3年のときに「インチキばあさん」と見切りをつけ、学期の途中で「占い学」を取るのをやめてしまった。これまで北塔に籠《こも》りきりであったが、5巻でアンブリッジから陰湿な査察攻撃を受けて精神的におかしくなり、安物のシェリー酒を飲み、訳の分からないことを呟《つぶや》きながらホグワーツの廊下をうろつくようになった。6巻では、ケンタウルスのフィレンツェと分担して「占い学」を教えたが、フィレンツェを「駄馬《だば》」と馬鹿にして、自分の地位を不当に奪った「馬」を追放するようたびたびダンブルドアに直訴していた。飲酒癖は治らず、シェリー酒の隠し場所として必要の部屋を使っていたが、部屋の中で姿をくらますキャビネットの修理に成功して歓声を上げたドラコと遭遇。ハリーにこのときの様子や、1980年の面接を盗聴したのはスネイプだったことを明かした。トランプ占いの才能があるらしく、ハリーが隠れている場所の隣で「黒髪の若者、おそらく悩める者で、この占い者を嫌っている……」と見透《みとお》したり、ダンブルドアには「稲妻《いなずま》に打たれた塔。災難。大惨事。刻々と近づいてくる」と正しい予言をした。ハリーの占い学のOWL《ふくろう》は「不可」であったが、スラグホーンのクリスマス・パーティに参加したときは、「どうして（NEWT《いもり》の）占い学を取らなかったのかしら？」と酔っ払って彼に問いかけた。

シビルの出典は「シビュラ（Sibylla）」であろう。古代ギリシア・ローマ神話の「巫女《みこ》」のことで、神がかり状態に入りアポロンの神託を伝えていた。トレローニーも本物の予言をするときは、目をギョロギョロさせて口をだらりと開け、体を硬直させて、かすれた荒々しい声で告げる。予言が終わると催眠術から覚めた人のように頭を前にガクッと傾け、自分が予言をしたことを覚えていない。ミドルネームのパトリシアはWBCで判明。

［⑥上**248、265、295、482、484、**下**159～160、336、341～345**］［⑤上**374、493～496、574～576、**下**208、256、273～278、651～654**］［③**419～420**］［**WBC**］［⑦初出**32**章 **UK519／US646**］

トロフィー室《ルーム》
【trophy room】

①09-226
⑥17-下063

カップや盾、賞杯や像などが数多く陳列されている部屋。ホグワーツの4階にある。トム・リドルの名前が書かれたホグワーツ特別功労賞の盾や、魔術優等賞のメダル、首席名簿もここに飾られている。いつも鍵が開いている部屋なので、1巻でマルフォイは、ハリーと魔法使いの決闘をする場所として、ここを指定した。2巻ではロンが罰として、ここに並べられた100個以上もの銀杯を磨《みが》かされた。トム・リドル（ヴォルデモート）はホグワーツ在学中、自分の父親の名前が載っていないか、ここに置かれた盾を調べていた。

［②**175～176、348**］［①**231**］

ドロホフ、アントニン
アントニン・ドロホフ
【Dolohov, Antonin】DE

④30-下360
⑥20-下187

死《し》喰《く》い人《びと》。面長でねじ曲がった顔の青白い魔法使い。ギデオンとフェービアン・プルウェット（プルウェット一家）を惨殺した罪でアズカバンに投獄されたが、1996年1月に脱獄した。同年の魔法省神秘部の戦いでハリーたちを襲った死喰い人の一人。ハーマイオニーの胸めがけて強烈な呪いをかけたが、最後はダンブルドアの姿くらまし防止呪文で拘束された。1956年ころ、ヴォルデモートがホグワーツの教員ポストを求めてダンブルドアを訪問した際、ロジエールらとともにホッグズ・ヘッドでその帰りを待っていた。

[⑤下196、570、576～579、587、592～593、601][⑦初出1章 UK 011／US 003]

トロール 【troll】

①07 177
⑥19-下143

魔法界に生息している身の丈4メートル、体重1トンにも及ぶ恐ろしい生き物。魔法界には山トロール、森トロール、川トロールの3種があり、知性は低く、魔力と呼べるほどの魔力はまったく持っていない。ブーブー唸《うな》って会話するが、中には人の言葉を理解するものもおり、知性の高いものは訓練されて守衛となる。5巻で双子が逃走してからは、ハリーのファイアボルトは地下牢に移され、トロールが警備にあたった。魔法界には、トロールをガードマンとして訓練する職業も存在する。国際魔法使い連盟の初代最高大魔法使いのピエール・ボナコーは、トロール狩りをやめさせ彼らに権利を与えようとした。しかし、凶暴なトロールの一族の退治に手こずっていたリヒテンシュタインの魔法社会は、ボナコーの任命に異議を唱え、国際魔法使い連盟への加入を拒否した。OWL《ふくろう》試験の採点で最低の評価は、「トロール並《なみ》・T」。1巻ではクィレルが校内に野生のトロールを放ち、ハーマイオニーが襲われたが、ハリーとロンが助け出し、これがきっかけで三人は友人になった。ホグワーツ城8階の必要の部屋の前には、バカのバーナバスがチュチュを着たトロールに棍棒《こんぼう》で打たれている絵が掛かっている。ハリーは6年のときにチームメイトのコーマック・マクラーゲンにブラッジャーを打ち込まれて入院し、病室で「マクラーゲンのやつ、捕まえたらただじゃおかない」と息巻いたが、「あいつはトロールほどの大きさだから、捕まえない方がいい」とロンに制された。グリモールド・プレイス12番地の玄関には、トロールの足を切って作ったのではないかと思われる巨大な傘立てがある。ゴンドリン・オリファント(1720-1799)は、トロールの生活と習慣の研究で有名だったが、コッツウォルズでスケッチ中、棍棒で殴り殺された。

［⑥下**154、315**］［⑤上**103、489、**下**015、371、401、475〜476**］［①**262**］［幻**014、096**］［**JKR** 公式サイト「今月の魔法使い」］［⑦初出**9**章 **UK141／US169**］

トロールとのとろい旅
【Travels with Trolls】

②**04-066**

ハリーが2年生のときの「闇の魔術に対する防衛術」の教科書。ギルデロイ・ロックハート著。原語・日本語訳とも頭韻《とういん》を踏んでいる。

［⑦初出**6**章 **UK084／US096**］

トワイクロス、ウィルキー
ウィルキー・トワイクロス

【Twycross, Wilkie】MM

⑥**18-**下**093**

魔法省の「姿現わし」指導官。奇妙に色味のない睫毛《まつげ》、霞《かすみ》のようなまばらな髪、一陣の風にも吹き飛ばされてしまいそうな実在感のない小男。6巻で「姿現わし」練習コースの講師として、ホグワーツにやって来た。ホグズミードで行われた追加練習の際、あまりにもハーマイオニーを賞賛するので、そのうちきっと結婚の申し込みをするのではないかとロンは怪しんだ。

［⑥下**092、222**］

トンクス、アンドロメダ・ブラック
アンドロメダ・ブラック・トンクス

【Tonks, Andromeda Black】

⑤**06-**上**185**

ニンファドーラ・トンクスの母親。ブラック家の三人姉妹の真ん中(ベラトリックスの妹でナルシッサの姉)。愛称はドロメダ(Dromeda)。顔はベラトリックスに似ているが、決然とした感じは見られず、髪はくすんだ薄茶色。ベラより大きく開いた優しそうな目をしている。シリウスのお気に入りの従姉《いとこ》で純血の魔女だが、マグル生まれのテッド・トンクスと結婚したため、ブラック家の家系図から抹殺された。「パック！詰めろ！」の呪文が上手で、唱えるとソックスなどがひとりでにたたまれているという。不器用な娘のニンファドーラは、このやり方をマスターできなかった。

アンドロメダは、ギリシア神話に登場するエチオピア王ケフェウスとその妃カシオペイアの娘。カシオペイアが娘の美しさをあまりにも自慢しすぎたため、アンドロメダは海の精ネレイスたちの怒りを買い、海蛇の怪物の生贄《いけにえ》にされてしまう。海岸の岩に鎖で縛りつけられているところをゴルゴン退治をすませた英雄ペルセウスが通りかかり、海蛇を殺して彼女を妻にする。アンドロメダには婚約者の叔父がいたが、その叔父が仲間と共に襲ってくると、ペルセウスは彼らにメドゥーサの首を見せて石にしてしまった。その後アンドロメダは長子ペルセスを父王ケフェウスの許《もと》に残し、夫とともに故国を去り、さらに五男一女に恵まれたという。長子ペルセスはのちにペルシア王家の祖となった。アンドロメダは「人間を支配するもの」という意味。愛称と外見は7巻で判明。

［⑦初出**1**章 **UK016**／**US010**］

トンクス、テッド
テッド・トンクス
【Tonks, Ted】

⑤06-上186

ニンファドーラ・トンクスの父親。金髪で太鼓腹《たいこばら》、マグル生まれの魔法使い。シリウスの従姉《いとこ》のアンドロメダと結婚したが、純血ではないのでシリウス家の家系図には載っていない。

［⑦初出**1**章 **UK016**／**US010**、**5**章］

トンクス、ニンファドーラ
ニンファドーラ・トンクス
【Tonks, Nymphadora】 MM OP H

⑤03-上079
⑥05-上122

(1973？–)闇祓《やみばら》いの若い魔女。色白のハート型の顔にキラキラ光る黒い瞳、外見を自在に変えられる「七変化」で、ハリーが最初に会ったときは紫色のショートヘアだった。不死鳥の騎士団の現メンバーで、マッド-アイ・ムーディの秘蔵っ子。愛称はドーラ(Dora)。

1973年(または1972年)マグル生まれのテッド・トンクスと純血の魔女アンドロメダ・ブラックのあいだに生まれたニンファドーラ・トンクスは、1984年にホグワーツに入学し、ハッフルパフに組分けされた。同級生にはチャーリー・ウィーズリーがいた。お行儀よくする資質などに欠けており監督生になれなかったものの、優秀な魔女であったため卒業すると魔法省に入省。3年間の訓練を経て、1994年に闇祓いの資格を獲得し、不死鳥の騎士団のメンバーになった。だらしのない父親の遺伝なのかそそっかしい性格で、トロールの傘立てにつまずいたり、皿を割ったりと騒がしい。闇祓いになるための隠密《おんみつ》追跡術は、落第ぎりぎりであった。家事に関する呪文は不得手で、「スコージファイ！清めよ！」をヘドウィグの籠《かご》に唱えても、羽が数枚消え去っただけ。夕食の準備を手伝いたいとウィーズリーおばさんに志願したときは、丁重に断られた。1996年神秘部の戦いでは伯母のベラトリックスの呪文に倒れ、マッド-アイに蘇生《そせい》されたが聖マンゴ行きに。天文台の塔の戦いでは、ブロンドの死《し》喰《く》い人《びと》と戦った。

5巻では派手な髪の色をした詮索《せんさく》好きで、冗談をとばしてよく笑う陽気な魔女であったが、6巻になると(たった2週間のあいだに)やつれた顔に惨《みじ》めな表情、にこりともしない陰気な性格に変わってしまった。変化術にも支障が出て、髪はくすんだ茶色となり、守護霊も4本足の大きな動物に。周囲からは“密かに好意を寄せていたシリウスの死のショックから立ち直れずにいる”のだと思われていたが、実はトンクスの意中の男性はルーピンで、想いを打ち明けても「自分は歳を取りすぎていて貧乏すぎるし、危険すぎる」と拒絶されたため、落ち込んでいたのであった。しかし、ビルが狼人間に噛《か》まれて傷だらけとなり、それでもフラーが彼との結婚を希望するのを見て、ルーピンの気持ちも変化し、ダンブルドアの葬儀には、二人揃って列席した。以前のように変化術ができるようになり、髪もショッキングピンクに戻っている。

自身はニンファドーラという少女っぽい名を嫌っているが、Nymphadoraはラテン語nympha「水の精」、「少女」とAdoro「崇《あが》める、慕う」の合成語。Adoroから派生したフランス語(英語)adorableは「かわいらしい」という意味なので、さしずめ「かわいらしい水の精」という意であろう。トンクス(Tonx)は西部シベリアの伝承に登場する「水の精」のこと。くどいほど「水の精」を強調した名前である。

[⑥上**067**、**123**、**142～144**、**238**、**240～241**、**243**、**372**、下**029～030**、**219**、**223**、**426**、**446**、**464**、**488**][⑤上**082～084**、**088～089**、**128**、**135**、**141**、**157**、**198**、**273**、**290**、**386**、下**167**、**591**、**593**、**601**、**623**、**692**][**JKR**公式公式サイト「**FAQ**作品について」][⑦初出**1**章 **UK016**／**US010**]

とんでもない
こりゃびっくり
【Merlin's beard!】

④06-上111
⑥01-上020

びっくりしたときなどに使う魔法界の感嘆表現。Oh my god！と同義。マグルの首相から「シリウス・ブラックは『例のあの人』と一緒に(行動しているのか)？」と聞かれたファッジは驚き、「いーや、とんでもない(Merlin's beard, no.)。ブラックは死にましたよ」と答えた。暗い場所で突然ハリーから「先生、こんばんは」と挨拶されたスラグホーンは、「こりゃぁびっくり(Merlin's beard)、腰を抜かすところだったぞ」と警戒した。

[⑤上**245**]

な

夜の騎士《ナイト》バス ナイトバス 【Knight Bus】

③03-046
⑥11-上333

迷子の魔法使いや魔女のための緊急お助けバス。ど派手な紫色の三階建てバスで、どこにいても杖腕をパッと上げるだけで突然現れ、行きたい場所に運んでくれる。利用料金は11シックル。車掌はスタン・シャンパイクで、運転手はアーニー・プラング。車内の様子は時間によって変わり、夜は三階とも真鍮《しんちゅう》のベッドでいっぱいになるが、朝は椅子《いす》が窓側にいい加減に置かれている。固定客も見られ、マダム・マーシは車酔いも何のその、ハリーが利用するときは必ず乗車している。ものすごいスピードでガンガン突き進み、バスが歩道に乗り上げることもしばしばだが、絶対に衝突しないのは街灯や生垣《いけがき》などが自分のほうから飛びのいて道を空けているから。バーンという大きな音とともに、一度に100キロ～200キロ飛び跳《は》ねるが、その音や走行しているバスの姿をマグルは気づかないで生活している。5巻でハリーたちは、クリスマス休暇が終わりグリモールド・プレイスからホグワーツに戻るときに、このバスを利用した。6巻では、車掌のスタンが死喰い人《しくいびと》の活動をした疑いで逮捕された。運転手のアーニーはダンブルドアの葬儀に参列した。

夜の騎士バス(Knight Bus)の名前は、ロンドンの夜行バス(Night Bus)と掛けている(発音が同じ)。

[⑥下**489**] [⑤下**128**、**165**、**168**～**171**] [⑦初出**5**章 **UK063**／**US070**]

ナギニ
【Nagini】

④**01**–上**013**
⑥**23**–下**284**

ヴォルデモートのペット。体長が優に4メートルはある巨大な雌蛇。ヴォルデモートはハリーを殺しそこねて肉体を持たない身となってしまったあいだ、ナギニから絞った毒と一角獣《ユニコーン》の血を混ぜて作った魔法薬を飲み続け、ほとんど人間の形に戻り、旅ができるまで回復した。ダンブルドアは、ナギニが分霊箱の一つとなっていると睨《にら》んでいる。

ナギニはヒンディー語で「雌の蛇」のこと。

［⑥下**285**］［④上**023**］［⑦初出**1**章 **UK018**／**US012**］

泣き妖怪バンシーとのナウな休日
【Break with a Banshee】

②**04**–**066**

ハリーが2年生のときの「闇の魔術に対する防衛術」の教科書。ギルデロイ・ロックハート著。原語・日本語訳とも頭韻《とういん》を踏んでいる。

［⑦初出**6**章 **UK087**／**US100**］

嘆きのマートル
【Moaning Myrtle】Ⓡ

②**08**–**197**
⑥**05**–上**143**

3階の女子トイレに取り憑《つ》いているずんぐりとした体形の女のゴースト。陰気くさい顔は、長く艶《つや》のないだらりと垂《た》れた髪と、分厚い乳白色のメガネの陰に半分隠れている。トム・リドルと同時代のレイブンクロー生だったが、オリーブ・ホーンビーにメガネのことをからかわれ、3階のトイレに鍵をかけて泣いていたところを、バジリスクと目が合い死んでしまった。死後ホーンビーに取り憑いたが、彼女が魔法省に行きストーカー行為をやめさせようとしたため、殺されたトイレに戻って来た。陰では「太っちょマートル」、「ブスのマートル」、「惨め屋」、「うめき屋」、「ふさぎ屋マートル」、「にきび面マートル」と呼ばれ、いつも機嫌が悪くトイレで死について考えゴボゴボすすり泣いているが、ハーマイオニーが猫の姿になったときは喜び、「ひどーくからかわれるわよ」とゲラゲラ笑った。2巻でハーマイオニーが彼女のトイレでポリジュース薬を作ったときに、ハリーやロンとも仲良くなり、ハリーに熱を上げた。4巻では、彼が監督生の浴室に入っているところにやって来て、金の卵についてアドバイス。さらに第二の課題の当日は湖の中にまで現れ、水中人の村の方向を教えてくれた。しかし、ハリーがマートルのトイレにまた立ち寄ると約束しながら何年も現れなかったので、「男の子にはあまり期待しちゃだめだって分かったの」と諦《あきら》め、6巻では7階のトイレでドラコの話し相手になっていた。ハリーとドラコがトイレで戦い、ハリーの唱えた「セクタムセンプラ」の呪文でドラコが血まみれになると、城中のトイレにポコポコ現れ、事件を触れ回った。

[⑥上**470**、下**214**～**216**、**307**～**318**][④下**157**、**166**、**213**][②**199**、**440**、**478**][公式サイト「**FAQ** 作品について」]

嘆きのマートルの女子トイレ　②08-197
【Moaning Myrtle's bathroom】　⑥21-下214

嘆きのマートルが取り憑《つ》いている故障中の女子トイレ。ホグワーツ城の3階にある。この場所でマートルは、泣いたり喚《わめ》いたり、顎《あご》のニキビをつぶしたりしている。陰気で憂鬱《ゆううつ》なトイレで、ひび割れてシミだらけの大きな鏡の前には、あちこち縁《ふち》のかけた石造りの手洗い台がずらりと並んでいる。床は湿っぽく、燭台《しょくだい》には燃えつきそうな蝋燭《ろうそく》が数本、鈍い灯《あか》りを床に映している。一つ一つ区切られたトイレの小部屋の木の扉はペンキが剥《は》がれ落ち、引っ掻《か》き傷だらけ。マートルが死んだのは一番奥の小部屋なので、そこにいることが多い。その前の手洗い台が、秘密の部屋への入り口となっている。ハーマイオニーがこっそりポリジュース薬を調合したのも、このトイレ。マートルはこのトイレ以外にもあちこち出没し、6巻では7階の男子トイレでドラコ・マルフォイの話し相手になっていた。

[⑥下**215**、**307**][②**232**～**233**、**411**、**440**]

ナットクーム，ホノリア
ホノリア・ナットクーム
【Nutcombe, Honoria】
2004年8月

(1665–1743)「鬼婆改善協会」の創立者。

［**JKR** 公式サイト「今月の魔法使い」］

何事やある？クイッド　アジス
【Quid agis?】
⑥24–下325

グリフィンドール寮の合言葉。

Quid agis?は、ラテン語の挨拶で「元気ですか？」、「どうしてる？」、「何してる？」という意味。

縄（魔法の縄）
【magical rope】
①17–425

魔法使いは指を鳴らしたり杖を使うことで、縄を出したり操ったりできる。1巻ではクィレルが指をパチッと鳴らすと、縄がどこからともなく現れ、ハリーの体に固く巻きついた。3巻ではスネイプが指を鳴らすと、ルーピンを縛っていた縄目の端が、彼の手元に飛んできた。ダンブルドアは4巻で杖先から縄を出し、クラウチ・ジュニアをしっかり縛り上げた。ワームテールも4巻のリトル・ハングルトンの教会墓地で、杖先から頑丈な縄を出してハリーを墓石に縛り付けた。

［④下**433**、**510**］［③**467**］［⑦初出**30**章 **UK478**／**US595**］

何度も使えるハングマン首吊《つ》り綴《つづ》り遊び―綴らないと吊るすぞ！
【Reusable Hangman-Spell It Or He'll Swing】
⑥06–上178

ウィーズリー・ウィザード・ウィーズ(WWW)の商品。木製のミニチュア人形と絞首台のセット。「ハングマン」ゲームで答えられないと、木製の人形が絞首台に向かって階段をゆっくり一段ずつ上っていく。

通常の紙に書いたハングマンと違い、繰り返し遊ぶことができる。

ハングマンはマグル界に実在する二人で遊ぶゲーム。出題者が考えた英単語を、解答者が1文字ずつ当てていき、間違うたびに棒線で首吊りの絵が書き加えられる。解答者が負けると、最後に絞首刑の絵が完成するところから、「ハングマン(絞首刑執行人)」と呼ばれている。『幻の動物とその生息地』の4ページには、誰かが遊んだハングマンの跡が残っている(答えはacromantula)。

■ **ハングマンの遊び方**

① 出題者は、出題する単語を決め、その単語の文字数の分だけ下線を引く。例えば、hangmanだと7つの線を引く。絞首台の絵(右図の青い部分)も描く。

② 解答者はアルファベットを一つ言い、それが答えの単語に含まれていたら、下線の上に書き入れる。間違っていたら、首吊りの絵を一つずつ加える。

間違えるたびに、絞首台の絵に人間の頭、胴体、両手、両足の部分が一つずつ加えられ、首吊りの絵が完成する前に解答者が単語を正解すれば、解答者の勝ち。絞首台の人の絵が完成したら、出題者の勝ちとなる。

に

ニシン(鰊)の燻製《くんせい》
【Kipper】

⑤07-上199
⑥30-下487

ニシン・サケなどに塩をして燻製にした食べ物。イギリスでは朝食の定番で、ホグワーツやウィーズリー家の朝食で出されている。

偽《にせ》の防衛呪文ならびに保護器具の発見ならびに没収局
【Office for the Detection and Confiscation of Counterfeit Defensive Spells and Protective Objects】

⑥05-上127

魔法省の局の一つ。1996年6月に魔法界が戦闘状態に入ってから、ヴォルデモートや死《し》喰《く》い人《びと》から身を護《まも》る品が大量に出回るようになったが、偽物《にせもの》商品も多いため、ルーファス・スクリムジョールが新設した。局員は10名。アーサー・ウィーズリーが昇格して、ここの局長になった。

偽《にせ》物《もの》のロケット
【fake locket】

⑥29-下390

ダンブルドアが衰弱しながら手に入れたロケット。1997年6月ハリーとダンブルドアがヴォルデモートの洞窟を訪れたときに、水盆の中に入っていた。R.A.B.が本物のロケットを盗み、代わりにこれを入れておいた。本物と比べると小型で、Sの飾り文字や刻印がない。中身は空っぽで、肖像画が入っているはずの場所に、R.A.B.がヴォルデモートに宛てた「あなたがこれを読むころには、私はとうに死んでいるでしょう……本当の分霊箱は私が盗みました。できるだけ早く破壊するつもりです」という手紙が入っていた。「偽物のロケット」の名前が初出するのは6巻下476ページ。

［⑥下**441～442、476**］［⑦初出**2**章 **UK020／US014**］

日刊予言者新聞 【Daily Prophet, the】

①**05-094**
⑥**03-上060**

　魔法界の日刊紙。編集長（editor）はバーナバス・カッフ。リータ・スキーターからは「売るために存在する新聞」、ルーナの父からは「へぼ新聞」と呼ばれている。政治的圧力に簡単に屈し、5巻では魔法大臣ファッジに命じられて、ハリーやダンブルドアがヴォルデモートの復活話をでっちあげたと書きたてた。事実を隠蔽《いんぺい》しヴォルデモートのことは何も心配する必要がないと報道し続けたため、一般の魔法族は警戒することができず、陰で多くの魔法使いが死《し》喰《く》い人《びと》に呪いをかけられ恐喝されていた。1996年6月にヴォルデモートが姿を見せ、魔法省がしぶしぶその復活を認めると、今度は一転してハリーを孤独な英雄扱いするようになった。6巻では、「ハリー・ポッター　選ばれし者？」、「魔法省、生徒の安全を保証」、「予言の間《ま》での戦い」、「吸魂鬼《ディメンター》の襲撃」や「スタン・シャンパイクが死喰い人活動した疑いで逮捕」、「マンダンガス・フレッチャーが亡者《もうじゃ》のふりをして押し込み強盗を働き逮捕」などの記事を掲載。ときにはまぐれで真実を報道することがあり、スクリムジョールが大臣就任直後にダンブルドアと議論したときは、正しく報じられた。古い『予言者新聞』は、ホグワーツの図書室に保存されている。毎朝郵便ふくろうが配達している。

［⑥上**117**、**333**、下**056**、**102**、**206～207**、**221**、**328**、**333**］［⑤上**016**、**122～124**、**156～158**、**345**、**348**、**450～452**、下**232～233**、**662**］［①**095**、**099**］［⑦初出**10**章 **UK018／US012**］

庭小人 【gnome／garden gnome】

②03-045
⑥16-下013

ジャガイモそっくりのデコボコした大きな禿《け》げ頭を持つ、身の丈30センチほどの小人。魔法界の庭に巣穴を作る害獣《がいじゅう》で、これを庭から駆除するには、目を回すまで振り回し、遠くへ投げ飛ばす。ウィーズリー家の庭にも住んでおり、家族はたびたび駆除しているが、気に入られているのか、小人たちはまた戻ってきてしまう。剃刀《かみそり》のような歯を持っているので、かわいそうなどと弱気な態度で駆除すると噛《か》まれてしまう。6巻でフレッドは、自分の踵《かかと》に噛みついた庭小人に失神呪文をかけ、天使の姿をさせてクリスマスツリーのてっぺんに飾った。ハリーは隠れ穴の庭でスクリムジョールと二人きりになったとき、話をしたくなかったので、急に庭小人に興味を持ったふりをした。

「庭小人はなぜ有害か？」という質問に、JKRは「彼らは植物の根を食べ、もぐら塚のような土の山を作るのよ。彼らが（庭に）いることで、その家に魔法使いが住んでることがバレてしまうわね」と答えている。

ノーム（gnome）は地中に棲《す》む土の精霊で、16世紀の錬金術師パラケルススの提唱した四大精霊の一つ。萎《しな》びた醜い老人姿の小人で地中の財宝を守ると信じられていた。鉱脈の場所を叩《たた》いて教えてくれるので、鉱山で働く人たちの守り神とされ、民間伝承ではコーンウォールのノッカーや、ウェールズのコブリナウとも同一視される。イギリスの家の前庭には、しばしば陶器のノームの置物が飾られている。グリム童話の『白雪姫』に登場する7人の小人もノームの一種。

［⑥下**035～041**］［④上**091**］［②**055、057**］［⑦初出**6**章 **UK092／US107**］

庭小人駆除 【de-gnome（de-gnoming）】

②03-053

庭小人を庭から追い払う作業。彼らを捕まえ、目を回すまでブンブン振り回し、塀《へい》の外に放り投げる。できるだけ遠くに投げて、巣穴に戻る道を分からなくさせることが肝心。小人はあまり賢くないので、この作業を始めると、逆に面白がって寄ってたかって見物に来てしまう。ジャービー(フェレットに似た動物で言葉を話す)を使って庭小人を駆除することもできるが、最近ではこの方法は残酷すぎると考える魔法使いが多いという。

[②**056**][幻**062**][⑦初出**6**章 **UK078**/**US089**]

ぬ

ヌガー 【toffee】

③**10-254**
⑥**12-上366**

砂糖とバターを煮詰めて作ったお菓子。ハニーデュークスで売っている。6年生の最初のホグズミード行きの日、ロンは寒い屋外からハニーデュークス店の中に入り、この香りの暖かい空気に包まれ「助かったぁ」と身を震わせた。3巻では「トッフィー」と和訳されている。

ヌラー 【Phlegm】

⑥**05-上141**

ジニーがつけたフラーのあだ名。

Phlegmは英語で「痰《たん》」のこと(他にも「粘液質」、「遅鈍」、「冷淡」の意味がある)。フランス語のRの発音(軟口蓋《なんこうがい》摩《ま》擦音《さつおん》)は痰を出すときの音に似ており、且つ、フラーと発音が近いところから命名されたと思われる。女性の嫉妬《しっと》は恐ろしい……。

ね

猫【cat】

①01-008
⑥05-上124

魔法使いやマグルのペット。ホグワーツに持って行くことが許されている動物。フィルチのペットは骸骨《がいこつ》のように痩《や》せた猫のミセス・ノリス。フィッグばあさんは自宅で猫とニーズル(猫に似た魔法生物。知的で怪しい人を見分ける能力を持つ)を交配する内職をしており、商売は大繁盛。ばあさんの飼い猫ミスター・チブルスやハーマイオニーのペットの猫クルックシャンクスにも半分ニーズルの血が混じっており、チブルスがハリーの見張りをしたときは、マンダンガス・フレッチャーよりずっと役に立った。クルックシャンクスもロンのペットのスキャバーズを見るなりすぐに正体を見抜き、「私の出会った猫の中でこんなに賢い猫はいない」とシリウスから賞賛《しょうさん》された。

猫が人間に飼われるようになったのは紀元前2000年ころの古代エジプト。そこでは聖獣と崇《あが》められ、猫を殺した者は重い刑罰に処されていた。猫が自然に死んだときは、飼い主は悲しみを表すために眉をそり落とし、死んだ猫は腐らないようミイラにしてから葬られた。猫はやがてライオンに代わって神格化され、それまで雌ライオンの姿をしていた女神バステトは猫の姿で描かれるようになった。その後エジプトからギリシアに伝わった猫は、神話の中で狩猟と月の女神アルテミス(ディアナ)が変身する動物となった。中世ヨーロッパでは猫の目は夜光り、暗い場所でも狩りができるところから「闇の力」を持つとされ、悪魔と結びつけられるようになっていく。とりわけ魔女の使い魔と見なされ、サバト(魔女集会)に出かける魔女たちは、しばしば黒猫と一緒に箒《ほうき》に乗った姿で描かれた。民間の俗信では、今でも黒猫は凶事のしるしと考えられ、例えば黒猫の夢を見たり、黒猫が朝、道を横切るのは不幸の前兆とされている。

[⑤上**008**、**036**][③**472**][⑦初出**6**章 **UK081**／**US093**]

熱風の魔法
【charm to produce hot air】

⑤**21**-下**041**
⑥**26**-下**366**

杖の先から熱風が噴き出る呪文。唱えるときに杖を小さく複雑に振る。5巻でハーマイオニーはこれを唱えて、びしょ濡《ぬ》れになったローブを乾かした。6巻でダンブルドアがこれと似たような呪文を唱えると、ハリーの濡れた服は燃えさかる焚《た》き火の前で干したように、たちまち乾いてしまった。

[⑤下**055**]

眠れるドラゴンをくすぐるべからず
【DRACO DORMIENS NUNQUAM TITILLANDUS】

ホグワーツのモットー。イギリス版原書子供版に印刷されている学校の紋章に、ラテン語で書いてある。読みは「ドラコ・ドルミアンズ・ナンカム・ティティランドス」。これはお気に入りのモットーだとJKRはインタビューで答えている。

[**EBF**]

の

脳みそ
【brains】

⑤34-下545
⑥11-上331

魔法省神秘部・脳の間《ま》の水槽の中を漂っている、ヌメヌメしたカリフラワーのような半透明の白い物体。細長いリボンのような思考の触《しょく》手《しゅ》を吐き出し、まわりのものに絡みつく。1996年の魔法省の戦いで、死喰《しく》い人《びと》の呪文でおかしくなったロンは、脳みそを呼び寄せてしまい、触手に巻きつかれ窒息しそうになった。その傷痕《きずあと》は数ヵ月たってもロンの腕に残っていた。

[⑤下**584**、**603**、**662**]

夜の闇《ノクターン》横丁《よこちょう》
【Knockturn Alley】

②04-081
⑥06-上188

闇の魔術に関する品物しか売ってないような店が、軒《のき》を連ねている横丁。ハリーが初めて煙突飛行《えんとつひこう》をしたときに、間違って紛れ込んでしまった危ない場所。ダイアゴン横丁と繋《つな》がっていて、この中で一番大きな店はボージン・アンド・バークス。このほか、縮んだ生首や巨大な黒蜘蛛《くろくも》、生爪《なまづめ》、毒蝋燭《どくろうそく》などを売る店がある。ハリーは1996年8月、マルフォイを尾行してこの横丁に入ったが、この時期に闇の魔術に関する品を買う姿を見られるのは自ら正体を明かすようなものなので、どの店にも客の影はまったく見えなかった。

「Knockturn Alley(夜の闇横丁)」の名前は、「nocturnally(夜に)」のもじり(発音が同じ)。

[②**080**]

ノグテイル
【Nogtail】

⑥**07**-上**220**

発育不良の仔豚《こぶた》に似た魔法動物。コーマック・マクラーゲンは、おじのチベリウスらとノグテイル狩りを楽しんだ。『幻の動物とその生息地』によると、ノグテイルは欧米の農村に生息する悪鬼。長い脚、細く黒い目、太く短い尻尾《しっぽ》を持つ。豚小屋に忍び込んで仔豚と並んで母豚の乳を飲むので、ノグテイルの発見が遅れれば遅れるほど、その農場は長く荒廃してしまう。動きが素早いので捕獲は難しいが、真っ白い犬に追われて農場の境界の外に出ると戻ってこない習性がある。このため魔法省の魔法生物規制管理部の害虫・害獣《がいじゅう》班では、駆逐《くちく》用に12頭の白いブラッドハウンド犬を飼っている。

[幻**081**]

ノックス、消えよ！
【Nox】

③**17-437**

杖先の明かりを消す呪文。反対呪文は「ルーモス、光よ！」。

Nox はラテン語で「夜」、「闇」、「暗黒」の意。

[⑦初出**32**章 **UK524**／**US652**]

ノット、セオドール
セオドール・ノット
【Nott, Theodore】Ⓢ

①**07-180**
⑥**07**-上**230**

(1980？-)ハリーと同学年のひょろりとして筋ばったスリザリン生。父親は死《し》喰《く》い人《びと》のノット。5年生の「魔法生物飼育学」の授業で、セストラルが見えた三人の生徒のうちの一人(残りの二人はハリーとネビル)。6巻では父親が死喰い人なので、スラグ《なめくじ》・クラブに招かれなかった。マルフォイと一緒に「魔法薬」のNEWT《いもり》を取っている。

公式サイトによると、セオドールは、高齢でやもめの父親に育てられ、頭の切れる一匹狼タイプなので、マルフォイやその他のグループの仲間にはならないという。JKRは当初、ノット親子がルシウス・マルフォイの家を訪れ、父親たちがヴォルデモートに関することを話しているあいだ、息子のドラコとセオドールも庭で二人きりになり、ハリーが闇の帝王の攻撃をどうやって生き延びたのかなどについてあれこれ推論する、という場面を物語の中に入れる予定でいた。しかし、2巻「秘密の部屋」と4巻「炎のゴブレット」で試したが、二度とも上手く入らなかったので、結局諦《あきら》めたと告白している。

Theodoreは、ギリシア語で「神の贈り物(gift of God)」の意。

[⑥上**281**][⑤下**046**、**257**][**JKR**公式サイト「そのほかのこと」、「**FAQ**作品について」]

ノットの父親
ノット氏
【Nott, Mr.／Nott's father】 S DE

④33-下450
⑥07-上230

高齢でやもめの死《し》喰《く》い人《びと》。セオドール・ノットの父親。魔法省神秘部の戦いに参戦し、逮捕された。ヴォルデモートがホグワーツの教員ポストを求めてダンブルドアを訪問したときは、ロジエールらとともにホッグズ・ヘッドでその帰りを待っていた。スラグホーンとは旧知の仲なので、スラグ《なめくじ》・クラブのメンバーだったのかもしれない。

Nottは英語の否定語notと発音が同じ。また、北欧神話でNott(ノート)は「夜」を意味する女神。巨人ネルヴィの娘で、生まれつき色黒で黒い髪をしていた。ナグルファルと結婚しアウズ(宇宙)という息子を産み、次にアンナルという男と結婚し、ヨルズ(大地)という娘を得た。最後にアース神族のデリングと結婚してダグ(日)という明るく美しい息子をもうけた。万物の父はノート(夜)とダグ(昼)を呼び二頭の馬と二台の車を授け、彼らが一日二度、12時間ごとに大地の周りを回るよう、天に置いたという。

[⑥下**187**][⑤下**570**][**JKR**公式サイト「そのほかのこと」]

ノーバート
【Norbert, Norberta】

①14-345

ハリーが1年生のときに、ハグリッドがこっそり自分の小屋で孵《かえ》したドラゴン。ノルウェー・リッジバック種。ハグリッドは居酒屋ホッグズ・ヘッドでクィレルとのトランプの賭けに勝ち、この卵を貰《もら》った。生まれたてはシワクチャの黒いこうもり傘のようで、痩《や》せっぽちの真っ黒な胴体に、不似合いな巨大な骨っぽい翼を持っていた。長い鼻には大きな鼻の穴がついており、こぶのような角、目はオレンジ色で突き出ていて、とても可愛いとはいえなかった。ドラゴンの飼育は禁止されており、さらに1週間で3倍にも成長し手に負えなくなったため、結局ルーマニアでドラゴン使いをしているチャーリー・ウィーズリーに引き取ってもらった。ロンはこれに噛《か》まれて入院したことがある。雌だったので今ではノーバータ(Norberta)と呼ばれている。

[⑤下**426**、**446**][①**341**～**348**、**351**、**387**～**390**][⑦初出7章 **UK102**／**US120**]

伸び耳
【Extendable Ears】

⑤04-上112
⑥06-上189

フレッドとジョージが発明した盗聴器。薄橙色《うすだいだいいろ》の細長い紐《ひも》で、片方の端を耳に差し込み「行け！」と囁《ささや》くと、紐は痩《や》せた長い虫のようにゴニョゴニョ這《は》って、盗聴したい部屋の扉の下にクネクネと入り込む。これを使うと遠くの部屋の中の囁き声でも、すぐそばで聞くようにはっきり聞こえる。ただし、邪魔よけ呪文のかかった扉では盗聴できない。6巻でハリーたちはこれを使い、ボージン・アンド・バークス店内のドラコとボージン氏の会話をこっそり聞いた。

[⑤下**115**][⑦初出**12**章 **UK194**／**US236**]

ノーフォーク(州)
【Norfolk】

②05-116
⑥07-上220

インググランド東部の北海に面する州。コーマック・マクラーゲンは、おじのチベリウスやバーティ・ヒッグズ、ルーファス・スクリムジョールと一緒に、この州でノグテイル狩りを楽しんだ。空飛ぶフォード・アングリアを目撃したヘティ・ベイリス夫人が住んでいる。

ノーフォーク州は農業が盛んで、輪栽式を取り入れたノーフォーク農法の発祥の地。

ノリス、ミセス
ミセス・ノリス
【Norris, Mrs】

①08-197
⑥14-上436

管理人フィルチが溺愛《できあい》しているペット。フィルチから「チビちゃん」と呼ばれている。ガリガリに痩《や》せた灰色の猫で、ランプのような黄色い目でホグワーツの廊下を見回り、規則違反の生徒がいると即座にご主人様に言いつけに行く。生徒たちはこの猫が大嫌いで、一度蹴飛《けと》ばしてやりたいと考えているが、フィルチが怖いので実行した者はいない。5巻では、ピーブズに二度も甲冑《かっちゅう》に閉じ込められ、悲しそうな鳴き声をあげているところを、カンカンになったフィルチに助け出された。6巻では、フィルチがハグリッドと怒鳴り合いをしているところに現れ、飼い主を庇《かば》うようにシャーシャー鳴いた。ハグリッドは「いつかあの猫にファングを引き合わせなくちゃな」と話しているが、こちらもまだ実現していない。

モデルはJKRのお気に入りの作家ジェーン・オースティンの『マンスフィールド・パーク』に登場するノリス夫人（ノリス伯母）。ケチでお節介、底意地の悪い強烈なキャラクター。主人公の愉《たの》しみを減らすことにやっきになっている点は、猫のノリスと共通している。

[⑥下**129**] [⑤上**443**、下**078**、**402**] [④下**168**] [①**198**、**208**] [⑦初出**31**章 **UK500**／**US621**]

ノルウェー・リッジバック(ノルウェー・ドラゴン)種

【Norwegian Ridgeback】

①14-342

ハグリッドが孵《かえ》したノーバートは、この種類のドラゴン。ノルウェー・リッジバックはホーンテイル種に似ているが、尾の棘《とげ》の代わりに背中に沿って、とても目立つ真っ黒な隆起部がある。同種のドラゴンに対して桁外《けたはず》れに攻撃的なので、今ではこの種類は最も希少なドラゴン種になってしまった。卵は黒く、他のドラゴンと比べて火を吐く能力が早くから発達する。

［幻**051**］［⑦初出7章 **UK102／US120**］

呪い破り

【Curse-Breaker】

③01-014
⑥05-上140

魔法界の職業。ビル・ウィーズリーはヴォルデモートが1995年6月に復活するまで、エジプトのグリンゴッツ銀行で、古代エジプトの魔法使いがかけた呪いを解除する呪い破りとして働いていた。これになるにはホグワーツで「数占い」を学ぶ必要がある。

［⑤上**246**、下**371**］

は

灰色のレディ
グレイレディ
【Grey Lady(US版は Gray Lady)】Ⓡ

①12-306

レイブンクローのゴースト。6巻までに登場していないが、イギリスで2001年に放送されたTV特番で、JKRが見せたホグワーツのゴーストのリストの中にGrey Lady—Ravenclawと書いてあったため、早くからその存在は知られていた。1巻12章の「背の高い魔女のゴースト」や、6巻19章の「長い髪の女性のゴースト」が灰色のレディかもしれない。映画の中にはすでに登場しており、「賢者の石」でハリーら三人が、「ダンブルドア校長に話があります」とマクゴナガルの部屋に駆け込むシーンで、生徒の机に座っている。

[⑥下**126**][**Harry Potter and Me**(ハリー・ポッターはこうして生まれた)**BBC**放送][⑦初出**31**章 **UK493**／**US613**]

バイオレット
【Violet】

④17-上421
⑥17-下047

ホグワーツの肖像画の女性。太った婦人《レディ》の友人。しわしわの顔色の悪い魔女で、「婦人」からはバイと呼ばれている。噂好きの女性で、ハリーが三校対抗試合の代表選手に選ばれたときは、彼がグリフィンドール寮に戻るよりも早く太った婦人のところまで疾走し、事の顛末《てんまつ》を伝えていた。6巻では、クリスマスのあいだに「婦人」と二人で、呪文学の教室のそばの酔っ払い修道士の絵にある500年物のワインを一樽《たる》飲み干してしまった。

[⑥上**048**][④上**438～439**]

ハイストリート通り 【High Street, the】

③**14-360**
⑥**12-上374**

ホグズミード村のメイン通り。この通りに面している店は、三本の箒《ほうき》、ゾンコの店、ハニーデュークス、郵便局、グラドラグス・魔法ファッション店、スクリベンシャフト羽根ペン専門店やダービッシュ・アンド・バングズ。ホグズミード行きの日は、ウィンドウショッピングを楽しむホグワーツの生徒でいっぱいになる。

[⑥下**359**、**398**][⑤上**548**、下**217**][④下**247**][③**361**][⑦初出**28**章 **UK447**／**US554**]

バカのバーナバス 【Barnabas the Barmy】

⑤**18-上610**
⑥**21-下208**

8階の必要の部屋の向かい側の壁に掛かっているタペストリーの主《ぬし》。絵の中で、愚かにもチュチュを着たトロールにバレエを教えようとして、棍棒《こんぼう》で殴られている。

英語 barmy は、俗語で「気のふれた（＝crazy）」、「バカな」という意味。

[⑥下**154**、**314**][⑤上**612**]

秤《はかり》 【scales】

①**05-102**
⑥**09-上278**

生徒が入学時に用意しなければならない学用品の一つ。ホグワーツで指定されているのは、真鍮《しんちゅう》製の秤。ハリーは入学前に上等なのを一揃いダイアゴン横丁で買った。「魔法薬学」の授業で材料を量るときに使用するが、ハリーとロンは同教科のNEWT《いもり》が取れると思っていなかったので、6年の最初の授業では学校の秤を借りた。

[①**123**]

計り知れぬ英知こそ、われらが最大の宝なり

【Wit beyond measure is man's greatest treasure】 ⑤10-上297

ハリーが初めてルーナ・ラブグッドを紹介されたときに、彼女が歌うように言った言葉。レイブンクローと関係がありそうだが……？

［⑦初出20章 UK327／US404］

ハーキス、シセロン

シセロン・ハーキス

【Harkiss, Ciceron】 ⑥04-上107

アンブロシウス・フルームに最初の仕事を紹介した人物。スラグホーンの昔の生徒で、おそらくスラグ《なめくじ》・クラブのメンバー。

パーキンズ

【Perkins】MM ②03-047

魔法省の職員。猫背でふわふわした白髪頭《しらがあたま》の気の弱そうな顔をしたお年寄り。5巻まではマグル製品不正使用取締局でアーサーの部下だった。クィディッチ・ワールドカップのときは、腰痛でキャンプはもうやらないからと、ウィーズリー氏にテントを貸したが、おかしなことに家具や置物がフィッグばあさんの部屋とまったく同じ感じだった。5巻では、ハリーの懲戒尋問《ちょうかいじんもん》の朝、上司のアーサーの自宅にふくろうを送り、尋問の場所と時間が変更になったことを知らせたものの、行き違いになってしまった。原書の2巻ではwarlock（魔法戦士）であったが、5巻ではwizard（魔法使い）に変更されている。2巻では「パーキンス」と訳されていた。

パーキンズ（Perkins）という名の魔術関係の人物に、ウィリアム・パーキンズ（1555–1602）がいる。ケンブリッジ大学の教授で清教徒の悪魔学者。その著作は魔女狩りのバイブルとしてもてはやされ、魔女と魔術に関する彼の見解は、当時の世論に影響を与えた。

「⑤上215～216」「④上124」「⑦初出8章 UK116／US139」

パーキンソン、パンジー

パンジー・パーキンソン

【Parkinson, Pansy】Ⓢ

①07-180
⑥07-上227

(1980？-)ハリーと同学年のパグ犬顔のスリザリン生。意地悪で気の強そうな女の子。ドラコを熱愛しており、3巻で彼がバックビークに襲われるとすぐにお見舞いに駆けつけた。4巻ではクリスマス・ダンスパーティのパートナーになり、フリルだらけのピンクのドレスを着てドラコの腕にしがみついた。ハーマイオニーにライバル意識を燃やし、学校に取材に来たリータ・スキーターに、「彼女が愛の妙薬を調合している」とありもしないことを密告。そのお返しに5巻では、「いかれた牝牛」、「脳震盪《のうしんとう》を起こしたトロールよりバカなのに、どうして監督生になれるのかしら」とハーマイオニーから陰口をたたかれた。アンブリッジの手先となり、必要の部屋でダンブルドア軍団の名簿を発見。さらには尋問官《じんもんかん》親衛隊に選ばれたが、双子の逃走後は生徒に逆襲され、体から鹿の角が生《は》えてきてハーマイオニーを喜ばせた。6巻では、行きのホグワーツ特急の中でドラコの頭を膝《ひざ》に載せ、こんなに羨《うらや》ましい立場はないだろうと言わんばかりの表情で、彼のブロンドの髪を撫《な》でていた。ドラコが「セクタムセンプラ」を受けて入院すると心配して医務室にお見舞いに行き、同時に学校のあちこちでハリーの悪口を言いふらした。

JKR は「『賢者の石』に登場する女性で、なりたい人は？」との質問に「ハーマイオニーになりたいわ。でもパンジー・パーキンソンは絶対イヤね」と答えている。

[⑥下**100**、**318**] [⑤上**301**、**568**、**645**、下**051**、**217**、**309**、**401**、**456**] [④上**487**、下**083**、**234**] [③**128**、**156**] [**EBC**] [⑦初出**31**章 **UK490**／**US610**]

バーク、カラクタカス

カラクタカス・バーク　**⑥13-上394**

【Burke, Caractacus】

ボージン・アンド・バークスの共同経営者の一人。お金に困ったメローピー・ゴーントが、スリザリンのロケットを売りに来店したときに応対し、ロケットは本物と気づいたが、たったの10ガリオンしか払わなかった。その後、ホグワーツを卒業したヴォルデモートを使用人として雇い、強い魔力のある希少品を持っている客に取り入り、それを手放して店に売るよう説得するという特別な仕事を与えた。ヴォルデモートがヘプジバの家でカップとロケットを盗み姿を消したときは、彼がどこに行ってしまったかさっぱり分からず、その失踪《しっそう》に誰よりも驚いた。

ダンブルドアは彼と面会し、メローピーと面会した記憶を採集したが、憂いの篩《ふるい》から現れたときのバークスは小さな老人で、ボサボサの髪で両目が完全に隠れていた。

英語 burke には「絞め殺す」、「もみ消す」、「人に(秘密を)守らせる」という意味があるが、これは死体泥棒のウィリアム・バーク(William Burke1792–1829)に因《ちな》んだ言葉。バークはアイルランド生まれの労働者で、外科医に死体を売るために15人を絞殺した。エディンバラで犯行に及んだ際に捕らわれ、1829年1月29日に絞首刑となっている。カラクタカス(Caractacus／Caratacus)はブリトン人の族長。43〜50年ころローマ軍に抵抗したが敗れて捕らえられた。

［⑥下**168**、**171**、**179**］［⑦初出**15**章 **UK237**／**US289**］

バグショット、バチルダ

バチルダ・バグショット　**①05-102**

【Bagshot, Bathilda】

ホグワーツの教科書『魔法史』の著者。

バグショットの出典は明らかになっていないがJ.R.R.トールキン

の「指輪物語」に「Bagshot Row（袋枝路《ふくろえだみち》）」という地名が登場する。また、ダーズリー家のあるサレー州やウィルトシャー州にバグショットという町がある。バチルダ（Bathilda）の出典は、「論争の最中にある」、「困難な問題を抱えた」の意の英語（現在は廃語）batilde かもしれない。

［⑦初出**2**章 **UK022**／**US017**］

爆発スナップ 【Exploding Snap】

②**12-314**
⑥**16-**下**014**

トランプを使った魔法界のゲーム。カードを積んで城を作っていく遊びだが、その城がいつ何時爆発するのか分からないので、マグルの同じ遊びよりずっと面白い。5巻ではフレッドとジョージが、授業中に教室の後ろでこれをやった。ロンは4年の1学期最後の週にこれで遊んだが、最後の2枚を城のてっぺんに置いたところで全部が爆発し、眉毛が焦げてしまった。6巻のクリスマスには、フレッドとジョージがこのゲームをジニーと楽しんだ。2巻では「爆発ゲーム」と訳されている。

爆発スナップの出典は、イギリスの「スナップ（Snap）」というトランプ遊び。カードを1枚ずつ出していき、同じランクのカードが出たとき最初に snap と言った者が、他のカードを得ることができる。

［⑤下**207**］

バグマン、ルドビッチ（ルード） ルドビッチ（ルード）・バグマン 【Bagman, Ludovic（Ludo）】

④**05-**上**093**
⑤**05-**上**142**

魔法省「魔法ゲーム・スポーツ部」の元部長。クィディッチの元イギリス代表選手。プロチームのウイムボーン・ワスプスでは最高のビーターだった。丸いブルーの瞳に短いブロンドの髪、バラ色の顔が育ちすぎた少年のような感じを与えている。

クィディッチの現役選手だった時にヴォルデモートの支持者に情報

を渡した廉《かど》で裁判にかけられたが、彼らが闇の陣営のスパイだと知らなかったと弁明し無罪になった。ギャンブル好きが祟《たた》り小鬼《ゴブリン》のラグノックから大金を借りていたバグマンは、1994年のクィディッチ・ワールドカップで賭けを主催。しかし小鬼に見つかり所持金をごっそり取り上げられ、フレッドとジョージに配当金を払えなかった。それでも借金の穴埋めには足りず、ホグワーツまで取り立てに来た小鬼を相手に今度は三校対抗試合の賭けをしたが、ハリーとディゴリーは引き分けに終わったため、ハリー単独に賭けていたバグマンは第三の課題が終わると姿をくらましてしまった。現在も逃走中だが、ラグノックは貸した全額を回収できなかったのは魔法省が隠蔽《いんぺい》工作をしたからだと考え、魔法使いに対して反感を強めている。

Ludoは「遊ぶ」、「騙《だま》す」という意味のラテン語で、英語Bagmanには俗語で「取り立て屋」の意味がある。名前通り、騙して取り立て屋に追いかけられる人物である。(バグマンは6・7巻に登場しないが、「小鬼《ゴブリン》」などの解説で名前を使用したため項目に入れた)

[⑤上**235**][④上**121**、**539**、下**568~570**]

ハグリッド、ルビウス
ルビウス・ハグリッド
【Hagrid, Rubeus】 OP G

①01-023
⑥03-上080

(1928年12月6日-)禁じられた森の森番で、3巻から「魔法生物飼育学」の先生も兼務している魔法使い。ボウボウと長い髪と荒々しい髭《ひげ》に隠れて顔はほとんど見えないが、真っ黒なコガネムシのような目はキラキラ輝いている。半巨人なので身長は普通の人の二倍、横幅に至っては五倍もある(4巻では横幅が「三倍」に縮んでおり、苦労が多くて痩《や》せたようである)。不死鳥の騎士団の創立当初からのメンバーで、ダンブルドアに忠実な部下の一人。ドラゴンや巨大蜘蛛《ぐも》といった大きくて怪物のような生物が大好き。正直で、おっちょこちょいなところがあるが心優しい人物。ペットはボアハウンド犬のファング。

1928年12月6日、巨人のフリドウルファと魔法使いの父親のあい

郵便はがき

料金受取人払郵便

新宿局承認

5503

差出有効期間
2026年9月
30日まで

切手をはら
ずにお出し
下さい

160-8791

343

(受取人)
東京都新宿区
新宿一-二五-一三

株式会社
原書房
読者係 行

1 6 0 8 7 9 1 3 4 3 7

図書注文書（当社刊行物のご注文にご利用下さい）

書名	本体価格	申込数
		部
		部
		部

お名前　　注文日　年　月　日

ご連絡先電話番号（必ずご記入ください）
□自　宅　（　　）
□勤務先　（　　）

ご指定書店（地区　　）（お買つけの書店名をご記入下さい）

書店名　　書店（　　店）

帳合

4141

ハリー・ポッター大事典Ⅱ

愛読者カード　寺島久美子 著

＊より良い出版の参考のために、以下のアンケートにご協力をお願いします。＊但し、今後あなたの個人情報(住所・氏名・電話・メールなど)を使って、原書房のご案内などを送って欲しくないという方は、右の□に×印を付けてください。　□

フリガナ

お名前　　　　　　　　　　男・女（　　歳）

ご住所　〒　　－

市　　町
郡　　村

TEL　　　（　　　）

e-mail　　　＠

ご職業　1会社員　2自営業　3公務員　4教育関係
5学生　6主婦　7その他（　　　　　）

お買い求めのポイント

1テーマに興味があった　2内容がおもしろそうだった
3タイトル　4表紙デザイン　5著者　6帯の文句
7広告を見て（新聞名・雑誌名　　　　　）
8書評を読んで（新聞名・雑誌名　　　　　）
9その他（　　　　　）

お好きな本のジャンル

1ミステリー・エンターテインメント
2その他の小説・エッセイ　3ノンフィクション
4人文・歴史　その他（5天声人語　6軍事　7　　　　）

ご購読新聞雑誌

本書への感想、また読んでみたい作家、テーマなどございましたらお聞かせください。

だに生まれたハグリッドは、3歳のときに母親が家を出て以来、男手一つで育てられた。魔法界で巨人は乱暴だと偏見を持たれているが、父親は「自分を恥じるな。半巨人ということでおまえを叩《たた》くやつがいても、そんな奴はこっちが気にする価値もない」と励まし続けた。

1940年にホグワーツに入学し、グリフィンドールに組分けされるが、学校をこっそり抜け出して禁じられた森でトロールと相撲を取ったりと、何かと問題を起こす子供だった。13歳で父親が亡くなってからはホグワーツが自分の家となり、寮監のダンブルドアが親代わりに支えていた。動物好きだったハグリッドは在学中、巨大蜘蛛アラゴグを城の物置に隠してこっそり育てていたが、1943年秘密の部屋が開きマートルが殺されると、首謀者のトム・リドルに濡《ぬ》れ衣《ぎぬ》を着せられ、「部屋」を開けて中の怪物アラゴグに女子生徒を襲わせたとして退学処分になってしまう。杖は真っ二つに折られ、魔法の使用は禁止されてしまった。しかし、変身術の先生だったダンブルドアだけは無実を信じ、ハグリッドを学校に置いて家畜番として訓練するよう校長を説得。ハグリッドは、そのまま禁じられた森の隣の小屋に住むことが許された。

ダンブルドアが不死鳥の騎士団を結成するとメンバーとなり、1981年10月31日にポッター家がヴォルデモートに襲われたときは、生き残ったハリーをバイクに乗せてプリベット通りまで送り届けた。10年後の1991年には、入学許可証を届けるために再びハリーの許《もと》に現れ、魔法界のことを何も知らない彼に、両親や学校のことを説明し、誕生祝いにヘドウィグをプレゼント。ホグワーツ入学後は、学校生活に戸惑うハリーを自分の小屋に招いて励ました。森番になっても凶暴な生き物好きなところは変わらず、危険な三頭犬のフラッフィーをギリシア人から買ったり、飼育が禁止されているドラゴンを孵《ふ》化《か》させて、ハリーたちを慌《あわ》てさせたことも。涙もろく、フラッフィーを出し抜く方法を酒に酔ってうっかりクィレルに話してしまったときは、オンオン泣いてハリーに謝った。その年の終わりには、両親の顔を知らないハリーのために、ジェームズとリリーの写真をギッシリ貼ったアルバムをプレゼントした。

2巻で秘密の部屋が再び開き、部屋の怪物の犠牲者が出たときは、「何か手を打ったという印象を与えないと」（ファッジ）という不当な理由により、前科のあるハグリッドがアズカバンに投獄されてしまう。しかし、ハリーが部屋の謎を解明し、50年前の事件で彼が無実だったことを証明。ハグリッドは釈放され、名誉も回復し、魔法も使えるようになった。そして、3巻からは晴れて「魔法生物飼育学」の教授に就任。張り切って授業を行うが、最初の授業で扱いが難しいヒッポグリフを選んでしまったため、その中の1頭、お気に入りのバックビーク（ビーキー）がマルフォイを傷つけてしまう。危険生物処理委員会の裁判で敗訴し、バックビークは処刑されるが、ダンブルドアのヒントを元にハリーとハーマイオニーが逆転時計《タイムターナー》を使って時間を処刑前に巻き戻し、ビーキーを救出。何も知らないハグリッドは、ヒッポグリフが自力で逃げたと思い込み大喜びした。

4巻では、三校対抗試合でホグワーツにやって来た大柄な美女マダム・マクシームに一目《ひとめ》惚《ぼ》れ。一張羅《いっちょうら》の背広にネクタイを締めた姿で散歩に誘い、ハリーの口をあんぐりさせた。最初のうちは仲良く外出していた二人だが、ハグリッドがクリスマス・ダンスパーティの晩、自分が半巨人であることを打ち明け、マクシームを同類扱いすると、出自に触れられたくない彼女は「わたしはただ骨が太いだけでーす」と激怒し、一転して険悪な関係に。さらに、この告白はリータ・スキーターに盗聴され、彼が半巨人であることが、『日刊予言者新聞』に大々的に載ってしまった。一時は落ち込み、自分の小屋に籠《こも》り授業を休んだりもしたが、ハリーたちに励まされ「自分は自分だ。恥ずかしくなんかねえ」と元気を回復。ヴォルデモート復活後はマダム・マクシームとも仲直りし、彼女のことをオリンペと呼ぶ間柄になった。この年の「飼育学」の授業では、火蟹とマンティコアをかけ合わせて創り出した獰猛《どうもう》な尻尾《しっぽ》爆発スクリュートを課題にし、生徒たちを悩ませた。

5巻では、ダンブルドアから巨人族を仲間にする任務を与えられ、マダム・マクシームとともに巨人の居住地に出発。魔法省職員の尾行を撒《ま》きながら巨人の集落に到着し、頭《かしら》と話すことに成功した。死喰《しく》い人《びと》などの妨害で任務は遂げられなかったものの、その地で異父弟グロウプがいじめられているのを発見した彼は、かわいそうで残しておけず、禁じられた森に連れて帰ってしまう。「世の中には職を守るよりも大切なことがある」と考え、言葉や礼儀作法を教え始めたが、最初のうちは殴られ、痣《あざ》だらけになっていた。しかし、ハグリッドの愛情が通じたのか、おおかたの予想に反しグロウプは徐々におとなしくなり、学期末には言葉を覚え行儀もよくなった。その一方で、半人間嫌いのアンブリッジからは、ニフラーを自室に入れたと誤解されて停職処分に。さらには闇祓《やみばら》いから闇討ちされたため、ホグワーツから逃走し、アンブリッジが学校を去るまで、ファングとともにホグズミードの洞穴《ほらあな》に隠れていた。

6巻では、学生時代から面倒を見てきた親友のアラゴグの具合が悪くなり、心配したハグリッドは大きな蛆虫《うじむし》を持参してお見舞いに行ったり、本を読んであげたりしたが、1997年4月看病の甲斐なく死亡。目を真っ赤に腫《は》らし泣きじゃくりながら、ハリーやスラグホーンとともに葬儀を行った。6月にはホグワーツに侵入した死喰い人と戦い、矢継《やつ》ぎ早《ばや》に呪いを浴びたが、並はずれた力と巨人の母から受け継いだ堅固な皮膚に護《まも》られ、びくともしなかった。校長が亡くなったことを知ると、「ダンブルドアほどこの学校にお尽くしなさった校長はいねえ」と大泣きし、葬儀では顔中を涙で光らせながら遺体を運び、儀式が終わり、参列者がいなくなっても、いつまでも悲しみに暮れて泣いていた。

野蛮な異父弟を躾《しつ》けようとしたり、獰猛なドラゴンにテディベアをプレゼントしようとして周りの人間を啞然《あぜん》とさせることもあるが、兄弟や動物を思い遣《や》る、人一倍情の深い人物。すべての生き物に対する彼の激烈な愛情は、プライドの高いケンタウルスをして「ずっと尊敬していました」と言わしめている。ときどき無謀なこともするが、ヴォルデモートが復活すると「いずれこうなるはずだった。俺たちゃそれを受け止めるしかねえ。戦うんだ……くよくよ心配してもはじまらん。来るもんは来る。来たときに受けて立ちゃええ」とハリーを勇気づけてくれる、頼りになる存在である。

ハグリッドの魔法についてJKRは「(「魔法生物飼育学」の)先生になったので、再び魔法を使うことが許されましたが、あまり上手くはありません」と話している。杖はいまだにピンクの花柄の傘に仕込んで使っているが、まだ折れたままのようである。原書ではスコットランド訛《なま》りで話している。

ハグリッドHagrid(hag-riddenまたはhag-ridとも言う)は、英語の方言で「悪夢に悩む、うなされる」という意味。JKRは「ハグリッドは大酒飲みなので、(飲みすぎて)うなされた夜が多々あります」と話している。Rubeusはラテン語で「木イチゴの茂みの」の意。

[⑥上**166**、**342〜350**、下**063**、**122**、**227〜228**、**244**、**246〜255**、**429〜430**、**435**、**465**、**471**、**478**、**491〜504**][⑤上**063**、下**007**、**012〜028**、**053**、**288**、**290**、**415〜438**、**467〜472**、**672**][④上**408**、下**150**、**550**][③**159**、**421**、**526**][②**387**][①**126**、**448**][⑦初出**2**章 **UK020／US015**]

ハグリッドの小屋 【Hagrid's hut(cabin)】

①08-207
⑥11-上342

ハグリッドが住んでいる丸太小屋。禁じられた森の端にあり、ハリーの寝室の窓から見える。内部は一部屋だけで、天井からハムや雉《きじ》鳥、真鍮《しんちゅう》の鍋やユニコーンの尻尾《しっぽ》の毛がぶら下がり、真ん中には洗い込まれた巨大な木のテーブルが置いてある。片隅にパッチワークキルト・カバーのかかった巨大なベッドがあり、その反対の隅にある暖炉には、銅の巨大なヤカンがかけられている。洋服箪笥《だんす》やファングの寝床のバスケットもどこかに置いてある。小屋の裏には、かぼちゃやインゲン豆が栽培されている畑があり、壁にはピンクの花模様の傘が立てかけてある。アラゴグの死骸《しがい》も裏庭に埋葬された。小屋の前には、バックビーク(ウィザウィングズ)が繋《つな》がれている。5巻でハグリッドは、この小屋にいるところをアンブリッジから夜討ちされ、6巻では死喰《しく》い人《びと》から小屋に火をつけられた。ここでハグリッドがハリーたちに出してくれたものは、ロックケーキ、イタチ・サンド、糖蜜《とうみつ》ヌガー、分厚いフルーツケーキ、バース風菓子パン、鉤爪《かぎづめ》が見え隠れするスープ、生焼けのビスケット、紅茶とタンポポジュース。

［⑥下**242**、**246**～**250**、**252**～**262**、**429**～**430**、**433**、**435**］［⑤上**319**、**407**、下**007**～**009**、**029**～**037**、**375**、**414**、**466**、**672**］［④下**549**］［②**009**、**168**、**170**、**385**］［①**338**］［⑦初出**14**章 **UK221**／**US268**］

バジリスク
【Basilisk】

②**16-411**
⑥**23-下276**

ホグワーツの秘密の部屋の怪物の正体。テラテラと毒々しい鮮緑《せんりょく》色《しょく》の巨大な蛇、樫《かし》の木のように太い胴体と大きな黄色い目を持ち、視線で人を殺すが、直接目を見ないと石にされてしまう。部屋が開けられた後は、パイプを使ってホグワーツ内を移動していた。1943年にヴォルデモート（トム・リドル）が最初に部屋を開けたときは、3階の女子トイレにいた（嘆きの）マートルが目を合わせてしまい犠牲となった。その約50年後の1992年、日記に操られたジニーが部屋を開け、バジリスクを解放したときは、ジャスティン・フィンチ―フレッチリー、ほとんど首無しニック、猫のミセス・ノリス、ハーマイオニーやペネロピー・クリアウォーターを次々と石にしていった。しかし、最後は不死鳥フォークスに両目をつぶされ、ハリーが組分け帽子から取り出したゴドリック・グリフィンドールの剣を口蓋《こうがい》に突き刺され、殺された。6巻には「スリザリンの怪物」として登場している。

バジリスクは、1世紀の博物学者、プリニウスの『博物誌』によると「頭に王冠型の模様のついた長さ24cmほどの蛇で、普通の蛇のようにうねうね這《は》うのではなく体の半分を持ち上げて進む。毒が強く息に接しただけで木は枯れ、草を焼き、石を砕く。イタチが天敵で、その穴の中にバジリスクを入れると、イタチの臭気で両者とも死んでしまう」という。その後中世になると、鳥と蛇を合体したような2本足の怪物に変化し、鶏冠《けいかん》と翼を持ち、先のとがった尾のある姿になった。体は羽毛または鱗《うろこ》に覆われ、視線で相手を石にすると言われ始めたのもこのころ。蛙に温められた雄鶏の卵から生まれるコカトリスと混同されるようになった。

［⑤上**268**］［②**197**、**427**、**445**、**468**］［⑦初出**6**章 **UK089**／**US103**］

パースニップ
【Parsnip】

⑥**16**–下**028**

マグル界の野菜。これをすりつぶしたものが、6巻のウィーズリー家のクリスマス・ランチの付け合わせとして出た。パーシーが隠れ穴に来たときは、兄弟から（フレッド、ジョージ、ジニーがそれぞれ自分の手柄だと主張している）これをメガネに投げつけられた。

パースニップは、アメリカボウフウとも呼ばれるセリ科の二年草。ニンジンのような白い根を食用にする。茹《ゆ》でたものをスライスしてサラダにしたり、すりつぶしてバターや塩胡椒《こしょう》などと混ぜて、料理の付け合わせとして使う。甘味があるので、サトウニンジンと呼ばれることも。

［⑥下**044**］

バタービール
【Butterbeer】

③**08**–**206**
⑥**12**–上**372**

魔法界の泡立《あわだ》った飲み物。人気の飲料で、居酒屋・三本の箒《ほうき》ではマグカップ入りの温かいバタービールが飲める。ホッグズ・ヘッドなどでは瓶入りタイプを販売しているが、こちらは冷やして飲んでいるのかもしれない。飲みすぎると酔うことがあり、そのときのために魔法界には「バタービールの酔い覚ましの薬」なるものが存在する。ハリーが初めてルーナに会ったとき、バタービールのコルクを繋《つな》ぎ合わせた奇抜なネックレスを首から掛けていた。

バタービールはJKRが考え出した飲み物で、その味について「こってりさを抑えたバタースコッチ風味ね」と語っている。

［⑥上**429**、**455**］［⑤上**138**、**144**、**296**、**608**］［⑦初出**8**章 **UK122**／**US146**］

蜂《はち》蜜酒《みつしゅ》
【mead】

③10-261
⑥03-上072

蜂蜜に水を加え発酵させて造った酒。ホットや常温、冷やして飲用する。マダム・ロスメルタ特製のオーク樽《だる》熟《じゅく》成《せい》蜂蜜酒《はちみつしゅ》(oak-matured mead)は魔法界の高級酒。ダンブルドアはダーズリー家を訪れたときに、魔法でこれを出して一家に振る舞った。スラグホーンがロンの誕生日祝いにもてなしたオーク樽熟成蜂蜜酒は毒入りだったため、一口飲んだロンは危うく命を落としかけた。

[⑥下**114**、**122**、**412～413**] [⑦初出**28**章 **UK452**／**US560**]

パチル、パドマ
パドマ・パチル
【Patil, Padma】Ⓡ DA

①07-180
⑥11-上335

(1980?-)ハリーと同学年のレイブンクロー生。パーバティ・パチルとは双子の姉妹で、共に学年一の美女といわれている。

4巻では、ロンと一緒にクリスマス・ダンスパーティに参加したが、あまり相手をしてもらえなかったので怒り、ボーバトンの男子とどこかへ消えてしまった。三校対抗試合の第二の課題の終了後、ロンが脚光を浴びるようになると前よりは関心を持ち始め、廊下ですれ違うたびに彼に話しかけた。5巻では、レイブンクローの監督生に選ばれ、DAのメンバーになっている。6巻では、死《し》喰《く》い人《びと》の活動に心配した両親がパチル姉妹を家に戻したがったが、何とか説得して学校に残っていた。しかし、ダンブルドアが亡くなると、翌日城から連れ出されてしまった。

パドマ(Padma)はヒンディー語で「蓮《はす》」の意。パチルはインドの「村長」のこと。

[⑥上**478**] [⑤上**301～302**、**531**、下**456**] [④下**066**、**099**、**232**] [⑦初出**29**章 **UK466**／**US578**]

パチル、パーバティ

パーバティ・パチル

【Patil, Parvati】G DA

①07-180
⑥09-上264

(1980？-)ハリーと同学年のグリフィンドール生。パドマ・パチルとは一卵性双生児の姉妹。長い黒髪の持ち主で、ディーン・トーマスによると、学年一の美女。4年生のクリスマス・ダンスパーティでハリーのパートナーとなったが、あまり相手をしてもらえなかったのでパーティのあとは冷淡になった。5巻でDAメンバーになっている。

6巻では、親友のラベンダー・ブラウンがロンと密着し始めたことに当惑気味で、ハリー同様うんざりした顔で二人を見ていた。1996年10月半ばにケイティ・ベルが呪いを受けて入院したときは、パニックを起こした両親が、姉妹を自宅に連れ戻そうとしたが、なんとか説得し学校にとどまった。しかし、ダンブルドアが殺されると、翌日城から連れ出されてしまった。好きな教科は「占い学」。3年のときは、ラベンダーと一緒にトレローニーの住む北塔に入り浸《びた》っていた。5年でハンサムなケンタウルスのフィレンツェが教えるようになると、こちらに鞍《くら》替《が》えし、6年生はトレローニーが担当すると聞くと打ちひしがれた。

怖れているものはミイラ。まつ毛を杖に巻きつけてカールするというテクニックで、美貌《びぼう》に磨《みが》きをかけている。

パーバティは、インド神話のシバ神の妃。サンスクリット語で「山の娘」を意味する。ヒマラヤの娘とされ、ウマー、ガウリーなどとも呼ばれている。

[⑥上335、474、下478] [⑤上320、385、531、下042、275、280～281、452、468～469、475] [④上270、下065、081、126] [③180、187] [⑦初出29章 UK466／US578]

ハッカ
【peppermint】

⑥22-下235

6年生の「魔法薬」の授業で、ハリーが陶酔感《とうすいかん》を誘う霊薬《れいやく》を作ったときに入れた植物。

Peppermint（ペパーミント）は、強い芳香を有するシソ科ハッカ属の多年草。セイヨウハッカとも言い、花言葉は「温情」。草丈は30〜90センチほどで、多くの小枝を分枝する。葉は濃い緑色で、鋸歯《きょし》状の葉《よう》縁《えん》を持つ。メンソールが多く含まれているため、目の覚めるような強い清涼感があり、新約聖書に香辛料として記載されているほか、古代エジプトやローマでも愛用された。現在では、生葉を刻んで羊肉料理のミントソースに使用したり、カクテルやリキュールに入れ、美しい緑色と爽《さわ》やかな香りをつける。市販のチューインガムやキャンディの香料にしたり、ケーキやアイスクリームなどの菓子に入れることもある。殺菌・鎮静《ちんせい》作用があり、ミントティーは、「胃のもたれ」や「不眠」、「ストレス」などに効果がある。

バックビーク
ビーキー
【Buckbeak／Beaky】

③06-152
⑥03-上080

ハグリッドが世話をしている大きな灰色のヒッポグリフ。剃刀《かみそり》のように鋭い爪と尖《とが》った嘴《くちばし》を持つ。6巻では「ウィザウィングズ」と呼ばれていた。

もともとハグリッドが禁じられた森で飼育し可愛がっていた動物であるが、「魔法生物飼育学」の授業中マルフォイに挑発され、鉤爪《かぎづめ》で怪我を負わせてしまった。危険生物処理委員会で死刑宣告され、首を刎《は》ねられてしまったが、ハリーとハーマイオニーが逆転時計《タイムターナー》を使って時間を処刑前に巻き戻し救出。ホグワーツに幽閉されていたシリウスを乗せてそのまま逃亡し、それからはずっと彼のペットとして生活を共にしていた。シリウスは遺言ですべての所有物をハリーに遺《のこ》したため、今はハリーのペットとなっているが、彼の希望でハグリッドが自分の小屋に繋《つな》いで世話をしている。バックビークがかつて死刑宣告されたヒッポグリフだと魔法省に気づかれないために、ダンブルドアがしばらくのあいだ「ウィザウィングズ」と呼ぶことに決めた。6巻のホグワーツの戦いでは、ハリーがスネイプに襲われたときに救援に現れ、ハリーがこれまで聞いたことがないような甲高《かんだか》い鳴き声を上げながら、スネイプを追いかけた。

［⑥上**343**、下**435**］［⑤上**168**］［③**150**、**155**、**354**、**378**、**282**、**542**］［⑦初出**36**章 **UK588**／**US733**］

罰則
処罰
【detention(s)】

①15-358
⑥07-上215

ホグワーツの生徒に与えられる罰則。学校で規則違反などをすると、所属する寮のポイントが減点されるのとは別に、罰則を受ける場合がある。6巻では、ハリーがスネイプに口答えしたため、「レタス食い虫とそうでない虫を、保護用手袋なしでより分ける」という退屈な罰則を受けた。このほか、ドラコ・マルフォイは「変身術」の宿題を二度続けてやらなかったため、マクゴナガルから処罰を、クラッブとゴイルはスネイプから罰を受けた（それぞれ内容不明）。シェーマスは「呪文学」の授業で清らかな水の噴水を作り出すところを、杖先から散水ホースのように水を噴出。フリットウィックを弾《はじ》き飛ばしてしまったため、「僕は魔法使いです。棒振り回す猿ではありません」と繰り返し書く、書き取り罰を与えられた。さらに、ドラコに「セクタムセンプラ！」を唱えたハリーは、残りの学期中、毎土曜に「過去のホグワーツ生が行った悪行とその刑罰リストを手書きで写す」という無意味な罰をさせられた。このときに書き写した一つは、ハリーの父とシリウスがバートラム・オーブリーに不法な呪いをかけ、オーブリーの頭は二倍になり二倍の罰則を受けるというものだった。フィルチの事務室には、これまで処罰した生徒一人一人の細かい記録が入っているキャビネットがあり、フレッドとジョージはその中のまるまる一つの引出しを占領している。

［⑥上**273**、**356**、**385**、**492**、下**054**、**317**、**334**］［⑤上**264**、**393**、**387**、**420**、**499**、**509**、**656〜657**、下**208**、**253**、**393**］［②**186**］［⑦初出**29**章 **UK462**／**US573**］

パッドフット
【Padfoot】

③**10–249**

忍びの地図の作者の一人。シリウス・ブラックの学生時代のあだ名。ハリーは5巻でアンブリッジに捕まったとき、スネイプに「あの人がパッドフットを捕まえた！」と謎めいた言い方をして、シリウスが神秘部に捕らわれていることを伝えようとした。

パッドフットとは、ボギービースト（悪霊）の、おもにヨークシャーでの呼び名。おおかたは赤い目を持つ真っ黒な大型犬の姿で現れる。動物もどきのシリウスが、大きな黒い犬に変身するところからついたあだ名。

［⑤上**439**、下**352**、**505**、**634**］［⑦初出**10**章 **UK149**／**US180**］

ハッフルパフ、ヘルガ
ヘルガ・ハッフルパフ
【Hufflepuff, Helga】Ⓗ

②**09–224**
2007年5月

（中世–生没年不明）ホグワーツの著名な四人の創設者の一人。ハッフルパフ寮を作った偉大なる魔女。組分け帽子は、「谷間（valley＝山の多いウェールズ）出身の温厚柔和な人物」と歌っている。生徒を選ばず、すべての者に分けへだてなく教えたという。JKR公式サイトの絵によると、赤毛でブルーの瞳の小太りの女性。食物に関する魔法の腕前で特に有名で、ホグワーツの宴《うたげ》で伝統的に出される料理のレシピの多くは彼女が考え出したもの。穴熊が刻印《こくいん》された金のカップ（ハッフルパフのカップ）を所有していた。

［⑤上**324〜325**］［**JKR**公式サイト「今月の魔法使い」］

ハッフルパフのカップ
【Helga Hufflepuff's cup／Hufflepuff's cup】

⑥20-下173

ヘルガ・ハッフルパフが所有していた小さな金のカップ。入念に細工された二つの取っ手がついており、穴熊の刻印《こくいん》が施されている。ハッフルパフ家に先祖代々受け継がれてきた物で、どのような力が秘められているのか謎に包まれている。遠い子孫のヘプジバ・スミスがこれを持っていたが、ヴォルデモートが彼女を殺害してカップを奪い、のちに自分のホークラックスにした。

［⑦初出**26**章 **UK433**／**US537**］

ハッフルパフ寮
【Hufflepuff】

①05-118
⑥07-上225

ホグワーツの四つの寮の一つ。創設者のヘルガ・ハッフルパフの名に因《ちな》んで命名された。シンボルカラーは黄色と黒で、動物は穴熊。寮監はスプラウトで、ゴーストは太った修道士。クィディッチ・ローブはカナリア・イエロー。ここの魔法使いや魔女は、ややトロいと言われることがあるが、三校対抗試合でホグワーツの代表選手に選ばれた優秀なセドリック・ディゴリーを輩出した寮でもある。組分け帽子の歌によると「正しく忠実で忍耐強く、勤勉で苦労を苦労と思わない」生徒が選ばれる。談話室は厨房《ちゅうぼう》近くの地下の部屋で、静物画から入ることができる。ハリーは5年生まで、「薬草学」の授業をハッフルパフ生と合同で受けていた。

ハッフルパフは英語 huff「ハーハー呼吸する」と英語 puff「ぷっと吹く（こと）」からの造語。談話室の内部について、JKR は「とても居心地がよくて、温かく迎えてくれる場所。スネイプの地下牢とは、似ても似つかない所です。黄色いカーテンやふかふかした肘《ひじ》掛《か》け椅子《いす》がたくさんあり、寝室に繋《つな》がる小さな地下トンネルがあります。寝室にはすべて、ビール樽《だる》の上の部分のような丸いドアがついているのです」と話している。

ハッフルパフの生徒と卒業生(7巻まで)

創立者：ヘルガ・ハッフルパフ
寮監：ポモーナ・スプラウト
ゴースト：太った修道士

入学年	
1984年	ニンファドーラ・トンクス
1989年	セドリック・ディゴリー
1989年以降	サマーズ
〃	サマービー
1991年	ハンナ・アボット
〃	ジャスティン・フィンチ-フレッチリー
〃	スーザン・ボーンズ
〃	アーニー・マクミラン
1994年	オーエン・コールドウェル
〃	エレノア・ブランストーン
〃	ケビン・ホイットビー
〃	ローラ・マッドリー
1995年	ローズ・ゼラー
1990年代	キャッドワラダー
〃	ザカリアス・スミス

[⑥下218][⑤上095、326、623][④上275、368][②378][①176][⑦初出5章 UK064／US071]

バドリー・ババートン
【Budleigh Babberton】

⑥04-上089

マグルの村。ハリーが初めてスラグホーンに会ったとき、彼はこの村のマグルの家に住んでいた。

名前はBで頭韻《とういん》を踏んでいる。

パドルミア・ユナイテッド
【Puddlemere United】

④07-上131

イギリスのクィディッチ・チーム。オリバー・ウッドは1994年、ここの二軍と契約を交わした。リーグの中でも最古のチームで、優勝回数は22回。二度のヨーロッパ杯獲得を誇る。チームの応援歌「叩《たた》きかえせよ、ブラッジャー。見事入れろよクアッフル」は聖マンゴ病院の寄付集めのために、人気魔女歌手のセレスティナ・ワーベックによってレコーディングされた。

[⑤上416][ク063][⑦初出6章 UK078／US088]

鼻血ヌルヌル・ヌガー
【Nosebleed Nougat】

⑤06-上172
⑥06-上177

ウィーズリー・ウィザード・ウィーズ(WWW)の「ずる休みスナックボックス」の一つ。二色に色分けされたヌガー。片側を食べると鼻血が出て、もう半分を食べると止まる仕掛けになっている。授業中に半分を食べて鼻血を出し、医務室に行くふりをして教室を出てからもう半分を食べると鼻血は止まり、残りの時間を自由に遊んで過ごせるという、ありがたいお菓子。ダイアゴン横丁のWWWの中でも、一番人気の商品。

[⑤上171][⑦初出12章 UK194／US236]

ハナハッカ
【dittany】

①14-335
⑥24-下310

『薬草ときのこ千種』に載っている植物。傷を治す薬草で、「セクタムセンプラ！」で受けた傷も、これをすぐに飲めば痕は残らないという。

Dittany(Amaracus dictamnus)は、芳香のあるクレタ島産シソ科の草本《そうほん》(地上の茎はあまり発達せず、1年から数年で枯れる植物)。垂《た》れ下がったピンク色の花をつける。昔は薬効があると信じられていた。

[⑦初出**17**章 **UK222**／**US269**]

ハニーデュークス
【Honeydukes】

③05-102
⑥04-上107

ホグズミードにあるお菓子屋さん。ホグワーツの生徒に大人気のお店で、いつも人でごった返している。店主(または店員)のアンブロシウス・フルームが、妻と一緒に働いている。店内はヌガーの甘い香りが漂い、棚には噛《か》んだらジュッと甘い汁の出そうなお菓子が所狭《ところせま》しと並べてある。売っているお菓子は、食べると元気が出る最高級板チョコのほか、激辛ペッパー、イチゴムースやクリームがいっぱい詰まっている大粒のふっくらチョコレート、砂糖羽ペン、黒胡椒《くろこしょう》キャンディ、浮上炭酸キャンディ・フィフィ・フィズビー、ドルーブル風船ガム、歯みがき糸楊枝ミント、ブルブル・マウス、ヒキガエル型ペパーミント、綿飴羽ペン、爆発ボンボン、ナメクジゼリー、ねっとりとしたヌガー、ピンク色に輝くココナッツ・キャンディ、蜂蜜《はちみつ》色のぷっくりとしたトッフィー、すっぱいペロペロ酸飴、血の味がするペロペロ・キャンディ、ゴキブリ・ゴソゴソ豆板、砂糖漬けパイナップルなど。この店の地下室とホグワーツ4階が、秘密の通路で繋《つな》がっている。

[⑥上**366～367**][⑤上**017**][③**250**、**255**、**257**、**315**]

羽の生《は》えたパチンコ
【winged catapults】

⑥24-下315

ホグワーツの住人が、何世代にもわたって必要の部屋に隠してきた物の一つ。学校に持ち込《こ》み禁止の品。

Catapult はイギリス英語で「Y 型のパチンコ」のこと。アメリカ英語では slingshot という。

羽根ペン
【quill】

①04-081
⑥01-上025

魔法使いの筆記用具。たまに耳掻《か》きとしても使われる。魔法界では、紙とペンの代わりに羊皮紙と羽根ペンを使う。さまざまな種類があり、ハリーは鷲《わし》羽根ペン、ロックハートは孔雀《くじゃく》の羽根ペンを愛用。ダンブルドアの羽根ペンはおしゃれな真紅である。変わった機能のついた羽根ペンも存在し、リータ・スキーターは目の前で話されていることを勝手に誇張して記録する自動速記羽根ペン QQQ を使用。アンブリッジは書いた文字が手の甲に刻まれる、拷問道具のような黒い羽根ペンで、ハリーに書き取り罰をさせた。勝手に答えを書く自動解答羽根ペンというのもあるが、当然、試験での使用は禁じられている。ホグズミードにはスクリベンシャフト羽根ペン専門店という羽根ペンの店がある。ウィーズリー・ウィザード・ウィーズ(WWW)には、自動インク、綴《つづ》りチェック(綴り修正付き)、冴《さ》えた解答なども売っているが、効果は長く続かないのでご用心。

羽根ペンは、鳥の羽根の軸にインクをつけて書く道具で、マグル界では5〜19世紀ころまで使用されていた。一般に羽の部分を切り落として軸だけにし、ナイフなどで先の部分を削ってとがらせて使う。

［⑥上**178**、下**195**、**222**］［⑤上**223**、**421**］［④上**470**］［③**006**］［②**244**］［⑦初出**2**章 **UK020**／**US014**］

羽《は》を生やしたイノシシの像
【winged boar】

③05-116
⑥08-上241

ホグワーツの校門の両脇の高い石柱の上に載っている像。6巻で、陰気なトンクスと一緒にホグズミード駅からホグワーツ校まで歩いたハリーは、この門柱が見えたときに心からほっとした。

［⑦初出**30**章 **UK488**／**US607**］

ハーパー
【Harper】Ⓢ

⑥14-上445

スリザリンのシーカー。ハリーより1学年下で、ジニーに言わせると「バカ」な男子生徒。練習中に頭にブラッジャーを食らって試合に出場できなくなったベイジーの代わりに、対グリフィンドール戦に出場した。試合中、クートにブラッジャーを打ち込まれた腹いせか、ハリーに体当たりして「おまえのダチ、血を裏切る者め……」と暴言を吐いた。しかし、あわやスニッチ獲得、という瞬間にハリーから「君が代理で来るのに、マルフォイはいくら払った？」と声を掛けられ、ギクリとして掴《つか》み損なった。

［⑥上**448**～**450**］

パフスケイン
【Puffskein】

⑤06-上167
⑥06-上184

柔らかなクリーム色の毛で覆われた球形の生き物。残り物から蜘蛛《くも》まで食べるゴミ掃除屋。好物は鼻くそ。従順で世話が簡単なので、ペットとして魔法界の子供に愛されている。ウィーズリー家でも一匹飼っていたことがあるが、フレッドが練習用のブラッジャーに使ってしまった。6巻では、フレッドとジョージがミニチュアのパフスケインを繁殖させ、「ピグミーパフ」という名で販売した。5巻では、グリモールド・プレイス12番地の客間のソファーの下で、死んだパフスケインの巣が発見された。

［幻**086**］

ハーフ・ネルソン首締め技

ハーフネルソン

【half-nelson】

⑤**32**–下**502**
⑥**19**–下**149**

レスリングの技の一つ。片腕を背後から相手の腋《わき》の下に入れ、その手で相手の襟《えり》首を押さえる首固めの一種。6巻でドビーとクリーチャーが取っ組み合いの喧嘩《けんか》をしたとき、ハリーはクリーチャーの萎《しな》びた腕にこれを掛けて押さえた。5巻では、ロンがワリントンにこれを掛けられ、抵抗して唇から血を流した。

ばらけ（6巻）

バラけた（4巻）

【splinching（6巻）／splinched（4巻）】

④**06**–上**102**
⑥**18**–下**097**

姿現わしをしたときに、体の一部が移動前の場所に置いてきぼりになり、体の肉の一部がそげたり、にっちもさっちもどっちにも動けなくなる状態のこと。こうなってしまうと魔法事故リセット部隊などに助けてもらうしかない。スーザン・ボーンズは第1回目の姿現わし練習で左足が「ばらけ」てしまい、寮監たちにバンバン魔法をかけられ、元の体に戻してもらった。姿現わしするときに、心が十分に「どうしても」と決意していないと起こるという。

Splinch はJKRの造語。英語 Split「分裂する」、「割れる」あるいは splitted（split の方言）と pinch「挟《はさ》む」の合成語。

［⑦初出**14**章 **UK222**／**US269**］

針刺しの呪い

【Stinging Hex／Stinging Jinx（7巻）】

⑤**24**–下**183**

相手に針で刺したような痛みと腫《は》れを与える呪文。5巻の閉心術の個人授業で、スネイプから開心術をかけられたハリーが無意識でこれを唱えると、スネイプの手首にみみず腫れができた。

［⑦初出**23**章 **UK371**／**US458**］

磔《はりつけ》の呪文
【Cruciatus Curse】

④**14**-上**333**
⑥**09**-上**269**

許されざる呪文の一つ。呪文の言葉は「クルーシオ！苦しめ！」。相手に耐え難い苦痛を与える拷問の呪文。ネビル・ロングボトムの両親は、ベラトリックス・レストレンジら死《し》喰《く》い人《びと》にこれをかけられ正気を失い、今も聖マンゴ病院に入院している。ネビル自身も5巻(1996年)の神秘部の戦いで、ベラからこれをかけられた。6巻でドラコからこの呪文をかけられそうになったハリーは、反射的に「セクタムセンプラ！」を唱えてしまい、ドラコを血まみれにしてしまった。1997年6月のホグワーツの戦いで、ハリーはこれをスネイプに唱えたが、「この呪文を使う度胸や能力がない」として軽く阻止された。

Cruciatus はラテン語で「拷問」の意。

［⑥下**213**、**309**、**431**］［⑤上**165**、下**154**、**506**、**589**、**605**］［⑦初出**11**章 **UK170**／**US206**］

腫《は》れ草
ブボチューバー
【Bubotuber】

④**13**-上**301**
⑥**05**-上**127**

見たこともないほど醜い植物。姿はまるで真っ黒な太い大ナメクジが土を突き破って直立しているよう。微《かす》かにのたくるように動いている。一本一本にテラテラ光る大きな腫れ物がブツブツと噴きだし、その中に膿《うみ》が詰まっている。1996年6月にヴォルデモートが目撃されると魔法界はパニックになり、護身グッズが出回るようになったが、中には保護薬と称して、実は腫れ草の膿を少し混ぜただけの肉汁ソースを売るような輩《やから》もいた。

Bubo は後期ラテン語で「腫脹」のこと(ギリシア語 boubon が語源)。Tuber はラテン語で「腫瘍」、「腫れ物」、「コブ」の意。

ハンガリー・ホーンテール
【Hungarian Horntail】

④19-上502
⑥25-下328

ドラゴンの一種。三校対抗試合の第一の課題に登場した。黒い鱗《うろこ》に覆われ、トカゲのような姿をしている。黄色い目に長いブロンズ色の棘《とげ》が、尻尾《しっぽ》全体に数センチおきに突き出ている。ドラゴン種の中で最も危険で、吐く炎は最も飛距離が長い(15メートル)。山羊、羊を餌《えさ》とし、チャンスがあれば人も食べる。6巻でロミルダ・ベインから「ハリーの胸にヒッポグリフの刺青《いれずみ》があるというのは本当か？」と聞かれたジニーは、「(ヒッホグリフではなく)ハンガリー・ホーンテール(の刺青がある)」と答え、皆を笑わせた。

[④上**503**][幻**050〜051**]

バングズ、ロザリンド・アンチゴーネ
ロザリンド・アンチゴーネ・バングズ
【Bungs, Rosalind Antigone】

⑥31-下482

R.A.B.と同じ頭文字で、そこそこ有名な魔法使い。ハーマイオニーが、R.A.B.のイニシャルを持つ人物を探したときに思いついた。

Antigone(アンティゴネ)は、ギリシア神話を元にしたソフォクレスの同名の悲劇の女主人公。テーバイ王オイディプスとその母イオカステとのあいだにできた娘で、叔父のクレオン王の禁令に背き、兄ポリュネイケスの遺体に葬礼を行ったため、捕らえられて生きたまま墓場へ入れられることになる。彼女はその墓室で縊《い》死《し》し、これを知った婚約者でクレオン王の息子ハイモンも彼女の遺体のそばで自害。さらに、クレオンの妃エウリュディケまでもが息子のあとを追って自殺し、クレオンを絶望のどん底に陥《おとしい》れた。

半獣
【half-breeds】

⑤04-上129
⑥04-上103

半人間に対する蔑称《べっしょう》。ドローレス・アンブリッジは、5巻で禁じら

れた森にずかずか踏み込み、そこに棲《す》むケンタウルスを「汚らわしい半獣」呼ばわりする愚《ぐ》を冒したため、怒った群れに森の奥まで連れて行かれてしまった。

半純血
混血(5巻まで)
【half-blood】

②07-171
⑥09-上292

マグルの血が流れている魔法使いや魔女に対する呼び名(軽蔑語)。ハリーのように両親が魔法使いでも、親戚にマグルがいると「半純血」となる。ヴォルデモートや彼の率いる闇の魔法使いは、純血のみが価値があると考え、マグルの血の流れている魔法使いを差別してこのように呼んでいるが、ヴォルデモート自身は半純血である。

JKRは「純血」、「半純血(混血)」、「マグル生まれ」といった表現について、「こういう言葉は、そうした区別を重視する人々だけが使うもので、その発言者の偏見を反映しています」と述べている。ハリー・ポッター6巻のタイトル“Harry Potter and the Half-Blood Prince”は、当初「ハリー・ポッターと混血のプリンス」という仮題がつけられていたが、最終的に「ハリー・ポッターと謎のプリンス」に決まった。half-bloodの訳語も、5巻までは「混血」であったが、6巻から「半純血」に変更されている。

[⑥上**364**][⑤下**564**、**654**][**JKR**公式サイト「**FAQ**作品について」][⑦初出**11**章**UK173**／**US209**]

半純血のプリンス
謎のプリンス(タイトル)
【Half-Blood Prince】

⑥09-上292

セブルス・スネイプのこと。純血の魔女アイリーン・プリンスとマグルの男トビアスとのあいだに生まれたスネイプは、「プリンス(母親の旧姓)の血を半分引く」半純血なので、学生時代自らを「半純血のプリンス」と名乗っていた。ハリーが6年生で借りた学校の古い「魔法薬学」の教科書『上級魔法薬』は、実はスネイプが学生時代に使っていた本だったが、持ち主の本名の記載がなく、ただ「半純血のプリンス蔵書」とだけ書いてあったので、ハリーはスネイプの物とは知らずにずっと使っていた。6巻のタイトルでは、「謎のプリンス」と訳されている。

［⑥下**434**、**483**］

バンス、エメリーン
エメリーン・バンス
【Vance, Emmeline】OP

⑤**03**-上**083**
⑥**01**-上**010**

不死鳥の騎士団創立当初からのメンバー。堂々とした魔女。先発護衛隊としてダーズリー家に来たときには、エメラルド・グリーンのショールを巻いていた。スネイプがヴォルデモートに伝えた不死鳥の騎士団の情報を元に、1996年7月ころマグルの首相官邸の近くで殺された。この事件は、マグルの新聞に「首相のお膝元《ひざもと》で法と秩序が破られた」と大きく報じられた。

［⑥上**024**、**048**］［⑤上**279**］

反対呪文
呪い返し／呪い崩し
【counter-curse／counter-jinx／counter-charm／counter-spell／counter-enchantments／anti-jinxes】

①**17**-**424**
⑥**03**-上**063**

呪文や呪い、呪詛《じゅそ》を解除したり打ち消す魔法。「レビコーパス、身体浮上」に対する「リベラコーパス！身体自由！」や、「ルーモス！光よ！」に対する「ノックス、消えよ！」など、おおかたの魔法に反対呪文があるが、「アバダ　ケダブラ」には存在しない。ハリーが6巻で、ダンブルドアと個人授業をすることになっていると打ち明けると、ハーマイオニーは「強力な反対呪文や呪い崩し、回避呪文全般を教えるのかも」と想像した。1巻では、スネイプがハリーを救うために、クィディッチの試合中、クィレルのかけた呪いの反対呪文を唱えていた。[⑥上**086**、**150**、**359~360**][⑤上**417**、**497**、下**459**、**605**][④上**336**][⑦初出**10**章 **UK155**/**US188**]

パンチ望遠鏡
【punching telescope】

⑥**05**-上**145**

　フレッドとジョージの発明品。小さな望遠鏡のような物で、握りしめてレンズを覗《のぞ》こうとすると、目にパンチを食らう。ハーマイオニーは、隠れ穴のフレッドとジョージの部屋でこれを握り、目のまわりに紫色の痣《あざ》を作った。この痣は通常の呪文では消えず、双子の開発した痣消し軟膏《なんこう》でのみ取れる。ロンが「まだ悪戯《いたずら》専門店に出すには早すぎるんだろ。だから気をつけろよ」と話しているので、ウィーズリー・ウィザード・ウィーズ(WWW)の店頭にはまだ並んでおらず、「パンチ望遠鏡」は、ハーマイオニーがつけた名前のようである。「パンチ望遠鏡」の初出は6巻上179ページ。

[⑥上**148**、**151**、**179**]

ひ

柊《ひいらぎ》
【holly】

①**05**-**129**
⑥**15**-上**460**

　ハリー・ポッターの杖に使われている木。クリスマスの時期、ホグワーツや聖マンゴ病院などでは、この木がティンセルなどと一緒に室内に飾られる。

　柊はモクセイ科の常緑樹で、棘《とげ》のある葉と赤い実をつけることで知られている。古代から、たくましい生命力や男性的な強さを表し、誕牛や再生の儀式や秘伝の伝授などに用いられてきた。邪悪なものを遠ざけ、雷が落ちなくなると信じられていたため、昔の人は家の近くに柊を植えていたという。キリスト教では、その赤い実はキリストの流した血、棘はキリストの受難を示すとされ、このことから柊は犠牲となった神を表す「犠牲の木」となった。ケルトの木の暦では、8番目の月(7月8日–8月4日)に当たるとされ、ちょうどハリー・ポッターの誕生日の木となっている。JKRはこれについて、「ハリーに柊の杖を与えたのは、ヨーロッパの伝統で「柊(holly ホーリー)」が「神聖さ(holy ホーリー)」に通じ、邪悪を祓《はら》うとされるため」だとし、ハリーの木を決めて少ししてから、ケルトの木の暦のことを知ったが、「まったくの偶然で、ハリーの誕生日の“正しい”木を選んでいた」と話している。

[⑥下**138**][⑤下**132**][**JKR**公式サイト「そのほかのこと」その他][⑦初出**8**章 **UK 125**／**US150**]

ヒキガエル
【toad／frog】

①**04**–**089**
⑥**07**–上**209**

魔法使いのペット。ホグワーツに持って行くことが許されているが、だいぶ前から流行遅れになっている。ネビルのペットは、ヒキガエルのトレバー。マンダンガスは、頭の弱いガーゴイルからヒキガエルを盗み、ガッポリ儲《もう》けた。アンブリッジを初めて見たハリーは、大きな蒼白《あおじろ》いガマガエル(a large pale toad)を連想した。6巻でマルフォイは、クラッブとゴイルにポリジュース薬を飲ませて女子学生に変身させ、ヒキガエルの卵の瓶を持たせて必要の部屋を見張らせていた。

ヒキガエルは、昔から皮膚を傷つけるとそこから白い毒が分泌されるため、悪魔的な生き物と考えられていた。ヨーロッパでは古代ギリシア・ローマ時代から「邪悪な魔力に満ちた生物」として忌《い》み嫌われ、中世以降は魔女の使い魔と見なされた。魔女はヒキガエルに変身でき、それを使って他人に毒を盛ったりすると信じられていた。ヒキガエルは頭に「トード・ストーン(ヒキガエル石)」と呼ばれる宝石を持っており、毒に近づくとその石は汗をかいて色が変わるとされ、中世の人々はそのトードストーンを指輪に嵌《は》めていると毒物の発見に役立ち、毒虫などに刺されたときには消炎効果があると信じていた。

［⑥上**436**、下**204**］［⑤上**142**、**236**、**296**］［⑦初出**8**章 **UK128**／**US153**］

引き伸ばし呪文 【Stretching Jinx】

⑥**05**-上**124**

人や物の長さを伸ばす呪文。ハリーやロンは、これをかけられたように、ぐんぐん身長が伸びている。

ピークス、ジミー ジミー・ピークス 【Peakes, Jimmy】Ⓖ

⑥**11**-上**339**

ハリーより3学年年下のグリフィンドール生。小柄で胸幅のがっしりした男子生徒。6巻でビーターに選ばれた。選抜された当初はフレッドとジョージのような冴《さ》えはなかったが、練習するにつれ尻上がりに上達した。熱血漢で、練習中にロンが攻撃的になりデメルザ・ロビンズを泣かせてしまった時は、ロンの三分の二ぐらいの背丈しかないのに「黙れよ。デメルザをかまうな！」と向かっていった。対ハッフルパフ戦では、味方のマクラーゲンからブラッジャーを食らったハリーをクートと共に受け止めて、彼を大怪我から救った。

［⑥上**431**、**439**、下**138**、**141**、**155**、**335**］［⑦初出**31**章 **UK491**／**US611**］

ピグミーパフ 【Pygmy Puff】

⑥**06**-上**184**

フレッドとジョージが繁殖させたミニチュア（小型）のパフスケイン。ピンクや紫色のふわふわした毛玉のような生き物で、キーキー甲高《かんだか》い声を出す。抱きしめたいほど可愛いので、いくら繁殖しても追いつかないほど人気がある。ジニーが1匹買って「アーノルド」と名づけた。ロミルダ・ベインから、ハリーの胸にヒッポグリフの大きな刺青《いれずみ》があるのは本当かと聞かれたジニーは、ハリーには“ハンガリー・ホーンテール”、ロンには“ピグミーパフ”の刺青があると冗談で答えた。

「ピグミー(pygmy)」は、アフリカの赤道森林地帯に居住する狩猟採集民。男子身長の平均は150センチ以下で、世界最古の人類とも呼ばれる。「小さい人や(動)物」を指すこともあるが、その名はギリシア神話(ホメロスの『イリアス』)に登場する小人族「ピュグマイオイ(pygmaioi)」に由来する。アフリカやインドに住むと想像されていたピュグマイオイは、「1ピュグメ(肘から拳までの長さで約35センチ)の身長の者」という意味で、コウノトリと戦って絶滅したと考えられていた。

灯《ひ》消しライター
【Put-Outer／Deluminator(7巻)】

①01-017
⑥03-上067

ダンブルドアの銀色の魔法のライター。カチカチ鳴らすと、灯《あか》りがついたり消えたりする。消すときは灯りの数だけカチカチさせ、つけるときは1度だけカチッと鳴らす。マッド-アイ・ムーディは5巻でダンブルドアからこれを借り、グリモールド・プレイス12番地の前で使った。6巻には「窓の外の街灯が消えた」とあるだけで「灯消しライター」は書かれていないが、これを使ったと思われる。7巻では Deluminator の名前で登場する。

［⑤上**097**］［①**029**］［⑦初出7章 **UK106／US125**］

ビショップ、デニス
デニス・ビショップ
【Bishop, Dennis】

⑥13-上405

トム・リドル(ヴォルデモート)と同じ孤児院にいたマグルの男の子。海辺の洞窟でトムに怖い目にあわされ、それ以来ちょっとおかしくなってしまった。

ビーター
【Beater】

①09–225
⑥09–上274

クィディッチのポジションの一つ。各チームに二人おり、バットに似た短い棍棒《こんぼう》を使って味方のチームの選手をブラッジャーから守り、敵陣に打ち返すのがその役目。ときには箒《ほうき》から手を離し、両手打ちでブラッジャーを叩《たた》かなければならないので高度なバランス感覚と強《きょう》靭《じん》な肉体が必要とされる。

【歴代ビーター】

- **グリフィンドール**…ウィーズリー双子(1990–1995)、アンドリュー・カーク(1995–1996双子の後任)、ジャック・スローパー(1995–1996双子の後任)、ジミー・ピークス(1996–1997)、リッチー・クート(1996–1997)。
- **スリザリン**…デリック(1993–1995)、ボール(1993–1995)、クラッブ(1995–1997)とゴイル(1995–1997)のゴリラ族。

ビーター(beater)は英語で「打つ人、叩きつける人」の意。

[⑥上**339**、下**141**][⑤上**462**、**637**][ク**047**〜**048**]

悲嘆草(のエキス)
【Rue／Essence of Rue】

⑥19–下119

毒を飲んで入院したロンに、マダム・ポンフリーが処方したエキス。

Rue(ヘンルーダ)は、地中海沿岸原産のミカン科の多年草。葉は苦く強臭があり、古くから薬用植物として用いられていた。プリニウスの『博物誌』によると、視力を強くし眼病に効果があり、彫刻家や画家がよく食べたという。また解毒作用があると信じられていたため、ポントス国王ミトリダテス6世(前132ころ–前63)は、毒の効かない体を作るために、ヘンルーダを含む薬用植物を毎日摂取していたという。中世では魔女が魔法をかけるときに使う植物とされたが、その反面、狂気のもたらす悪霊を追い払うために、ヘンルーダとパセリの花輪が贈られた。さらにエリザベス朝のイギリスでは、伝染病を防ぐために他の匂《にお》いの強い薬草とともにヘンルーダが家中に撒《ま》かれたという。Rue（英語で「後悔」、「悲嘆」の意）と発音が通じ、「悲嘆」、「悔い改め」などの象徴となっている。

ピッグウィジョン
ピッグ
【Pigwidgeon／Pig】

④03-上055
⑥06-上176

ロンのペットの豆ふくろう（コノハズク）。シリウス・ブラックがプレゼントした。甲高《かんだか》い声でピーピー鳴き、興奮するとブンブン飛び回る。正式名称は「ピッグウィジョン」だが、その名をジニーが考えたときにはすでに遅く、最初につけた「ピッグ（豚）」という名前にしか反応しなくなっていた。6巻では『上級魔法薬』の教科書をロンに届けたが、疲労困憊《こんぱい》し、着地したとき本の下敷きになってしまった。人前でディーンとキスしたことでロンと喧嘩《けんか》になったジニーは、恋人とキスの経験があるふりをする兄に向かって、「ピッグウィジョンにでもキスしてたの？」と嘲笑した。

JKRは、ピッグウィジョンについて「魔法使いのふくろうは、持ち主の特徴をそれなりに反映」しており、「あわれなロンのペットのピッグウィジョンは、コノハズク（耳のある豆ふくろう）。キュートですが、大変地味で目立たない種類です」と話している。

英語 pigwidgeon（＝pigwidgin）には「バカ」、「小さい（隠語）」、「まぬけ」などの意味があったが、現在は廃語となっている（OED）。

［⑥上**332**、**435**］［⑤上**104**］［④上**006**、**086**］［**JKR**公式サイト「そのほかのこと」その他］［⑦初出**5**章 **UK073**／**US083**］

ヒッグズ、バーティ
バーティ・ヒッグズ
【Higgs, Bertie】

⑥07-上220

チベリウスの狩り仲間。コーマック・マクラーゲン、ルーファス・スクリムジョールとともに、ノーフォーク州でノグテイル狩りを楽しんだ。

ビッグD【Big D】 ⑤01-上023

ダドリーのあだ名の一つ。ダドリー軍団の仲間たちはこう呼んでいる。

Dはダドリー(Dudley)の頭文字。Bigは学生のあいだで敬意や信頼を表すときに、名前の前につける(例：Big Harry! やあハリー！)。因《ちな》みにBig Dは、米ダラス市や米デトロイト市の異名となっている。

［⑦初出**5**章 **UK040**／**US042**］

ヒッポグリフ【Hippogriff】 ③06-150 ⑥03-上080

半鳥半馬の奇妙キテレツな生き物。胴体・後脚・尻尾《しっぽ》は馬で、前脚と翼・頭部が巨大な鷲《わし》の姿をしている。残忍そうな嘴《くちばし》と大きくギラギラしたオレンジ色の目、鋭い鉤爪《かぎづめ》を持つ。誇り高くすぐ怒るので、絶対に侮辱してはならない。近づくときは視線をはずさず、こちらがお辞儀をして悪意のないことを示し、相手がお辞儀を返してきたら触ることができる。魔法省の規定では、ヒッポグリフを飼っている魔法使いは毎日動物に目くらまし呪文をかける義務があるが、ハグリッドがきちんと守っているかは定かではない。ハリーは3年の「魔法生物飼育学」の最初の授業で、この動物を勉強した。ヒッポグリフのバックビークは長らくシリウスのペットだったが、彼の死後はハリーのものとなった。今は名前をウィザウィングズに変え、ハグリッドがハリーの代わりに自分の小屋で世話をしている。ホグワーツの女生徒のあいだで、ハリーの胸にはヒッポグリフの大きな刺青《いれずみ》があるという噂が流れたことがある。魔法界ではしばしば“horse(馬)”の代わりに使用され、5巻ではハグリッドが“hold your horses(待て待て)”と言うところを“hold yer (your) Hippogriffs”と話している。7巻ではリー

タ・スキーターが“get off his high horse(威張らなくなる)” の代わりに“get off his high Hippogriff”と表現している。

ヒッポグリフは、16世紀初めのイタリアの詩人ルドヴィコ・アリオストが作り出した空想の生き物。有り得ないことを譬《たと》えてうたったウェルギリウスの「馬(hippo)がグリフィン(gryohios)とつがう」という詩をもじり、雄のグリフィンと牝馬を掛け合わせた珍獣ヒッポグリフを創造した。そして英雄だけしか乗りこなせない動物として、自作の詩「狂えるオルランド」に登場させた。

［⑥上**343**、下**328**］［⑤上**018**］［⑦初出**2**章 **UK027**／**US024**］［幻**028**］

必要の部屋 【Room of Requirement】

⑤18-上608
⑥21-下200

求める人の欲しい物が備わっている不思議な部屋。ホグワーツ城の8階にあり、本当に必要なときだけ入ることができる。ハリーたちはここでDAの防衛術のレッスンを行った。6巻ではドラコ・マルフォイが姿をくらますキャビネットを修理した。

入り口は、バカのバーナバスがトロールに棍棒《こんぼう》で打たれている壁掛けの向かい側にあり、気持ちを必要なことに集中させながら3回往ったり来たりするとピカピカに磨かれた扉が現れる。屋敷しもべ妖精のあいだでは「あったりなかったり部屋」や「必要の部屋」として以前から知られており、ハリーたちはドビーに教わりこの場所の存在を知った。教職員たちはたまたま訪れても、この部屋がいつも同じ所にありお呼びが掛かるのを待っているということを知らないので、二度と見つからないことが多かった。ダンブルドアは1994年のクリスマス・ダンスパーティの朝、トイレに行く途中に曲がるところを間違えてここに迷い込んでしまったが、部屋の中は素晴らしいおまるのコレクションでいっぱいだったという。ハリーがDAの会合で使ったときは、部屋の中は地下牢教室のように揺らめく松明《たいまつ》で照らされ、壁際の本棚には「闇の魔術に対する防衛術」の参考書が何百冊と並び、奥の棚にはさまざまな闇検知器が置いてあった。クリスマスの時期はドビーが気を利《き》かせて、この部屋に「楽しいハリークリスマスを！」というメッセージやハリーの似顔つきのクリスマスの飾りつけを施し、ハリーはヤドリギの下でチョウ・チャンとファーストキスをした。

この部屋は忍びの地図に表示されないので、ここを利用している者がどのような目的で使っているかを知らなければ、入り込むことはできない。6巻でドラコ・マルフォイはここで姿をくらますキャビネットを修理していたが、ハリーは彼が何の部屋にしていたのかを知らなかったので、長いあいだ入れなかった。『上級魔法薬』の本を隠そうとしてハリーが中に入ったときは、部屋は大聖堂ほどもある広い空間に変わっていた。そこにはホグワーツの住人が何世代にも亘《わた》って隠してきた物が壁のように積み上げられ、壊れた家具がグラグラしながら立っているあいだが通路になっていた。噛《か》みつきフリスビーや羽の生《は》えたパチンコ、壊れた姿をくらますキャビネットなどが置かれ、ハリーは表面がボコボコになった大きな戸棚の戸の中にプリンスの教科書を隠し、目印としてその上に年老いた醜い魔法戦士の欠けた胸像を置き、胸像の頭に古い鬘《かずら》と黒ずんだティアラを載せて目立つようにした。ドラコのキャビネットの修理は1997年6月に成功し、ダンブルドアとハリーが不在の日に、死《し》喰《く》い人《びと》がボージン・アンド・バークスからこの部屋を経由してホグワーツ内に侵入してしまった。トレローニーは長いあいだシェリーを隠すためにここを使っていたが、ドラコが修理に成功したときに偶然部屋の中に入ってしまい、ペルー製のインスタント煙幕を投げられ追い出された。

[⑥下**201～205、208、307、314、336～340、453～454**][⑤上**609～610、612～613、615**、下**057、294～295、301**][④下**090**][⑦初出**20**章 **UK324／US400**]

ビーバー皮のコート
【beaverskin coat】 ⑥**06**-上**166**

6巻でハグリッドが着ていた、長くて大きなボサボサのオーバー。ダイアゴン横丁でハリーたちの警護をしたときや、ホグズミード付近の山に住むグロウプに会いに行ったときに着用していた。
「⑥上376」

ピーブズ【Peeves】

①07-172
⑥15-上472

ホグワーツ城をうろうろ飛び回っているポルターガイスト。意地悪そうな暗い目の、大きな口をした小男。鈴飾りのついた帽子を被《かぶ》り、オレンジ色の蝶ネクタイをつけたドタバタの達人。甲高《かんだか》い声で笑ったり歌ったりしながら、生徒や職員に悪戯《いたずら》を仕掛けニヤニヤしている。姿を消すことができ、ゴーストではないので物を投げたりガムも噛《か》める。透明マントを着て姿の見えない人も、気配で感じるようである。

6巻では、ハリーがスラグホーンのクリスマス・パーティにルーナを誘ったところを、すかさず天井でキャッチ。学校中に「ポッティがルーニーをパーティに誘った！ポッティはルーニーが好〜き！」とふれまわった（「内緒にしてくれて嬉しいよ」ハリー談）。これに懲《こ》りたハリーは、その後ハグリッドと秘密の話をするときに、念のため天井をチェックしている。他人の喧嘩《けんか》が大好きで、揉《も》め事を大きくすることに熱意を燃やし、ハグリッドが宿敵フィルチと怒鳴りあいをしたときは嬉しそうに高笑いして「けんかはピーブズに任せよう　全部二倍にしてやろう」と跡をつけた。しかし、クリーチャーとドビーが取っ組み合いをしたときは、あまりにギャーギャー大声で喚《わめ》きたてたので、ハリーが唱えた「ラングロック！舌縛り！」の犠牲になった。

いつもはみんなに嫌がらせばかりしているピーブズだが、5巻でホグワーツが魔法省から干渉され、フレッドとジョージから「ピーブズ、俺たちに代わってあの女をてこずらせてやれよ」と命令されたときは、態度を一転。生徒たちと一丸となり、アンブリッジを追い出すことに精魂傾けた。トイレの水道の蛇口をすべて引き抜き水浸《びた》しにしたり、テーブルをひっくり返したり、黒板から急に姿を現したり、銅像や花瓶を倒したりして、学校中を滅茶苦茶にした。アンブリッジが学校を去るときは、マクゴナガルから借りた歩行用杖とチョークの入った靴下で交互に殴りつけながら城から追い出した。

JKRは登場人物の誰になってみたいかとの質問に、「ピーブズあたりは面白いかも知れません。大騒ぎを引き起こしても気にもせずにいられるのですから」と答えている。Peeveは英語で「いらだたせる」、「じらす」という意味。

［⑥下**126**、**130**］［⑤上**389**～**390**、下**396**、**398**、**402**～**403**、**501**、**676**～**677**］［①**191**］［**JKR**公式サイト「**FAQ**作品について」］［⑦初出**16**章 **UK265**／**US324**］

非魔法族

非魔法界の人間

【non-magical population／non magic folk】

①04–082
⑥01–上011

魔力のない人々のこと。「マグル」とも呼ぶ。

秘密の通路

城の抜け道／近道

【secret passageway／secret passage／shortcut（近道）】

①09–225
⑥15–上460

ホグワーツの敷地内と外を結ぶ秘密の通路。フィルチはこれに詳しいが、ウィーズリー双子にはかなわない。ホグズミードに直行する抜け道は、合計七つ。以下の三つは3巻の時点でフィルチに知られていなかった。

- **5階の鏡の裏**…1992年の冬まで使えたが翌年には崩れ完全に塞《ふさ》がった状態。
- **暴れ柳の根元**…叫びの屋敷に繋《つな》がっている（現在でも使える）。
- **4階の廊下にある隻眼《せきがん》の魔女の像**…ハニーデュークスの地下に繋《つな》がる。

このほか、東棟の6階のおべんちゃらのグレゴリーの銅像の裏にも抜け道があり、どこかと通じている。5巻のダンブルドア逃亡後、フィルチはホグワーツ城に続くすべての秘密の通路を見張った。6巻でもホグワーツの警備が強化されたため、校外に通じる抜け道はすべて警備された。忍びの地図には、秘密の抜け道も表示される。

[⑥下146、453][⑤上585、下327、331][③250、252、457][⑦初出28章 UK 459／US569]

秘密の部屋 【Chamber of Secrets】

②08-206
⑥17-下063

ホグワーツの創設者の一人、サラザール・スリザリンが城内に作った隠された部屋。中にはスリザリンの継承者のみが操ることのできる怪物(バジリスク)が棲《す》んでいる。天井の高い奥行きのある細長い部屋で、蛇が絡み合う彫刻を施した石の柱が天井を支え、サラザール・スリザリンの巨大な石像が一番奥に置かれている。長いあいだ伝説の部屋と考えられていたが実在し、1943年と1992年に開けられた。部屋の入り口は3階のマートルの女子トイレの中にあり、一番奥の小部屋の前にある手洗い台の蛇口に向かい、蛇語で「開け」と言うと手洗い台が動き出す。

ホグワーツには純血の子供のみが入学を許されるべきだと考えたスリザリンは、魔力を持つ者なら誰でも入学できるというグリフィンドールの思想と対立して学校を去るが、離れる前にほかの創設者に隠れて「秘密の部屋」を城内に作り、自分の真の継承者以外は開けることができないよう蛇語で密封した。その継承者が秘密の部屋の封印を解き、中の怪物を蛇語で操り、ホグワーツから魔法を学ぶにふさわしくない者(マグルの親を持つ生徒)を追放することを願ったからである。それから千年以上経ち入学した孤児のトム・リドル(ヴォルデモート)は、5年の歳月をかけて部屋の入り口を探し出し、1943年開けることに成功する。そして怪物が数人の生徒を襲い、嘆きのマートルが死亡し、学校が閉鎖されそうになると、孤児院に戻りたくないリドルはハグリッドに濡《ぬ》れ衣《ぎぬ》を着せて犯人に仕立て上げ、事件が解決したように装った。しかし、ハグリッドが無実だと考えたダンブルドアは、リドルをしつこく監視するようになり、在学中に再び部屋を開けるのは危険だと考えたリドルは、探索に費やした年月を無駄にしないよう日記を残し、分霊箱にして16歳の自分をその中に保存した。そうすればいつか時が巡り、自分の足跡を追った者がサラザール・スリザリンの計画を最後までやり遂げることができると考えたからである。

その約50年後の1992年、リドルの日記がジニーの手に渡り、リドルに操られたジニーは秘密の部屋を開けてしまう。バジリスクが解放され再び数人の犠牲者が出て、日記の中のリドルがジニーに取り憑《つ》いてしまう。さらに、日記から抜け出すようになったリドルは、ハリーをおびき寄せるためにジニーを部屋の中に連れて行き、追って来たハリーと対決する。ハリーはバジリスクの毒牙《どくが》に刺され、瀕死《ひんし》の状態になりながらも、不死鳥フォークスの癒《いや》しの涙に助けられ、バジリスクを退治。その牙《きば》を日記に刺しリドル（分霊箱）を滅ぼしたのであった。

［⑥下**126**、**253**、**276**、**470**］［⑤下**487**］［②**224**～**226**、**358**、**450**、**455**、**458**～**459**］［⑦初出**22**章 **UK345**／**US426**］

秘密の守人
【Secret(-) Keeper】

③**10-266**
⑥**02-上047**

忠誠の術をかけられ、他人の秘密を自分の中に封じ込められた人のこと。秘密の守人が口を割らない限り、その情報を見つけ出すことは不可能となる。不死鳥の騎士団の本部がグリモールド・プレイス12番地であったときは、アルバス・ダンブルドアが秘密の守人となっていた。スネイプは、自分の家を訪ねて来たベラトリックスに、不死鳥の騎士団の本部の秘密の守人は自分ではないので、名前を明かすことはできないと言い張った。ピーター・ペティグリューは、ポッター夫妻の秘密の守人として忠誠の術をかけられたが、ヴォルデモートにその情報を流したため夫妻は殺されてしまった。秘密の守人が死ぬと、守人から秘密を明かされた人物すべてが、秘密の守人となる。

［⑤上**098**、**188**、下**636**］［⑦初出**6**章 **UK079**／**US090**］

百味ビーンズ
バーティー・ボッツの百味ビーンズ　①06-152
【(Bertie Bott's) Every-Flavour Beans】

イチゴ味から耳くそ味まで、ありとあらゆる味がある魔法界のジェリー・ビーンズ。チョコ味、ハッカ味、マーマレード味、ほうれんそう味、レバー味、臓物《ぞうもつ》味、鼻くそ味[bogey-flavoured]、芽キャベツ味、トースト味、ココナッツ味、煎《い》り豆味、イチゴ味、カレー味、草味、コーヒー味、いわし味に、胡椒《こしょう》味なんてのもある。ダンブルドアは、若いころ不幸にもゲロ味に当たったことがあり、以来あまり食べないようになったが、1巻でおいしそうなビーンズを見つけ、久しぶりに食べたら耳くそ味だった。ハニーデュークスで売っているほか、ホグワーツ特急内でも販売している。食べてなぜすぐ耳くそ味だと分かるのか、それがちょっと恐い。

［⑤下**133**］［④下**079**］［③**255**］［①**155〜156、442**］［⑦初出**21**章 **UK329／US 406**］

表面がボコボコになった大きな戸棚　⑥24-下315
【large cupboard whose surface is blistered】

ホグワーツの住人が、何世代にも亘《わた》って必要の部屋に隠してきた物の一つ。ハリーは、この中にプリンスの『上級魔法薬』の本を隠した。戸棚の戸を開けると、そこにはすでに檻《おり》に入った何かの死体が隠してあり、足は5本だった。ハグリッドがこっそり育てていた魔法動物かもしれない。

ビリウスおじさん　③06-146
【Bilius, Uncle】

グリム(死神犬)を見てから24時間後に死んでしまった、気の小さいロンのおじさん。フレッドとジョージによると、老後は少しいかれてしまったが、そうなる前はパーティをにぎやかに盛り上げてくれる人で、ファイア・ウィスキーを1瓶一気飲みし、ダンスフロアで踊り興じていたという。しかしなぜだか一生独身だった。

［⑦初出**8**章 **UK119／US142**］

ピンクストーン、カーロッタ
カーロッタ・ピンクストーン
【Pinkstone, Carlotta】

2005年11月

（1922–現在）国際魔法使い連盟機密保持法撤廃論者として知られ、魔法使いが今も存在することをマグルに話している。公の場であからさまに魔法を使ったことにより何度か投獄されている。

［**JKR** 公式サイト「今月の魔法使い」］

ピンクの傘
【pink umbrella】

①04–087
⑥06–上167

ハグリッド愛用の使い古されたピンクの花模様の傘。1943年に退学になり魔法使用を禁止されてから、ハグリッドは真っ二つに折られた杖（41センチの樫《かし》の木、よく曲がる）をこの中に隠し、こっそり使っていた。1993年から堂々と魔法を使えるようになったが、まだこの傘に入れて杖を使用している。6巻（1997年）でこの傘を構えて「アグアメンティ！水よ！」を唱えると、傘の先から水がほとばしり出た。ふだんは小屋の裏の壁に立てかけてある。

［⑥下**436**］［⑦初出**32**章 **UK519／US646**］

ピンス、マダム・イルマ
マダム・イルマ・ピンス／マダム・ピンス
【Pince, Madam Irma】

①12–289
⑥15–上462

ホグワーツ図書室の司書。落ち窪《くぼ》んだ頬《ほほ》に羊皮紙のような肌、高い鉤鼻《かぎばな》をした飢えたハゲタカのような女性。毛ばたきやランプを手に持ち、図書館内を歩き回り、生徒の行動を監視している。ハリーとジニーがうっかり館内でチョコレートを食べてしまったときは、萎《しな》びた顔を怒りに歪《ゆが》め「出てけ―出てけ―出てけっ！」と二人に襲いかかった。ブリンスの『上級魔法薬』の本を見たときは、図書館の本に書き込みをしたと勘違いし、鉤爪《かぎづめ》のような手で本に掴《つか》みかかった。ハリーは、アーガス・フィルチと彼女のあいだに何かあるのではないかと疑っており、二人は果たして密かに愛し合っているかについて、ハーマイオニーと議論した。ダンブルドアの葬儀では、膝まで届く分厚い黒いベールを被《かぶ》り、フィルチの脇に立っていた。

Pince はフランス語で「(ピンセットやペンチなどの)挟《はさ》む道具」の意。

［⑥上**466～467**、下**488**］［⑤上**544**、下**189**、**368～369**］

ビンズ先生
【Binns, Professor】　**①08-198**

「魔法史」を教える、ホグワーツ教授陣の中では唯一のゴーストの先生。しわしわの骨董《こっとう》品のような先生で、椅子《いす》から2、3センチ浮かんで講義する。授業はいつも退屈で、一本調子のゼイゼイ声で唸《うな》るように話すので、10分で眠くなること請《う》け合い。先生がゴーストになったのは、職員室の暖炉の前で居眠りをしてしまい、翌朝起きてクラスに行くときに、生身の体を職員室に置き去りにしてしまったから。そのときすでに相当なお歳だったので、自分が死んだことにも気づかなかったという。この先生の授業で唯一おもしろいのは、毎回先生が黒板を通り抜けて教室に現れること。生徒の名前を覚える気はまるでないらしく、5年生になってもハリーは「パーキンズ」と呼ばれていた。2年生のときにハーマイオニーが「秘密の部屋」について質問したときだけは、クラス中が無気力の催眠状態から覚醒《かくせい》し、活気づいた。

［⑤上**358**、**363**、**560**、**562**］［④下**050**］［②**222**］［⑦初出**21**章 **UK337**／**US415**］

ふ

ファイア・ウィスキー　オグデンのオールド・ファイア・ウィスキー

【Firewhisky／Ogden's Old Firewhisky】

②06-148
⑥12-上374

魔法界のウィスキー。火のような、煙を上げた飲み物(smoking, fiery substance)。ホッグズ・ヘッドや三本の箒《ほうき》などの居酒屋で売っている。ギルデロイ・ロックハートの好物で、「(誕生日のプレゼントは)オグデンのオールドファイア・ウィスキーの大瓶でもお断りしませんよ！」と授業中に催促した。チベリウス・オグデンやボブ・オグデンと関係があるのかもしれない。

[⑥上**468**] [⑤上**528**、**530**] [④上**228**] [⑦初出**5**章 **UK070**／**US079**]

ファイアボルト(炎の雷《いかずち》)

【Firebolt】

③04-068
⑥19-下136

ハリー愛用の箒《ほうき》。3年生のクリスマスに、名付け親のシリウス・ブラックが13回分の誕生日をまとめてプレゼントしてくれた。最先端技術を駆使して作られた世界一速い競技用箒で、すっきり流れるような形状の最高級のトネリコ材の柄には、登録番号が入っている。尾の部分にはシラカンバの木を1本1本厳選し、研ぎあげて空気力学的に完璧な形状に仕上げている。他の追随を許さぬバランスと精密さを備えているほか、10秒で時速240キロまで加速できるのが自慢。自動ブレーキ(auto-brake)も組み込まれており、アイルランドナショナル・チームもこれを使用している。

[⑤上090、654、下327、401][③067、565][⑦初出4章 UK042／US043]

ファーガス
【Fergus】

⑥17-下053

シェーマス・フィネガンの従兄《いとこ》。シェーマスの前で姿くらましをして、まだ免許を持っていない彼をイライラさせた。

ファーガス（フェルグス）は、アルスター物語群（アイルランド伝説）に登場する勇士。コンホバル王の裏切りにより仲間のウシュネ三兄弟を殺され、怒りのあまり敵のコナハト陣営に寝返った人物。

ファッジ、コーネリウス・オズワルド
コーネリウス・オズワルド・ファッジ
【Fudge, Oswald Cornelius】MM

①05-099
⑥01-上008

（魔法大臣在位1990-1996年7月）元魔法大臣。でっぷりとした体格の小柄で奇妙な外見の魔法使い。細縞柄《ほそじまがら》の服を愛用し、ハリーが最初に会ったときも細縞のスーツに真っ赤なネクタイ、黒い長いマントに紫色のブーツを履《は》いていた。手にはトレードマークのライムグリーンの山高帽を持ち、色彩感覚ゼロである。ルシウス・マルフォイを高く評価する純血主義者で、大臣就任中は彼から賄賂《わいろ》を受け取り、便宜《べんぎ》を図っていた。マグル贔屓《びいき》でダンブルドアに近いウィーズリー氏をスパイさせようと、息子のパーシーを大臣付下級補佐官に任命したこともある。

1990年に前任の魔法大臣ミリセント・バグノールドが引退すると、ダンブルドアを大臣に推す声が上がったが、校長はホグワーツを離れる気がなかったのでファッジが就任した。ダンブルドアの人望の厚さを目の当たりにし、コンプレックスを感じながらも、心の奥では校長が自分より賢いことを認め、就任当初は頻繁にふくろう便を飛ばして助言を求めていた。しかし、権力の味を覚え徐々に自信をつけてきたファッジは、魔法大臣の地位に執着し始める。1995年6月にダンブルドアからヴォルデモートの復活を告げられると、「例のあの人」が

戻ってきたことを認めてしまうと魔法省がここ14年ほど遭遇したことのない大問題となるため、それに向き合う能力も度胸も持たないファッジは、ダンブルドアが自分を失脚させようとしてそのような戯《ざ》れ言《ごと》を言い、騒動を起こそうとしているのだと決めこむことにした。そして、「例のあの人」の復活を口にして自分の地位を脅かすダンブルドアやハリーの信用を失墜させるために、『日刊予言者新聞』に圧力をかけ、二人が嘘をついているという報道をさせた。ホグワーツには部下のアンブリッジを送り込み、学校を支配し校長とハリーを追放しようと画策。しかし、1996年6月魔法省に現れたヴォルデモートがダンブルドアと壮絶な戦いを繰り広げ、その姿を目撃したファッジは、もはやこれ以上自分に心地よい言い訳を与えることができなくなり、自らの非を認めることとなった。同年7月、魔法界全体から辞任を突きつけられたファッジはクビになり、現在は魔法省の顧問として、忙しい大臣の代理でマグルの首相を訪れ、魔法界の動向を報告している。ダンブルドアの葬儀には、不謹慎にもライムグリーンの山高帽をくるくる回しながら参列した。

Fudge は英語で「ごまかす（はぐらかす）」こと。Fudge and mudge で「（政治家が）コメントを避ける」、「（のらりくらりと言い逃れして）決定を下すのを避ける」という意味。ミドルネームの Oswald の出典は、米ケネディ大統領暗殺の容疑者リー・ハーベイ・オズワルド（1939-1963）かもしれない。元アメリカ海兵隊員で射撃の名手。1963年11月22日、テキサス州ダラスでオープンカーに乗ってパレード中のジョン・F・ケネディ大統領をライフル銃で暗殺。逮捕の2日後にマフィアと関係の深いジャック・ルビーに射殺された。

［⑥上**009**、**025**、**030**、下**034**、**490**］［⑤上**119**、**124**、**154**、**223〜249**、**304**、**306〜307**、**478**、下**197〜198**、**297〜318**、**320**、**507**、**615〜618**、**660**］［③**057**］［②**385〜386**］

ファング
【Fang】

①08-207
⑥11-上343

ハグリッドのペットの巨大な黒のボアハウンド犬。いつもは小屋のバスケットの中にいるが、ハリーたちが訪れると狂ったように喜び吠《は》えし、じゃれかかって顔を舐《な》めようとする。見かけは恐そうだが実は気が小さく、禁じられた森でアラゴグと対面したときは恐怖のあまり哭《な》くことすらできず、すくみあがっていた。しかし、5巻でハグリッドが闇祓《ばら》いに襲われると、主人を護《まも》ろうと果敢に飛びかかっていった。6巻では、ホグワーツに侵入した死《し》喰《く》い人《びと》が小屋に火をつけ、閉じ込められたファングはキャンキャン激しく吠えたが、ハグリッドが燃えさかる小屋の中を救出に向かい、無事助け出された。

Fangは英語で「牙《きば》」という意味。ファングも長い牙を持っている。

［⑥上**344**、下**252**、**431**］［⑤下**006～008**、**468**、**470**、**672**］［⑦初出**31**章 **UK497**／**US618**］

フィッグ、アラベラ・ドーリーン
アラベラ・ドーリーン・フィッグ
フィッグばあさん
【Figg, Arabella Doreen／Figg, Mrs】OP

①02-037
⑥30-下489

リトル・ウィンジングのウィステリア・ウォークに住むおばあさん。タータンチェックの室内用スリッパを履《は》いて外出し、歩きながらブツブツ独《ひと》り言《ごと》をつぶやく変わり者。ホグワーツ入学前にダーズリー一家が行楽に行くときは、ハリーはこのばあさんの家に預けられていた。家中キャベツの匂いがするし、今まで飼った猫の写真を無理やり見せられるので、ハリーはこの家が大嫌い。しかし、ただの猫好きばあさんかと思いきや、実は不死鳥の騎士団のメンバーで、ダンブルドアの命令でハリーを子供のころから監視していたことが5巻で判明。ハリーがばあさんの家に来ることを楽しいと思うようでは、ダーズリーたちは預けないと思い、わざとハリーに辛い思いをさせていたのであった。

ティーバッグ一つ変身させられないコチコチのスクイブで、いざというときに魔法が使えないため、1995年夏にハリーの護衛をするときに、ばあさんはあらかじめ仲間のマンダンガス・フレッチャーに、さぼらないよう念を押しておいた。しかし8月2日の晩、フレッチャーは盗品の大鍋がまとまった数あるとかで持ち場を離脱。吸魂鬼《ディメンター》に襲われたハリーはダドリーの前で魔法を使ってしまい、魔法省の尋《じん》問《もん》にかけられる羽目になった。半死半生のダドリーを抱えてダーズリー家に帰る道すがら、ばあさんは自分が長いあいだハリーを見張っていたことを告白し、子供のころに辛い目にあわせたことを謝った。ハリーの懲戒尋問《ちょうかいじんもん》には、相変わらずのスリッパ履きで登場。怯《おび》えた様子で、吸魂鬼が襲った様子を証言した。

JKRによると、フィッグばあさんさんは猫とニーズルを交配する商売をしており、大繁盛しているという。

[⑤上**007**、**034**、**037**、**039**、**230**][**JKR**公式サイト「そのほかのこと」その他]

フィッシュ・アンド・チップス
【fish-and-chips】

⑥**02**–上**032**

白身魚(おもにタラ)のフライに、フライドポテトを添えたもの。イギリスの大衆的なファーストフードで、塩と酢で食べる。テイク・アウト(イギリスでは「テイク・アウェイ(take away)」と言う)にして紙や新聞紙に包んだものを、歩きながら(またはどこかに座って)食べることが多い。

フィニート　終われ
フィニート・インカンターテム！呪文よ　終われ！
【Finite!(Incantatem!)】

②**11**–**286**

呪文を終わらせる魔法。2巻の決闘クラブでは、生徒同士が勝手に魔法をかけ合い混乱状態になったため、スネイプがこれを唱えて事態を収拾させた。5巻の神秘部の戦いでは、ルーピンがこの魔法でネビルのタップダンスをやめさせた。

ラテン語finio「終える」、「止む」と、incantatio「魔術」の合成語。

[⑤下601][⑦初出12章 UK201／US244]

フィネガン、シェーマス

シェーマス・フィネガン

【Finnigan, Seamus】G DA

①07-179
⑥08-上247

(1980？-)ハリーと同学年の黄土色の髪をしたグリフィンドール生。親友はディーン・トーマス。魔女とマグルのあいだに生まれ、母親は交際中に自分が魔女であることを言わなかったので、父親は結婚後に驚いたという。ハリーと寝室が同じで1年のときから仲がよかったが、5年になると『日刊予言者新聞』のでたらめな記事や母親が仕入れてくる誤った噂話を信じ込み、ハリーがヴォルデモートの復活話をでっちあげていると思い込んだ。新学期早々ハリーやロンと大喧《おおげん》嘩《か》し、長いあいだ口をきかないでいたが、『ザ・クィブラー』に載ったハリーのインタビューを読んでからは「僕、君を信じる」と考えを改め、DAにも参加するようになった。守護霊の練習では、「何か毛むくじゃらなやつ」を創出した。

6年生ではクィディッチの選抜を受けたが選ばれず、入院したケイティ・ベルの代わりにディーン・トーマスがチェイサーになると、ふて腐れた。姿現わしに憧れるあまり、「呪文学」の授業で張り切りすぎて、清らかな水の噴水を創り出すところを散水ホースのように杖から水を噴出させ、フリットウィック先生を弾《はじ》き飛ばしてしまった。先生からは「僕は魔法使いです。棒振り回す猿ではありません」の書き取り罰を命じられている。アイルランド人なので、クィディッチ・ワールドカップでは、自分のテントに三つ葉のクローバーをびっしり飾っていた。

[⑥上360、429、下053～054][⑤上343～350、下238、256、292、452、493][④上127][①185～186][⑦初出29章 UK460／US571]

フィネガン夫人
シェーマスの母親
【Finnigan, Mrs】

④07-上128
⑥30-下478

シェーマス・フィネガンの母親。黄土色の髪をした魔女。結婚するまで、夫に自分が魔女であることを明かさなかった。5巻では『日刊予言者新聞』が掲載したハリーとダンブルドアに関するでたらめの記事を鵜呑《うの》みにし、ホグワーツに戻らないよう息子を引き止めた。最初はシェーマスも母親と同じ考えであったが、『ザ・クィブラー』に掲載されたハリーのインタビューを読んでから彼を信じるようになり、雑誌を1部母親に送った。6巻では、ダンブルドアの死後ホグワーツにやって来て、シェーマスを家に連れ帰ろうとしたが、拒否された。玄関ホールで怒鳴りあったものの、結局母が折れて、シェーマスは葬儀が終わるまで学校に残ることになった。ダンブルドアに最後のお別れを告げようと、おおぜいの魔法使いや魔女たちがホグズミードに押し寄せたため、母親は宿を取るのに苦労したという。

［⑤上**344**、**346**、下**256**］

斑《ふ》入りの大きな毒茸《どくきのこ》
【large spotted toadstool】

⑥20-下156

ルーナが持っていた奇妙なもの。ガーディルートや猫のトイレの砂のようなものと一緒に、彼女のカバンの中に入っていた。何に使うのかまったく分からない。

フィルチ、アーガス
アーガス・フィルチ
【Filch, Argus】

①07-188
⑥08-上242

ホグワーツの痩《や》せて薄い白髪頭《しらがあたま》の管理人。生徒の校則違反を見つけて処罰することに生きがいを見いだしている根性悪《こんじょうわる》。当然、生徒たちの評判はすこぶる悪い。ピカピカに磨《みが》いた鎖や手かせを自分の事務室の壁に掛け、「生徒の足首を縛って天井から逆さ吊《づ》りさせて欲しい」と日夜校長に嘆願しているが、今のところこの願いは叶えられていない。生徒にかくも厳しいのは、魔力を持たないスクイブだから。魔法を使える生徒に嫉妬《しっと》し、憎んでいるのである。ミセス・ノリスという同じく根性悪のペットの猫を溺愛《できあい》し、連れ立ってホグワーツを見回っている。

6巻では、悪戯《いたずら》発見の異常な情熱の光を目に宿しながら、ホグワーツの入り口で城を出入りする生徒を「詮索《せんさく》センサー」でつついてチェックした。ウィーズリー・ウィザード・ウィーズ(WWW)で買った物をすべて禁止にしたが、生徒たちは瓶の中身を詰め替えたりして偽装工作し、彼の目をかすめてこっそり持ち込んでいた。ドラコに操られていたマダム・ロスメルタもホラスに毒入りの蜂蜜酒《はちみつしゅ》を送ったが、優秀な魔法使いでないのでまったく気づかなかった。ダンブルドアの葬儀には、樟脳《しょうのう》の臭いがプンプンする古くさい黒の背広にネクタイ姿で参列。脇にはマダム・ピンスが立っており、ハリーはこの二人が密かに愛し合っているのではないかと疑っている。フィルチの事務室は城の1階にあり、彼が処罰してきた生徒たちの悪行の数々の記録が、木製のファイル・キャビネットの中にぎっしり保管されている。ハリーは6年生で、その古い記録を整理し直すという退屈な罰則をスネイプから命じられた。

アーガスの名前の由来は、ギリシア神話に出てくる巨人アルゴス。二つの眼のほかに、背中に第三の眼、更には全身に百の眼を持つ怪物で、ヘルメスに騙《だま》され、一瞬の眠りにすべての目を閉じたすきに切り殺されて、孔雀《くじゃく》の尾の先の眼となった。転じて英語Argusには「見張り人」という意味がある。英語filchは「くすねる」の意。しかしウィーズリーの双子からは反対に、忍びの地図をくすねられている。

［⑥上**359**、**365**〜**366**、**436**、**465**〜**467**、**486**〜**487**、下**129**、**217**、**412**、**488**］［⑤上**335**、**447**、下**327**、**331**、**395**、**401**、**664**］［①**197**、**364**］［⑦初出**13**章 **UK207**／**US251**］

フィルポット、アーキー
アーキー・フィルポット
【Philpott, Arkie】

⑥06–上164

グリンゴッツ銀行の警備を強化するために導入された「潔白検査棒」を、体のどこかに突っ込まれた魔法使い。ビルが途中で言いよどんでいたので、変なところに挿入されたのかもしれない……。

フィレンツェ
【Firenze】

①15–376
⑥09–上264

「占い学」の教授のハンサムなケンタウルス。プラチナ・ブロンドの髪に驚くほど青い目、頭と胴は人間で、その下は黄金のパロミノ種の馬の体を持つ。ケンタウルスの中では、必要とあらば人間と手を組んでも構わないと考える穏健派で、もともとは仲間の群れと一緒に禁じられた森に棲《す》んでいた。1巻ではヴォルデモートに襲われそうになったハリーを背中に乗せて、安全な所まで運んでいる。5巻でトレローニーが「占い学」の教授職を解雇された際、ダンブルドアに請《こ》われ後任の教師に就任。このことはプライドの高い仲間たちの怒りを招き、森の中で蹴《け》り殺されそうになった。ハグリッドに助けられたフィレンツェは群れから追放され、今はホグワーツの11番教室に棲んでいる。6巻では、トレローニーと二人で「占い学」のクラスを分担。6年生は担当しなかったので、フィレンツェ・ファンのパーバティ・パチルを落胆させた。トレローニーからは「あたくしの地位を不当に奪った」と誤解され、「駄馬《だば》」と呼ばれ恨まれている。ダンブルドアの葬儀に参列したときは、衛兵のように湖のほとりに佇《たたず》んでいた。

［⑥上**482**、下**159〜160**、**342**、**490**］［⑤下**278**、**282〜289**、**415〜416**、**426**、**665〜666**］［⑦初出**31**章 **UK489**／**US608**］

フェリックス・フェリシス
【Felix Felicis】

⑥09 上283

飲んだ人に幸運をもたらす魔法薬。「幸運薬」とも呼ばれている。かすかに輝く金色の液体で、飲むと薬効が切れるまで、すべての企《くわだ》てが成功に傾く。しかし、飲みすぎると向こう見ずで危険な自信過剰に陥《おちい》り、大量に摂取すると毒性が高い。スポーツ競技や試験、選挙などの組織的な競技や競争ごとで服用することは禁止されている。スラグホーンは過去に2回(24歳と57歳のとき)飲んだことがあり、朝食と一緒にこれを大さじ二杯飲むと申し分のない2日間が過ごせたという。調合は恐ろしく面倒で、煎じるのに6ヵ月かかり、間違えると惨憺《さんたん》たる結果になる。スラグホーンの最初の「魔法薬」の授業の褒美《ほうび》としてこれの小瓶(12時間分の幸運)が与えられ、プリンスの本を頼りに生ける屍《しかばね》の水薬を一番上手く調合したハリーが獲得した。飲むと無限大の可能性が広がるような、うきうきした気分になる。ハリーはスラグホーンの真の記憶を引き出すためにこれを一口だけ飲んだが、残りはすべて友人たちに差し出した。クィディッチの試合前、神経質になっていたロンの飲み物にハリーがこれを入れるふりをすると、自分はラッキーだと思い込んだロンは目の覚めるようなプレイをした。

Felix はラテン語で「幸運な」、「幸福な」という意味の形容詞。Felicis は felix の活用形の一つ(単数属格)。

[⑥上**442〜453**、下**230〜242**、**302〜303**、**305**、**356**、**446**]

フォークス
【Fawkes】

②12-308
⑥10-上297

ダンブルドアのペットの不死鳥。白鳥大の真紅の美しい鳥。金色の長い尾、嘴《くちばし》、鉤爪《かぎづめ》に真っ黒な丸い目を持つ。涙には癒《いや》しの力があり、その歌は心正しき者に勇気を与える。死ぬときが来ると炎となって燃え上がり、灰の中から蘇《よみがえ》る。自由自在に姿を消したり現したりすることができ、消えるときには空中に炎がパッと燃え、警告を与える際は炎が燃えたあと黄金の尾羽根を1枚落とす。ダンブルドアが校長を務めていたあいだは、校長室の扉の裏の金色の止まり木に止まっていた。

ダンブルドアに対し真の信頼を示す者のところに呼び寄せられ、ハリーが秘密の部屋の内部でバジリスクと戦ったときは、組分け帽子をくわえて助けに向かった。4巻のヴォルデモートとハリーの対決で二つの杖が繋《つな》がると、フォークスの歌声が聞こえハリーを元気づけた。ホグワーツに戻ってからも、疲れ果てたハリーの膝で震える声で鳴き、その晩の出来事を報告する彼を励ました。5巻でアーサー・ウィーズリーが巨大な蛇に襲われたときは、ダンブルドアに命じられ魔法省に飛び、近づく者の見張りをした。続く魔法省の戦いでは、ダンブルドアに向けられた死の呪文を自分が盾となり呑《の》み込み、焼け死んだあと雛《ひな》となって蘇《よみがえ》った。

6巻では、指輪の呪いで弱ったダンブルドアを幾度となく鳴き声で励まし、その校長が亡くなると、残された者の追悼《ついとう》の心を映したような嘆きの歌を歌い、皆の心の痛みを和らげた。最後は、ダンブルドアがこの世を去ったように、ホグワーツから永久に飛び去ってしまった。

フォークスの出典は、イギリスの火薬陰謀事件の首謀者ガイ・フォークス。1605年11月5日にイギリス議事堂の爆破を企《くわだ》てて失敗した人物。この日は「ガイ・フォークス・デー」と呼ばれ、イギリスではこの日が近づくと子供たちは“A penny for the (old) Guy (ガイに1ペニーおくれ)”と言って近所を回り、ガイ人形を作るための資金を集める。当日の夜、この人形を燃やすので「ガイ・フォークスの焚《た》き火祭り(Bonfire Night)」とも呼ばれている。現在ではこの日の夜に花火を打ち上げるのが一般的。炎の中で焼け死んだのち灰の中から生き返る不死鳥の名前にふさわしい名である。

[⑥下**056**、**078**、**346**、**348**、**449**、**459**、**467**、**476**] [⑤上**514**、下**079**、**083**、**089**、**095**、**314**~**315**、**317**、**612**、**623**] [②**463**、**487**] [幻**083**]

フォーテスキュー、デクスター
デクスター・フォーテスキュー
【Fortescue, Dexter】

⑤27−下303
⑥23−下274

ホグワーツの元校長。現在は校長室に飾られた肖像画の中にいる。赤鼻のでっぷりとした魔法使いで、王座のような椅子《いす》に座っている。6巻ではただの「でっぷり太った赤鼻の魔法使い」として登場し、古いラッパ型補聴器を取り出し、ヴォルデモートのホークラックスの話を聞き入った。デクスターの名は7巻で判明。

フォーテスキューという名の有名な歴史上の人物はイギリスのサー・ジョン・フォーテスキュー(1385ころ−1479)。ばら戦争期のランカスター派の法学者であり王座裁判所長官。ランカスター朝がヨーク朝に替わったため私権を奪われ、ヘンリー6世の妻マーガレット王妃と共にフランドルに亡命した。テュークスベリーの戦いで捕らえられるが、ヨーク朝のエドワード4世に忠義を誓い恩赦を受けた。その子孫のサー・ジョン・フォーテスキュー(1531−1607)はエリザベス女王の時代にイギリス王室会計局長となった人物。1566年にエセックス州チェルムズフォードで開かれた魔女裁判に立会い、「サタン」という名の白のぶち猫を使い魔にして魔法をかけた咎《とが》で容疑者の女性一人を禁固刑、もう一人を絞首刑に処した。

[⑤下**621〜622**][⑦初出**36**章 **UK598**／**US747**]

フォーテスキュー、フローリアン
フローリアン・フォーテスキュー
【Fortescue, Florean】

③04−067
⑥06−上161

ダイアゴン横丁にあるフローリアン・フォーテスキュー・アイスクリーム・パーラーの気のいい店主。中世の魔女の火あぶりについて詳しく、ハリーが3年生になる前の夏休みに漏れ鍋に滞在したとき、「14世紀における魔女の火あぶりの刑は無意味だった―意見を述べよ」という宿題を手伝ってくれた。そのときには30分ごとに、ただでサンデーをご馳走してくれた。1996年7月末に死喰《しく》い人《びと》に拉致《らち》された。

フーカム、デイジー
デイジー・フーカム
【Hookum, Daisy】

2006年6月

(1962–現在) 1年間魔法を封印してから書いたベストセラー『マグルとして生きて』の著者。著名な庭師、ティルデン・トゥーツと結婚。
[JKR 公式サイト「今月の魔法使い」]

服従の呪文(呪い)
【Imperius Curse】

④14–上330
⑥01–上028

相手を完全に支配する魔法。許されざる呪文の一つ。これを唱えられると、すべての思考が停止し、頭が空っぽになる。夢を見ているような幸せな気分になり、命じられた通りのことをしてしまう。呪いが解けたとき、はじめて我に返り、支配されていたあいだの記憶は失われている。呪文の言葉は「インペリオ！服従せよ！」。ヴォルデモートの第1期全盛時代(1970年代)、多くの魔法使いがこの呪文に支配され、誰が無理に動かされているのか、誰が自分の意思で動いているのか、それを見分けるのが魔法省にとって一仕事だった。

6巻では、ドラコ・マルフォイがマダム・ロスメルタに、そしてロスメルタはケイティ・ベルにこれをかけ、企《くわだ》ての共犯者として利用した。政務次官のハーバート・チョーリーは死喰《しく》い人《びと》にこれをかけられたが、術は失敗。頭をやられて混乱し、公衆の面前でアヒルの真似《まね》をしてガーガー鳴いた。キングズリー・シャックルボルトはマグルの首相の秘書官となり、この呪文が首相にかけられないよう保護する任務についていた。ハリーはこれに抵抗する能力があり、4年生のDADAの授業中にこれを体験したときは、4回目で完全に呪文を打ち破った。
[⑥上**029**、下**301**、**411**～**412**] [⑤上**156**、**249**、**436**、下**182**] [④上**337**、**360**～**362**、下**465**] [⑦初出**1**章 **UK012**／**US005**]

ふくろう 【owl】

①01 007
⑥03-上060

魔法界のペット。郵便を運んでくれる便利な動物。ふくろうが運ぶ郵便は、「ふくろう便(Owl Post)」と呼ばれている。種類が豊富で、これまで白ふくろう、豆ふくろう、森ふくろう、コノハズク、めんふくろう、茶ふくろうが登場している。

JKRによると、魔法使いのふくろうは持ち主の特徴をそれなりに反映しており、あわれなロンのペットのピッグウィジョン(豆ふくろう)は、小さくて可愛いけれど見栄えのしない種類。ウィーズリー家のエロールは、目の周りにグルグル模様のある滑稽《こっけい》な顔つきのカラフトふくろう。ハリーのペットは、JKRが最も美しいと考えている白ふくろうのヘドウィグ。イギリスには生息していない種類なので、ホグワーツでハリーに名声を与えるだろうと思い、これを選んだという。昔からふくろうにまつわる迷信は多々あり、ヨーロッパでは女神アテナ(ローマ神話ではミネルバ)を象徴する鳥として、知恵や知識のシンボルとなっている。民間信仰では、この鳥の止まった家には死者が出るなど不吉な連想が多い。イギリスには、昼間ふくろうを見かけるのは縁起が悪いという迷信があるが、『賢者の石』の1章で昼間の空を飛ぶふくろうの大群を素晴らしい幸運の予兆と描くことで、その迷信を笑い飛ばしたとJKRは述べている。

[⑥上**332**][⑤上**014**、**163**][**JKR**公式サイト「そのほかのこと」その他][⑦初出**2**章 **UK021**/**US015**]

ふくろう通信販売《サービス》 【Owl Order(Service)】

③01-017
⑥15-上465

魔法界の通信販売。ウィーズリー・ウィザード・ウィーズ(WWW)もこのサービスを行っており、持ち込みが禁止されている品を香水や咳止《せきど》め薬などに偽装して学校に送っていた。3巻でハーマイオニーは、『日刊予言者新聞』に掲載されたこの通信販売の広告を見て、ハリーへのプレゼントの箒《ほうき》磨きセットを購入した。

ふくろうが届けてくれるので「mail-order（マグル界の「通販」）」ならぬ「owl-order」となる。

［⑦初出**25**章 **UK414／US513**］

ふくろうナッツ
【owl nuts】

⑥**06**-上**176**

ふくろうの餌《えさ》。ハリーとロンは、ヘドウィグとピッグウィジョンのために、イーロップふくろう百貨店でこれの大箱をいくつも買った。

［⑦初出**3**章 **UK036／US036**］

不死鳥
【phoenix】

①**05**-**127**
⑥**10**-上**297**

白鳥ほどの大きさの深紅の鳥。金色の長い尾、嘴《くちばし》と鉤爪《かぎづめ》を持つ。ペットとして忠実なことこの上ない生き物で、驚くほど重い荷を運び、涙には癒《いや》しの力がある。羽根は強力な魔力を持ち、オリバンダーの杖の芯になる。死ぬときが来ると炎となって燃え上がり、灰の中から雛《ひな》として蘇《よみがえ》るので大変な長寿。自由自在に姿を消したり現すことができ、メッセージ（警告）などを与えるときは空中に炎がパッと燃え、黄金の尾羽根を落とす。穏やかな生き物で、殺生をした記録がない。その歌には魔力があり、心正しき者には勇気を与え、悪しき者の心を恐怖に陥《おとしい》れる。ダンブルドアのペットは不死鳥のフォークスで、守護霊は不死鳥。彼の葬儀では、弔辞が終わるとダンブルドアの亡骸《なきがら》とそれを載せた台の周囲に白い炎が燃え上がり、立ち昇った白い煙は、ほんの一瞬、楽しげに舞う不死鳥の姿を描いた。

不死鳥は、古くから不死と復活を表すシンボルとされ、その原型は古代エジプトの聖鳥ベンヌといわれている。アオサギの姿をしたこの鳥はヘリオポリスで太陽神ラーの化身として崇《あが》められていた。その後ギリシアに伝わるとフォイニクス（「深紅色」の意）と呼ばれ、紀元前5世紀の歴史家ヘロドトスは「ワシに似た金色と赤い羽を持つ鳥で、

500年に一度、死んだ父鳥を太陽神の神殿で葬るために没薬《もつやく》に包んだその遺骸をアラビアからエジプトに運び、そのときだけ目撃される」と伝えている。ローマ帝政時代になると「香木を積み上げて作った巣の中で焼死し、その灰の中から再び幼鳥となって蘇る」という現在の不死鳥伝説が語られるようになった。

［⑥下**494**］［⑤上**224**、**083**、**089**、**095**］［②**309**］［幻**082～083**］［⑦初出**6**章 **UK090**／**US104**］

不死鳥の歌 【phoenix song】

②17-463
⑥29-下449

不死鳥の歌う歌のこと。魔力を持ち、心正しき者にはますます勇気や希望を与え、悪しき者の心を恐怖に陥《おとしい》れる。ハリーが初めてこれを聞いたのは秘密の部屋の中。トム・リドルとの対決の最中にフォークスが歌いながら現れ、その妖しい旋律に髪の毛がザワッと逆立った。復活したヴォルデモートと1995年に戦ったときは、お互いの杖が繋《つな》がると、不死鳥の美しい調べがあたりを満たしハリーを元気づけた。ダンブルドアが亡くなった晩は、ペットのフォークスはこれまでとは違った、打ちひしがれた嘆きの歌を歌い、その追悼《ついとう》の調べを聴いた者は、痛みが少し和らいだ。2巻では「無気味な(eerie)旋律」だった歌が、4巻では「美しい(beautiful)調べ」になっており、二年間でかなり上達したようである。

［⑤上**224**］［④下**468**、**514**］［幻**083**］

不死鳥の(尾の)羽根 【phoenix tail feather／phoenix feather(7巻)】

①05-127

強力な魔力を持ち、杖の芯に使用される。ハリーとヴォルデモートの杖には、不死鳥フォークスの尾羽根が一枚ずつ入っている。杖が同じ材料を使っている兄弟杖と出会うと、これまで唱えた呪文を逆の順序で吐き出させる「呪文逆戻し効果」が生じる。ハリーとヴォルデモートが1995年に戦った際にこの現象が起こり、ヴォルデモートの杖先から殺された犠牲者のゴースト(木霊《こだま》)が、セドリック、フランク・ブライス、バーサ・ジョーキンズ、ハリーの母、ハリーの父の順で現れた。

[④下**516〜518**][⑦初出**8**章 **UK125／US150**]

不死鳥の騎士団

【Order of the Phoenix, the】OP

⑤**03-**上**098**
⑥**02-**上**045**

ヴォルデモートが最初に台頭した時代(1970年代)に、ダンブルドアがヴォルデモートと戦うために組織した秘密同盟。メンバーは、魔法使いからスクイブ、闇祓《やみばら》いや居酒屋のバーテン、ならず者までさまざま。このバラエティに富んだ団員構成は偏見を持たないダンブルドアの思想の表れであり、マグル生まれを排除して組織されたヴォルデモートの軍団(死喰《しく》い人《びと》)とは正反対である。5巻の活動内容はヴォルデモートの軍団再構築の阻止、闇の帝王の復活を魔法界に告知、新メンバーの勧誘、ハリーの見張りや、神秘部の予言の警護だった。6巻では、狼人間のスパイ、ダンブルドアとハリーがヴォルデモートの洞窟へ行った晩のホグワーツの警備などを行った。

1970年代にヴォルデモートと対峙《たいじ》したときは、20対1で死喰い人の数が上回っていたため、おびただしい死者が出た。しかし、1995年に蘇《よみがえ》ったときは、ハリーがすぐ知らせたので、復活の1時間後には騎士団のメンバーを呼び寄せることができ、以前より準備が整っている。とはいえ、それでも犠牲者は出ており、1996年6月の魔法省の戦いでシリウス・ブラック、同年7月にエメリーン・バンス、1997年6月にはアルバス・ダンブルドアが死亡した。5巻での本部は、グリモールド・プレイス12番地だった。入会には年齢制限があり、学校を卒業した成人しかメンバーになれない。アルバス・ダンブルドアの葬儀には、メンバーも出席した。

JKRは、不死鳥の騎士団のメンバーは守護霊を使って連絡を取り合っており、こういう使い方を知っているのは彼らだけ」と答えている。(P438へ)

不死鳥の騎士団メンバー

名前	創立メンバー（1970年代）	現メンバー（1995年再結成）
アルバス・ダンブルドア	○	○死亡（1997年＊）
アバーフォース・ダンブルドア	○	○
エルファイアス・ドージ	○	○
マッド-アイ・ムーディ	○	○
ミネルバ・マクゴナガル	○	○
ディーダラス・ディグル	○	○
ルビウス・ハグリッド	○	○
アラベラ・フィッグ	○	○
マンダンガス・フレッチャー	○	○
スタージス・ポドモア	○	○
リーマス・ルーピン	○	○
エメリーン・バンス	○	○死亡（1996年）
シリウス・ブラック	○	○死亡（1996年）
フランク・ロングボトム	○聖マンゴ病院入院中	—
アリス・ロングボトム	○聖マンゴ病院入院中	—
キャラドック・ディアボーン	○消息不明	—
ベンジー・フェンウィック	○死亡	—
エドガー・ボーンズ	○死亡	—
マーリン・マッキノン	○死亡	—
ドーカス・メドウズ	○死亡	

ジェームズ・ポッター	○死亡	—
リリー・ポッター	○死亡	—
ギデオン・プルウェット	○死亡	—
フェービアン・プルウェット	○死亡	—
ピーター・ペティグリュー	○ 敵に寝返った	—
セブルス・スネイプ？	○？ （1981年加入）	○？
アーサー・ウィーズリー	—	○
モリー・ウィーズリー	—	○
ヘスチア・ジョーンズ	—	○
キングズリー・シャックルボルト	—	○
ビル・ウィーズリー	—	○
チャーリー・ウィーズリー	—	○
ニンファドーラ・トンクス	—	○
フラー・デラクール？	—	？
ジョージ・ウィーズリー？	—	？
フレッド・ウィーズリー？	—	？

死亡は6巻までの情報。

＊公式サイトでは1996年死亡。

(P435から)

■現メンバー

アルバス・ダンブルドア(死亡)、アバーフォース・ダンブルドア、マッド-アイ・ムーディ、ミネルバ・マクゴナガル、ディーダラス・ディグル、キングズリー・シャックルボルト、ヘスチア・ジョーンズ、スタージス・ポドモア、エメリーン・バンス(死亡)、エルファイアス・ドージ、アラベラ・フィッグ、マンダンガス・フレッチャー、ルビウス・ハグリッド、シリウス・ブラック(死亡)、リーマス・ルーピン、セブルス・スネイプ(?)、アーサー・ウィーズリー、モリー・ウィーズリー、ビル・ウィーズリー、チャーリー・ウィーズリー、ニンファドーラ・トンクス。

[⑥上**239**、下**407**、**488**][⑤上**111**、**113**、**153**～**160**、**284**～**285**、**583**][**JKR**公式サイト][⑦初出**1**章 **UK011**/**US003**]

武装解除(の)術 【Disarming Charm】

②11-283
⑥27-下415

相手から武器(=杖)を取り上げる魔法。呪文の言葉は「エクスペリアームス、武器よ去れ」。ハリーは2年の決闘クラブでこれを学んだ。スネイプがこの魔法をロックハートに唱えると、目も眩《くら》むような紅の閃光が走り、ロックハートは舞台から吹っ飛んでしまった。初めてヴォルデモートと対決したときにハリーはこれを唱えて逃げることができたので、役に立つ呪文と考えており、DAでは第一回目の集会で練習した。6巻では、ドラコ・マルフォイが天文台の塔でこれを唱え、ダンブルドアの杖を吹き飛ばした。6巻ではDisarme「武装解除する」で登場している。

[⑥下**448**][⑤上**617**]

豚 【pig】

①02-035
⑥03-上076

ダドリー・ダーズリーのことではない。しかし「豚のようにちっぽけな目」や、「豚がカツラをつけたみたい」などと表現され、「ハリー・ポッター」の中で、豚はダドリーの代名詞になっている。

古代の諸文明で、豚は「豊穣《ほうじょう》」のシンボルとされていた一方で、好んで汚泥や汚物を掘り返すことから穢《けが》れた動物と見なされ、古代エジプトでは豚を飼っている者は、神殿に入ることができなかった。ユダヤ教やイスラム教では、豚を食べることが禁じられている。キリスト教美術では、豚は「罪」、とくに「不節制の罪」や「性的にふしだらの罪」を表し、「大食」や「無知」のシンボルともなっている。

［⑥上**077**］

フーチ、マダム
マダム・フーチ
【Hooch, Madam／Hooch, Rolanda?】

①**07-188**
⑥**14-上446**

ホグワーツの「飛行訓練」の先生で、クィディッチ寮対抗試合のレフェリー。鷹のような黄色い目をした、白髪《はくはつ》のショートヘアの魔女。20世紀初頭に製造された競技用箒《ほうき》の先駆けともいえる「シルバー・アロー（銀の矢）」で飛ぶことを覚えたと話しているので、かなりの高齢と思われる。

映画「賢者の石」でフーチ役はゾーイ・ワナメイカーが演じたが、ギャラのトラブルのため、2作目以降は出演していない（フーチ役は登場しなくなった）。ハリー・ポッターのトレーディングカードでは名前がRolanda（ロランダ）となっている。英語フーチ（hooch）は、「（質の悪い、不正入手した）酒」のこと。

［⑤上**639**、**650**、**651**］［③**330**］［①**215**～**217**］

普通魔法レベル試験《O・W・L》
ふくろう《O・W・L》テスト／O・W・L《ふくろう》
【O.W.Ls／Ordinary Wizarding Levels】

②**04-070**
⑥**04-上119**

ホグワーツで15歳になった生徒が受ける試験。Ordinary Wizarding Levelsの頭文字を取って「ふくろう（OWLs）」と呼ばれ、5年生の学期末に2週間に亘《わた》り実施される。将来の仕事に影響する重要な試験で、OWL で一定の成績を修めた生徒だけが6年生からの NEWT《いもり》 レベルの授業に進むことができる。成績は点数ではなく6段階評価で行われ、最高は「優・O(大いによろしい)」、次は「良・E(期待以上)」、以下「可・A(まあまあ)」、「不可・P(よくない)」、「落第・D(どん底)」の順に続き、最低は「トロール並・T」。試験の合格点は O から A までで、P 以下を取ると不合格になる。結果は7月中にふくろう便によって伝えられる。

試験官は魔法省の魔法試験局から派遣される先生方で、大広間が試験会場となる。このときが来ると、4つの寮のテーブルは片づけられ、代わりに個人用の小さな机が教職員テーブルの方に向けて設置される。監督の先生の机には予備の羽根ペン、インク瓶、羊皮紙の巻紙のほか、試験時間を計るための巨大な砂時計が置かれる。筆記試験のペーパーには最も厳しいカンニング防止呪文がかけられ、自動解答羽根ペン、思い出し玉、取り外し型カンニング用カフス、自動修正インクは、当然、持ち込み禁止である。

ウィーズリー家のパーシーとビルは12学科ともパスして12ふくろう。ロンは「占い学」と「魔法史」を落としたが健闘して7ふくろうも取り、ジョージ(3ふくろう)とフレッド(3ふくろう)を二人合わせたより多かった。ハーマイオニーは「優・O」が9個に「良・E」が1個（「闇の魔術に対する防衛術」）、ハリーもロンと同じ7ふくろうで、その成績は「天文学：可」、「魔法生物飼育学：良」、「呪文学：良」、「闇の魔術に対する防衛術：優」、「薬草学：良」、「魔法薬学：良」、「変身術：良」、「魔法史：落第」、「占い学：不可」だった。

JKR によると取得できる最大の学科数は12だという。イギリスでは義務教育の終わる16歳で受験する GCE という中等教育終了試験があり、かつてはその中に通称 O レベル(Ordinary の略)と呼ばれる「普通レベル」試験があった。「普通魔法レベル《O・W・L》試験」はそれをもじったものである。(1988年以降 O レベル試験は GCSE「一般中等教育終了試験」に統合されている。)

［⑥上155～157、263～265、下329］［⑤上360、486～489、下350、379］
［WBC］

ブート、テリー

テリー・ブート

【Boot, Terry】R DA

①07-178

ハリーと同学年のレイブンクロー生。DAメンバー。4年のときにダンブルドアの校長室に行き、ハリーがグリフィンドールの剣でバジリスクを殺したことを、歴代の校長の肖像画の一人から聞いた。5年生の帰りのホグワーツ特急の中では、他のDAメンバーとともにマルフォイ、クラッブ、ゴイルに呪文をかけ、三人を巨大なナメクジにした。

［⑤上531、538、下688］［⑦初出29章 UK461／US572］

太った婦人《レディ》

【Fat Lady】

①07-192
⑥12-上387

グリフィンドール談話室の入り口を守っている肖像画の主《ぬし》。ピンクサテンのドレスを着たとても太った女性。この婦人に正しい合言葉を伝えると、肖像画はパッと前に開き、後ろの壁に丸い穴が現れる。その高い穴をよじ登ると談話室に入ることができる。3巻では合言葉を言わないシリウス・ブラックを通さなかったので、絵をズタズタに切り裂かれてしまった。6巻の合言葉は「ディリグロウト」、「サナダムシ」、「何事やある？クイッド　アジス」、そしてクリスマス前は「ボーブル玉飾り」であったが、友人のバイオレットとクリスマスに飲みすぎてから「節制」に変わった。寝ているところを起こされるとイライラして嘘をつくことがあり、ハリーが真夜中に談話室に戻ろうとすると、合言葉が変わったと言い張り、中に入れてもらえなかった。ダンブルドアが亡くなったときはショックを受け、合言葉なしでもハリーに入り口を開けた。

［⑥上437、467、下046～047、130、264～266、325、474］［⑤上342、430、

下679］［⑦初出33章 UK542／US675］

浮遊術
【Hover Charm】

②02-031
⑥17-下071

物を宙に浮かせる魔法。ドビーは1992年夏(2巻)、ダーズリー家でこれを唱え、ペチュニア叔母さんの傑作デザートを天井近くに浮遊させた。魔法は探知できるがその実行犯の特定はできないため、魔法省はこれをハリーの仕業《しわざ》と思い込み、彼に未成年魔法不正使用の警告状を送付した。

［⑤上239］［⑦初出17章 UK282／US346］

ブライス、フランク
フランク・ブライス
【Bryce, Frank】

④01-上007
⑥23-下285

(1917-1994)リドルの館の庭番のマグル。1943年にリドル一家が死体で発見された際に殺害の容疑をかけられたが、自分は黒髪で青白い顔をした10代の男の子を見かけただけだと警察に頑固に主張。証拠がないので釈放された。その約50年後の1994年の夏、ヴォルデモートとピーター・ペティグリューの話を立ち聞きし、ヴォルデモートに殺されてしまった。6巻では「年老いたマグル」という表現で登場。

［④上011］

プラウドフット
【Proudfoot】MM

⑥08-上240

闇祓《やみばら》い。ハリーが6年のときに、トンクスやサベッジ、ドーリッシュとともにホグワーツの警備に当たった。

ブラウン、ラベンダー
ラベンダー・ブラウン
【Brown, Lavender】Ⓖ DA

①07-178
⑥09-上261

(1980？-)ハリーと同学年のグリフィンドール生。パーバティ・パチルの親友。お気に入りの授業は「占い学」。トレローニーの占いを真に受け、3年のときは先生の住む北塔に入り浸《びた》っていた。5年生では、最初のうちは『日刊予言者新聞』に掲載されたハリーの捏造《ねつぞう》記事を信じていたが、最後はヴォルデモートの復活を信じるようになり、DAのメンバーになった。6年生ではロンに熱を上げ、通りがかりにニッコリ笑いかけたり、クィディッチ選抜中に「頑張って」と大声で元気づけたりして彼の気を引いていた。そして、ハーマイオニーがクラムとキスしたことを知ったロンが怒り、二人が険悪な関係になると、その機に乗じて彼と“密接に絡み合う”ようになった。もとよりロンの本命はハーマイオニーで、あてつけの気持ちでラベンダーと“密着”するようになったわけであるが、それに気づかないラベンダーは彼のことを「ウォン-ウォン」と甘ったるく呼び、クリスマスには「私の愛《いと》しい人(My Sweetheart)」の金文字のついた気恥ずかしいペンダントをプレゼントして真剣に付き合っていた。しかし、ロンが入院したことなどでハーマイオニーと仲直りすると、「巨大イカ」扱いされ、あっけなく振られてしまった。このように軽率で騙《だま》されやすい面があるが、気立ての優しい女の子で、トレローニーがホグワーツから追い出されそうになったときは(5巻)、パーバティと抱き合って泣き、その後先生が城内に住むことが許可されると、ラッパ水仙を持ってお見舞いに行った。ハグリッドが「魔法動物飼育学」の授業で課題にした凶暴な尻《しっ》尾《ぽ》爆発スクリュートが、かぼちゃ畑で暴れまわり、生徒の大半が逃げたときは、ローブを焼け焦げだらけにしながらも取り押さえる勇敢さを見せている。三校対抗試合のクリスマス・ダンスパーティでは、シェーマス・フィネガンのパートナーになった。

ラベンダー・ブラウンの名前は、姓・名とも色から付けられている

（ラベンダーは薄紫色）。

［⑥上336、340、455、460、下026、047、133～134、157、196、213、297］［⑤上320、354、413、502、531、下042、275、291、334、452、469、472］［④上310、下065、195］［③138、194］［⑦初出7章 UK097／US113］

ブラック、ヴァルブルガ

ヴァルブルガ・ブラック／ブラック夫人

【Black, Walburga】

⑤04-上130
⑥03-上075

（1925-1985）シリウスとレギュラス・ブラックの母親。グリモールド・プレイス12番地の所有者だったが、1985年に亡くなってからは肖像画の主《ぬし》となり、玄関ホールに掛かっている。黄ばんだ顔の老女で、ハリーがこれまでで見た中で最も生々しく、最も不愉快な肖像画。普段は虫食いだらけの両開きカーテンの奥に鎮座しているが、近くで物音がするとカーテンは左右に開かれ、白目を剥《む》きよだれを垂《た》らしながら、口汚い言葉で周りにいる者を大声で罵《ののし》り始める。そして誰かがカーテンを閉めるまで、この罵倒《ばとう》の叫びは続く。いやがらせなのか、自分の絵の裏やブラック家の家系図タペストリーの裏に永久粘着呪文をかけ、取り外せないようにした。

狂信的な純血主義者で、死喰《しく》い人《びと》に加わった息子のレギュラスを英雄扱いし、シリウスの生き方に失望して、彼が家出すると家系図から名前を消してしまった。シリウスを憎み、怨念《おんねん》だけで生きていた人物であるが、クリーチャーからは熱烈に崇拝されている。6巻では「クリーチャーの哀れな女主人様」として登場している。

JKRは「シリウスの母親の肖像は、生前のお得意のセリフを繰り返しているだけの陰のような存在」だと話している。名前と生没は、JKR直筆のブラック家家系図で判明。名前のWalburga（ヴァルブルガ）の出典は、聖ボニファティウスのドイツでの宣教を助けたイングランドの修道女、聖ヴァルブルガ。聖ウィリボールドの妹で、761年からもう一人の兄ウィネボールドの跡を継ぎ、ハイデンハイムの修道院院長を務めた。祝日は5月1日。アイヒシュテッドにある埋葬場所は、不思議な薬効の液体が出ることで有名。5月1日の祝日の前夜は、土地の夏祭りの信仰と結びつき、「ヴァルプルギスの夜祭(Walpurgis Night)」となった。ドイツではこの晩ブロッケン峰(ドイツ中部ハルツ山地の最高峰)に魔女が集まり、魔王と酒宴を開くと信じられており、転じて「ヴァルプルギスの夜祭(Walpurgis Night)」で、“悪夢(魔女の狂宴)のようなできごと”を指すようになった。JKRは2003年のインタビューで、死喰い人はかつて「Knights of Walpurgis(ヴァルプルギスの騎士)」と呼ばれていたと明かしている(Walpurgis Nightの言葉遊び)。

[⑥下**148**][⑤上**103**、**128**〜**129**、**179**、**185**、下**162**][**JKR**公式サイト][⑦初出**9**章 **UK141**/**US169**]

ブラック、シリウス
シリウス・ブラック
【Black, Sirius】 OP G

①**01-026**
⑥**01-**上**014**

(1959?-1996年6月)ハリーの名付け親で後見人。ハリーの父親ジェームズのホグワーツ時代からの無二の親友。ジェームズとリリーの結婚式では新郎の付添い役を務めた。長身で黒髪、若いころはハンサムであったが、長いアズカバン暮らしと逃亡生活のせいで、やつれた顔になった。ブラック家の中では、唯一グリフィンドール出身。1996年6月、魔法省神秘部で死《し》喰《く》い人《びと》の従姉《いとこ》ベラトリックス・レストレンジと戦い死亡した。

1959年ころ狂信的な純血主義者の両親のあいだに生まれたシリウスは、1971年9月ホグワーツに入学し、グリフィンドールに組分けされた。同学年のジェームズやリーマス・ルーピン、ピーター・ペティグリューと友人になり、特にジェームズは一番の親友だった。ルーピンが狼人間であることを知ると、三人は彼の変身に付き合うために魔法省に内緒で未登録の「動物もどき」になり、シリウスは大きな黒い犬に変身したのでパッドフットと呼ばれるようになった。四人は動物の姿で校内やホグズミードを徘徊《はいかい》し、地理に詳しくなったので忍びの地図を作り、それぞれのニックネームでサインした。同学年のスネイプとは最初から反《そ》りが合わず、さらにシリウスが仕掛けた悪戯《いたずら》でスネイプが危うく死にかけたことから、二人は憎み合う間柄になった。16歳になると傲慢《ごうまん》で差別的な家族を嫌ったシリウスは、実家のグリモールド・プレイスから家出したが、ジェームズの両親が彼を温かく迎え入れ、二番目の息子として養子同然に扱ってくれた。17歳になると叔父のアルファードが彼にかなりの財産を残して亡くなったため、独立して独り暮らしを始めた。

1978年にホグワーツを卒業すると不死鳥の騎士団に入団。就職はせずに、騎士団の仕事に従事した。1980年の予言のせいでジェームズとリリーの息子がヴォルデモートから追われるようになると、二人の隠れ家の秘密の守人を自分ではなくワームテールにして、ヴォルデモートの目を欺《あざむ》くよう勧める。しかし、そのワームテールは闇の陣営のスパイだったため居所がヴォルデモートに漏れ、1981年10月31日ジェームズとリリーは殺害されてしまう。その日ワームテールの隠れ家に行ったシリウスは、家の中がもぬけの殻だったため不審に思い、ポッター夫妻の家に行く。建物は壊され二人が死んでいるのを見てすべてを悟り、裏切り者を追いつめるが、ワームテールは道行く人全員に聞こえるように、「シリウスがリリーとジェームズを裏切った」と叫び、隠し持った杖で自分の周りにいたマグルを吹き飛ばし、ネズミに変身して逃走。残されたシリウスは、マグル12人とワームテール殺しの濡《ぬ》れ衣《ぎぬ》を着せられ、裁判なしでアズカバンに送られてしまった。このときの年齢は、22歳ころであったという。

それから12年間独房で過ごすが、正気を失わなかったのは自分が無実だと知っていたから。耐えられなくなったときは、犬になることで吸魂鬼《ディメンター》を避けていた。そして1993年、『日刊予言者新聞』に載ったスキャバーズの写真を見てワームテールが生きていることを知ったシリウスは、ハリーの身の危険を感じ犬に変身して脱獄し、ホグワーツに向かう。叫びの屋敷の中でワームテールを捕らえて殺そうとするが、ハリーに止められて吸魂鬼に引き渡すことに。しかし、ホグワーツ城に帰る途中でルーピンが狼男に変身し、その混乱の中でワームテールがネズミの姿に戻り逃亡。無実を証明する人物がいなくなったシリウスは、再び逮捕され吸魂鬼のキスの刑に処されることになってしまう。しかしハリーとハーマイオニーが逆転時計《タイムターナー》を使って時間を逆戻りさせ、バックビークとともに刑の実行前にシリウスを助け出すことに成功。それからは、バックビークとともに逃亡生活を続けた。1994年の三校対抗試合でハリーが代表選手に選ばれたときは心配し、犬に変身してホグズミードの洞穴《ほらあな》に住みながら「スナッフル(ズ)」という暗号名で彼を見守っていた。

1995年6月にヴォルデモートが復活すると、自宅のグリモールド・プレイス12番地を不死鳥の騎士団の本部として提供。自身はその首に1万ガリオンの懸賞金がかかっているお尋ね者だったため家から出られず、鬱々《うつうつ》と暮らしていた。12番地の屋敷にはしもべ妖精クリーチャーが住んでいたが、憎んでいた家を生々しく思い出させる存在であったため、愛情を注がず、無関心という形の虐待を続けていた。しかし、しもべ妖精にも心があり、その惨めな待遇に絶えかねたクリーチャーは、シリウスが「出て行け」と言った言葉を「屋敷を出て行け」という命令だと解釈し、ナルシッサ・マルフォイのところに行ってしまう。二君に仕えるようになったクリーチャーは、シリウスとハリーの緊密な関係を闇の陣営に伝えてしまい、ヴォルデモートはそれを利用してハリーに予言を取らせることを計画する。そして1996年6月、シリウスが予言の間《ま》で拷問されている偽《いつわ》りのイメージをハリーに送り、騙《だま》されたハリーは神秘部に向かってしまう。シリウスは連絡係としてグリモールド・プレイスに残るようスネイプから頼まれるが、勇敢で向こう見ずな彼は他のメンバーがハリーを探しに行くのに自分だけ屋敷に残ることができず、連絡係をクリーチャーに任せて神秘部に行く。そして従姉のベラトリックス・レストレンジと死の間《ま》で戦い、ベールの向こう側に落ち、亡くなったのであった。シリウスはすべての財産をハリーに残すという遺言を残していたため、グリモールド・プレイスの屋敷やクリーチャー、バックビークはすべてハリーの所有物となった。

JKRは「何故シリウスは死んだのか」との問いに「7作目を読めば、彼が死ななければならなかった理由が分かると思います。彼の死は気まぐれなものではありません。ヒーロー(ハリー)は独りで進む方が、読者はより満足すると思いますし、援助の手を与えすぎるとその仕事が楽になりすぎてしまいますから」と答えている。またシリウスの人となりについては、「勇敢で、忠実で、向こう見ずで、気難しくて、長いアズカバン暮らしのせいで、多少バランスを崩しています。成長する機会に恵まれなかったのです。アズカバンに送られたのが22歳ころで、彼は普通の大人として生活をしたことが殆どありません。それを埋め合わせるシリウスの素晴らしい性格は、大きな愛情を感じ取る能力です。ジェームズを兄弟のように愛していてその気持ちをそのままハリーに転嫁しています」と話している。

Siriusはおおいぬ座のアルファ星のシリウスのこと。その名はギリシア語のセイリオス(＝burning「燃えるような、焼けるような」)に由来している。中国名は「天狼星」、英語では「ドッグ・スター」とも呼ばれている。

[⑥上**073～080**][⑤上**018、130～156、182～196、253～255、273、290、293、310、580～586、594、**下**088、091、099、126、162、347、351、364、374、375、388～394、476～478、483、497、597、627～628、641**][④下**540～541**][③**265～271、458、482、516**][**JKR**公式サイト「**FAQ**作品について」][⑦初出**2**章 **UK020／US014**]

ブラック、フィニアス・ナイジェラス
フィニアス・ナイジェラス・ブラック
【Black, Phineas Nigellus】S

⑤**06**-上**185**
⑥**13**-上**391**

(1847–1925)シリウス・ブラックの曾々《そうそう》祖《そ》父《ふ》。ホグワーツ歴代校長の中で最も人気のなかった人物。現在は肖像画となり、その絵は校長室とグリモールド・プレイス12番地に掛かっている。尖《とが》ったヤギ髭《ひげ》と黒く細い眉、抜け目のない細い目をした賢《さか》しそうな顔の魔法使い

で、絵の中ではスリザリンカラーの緑と銀のローブと絹の手袋を身に着けている。

スリザリンの例に漏れず皮肉屋で利己的な面があり、ホグワーツの歴代校長は現職に仕えるとの盟約があるにも拘《かかわ》らず、ダンブルドアの命令に従わず、「貴殿は不服従ですぞ！」と他の校長から非難の集中砲火を浴びた。若者に対しては、「何でも自分が絶対正しいと鼻持ちならない自信を持った、思い上がりのお調子者」と批判的で、「教師をしていることが身震いするほどいやだった」と話しているが、このあたりが生徒に好かれなかった所以《ゆえん》であろう。シリウスには批判的であったが、ブラック家唯一の生存者の死は受け入れがたく、訃報《ふほう》を聞くと曾々孫《ひひまご》を捜しにグリモールド・プレイスをさまよった。ダンブルドアに対しては、さまざまな点で意見が合わないものの、「あの人は粋だ(he's got style)」と一目置いている。6巻では、スラグホーンの真の記憶を引き出すようダンブルドアから命じられたハリーに、「あの子が君よりうまくやれるという理由がわからんね」とつぶやき、ダンブルドアから「わしも、君にわかるとは思わぬ」と言い返された。

Nigellus はラテン語で「黒みがかった」、「暗い」の意。Phineas はヘブライ語で「蛇の口」または「宣託」のこと。生没年は JKR 直筆のブラック家の家系図から。

［⑥上**392**、下**059**、**078**、**286**］［⑤上**198**、下**086〜089**、**121〜124**、**126**、**318**、**621**、**624**、**628〜629**］［⑦初出**10**章 **UK147**／**US178**］

ブラック家
【the Black／Black family】

⑤**05**-上**132**
⑥**03**-上**074**

魔法界の自称「高貴なる由緒正しき」一族。自分たちを事実上王族だと信じ、マグルと結婚した者などを家系図から消し去り「純血」と称していた。モットーは「純血よ永遠なれ」。その歴史は中世にまで遡《さかのぼ》ることができ、先祖にフィニアス・ナイジェラスやアラミンタ・メリフルア、エラドーラらがいる。ホグワーツではシリウス・ブラックを除いて全員がスリザリンであった。シリウスは、ブラック家の系譜の最後の一人であったが、従姉のベラトリックス・レストレンジに殺され、7世紀以上続いたブラック家の血筋は1996年6月途絶えてしまった。屋敷はグリモールド・プレイス12番地にあり、代々ブラックの姓を持つ直系の男子に引き継がれていた。現在は、シリウスの遺言でハリーの所有物になっている。ゴブリン製の最高級の銀食器や宝飾品などをたくさん所有していたが、シリウス亡き後はマンダンガス・フレッチャーがこっそり盗んで売りさばいた。年老いてお茶の盆を運べなくなった屋敷しもべ妖精の首を刎《は》ねるという残酷な伝統がある。

［⑤上**179〜180**、**182**、下**628**］

ブラック家の家系図
【Black family tree】

⑤**06**-上**180**

シリウス・ブラックの一族の家系図。グリモールド・プレイスの客間の壁いっぱいに掛かった古色蒼然《こしょくそうぜん》としたタペストリーに描かれている。色あせ、ドクシーが食い荒らしたような跡があちこちにあるが、縫い取りをした金の刺繍《ししゅう》糸が、家系図の広がりをいまだに輝かせている。一番上に「高貴なる由緒正しきブラック家“純血よ永遠なれ”」というモットーが縫いこまれ、その下に中世まで遡《さかのぼ》った家系図が描かれている。名前が載っているのは、一族の中でも純血主義者のみ。マグル生まれと結婚した者や血を裏切る家族は消され、小さな焼け焦げとなっている。かつてはシリウス・ブラックの名前もあったが、16歳で家出をしてから名前が抹消《まっしょう》された。家系図に書かれている人物は、フィニアス・ナイジェラス、レギュラス・ブラック、シリウスの両親、アラミンタ・メリフルア、エラドーラ、ベラトリックス・レストレンジとロドルファス・レストレンジ、ナルシッサ・マルフォイ、ルシウス・マルフォイ、ドラコ・マルフォイなど。タペストリーの裏には永久粘着呪文がかかっているので、取り外せない。

［⑤上**181〜187**］［⑦初出**9**章 **UK144**／**US173**］

ブラッジャー
【Bludger】

①10-246
⑥11-上338

クィディッチで使う直径25センチ(10インチ)の真っ黒な鉄製のボール。試合中2個のブラッジャーがロケットのように飛び回り、プレイヤーを箒《ほうき》からたたき落とそうとする。ブラッジャーにはどの選手も無差別に追いかけるよう魔法がかけられており、放置すると一番近くにいる選手に向かって来る。だからビーターは、味方の陣地に入ってくるブラッジャーを絶えず叩《たた》き、敵の陣地に打ち返していなければならない。

初期のブラッジャー(「ブラッダー」と呼ばれていた)は空飛ぶ岩であったが、それが徐々に進化し、15世紀にビーターが魔法で強化したバットを使い始めてから、ブラッジャーも金属製になった。ホグワーツでブラッジャーが人を殺したことは一度もないが、顎《あご》の骨を折った生徒は二、三人いるという。ウッドはウィーズリーの双子を指して、「人間ブラッジャー」みたいなものだと言っている。ハリーは6年のとき、練習中にジニーばかり見て、まともにスニッチを探していなかったので、数回ブラッジャーを食らって怪我をした。

Bludger は英語で「(売春婦の)ヒモ」、「たかり屋」の意。

[⑥下**304**][⑤上**432**][①**247**~**248**][ク**044**][⑦初出**31**章 **UK503**/**US625**]

プラット、ヤードリー
ヤードリー・プラット
【Yardley Platt】

2006年2月

(1446-1557)ゴブリン殺しの連続殺人犯。

[**JKR** 公式サイト「今月の魔法使い」]

フラメル、ニコラス

ニコラス・フラメル

【Flamel, Nicolas】

①06-154

実在の著名な錬金術師。「ハリー・ポッター」の中では、1326年生まれの賢者の石の創造に成功した唯一の人物で、少なくとも1992年(665歳)まで妻ペレネル(Perenelle)とともに長生きし、その石を所有していた。ダンブルドアと錬金術の共同研究を行っており、オペラ愛好家でもある。

歴史上のNicolas Flamel(ニコラ・フラメル)は、14世紀フランスの錬金術師。妻の名前はペルネル(Pernelle)と言う。ユダヤ人アブラハムによる有名な写本を手に入れたフラメルは、金の精製に3回成功。「命の水」の効力で不死の生を得たというほか、数百年間インドに住みパリに出没したなど、各種の伝説が残っている。パリ4区ルーブル美術館の近くには、二人の名前がついた通り(rue Nicolas Flamel と rue Pernelle)が、仲良く交差して残っている。

[**JKR** 公式サイト「**FAQ** 作品について」][⑦初出**2**章 **UK022**／**US017**]

プラング、アーニー

アーニー・プラング

【Prang, Ernie／Ern】

③03-049
⑥30-下489

夜の騎士《ナイト》バスの運転手。愛称はアーン。分厚いメガネをかけた年配の魔法使い。イギリス英語でprangは「(車など)をぶつけて傷つける」という意味だが、その名の通り運転は乱暴。歩道に乗り上げたり急発進するので、ロンの椅子《いす》は走行中、6回も後ろにひっくり返った。ハーマイオニーは乗車中、両手で目を覆っていた。6巻ではダンブルドアの葬儀に参列した。

アーニーとスタンリーはJKRの祖父の名前。騎士バスの運転手と車掌は二人に因《ちな》んで命名されている。

[⑤下**170**][③**053**]

フリットウィック、フィリウス

フィリウス・フリットウィック

【Flitwick, Filius】Ⓡ

①08-198
⑥11-上329

「呪文学」を教えるくしゃくしゃな白髪《はくはつ》の背のちっちゃい先生。レイブンクローの寮監で、キーキー声で話す。本を積みあげた上に立って授業をするが、それでも机越しにやっと顔が出る程度。1年の最初の授業では、出席を取っていたときにハリーの名前に興奮し、キャッと言ったとたん転んで姿が見えなくなってしまった。体は小さいが若いときは決闘チャンピオンで、ロックハート先生によると、誰よりも魅惑の呪文について詳しいとか。生徒全員が試験にパスするよう指導してくれる親切な先生で、毎年ホグワーツ城内のクリスマスの飾りつけをしているのもフリットウィック。マクゴナガルやスプラウトと仲がよく、親しく話す姿が目撃されている。

生徒をよく観察しており、4巻でクリスマス・ダンスパーティが近づき、授業中皆が上の空になったときには、しっかり教え込むのは無理だと諦《あきら》め、ゲームをしていいと許可を出した。ちっちゃいのでしばしば生徒の未熟な呪文の犠牲になっており、追い払い呪文を学んだ授業では、ネビルに教室の向こうまで飛ばされ、諦め顔でハリーたち三人のそばをヒューッと飛び去り、大きなキャビネットの上に着地した。酢をワインに変える授業では、ロンのフラスコが爆発。間一髪で机の下に隠れた先生は、ガラスの破片を帽子のてっぺんから取り除きながら、「練習しなさい」と宿題に出した。清らかな水の噴水を作り出す授業では、杖から散水ホースのように水を噴き出し先生を弾《はじ》き飛ばしてしまったシェーマスに対し、「僕は魔法使いです。棒振り回す猿ではありません」と繰り返し書かせる罰則を与えた。

5巻では、アンブリッジが消すことのできなかった携帯沼地をものの3秒で片付け、「いい魔法だった」と小さな水溜りを記念に残した。1996年にハリーがヴォルデモートの復活を『ザ・クィブラー』で発表すると、授業の終わりにニッコリ笑ってハリーに「チューチュー鳴く砂糖ネズミ菓子」を一箱押しつけ、賛同の意を表した。うるさいことを言わない先生なので、ハーマイオニーからホッグズ・ヘッドに行ってもいいかと聞かれると、立ち入り禁止ではないが自分のコップを持参しなさいと優しく忠告した。

1997年6月ホグワーツに死《し》喰《く》い人《びと》が侵入した際は、マクゴナガルに頼まれスネイプを呼びに行ったが、失神呪文に倒れ、額に大きな青あざを作った。しかしそれでもレイブンクロー生の様子を見に行き、ダンブルドアの死後、先生方だけで学校の存続について話し合ったときは、「理事たちと相談しなくてはなりませんな。定められた手続きに従い、拙速に決定すべきことではありません」と冷静に話した。事務所はホグワーツ城の8階(西塔の右から13番目の窓)にあり、3巻ではシリウス・ブラックが幽閉された。ハリーへのOWL《ふくろう》試験の評価は「良・E(期待以上)」、ハーマイオニーは「優・O(大いによろしい)」、ロンにも合格点をつけている。

JKR公式サイトによると、フリットウィックは人間であるが、祖先にゴブリンの血が混じっているという(曾々々おじいさんのあたりに)。そしてこのせいでハグリッドのようないわゆる「半純血」の人々に、たぶん本人も予期しないような共感を覚えているという。「一風変わった教師かもしれませんが、どんな背景を持った生徒も分け隔てなく歓迎し、リリーがお気に入りの生徒だったと述べていることからも分かるように、マグル生まれに対して偏見を持っていないのです」と話している。誕生日は10月17日(公式サイト)。ロンドン北部のベッドフォードシャー州にフリットウィックという町があるが、JKRは自分の造語だと話している。

［⑥下**054**、**298**、**445～446**、**452**、**456**、**471**］［⑤上**406**、**490**、**529**、下**206**、**256**、**277**、**335**、**348**、**380**、**400**］［③**515**、**542**］［②**281**、**352**］［**JKR** 公式サイト「**FAQ** 作品について」］［⑦初出**12**章 **UK186**／**US226**］

プリベット通り(4番地)【Privet Drive／number four, Privet Drive】

①01-006
⑥03-上066

ダーズリー家のあるところ。正式な住所はサレー州　リトル・ウィンジング　プリベット通り4番地。

ハリーが生き残った1981年10月31日、ヴォルデモートは再び戻ってくると考えたダンブルドアは、ハリーの母親が自分の命を犠牲にして息子の体内に残した護《まも》りの力を信頼し、母親の唯一の血縁である妹のペチュニア・ダーズリーのところにハリーを預けることに決める。そして彼女の家に古《いにしえ》の魔法をかけ、ハリーがその家を「自宅」と呼べるあいだは、強力な保護が得られるようにした。母親の血は、ハリーとペチュニア両者の体内に生き続けており、この血を通じてペチュニアの住まいはハリーの避難所となったため、この家では何者も—ヴォルデモートですら—ハリーに手出しすることができず、バーノン叔父さんがハリーの首をがっちり絞めたときは、目に見えないエネルギーのようなものがハリーの体からほとばしり、叔父さんは電気ショックを受けたようになった。しかし、魔法の効力はハリーが成人する17歳で失われるので、ダンブルドアは1996年夏ダーズリー家を訪れ、17歳になるまで確実に護《まも》りの力を継続させるために、誕生日を迎える前にもう一度だけハリーがこの家に戻ることを許して欲しいと夫妻に頼み込んだ。

プリベット通りは、郊外のきちんとした町並みはこうでなくてはならないというような「模範的」なたたずまいをしているが、住人たちは「模範的」とは程遠く、皆大の詮索《せんさく》好き。少しでも大声が聞こえようものなら、あちこちの窓から顔を出し、あたりの様子を下品に窺《うかが》っている。

Privet(英語で「セイヨウイボタ＝モクセイ科イボタノキ属の常緑低木」のこと)は、おもに家と家を隔てる垣根に使われているが、この語はまた、ハリーがここにいるあいだはヴォルデモートから隔離され、保護されていることを暗示している。

【庭】

■ **ガレージや納屋**

【1階】

■ **玄関ホール**

■ **キッチン(台所)**…ダドリーの大好きなテレビが設置。一家はふだんここで食事をしている。

■ **居間**…テレビや電気の暖炉が設置。ダンブルドアはここでオーク樽《だる》熟《じゅく》成《せい》蜂蜜酒《はちみつしゅ》を振る舞った。

■ **食堂**…来客用のダイニングルーム。

■ **階段下の物置部屋**…ホグワーツからの手紙が届くまでハリーの部屋だった。

【2階】

■ **ダーズリー夫妻の寝室**…ハリーの隣の部屋。

■ **ダドリーの寝室**…ブーブーいびきがうるさい。

■ **ハリーの部屋**…1991年までダドリーの予備の寝室だった。

■ **ゲスト用の寝室**…おもにマージおばさんが宿泊。

■ **洗面所**

[⑥上**072**、**083**][⑤上**006**、**011**、**224**、下**644**〜**645**][④下**458**][③**008**、**041**][②**011**][①**014**〜**015**、**058**][⑦初出**2**章 **UK019**/**US013**]

プルウェット、フェービアン
フェービアン・プルウェット
【Prewett, Fabian】 OP

①04-086

不死鳥の騎士団の創立メンバー。ギデオンは兄、モリー・ウィーズリーとも兄弟である。プルウェット家はヴォルデモートが最初に台頭した当時(1970年代)、最もすぐれた魔法使いの一家であったが、ヴォルデモートに目をつけられ、殺された。勇敢に戦い、ギデオンとフェービアンの兄弟を殺すのに、死《し》喰《く》い人《びと》が5人も必要だったという。

プルウェットは、JKRの親しい友人の一人。ポルトガルで英語の教師をしたときのルームメイトで、ジョルジ・アランテスとの結婚・

離婚でトラブルに巻き込まれたときはJKRの力になった。フェービアン(Fabian)の由来は、イギリスの社会主義団体「フェビアン協会(Fabian Society)」であろう。1884年、フランク・ポドモア(Frank Podmore)ら中産階級の知識人によってロンドンで設立され、名前は古代ローマの執政官ファビウス(あだ名はクンクタトル「遷延者」)に因《ちな》んでつけられた。ジョージ・バーナード・ショウやウェッブ夫妻の指導の許《もと》、斬新な社会主義の実現を目指した。

[⑤上**279**][**JKR** 公式サイト「うわさ」][⑦初出**7**章 **UK097**/**US114**]

プルウェット、ミュリエル
ミュリエル・プルウェット
ミュリエルおばさん/ミュリエル大叔母
【Prewett, Muriel/Muriel, auntie/Great Auntie Muriel】

⑥**14**-上**434**

(1890-)モリーの叔母さん。ゴブリン製の美しいティアラを持っており、フラーは自分の結婚式のときにそれを借りることになっている。人前でディーンとキスし、ロンから非難されたジニーは「自分(ロン)がまだ、一度もいちゃついたことがないから、自分がもらった最高のキスが、ミュリエルおばさんのキスだから—」と馬鹿にして、兄を激怒させた。誕生年と姓は7巻で判明。

[⑥下**463**][⑦初出**4**章 **UK046**/**US048**]

ブルブル震える木
【Flutterby Bush】

④**20**-上**532**

4年生の「薬草学」の時間にハリーが剪定《せんてい》した木。三号温室に植えてある。

[⑦初出**6**章 **UK092**/**US106**]

フルーム、アンブロシウス
アンブロシウス・フルーム
【Flume, Ambrosius】

⑥04-上107

ハニーデュークスで働いている魔法使い(おそらく店主)。禿《は》げ頭で太っている。スラグホーンの教え子の一人で、スラグ《なめくじ》・クラブのメンバー。スラグホーンが彼にシセロン・ハーキスを紹介したお陰で、最初の仕事につけた。そのお礼に、お菓子の詰め合わせ(hamper)を毎年ホラスの誕生日に贈っている。

アンブロシウスの出典は、ギリシア・ローマ神話のアムブロシアー。神々の食物で、食べると不老不死になるという。フルーム(flume)は英語で「急な狭い谷川」の意。

[③**254**]

フレッチャー、マンダンガス
マンダンガス・フレッチャー
【Fletcher, Mundungus】OP

②03-057
⑥05-上127

不死鳥の騎士団の創立当初からのメンバー。無精髭《ひげ》を生《は》やしたずんぐりした魔法使い。ガニ股で短足、長い赤茶色のざんばら髪に、血走った腫《は》れぼったい目がバセット・ハウンド犬を思わせる。取引禁止品目や盗品を扱う、「ろくでなしの腐れ泥棒」(フィッグばあさん談)。5巻では、ハリーを見張る任務を放ったらかしにして盗品の大鍋を買いに行き、それが原因でハリーは懲戒尋問《ちょうかいじんもん》を受けることになった。信頼できない人物であるが、かつて窮地を救ってもらったことがあるので、ダンブルドアには忠実。ダンブルドアも、マンダンガスのような魔法界のいかさま師に精通した人物は、普通の人の耳に入らない情報を知っているので騎士団の役に立つと考えている。しかし、金儲《かねもう》け優先で無責任な彼に、フィッグばあさんは「ダンブルドアがあいつを死刑にすりゃいいんだ!」と吼《ほ》えている。

2巻でマグル製品不正使用取締局に抜き打ち調査されたときには、

ウィーズリー氏がちょっと後ろを振り向いた隙《すき》に、彼に呪いをかけようとした。さらに、4巻のクィディッチ・ワールドカップの際は、棒切れにマントを引っ掛けた中で寝ていたにも拘《かかわ》らず、寝室が12もあるジャグジーつきのテントを壊されたので弁償しろと魔法省に請求した。ブラック家に伝わる家紋入りの最高級の銀のゴブレットを見たときは、「どっこいそいつ(家紋)は消えるはずだ」と異様に興味を示し、シリウスが亡くなると、屋敷のお宝をごっそり盗み、売りさばいた。

6巻では、ホグズミードでその一部をアバーフォースにこっそり売りつけている所をハリーに見つかり、慌《あわ》ててロンドンに逃亡。挙句《あげく》の果ては、亡者《もうじゃ》のふりをして押し込み強盗しようとして捕まり、アズカバンに送られた。スネイプからは「小汚いこそ泥」と罵倒《ばとう》されている。20年前(1975年)にホッグズ・ヘッドを出入り禁止になっているので、ハリーがこの店でDA会合を開いたときは、つま先まで分厚い黒のベールに身を包んだ魔女の姿で警護した。あだ名はダング(Dung英語で「糞《くそ》」の意)であるが、フィッグばあさんからは「役立たずのコウモリの糞」と呼ばれている。原書ではコックニー訛《なま》り(ロンドンの下町言葉)で話す。

Mundungus(マンダンガス)は、古英語で「ひどい臭いの噛《か》みタバコ」のこと。彼自身も靴下の焦げるような刺激臭のあるパイプたばこを吸っている。Fletcher(フレッチャー)は古英語で「矢製造人(矢を作る人)」の意。

［⑥上**369**～**371**、**392**、下**207**、**211**］［⑤上**034**、**040**、**134**～**135**、**138**、**143**、**174**、**194**、**275**、**528**、**538**、**582**、下**405**］［④上**235**、下**541**］［⑦初出4章 **UK044**／**US046**］

フレットワック、ローレンシア
ローレンシア・フレットワック　2006年12月
【Fletwock, Laurentia】

(1947–現在)天馬の著名なブリーダーで騎手。箒《ほうき》の使用を更に厳しく規制する運動を起こした。

[JKR公式サイト「今月の魔法使い」]

ブロックデール橋
【Brockdale bridge】

⑥01-上006

イギリスの橋。建設されて10年も経たないうちに真っ二つに折れ、十数台の車が下の深い川に落ちてしまった。マグルの専門家には折れた原因が分からず、首相は橋に十分な金をかけていないと非難されたが、実はヴォルデモートの仕業《しわざ》。その存在があからさまになって以来、ヴォルデモートはマグル界で騒動を引き起こし、自分と交代するよう魔法大臣を脅迫していたのである。

ブロックデールという名の橋はイギリスに実在していないので、ローリングの造語であろう。

プロテゴ！護《まも》れ！
プロテゴ！

【Protego!】

⑤26-下269
⑥09-上272

盾の呪文の呪文の言葉。これを唱えると、一時的に自分の周りに見えない壁ができ、軽い呪いを撥《は》ね返して襲った側を逆襲できる。「闇の魔術に対する防衛術」の授業中、突然スネイプから杖を向けられたハリーは、本能的にこの呪文を唱えてスネイプを吹き飛ばしてしまった。この呪文すら唱えられない魔法使いが驚くほど多いので、フレッドとジョージはまじめな防御グッズとして、盾のマントや盾の手袋を開発した。

Protegoはラテン語で「保護する」の意。

[⑤下**210**、**270**、**562**、**606**][④下**391**][⑦初出**9**章 **UK134**／**US160**]

フローリアン・フォーテスキュー・アイスクリーム・パーラー
【Florean Fortescue's Ice-Cream Parlour】

③04-066
⑥06-上161

ダイアゴン横丁にあるテラス付きのアイスクリーム店。ハリーは、

3年生になる前の夏休みに、この店のテラスでロンとハーマイオニーに再会できた。6巻では、店主が死喰《しく》い人《びと》に拉致《らち》され、店の窓には板が打ちつけられていた。

［⑥上**168**］［③**073**、**412**］

フローリシュ・アンド・ブロッツ書店 【Flourish and Blotts】

①**05-122**
⑥**06-上163**

ダイアゴン横丁のマダム・マルキン洋装店の隣にある本屋。ホグワーツの教科書などを売っている。店内は、天井までぎっしりと本が積み上げられ、敷石ぐらいの大きな革製本や、シルクの表紙で切手ぐらいの大きさの本、奇妙な記号ばかりの本や、何にも書いてない本まである。いつもはショーウィンドウに歩道用のコンクリートほど大きい金箔《きんぱく》押しの呪文集が飾ってあるが、ハリーが3巻で買い物に行ったときにはそれが消えていて、代わりに『怪物的な怪物の本』が入った巨大な鉄の檻《おり》が置かれていた。店の奥には、占いに関する本だけを集めたコーナーもある。2巻では、この店でギルデロイ・ロックハートのサイン会が行われ、鉢合わせしたアーサー・ウィーズリーとルシウス・マルフォイが殴り合いの喧嘩をした。

［⑥下**316**］［③**069～070**］［②**088～089**、**091**、**095**］［①**117**］［⑦初出**8**章 **UK128／US153**］

分霊箱 ホークラックス 【Horcrux】

⑥**17-下075**

人の霊を分断し、その一部を隠し入れたものを分霊箱（ホークラックス）と呼ぶ。魂の欠けらを体の外にある物に隠しておけば、体が破滅しても死ぬことはない。なぜなら魂の一部は無傷の状態で、まだ地上に残っているからである。しかし、魂は本来無傷で完全な一体でなくてはならず、それを引き裂くことは自然に反する邪悪な行為。これまで魂を二つ以上に分断した魔法使いはいなかったが、ヴォルデモートは複数の分霊箱を作った。ホグワーツでホークラックスの話題は禁じられているが、ホラス・スラグホーンは16歳のトム・リドル(ヴォルデモート)にこれについて話したことがある。

【作り方】

霊魂を引き裂くには殺人を犯さねばならず、引き裂かれた部分をホークラックスに閉じ込めるために呪文を唱える必要がある(呪文は明かされていない)。分霊箱となるものは動物でも物でも構わないが、ヴォルデモートは魔法界で由緒のある品を選んだに違いないとダンブルドアは推測している。

【ヴォルデモートと分霊箱】

7は最強の魔力を持つ数字であることから、ヴォルデモートは自身の魂を7つに引き裂いたとされる。つまりホークラックスを6つ作り、自身の体内の霊魂を入れて合計7つの魂を得たとダンブルドアは考えている。4巻で「俺様はとっくの昔に死から身を守る手段を講じていた」と述べている通り、ハリーに唱えた殺人魔法がヴォルデモート自身に跳《は》ね返っても死ななかったのは、すでにホークラックスを作っていたから。「アバダ　ケダブラ」を受けた彼は、「肉体から引き裂かれ、霊魂にも満たない、ゴーストの端くれにも劣るもの」となって逃走した。ダンブルドアによると、分霊箱が壊されてもヴォルデモートはそれに気がつかず、また、すべてのホークラックスを破壊すれば、ヴォルデモートは不死身でなくなるという。

【ヴォルデモートの分霊箱となっている可能性のあるもの(ダンブルドアの推測)】

■**トム・リドルの日記**…ハリーが2巻で破壊。

■**マールヴォロ・ゴーントの指輪**…ダンブルドアが6巻で破壊。

■**スリザリンのロケット**

■**ヘルガ・ハッフルパフのカップ**

■**レイブンクローまたはグリフィンドールの遺品**…ただしグリフィンドールの遺品として唯一知られている「ゴドリック・グリフィンドールの剣」は校長室に安全に保管されておりホークラックスでは

ない。

■ ナギニ

Horcrux はフランス語 hors「〜の外に」とラテン語 crux「十字架、破滅」（または英語 crux「重要なもの」）の合成語であろう。キリスト教において十字架は、「永遠の生命」を表すシンボルとなっており、Horcrux で「生命（破滅）の外に（ある魂）」、「大切なものの外（の霊魂）」を意味している。またその名前から、古代エジプトのホルス神（Horus）と関係があるとする向きもある。ホルス神はハヤブサの頭を持つ天空神、王権の守護神。死と復活の神オシリスとイシス女神の息子で、邪神セトに妬《ねた》まれて殺された父親の敵を討ち、エジプトの王座についた。父親オシリスはセトに身体をばらばらに切断されて捨てられたが、イシスによって身体を繋《つな》ぎ合わされミイラとして復活。一度死んでから甦《よみがえ》ったオシリスはすべての死者の手本となった。神話の中では、人間にミイラの製造方法を教えたのはホルス神ということになっている。「分霊箱」の初出は6巻下271ページ。

〔⑥下**185〜186、271〜291、481、503**〕〔④下**453、445**〕〔⑦初出**6**章 **UK076／US086**〕

へ

ベイジー
【Vaisey】Ⓢ　⑥**14**-上**445**

スリザリンのチェイサー。対グリフィンドール戦の前日の練習で、頭にブラッジャーを食らい、試合に出られなくなった。チームの得点王。

閉心術
【Occlumency】

⑤24-下159
⑥04-上089

外部からの魔法による侵入や影響に対して心を閉じる術。世に知られていない分野の魔法だが、非常に役に立つ。これに長けた者だけが、嘘と反する感情や記憶を封じることができ、開心術を操る人物の前でも嘘をつくことができる。会得するには、すべての感情を捨て、心を無にしなければならない。

1歳のときにハリーを殺しそこねた呪いは彼とヴォルデモートとのあいだに絆を創り出し、これによってお互いが相手の思考や感情に入り込むことができるようになっていた。これに気づいたダンブルドアは、ハリーの心をヴォルデモートから護《まも》るために、スネイプから閉心術を学ぶよう5巻でハリーに命じた。しかし、スネイプに敵意を持っていたハリーは身を入れて練習せず、スネイプも自分の最悪の過去を見られたことに激怒して訓練は中止となり、このためハリーは1996年6月にヴォルデモートから送り込まれた偽《いつわ》りの光景を信じて、神秘部に行ってしまった。5巻でダンブルドア自身が直接閉心術を教えなかったのは、ヴォルデモートがハリーとダンブルドアが親しい関係であることに気づき、ダンブルドアをスパイする目的でハリーを利用するかもしれないと案じたから。それゆえダンブルドアは、長いあいだハリーと目を合わさないでいたのである。魔法省の戦いでハリーに取り憑《つ》くことに失敗したヴォルデモートは、ハリーとの絆を使うことの危険性に気づき、それ以後は彼に対し閉心術を使っている。6巻では、ドラコ・マルフォイがこれをベラトリックス・レストレンジから学び、スネイプに対して使っていた。ハリーは相変わらずこれを習得しておらず、ホグワーツから逃亡するスネイプに、「おまえが心を閉じることを学ばぬうちは、何度攻撃しても同じことだ(防御される)」と冷笑された。

Occlumency は、ラテン語 occludo「閉ざす」と mens「心」、「意識」の合成語。

［⑥上**271**、**490**、下**317**、**432**］［⑤下**176**～**188**、**630**～**632**、**639**～**640**］［⑦初出**9**章 **UK144**／**US173**］

閉心術士
閉心術者
【Occlumens】

⑤24-下172
⑥25-下348

閉心術をマスターした魔法使い。熟達した閉心術士のスネイプは、ハリーが5年のときに閉心術を教授した。

Occlumensは、ラテン語occludo「閉ざす」とmens「心」、「意識」の合成語。

［⑥下**351**、**432**、**450**］

ベイン
【Bane】

①15-372

禁じられた森に棲《す》む荒々しい風貌の黒毛のケンタウルス。顎鬚《あごひげ》を生《は》やし、プライドが高く攻撃的。ケンタウルスはただ予言されたことにだけに関心を持つべきで、人間に仕えるような行為は恥だと考えている。1巻では、ハリーを背中に乗せて安全なところに運んだフィレンツェを怒鳴りつけた。5巻では、ケンタウルスに向かって「汚らわしい半獣」と罵倒《ばとう》したアンブリッジに激怒し、彼女を森の中に連れ去った。ハリーはフィレンツェの胸を蹴《け》ったのもベインではないかと考えている。

ベイン(bane)は英語で「破滅のもと」、「死をもたらすもの」の意。

［⑤下**284**、**432**、**434**、**518**～**522**］［⑦初出**36**章 **UK583**／**US728**］

ベイン、ロミルダ
ロミルダ・ベイン
【Vane, Romilda】Ⓖ

⑥07-上210

(1982？-)ハリーより2学年下のグリフィンドール生。大きな黒い目に長い黒髪、鰓《えら》の張った厚かましそうな顔つきの女生徒。6巻で

「選ばれし者」ハリーに熱をあげ、行きのホグワーツ特急で自分のコンパートメントに来ないかと誘った。仲間の女子生徒と一緒にグリフィンドールのクィディッチ選抜に参加したときは、ハリーがホイッスルを吹くと、互いにしがみついてキャーキャー笑い転げ、そのまま退場を食らってしまった。スラグホーンのクリスマス・パーティに誘ってもらおうとして、ハリーに愛の妙薬入りの大鍋チョコレートをプレゼントしたが、食べたのはロンだったため、願いは叶わなかった。ジニーとハリーが付き合い始めると、ハリーの胸にヒッポグリフの大きな刺青《いれずみ》があるのは本当か、とジニーに聞きに来た。

Vane には「気まぐれな人」という意味がある。

［⑥上**338**、**463**、**468**、下**105**～**107**、**328**］

ペキニーズ
【Pekinese】

⑥**22**-下**253**

アラゴグの埋葬のあとハグリッドはアラゴグを偲《しの》び、「卵から孵《かえ》ったときには、ペキニーズ犬ぐらいの小さなかわいいやつだった」と嘆いた。

ペキニーズは、中国原産の愛玩犬。チンに似て小型で、四肢が骨太で短く長毛。性質は、自尊心が強く大胆で頑固。

ベクトル先生
【Vector, Professor／Vector, Septima ?】

③**12**-**317**
⑥**24**-下**307**

「数占い」の女性の先生。6巻ではグリフィンドール対レイブンクロー戦の数日前、レポートに間違いが一つあったかもしれないと、ハーマイオニーがベクトル先生に会いに行った。性別と名前は、JKR公式サイトの「超特別コンテンツ」に記載。

［⑤下**204**］

ベゾアール石
【bezoar】

①08-204
⑥18-下085

山羊の胃から取り出す石(結石)のこと。たいていの薬に対する解毒剤となる。萎《しな》びた腎臓のような小さな石で、ふだんは魔法薬の教室の材料棚に保管されている。ハリーは6年の「魔法薬」の授業で解毒剤の調合の課題が出たとき、謎のプリンスの本と1年のときのスネイプの言葉にヒントを得て、この石をスラグホーンに提出し合格点を貰《もら》った。さらにロンが毒入りの蜂蜜酒《はちみつしゅ》を飲んだときは、この石をロンの口に押し込み命を救った。

ベゾアール(bezoar)は、昔は実際に解毒剤として用いられていた。

[⑥下116、119]

ペッパー、オクタビウス
オクタビウス・ペッパー
【Pepper, Octavius】

⑥21-下207

1997年春ごろ行方不明になり、『日刊予言者新聞』に報じられた魔法使い。死喰《しく》い人《びと》に誘拐された可能性がある。

[JKR 公式サイト「今月の魔法使い」]

ペティグリュー、ピーター
ピーター・ペティグリュー
【Pettigrew, Peter】DE G OP

③10-269
⑥24-下324

(1960?-)ジェームズ・ポッター(ハリーの父親)の学生時代の友人。あだ名はワームテール。ホグワーツ卒業後、不死鳥の騎士団のメンバーになるが、ヴォルデモート側に寝返りポッター一家の隠れ家を密告したため、ジェームズとリリーは殺されてしまった。ハリーは6巻で、過去のホグワーツ生が犯した悪行の記録を整理するという無意味で退屈な罰則をスネイプから受けたが、その中にピーター・ペティグリューの名前が含まれていた。　→ワームテール

[⑦初出5章 **UK072／US081**]

ヘドウィグ　①06-124 ⑥03 上063
【Hedwig】

大きな丸い琥《こ》珀色《はくいろ》の目をしたハリーのペットの美しい白ふくろう。11歳の誕生日にハグリッドがプレゼントしてくれた。ヘドウィグという名前は、ハリーが「魔法史」の本の中で見つけたもの。飼い主に忠実な賢い雌ふくろうで、これまで届けそこなった手紙はない。ハリーの13歳の誕生日には、何か飼い主にプレゼントが届くようにと、わざわざ旅行中のハーマイオニーを訪ねて行った心優しきペット。6巻では隠れ穴に先に着いたが、ハリーが来るまで狩りに出かけずに待っていた。

ヘドウィグの名前の由来についてJKRは「イプセンの『野鴨』に登場するヘドウィグとは関係ありません。何年か前に読んだ中世の成人に関する本の中で見た『聖ヘドウィグ』という名前が記憶に残っていて命名しました」と述べている。聖ヘドウィグは、修道女会を設立し孤児の教育に力を入れた聖女で、シレジアの保護聖人となった人物。6巻での名前の初出は上67ページ。

[⑥上**133**][⑤上**072**][③**017**][①**142**][**JKR**公式サイト「**FAQ**作品について」][⑦初出**2**章 **UK021／US015**]

ペトリフィカス　トタルス！石になれ！　①16-400 ⑥07-上233
【Petrificus Totalus!】

全身金縛りの術の呪文の言葉。これをかけられると両腕・両足が体にぴったりとくっつき、体が一枚板のように固くなって、まったく動けなくなってしまう。ハリーは6巻のホグワーツ特急の中でドラコ・マルフォイにこれをかけられ、身動きできない状態で顔を思い切り踏みつけられた。ヴォルデモートの洞窟でハリーがこれを亡者《もうじゃ》の軍団に唱えたときは、7、8体がくずれおちただけであまり効果はなかった。しかし、ホグワーツの戦いでグレイバックにかけると、狼男は金縛りになり倒れ込んだ。

英語 petrify「石化する」、「硬直させる」と、ラテン語 totalis「全体の」の合成語。

［⑥上**234**、下**392**、**424**～**425**］［⑤下**356**、**576**～**577**、**593**］［⑦初出**9**章 **UK138**／**US166**］

ペナルティー・スロー
【penalty】

③**15**-**398**
⑥**11**-上**340**

クィディッチの試合で、反則をされた側が実行できるゴール・スローのこと。グリフィンドールのキーパーの選抜では、5回のゴールスロー中、何回セーブできるかで正選手を決めた。コーマック・マクラーゲンは4回、ロンは5回すべてを守りきり、ロンがキーパーになった。

蛇
【serpent】

①**02**-**043**
⑥**02**-上**058**

スリザリン寮のシンボル動物。創始者のサラザール・スリザリンが蛇語を話したため、スリザリンの動物となった。魔法界で蛇は闇の魔術と関連しており、例えば死《し》喰《く》い人《びと》の左腕に焼きつけられている闇の印は、髑髏《どくろ》から蛇が舌のように這《は》い出ている。ヴォルデモートはナギニという名のペットの蛇を持ち、蘇《よみがえ》ったヴォルデモートは蛇のような顔になった。ゴーントのあばら家の戸には、蛇の死骸が打ちつけられていた。

蛇は暗い地中に潜《ひそ》むため死者の国のシンボルとされ、四肢を持たずにズルズルと這いまわる姿や冷たい目を持つところから、霊的な生物と恐れられてきた。ギリシア神話には、テュフォン、ピュトン、ヒュドラといった蛇の怪物が描かれ、旧約聖書の中ではイヴをそそのかし禁断の木の実を食べさせている。一般に評判は悪いが、力や英知のシンボルと見なされることもあり、古代北欧の戦士たちは、蛇の心臓を焼いて食べたという。脱皮して若くなることから「不死」と「再生」の象徴となり、強い治癒力を持つと考えられたため、ギリシアの医神アスクレピオスやヘルメスが持っている呪力のある杖・カドゥケウスには、2匹の蛇が巻きついている。

[⑥上**305**、**416**][⑤上**100**、下**608**][②**292**][⑦初出**1**章 **UK015／US009**]

蛇語
パーセルタング
【Parseltongue】

②**11**-**292**
⑥**10**-上**305**

蛇の話す言葉。サラザール・スリザリンとその子孫は蛇語が話せる。ハリーも蛇語が話せるが、それはハリーがヴォルデモートに襲われたとき、彼の力の一部を移されてしまったから。蛇語が分からない人間がこれを聞いても、ただ「シューシュー」という音にしか聞こえない。魔法界ではこの言葉を操る能力は闇の魔術に繋《つな》がるものと考えられており、これが話せる人間はパーセルマウス（蛇語使い）と呼ばれている。しかし偉大で善良な魔法使いの中にも蛇語を理解する者はおり、ダンブルドアもその一人。

Parsel は英語 parcel「分ける」の c を s に変えた単語。蛇の舌は二《ふた》又《また》に「分かれている」ところから命名された。

[⑥上**418**、下**061**][④下**395**][③**292**][②**488**][⑦初出**17**章 **UK284／US347**]

蛇語使い
パーセルマウス
【Parselmouth】

②**11**-**291**
⑥**13**-上**418**

蛇語（蛇の言葉）が話せる魔法使い。サラザール・スリザリンがパーセルマウスであったので、闇の魔術と繋《つな》がる稀有な能力と考えられているが、善良で偉大な魔法使いの中にも蛇語使いは存在する。

[②**292**、**488**]

ペベレル家
【Peverell(family)】

⑥10-上312

魔法界の由緒ある一族。マールヴォロによると、ゴーントの指輪に嵌《は》まっている石には、ペベレル家の紋章が刻み込まれているというが……。

[⑦初出**21**章 **UK335／US412**]

ベリティ
【Verity】

⑥06-上182

ウィーズリー・ウィザード・ウィーズ(WWW)の店員。短いブロンドの若い魔女。苗字は分かっていない。

英語 verity は、「真実」の意。

ペルー
【Peru】

⑥06-上181

フレッドとジョージは、インスタント煙幕をペルーから輸入している。

ペルーは、南米北西部、太平洋に面する共和国。鉱物・森林・水産資源が豊富。15世紀から16世紀初めにかけてインカ帝国が栄えたが、1533年にスペイン領となり、1824年完全に独立した。

ベル、ケイティ
ケイティ・ベル
【Bell, Katie】G DA

①11-272
⑥09-上266

(1979?-)ハリーより1学年上のグリフィンドール生。クィディッチ寮代表チームのチェイサーで、ハリーが1年生で代表選手になったときから一緒にいるメンバー。彼がキャプテンになったときは、「君がそれをもらうだろうと思っていたわ。おめでとう」と祝福した。DAメンバー。6巻では、10月半ばのホグズミード行きの日に三本の箒《ほうき》のトイレに行き、そこで待ち伏せしていたマダム・ロスメルタに服従の呪文をかけられてしまった。ダンブルドアに届けるようにと得体の知れない紙包みを渡されたが、友人のリーアンが不審物を学校に持ち込むのは不適切だと忠告。二人がもみ合ううちに包みは破れ、ケイティはオパールのネックレスに触ってしまった。ネックレスには闇の呪いがかけられていたため、彼女は宙に浮きながら苦しみ出し、すぐにハグリッドらに助けられ聖マンゴ病院に搬送されたが、強烈な呪いのせいで目を覚ましたのは二週間後だった。幸いネックレスは皮膚のごくわずかな部分をかすっただけだったので命は助かり、半年ほど入院した後の1997年4月下旬、完全に回復し学校に復帰した。シーズン最後のクィディッチの試合のグリフィンドール対レイブンクロー戦には、元気に出場している。

［⑥上**375〜381**、**391**、下**300**］［⑤上**431**］［⑦初出**30**章 **UK485**／**US603**］

ベルチャー、ハンフリー
ハンフリー・ベルチャー
【Belcher, Humphrey】
⑥10-上298

大鍋チーズが売れると誤った判断をし（おそらく作ってしまっ）た愚かな魔法使い。ダンブルドアは、ハリーとの個人授業の初日にハンフリー・ベルチャーを引き合いに出し、自分は嘆かわしい間違いを犯しているかもしれないと前置きした。

ベルビィ、マーカス
マーカス・ベルビィ
【Belby, Marcus】Ⓡ
⑥07-上218

レイブンクローの痩《や》せて神経質そうな男子生徒。学年は不明。トリカブト薬を発明したダモクレスというおじがおり、そのため9月1日、スラグホーンからホグワーツ特急の昼食会に誘われた。しかし、マーカスの父親はダモクレスとあまり仲がよくないことが分かり、スラグ《なめくじ》・クラブのメンバーには選ばれなかった。

ペロペロ酸飴【Acid Pop】

③10-258
⑥09-上275

ハニーデュークスで売っているお菓子。ロンは7才のときにフレッドからこれを貰《もら》って舐《な》め、酸で舌にぽっかり穴が開いてしまった(フレッドはあとで母親に箒《ほうき》でぶたれた)。6巻では校長室の合言葉になった。

変化術【Metamorphosing】

⑥05-上144

自分の姿 形《すがたかたち》を意のままに変えられる特殊な能力のこと。ニンファドーラ・トンクスのような「七変化」の魔法使いは、この能力を持っている。精神的ショックや悩みに影響を受けやすく、トンクスがルーピンとの片想いに悩んだあいだは、一時的に容姿を変えることができなくなった。

変《へん》化《げ》メダル【Metamorph-Medals】

⑥05-上130

ウィーズリー氏が回収したいかさまグッズ。これを首にかけると容姿を意のままに変えられるというふれこみで、町で10ガリオンで売られていた。しかし、実際に首にかけると、体の色がかなり気持ちの悪いオレンジ色に変わってしまう。犠牲者の中には、体中に触手のようなイボができた人もいた。

変身現代【Transfiguration Today】

③04-066

魔法界の雑誌。ハリーが3年になる前の夏休みに、漏れ鍋に滞在したとき、同じ宿泊客の中の威厳のある魔法使いが、これの最近の記事について議論を戦わせていた。おそらく変身術に関する学術的な読み物。

［⑦初出2章 **UK022**／**US017**］

変身術
【Transfiguration】

①05–125
⑥05–上152

ホグワーツの教科。何かを他のものに変える術を勉強する。この術はホグワーツで学ぶ魔法の中で、最も複雑で危険なものの一つ。担当はミネルバ・マクゴナガル。教科書は3年から5年までが『中級変身術』、6年生以降は『上級変身術』を使用。初めはマッチ棒を針に変えたり、小さなものから試していき、3年では「動物もどき」を学んだ。4年のときはホロホロ鳥(guinea-fowl)をモルモット(guinea-pigs)に変身させたが、ネビルのモルモットは羽が生《は》えたままだった。5年生ではカタツムリやネズミを使って「消失呪文」を練習。「無生物出現呪文」の長いレポートの宿題が出た。ハリーはOWL《ふくろう》筆記試験で「取り替え呪文」の定義を忘れたが「良・E(期待以上)」で合格。ハーマイオニーは「優・O(大いによろしい)」を取り、ロンも合格し、三人ともNEWT《いもり》レベルに進んだ。6年生では「人の変身」という難しい課題がスタート。自分の眉の色を変える術を練習したが、ロンの顔にはなぜかカイゼル鬚《ひげ》(両端がはね上がった八の字形の口鬚)が生えてしまった。小鳥を創出することも学んだが、ハーマイオニー以外は誰も空中から羽一枚出せなかった。ダンブルドアは、校長になる前は「変身術」の教師だった。

［⑥上**469**］［⑤上**406**、**464**、**503**、下**458**、**492**］［④上**524**］［①**187**、**199**］［⑦初出**10**章 **UK150**／**US182**］

変身呪文
【Transfigure(6巻)／Switching Spell(1巻)／Transforming Spell(4巻)】

①09–229
⑥26–下380

姿を別のものに変える呪文。ハリーはこれを1年生の「変身術」の授業で学んだ。ホークラックスの洞窟の水盆に満たされていたエメラルド色の魔法薬には、この呪文は効かなかった。

［①199］［⑦初出31章 UK511／US636］

ベンソン、エイミー
エイミー・ベンソン
【Benson, Amy】

⑥13-上405

トム・リドル（ヴォルデモート）と同じ孤児院にいたマグルの女の子。遠足で行った海辺の洞窟でトムに怖い目にあわされ、それ以来ちょっとおかしくなってしまった。

ほ

ボアハウンド犬
【boarhound】

①08-207
⑥11-上343

犬種の一つ。ハグリッドのペットのファングは、この種類。

ボアハウンドは、イノシシ狩りに使われる大型犬。特に短毛・大型のグレート・デン種を指す。

［⑦初出31章 UK497／US618］

防衛術の理論
【Defensive Magical Theory】

⑤09-上257

ハリーが5年のときにアンブリッジが指定した「闇の魔術に対する防衛術」の教科書。著者はウィルバート・スリンクハード。本の内容は退屈な第1章（5ページ）「初心者の基礎」から始まり、第2章（19ページ）「防衛一般理論と派生理論」、第3章（34ページ）「魔法攻撃に対する非攻撃的対応のすすめ」と進み、第34章では「報復ではなく交渉を」となっている。何とも弱気な本である。著者は15章で、「逆呪いという名前は正確ではなく、自身がかけた呪いを受け入れやすくするためにそう呼んでいるだけだ」と述べており、ハーマイオニーは「スリンクハード氏は呪いそのものが嫌いなのではないか」と訝《いぶか》っている。

[⑤上**380**、**496～498**、**577**、下**363**、**384**][⑦初出**6**章 **UK087**／**US100**]

防衛呪文
【defensive spell (jinx, enchantment)】

⑤**26**–下**264**
⑥**03**–上**063**

相手の攻撃から身を守る呪文。6巻で魔法省はホグワーツの安全を確保するため、防衛呪文などの新しい強硬策を講じた。アーサー・ウィーズリーは、魔法省の「偽《にせ》の防衛呪文ならびに保護器具の発見ならびに没収局」局長に昇格した。臆病なフルバート（1014–1097）は一度も家から出なかったほど臆病で有名であったが、自分で唱えた防衛呪文が逆噴射して家の屋根が落ち、その下敷きになり死亡した。

[⑥上**127**、下**335**][⑤下**459**][⑦初出**15**章 **UK234**／**US285**][ゲーム]

望遠鏡
【telescope】

①**05**–**102**
⑥**03**–上**068**

ホグワーツ入学時に用意しなければならない学用品の一つ。「天文学」の授業で夜空を観察するときに使う。ハリーが持っているのは、真鍮《しんちゅう》製の折り畳み式望遠鏡。

[①**123**、**198**]

箒《ほうき》
【broomstick】

①**05**–**103**
⑥**01**–上**011**

魔法使いの交通手段の一つ。マグルの箒と異なり、魔法使いの箒には飛行目的の魔法がかかっており、専門の箒職人によって作られている。現在では家庭用とクィディッチ競技用の2種類の箒があるが、19世紀の初期までは家庭用箒しか存在せず、クィディッチにもそれが使われていた。しかし、高速が出ず、高い所ではコントロールが難しかったことから競技用の箒が開発。今ではクリーンスイープ箒製造会社、コメット商事、ニンバス競技用箒会社などのメーカーが、振動コントロールなど高性能の仕掛けが内蔵したすぐれた箒を生産している。現存の競技用箒の中では、ファイアボルトが世界最速で、ハリー・ポッターやアイルランド・ナショナルチームが使用している。このほかクリーンスイープ5号、クリーンスイープ7号、コメット260号、ニンバス2000、ニンバス2001、流れ星、銀の矢などの競技用箒があり、ロンは監督生になったお祝いにクリーンスイープ11号を買ってもらった。ホグワーツの学校の箒は、恐ろしく古い。箒による大西洋横断飛行の最初の成功者は、ジョクンダ・サイクス(1915–現在)。今日のイギリスの魔法世界において、一般家庭では少なくとも1本、お店には2～3本の飛行箒が置いてあるのが当たり前となっている。魔法使いの機密事項の中でも、箒に乗るという秘密が一番バレ方が激しいため、その使用については魔法省が厳しく規制している。

[⑥上**336**、下**401**] [⑤上**018**、**092**、**264**] [ク**015**～**016**、**037**、**079**～**084**] [**JKR** 公式サイト「今月の魔法使い」] [⑦初出4章 **UK042**／**US043**]

箒《ほうき》置き場

箒小屋

【**broomshed**(おもに屋外)／**broom cupboard**(おもに屋内)】

①**13**–**328**
⑥**04**–上**117**

魔法界の建物の内外にある、箒の保管場所。ホグワーツ校には城の内外二箇所に設置されている。城外の箒置き場はクィディッチ競技場の近くで、木の扉がついている。城内のものは玄関ホールの反対側にあり、物置部屋も兼ねているので、箒の他にバケツやモップ、ミセス・ゴシゴシの魔法万能汚れ落としが一緒に保管されている。ハリーが初めてリータ・スキーターのインタビューを受けたのも、この部屋。隠れ穴の箒置き場は、庭にある崩れかかった石の小屋。普通の戸棚より少し小さいくらいの建物で、臭くて蜘蛛《くも》だらけ。ハリーは1996年夏、隠れ穴を訪れる前にここでダンブルドアと話をした。

〔⑥上114〕〔⑤上214〕〔④上469〕〔②317、319〕

忘却術
忘却呪文
【Memory Charm】

①14-338
⑥01 上016

記憶を消し去る魔法。呪文は「オブリビエイト、忘れよ！」。2巻で「闇の魔術に対する防衛術」の教師を務めたギルデロイ・ロックハートは、他人の手柄を聞き出してからこの魔法をかけて記憶を消し、自分がやったことにして数々の本を出版していた。この秘密をハリーとロンに知られたため二人にも唱えようとしたが、持っていた杖は壊れていて逆噴射。自分にかかってしまい、聖マンゴに入院した（「自らの剣に貫かれたか、ギルデロイ！」とはダンブルドアの弁）。4巻でクラウチ家の秘密を偶然知ってしまったバーサ・ジョーキンズは、クラウチ氏から強力な忘却術をかけられた。ロンとハーマイオニーは、６巻までのところ、この呪文を唱えたことがない。

〔④下456、500〕〔②438、486〕〔⑦初出6章 UK084／US096〕

忘却術士
【Obliviator】

④07-上133
⑥01-上022

魔法省の専門職の一つ。忘却術のスペシャリスト。死喰《しく》い人《びと》や巨人がイギリスの西部地域で暴れた際、現実の出来事を見てしまったマグル全員に記憶修正をかけるため、忘却術士たちが何チームも出動した。『幻の動物とその生息地』によると、マグルが見てはいけない魔法動物などを見てしまった場合、当該魔法動物の所有者などが忘却術をかけてもよいが、マグルの気づき方が尋常ではない場合は、魔法省が訓練された忘却術士を送り込む。魔法省の忘却術士第一号は、ニーモン・ラドフォード（1562-1649）。

Obliviatorは、ラテン語のOblivio（「忘却」、「忘れること」）と英語のator（「～する人」という意の名詞を作る）の合成語。意味は「忘れさせる人」。

［幻029］

ボウトラックル
【Bowtruckle】

⑤13-上409
⑥22-下254

木を守る生き物。最大でも20センチ程度の大きさしかないので、見つけるのは大変難しい。節《ふし》の目立つ茶色の腕や脚、両手の先に二本の小枝のような指、樹皮のようなのっぺりした奇妙な顔にはコガネムシのようなこげ茶色の目が二つ光っている。普通は杖に使われる木に棲《す》み、ワラジムシのような昆虫を食べる。おとなしく内気だが、怒るとキャッキャッという甲高《かんだか》い声を上げ、長く鋭い指で人の目をくり抜く。ボウトラックルが棲む木の葉や木材が必要なときには、なだめるためにワラジムシを用意するとよい。ハリーは、5年生の「魔法生物飼育学」でこれを学んだ。6巻ではアラゴグの葬儀のあと、ハグリッドがボウトラックル飼育についてスラグホーンに説明した。

［⑥下437］［⑤上408～412］［幻038～039］［⑦初出28章 UK452／US560］

ホエイリー、エリック
エリック・ホエイリー
【Whalley, Eric】

⑥13-上398

トム・リドル（ヴォルデモート）と同じ孤児院にいたマグルの男の子。水疱瘡《みずぼうそう》でシーツが膿《うみ》だらけになった。

吼《ほ》えメール
【Howler】

②06-129
⑥03-上070

差出人の怒りを伝える赤い封筒に入った手紙。開封すると怒鳴り声が本物の百倍に拡声され、鼓膜《こまく》が裂けそうになるほどの大声でワンワン唸《うな》る。一通りガミガミ怒鳴ると封筒は燃え上がり、チリチリと灰になる。開けないでいるとくすぶり始め、燃え上がって頭が割れんばかりの大音響で、送り主《ぬし》の怒りを伝え爆発する。開けても開けなくても受取人にとっては恐怖の手紙。

5巻では、ダンブルドアがハリーを引き取ることで交わした約束をペチュニア叔母さんに思い出させるために、「私の最後のあれを思い出せ。ペチュニア」という吼えメールを送った。6巻には「爆発する手紙」という表現だけで、「吼えメール」の名前は登場しない。

英語 howler は、「吼える人(獣)」 の意。

[⑤上**067〜068**、下**645**][④上**235**、下**291**][②**130〜131**]

ホキー 【Hokey】

⑥**20**–下**165**

ヘプジバ・スミスに仕えていた女性の屋敷しもべ妖精。ハリーがこれまで見た中で一番小さい年寄りのしもべ妖精。ヘプジバの夜食のココアに誤って毒を入れ殺害した咎《とが》で、魔法省から有罪判決を受けた。しかし、実際にヘプジバを殺したのはトム・リドル(ヴォルデモート)。当時ボージン・アンド・バークスの店員だったトムは、ヘプジバが所有していたハッフルパフのカップとスリザリンのロケットを手に入れるため、ヘプジバを殺害。ホキーに魔法をかけて記憶を修正し、毒を入れたことを自白するよう仕向けたのであった。ダンブルドアは、ホキーが亡くなる直前にその記憶を取り出した。

英語 hokey は「わざとらしい」、「陳腐な」、「嘘っぽい」という意味。

[⑥下**168〜180**]

ホグズミード(村) 【Hogsmeade】

③**01**–**021**
⑥**08**–上**240**

イギリスで唯一、完全にマグルのいない村。ホグワーツ3年生以上の学生は、ホグズミード行きの週末にここを訪れることが許される。ホグワーツの近くにあり、校門を出て左に曲がった道をまっすぐ歩いて行くと、中心街のハイストリート通りに到着する。おおかたの店はこの通り沿いに建てられ、中でもハニーデュークスと三本の箒《ほうき》は人気のお店で先生方も訪れる。村はずれに山があり、シリウス・ブラックは三校対抗試合の期間中、また、ハグリッドは1996年6月(P482へ)

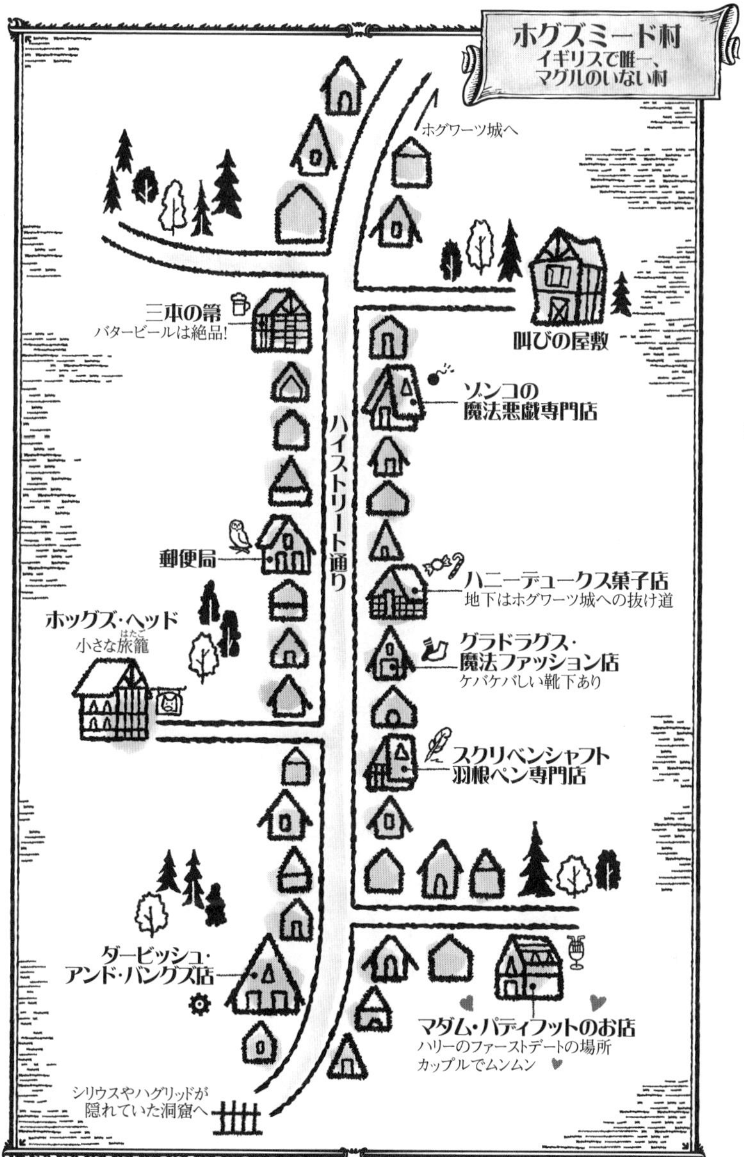
ホグズミード村
イギリスで唯一、
マグルのいない村
ホグワーツ城へ
叫びの屋敷
三本の箒
バタービールは絶品!
ゾンコの
魔法悪戯専門店
ハイストリート通り
郵便局
ハニーデュークス菓子店
地下はホグワーツ城への抜け道
ホッグズ・ヘッド
小さな旅籠《はたご》
グラドラグス・
魔法ファッション店
ケバケバしい靴下あり
スクリベンシャフト
羽根ペン専門店
ダービッシュ・
アンド・バングズ店
マダム・パディフットのお店
ハリーのファーストデートの場所
カップルでムンムン
シリウスやハグリッドが
隠れていた洞窟へ

ほ

(P480から)にホグワーツを逃亡してから、それぞれ同じ山の洞穴《ほらあな》に隠れていた。6巻では学校の警備を補強するため闇祓《やみばら》いが配置され、1997年4月にはここで姿現わしテストの追加練習が行われた。ダンブルドアの葬儀の前は、魔法使いや魔女が校長に最後のお別れを告げようとこの村に押し寄せ、シェーマス・フィネガンの母親は宿を取るのに苦労したという。

英語でhogは「ブタ」、meadは「蜂蜜酒《はちみつしゅ》(かつてイギリスで飲用された)」の意。

■ホグズミード村のお店

ハニーデュークス、ダービッシュ・アンド・バングズ店、叫びの屋敷、三本の箒、ゾンコの悪戯《いたずら》専門店、ホッグズ・ヘッド、郵便局、グラドラグス・魔法ファッション店、マダム・パディフットのお店、スクリベンシャフト羽根ペン専門店。

[⑥上**358**、下**193**、**216**、**357～359**、**398**、**478**][⑤上**353**、**527**、下**672**][④下**246～248**][⑦初出**15**章 **UK251／US305**]

ホグズミード行き

ホグズミード週末

【trip to Hogsmeade／Hogsmeade weekend】

③08-190
⑥12-上358

ホグズミード村に行くことが許される週末(土曜日)のこと。ただし訪問できるのは、両親や保護者からホグズミード許可証に同意署名を貰《もら》った3年生以上の学生のみ。ハリーはダーズリー夫妻からサインを貰えなかったので、3年のときは忍びの地図を見ながら秘密の抜け道を使って村に遊びに行った。シリウスに署名をしてもらったので、4年生から堂々と遊びに行けるようになり、逃亡中の彼とこの村で面会した。ホグズミード行きの当日は、訪問を許可された生徒の長いリストと照らし合わせながら、フィルチが外出する生徒をチェックする。6年生のときはリストのチェックのほかに詮索センサーを使った検査が加わったため、いつもよりずっと時間がかかった。最初のホグズミード行き(1996年10月半ば)の日にケイティ・ベルが聖マンゴ病院に入院する事件が起こり、それ以降は中止となった。

［⑥上**366**、下**102**］［⑤上**353**、**523**、**525**、**531**］［④下**247**］［③**196**、**250**］

ホグズミード駅
【Hogsmeade station】

①**06-166**
⑥**07-上226**

ホグワーツ特急の発着駅。特急は、この駅とロンドンのキングズ・クロス駅のあいだを往復している。毎年9月1日になるとホグワーツの学生はここに降り立ち、新入生はハグリッドに先導されて、ボートで湖を渡り学校に行く。駅の前にはセストラルに牽《ひ》かれた馬車（馬なしの馬車）が100台ほど待機していて、2年生以上の生徒はこれに乗って学校に向かう。城から帰るときも、同じ手段でホグズミード駅まで行く。JKRが映画製作チームのために描いたデッサンによると、駅はホグワーツ城の南東に位置し、ホグズミード村とは離れている。

［⑤上**312～316**］［①**167**、**453**］［「アズカバンの囚人」**DVD**］

ホグズミードの洞穴《ほらあな》
【Hogsmeade cave】

④**27-下248**
⑥**08-上257**

ホグズミード村のはずれの岩山を登った途中にある洞穴。三校対抗試合の第二の課題が終わったころ（1995年2月ころ）からシリウス・ブラックが隠れていた場所で、ダンブルドアはここが最も安全な隠れ家であると考えている。5巻では、ホグワーツを追われたハグリッドが潜《ひそ》んでいた。禁じられた森を出たグロウプも、おそらく現在ここに住んでいる。

［⑥上**377**］［⑤下**672**］［④下**377**］

ホグワーツからの手紙
【letter from Hogwarts（school）】

②**04-065**
⑥**06-上162**

ホグワーツ魔法学校が、毎年夏休みに生徒に送っている手紙。封筒は黄色味がかった羊皮紙で、宛名は緑色のインクで書かれている。中には羊皮紙が2枚入っていて、1枚は9月1日に学期が始まるという通知、もう1枚は新学期に必要な教科書のリスト。監督生や首席、クィディッチ・チームのキャプテンに選ばれた者には、バッジが同封されている。

［⑤上257～258］

ホグワーツ城 【Hogwarts castle】

①06-167
⑥07-上232

ホグワーツ魔法魔術学校の校舎。大小さまざまな尖塔《せんとう》が立ち並ぶ壮大な城。正面玄関の巨大な樫《かし》の扉を開けると、天井の高い玄関ホールが広がり、壮大な大理石の階段が正面から上へと続いている。城の中には授業のための教室や、食事や行事に使われる大広間、図書室から病棟、厨房《ちゅうぼう》、各寮の談話室や寝室、浴室に至るまで、勉強や生活に必要なありとあらゆる設備がすべて整っている。階段だけで142もあり、広い巨大な階段、狭いガタガタの階段、金曜日にはいつも違うところへ繋《つな》がる階段、真ん中あたりで毎回1段消えてしまうので忘れずにジャンプしなければならない階段など、覚えるのが大変。扉も丁寧にお願いしないと開かないものや、正確に一定の場所をくすぐらないと開かない扉、扉のように見えるが実は硬い壁が扉のふりをしているもの、その反対に壁のふりをしている扉など、つわもの揃いである。秘密の通路や隠れ場所が至るところにあり、物という物が動く。廊下に置かれている胸像や甲冑《かっちゅう》も、台の上でブツブツ独り言を言ったり、人が来ると振り返ったりするので、かなり無気味である。

ヴォルデモートが復活し、死《し》喰《く》い人《びと》の活動が活発になったため、1996年夏に城の魔法の防衛が強化され、夜間外出禁止令が出された。しかし、それにも拘《かかわ》らず1997年6月、ボージン・アンド・バークスと対になっている姿をくらますキャビネットを使って、死喰い人が城内に侵入してしまった。

本によって城内の部屋の位置が変わっていることについて、JKRは「私もうっかりすることがあり、巻ごとに階を移動する不思議な教室がいくつかありますが、これなどはミスの中でも一番小さいものです。ただ物語の本筋は、時間をかけて練り上げたものなので一貫性は保たれています」と弁明している。

[⑥上**254**、下**093**、**135**、**402～422**][⑤上**318～319**、下**327**、**387**、**495**][③**116**、**210**、**246**][①**170**、**196**][**JKR** 公式サイト「**FAQ** わたしについて」][⑦初出**2**章 **UK029**／**US027**]

ホグワーツ特急
【Hogwarts Express】

①**06-141**
⑥**07-**上**202**

ロンドンのキングズ・クロス駅とホグズミード駅を結ぶ紅色に輝く蒸気機関車。毎年9月1日の11時、生徒たちを乗せた列車は九と四分の三番線を出発し、ホグワーツ魔法学校に向かう。お昼どきには、大鍋ケーキやかぼちゃジュース、お菓子などをたくさん積んだ車内販売のワゴンが通路を巡回する。暗くなったころにホグズミード駅に到着し、駅が近くなると生徒たちは列車の中でローブに着替える。前方二つのコンパートメントは、監督生用の指定席。監督生は、乗車するとまずそこに行き、首席から指示を受け、一定時間ごとに通路をパトロールしなければならない。

ハリーとロンは初めてこの列車に乗ったときに同じ席に座り、意気投合し親友になった。6巻でハリーがロンの命を救ったことを知ったウィーズリー氏は、「考えてみると家族の半分(ジニー、アーサー、ロン)が君のおかげで命拾いした。ロンがホグワーツ特急で君と同じコンパートメントに座ろうと決めた日こそ、ウィーズリー一家にとって幸運な日だった」と感謝した。ハリーたちはしばしばこの列車内でマルフォイ一派ともめごとを起こしており、4巻と5巻の帰りの列車では、マルフォイ、クラッブとゴイルが呪いをかけられ気を失った(5巻では巨大なナメクジと化した)。6巻の行きの列車内では、ハリーはドラコに全身金縛りの術をかけられ、顔を蹴《け》られて鼻の骨を折った。

[⑥上**125**、**233～234**][⑤上**291**、**293～295**][④下**566**][③**049**][①**144**、**147**、**163**][⑦初出**12**章 **UK187**／**US227**]

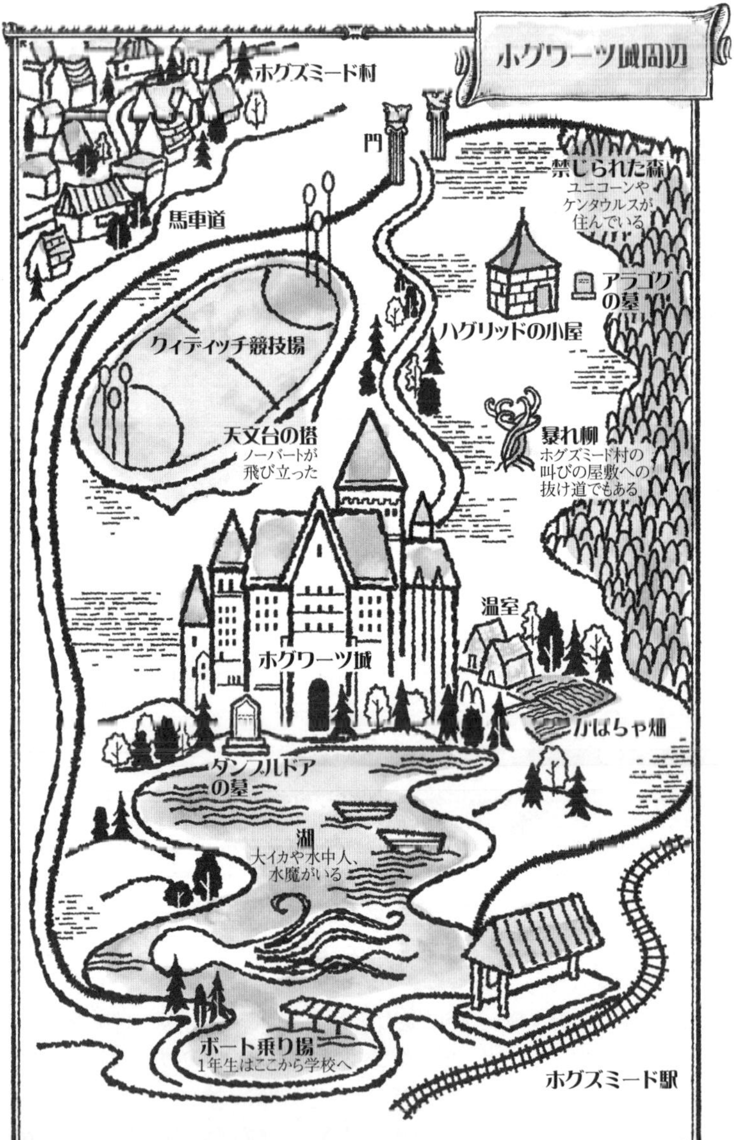

※映画『ハリー・ポッターとアズカバンの囚人』DVDに収録されたJKR直筆の地図を基に作成。

ホグワーツの歴史
【Hogwarts：A History】

①07-174

ホグワーツの図書室の蔵書。ホグワーツ魔法魔術学校についての歴史書で、学校の敷地内で魔法使いは姿現わしや姿くらましができないことや、創始者は男子が女子より信用できないと考え、女子寮に魔法をかけて男子が入れないようにしたことなどが書かれている。秘密の部屋の伝説についても解説されているので、2巻で部屋が再び開かれたときは、すべて図書室から貸し出されてしまった。このほか、ホグワーツは空気中の魔法が強すぎるので、マグルが魔法の代用品として使っている電気やコンピューターなどはメチャメチャ狂うことや、学校の建物にはマグルが見ると朽《く》ちかけた廃墟《はいきょ》にしか見えないような魔法がかけられていることなどが、こまごまと記載されている。

ハリーとロンは入学当初からこの本を読んでおらず、読破したハーマイオニーから「いつになったら読むの？」と毎回嫌味を言われながら、この本に書かれたホグワーツに関する知識を聞いている。最近では彼女も「まあそのうちあなたも読むときが来るかもしれないわね」と、かなり諦《あきら》めムードになっているが、JKRはこのやり取りを使ってハーマイオニーの口からホグワーツに関する新しい情報を説明させているので、「これからもハリーとロンはこの本を読まないわよ(笑)」と断言している。いずれにせよ、そのハーマイオニーでさえ、2年生のときはロックハートの本でトランクがいっぱいになったという理由で学校に持ってこなかったので、重要な本ではなさそうである。

[⑤上**556**、下**131**] [④上**258**、**370**、下**293**] [②**221**] [**TLC・MN**] [⑦初出**6**章 **UK083**／**US096**]

ホグワーツ魔法魔術学校
【Hogwarts School of Witchcraft and Wizardry】

①04-080
⑥01-上014

ヨーロッパの三大魔法学校の一つ。およそ993年ころ、ゴドリック・グリフィンドール、ヘルガ・ハッフルパフ、サラザ(P490へ)

天文台の塔

ホグワーツで最も高い建物

レイブンクロー塔

ホグワーツ城の西側

・レイブンクロー談話室、寝室

西塔

・フリットウィック先生の事務所（8階の右から13番目の窓）

・ふくろう小屋（西塔のてっぺん）

ダンブルドアの部屋（校長室）の塔

入り口はホグワーツ城3階

その他の部屋や像（位置不明）

・パラケルススの胸像

・憂いのウィルフレッドの像

・「変身術の教室」（「闇の魔術に対する防衛術」の教授の研究室からずっと遠いところ）

・「数占い学」の教室

・「古代ルーン語」の教室

・老魔法使いや老魔女の肖像画が並ぶ階段

8階

・グリフィンドール塔（談話室）入り口（階段を右に曲がった一番奥）

・必要の部屋（「バカのバーナバス」の絵の向かい側の石壁の前で、気持ちを必要なことに集中させながら3回往復すると、石壁にピカピカに磨かれた扉が現れる）

7階

6階

・ボケのボリスの像

5階

・大きな鏡（裏が秘密の通路だったが今は崩れて塞《ふさ》がっている）

4階

・トロフィー室

・鎧《よろい》がたくさん飾ってある長い回廊

・禁じられた廊下（1巻）

・「呪文学」の教室

・隻眼《せきがん》の魔女の像（廊下の真ん中：ハニーデュークスの地下に繋《つな》がる）

3階

・嘆きのマートルのトイレ

・ダンブルドアの校長室の塔の入り口（正しい合言葉を言う必要あり）

2階

・「マグル学」の教室

・マクゴナガル先生の部屋

1階

［左側］

・職員室

・小さな空き部屋

・フィルチの部屋

・11番教室（フィレンツェの「占い学」の部屋）

地下1階

［玄関ホールの大理石の階段の左側のドアから下りる］

・「魔法薬学」の教室

・スネイプの研究室

・スリザリンの談話室や寝室

・第5地下牢

・広めの地下牢（絶命日パーティが開催）

・賢者の石が隠された場所

ホグワーツ城案内
迷子にならないために

・北塔の入り口
・ひょろ長ラックランの像
・バカのバーナバスの絵
・醜いドラゴンの形の花瓶
・カドガン卿の絵（8階の淋しい踊り場）

北塔
入り口はホグワーツ城8階
・トレローニーの「占い学」の教室と、先生の住居

グリフィンドール塔
入り口はホグワーツ城8階
・グリフィンドール談話室、寝室

・監督生の風呂場

・風景画

東棟
・おべんちゃらのグレゴリーの銅像
・フレッドとジョージの記念の沼地

・医務室（5巻）
・「闇の魔術に対する防衛術」の先生の部屋（5巻と6巻）
・「闇の魔術に対する防衛術」の教室
・図書室
・みぞの鏡

・「闇の魔術に対する防衛術」の先生の部屋（2巻）
・中世の醜い魔法使いの胸像
・回転階段

・「魔法史」の教室
・医務室（2巻）
・姿をくらます飾り棚

［中央］
・巨大な樫《かし》の扉
・玄関ホール
・大理石の階段

［右側］
・大広間
・物置
・肖像画の掛かった部屋（大広間の職員テーブルの後ろの壁に入り口）

［玄関ホールの大理石の階段の右側のドアから下りる］
・厨房《ちゅうぼう》
・ハッフルパフの談話室や寝室

［その他、地下にある部屋］
・船着場
・秘密の部屋に続く通路（湖の下）

(P487から)ール・スリザリン、ロウェナ・レイブンクローという4人の偉大な魔女と魔法使いによってスコットランドに設立された。

11歳までに魔法力を示した子供は誰でも入学でき、通常11歳の誕生日に入学許可証が届く。ハリー・ポッターの名前は生まれたときから入学名簿に載っていたという。全寮・七学年制で、創立者の名前がついた四つの寮があり、入学式の際に組分け帽子が生徒を各寮に組分けする。生徒数は約1,000人で、在学中は寮生が生徒の家族代わりとなり、上級生が下級生の面倒を見ている。教室では寮生と学習し、寝るのも寮内の寝室、自由時間は寮の談話室で過ごす。各寮ごとにシンボルカラーや動物が決められており、四つの寮は年間を通じて勉強や生活態度、クィディッチで得点を競い、学年末に最も得点の多かった寮に寮杯が与えられる。寮同士のライバル関係もあり、スリザリンは概して他の三寮、特にグリフィンドールと仲が悪い。合計12の教科が用意されており、1〜2年生は必修科目だけを学び、3年生からはそれに選択科目が加わる。5年生の学期末にはOWL《ふくろう》試験が実施され、6年生以降は試験で合格点を取った科目のみ履修できる。7年生は卒業前にNEWT《いもり》試験を受けることになっている。学校の掃除・洗濯・火の始末などは100人以上いる屋敷しもべ妖精が行い、彼らは昼間は姿を見られないよう厨房《ちゅうぼう》にいるが、夜になるとこっそり出てきて働いている。多宗教の学校であるが、クリスマスやハロウィーンには祝宴が行われ、生徒たちにご馳走《ちそう》が振る舞われる。3年生以上の生徒は、許可証を提示すれば年に数回決められた日に、近くのホグズミード村に出かけることができる。

学校設立当時、魔法は一般の人々から恐れられ、魔女や魔法使いは激しく迫害を受けていたため、ホグワーツ城はマグルの詮索《せんさく》好きな目から遠く離れた土地に築かれた。建物には魔法がかけられ、マグルがそれを見ても朽《く》ちかけた廃墟《はいきょ》にしか見えず、入り口の看板には「危険、入るべからず。あぶない」と書かれている。しかし魔法使いが見ると、敷地の入り口には大きな鋳鉄《ちゅうてつ》の門が建ち、その奥にホグワーツ城が大小の尖塔とともに聳《そび》え立っている。城の中で最も高い建物は天文台の塔。ホグワーツでは空気中の魔法が強すぎるため、マグルが魔法の代用品に使うもの（コンピューター、レーダーなど）はすべてメチャメチャに狂ってしまう。魔法使いや魔女は敷地内で姿現わしや姿くらましができないが、屋敷しもべ妖精は独自の魔力で内外を現れたり消えたりしている。理事会があり、ダンブルドアが亡くなったときは学校を存続するかどうか理事会で話し合われた。

【ホグワーツあれこれ（6巻まで）】

■ **校長**…アルバス・ダンブルドア

■ **副校長**…ミネルバ・マクゴナガル

■ **教員**…ビンズ／フリットウィック／セブルス・スネイプ／スプラウト／シビル・トレローニー／シニストラ／フィレンツェ／マダム・フーチ／ルビウス・ハグリッド／ベクトル／ホラス・スラグホーン／「闇の魔術に対する防衛術」教授（毎年変わり6巻ではスネイプ）／グラブリー-プランク（「魔法生物飼育学」の代用教員）

■ **その他職員**…アーガス・フィルチ（管理人）／マダム・ピンス（図書室司書）／マダム・ポンフリー（校医）

■ **教科**…（必修科目）変身術／魔法薬（学）／呪文学／闇の魔術に対する防衛術／魔法史／薬草学／天文学／飛行訓練（1年のみ）
（選択科目）占い学／数占い／魔法生物飼育学／マグル学／古代ルーン語

■ **モットー**…眠れるドラゴンをくすぐるべからず

■ **建物や施設**…ホグワーツ城（図書室、病棟、教室、厨房、各寮の談話室や寝室、ふくろう小屋、職員室など完備）／クィディッチ競技場／禁じられた森／ハグリッドの小屋／温室／暴れ柳／湖／野菜畑、ダンブルドアの墓など

JKR公式サイトによると、ホグワーツ入学前の子供は、うっかり人前で魔法を使ってしまうこともあるため、たいていはマグルの学校に行かず自宅で教育を受けているという。11歳の誕生日までに魔法の才能を示した子供は誰でも自動的にホグワーツの入学資格を得るが、入学義務はない。Hogwartsの出典はユリの名前。JKRがロンドン郊

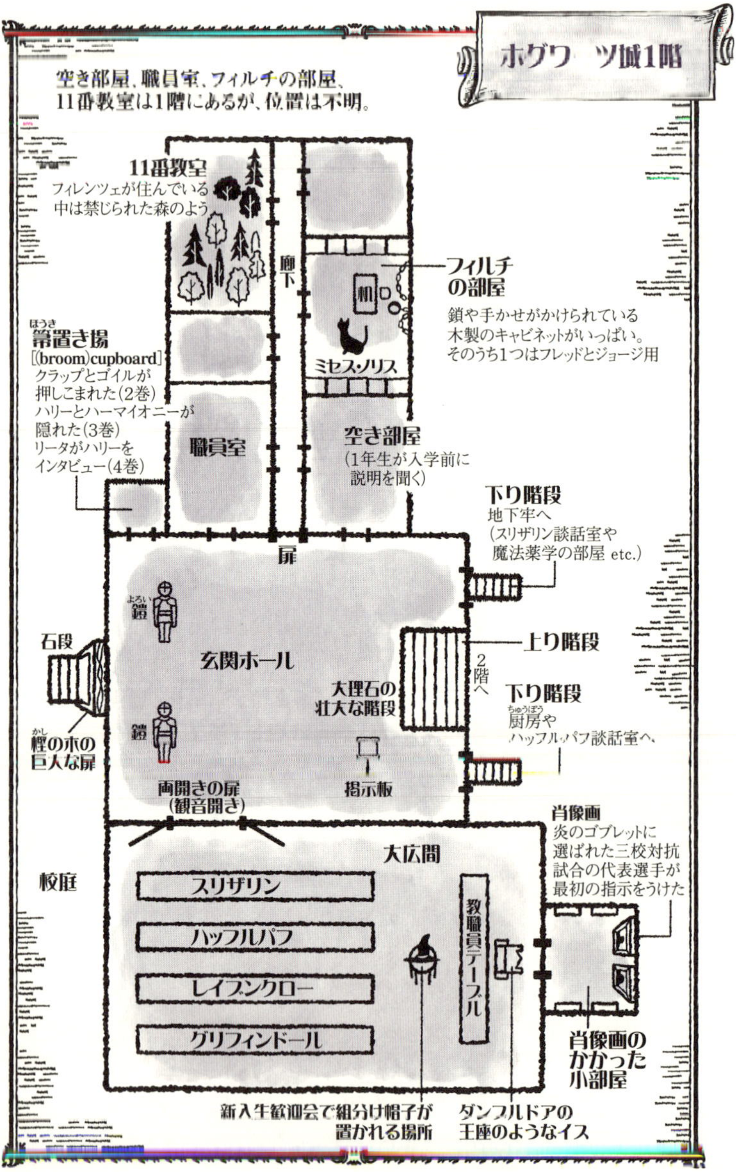
ホグワ ツ城1階
空き部屋、職員室、フィルチの部屋、
11番教室は1階にあるが、位置は不明。
11番教室
フィレンツェが住んでいる
中は禁じられた森のよう
廊下
フィルチの部屋
鎖や手かせがかけられている
木製のキャビネットがいっぱい。
そのうち1つはフレッドとジョージ用
机
ミセス・ノリス
箒《ほうき》置き場
[(broom)cupboard]
クラッブとゴイルが
押しこまれた(2巻)
ハリーとハーマイオニーが
隠れた(3巻)
リータがハリーを
インタビュー(4巻)
職員室
空き部屋
(1年生が入学前に
説明を聞く)
下り階段
地下牢へ
(スリザリン談話室や
魔法薬学の部屋 etc.)
扉
鎧《よろい》
玄関ホール
鎧
石段
樫《かし》の木の
巨大な扉
上り階段
2階へ
大理石の
壮大な階段
下り階段
厨房《ちゅうぼう》や
ハッフルパフ談話室へ。
掲示板
両開きの扉
(観音開き)
肖像画
炎のゴブレットに
選ばれた三校対抗
試合の代表選手が
最初の指示をうけた
大広間
校庭
スリザリン
ハッフルパフ
レイブンクロー
グリフィンドール
教職員テーブル
肖像画の
かかった
小部屋
新入生歓迎会で組分け帽子が
置かれる場所
ダンブルドアの
王座のようなイス

外のキューガーデン（植物園）を訪れたときに見かけたものである。
[⑥上**241**、下**470～472**] [⑤上**046**] [④上**259**、**283**、**290**、**376**、下**090**、**293**] [②**224～225**] [①**090**、**170**] [**JKR** 公式サイト「**FAQ** 作品について」スコラスティック社チャット] [**OBT**] [⑦初出**1**章 **UK017**／**US011**]

ホグワーツ歴代校長
【headmasters and headmistresses of Hogwarts】

①04–080
⑥10–上297

ホグワーツ魔法学校の校長を務めた魔法使いや魔女のこと。歴代の校長の中で最も有名なのはディリスとエバラード。最も人望がなかったのはフィニアス・ナイジェラス。このほかダンブルドアの前任者のアーマンド・ディペットや、フォーテスキュー、名前は不明だが「生徒の仕置き用に使うカバの木の異常に太い棒を持った、鋭い目つきの魔女」など十数人の校長がいることが分かっている。校長たちは亡くなったあと肖像画の主《ぬし》となり、校長室の壁に飾られる。彼らのあいだには「現職校長に仕える」という盟約があるため、アーサー・ウィーズリーが毒蛇に噛《か》まれた晩は、エバラードとディリスがダンブルドアの命令で情報収集に当たった。ダンブルドアが亡くなった晩には、エバラードが魔法省大臣がまもなく到着することをマクゴナガルに教えている。お年寄りなので就寝時間は早いが、ハリーがスラグホーンの真の記憶を入手したときは、夜更けにも拘《かかわ》らず全員が目を覚まし、ダンブルドアとの会話に耳を傾けた。ダンブルドアの肖像画は金の額縁に入れられ、現校長が座る背もたれの高い椅子《いす》の背後に掛けられている。

JKRは校長室の歴代の肖像画について、「彼らは話をしていますが、これはそれまでの校長たちのかすかな痕跡がそこに残っているからです。校長室に自身のオーラのようなものが残っているので、現在の校長の相談に乗るくらいのことはできますが、ゴーストと違い、彼らは決まり文句のようなものを繰り返しているだけなのです」と説明している。
[⑥上**391**、下**054**、**162**、**274**、**286**、**467**、**469**] [⑤上**056**、下**079**、**087**、**276**、**622**] [②**306**] [**JKR** 公式サイト] [⑦初出**33**章 **UK531**／**US662**]

保護(用)手袋(6巻)
安全手袋(1巻)
【protective gloves】

①05 101
⑥11-上356

ホグワーツに入学するときに用意しなければならないものの一つ。「薬草学」や「魔法生物飼育学」、「魔法薬学」の授業で、危険な動植物や毒薬を扱うときに使用する。ハリーはスネイプの罰則で、「レタス食い虫」とそうでない虫をより分けるように命じられたが、保護手袋の着用は禁じられた。

［⑥上**422**、下**083**］

補充呪文
【Refilling Charm】

⑥22-下255

空になった容器に飲み物を補充する魔法。アラゴグの埋葬のあと、ハリーはこれを使って空になりかけた瓶に、しもべ妖精醸造のワインを補充した。

ボージン(氏)
【Borgin, Mr】

②04-076
⑥06-上189

夜の闇《ノクターン》横丁《よこちょう》にあるボージン・アンド・バークスの店主。猫背で鼻めがねをかけた魔法使い。脂っこい髪に、声まで同じく脂っこい。6巻では、壊れた姿をくらますキャビネットの修理方法をドラコから聞かれた。さらに、店内に置いてあるもう片方のキャビネットを売らずに保管しておくよう脅され、震え上がった。

ボージン(Borgin)の名は、イタリア名門貴族の「ボルジア家(Borgia)」を連想させる。15世紀末から16世紀初めのイタリアに影響を及ぼした一族で、特に魅力的な美女ルクレツィア・ボルジアは、陰謀術策の虜《とりこ》となり父親や兄の毒殺計画に加担したことで有名であるが根拠はない。むしろフェララ公妃としてその知性・美貌ゆえに多くの芸術家から敬愛されていたという。

［⑥上**190**〜**191**、下**050**、**409**］［②**077**］［⑦初出**15**章 **UK237**／**US289**］

ボージン・アンド・バークス
【Borgin and Burkes】

②**04-080**
⑥**06-**上**189**

夜の闇《ノクターン》横丁《よこちょう》13B にある闇の魔術の専門店。この横丁の中では最も大きな店。ショーケースには輝きの手や血に染まったトランプ、義眼が置かれ、壁には邪悪な表情の仮面が飾られている。ばら積みになった人骨がカウンターに置かれ、天井からは錆《さび》ついた刺《とげ》だらけの道具がぶら下がっている。呪われたネックレスなどの無気味な品も扱っている。

卒業後にホグワーツへの就職を断られたヴォルデモートは、強い魔力を持つ品に接することができるこの店に就職。珍しい品を持つ客の家を訪れ、店に売るよう説得する仕事をしていた。この店の「姿をくらますキャビネット棚」は、ホグワーツの「キャビネット棚」と対になっており、どちらかに入るともう片方に移動できる仕掛けになっていた。このため死喰《しく》い人《びと》が1997年6月、これを利用してホグワーツに侵入してしまった。

英語 burke には「絞め殺す」、「もみ消す」、「人に(秘密を)守らせる」という意味があるが、これは死体泥棒のウィリアム・バーク(William Burke1792–1829)に因《ちな》んだ言葉。バークはアイルランド生まれの労働者で、外科医に死体を売るために15人を絞殺した。エディンバラで犯行に及んだ際に捕らわれ、1829年1月29日に絞首刑となった。

［⑥上**187**〜**191**、下**165**〜**190**、**408**〜**409**］［②**074**〜**079**］［**JKR** 公式サイト］［⑦初出**15**章 **UK237**／**US288**］

北海
【North Sea】

⑥**01-**上**014**

大西洋北東部の海域。この真ん中の孤島にアズカバンがある。

北海は、イギリスとオランダ、デンマーク、ノルウェーなどに囲まれる海域で、大部分は深さ100m以下の大陸棚上にある。漁場が多く、石油・天然ガスを産する。潮流は北部の海峡を通じて大西洋から流入し、イギリスやドイツの入り江部では潮の干満が大きい。大部分の海域は氷結しないものの、北部の沿岸部では15〜30日氷結する場合があるほど冷たい。シリウス・ブラックは犬の姿で北海を泳ぎ脱獄したが、その労苦たるや計り知れないものがある。

[③**484**]

ホッグズ・ヘッド 【Hog's Head】

①16-388
⑥12-上369

ホグズミードの小さなパブ(旅籠《はたご》)。ハイストリート通りにある郵便局から横道に入ったどん詰まりに建っている。ドアの上にはボロボロの木の看板が掛かり、切断されたイノシシの生首が周囲の白布を血に染めている絵が描かれている。1階がバー、2階は宿屋(旅籠)になっており、バーはひどく汚いみすぼらしい小部屋で、ヤギの臭いがぷんぷんする。出窓はべっとりすすけて陽の光が中まで射し込まず、代わりにザラザラした木のテーブルの上のちびた蝋燭《ろうそく》が部屋を照らしている。床は一見、土を踏み固めた土間のように見えるが、歩いてみると何世紀も積りに積った埃《ほこり》が石床を覆っていることが分かる。バーテンは、長い白髪《はくはつ》に鬚《ひげ》をぼうぼう伸ばした不機嫌そうな顔のじいさん。痩《や》せて背が高く、ハリーが初めて来たときは何となく見覚えがあるような気がした。それもそのはずこのバーテンは、ダンブルドアの弟のアバーフォース。JKRが2004年のエディンバラ・ブックフェスティバルで明かしている。

三本の箒《ほうき》とは客層が異なり、顔を隠したおかしな客がウヨウヨしているので、会話は盗聴される危険性が高い。実際、ハリーたちがDAの初会合を開いたときは、首から上を汚らしい包帯でぐるぐる巻きにしている男(ウィリー・ウィダーシン)や、つま先まで分厚い黒のベールに身を包んだ魔女(マンダンガス)、そして何よりバーテンが盗み聞きしていた。ホグワーツの生徒の立ち入りは禁止されていないが、利用する度胸のある学生は少ない。バーテンは汚らしいボロ巾で食器を磨いているので、フリットウィックはここに来るときは必ず自分のコップを持参するよう強く忠告している。

1956年ころ、ヴォルデモートが「闇の魔術に対する防衛術」の教職を志願しにホグワーツを訪れたときは、ノットやロジエールら死喰《しく》い人《びと》がここに滞在した。トレローニーは1980年の冷たい雨の夜、ここの2階の一室でダンブルドアと面接した際、闇の帝王に関する重大な予言をした。これを盗聴していたスネイプは、予言の最初の部分を聞いたところでバーテンに見つかり、店から放り出されている。ハグリッドは、ここでフードをかぶった知らない人(＝クィレル)との賭けに勝ち、ドラゴンの卵を貰《もら》った。マンダンガス・フレッチャーは、1975年にホッグズ・ヘッドに出入り禁止になっている。このほか、1612年の小鬼《ゴブリン》の反乱の本部になった。

ホッグズ・ヘッド(hogshead)は、ビールやサイダーなどの単位[＝245.4リットル(54英ガロン)]。

[⑥下**187**、**343**、**358**、**489**][⑤上**527**、**529**、**546**、下**171**、**651**、**655～656**][③**102**][①**341**、**389**][**EBF**][⑦初出**28**章 **UK449**／**US557**]

ポッター、ジェームズ
ジェームズ・ポッター
【Potter, James】G OP

①01-006
⑥07-上221

(1960年3月27日-1981年10月31日)ハリーの父親。痩《や》せて背が高く黒髪の男性。細面《ほそおもて》で、口元や眉、くしゃくしゃの髪はハリーに引継がれている。鼻はハリーより少し高く、目は薄茶色でメガネをかけている。優秀な純血の魔法使いであったが、ハリーが1歳のときにヴォルデモートに殺された。

両親が年を取ってから生まれた一粒種なので、ちやほや甘やかされて育ったジェームズは、1971年ホグワーツに入学し、グリフィンドールに組分けされた。何をやらせても学校で一番よくできる人気者で、素晴らしい反射神経を持ち、グリフィンドールのチェイサーとして活躍した。親しい仲間はシリウス・ブラック、リーマス・ルーピンとピーター・ペティグリュー。中でもシリウスとは一番の親友で、バートラム・オーブリーに不法な呪いをかけたりして先生の手を焼かせていたが、生徒からは最高にかっこいいと思われていた。友人思いのジェームズは、ルーピンが狼男であることを知ると動物もどきとなり、牡鹿に変身したのでプロングズと呼ばれるようになった。そして、満月の夜に4人で動物の姿に変身して学校周辺を歩き回り、地理に詳しくなったので忍びの地図を作り上げ、毎月冒険を楽しんでいた。闇の魔術を嫌っていたジェームズは、それにどっぷり浸《つ》かっていたスネイプのことを初めて会ったときから敵視していたが、彼がシリウスに騙《だま》され、狼人間に変身したルーピンに危うく近づきそうになると、自身の身の危険も顧みず、彼を救い出した。

勇敢で正義感が強い半面、高慢なところもあり、そのせいで当時想いを寄せていた同級生のリリー・エバンズには好かれていなかった。しかし、7年生になると精神的に成長し首席に選ばれ、リリーとも付き合うように。1978年に卒業すると結婚し、式ではシリウスが付き添い役を務めた。同じころ、ダンブルドアが結成した不死鳥の騎士団に入団。就職はせずに騎士団の仕事に従事した。シリウス、ルーピン、リリーも同じように騎士団に専従していたが、彼らはジェームズの親の遺産で生活していた。夫婦揃ってヴォルデモートに三度抗《あらが》い、暗黒の勢力との戦いの中でリリーが身ごもるが、1980年になされた予言の一部がヴォルデモートの耳に入り、ハリーが狙われるようになる。ダンブルドアの勧めで一家はゴドリックの谷に身を隠し、忠誠の術をかけて隠れ家の情報を隠蔽《いんぺい》したものの、ワームテールが闇の陣営のスパイであることを知らずに秘密の守人にしてしまい、1981年10月31日、ヴォルデモートに襲撃される。ジェームズは、妻が息子を連れて逃げ出す時間を作るために、果敢に突進して行ったが、闇の帝王に死の呪文をかけられ、殺されてしまった。

家族を守ろうとして命を落としたジェームズであるが、JKRは彼の死が二人に犠牲の印を残さなかった理由について、「リリーは生き残る選択肢がありましたが、ジェームズにはありませんでした。リリーはハリーを庇《かば》って死ぬことを選びましたが、(動物のように突進して行った)ジェームズは、初めから殺されることになっていたのです。彼もリリーのように家族のために死にましたが、これは家に押し入った強盗に本能的に向かって行ったようなもので、最初から生きるという選択肢がなかったのです(従って犠牲の印を残せなかった)。勇気にもさまざまなタイプがあり、ジェームズはものすごく勇敢ですが、この場合はリリーの方が質が上だったと思います。なぜなら、彼女は助かることもできたわけですから」と話している。ジェームズの親については「物語上重要な人物ではありません。両親は長生きし、魔法界の病気で亡くなりました。その死に不吉なものは何もありません」と語っている。また、映画ではシーカーとなっているが、JKR自身は「彼はチェイサーでした」と述べている。誕生日は7巻16章から。

[⑥下**024**、**257～258**、**323**][⑤上**054**、**183**、**273**、**280**、下**346～360**、**364～366**、**390～392**][③**264～265**、**459**、**462**][①**303～304**、**441**][⑦初出**4**章**UK043／US044**]

ポッター、ハリー・ジェームズ

ハリー・ジェームズ・ポッター
(ハリー・ポッター)
【Potter, Harry James】G DA

①01-007
⑥01-上014

(1980年7月31日-)物語の主人公の少年。輝く緑の目にクシャクシャの黒髪、メガネをかけた魔法使い。額に稲妻《いなずま》形の傷痕《きずあと》がある。子供のころは小柄だったが、15歳を過ぎてからぐんと背が伸びた。顔は父親にそっくりだが、緑の目は母親ゆずり。杖は柊《ひいらぎ》に不死鳥(フォークス)の尾羽根。守護霊は牡鹿。OWL《ふくろう》試験の結果は7ふくろう(DADAが「優・O」、「魔法生物飼育学」、「呪文学」、「薬草学」、「魔法薬学」、「変身術」が「良・E」、「天文学」が「可・A」)。ヴォルデモートの持たぬ力である"愛"に満ち"愛"に護《まも》られている勇敢な少年。

1980年7月31日、ジェームズとリリー・ポッター夫妻の第一子として誕生したハリーは、生まれる前に告げられた予言のせいで闇の魔法使いヴォルデモートに命を狙われるようになった。一家はダンブルドアの勧めで忠誠の術を使い、ゴドリックの谷に身を隠すが、友人のワームテールに裏切られ、ハリーが1歳のハロウィーンの晩、潜伏先にヴォルデモートが現れる。最初に父親が殺され、母親はハリーの命乞いをするが聞き入れられず、息子を庇《かば》って殺された。この母親の犠牲のお陰でハリーの体内に持続的な護りが宿ったため、ヴォルデモートは彼に触れられなくなり、唱えた死の呪文はヴォルデモート自身に撥《は》ね返り、ハリーは額に稲妻形の傷を受けただけで助かった。ヴォルデモートは肉体を失った姿で逃走し、ハリーは死の呪文から生き残った唯一の魔法使いとして、魔法界の伝説の人物となった。しかし、ヴォルデモートが分霊箱を作っていると推測したダンブルドアは、闇の帝王は必ずや復活し再びハリーを狙いに来ると考え、母親がハリーの体内に残した護りの力を信じて、彼女の唯一の血縁であるペチュニア・ダーズリーの家に彼を預けることにする。そして、ペチュニアの家に古《いにしえ》の魔法をかけ、ハリーがその家を家庭と呼べる限り強力な保護を与えるようにした。ペチュニアは姉リリーを妬《ねた》んでいたものの甥を引き取ったため、ダンブルドアの魔法は効力を発し、ハリーは1年に一度だけ帰る必要はあるが、その家では何者もヴォルデモートですら彼に手出しすることができなくなった。

　こうしてハリーはコチコチのマグルの叔母夫婦に育てられることになったが、その生活は決して幸せなものではなかった。与えられた部屋は蜘蛛《くも》だらけの階段下の物置、一度もお腹いっぱい食べさせてもらえず、自分が魔法使いであることも知らされなかった。両親は交通事故で死に、額の傷はそのときにつけられたものだと言われ、従兄《いとこ》のダドリーやその友達からいじめられて育った。ダンブルドアは近所にスクイブのフィッグばあさんを住まわせ監視させていたが、正体を知らされていなかったので、ハリーは彼女のことを単なる猫好きの変わり者のばあさんだと思っていた。小学校でも一人ぼっちで、ダブダブの服にセロテープだらけのメガネをかけたハリーは、みんなからからかわれていた。

しかし、とうとうこの惨めな生活に別れを告げる日がやって来る。11歳の誕生日に、ホグワーツ魔法学校の入学許可証を貰《もら》ったのである。届けてくれた森番のハグリッドから、両親は偉大な魔法使いでヴォルデモートと戦って死んだことや、ヴォルデモートはハリーを殺せず逃げたこと、自分はそのために魔法界では有名な存在であることを聞かされる。これまでハリーが怖かったときなどに起こった不思議な現象は、すべて魔力によるものだったのである。ハグリッドとダイアゴン横丁で買い物をしたハリーは、誕生日プレゼントにふくろうのヘドウィグを貰い、9月1日キングズ・クロス駅の九と四分の三番線からホグワーツ校に向かう。電車の中でロン・ウィーズリーやハーマイオニー・グレンジャーと知り合いになり、彼らとともにグリフィンドールに組分けされ、不安ながらも学校生活をスタートさせた。最初は知らないことばかりであったが、生まれつき箒《ほうき》に乗る素晴らしい才能に恵まれていることが分かり、最年少のクィディッチ寮代表選手に選ばれシーカーとして大活躍。ハロウィーンの日にトロールを退治したことがきっかけとなり、ロンとハーマイオニーとは親友になった。父親と学生時代から敵対関係にあったスネイプからいじめを受けたり、純血と名家出身を鼻にかけるマルフォイ一派から嫌味を言われたりしたが、それにも負けず学校生活に溶け込んでいった。

1年のときは、ホグワーツに隠された賢者の石を使いヴォルデモートが永遠の命を得ようとしていることを知り、それを阻止しようと立ち上がる。ダンブルドアから返却された父親の透明マントを使って情報を集め、親友二人と協力し石を守る仕掛けを次々と破っていった。最後はハリー一人がクィレルに寄生したヴォルデモートと対決し殺されそうになるが、ヴォルデモートは母の愛の力で護られている彼の体に触れることが出来ず、ハリーは額の痛みに耐えながらも必死に賢者の石を守り抜く。最後は気を失ったところをダンブルドアに助け出され、石は校長が破壊。ハリーは11歳でヴォルデモートの野望を挫《くじ》くことに成功したのであった。

2年生になると、ルシウス・マルフォイの陰謀でトム・リドルの日記がジニーの手に渡り、ホグワーツの伝説の秘密の部屋が開けられてしまう。部屋の怪物バジリスクが解放され、犠牲者が次々と出、蛇語を話せるハリーが犯人と疑われる。校長が停職処分となり学校中が恐怖で混乱する中、ハーマイオニーも石にされ、ジニーが部屋の中に連れ去られてしまう。ハリーはロンと力をあわせハーマイオニーの残した手がかりをもとに部屋に向かうものの、途中でトンネルが崩落し二人は離れ離れになってしまう。一人で秘密の部屋の中に入ったハリーはトム・リドルとバジリスクに襲われるが、ダンブルドアのペットのフォークスに助けられ、組分け帽子の中から抜き出したゴドリック・グリフィンドールの剣でバジリスクを退治、その牙《きば》でトム・リドルを消滅させた。この活躍でハリーとロンにはホグワーツ特別功労賞が与えられた。

3年生のハリーは、自分の名付け親で両親を裏切った殺人犯シリウス・ブラックがアズカバンを脱獄し、自分の命を狙っていることを知る。ホグワーツで新たに始まった「占い学」の授業で死の予言をされ怯《おび》えながらも、フレッドとジョージから貰った忍びの地図を使い、少しずつ事実を聞き出していく。そして、叫びの屋敷の中でシリウスらと対面。殺人鬼と呼ばれていた名付け親は実は無実で、両親の死の張本人はスキャバーズに変身していたワームテールだったことを知る。シリウスはその場でワームテールを殺そうとするが、親友が殺人者になることを自分の父親は望まないだろうと考え、ハリーは吸魂鬼《ディメンター》に引き渡すことを提案。しかし、城に戻る途中ワームテールはネズミに戻って逃走し、シリウスは捕まってしまう。彼を吸魂鬼のキスの処刑から救うためのヒントをダンブルドアから聞いたハリーとハーマイオニーは、逆転時計《タイムターナー》を使って時間を逆戻りさせ、幽閉されている場所へ。処刑直前にシリウスを助け出し、バックビークの背に乗せ逃亡させたのであった。

1994年10月にホグワーツで三大魔法学校対抗試合が開催されると、ヴォルデモートの陰謀で4年生のハリーが代表選手に選ばれてしまう。

第一の課題でドラゴンを出し抜く難題が与えられ恐怖に震えるが、箒に乗る才能を使って見事最短時間でクリア。続く第二の課題でも、ホグワーツ湖底から人質全員を救出しようとして制限時間をオーバーするものの、審査員から道徳的行動と評価され高得点を獲得した。最終課題では、迷路の中で同じホグワーツ生のセドリックと一緒に優勝することに決め、二人同時に優勝杯に触れるが、カップは移動《ポート》キーにすりかえられていたためリトル・ハングルトンの墓地に運ばれてしまう。セドリックはあっけなく殺され、ハリーはその場で肉体を取り戻したヴォルデモートと対決することになり、最強の闇の魔法使いを前に「生きる望みはない」と最期《さいご》を悟るが、「父さんのように堂々と立ち上がって死ぬのだ。僕は身を守るために戦って死ぬのだ」と勇気を奮い起こし、ヴォルデモートに向かっていく。そして両者の杖が繋《つな》がりヴォルデモートの杖先から現れ出たゴースト(木霊《こだま》)に助けられ、セドリックの遺体を抱え際どいところでホグワーツに生還。すぐにヴォルデモートの復活をダンブルドアと魔法大臣に伝えるが、愚か者のファッジはそれを信じようとはせず、魔法省とダンブルドアは決別したのであった。

5年生になり新たに魔法省という敵が加わったハリーには、次々と問題が起こる。ヴォルデモートと戦う能力のない魔法省は、その復活を認めず、『日刊予言者新聞』を使いハリーが復活話をでっちあげたと報じさせる。さらに、吸魂鬼に命じて夏休みにハリーを襲わせ、懲《ちょう》戒尋問《かいじんもん》の場でホグワーツを退学させようと企《くわだ》てる。ダンブルドアの巧みな弁護によって除籍は免れるが、このときの尋問官の一人ドローレス・アンブリッジが「闇の魔術に対する防衛術」の教師としてホグワーツに乗り込み、監視を始める。学校では『新聞』の虚報を信じた生徒から嘘つき呼ばわりされて孤立を深め、ハリーは思春期の心の揺れと相まって怒りを抑えられなくなっていく。アンブリッジの挑発にもやすやすと乗り、残酷な罰則を科せられ、最後はクィディッチまでも禁止されてしまった。

そんなハリーの唯一の心の支えは、ハーマイオニーらと結成したダンブルドア軍団(DA)の集会であった。自分が中心となり魔法省に抵抗して「防衛術」を教えているという意識は、ハリーに計り知れない満足感や存在意義を与えた。このレッスンでメンバーの一人チョウ・チャンと親しくなった彼は、クリスマスにファーストキスを経験、ホグズミードでデートもする。しかし、彼女の友人マリエッタの密告でDAの存在がアンブリッジに知られてしまい、ハリーを庇《かば》ってダンブルドアが学校から逃亡。これが原因となり、二人の関係は終わってしまった。

ハリーは額の傷を通してヴォルデモートの心を覗《のぞ》き見ることができるようになっていたため、校長は立ち去る前にスネイプとの閉心術の訓練に励むよう指示をするが、スネイプを憎んでいたハリーは身を入れて練習しようとはせず、ヴォルデモートは二人のあいだのこの思考の「絆」を使い、神秘部の予言をハリーに取らせる計画を立ててしまう。シリウスが神秘部で拷問を受けている偽《いつわ》りの映像を頭の中で見たハリーは、ヴォルデモートの罠だと気づかず仲間とともに魔法省に行き、ハリーを救うためあとから駆けつけたシリウスは、ベラトリックスの手にかかり死亡。戦いのあと、父とも兄とも慕う存在を失ったハリーは自暴自棄になり、校長室を壊しダンブルドアにすら反抗的な態度を見せる。しかし、校長はそんな彼に対し、1歳のときにヴォルデモートに襲われたのは予言のせいであることを打ち明け、その全貌を話し始める。それは、ヴォルデモートとハリーのどちらかが生きている限り、もう一人は生きられず、最後には二人のうちのどちらかが、もう一人を殺さなければならないという過酷なものであった。深い悲しみと孤独感に苛《さいな》まれ、ハリーはダーズリー家に戻ってからも一日中部屋に籠《こも》り、虚しい気持ちに沈みこむ。しかし、その間にもヴォルデモートの犠牲者は増え続け、自分には落ち込んでいる時間の猶予はないと思い直したハリーは、「次(の犠牲者)は僕かもしれない。もしそうならできるだけ多くの死《し》喰《く》い人《びと》を道連れにする。それに僕の力が及ぶならヴォルデモートも」と戦う決意を新たにしたのであった。

6年生になると、スネイプが「闇の魔術に対する防衛術」(P511へ)

ハリー・ポッター年表
(6巻まで)

1980年	シビル・トレローニーがヴォルデモートに関する予言をする。
7月31日	ジェームズとリリー・ポッター夫妻の第一子として誕生。予言はハリーとネビル・ロングボトムの二人に当てはまったが、ヴォルデモートは半純血のハリーを選ぶ。
1981年	
10月31日	ヴォルデモートがゴドリックの谷に現れる。ジェームズとリリーを殺害し、ハリーを殺そうとするが失敗し逃走。ハグリッドが生き残ったハリーをダーズリー家へ運ぶ。
11月 1日	ダンブルドアはハリーを保護する魔法をかけ、手紙とともにプリベット通り4番地のペチュニア叔母さんの家に預ける。
1985年	
6月	(ダドリーの5回目の誕生日)マージおばさんがダーズリー家に滞在。「動いたら負け」というゲームでダドリーが負けないよう、ハリーの向こう脛《ずね》を叩《たた》いてハリーを動かした。
9月	マグルの小学校に通う。学校でも一人ぼっち。ダブダブの服に壊れたメガネをかけたハリーは笑い者だった。
1991年	
7月24日～30日	ハリー宛の手紙がホグワーツから届く。
7月31日	11歳の誕生日。「海の上、岩の上の小屋、床」にいるハリーに、ハグリッドがホグワーツ入学許可証を届ける。ダイアゴン横丁で買い物。
9月 1日	ホグワーツ1年生。ホグワーツ特急の中でロンと同じコンパートメントに座り意気投合。友達になる。グリフィンドールに組分けされる。
10月31日	トロールに襲われたハーマイオニーを助けて友達になる。
11月 9日	グリフィンドール対スリザリンのクィディッチの試合でハリーが金のスニッチを口でキャッチしてグリフィンドールが勝利。
12月25日	父親の形見の透明マントをダンブルドアから返してもらう。そのマントを着て「みぞの鏡」を発見し、両親の姿を見る。
1992年	ヴォルデモートが賢者の石からできる「命の水」で、新しい体を得ようとしていることを知る。

6月 4日	ロン、ハーマイオニーとともに仕掛け扉を通り、賢者の石が保管されている部屋へ。部屋の中でクィレルに取り憑《つ》いたヴォルデモートと対決。ダンブルドアがハリーを救出し、賢者の石を破壊。
7月31日	12歳の誕生日。ドビーがダーズリー家のハリーを訪ねて警告。「ハリー・ポッターはホグワーツに戻ってはなりません」。
8月 3日	ロン、フレッドとジョージが空飛ぶフォード・アングリアに乗って、ハリーをダーズリー家から救出。
8月19日	煙突飛行粉《フルーパウダー》で隠れ穴からダイアゴン横丁へ行く途中、夜の闇横丁《ノクターンよこちょう》のボージン・アンド・バークスに迷い込む。
9月 1日	ホグワーツ2年生。ホグワーツ特急に乗り遅れ、空飛ぶフォード・アングリアに乗ってホグワーツに向かい、暴れ柳に衝突。
9月 5日	バジリスクの声を聞く。
10月31日	ほとんど首無しニックの500回目の絶命日パーティに出席。
12月17日	決闘クラブで蛇語を話す。
12月25日	ハリーとロン、ポリジュース薬を飲んで、クラッブとゴイルに変身、スリザリンの談話室に忍び込む。ハーマイオニー、ポリジュース薬に間違えて猫の毛を入れ、毛むくじゃらの顔になる。
1993年	
5月24日	アラゴグに会いに、ロンと一緒に禁じられた森に行く。襲われそうになり、フォード・アングリアに助けられる。
5月29日	ロンとロックハートとともに秘密の部屋に向かう。部屋の中でフォークスの助けを借りバジリスクとトム・リドルを倒し、ジニーを救出。
5月30日	ドロドロに汚れたソックスを使って、ドビーを解放する。
7月31日	13歳の誕生日。この日からマージおばさんがダーズリー家に一週間の滞在。手紙とエジプト旅行の新聞記事がロンから届く。
8月 7日	マージおばさんを膨《ふく》らませて風船にする。ダーズリー家を出て夜の騎士《ナイト》バスに乗る。車内でシリウス・ブラックのアズカバン脱獄を知る。
8月 8日	漏れ鍋に到着。11号室に宿泊。
8月31日	ダイアゴン横丁でロンとハーマイオニーと再会。
9月 1日	ホグワーツ3年生。ホグワーツ特急に吸魂鬼《ディメンター》が出現、ハリーは気絶する。
10月31日	第1回目のホグズミード行き。ロンとハーマイオニーが出かけているあいだルーピン先生と話す。

11月 6日	グリフィンドール対ハッフルパフのクィディッチの試合中、吸魂鬼が現れ、再び失神。箒《ほうき》から落ちて入院する。ニンバス2000は暴れ柳にぶつかりバラバラに吹き飛ばされた。
12月18日	第2回目のホグズミード行き。フレッドとジョージから忍びの地図をもらう。ホグズミードの三本の箒で、シリウス・ブラックが父親の親友で自分の名付け親だということを知る。
1994年	
1月 6日	吸魂鬼祓《ばら》いの訓練開始。
6月 6日	トレローニーが二つ目の本当の予言をする。叫びの屋敷の中でシリウス・ブラック、リーマス・ルーピン、ピーター・ペティグリューと会い真実を知る。逆転時計を使用しバックビークを救出。自分が湖のそばで吸魂鬼に襲われそうになるのを見て、守護霊の呪文を唱える。シリウスを西塔のフリットウィックの事務所から解放し、バックビークの背に乗せて逃亡させる。
7月31日	14歳の誕生日。
8月21日	ウィーズリー氏一行、ハリーを迎えにダーズリー家を訪れる（暖炉を吹き飛ばす）。
8月22日	第422回クィディッチ・ワールドカップを観戦。試合後、闇の印が打ち上げられる。
9月 1日	ホグワーツ4年生。
10月30日	ボーバトン校とダームストラング校の代表団がホグワーツに到着。
10月31日	炎のゴブレットが三校対抗試合の代表選手を選出。ハリーも選ばれる。ロンがハリーと口をきかなくなる。
11月21日	ホグズミード週末。ハリーはハグリッドの小屋に行き、第一の課題の内容を知る。
11月22日	グリフィンドール寮の暖炉に現れたシリウスと話す。
11月23日	セドリックに第一の課題がドラゴンであることを教える。ハーマイオニーと呼び寄せ呪文の練習をする。
11月24日	第一の課題。最短時間で卵を取った。50点満点で40点を獲得し、クラムと並んで1位に。ロンと仲直り。
12月25日	クリスマス・ダンスパーティ開催。パーバティ・パチルと参加。
1995年	
2月24日	第二の課題。45点を獲得し、合計85点でセドリックと並んで1位に。
6月24日	第三の課題。優勝カップが移動《ポート》キーになっていたため、リトル・

	ハングルトンの墓地へ。父親の骨、ハリーの血、ワームテールの肉を使い復活したヴォルデモートと対決するが、辛くも逃げる。
7月31日	15歳の誕生日。
8月 2日	午後9時23分、リトル・ウィンジングで吸魂鬼に襲われ、守護霊の呪文を唱えたため懲戒尋問《ちょうかいじんもん》を受ける羽目に。
8月 6日	不死鳥の騎士団の先発護衛隊がダーズリー家に到着。メンバーに護衛されながらロンドンのグリモールド・プレイス12番地へ。
8月12日	午前8時、魔法省地下10階の10号法廷で懲戒尋問を受ける。ダンブルドアの弁護により無罪に。
9月 1日	ホグワーツ5年生。初めてセストラルを見る。
9月 2日	ドローレス・アンブリッジに反抗し、罰則を科される。
9月 3日	アンブリッジの罰則1日目。アンブリッジに渡された特殊な羽根ペンで「僕は嘘をついてはいけない」と書くごとにページに血の文字が浮かび上がり、ハリーの手の甲には文字が刻み込まれた。
9月 6日	ハリーの罰則最終日。
10月 5日	最初のホグズミード行き。第一回目のDA集会がホッグズ・ヘッドで開催。
10月 9日	必要の部屋でDAの防衛術の会合が始まる。
11月初旬 (2日ころ)	グリフィンドール対スリザリンの試合で、クィディッチ終身禁止になり箒を没収される。
12月18日	休暇前の最後のDA集会で、ハリーはチョウ・チャンとファーストキス。アーサー・ウィーズリー、巨大な蛇に襲われ聖マンゴ病院へ。ハリーはウィーズリー家の子供と一緒にグリモールド・プレイス12番地に行く。
12月25日	ウィーズリー一家とともにアーサーを見舞いに再び聖マンゴ病院へ。ヤヌス・シッキー病棟でギルデロイ・ロックハートやネビルの両親と会う。
1996年	
1月13日	スネイプの閉心術の訓練がスタート。
2月14日	ホグズミード行き。チョウ・チャンと初めてデートする。 チョウはハリーが自分とのデートの後にハーマイオニーと会う約束をしていたことに怒り、途中で帰ってしまう。三本の箒でリータ・スキーターからインタビューされる。
4月22日	閉心術のレッスンでハリーはスネイプの最悪の記憶を目撃。怒ったスネイプは閉心術の授業をやめてしまった。

5月 4日	ハリー、マクゴナガルから進路指導を受ける。その後アンブリッジの部屋に忍び込み、暖炉を使ってグリモールド・プレイス12番地へ。シリウスに悩みを打ち明ける。フレッドとジョージ、ホグワーツから逃走。
5月最後の週末	グリフィンドール・クィディッチ・チームが優勝杯獲得。
6月 7日	OWL《ふくろう》試験開始。
6月17日	OWL 試験最終日「魔法史」の試験中、シリウスが神秘部で拷問されている夢を見たハリーはロン、ハーマイオニー、ジニー、ネビル、ルーナと魔法省へ。
6月18日	17日から18日にかけて神秘部内部で死喰《しく》い人《びと》と戦闘。ハリーの後を追ってやってきたシリウスは死亡。ヴォルデモートとダンブルドアが戦うが、ヴォルデモートは勝ち目が無いことを知り逃走。校長室に戻ったハリーは、ダンブルドアからトレローニーの予言の内容を聞く。
7月	ダンブルドア、ダーズリー家を訪問。ハリーは校長と一緒にスラグホーンの家へ行く。その後隠れ穴へ。
7月31日	16歳の誕生日。
8月 3日	ハーマイオニー、ロンと一緒にダイアゴン横丁へ。ウィーズリー・ウィザード・ウィーズに行った後、マルフォイを尾行。
9月 1日	ホグワーツ6年生。ホグワーツ特急の中でスラグホーンが昼食会を開催。マルフォイに襲われ怪我。新学期の宴会に遅刻する。
9月 2日	新学期初日。「魔法薬学」の授業で半純血のプリンスの本を借りる。
9月 7日	ダンブルドアとの1回目の個人授業。「ゴーントの家」の記憶を見る。
10月14日	ダンブルドアとの2回目の個人授業。「孤児院のヴォルデモート」などの記憶を見る。
12月20日ころ	スラグ《なめくじ》・クラブのクリスマス・パーティにルーナ・ラブグッドと参加。
12月25日	クリーチャーから蛆虫《うじむし》のプレゼントをもらう。スクリムジョールがパーシーとともに隠れ穴へ。魔法省への協力を要請されるが断る。
1997年	
1月5日ころ(A)	隠れ穴からホグワーツへ。
1月6日(A の翌日)	午後8時、ダンブルドアとの個人授業。「モーフィン・ゴーント」の記憶やスラグホーンの修正された記憶を見た後、ダンブルドアからスラグホーンの本当の記憶を手に入れるよう命じられる。

2月1日ころ	第1回姿現わし練習（以後毎土曜日に11回開催）。
3月 8日	グリフィンドール対ハッフルパフ戦。ルーナがクィディッチ解説。頭蓋骨《ずがいこつ》骨折で入院し、クリーチャーとドビーにマルフォイの見張りを命ずる。
3月10日	退院し、ダンブルドアの4回目の個人授業を受ける。「ホキーとダンブルドアの記憶（ヴォルデモート卿の頼み）」を見る。
4月21日	ハグリッドからアラゴグの死亡通知が届き、フェリックス・フェリシスを飲みアラゴグの埋葬に出席。途中でスラグホーンを葬儀に誘い、首尾よく彼からホークラックスの記憶を採取することに成功。校長室でその記憶を見て、ダンブルドアから分霊箱の説明を受ける。
5月6日ころ	マルフォイに「セクタムセンプラ！」をかけ、翌土曜から学期いっぱいスネイプの罰則を受けることになる。
5月10日ころ	グリフィンドール対レイブンクロー、シーズン最後の試合（試合は5月3日・10日・17日の何れかに開催）。 朝10時、ハリーはスネイプの罰則（試合に欠場）。グリフィンドールは優勝。ジニーとキスし、その後数週間は彼女と付き合い幸せに過ごす。
6月	ダンブルドアからメモが来て校長室に行く途中、シビル・トレローニーと会い予言を盗聴したのはスネイプであることを知る。ダンブルドアと分霊箱の洞窟へ。分霊箱（偽物《にせもの》）を取り、衰弱したダンブルドアとホグズミードに戻る。学校の上空に打ち上がった闇の印を目撃し箒で天文台の塔へ。スネイプはダンブルドアを殺害し逃亡。
6月の晴れた日	ダンブルドアの葬儀。

(P504から)の教師に就任し、「魔法薬学」はダンブルドアの旧友ホラス・スラグホーンが担当することになる。授業の初日、「魔法薬学」の教科書を用意してなかったハリーは学校の本を借りるが、それには魔法薬調合のヒントがびっしり書き込まれ、“謎のプリンス蔵書”とだけ記名されていた。本の通りに調合すると上手くいったため、ハリーはプリンスを信じるように。授業のたびにその指示通りに作業をし、「魔法薬学」は彼の得意科目となった。ダンブルドアから個人授業を受けるよう命じられ、校長室で憂いの篩《ふるい》の中に入り、ダンブルドアが集めた記憶を見ながら、ヴォルデモートを倒すために必要な知識—生い立ちや思考傾向、性格など—を習得。スラグホーンから手に入れた記憶によって、ヴォルデモートが自分の命のほかに複数の分霊箱を作っていたらしいこと、すべての分霊箱を破壊しなければヴォルデモートを倒すことができないということを学んでいった。

1997年6月ダンブルドアはそのうちの一つ「スリザリンのロケット」が隠されている洞窟を発見し、ハリーは彼とともに破壊に旅立つ。苦労の末にロケットを手に入れるものの、ヴォルデモートが仕掛けた魔法薬によって校長は衰弱。ホグワーツに戻るとドラコ・マルフォイの手引きで校内には死喰い人が侵入し、二人は闇の印が打ち上がった天文台の塔に向かうが、塔の屋上に到着するとドラコが現れ、ハリーは校長から凍結呪文をかけられ、透明マントを着たままその場で動けなくなってしまう。マルフォイはダンブルドアに杖を向けて殺そうとするが、自分の命が狙われていることを知っていた校長は説得を試み、ドラコは杖を下ろそうとする。しかし、そこに駆けつけてきたスネイプに死の呪文を唱えられ、ダンブルドアはハリーの目の前で死亡。スネイプとドラコは逃走し、術が解けたハリーは恐怖とショックで胸が張り裂けそうになりながら彼らを追いかける。スネイプはホグワーツの境界線で姿くらましする前に、自分こそが半純血のプリンスで、ハリーが今学年使っていた呪文は自分が発明したものであったと告白。怒りに燃えるハリーの前で、ヴォルデモートの許《もと》へ逃げてしまった。

ダンブルドアの葬儀の日、最も偉大な庇護者を失ったハリーは「もうこれ以上、自分とヴォルデモートのあいだに、誰も立たせるわけにはいかない」と決心。短い期間であったが恋人となったジニーに別れを告げ、分霊箱を破壊しヴォルデモートを倒すことを心に誓うのであった。

ハリー・ポッターの名の由来は、「私のお気に入りの名前で、もし娘が男の子だったらハリーと命名していたでしょう。ポッターは、自分が7歳のときに近所に住んでいた家族の苗字で、その名が好きだったから借用しました」という。また、「登場人物の誰と結婚したいか？」との問いに「私は実際にハリー・ポッターと結婚しています。夫(ニール・マレー)の写真を見て頂ければ分かるように、ハリーは年を取れば彼に似てくると思います。ハリーは善良で、勇敢な人物です」と告白している。

［⑥上**114〜117、296〜326、330〜331、380、390〜416、**下**054〜077、158〜161、288〜289、292、326、382〜422、504**］［⑤上**006、030〜034、056、224〜242、336、341〜350、420〜426、531〜546、552、612〜624、626、656、**下**063〜071、073、178、193、221〜225、240〜242、268、408、476〜478、483、530〜532、534〜558、560〜598、608〜614、620〜658、666〜667、675**］［④上**448、**下**057、218、227、426〜438、452、466〜476、504、508、531〜537**］［③**483、542**］［②**265、380、487**］［①**024、034、080、083〜084、086、220、434**］［⑦初出**1**章 **UK011／US003**］

ポッター、リリー・エバンズ
リリー・エバンズ・ポッター
【Potter, Lily Evans】G OP

①01-006
⑥04-上105

(1960年1月30日-1981年10月31日)ハリー・ポッターの母親でペチュニア・ダーズリーの実の姉。濃い赤毛を肩まで垂《た》らし、ハリーと同じ緑色のアーモンド型の眼を持つ。勇敢でユーモアのある魅力的な女性で誰からも好かれていたが、1981年ヴォルデモートに殺された。スラグ《なめくじ》・クラブのメンバー。

1960年1月30日マグルのエバンズ家に誕生したリリーは、家族の中で唯一の魔女であったため大切に育てられた。1971年にホグワーツに入学しグリフィンドール生となり、成績優秀で特に魔法薬の才能があったのでスラグホーンに可愛がられた。ジェームズ・ポッター、シリウス・ブラック、リーマス・ルーピンやセブルス・スネイプと同級生で、5年のときにはジェームズにいじめられていたスネイプを助けようとして、反対に「あんな汚らしい『穢《けが》れた血』の助けなんか、必要ない！」と罵《ののし》られたことも。ジェームズから熱愛されていたが、学校中の人気者であることを鼻にかけた傲慢《ごうまん》な少年であったため、最初のころはデートの誘いを断っていた。しかし、17歳になり彼が人間的に成長し、二人が首席に選ばれると付き合い始め、1978年の卒業後に結婚。夫やその仲間とともに不死鳥の騎士団に入団した。

夫婦ともどもヴォルデモートに三度挑み、暗黒の勢力との戦いの最中に身ごもるが、1980年になされた予言の一部がヴォルデモートの耳に入り、息子が狙われるようになる。ダンブルドアの勧めでゴドリックの谷に身を隠し、忠誠の術をかけて潜伏先の情報を隠蔽《いんぺい》したものの、秘密の守人に指定したワームテールが敵のスパイだったため1981年10月31日、ヴォルデモートに襲われる。最初にジェームズが殺され、ヴォルデモートはその亡骸《なきがら》を跨《また》ぎハリーに近づいていく。リリーは死ぬ必要がなかったが、息子の前に身を投げ出し「代わりに私を殺して」と嘆願。ヴォルデモートが再三「どけ！」と命じても動かずに息子を庇《かば》い続けたため、「アバダ　ケダブラ」の呪文で殺されてしまった。この彼女の犠牲のお陰でハリーの体内に護《まも》りの魔法が宿り、ヴォルデモートはハリーに触れることができなくなったため、唱えた死の呪文はヴォルデモート自身に撥《は》ね返り、ハリーは生き残ることができたのである。

名前のリリーは英語で「ユリ」のこと。「純潔」を象徴する花で、紋章学では「王家の花」とされ、1179年以降フランス王家の紋章となった。民間伝承では「清純」の他に「死の前兆」を意味することがある。ペチュニアとの関係は7巻で明らかになる。

［⑥上**289**、下**258～259**、**262**］［⑤上**055**、下**354～357**、**364～365**］［③**111**、**232**、

265~266、311~313、474][①031、082~083、085~086、303][JKR公式サイト「FAQ 作品について」など][⑦初出4章 UK043／US044]

ポッティ(ー)
【Potty】

②11-301
⑥15-上472

ハリー・ポッターの呼び名。ピーブズやドラコが、ハリーを馬鹿にしてこう呼んでいる。6巻ではハリーがクリスマス・パーティにルーナを誘っているところをピーブズに聞かれ、「ポッティがルーニーをパーティに誘った！ポッティはルーニーが好～き！」と学校中に言いふらされた。

日本語版にポッティ(ー)が初出するのは3巻(5章106ページ)。2巻でピーブズが“Why, it's potty wee Potter”とハリーを囃《はや》したてた場面は、「おやまあ、ポッツリ、ポッツン、チビのポッター」と訳された。英語 potty は、「ばかな」、「いかれた」という意味。

ホップカーク、マファルダ
マファルダ・ホップカーク
【Hopkirk, Mafalda】 MM

②02-033

魔法省の魔法不適正使用取締局の責任者。5巻では、吸魂鬼《ディメンター》に襲われて守護霊の呪文を使ったハリーに、懲戒尋問《ちょうかいじんもん》への出席を求める公式文書を出した。2巻では、ドビーがダーズリー家で浮遊術を唱えたときに、ハリーが使ったと勘違いし公式警告状を送っているので、うっかり者なのかもしれない。

[⑤上047][⑦初出12章 UK195／US237]

ほとんど首無しニック
【Nearly Headless Nick】 G

①07-184
⑥08-上247

(?-1492年10月31日)グリフィンドールのゴースト。本名はニコラス・ド・ミムジー–ポーピントン卿。長い巻き毛の髪に派手な羽飾りの帽子を被《かぶ》り、ひだ襟《えり》のついたダブレット(14～17世紀ころヨーロッパの男性が着た、丈が短く体にぴったりした上着）を着用。この襟は単に晴れ着の華やかさを見せるだけでなく、皮一枚で繋《つな》がっている首があまりグラグラしないように押さえる役目も果たしている。

1492年10月30日の晩、散歩中の出っ歯のレディ・グリーブと出会い、歯並びを直せると請け合って魔法をかけるが失敗。翌朝、斬首《ざんしゅ》刑を宣告された。刑はすぐに執行され、帽子を取り膝をついて処刑台に頭を差し出すが、あいにくその日は斧を研ぐ砥石《といし》がなく、切れない斧を使ったため死ぬまで45回も切りつけられた。最後まで首はスッパリ落ちず、胴体と1センチの皮一枚で繋がったままなので、ゴーストとなってから「ほとんど首無しニック」と呼ばれている。夢はホグワーツの「首無し狩クラブ」に入会し「首無し狩」に参加すること。しかし、首と胴体が離れていないので断られ続けている。

左耳を掴《つか》んで引っ張ると、頭が首からグラッとはずれ、蝶つがいで開くように肩の上に落ちる。新入生歓迎会などで生徒にこの芸をときどき見せては驚かせている。

1992年のハロウィーンに500回目の絶命日パーティを開き、ハリー、ロン、ハーマイオニーが出席した。「かれこれ400年食べておりません」と話しているが、ゴーストになって100年目にいったい何を食べたのか（食べることができたのか）は明かされていない。6巻でハリー・ポッターが「選ばれし者」だと報じられると、歓迎会で「私はポッターの権威者のように思われています。ハリー・ポッターなら全幅の信頼を置いて、私に秘密を打ち明けることができると知っています」とハリーとの関係を強調し、真相を聞きたがった。

誰かが人を失うとニックを探しにやってくるが、彼は死んでいないので死の秘密を知らないという。魔法使いは地上に自らの痕跡を残すことができ、死んでからも生きていた自分がかつて辿《たど》ったところを影の薄い姿で歩くことができる。しかし、その道を選ぶ魔法使いは滅多におらず、ニックは死ぬことが怖かったので、死の代わりにはかない生の擬態を選んだ。シリウス・ブラックが亡くなってから、ニックのようにシリウスも現世に戻るかもしれないとハリーは期待したが、

「あの人は逝《い》ってしまうでしょう」とニックは答えている。

[⑥上250、下265][⑤上320、330~334、下006、680~684][④上269][②192、198][JKR公式サイト「そのほかのこと」][⑦初出31章 UK493／US613]

ボナム、マンゴ

マンゴ・ボナム

【Bonham, Mango】

2005年3月

(1560–1659)聖マンゴ魔法疾患傷害病院を設立した有名な魔法使いの癒者《いしゃ》。

[JKR公式サイト「今月の魔法使い」]

骨生《は》え薬(4巻)

骨生え薬のスケレ・グロ(2巻)

【Skele-Gro】

②10–260

抜き取られた骨を元通りに生《は》やす薬。骨を再生するのは荒療治《あらりょうじ》だが、この薬を飲むこと自体がすでに荒療治。一口飲むと口の中も喉も焼けつくようになる。ドラコ・マルフォイは、ハグリッドが大きいのは小さいときにこの薬を一瓶飲み干したからだと思っていた。

英語Skeleton「骨格」とgrow「生える」の合成語。

[④下125][⑦初出24章 UK388／US480]

炎のロープ

炎の輪

【fiery rope(炎のロープ)／ring of fire(炎の輪)】

⑤36–下611
⑥26–下393

ダンブルドアが創り出した炎の魔法。5巻の魔法省の戦いでは、杖をムチのように動かして杖先から細長い炎を出し、ヴォルデモートの体をからめ捕った。6巻で亡者《もうじゃ》の軍団に襲われたときは、杖先から紅と金色の炎を噴出させ、炎は巨大な投げ縄のようにダンブルドアとハリーの周りを取り囲んだ。

[⑥下394][⑤下612]

ボーバトンの馬車
【Beauxbatons carriage】

④15-上377
⑥30-下478

ボーバトン校の移動手段。パステルブルーの馬車で、12頭の巨大なパロミノの天馬（亜麻色の尾とたてがみを持った金茶色の馬）に牽《ひ》かれて空を飛ぶ。マダム・マクシームがダンブルドアの葬儀に参列したときや、三校対抗試合の代表団がホグワーツに来たときにこれを使った。馬車は大きな館ほどの大きさで、その戸の部分にボーバトンの紋章（金色の杖が交差し、それぞれの杖から三個の星が飛んでいる）が描かれている。天馬は象のような大きさで翼があり、シングルモルト・ウィスキーしか飲まない。6巻では「パステルブルーの馬車」として登場した。

ボーバトン魔法アカデミー
ボーバトン校
【Beauxbatons Academy of Magic】

④09-上190
⑥05-上153

ヨーロッパの三大魔法学校の一つ。校長はオリンペ・マクシーム（マダム・マクシーム）。紋章は金色の杖が交差した図柄で、それぞれの杖からは三個の星が飛んでいる。フランスにある学校なので、生徒や先生はフランス語を話す。英語を話すときは、フランス語訛《なま》り（h を発音せず、th の音が z になる）が出る。制服は薄手の絹のローブ。三校対抗試合でホグワーツに来たときは、マントは着ていなかったが、何人かの生徒はスカーフやショールを巻いていた。躾《しつけ》の厳しい学校で、校長のマダム・マクシームが部屋に入ると生徒たちは一斉に起立をした。校舎は豪華な建物（palace）で、クリスマスの時期になると、解けない氷で作られた彫刻が食堂を取り囲むように飾られ、ダイヤモンドのようにキラキラ照らす。クリスマスの日には素晴らしいご馳走《ちそう》が出され、食事のあいだ森のニンフの聖歌隊が歌を奏《かな》でるという。ホグワーツのOWL《ふくろう》のような試験があるが、6年間勉強してから実施される。移動には天馬に牽《ひ》かれた空飛ぶ巨大な馬車を使用し、6巻では

ダンブルドアの葬儀に参列するために、校長がこれに乗って現れた。三校対抗試合の歓迎会にブイヤベースが出されたことや、10月にシルクのローブ一枚でやって来たところから、南仏にある学校と推測される。

ボーバトンはフランス語で「美しい杖」という意味[beau(x)「美しい」+bâton(s)「杖」]。

[⑥下**478**][⑤下**014〜015**][④上**377**、**379**、下**091**]

ボビン、メリンダ
メリンダ・ボビン
【Bobbin, Melinda】

⑥**11**–上**352**

ホグワーツのチャーミングな生徒で、スラグ《なめくじ》・クラブのメンバー。学年や寮は不明。家族が大きな薬問屋チェーンを所有している。

ボーブル玉飾り
【Baubles】

⑥**15**–上**467**

クリスマス用のグリフィンドール寮の合言葉。クリスマス後は、「節制」に変わった。

ボーブル(bauble)は、クリスマスツリーにつける球状の飾り(ボールオーナメント)のこと。英語baubleには「子供じみたもの」、「つまらないもの」という意味もある。

[⑥下**046**]

ボラージ、リバチウス
リバチウス・ボラージ
【Borage, Libatius】

⑥**09**–上**279**

『上級魔法薬』の著者。

Borageは英語で「ルリヂサ」のこと。青い花を咲かせる一年草で、葉は香味用として使われる。ヨーロッパでは、ギリシア・ローマ時代から薬用植物として、花や茎葉がお茶・シロップなどに利用された。

花言葉は「ぶっきらぼう」。リバチウス(Libatius)の語源は、「神酒」、「献酒」の意のラテン語 libatio。

ポリジュース薬 【Polyjuice Potion】

②09-239
⑥03-上064

自分以外の誰かに変身できる薬。ネバネバした濃厚な液体で、効力はきっかり1時間。効果が薄れる前に薬を飲み続ければ、長期に亘《わた》って変身していられる。調合に必要な材料はクサカゲロウ、ヒル、満月草、ニワヤナギ、二角獣の角の粉末、毒ツル蛇の皮の千切りと、変身したい相手の一部。調合法は、図書室の禁書の棚にある『最も強力な薬』に書いてある。6巻ではクラッブとゴイルがこれを飲み、女子生徒に変身し、必要の部屋の前で見張りをしていた。ハーマイオニーは、2年生でこれを調合。ハリーとロンが飲んでクラッブとゴイルに変身し、スリザリンの談話室に忍び込んだ。クラウチ氏の息子はアズカバンでこれを使い、母親と入れ替わって出獄。その後ホグワーツでもこれを飲み続け、1年間マッド-アイ・ムーディに成りすました。人間用の薬なので、ヒト以外の生き物に変身することはできない。

[⑥下**203～204、280**][⑤下**461**][④下**495**][②**322**][⑦初出**4**章 **UK046／US048**]

ホリヘッド・ハーピーズ 【Holyhead Harpies】

⑥04-上107

女性だけで結成された唯一のクィディッチ・チーム。1203年設立の由緒あるウェールズのチームで、グエノグ・ジョーンズが現在のキャプテン兼ビーター。1953年の独ハイデルベルグ・ハリヤーズ戦での勝利は、クィディッチ史上最も見ごたえのある試合の一つだったと賞賛されている。7日間の激戦の末、試合が決着したのは、ハーピーズのシーカー、グリニス・グリフィスの鮮やかなスニッチ・キャッチだった。試合終了後、ハリヤーズのキャプテン、ルドルフ・ブランドが、箒《ほうき》から降りるなりハーピーズのキャプテン、グエンドリン・モーガンに求婚したが、クリーンスイープ5号で殴られ脳震盪《のうしんとう》を起こした。

［ク**061**］［⑦初出7章 **UK098／US115**］

ポルターガイスト
【poltergeist】

①**07–191**
⑥**19–下148**

ホグワーツのトラブルメーカー、ピーブズのこと。

ポルターガイスト（騒霊）とは、物体の移動や騒音・発光など、原因不明の騒がしい状態が繰り返し生じる現象のこと。悪意のある精霊もしくはエネルギーを指すこともある。その名の由来はドイツ語 poltern「騒ぐ」と geist「霊」から。ポルターガイスト活動は19世紀ころまで悪魔や魔女のせいだとされたが、それ以降は心霊現象であることが認められている。おもに思春期の心理的に不安定な少年少女のいる家で起こるのが特徴で、超心理学ではその中心人物が無意識に使う念力によって起こると考えられている。短くて数日、長いものは数年間も続く。

［⑤上**389**］

ホワイトホーン、デブリン
デブリン・ホワイトホーン
【Whitehorn, Devlin】

2004年**11**月

（1945–現在）ニンバス競技用箒《ほうき》会社の創立者。

［**JKR** 公式サイト「今月の魔法使い」］

ボーンズ、アメリア・スーザン
アメリア・スーザン・ボーンズ
【Bones, Amelia Susan】MM

⑤**07–上200**
⑥**01–上010**

魔法法執行部の部長。白髪《はくはつ》を短く切った、鰓《えら》のがっちり張った魔女。エドガー・ボーンズの姉で、スーザン・ボーンズの叔母。魔法省に保護されていたが、ヴォルデモート自身の手にかかり、無残に殺された。

中年女性で一人暮らしをしており、部屋には激しく戦った跡が残っていた。

［⑥上**023**、**109**］［⑤上**223**］

ボーンズ、スーザン

スーザン・ボーンズ

【Bones, Susan】Ⓗ DA

①**07**–**178**
⑥**18**–下**097**

（1980？–）ハリーと同学年のハッフルパフ生。DAのメンバー。アメリア・スーザン・ボーンズやエドガー・ボーンズ（不死鳥の騎士団創立メンバー）の姪。5年のときは、長い三つ編みを1本背中に垂《た》らしていた。6年の「姿現わし」練習第1回目で「ばらけ」てしまい、左足を出発点に残した姿で悲鳴を上げた。

ボーンズ家は魔法界で有名な家系だが、アメリアやエドガーを含む彼女のおじ・叔母・いとこ、祖父母はヴォルデモートや死喰《しく》い人《びと》に殺害されている。

［⑤上**279**、**531**、**537**～**538**、下**205**］

ポンフリー、マダム・ポッピー

マダム・ポッピー・ポンフリー

（マダム・ポンフリー）

【Pomfrey, Madam Poppy】

①**01**–**021**
⑥**08**–上**239**

厳しいが腕のよいホグワーツの校医。ロックハートに「能無しの先生」、クィディッチを「あんな危険なスポーツ」と評して口は悪いが、ペットが石になって心配するフィルチに「ミセス・ノリスはもうすぐ戻ってきますよ」と声を掛ける優しいところもある。日ごろから鼻が取れていたり、鬚《ひげ》の生《は》えている生徒を見慣れているので、どんな症状に接しても怯《ひる》まず適切に治療する。ルーピンが学生時代、狼に変身するときに暴れ柳に引率しているのでキャリアは長い。

2巻では、猫の毛入りのポリジュース薬を飲んだハーマイオニーが、毛むくじゃらの顔で病室に現れたが、うるさく追及したりせず、他の生徒に顔を見られては恥ずかしいだろうと、ベッドの周りをカーテンで囲ってくれた。3巻では、シリウスの無実を訴えるハリーの口に突然大きなチョコレートの塊《かたまり》を押し込み、むせ込んでいるあいだに間髪をいれずベッドに押し戻すという難易度の高い技を披露。5巻では、OWL《ふくろう》試験のストレスでパニックになったハンナ・アボットに「鎮静水薬」、ロンの腕の傷痕《きずあと》に「ドクター・ウッカリーの物忘れ軟膏《なんこう》」を使うなど、処方薬を選ぶ目に狂いはない。毛生え呪文をかけられ、眉毛で顔中覆《おお》われたところを治してもらったアリシアは、「マダム・ポンフリーはいままで治せなかったことがない」と断言している。しかし、その校医でもハーマイオニーがDA名簿にかけた呪いの治療には手こずり、マリエッタの顔のでき物は、結局消すことができなかった。

6巻では、毒入りの蜂蜜酒《はちみつしゅ》を飲んだロンや、クィディッチの試合で頭蓋骨《ずがいこつ》骨折したハリーを治療。お見舞いに来たハグリッドを数人分と数え間違え、「お見舞いは一度に六人までです」と病室から追い出そうとした。「マクラーゲンを見つけ出して殺してやる」と息巻くハリーには、「残念ながら、それは『無理する』の分類に入ります」と脅し、ベッドに押し戻した。癒術《いじゅつ》には定評があるが、闇の魔術の処置に関してはスネイプの方が詳しいため、呪われたネックレスに触ったケイティ・ベルの応急処置はスネイプが行った。そのスネイプにダンブルドアが殺されたことを知ると、ショックを受けワッと泣き出した。

名前のPoppy（ポッピー）はケシ科ケシ属の植物の総称。催眠・鎮《ちん》痛《つう》作用のあるアルカロイドを含んでいるため、古くから薬用植物として使われてきた。イギリスにはPoppy Day（ケシの日）と呼ばれる「休戦記念日（Remembrance Sunday）」があり、1918年11月11日に第一次世界大戦が停戦となったことを記念して、毎年11月11日に最も近い日曜日に、造花の赤いケシを身につけて、第一次・第二次大戦の戦没者を追悼《ついとう》している。

［⑥上**391**、下**119**、**123**、**142**〜**143**、**146**、**446**、**448**］［⑤上**635**、下**473**、**481**〜**482**、**623**、**661**〜**662**］［④上**303**、下**539**］［③**462**、**510**］［②**261**］［⑦初出**31**章 **UK489**／**US608**］

ま

マクゴナガル、ミネルバ
ミネルバ・マクゴナガル
【McGonagall, Minerva】OP G

①01-017
⑥05-上153

(1937年？10月4日-)グリフィンドールの寮監を務める「変身術」の先生。1997年6月までホグワーツの副校長だったが、ダンブルドアの死亡後、一時的に校長になった。背が高く四角いメガネをかけ、黒い髪を小さなシニョンにしている。不死鳥の騎士団のメンバーで、ダンブルドアの最も忠実な部下の一人。動物もどきで、目の周りに縞模様のあるトラ猫に変身する。仲のいい先生はスプラウトとフリットウィック。ホグワーツで1956年から教鞭《きょうべん》を執っている。

厳格そうな顔つきをしているが、性格も厳しく公平で、スネイプのように自分の寮の生徒をえこひいきしたりしない。ハリーがドラコに「セクタムセンプラ」をかけ、スネイプから学期終了まですべての土曜日に罰則を受けたときは(6巻)、退学にならなかったのは幸運だと言って、スネイプを全面的に支持した。ダンブルドアが亡くなり暫定的に校長を務めたときは、今後の方針について全職員から意見を聞いている。一方、クィディッチとなると熱くなり、グリフィンドール戦では必ず解説者の隣に座り、あれこれ口を出している。マルフォイの反則には「このカス、卑《ひ》怯《きょう》者、このー！」と拳《こぶし》を振り上げ、3巻でグリフィンドールの優勝が決まったときはウッド顔負けの大泣きをして寮旗で目をぬぐった。怒ると眉と眉が一直線に繋《つな》がり鷹そっくりに。おまけにメガネもギラギラ光らせる。6巻でホグワーツに死《し》喰《く》い人《びと》が侵入したときは激しく戦い、「これでも食らえ！(Take that!)」とアレクトに呪文をかけた。

怖い先生であるが冷酷なわけではなく、ケイティ・ベルが殺されそうになり友人のリーアンが心配すると、「医務室でマダム・ポンフリーからショックに効く物をもらいなさい」と優しく言葉をかけた。生徒一人一人のことを親身になって考え、ネビルには「あなたのおばあさまは、どのような孫を持つべきかと考えるのではなく、あるがままの孫を誇ることを学んでもいいころです」と褒《ほ》めている。ダンブルドアが亡くなると、「全部わたしの責任です」とタータンの縁取りのハンカチで溢《あふ》れる涙を押さえた。ホグワーツが死喰い人に襲撃された夜、ルーピンがトンクスの求愛を拒み「ダンブルドアが死んだんだ（恋愛の話題は不謹慎だ）」とたしなめると、「世の中に少し愛が増えたと知ったら、ダンブルドアは誰よりもお喜びになったでしょう」とさりげなく助け舟を出している。「占い学」には懐疑的な立場を取り、トレローニーとはあまり仲はよくないが、彼女が学校を追い出されそうになると誰よりも早く近寄り、「ホグワーツを出ることにはなりませんよ」とそっと慰めた。厳しいが、心の優しい頼りになる先生である。

タータンチェックのガウンを羽織り、ボストンバッグもタータンチェック、お気に入りのお菓子はタータンチェックの缶に入った「生《しょう》姜《が》ビスケット」。何から何までタータンチェックずくめなので、スコットランド人であろう。Minervaの出典は、ローマ神話の技術や工芸の女神・ミネルヴァ。のちにギリシア神話のアテナと同一視されたため、英知と武勇の女神となった。転じて知恵と学識に富む女性を指す。マクゴナガルの出典は、スコットランドの詩人ウィリアム・マクゴナガル（1830–1902）。粗野な韻律の乱れた詩を創作し、世界最悪の詩人の一人として名高い。

［⑥上**248**、**262～264**、**380～382**、下**140**、**319**、**426**、**450**、**453**、**465～466**］［⑤上**193**、**336**、**338**、**392～394**、**481～482**、**500**、**503～504**、**563**、**629**、下**075**、**206**、**275**、**314～315**、**380～384**、**403**、**501**、**670**、**677**］［③**297**、**403**］［①**221**］［**JKR** 公式サイト］［⑦初出**12**章 **UK186**／**US226**］

マクゴナガルの事務室(部屋)

【McGonagall's office】

①15–356
⑥12–上381

ホグワーツ城の2階にある小さな部屋。暖炉や事務机などが置いてあり、窓からはクィディッチ・グラウンドが見える。クリスマス休暇で帰宅した生徒たちを安全迅速に学校に帰すために、魔法省が煙突飛行ネットワークを開通させたときは(6巻)、生徒たちは自宅からこの部屋の暖炉に直行した。ケイティ・ベルが、パールのネックレスに触り呪われたときは、目撃したハリーら三人とリーアンがここでマクゴナガルに状況を説明。5巻ではアンブリッジの授業で癇癪《かんしゃく》を起こしたハリーが、この部屋でビスケットを勧められて注意を受けた。1巻では「マクゴナガル先生の研究室」となっている。

[⑥下**045**][⑤上**390〜394**][③**118**、**219**]

マクシーム、マダム・オリンペ

マダム・オリンペ・マクシーム
(マダム・マクシーム)

【Maxime, Madame Olympe】

④15–上378
⑥30–下478

ボーバトン校の女校長。美しく気性の激しい大柄なフランス人。小麦色の滑らかな肌にキリッとした顔つき、大きな黒い潤んだ瞳に、鼻はつんと尖《とが》っている。深いアルトの声で、フランス語訛《なま》りのHを発音しない英語を話し、ダンブルドアからは「非常に有能な校長で、ダンスがすばらしくお上手じゃ」と賞賛されている。魔法界で巨人は偏見を持たれているため、自分は「骨太《ほねぶと》なだけ」と偽《いつわ》っているが、実は半巨人。ハグリッドとほとんど変わらぬ大きな体がそれを示している。

1994年三校対抗試合に参加するため、代表選手を引率してホグワーツに来校し、巨大な生物好きのハグリッドに一目惚《ひとめぼ》れされた。ボーバトンを勝たせたい一心のマクシームは、当初このハグリッドの恋心を利用し、甘ったるい声で話しかけたり魅力的な黒い瞳をパチパチさせて、課題の情報を入手していた。しかし、クリスマス・ダンスパーティの晩にハグリッドから半巨人であることを打ち明けられ、自分も「わかったんだ……あなたが俺とおんなしだって」と同類扱いされると、「わたしはただ骨が太いだけでーす」と激怒。ハグリッドも家系を隠そうとするマクシームに失望し、さらには彼女に利用されていたことにも気づき、二人の関係は険悪になった。しかし、ヴォルデモートの復活後、ダンブルドアを交えて三人で話し合ってからは、ハグリッドの真正直さに気づき、心を開くようになった。

これまで世間の偏見から身を守るため、巨人との繋《つな》がりを隠してきたマクシームであるが、1995年夏にダンブルドアから巨人を説得する仕事を頼まれると、承諾。ハグリッドとともに巨人の村落に出発した。「野に伏し、岩を枕にする」苦しい道中であったが、一度も弱音を吐かず、ハグリッドが巨人に捕まると結膜炎の呪いを唱えて窮地を救った。ハグリッドが異父弟グロウプを連れて戻ることには理解を示したものの、グロウプの凶暴さに耐えきれず、結局、帰路の途中で別れてしまった。怒るとすさまじく「そうとも、火のようだ……あれがフランス人の血なんだな」とハグリッドを大いに魅了したが、二人の仲はこの旅でも進展しなかったようである。1997年夏には、ダンブルドアの葬儀に参列するため、巨大な馬車に乗ってホグワーツを再訪問。出迎えたハグリッドの胸に飛び込んだ。

Maximeはラテン語で「最大に」、「最も（多く）」の意、Olympeはフランス語で「オリンポス山（ギリシア北部マケドニア地方とテッサリア地方の境にある同国の最高峰。ギリシア神話でゼウスの宮殿があると信じられた）」または「オリンポスの神々」の意。いずれも巨人をイメージさせる名前である。

［⑥下**489**］［⑤上**479**、下**012～015**、**029**、**423～424**］［④上**379**、**406～407**、**501～505**、下**106～111**、**121～124**、**151**、**319**、**347～348**、**387～388**、**406**、**551**］

マクタビッシュ、ターキ
ターキン・マクタビッシュ
【McTavish, Tarquin】

2006年7月

(1955–現在)マグルの住人に対する犯罪で投獄された。住人はマクタビッシュのやかんに閉じ込められている所を発見された。

[JKR 公式サイト「今月の魔法使い」]

マクミラン、アーニー
アーニー・マクミラン
【Macmillan, Ernie】H DA

②11–286
⑥09–上276

(1980?–)ハリーと同学年の太ったハッフルパフ生。大声でもったいぶって話す気取り屋だが、ハリーは彼のことを気に入っている。9代前までさかのぼれるほど由緒ある純血の家系の出身で、友人はジャスティン・フィンチ–フレッチリーとハンナ・アボット。5年生で監督生に選ばれた。DAのメンバー。

2巻では、ハリーがスリザリンの後継者だと思い込み仲間に言いふらしたが、ハーマイオニーが襲われると自分の勘違いに気づき、丁寧に謝罪した。4巻でハッフルパフのセドリックとともにハリーが三校対抗試合の選手に選ばれると、自分たちの代表選手の栄光を横取りしたと思い、口をきかなくなってしまった。しかし、5巻になると、おおかたの生徒がハリーの「ヴォルデモート復活」発言に疑いの目を向ける中、ハリーの支持を表明。誓約書にサインするのは少々ためらったものの、DAのメンバーになり、防衛術を練習した。真面目な性格がたたり、OWL《ふくろう》試験前には誰彼なく捕まえては勉強について質問するようになり、皆をイライラさせた。6巻では、ハリーとともに「魔法薬」のNEWT《いもり》レベルに進み、同じテーブルで作業をした。スラグホーンから「おもしろいものを煎じて驚かしてくれ」と課題を出されたときは、独自の魔法薬を創作しようとしたが、出来上がった薬はチーズのように固まり、鍋底で紫のダンゴ状になっていた。姿現わしの1

回目の練習では、自分の輪っかに意識を集中しようとするあまり、顔が紅潮。その様子は、クアッフル大の卵を産み落とそうと力んでいるかのようだったので、ハリーは笑いを噛《か》み殺した。さらに練習中に、ピルエット(片足のつま先を軸にして休を1回転するバレエの動き)をしながら輪の中に跳《と》び込み、一瞬ぞくぞくしているところをディーン・トーマスに見られ、大笑いされてしまった。

[⑥上**277**、下**081**、**084**、**086**、**096**～**097**、**233**、**428**][⑤上**301**、**339**、**414**～**415**、**531**、**542**、下**321**、**447**、**471**、**688**][④上**453**、**494**][②**295**～**298**、**397**][⑦初出**29**章 **UK466**／**US578**]

マクラーゲン、コーマック
コーマック・マクラーゲン
【McLaggen, Cormac】Ⓖ

⑥**07**-上**217**

(1990?-)ハリーより1学年上のグリフィンドール生。スラグ《なめくじ》・クラブのメンバー。大柄で肩幅の広いバリバリの髪(剛毛)の男子学生。有名人の叔父(チベリウス)を持ち、バーティ・ヒッグズやスクリムジョールなどの有力者とも知り合い。

6年生(5巻)でグリフィンドールチームのキーパーを希望したが、賭けでドクシーの卵を500グラム食べて病棟に入院していたため、選抜を受けられなかった。7年生(6巻)で挑戦し、いい守りを見せるが、ハーマイオニーに錯乱呪文をかけられ、1回ミスして落選した。そのハーマイオニーから誘われたスラグホーンのクリスマス・パーティでは、わがままぶりを発揮。一方的に「コーマック・マクラーゲンのすばらしいセーブ百選」を自慢した挙句《あげく》、ヤドリギの下でハーマイオニーに乱暴に迫り、逃げられてしまった。ロンの入院後は念願のキーパーの座を得るが、自分の方がロンよりキーパーにふさわしいとハリーにほのめかし続け、さらには仲間のメンバーを批評したり、練習方法を細かく提示してハリーに煙たがられた。ハッフルパフとの試合中に、キャプテンのような態度で仲間に指示。ピークスに打ち込み方を教えようとして、誤ってハリーにブラッジャーを叩《たた》きつけてしまった。頭蓋骨《ずがいこつ》骨折で病棟に入院したハリーは、「マクラーゲンを殺してやる」とカンカンになった。

Cormac(コルマク)の語源は、ケルト神話の王コルマク・コン・ロンガスと思われる。アルスターの王コンフォヴァル・マク・ネサの息子。ニーシら武者を殺害した父王を憎み国を出るが、死期の迫った父王に請われて王位を継ぐために帰国する途中、クライフティネの夜討ちに遭い殺された。

[⑥上**337**、**340**、**350~351**、**475**、**483**、下**131~135**、**155**]

マグル 【Muggle】

①**01-011**
⑥**01-上008**

魔法使いの血が一滴も流れておらず魔力のない人々のことを、魔法使いたちはこう呼んでいる。魔法界とマグル社会は隣接しているが、マグルが魔法界に気づかずにいるのは、「魔法を鼻先に突きつけられても徹底的に無視しようとする」からであり(ウィーズリー氏談)、「ちゃーんと聞いてねえのさ。ちゃーんと見てもいねえ。なーんも、ひとーっつも気づかねえ」(スタン・シャンパイク談)せいである。このお陰でネス湖の世界最大のケルピーがいまだに捕獲を逃れ、雪男はチベットに生息し続けている訳であるが、こうしたマグルのおめでたい傾向に関し、魔法界では『俗なるものの哲学—なぜマグルは知ろうとしないのか』(モルディカス・エッグ教授著)といった研究書が出版されている。また、注意深いマグルに対しては、魔法動物に目くらまし呪文をかけたり、見られたくない建物にマグル避《よ》け呪文を唱えるなど抜け目なく対策を講じているので、今のところそれらの存在は知られていない。うっかりマグルに魔法を見られた場合は、忘却術士が駆けつけ、目撃したマグルに忘却呪文を唱え記憶を修復している。グレンジャー夫妻やダーズリー家、イギリスの首相のように、家族や仕事先に魔力を持つ者がいて、魔法界の存在に気づいているマグルも存在するが、誰かに打ち明けても火あぶりにされたり、狂人扱いされるのがおちなので、ひたすら黙っているのである。

魔法界には、アーサー・ウィーズリーのようにマグルに好意的な「マグル好き(Muggle-lover)」や、その反対の「マグル嫌い(Muggle-hater)」の魔法使いがいるが、大半の魔法使いはマグルの生活を知らず、マグルは魔法の代用品として電気やコンピューター、レーダーなどを使っていると考えている。このためホグワーツでは、マグルがいかに魔法なしで生活しているかを教える「マグル学」という学科を設けている。ヴォルデモートや死《し》喰《く》い人《びと》に代表されるマグル嫌いたちは、マグルを「悪い」ものと差別しており、これまでクィディッチ・ワールドカップでマグル狩りを行ったり、マグルのトイレを逆流させるなど、悪ふざけを繰り返してきた。1996年6月の魔法省での戦いをきっかけに魔法界が戦争に突入すると、マグル嫌いの行動はさらにエスカレート。ヴォルデモートが吸魂鬼《ディメンター》や死喰い人、巨人をマグル界に送り込み、大惨事を引き起こした。

JKRはマグルという言葉について、「愚かさと愛嬌《あいきょう》の両方をあわせ持つ言葉を探していました。そして騙《だま》されやすい人という意味の『マグ(mug)』という単語が頭に浮かび、それに手を加えたのです。そのときに『マグル』が俗語でマリファナを意味するとは知りませんでした」と説明。マグルの能力については、「すべての材料が揃っていても、マグルに魔法薬は作れません。調合するには魔法の成分が必要で、どこかで杖を使わなければならないからです。マグルが魔法使いの杖を手にしても、予想外の非常に激しい事故が起きるでしょう」と話している。

[⑤上**007**、**216**][③**051**][②**058**][幻**025**][**JKR**公式サイト「今月の魔法使い」][**WBC**][⑦初出**1**章 **UK017**／**US012**]

マグル生まれ 【Muggle-born】

②**07-171**
⑥**04-上106**

マグルの両親から生まれた魔法使いや魔女のこと。マグル生まれは、ルシウスのようにマグルを「悪い」ものと考えている人から憎まれており、こうした差別主義者にとって、リリー・エバンズ、ハーマイオニー・グレンジャー、テッド・トンクス、ジャスティン・フィンチ–フレッチリー、コリンとデニス・クリービーは、マグル生まれとなる。マグル生まれに対する最低の侮辱の言葉が、「穢《けが》れた血」である。

「純血」や「半純血（混血）」、「マグル生まれ」という言葉は、こうした区別を重視する人々だけが使うもので、その発言者の偏見を反映していると JKR は語っている。

［⑥上**364**］［⑤上**084**、**186**］［②**300**］［**JKR** 公式サイト「**FAQ** 作品について」］［⑦初出**6**章 **UK086**／**US099**］

マグル学 【Muggle Studies】

②**14–374**

マグルについて魔法的視点から学ぶ教科。選択科目の一つ。ハーマイオニーは、これを3年のときに選択し「マグルはなぜ電気を必要とするか説明せよ」という作文を書いた。試験では100点満点のところを320点も取って合格したが、時間割がきつくなるので、4年以降は取るのをやめてしまった。魔法界でマグル関係の仕事をする際には、この科目が必要となる。教室は2階にあり、教授は7巻で明かされる。

［⑤下**370**］［③**325**、**415**、**561**〜**562**］［⑦初出**2**章 **UK021**／**US016**］

マグルの首相 【Muggle Prime Minister】

③**03–051**
⑥**01–**上**006**

マグル界の首相のこと。特にイギリスの首相を指す。名前は明らかになっていない。身内に魔法使いのいないマグルの中では、おそらく魔法界の存在を知っている唯一の人物。首相の執務室には、醜い小男の肖像画が掛かっており、それが魔法大臣との連絡係を務めている。大臣は、首相が交代した際や、マグル界に影響するような深刻な事態が起きたときに、挨拶や警告を与えに煙突飛行粉《フルーパウダー》を使って執務室の暖炉に現れる。現在の首相は冷静な人物であるが、前任者は初めて魔法大臣がやって来たとき、政敵が仕組んだ悪い冗談と思い窓から放り出そうとした。

[⑥上012～013] [⑤上007] [⑦初出3章 UK034／US034]

マグル避け呪文
【Muggle-Repelling Charms】
④08–上148

マグルを近づかせないようにする魔法。建物などに唱える。これがかけられた場所に来ると、マグルは突然急用を思いつき、慌《あわ》てて引き返す。クィディッチ・ワールドカップの競技場や魔法使いの学校には、これが唱えられている。

[④上259] [ク036] [⑦初出14章 UK228／US276]

マグル連絡室
【Muggle Liaison Office】
⑥01–上016

魔法省の部署の一つ。魔法を目撃したマグルに、記憶修正措置を取るのが仕事。魔法省の魔法事故惨事部の管轄下にあると思われる。

負け犬病
【Loser's Lurgy】
⑥19–下141

ルーナ・ラブグッドが存在を信じている病気。ルーナがクィディッチの試合を実況したとき、ザカリアス・スミスがクアッフルを1分以上キープできないのは、この病気にかかっているせいかもしれないとコメントした。もちろんこのような病は、魔法界でも存在しない。

Lurgyはイギリスのラジオコメディ『The Goon Show』で作られ、流行語となった架空の伝染病のこと。通常はおどけて、“the dreaded lurgy（恐ろしい病気）”といった表現で使われる。

マゴリアン
【Magorian】
⑤30–下432

禁じられた森に棲《す》むケンタウルス。群れのリーダー的存在。栗毛の馬の胴体に、気位の高い頬骨《ほほぼね》の張った顔と長い黒髪を持つ。ケンタウルスの例に漏れず、人間のために働くのは種族を裏切る行為だと考えている。一方で、その子供を殺すのは罪悪だと判断する理性も持ち合わせており、森に入り込んだハリーたちを見て、「仔《こ》馬を殺すのは恐ろしい罪だ。我々は無垢《むく》なものには手出しはしない」と話し、逃がそうとした。アンブリッジに「ヒトに近い知能」と呼ばれたときは憤慨し、「我々の知能はおまえたちのそれをはるかに凌駕《りょうが》している」と冷たく言い放った。

［⑤下**433～435、517～519**］［⑦初出**36**章 **UK588／US734**］

マーサ【Martha】

⑥**13-上398**

トム・リドル（ヴォルデモート）が育った孤児院で働いていたマグルの女性。

魔女【witch】

①**04-083**
⑥**01-上023**

「ハリー・ポッター」の世界では、魔女は魔法を使う女性として認識され、「魔法使い」と「魔女」は単に性別だけが違う存在として描かれているが、俗信では彼らは異なった方法や目的で魔法を使うと考えられていた。一般に、魔女は妖術を使い、しばしば社会に害をなすと考えられた人々のことで、箒《ほうき》に乗って空を飛び、サバト（魔女集会）に出かけると信じられていた。一方の魔法使いは、その語の通り（wizard は「賢い」の意の wiz から派生）、知識がある人物を指していた。女の魔女だけでなく男の「魔女」もごくまれに存在し、彼らは warlock と呼ばれていた。

魔女の歴史は古く、旧石器時代の洞窟の壁画に、早くもその姿が描かれている。原像は巫女《みこ》や占い師、産婆や薬剤師といった職業の女性とされ、キリスト教の普及とともに疎外され、魔女と呼ばれ隔離《かくり》されていったと考えられている。特に魔女が衆目を集めたのは魔女狩りが猛威を振るった15～17世紀で、この時代に処刑された女性は数万人に及ぶと（一説には30万人とも900万人とも）言われている。宗教・

社会的状況の変化により、人々のあいだに不安や混乱が広まり、これを収拾するためのスケープゴートとして異端者の「魔女」が選ばれ、魔女狩りが発生したとされる。

［⑤上**036**］［⑦初出**1**章 **UK017**／**US011**］

マダム・パディフットの喫茶店
【Madam Puddifoot's (teashop)】

⑤**25**–下**219**
⑥**12**–上**374**

　ホグズミードの喫茶店。スクリベンシャフト羽根ペン専門店の近くの脇道にあり、幸せなカップルの溜《た》まり場となっている。店主は太ったマダム・パディフット。狭苦しくてなんだかむんむんする店で、何もかもがフリルやリボンで飾り立てられている。ハリーがチョウ・チャンに連れられて初めてここに来たときは、バレンタインデーだったので、それぞれの丸テーブルに金色のキューピッドがたくさん浮かび、座っている人たちにときどきピンクの紙ふぶきを吹きかけていた。店内はカップルだらけで、手をつないだりキスしたり、みんないちゃいちゃしている。

［⑥下**222**］［⑤下**220**、**239**］

マダム・マルキンの洋装店—普段着から式服まで
マダム・マルキンの店
【Madam Malkin's Robes for All Occasions／Madam Malkin's】

①**05**–**116**
⑥**06**–上**169**

　マダム・マルキンが経営する小さな洋装店。ホグワーツの制服からドレスローブまで何でも揃う。ダイアゴン横丁のフローリッシュ・アンド・ブロッツ書店の隣にあり、グリンゴッツ銀行はすぐ近く。ハリーが初めてドラコ・マルフォイと会ったのは、このお店だった。6巻でも鉢合わせし、罵《ののし》り合いの応酬のあと、ドラコの母は「この店の客がどんなクズか分かった以上、トウィルフィット・アンド・タッティングの方がいいでしょう」と息子を連れて出て行った。

［⑥上170～174］［⑤上452］［①117］［⑦初出23章 UK372／US459］

マッキノン家
【McKinnons, the】

①04-086

ハリーが1歳のころ（1980年ころ）最も力のあった魔法族の一家。その当時、魔法界を支配しつつあったヴォルデモートに目をつけられ、滅ぼされてしまった。その殺害には死《し》喰《く》い人《びと》のトラバースが手を貸している。

マッキノンの出典は、JKRの大学時代の友人、カトリーヌ・マッキノンと思われる。

［④下361］［⑦初出10章 UK149／US180］

マフリアート呪文
耳塞《ふさ》ぎ呪文／マフリアート！耳塞ぎ！
【Muffliato】

⑥12-上359

謎のプリンス（スネイプ）が発明した盗聴予防の呪文。スネイプの『上級魔法薬』の本に書いてあった。これを唱えると、周囲にいる人の耳に正体不明の雑音が聞こえるようになり、授業中でも盗み聞きされることなく長時間私語ができる。ハリーは病室でクリーチャーを呼んだときに、これを唱えてマダム・ポンフリーに会話を聞かれないようにした。ハーマイオニーは、これらのプリンスの呪文が気に入らず、ハリーがマフリアート呪文を使うと頑《かたく》なに非難の表情を崩さず、口をきくことさえ拒絶していた。

英語muffle「音を消す（弱める）」、「消音器」からの造語。

［⑥上424、下147、296］［⑦初出7章 UK111／US132］

魔法
【magic】

①04-091
⑥01-上030

魔力によってマグルでは成し得ない不思議なことを行う術。「ハリー・ポッター」の世界の魔法使いたちは、おもに「杖」と「呪文」、または「魔法薬」や「魔力を持つ道具」を使い魔法を実行している（屋敷しもべ妖精は指をパチンと鳴らすことで魔法を操る）。魔法でさまざまな現象を起こすことができ、姿現わしなどの「移動」や、動物もどきなどの「変身」のほか、「呼び出し」（例：空中から何かを出す）や、感情などを喚起させる「呼び起こし」（例：愛の妙薬）、物理的な性質を変えたり病気を治療する「操作」（例：成長呪文）などを行う。魔法は常に跡を残し、ダンブルドアはホークラックスの洞窟で空中を手探りし、ヴォルデモートが隠した小舟の鎖を見つけた。熟練した魔法使いは声を出さずに魔法を唱えることができ、ハリーたちも6年生の「闇の魔術に対する防衛術」などで無言呪文を学んだ。魔法を唱えた者が死ぬと、その魔法も解ける。ダンブルドアがハリーにかけた金縛り術は、ダンブルドアが死ぬと解除された。魔法省は未成年の魔法を感知できるが、実行犯の特定はできないため、ハリーはドビーがダーズリー家で唱えた浮遊術のことで、魔法省からお咎《とが》めを受けたことがある。

JKRは「物語の構想の段階で長い時間をかけて魔法界のルールを作り、魔法でできることの限界を考えました。そのあと魔法使いが魔法でできるさまざまな事柄を考案したのです。本の中にある魔法のいくつかは、実際に昔の人々が存在を信じていたものが元になっています。しかし大半の魔法は私の創作です」と話している。

［⑥上236、270、下071、373、424、440］［B／N］［⑦初出1章UK018／US012］

魔法運輸部

【Department of Magical Transportation（Transport）】　④06-上102

魔法省を構成している7部門の一つ。魔法界の移動全般を管理・監督する。内部に煙突ネットワーク庁（煙突飛行規制委員会）や箒《ほうき》規制管理課、移動《ポート》キー局、姿現わしテストセンターが置かれている。部長は分かっていない。職員は、煙突飛行ネットワーク室にエッジコム夫人、クィディッチ・ワールドカップでキルトにポンチョという度肝を抜く格好で移動キーの番人をしたバージルがいる。オフィスはロンドン魔法省の地下6階。

[⑤上**210**、下**300**][④**116**][⑦初出**1**章 **UK013**／**US006**]

魔法界

魔法世界

【wizarding community／magical world】

①01-077
⑥01-上011

魔法使いが住んでいる世界のこと。非魔法社会(マグル界)に隣接し、住人は魔法を使い、箒《ほうき》で移動し、ドラゴンやスフィンクスなどの魔法動物が生息している。各国に魔法省が設置され、マグルの国連のような国際魔法使い連盟が存在している。機密保持法や未成年魔法使いの妥当な制限に関する法令といった法律が制定され、魔法の使用やその罰則などが細かく定められている。裁判所や監獄もあり、イギリスの最高裁はウィゼンガモット、監獄はアズカバン。成人は17歳で、未成年の魔法使いは、学校外で魔法を使うことが禁じられている。ホグワーツ魔法魔術学校やボーバトン魔法アカデミー、ダームストラング専門学校などの教育施設があり、ホグワーツの場合は11歳から入学できる。学校に入学前の子供たちは、誤って魔法を使う恐れがあるため、おおかたは自宅で教育を受けている。聖マンゴ魔法疾患傷害病院といった医療機関も設けられており、魔法による損傷や病気などを治療している。郵便物はふくろうが配達し、魔法界にもカメラやラジオの機械類があるが、魔法使いはこういったものを魔法を使って動かすので、電気は必要としない。この世界のポスターや写真、肖像画の人物はみな自由に動き回っているが、マグルのカメラで撮っても魔法界の薬で現像すれば、動くようになる。移動手段は箒のほかに、暖炉を使ったり、姿現わしの魔法で直接目的地に移動する方法があるが、他人の家に突然魔法で現れるのは失礼なので、通常、姿現わしは訪問の際には使わない。魔法界の建物は、だいたいにおいて姿現わしに対して魔法で護《まも》られている。

『幻の動物とその生息地』や『クィディッチ今昔』によると、魔法使いはもともと昔から、マグルに魔法を知られないよう仲間内で付き合ってきた。しかし、それでも箒に乗る姿などが目撃され、中世になると魔法使いに対するマグルの迫害が激しくなった。そこで、魔法なんてものはそもそも存在しなかったということをマグルに確信させるため、魔法使いは身を潜《ひそ》め、魔法動物を隠蔽《いんぺい》することにした。マグルがわずかでも目撃する恐れのある場所でのクィディッチは禁止され、マグルに見られたくない場所にはマグル避《よ》け呪文がかけられるようになった。こうして今やマグルはすっかり魔法の存在を信じなくなり、魔法を鼻先に突きつけられても徹底的に無視するようになった。魔法動物に関しては、昔はマグル界でも一角獣《ユニコーン》やドラゴンなどは実在するものとして知られていた。しかし、これらを目撃することが魔法に対するマグルのヒステリー状態に油を注ぐため、1692年の国際魔法使い連盟で、ヒッポグリフなどさまざまな生き物27種は、マグルの目から隠し、想像上の生き物であって、実際には存在しないと思い込ませることに決まった。今では魔法秘密維持国際法によって、世界各国の魔法省が、魔法動物の世話や管理に当たっている。マグルが魔法動物や魔法を目撃した場合は、魔法警察部隊が出動し、忘却魔法を唱え記憶を修正している。また、マグルの世界同様、魔法界でも巨人や狼人間などは凶暴な生き物と忌《い》み嫌われ、差別されている。

［⑥上**090**、**168**、下**007**］［⑤上**015**、**046**］［④上**148**、**259**、**293**］［幻**020**～**023**］「ク**016**、**036**～**037**］［**JKR** 公式サイト「**FAQ** 作品について」］［⑦初出**2**章 **UK024**／**US020**］

魔法警察部隊
【Magical Law Enforcement Squad】

③**10-270**
⑥**03-上065**

　魔法界の警察部隊。魔法法執行部の管轄下にあると思われる。この中でも訓練された特殊部隊が、凶悪事件に派遣される。6巻で魔法省は、家族、同僚、友人などの行動がおかしいと感じた場合は、ただちに魔法警察部隊に連絡するよう呼びかけた。エレファント・アンド・キャッスルで、たちの悪い逆火《さかび》呪いが唱えられたときは、この部隊が出動し処理をした。1925年当時、隊長を務めていたボブ・オグデンは、魔法省への召喚状を渡しにモーフィン・ゴーントの家を訪ねたが、襲われたので現行犯逮捕した。

［⑥上**131**、**312**］

魔法史（教科）【History of Magic】

①**08-198**
⑥**05-上155**

魔法界が考え出した最もつまらない学科。魔法界の歴史について学ぶ。担当のビンズ先生は、中古の電気掃除機のような一本調子の低い声でブーンブーンとノートを読み上げるので、10分で強い眠気を催《もよお》すこと請け合い（暑い日は5分で確実）。ハーマイオニーを除いたクラス全員が催眠術にかかったようにぼーっとなり、ときどきはっと我に返っては、名前や年号とかのノートを取るあいだだけ目を覚まし、再びすぐに眠りに落ちる。ハリーとロンはこれまで何とか落第スレスレでこの科目を取ってきたが、それはハーマイオニーが試験前にノートを見せてくれたから。教室は2階にあり、広い部屋なのでハリーは3年のときにここでルーピンと吸魂鬼《ディメンター》祓《ばら》いの訓練をした。2年では「1289年の国際魔法戦士条約」、3年のときは「中世の魔女狩り」、4年生では18世紀の「小鬼《ゴブリン》の反乱」、5年では「巨人の戦争」を学んだ。OWL《ふくろう》の筆記試験には、「杖規制法と小鬼の反乱の関係」や、「1749年の秘密保護法の違反」、「国際魔法使い連盟の結成に至る状況」を記述する問題などが出題されたが、ハリーは試験中に倒れてしまったため、成績は「落第・D（どん底）」だった。死にそうに退屈な授業であるが、2年のときに先生が秘密の部屋について話したときだけはクラスが活気に溢《あふ》れ、先生を困惑させた。

［⑥上**363**、下**050**、**473**～**478**］［⑤上**358**］［④上**364**］［③**306**～**307**］［②**222**～**230**］［⑦初出**25**章 **UK417**／**US517**］

魔法史（教科書）【History of Magic, A】

①**05-102**

ホグワーツの「魔法史」の授業で使う教科書。入学時に購入しなければならない本の一つ。著者はバチルダ・バグショットで、1947年リトル・レッド・ノックスから刊行された。ハリーのふくろうのヘドウィグの名は、この本の中で見つけたもの。

[①134][幻022][⑦初出8章 UK131／US158]

魔法事故惨事部
【Department of Magical Accidents and Catastrophes】

③10-270

魔法省を構成している7部門の一つ。魔法によって起こった大惨事の処理などを担当。内部に魔法事故リセット部隊、忘却術士本部、マグル対策口実委員会やマグル連絡室が設置されている。ピーター・ペティグリューがマグルを惨殺したときは、コーネリウス・ファッジがこの部の次官だった。ハリーが5年生のときに配布された職業に関するパンフレットの中には、「魔法事故・惨事部でバーンといこう」という妙に明るいタイトルのものがあった。4巻までは「魔法惨事部(Department of Magical Catastrophes)」であったが、5巻から「魔法事故惨事部」に変更されている。

[⑤上211、下371][⑦初出23章 UK365／US450]

魔法省
【Ministry of Magic】

①05-099
⑥01-上011

魔法界の政府機関。前身は魔法使い評議会。おもな任務は「魔法使いや魔女があちこちにいるんだってことを、マグルに秘密にしておくこと」(ハグリッド談)。ブルガリアやアンドラなど、各国に設置されている。イギリス魔法省は省内最大の魔法法執行部を筆頭に、魔法事故惨事部、魔法生物規制管理部、国際魔法協力部、魔法運輸部、魔法ゲーム・スポーツ部と神秘部の7部門から成っている。魔法法執行部には最高裁判所のウィゼンガモットや、魔法警察パトロールなどの警察組織が含まれる。

現在の魔法大臣は、1996年6月に就任したルーファス・スクリムジョール。前任者はコーネリウス・ファッジで、その前はミリセント・バグノールドだった。これ以前の大臣に、グローガン・スタンプ

(1811年ころ)やアルテミシア・ラフキン(1754–1825：魔法省大臣になった最初の魔女)がいる。本部はロンドンの地下にあり、中心部の駅から少し歩いた寂《さび》れた通りの真下に作られている。外来者用の入り口は赤い古ぼけた電話ボックスで、この中に入り62442(Magic)とダイヤルし名前と用件を告げると、電話器の返金口にそれが書かれたバッジが出てくる。そのまま電話ボックスはゆっくりと地下に潜《もぐ》り、アトリウムと呼ばれるエントランス・ホールに運ばれる。建物は地下10階まであり、ハリーの懲戒尋問《ちょうかいじんもん》は最下層の10号法廷で行われた。

魔法大臣は、シリウス・ブラックの逮捕や死《し》喰《く》い人《びと》の脱獄など深刻な事態が起きたときに、マグルの首相に知らせている。首相の執務室には醜い蛙顔の小男の肖像画が掛かっており、二人の連絡係となっている。

1970年代にヴォルデモートが台頭し、許されざる呪文を用いて多くの人々を拷問、殺害して魔法界を恐怖に陥《おとしい》れると、魔法省は抵抗に立ち上がり、ヴォルデモートに従う者に厳しい措置をとった。闇祓《やみばら》いに新しい権力を与え、疑わしい者に対しては許されざる呪文の使用を許可。逮捕者は裁判にかけずにすぐさまアズカバンに送り、闇の陣営との戦いで優位に立っているという印象を与えようとした。しかし1981年10月、ヴォルデモートがハリーを殺し損ねてひとたび姿を消すと、その行方を探そうとはしなかった。さらに1995年6月にダンブルドアからヴォルデモートの復活を告げられるが、当時の臆病な大臣ファッジは闇の陣営と対抗する能力も度胸もなかったため、校長が嘘をついていると思い込むことにして、すべてが上手くいっているふりをした。復活の事実を公表しなかったため、人々は警戒できず、陰で大勢の魔法使いたちが死喰い人の呪いの犠牲になっていた。1996年にヴォルデモートが魔法省に現れ、復活が公になると、ファッジは罷免《ひめん》されスクリムジョールが大臣に。しかし、彼もまた闇の陣営と直接戦おうとはせず、お門《かど》違いの人間を牢獄に送ったり、魔法省に協力するふりをするようハリーに要請し、何らかの措置を取っていると人々に思い込ませることで済ませようとした。すでに魔法(P544へ)

外来者用入り口（ロンドン中心部）
省内に入るには電話ボックスで「6-2-4-4-2(magic)」をダイヤル。
エレベーターで地下に下りる。

EV

地下2階

魔法法執行部 *Department of Magical Law Enforcement*

部長：アメリア・ボーンズ（1996年7月死亡）
（ヴォルデモート第1次全盛期にバーテミウス・クラウチが部長）

- 魔法不適正使用取締局：マファルダ・ホップカーク
- 闇祓《ばら》い本部　闇祓い局：局長ガウェイン・ロバーズ（前局長はスクリムジョール）
　闇祓い小規模特務部隊

闇祓い：
ルーファス・スクリムジョール
ガウェイン・ロバーズ
キングズリー・シャックルボルト
ドーリッシュ
ウィリアムソン
プラウドフット
サベッジ
ニンファドーラ・トンクス
マッド-アイ・ムーディ（引退）
片目に眼帯をした魔女
フランク・ロングボトム（入院中）
アリス・ロングボトム（入院中）

地下3階

魔法事故惨事部（4巻まで魔法惨事部） *Department of Magical Accident and Catastrophes*

部長：不明

- 魔法事故リセット部隊：アーノルド・ピーズグッド（忘却術士）

地下4階

魔法生物規制管理部 *Department for the Regulation and Control of Magical Creatures*

部長：不明

- 動物課
  - ケンタウルス担当室
  - 危険生物処理委員会：（死刑執行人）ワルデン・マクネア、ドラゴン・キラー
  - 狼人間登録室
  - 狼人間捕獲部隊
  - ドラゴンの研究および制御室

地下5階

国際魔法協力部 *Department of International Magical Co-operation*

部長：バーテミウス・クラウチ（父・1995年に死亡）、部長補佐官：パーシー・ウィーズリー（4巻

地下6階

魔法運輸部 *Department of Magical Transportation*

部長：不明

- 煙突ネットワーク庁（4巻の煙突飛行規制委員会？）
  - 煙突飛行ネットワーク室：煙突飛行ネットワーク監視人　職員：エッジコム夫人

地下7階

魔法ゲーム・スポーツ部 *Department of Magical Games and Sports*

部長：ルード・バグマン（4巻まで・逃走中）

- イギリス・アイルランド・クィディッチ連盟本部
- 公式ゴブストーン・クラブ

地下8階

アトリウム *Atrium*

- 大ホール：巨大掲示板のような天井

魔法族の和の泉（5巻）
金張りの暖炉

地下9階

神秘部 *Department of Mysteries*

部長：不明

- 脳の間
- 死の間《ま》
- 予言の間
- 鍵の掛かった間（開かずの間）
- 時の間
- 惑星の間

地下10階

※ここに行くにはエレベーターで9階まで降り、
そこから階段で下りなければならない。

魔法省
(6巻までの情報)

魔法大臣:ルーファス・スクリムジョール
顧問:コーネリウス・ファッジ
上級次官:ドローレス・アンブリッジ

・ウィゼンガモット最高裁事務局
　ウィゼンガモット──アルバス・ダンブルドア(最高主席魔法戦士)
　　　　　　　　　　├グリゼルダ・マーチバンクス
　　　　　　　　　　├チベリウス・オグデン
　　　　　　　　　　├大きな口ひげを蓄えたずんぐりとした魔法使い
　　　　　　　　　　└縮れっ毛の魔女
・マグル製品不正使用取締局:パーキンズ?
・偽の防衛呪文ならびに保護器具の発見ならびに没収局:アーサー・ウィーズリー(局長)、局員10名
・魔法警察パトロール
・魔法警察部隊　元・部隊長(1925年頃)ボブ・オグデン

・忘却術士本部
・マグル対策口実委員会
・マグル連絡室
　その他職員:コーネリウス・ファッジ
　(ペティグリューがマグルを惨殺した時代の次官)

・存在課
　狼人間援助室　屋敷しもべ妖精転勤室
・霊魂課
・小鬼連絡室:ダーク・クレスウェル(現室長)
　カスバート・モックリッジ(前室長)
・害虫相談室:害虫・害獣班
・グール機動隊
その他職員:エイモス・ディゴリー、ボブ

その他不明なもの
・実験呪文委員会:ギルバート・ウィンプル
・魔法試験局:グリゼルダ・マーチバンクス(局長)

・国際魔法貿易基準機構　・国際魔法法務局　・国際魔法使い連盟イギリス支部

・箒規制管理課
・移動キー局
・姿現わしテストセンター　姿現わし指導官ウィルキー・トワイクロス
その他職員:バージル

・奇抜な特許庁
その他職員:バーサ・ジョーキンズ(1994年ヴォルデモートに殺害された)
　　　　　ヘーミッシュ・マックファーレン(1970年代局長)

・守衛室　ガード魔ン:エリック・マンチ
・エレベーター・ホール

その他職員:ブロデリック・ボード(無言者)
　　　　　クローカー(無言者)
　　　　　オーガスタス・ルックウッド(死喰い人)

10号法廷:1995年8月12日ハリーの懲戒尋問《ちょうかいじんもん》が行われた

(P541から)省内部にはヴォルデモートの配下が大勢入り込んでおり、このような魔法省に対し、ハリーは「あなたがたはいつもやり方を間違える。そういう人種なんだ」と批判している。

[⑥上**008～030**、下**040～041**][⑤上**039**、**119**、**156～157**、**204～220**、**240**、**616**、下**036～042**、**198**][④上**157**][③**051**][幻**009**、**015**、**023**、**027**、**018**]

[⑦初出**1**章 **UK012／US004**]

魔法省の(特別)車

【Ministry of Magic car／Ministry car(3巻)】

③**05-083**
⑥**06-**上**165**

魔法省が保有する公用車。旧型の深緑色の車で、運転手はエメラルド色のビロードのスーツを着ている。警備を必要とする魔法使いの運搬などに使用され、6巻で「第1級セキュリティ」の資格を与えられたハリーは、隠れ穴からキングズ・クロス駅に行くときや、ダイアゴン横丁を訪れる際に利用した。シリウス・ブラックに狙われていた(と考えられていた)3巻でも、9月1日にキングズ・クロス駅に向かうときに乗車している。車内は、利用者がゆったり座れるように魔法がかけられている。夜の騎士《ナイト》バスと比べれば安全走行だが、普通の車では絶対に通り抜けられないような狭い隙間《すきま》をすり抜けたり、信号待ちしている車の列を飛び越し一番前につけたりと、マグルの車とはだいぶ違った走りを見せる。

[⑥上**200**][③**093**]

魔法生物規制管理部

【Department for the Regulation and Control of Magical Creatures】

④**06-**上**109**
⑥**01-**上**017**

魔法省の7部門の一つ。魔法動物の分類や管理、取引の監視や法令の制定などを行っている。省内では魔法法執行部に次いで2番目に大きい部門。内部組織は、動物課、存在課、霊魂課、小鬼《ゴブリン》連絡室、害虫相談室、グール機動隊に分かれており、動物課の中にケンタウルス担当室(Centaur Liaison Office)、危険生物処理委員会、狼人間登録室

(Werewolf Registry)、狼人間捕獲部隊(Werewolf Capture Unit)、ドラゴンの研究および制御室(Dragon Research and Restraint Bureau)が置かれている。存在課の中には狼人間援助室(Werewolf Support Service)、屋敷しもべ妖精転勤室(Office for House-Elf Relocation)が設置。グール機動隊は、マグルの手に渡った住居に棲《す》みついているグールお化けを除去している。害虫・害獣《がいじゅう》班では、ノグテイル(仔豚に似た悪鬼)駆除のために、真っ白なブラッドハウンド犬を12頭ほど飼育している。部長は不明だが、職員として危険生物処理委員会に死喰《しく》い人《びと》のワルデン・マクネア(死刑執行人)、小鬼連絡室にカスバート・モックリッジとエイモス・ディゴリーが働いている。この部が制定した規則によると、国内に危険な生物を持ち込む際は、マグルの首相への報告が義務づけられており、1994-95年にホグワーツで三校対抗試合が行われたときは、外国からドラゴン三頭とスフィンクスを入国させることを、魔法大臣が知らせに行った。オフィスは魔法省の地下4階。

[⑥上**016**][⑤上**211**、下**518**][幻**028**、**060**、**081**][⑦初出**12**章 **UK201**／**US 245**]

魔法生物飼育学 【Care of Magical Creatures】

②**08-194**
⑥**05-上155**

ホグワーツの教科の一つ。3年生から新たに加わる選択科目。魔法動物の生態を観察したり、接し方や飼育法などを学ぶ。1993年夏までケトルバーンが担当していたが、「手足が一本でも残っているうちに余生を楽しみたい」とのことで退職し、同年9月(3巻)からハグリッドが教えることになった。教科書は『怪物的な怪物の本』や『幻の動物とその生息地』を使用。ハグリッドが不死鳥の騎士団の任務などで不在のときは、グラブリー-プランクが代用教員を務めている。ハリーの学年は、5年までスリザリンとの合同授業だった。ハリーが4年のときに学んだ動物は、ヒッポグリフとレタス食い虫。4年のときは尻《しっ》尾《ぽ》爆発スクリュート、一角獣《ユニコーン》とニフラーだった。5年のときは、ボウトラックルとセストラルを勉強したが、グラブリー－プランクは「(ハグリッドが戻らなかったら)ポーロックとニーズルをやろうと思っているがね。それにクラップとナールもちゃんとわかるように……」と話しているので、これらについても学んだのかもしれない。ハリーたちは、ハグリッドのために何とか3年間これを勉強したが、6年からのNEWT《いもり》レベルは取らなかった。(もちろん)同じ学年で続けた学生は一人もおらず、ハグリッドを不機嫌にさせた。OWL《ふくろう》試験の結果はハリーが「良・E(期待以上)」、ハーマイオニーが「優・O(大いによろしい)」、ロンも合格している。2巻では「魔法生物の世話」と訳されていた。

[⑥上**157**、**258**、**262**][⑤上**166**、**311**、**407**、**508**、下**045～053**、**462**][③**123**、**148**]

魔法戦士 【Warlock】

①**04-080**
⑥**12-上373**

魔法使いの一タイプ。ハリーが6巻で立ち寄った三本の箒《ほうき》には、魔法戦士が二人腰掛けていた。スラグホーンのクリスマス・パーティでは、年長の魔法戦士が数人話し込んでいた。ダンブルドアはウィゼンガモットの主席魔法戦士の肩書きを持っている。ハリーが『上級魔法薬』の本を隠すために入った必要の部屋には、年老いた醜い魔法戦士の欠けた胸像が置いてあった。2巻で秘密の部屋が開けられ、ハリーがマグル生まれ襲撃の張本人と疑われたとき、アーニー・マクミランは「(自分は)九代前までさかのぼれる魔女(witch)と魔法使い(warlock)の家系だ」と言い張った。

Warlockは、もともと古英語で「oath breaker(誓いを破る者＝裏切り者)」を意味していたが、この語がDevil(悪魔)にあてはめられるようになってから、「悪魔と結託し邪悪な力を持つ魔法使い」や「黒魔術師」を指すようになった。Warlockはまた、スコットランドなどの方言では「男のwitch(妖術に長《た》け、箒で空を飛ぶことができる人)」を指すことがある。「ハリー・ポッター」の世界では、2巻でold warlockと描写されていたパーキンズが、5巻でold wizardに変更されているので、wizard(魔法使い)と同義で使用されているようである。　なお、「魔法戦士」は、現代のゲームやコミック、ファンタジー・ノベルでのみ使われている架空の職業なので、英和辞典のwarlockの項にこの意味は載っていない。

[⑥上**478**、下**315**][⑤上**158**][②**298**][⑦初出**8**章 **UK117**／**US140**]

魔法大臣 【Minister for Magic(UK版)/Minister of Magic(US版)】

①**05-099**
⑥**01-上011**

魔法省の最高責任者。マグルの首相からは、「むこうの大臣(the other Minister)」と呼ばれている。1996年7月半ばまでコーネリウス・ファッジがこの職に就いていたが、無能なためクビになり、後任としてルーファス・スクリムジョールが就任した。それ以外の大臣は以下の通り。

■ **歴代魔法大臣**(カッコ内は在位期間)

アルテミシア・ラフキン(1798-1811魔法省大臣になった最初の魔女)、グローガン・スタンプ(1811-1819)、ファリス・"潮吹き"・スパーヴィン(1865-1903)、ノビー・リーチ(1962-1968)、ミリセント・バグノールド(1980-1990)、コーネリウス・ファッジ(1990-1996)。アルバス・ダンブルドアは3回大臣に請われたが、いずれも断った。

[⑥上**018**、下**184**][⑤上**154～155**][**JKR**公式サイト][⑦初出**1**章 **UK012**／**US005**]

魔法使い 【wizard】

①**04-079**
⑥**01-上011**

魔力を持った人間のこと。非魔法使い(マグル)の両親から生まれることもある。ダンブルドアのようなすぐれた魔法使いは、魔法を使わず見たり触ったりするだけで物事を解決し、透明マントがなくても姿を消すことができる。ほとんど首無しニックによると、死後ゴーストとして帰って来られるのは魔法使いだけ。魔法使いは地上に自らの痕跡を残していくことができ、死んでからも生きていた自分がかつて辿《たど》ったところを影の薄い姿で歩けるが、その道を選ぶ魔法使いは滅多にいない。ニックは死ぬことを怖れ、死の代わりに現世に残ることを選びゴーストとなったのである。ハンブルドン・キンス(1936–)は、「魔法使いの起源は火星、マグルの起源はキノコ」だとする学説を発表し、魔法界で物議をかもしている。大半の魔法使いはマグルの生活を知らず、マグルは魔法の代用品として電気やコンピューター、レーダーなどを使っていると考えているため、ホグワーツでは「マグル学」という学科を設け、マグルがいかに魔法なしで生活しているかを教えている。しかし、それでもマグル界に「ワンピース型の縞《しま》の水着の上に燕尾服《えんびふく》を羽織《はお》り、下はスパッツ」といった奇妙キテレツな恰好《かっこう》で出没する魔法使いが後を絶たず、ハリーをひきつらせている。

「ハリー・ポッター」の世界では、魔法使いは「男の魔法使い」もしくは「魔力を持つ者」の総称で、「魔法使い」と「魔女」は単に性別だけが異なる存在として描かれている。確かに大半の魔法使いは男性で、魔女のほとんどは女性であるが、本来、両者はまったく異なる目的や方法で魔法を使うと考えられていた。魔法使いはその語が意味する通り(wizard は「賢い」の意の wiz から派生)、知識がある人物を指し、中世のヨーロッパやイギリスには、おおかたの村や町に少なくとも一人の魔法使いがいた。彼らは薬の調合法や爆弾の製造法といった、自然界の植物や物質を利用する知識を有し、それを使って土地の人々や家畜の病気を治療し、強力な武器や道具を作っていた。一方、魔女は超自然的な能力を持ち、しばしば社会に害をなすと考えられた。

[⑥上**301**、下**366**][⑤上**018**][**JKR** 公式サイト「今月の魔法使い」「そのほかのこと」その他][⑦初出**1**章 **UK017**／**US012**]

魔法使いの決闘
【wizard's duel／wizarding duel】

①09–226

魔法使いが杖だけで行う決闘のこと。両者の介添え人が立ち会い、決闘する前にお辞儀をする。ハリーは1年のときにドラコ・マルフォイと真夜中に決闘をする約束をしたが、すっぽかされてしまった。2年生では、ロックハートの音頭取りで決闘クラブが始まり、ハリーたち参加者は武装解除の術を学んだ。魔法界の決闘は、相手の体に触れてはいけないことになっているが、ハーマイオニーと練習で対決したミリセント・ブルストロードは杖を使わず、がっちりとヘッドロックをかけて彼女を苦しめた。ハリーが最初にヴォルデモートと決闘したのは、1995年6月24日。リトル・ハングルトンで死《し》喰《く》い人《びと》が見守る中、肉体を取り戻したヴォルデモートと対決し、ハリーが武装解除の術、ヴォルデモートが死の呪文を唱えると二つの呪文は繋《つな》がってしまった。1997年6月には、ダンブルドアが魔法省でヴォルデモートと対決。勝ち目のないことを悟ったヴォルデモートはハリーに取り憑《つ》くが、愛が満ちている体にとどまることができず逃走した。ダンブルドアは、闇の魔法使いグリンデルバルドと1945年に戦い、打ち破っている。

[⑤下**610～614**、**657**][④下**462～463**][②**280～290**][①**154**][⑦初出**2**章 **UK024／US020**]

魔法使いのテント 【wizard tent】 ④07-上123

魔法界のテント。魔法がかけられているので、外から見ると小さいテントでも、中に入ると結構広い。ハリーがこのテントを初めて使ったのは1994年夏のクィディッチ・ワールドカップのとき。アーサー・ウィーズリーが、同僚のパーキンズから借りたものであった。テントの入り口をくぐり抜けると、そこは古風なアパートのよう。寝室にバスルーム、キッチンの三部屋があり、寝室には二段ベッドが四個も置いてあった。おかしなことに家具や置物はフィッグばあさんの部屋と同じ感じで、猫の臭いがプンプンしていた。このほか、ハリーがキャンプ場で見かけたテントの中には、シルクでできた小さな城のような豪《ごう》華《か》絢爛《けんらん》なものや、三階建てに尖塔《せんとう》が数本立っているテント、前庭つきで日時計や噴水が揃っているものまであった。アーサーいわく、「大勢集まるとどうしても見栄を張りたくなる」らしい。

［④上**122～129**］［⑦初出**14**章 **UK224**／**US272**］

魔法のかかった天井
【enchanted ceiling】

①**07-174**
⑥**09-**上**261**

ホグワーツの大広間の天井。本当の空と同じ天気を示すように魔法がかけられている。6巻で、ハーマイオニーから「あなたがこんなにセクシーだったことはないわ」と褒《ほ》められたハリーは、魔法のかかった天井は冷たい雨模様だったにも拘《かかわ》らず、急に暑くなったような気がした。クィディッチのグリフィンドール対スリザリン戦の当日、天井は晴れた薄青の空だったので、ハリーは幸先がいいと感じた。4巻でダームストラング生がホグワーツにやってきたときは、星の瞬《またた》く天井を興味深そうに眺めた。

［⑥上**331**、**442**、下**092**］［⑤上**320**］［④上**388**］［⑦初出**31**章 **UK489**／**US608**］

魔法の目
【magical eye】

④**12-**上**287**

マッド-アイ・ムーディの片目に嵌《は》め込まれている義眼のこと。大きく丸い鮮やかなブルーの目で、無気味に360度回転する。壁や扉、透明マントに自分の後頭部さえ透視でき、もちろん天井を通して階上の部屋を見ることも可能である。マグル界を歩く際は、この無気味な目を隠すためにムーディはいつも山高帽をかぶっているが、バーノン叔父さんに会ったときは、その横柄な態度に激怒。帽子を後ろにずらして魔法の目を見せつけ、叔父さんをギョッとさせた。

［⑤上**080**、**085**、**271**、下**101**、**592**、**692～693**、**696**］［⑦初出**4**章 **UK044**／**US045**］

魔法のメガホン(メガフォン)
【magical megaphone】

①11-271
⑥14-上447

ホグワーツのクィディッチ寮対抗試合で、解説者が実況放送するために使う道具。ハリーの入学以来、リー・ジョーダンがこれで中継していたが、悪態をつくので、しばしばマクゴナガルに没収されそうになった。リーの卒業後は、ザカリアス・スミスやルーナ・ラブグッドが実況を担当。ルーナは両チームの点数にまるで無関心で、仕方なくマクゴナガルが「70対40、ハッフルパフのリード」とメガフォンに向かって叫んでいた。3巻までは「魔法のマイク」と訳されていた。

[⑥下**141**]

魔法ビル管理部
【Magical Maintenance】

⑤07-上212

魔法省のメンテナンスを行っている部署。省内の窓には魔法がかけられており、魔法ビル管理部が毎日の天気を決めている。賃上げを要求したときは、2ヵ月続けてハリケーンにしたことも。濃紺のローブを着て作業している。

[⑦初出**12**章 **UK188**／**US229**]

魔法不適正使用取締局
【Improper Use of Magic Office】

②02-033

魔法法執行部に直属する部局。魔法が不正に使用されていないかどうかを監視するのが仕事。5巻でハリーがマグル界で魔法を使用したときは、この部署から退学処分の通知が届いた。オフィスは魔法省地下2階。所属職員はマファルダ・ホップカーク。

[⑤上**047**、**211**][⑦初出**12**章 **UK195**／**US237**]

魔法法執行部

【Department of Magical Law Enforcement】

③22-560
⑥01 上023

　魔法省の主要な7部門の一つ。司法と警察行政を担当し、省内では最大の部。内部に魔法不適正使用取締局、闇祓《やみばら》い本部、ウィゼンガモット最高裁事務局、マグル製品不正使用取締局、魔法警察パトロール、偽《にせ》の防衛呪文ならびに保護器具の発見ならびに没収局、魔法警察部隊が設置されている。部長は1996年7月にヴォルデモートに殺されるまでは、アメリア・ボーンズだった。魔法不適正使用取締局にマファルダ・ホップカーク、闇祓い本部にキングズリー・シャックルボルトら闇祓いが所属している。ボブ・オグデン(故人)は、1925年ころ魔法警察部隊の部隊長を務めていた。アーサー・ウィーズリーは、以前はマグル製品不正使用取締局の局長であったが、6巻から偽の防衛呪文ならびに保護器具の発見ならびに没収局の局長に昇格した。バーテミウス・クラウチ(故人)は、ヴォルデモート第一次全盛期にこの部の部長だった。3巻では「魔法警察庁(Magical Law Enforcement)」となっていた。

[⑥上**300**][⑤上**211**、**230**][⑦初出1章 **UK012**／**US005**]

魔法薬学

魔法薬(教科)

【Potions】

①07-187
⑥04-上119

　ホグワーツの教科の一つ。魔法薬の調合を学ぶ。授業は地下牢教室で行われ、ハリーが5年までグリフィンドールとスリザリンの合同授業であった。教科書は5年生までは『薬草ときのこ千種』、6年のNEWT《いもり》レベルから『上級魔法薬』を使用。教師は5年までスネイプが担当し、6年からはホラス・スラグホーンに代わった。1年で「おできを治す簡単な薬」と「忘れ薬」、2年で「ふくれ薬」と「髪を逆立てる薬」を学び、3年になると「縮み薬」、4年生で解毒剤と「頭冴《さ》え薬」を勉強した。5年では「安らぎの水薬」と「強化薬」を学び、「月長石」や「毒液の各種解毒剤」のレポートを提出した。

6年生の最初の授業では、「生ける屍《しかばね》の水薬」をクラスで一番上手く調合した生徒に「フェリックス・フェリシス」が褒美《ほうび》として与えられ、学校で借りた教科書（“半純血のプリンス蔵書”と書かれた『上級魔法薬』）を見ながら調合したハリーが優勝。これを獲得した。このプリンスの教科書には調合法に関するさまざまな書き込みがしてあり、ハリーは半純血のプリンスが誰なのか知らなかったが、本を使い続けたため「魔法薬学」が得意教科となった。その後の解毒剤調合の授業では、一年のときにスネイプから学んだ「ベゾアール石はたいていの毒薬に対する解毒剤になる」という知識を思い出し、材料棚に保管してあった「石」を提出。ホラスから「まったく、いい度胸だ！」と大笑いされ10ポイント貰《もら》った。57回目の授業は大半の生徒が姿現わしテストを受けたため三人しか出席せず、「おもしろいものを煎じてみてくれ」と言われたハリーは、プリンス版の「陶酔感を誘う霊薬」を調合。「母親の遺伝子が君に現れたのだろう」と褒《ほ》められた。スネイプにこの本が見つかり、必要の部屋に隠してから「魔法薬」の成績はがた落ちであったが、スラグホーンはジニーとの恋の病のせいだと茶化し、事なきを得た。ハリーは長いあいだこの教科書を信頼していたが、1997年6月のホグワーツの戦いでスネイプ本人から彼の所有物であることを聞かされ、これまで「本が自分を助けてくれた」と信じていたことを後悔したのであった。

［⑥上**155～157、262～265、277～292、328、**下**081～086、217、229、233～330、333、484**］［⑤上**358**］［④下**237**］［③**007**］［②**278、340**］［①**200、202～207、384**］［⑦初出**12**章 **UK186／US226**］

魔法薬キット（6巻）
魔法薬調合材料セット（4巻）
【potion kit（6巻）／potion-making kit（4巻）】

④10-上241
⑥09-上278

魔法薬を調合するときに使うセット。材料や瓶などの道具が一式揃って入っており、生徒たちは材料がなくなるとふくろう便などで買い足している。ハリーとロンはNEWT《いもり》レベルの「魔法薬学」を取れると思っていなかったのでこれを用意しておらず、最初の授業のときは学校のものを借用した。その翌年の誕生日に惚《ほ》れ薬入りのチョコレートを食べてしまったロンは、スラグホーンの部屋に担《かつ》ぎ込まれ、先生の魔法薬キットで解毒剤を調合してもらった。惚れ薬からは回復したものの、そのあとに飲んだ蜂蜜酒《はちみつしゅ》が毒入りだったため、ロンは激しく痙攣《けいれん》し重体に。ハリーがキットに入っていたベゾアール石を口に押し込み命を救った。

［⑥下**113**、**116**］［⑦初出**2**章 **UK020**／**US015**］

幻の動物とその生息地
【Fantastic Beasts and Where to Find them】

①**05-102**

ホグワーツ入学時に用意しなければならない教科書の一つ。幻の珍獣の定義や奇怪な魔法動物についての解説が、イラスト入りで面白おかしく書かれている。著者は元魔法省職員のニュートン（ニュート）・アルテミス・フィド・スキャマンダー。本書は発売されるや世界中でベストセラーとなり、現在52版を数えている。

［⑤下**289**］［⑦初出**20**章 **UK325**／**US401**］

マーミッシュ語
【Mermish】

①**07-上138**
⑥**30-下493**

水中人の話す言葉。水から出ると悲鳴のような音に聞こえる。バーテミウス・クラウチ（父）や、ダンブルドアはこの言葉を理解する。

［④下**226**］［⑦初出**8**章 **UK118**／**US140**］

マーリン
【Merlin】

①**06-155**
⑥**13-上394**

蛙チョコのカードに載っている魔法使い。魔法界では、“Merlin's beard!（なんてこった！）”や、“What in the name of Merlin!（驚き！）”といった感嘆表現に使用されているほど有名。そのせいで、マーリンに因《ちな》んだまがい物が、ボージン・アンド・バークスにたくさん持ち込まれている。

マーリンは、アーサー王伝説に登場する魔法使い。悪魔と修道女のあいだにできた子供であるが、誕生後すぐに高僧が洗礼を授けたため邪悪な存在にならなかった。父親から予言能力や変幻自在に姿を変える超自然的な力を受け継いだマーリンは、アーサー王の父ウーゼル(ユーサー)・ペンドラゴンに協力し、アーサーの誕生や養育、守護に助力した。のちにアーサーは父ウーゼルが石に突き刺した剣を抜き取って王となり、ローマ人や蛮族と戦いブリテンを統一するが、これもマーリンの予言や教育の成果である。さらに、王が「湖の貴婦人」からエクスカリバーを手に入れることを可能にし、円卓の騎士団の結成に力を貸した。強力な魔術を持っていたが、最後は愛人の「湖の精ニムエ(ビビアン)」の罠にはまり、樫《かし》の木の中(空中の塔の中とも水晶の洞穴とも言われている)に永遠に閉じ込められてしまった。ハリーを見守り、時に賢明な助言を与えるダンブルドア校長のモデルとする向きもある。

[⑤上**158**、**245**、**569**][⑦初出**6**章 **UK081**／**US092**]

マーリン勲章
【Order of Merlin】

①04-080
⑥07-上218

魔法界の勲章。偉大な魔法使いや、魔法省に貢献した者に与えられ、勲一等(First Class)から勲三等(Third Class)までの三つの等級に分かれている。

アルバス・ダンブルドアやピーター・ペティグリューは、勲一等を受賞。ギルデロイ・ロックハートには勲三等が、『幻の動物とその生息地』の著者ニュート・スキャマンダーには、勲二等が与えられた。シリウスによると、彼の祖父は魔法省に山ほどお金を積んだため、勲一等を貰《もら》ったという。等級は不明だが、トリカブト薬を発明したダモクレスも、マーリン勲章を受けている。

[⑤上**158**、**191**][③**270**][②**147**][幻**007**][⑦初出**10**章 **UK158**／**US192**]

マールヴォロ・ゴーントの指輪

ゴーントの指輪

【Marvolo Gaunt's ring】

⑥10-上312

ゴーントの家系に代々伝わる、大きな黒い石が嵌《は》め込まれた金の指輪。石の真ん中には亀裂のようなものが入っており、マールヴォロはそれをペベレル家の紋章だと信じていた。マールヴォロが大切に身につけ、彼の死後は息子のモーフィンの手に渡ったが、1943年夏にトム・リドル(ヴォルデモート)に盗まれた。トムはしばらくこれを学校で嵌めたのちホークラックスにし、元のゴーントの廃屋に隠して幾重にも強力な魔術を施して保護した。指輪がホークラックスになっていることを察知したダンブルドアは1996年、見つけ出して破壊したが、指輪を嵌めてしまったため呪いを受け、深手を負った。スネイプの素早い処置のお陰で一命を取りとめたものの、右手は肉が焼け焦げたように黒く萎《しな》びてしまった。

[⑥上**102**、下**073**、**281**]

マルキン、マダム

マダム・マルキン

【Malkin, Madam】

①05-116
⑥06-上171

「マダム・マルキンの洋装店—普段着から式服まで」の女主人。ずんぐりした魔女。ふだんは愛想がいいが、6巻でマルフォイが「穢《けが》れた血」と言ったときは「そんな言葉は使ってほしくありませんね！」と抗議し、ハリーが杖を出して構えると、「私の店で杖を引っぱり出すのもお断りです！」とたしなめた。ダンブルドアの葬儀の日は、参列するためにホグワーツにやって来た。

マルキン(malkin)はイギリス方言で「(ぼろを着た)かかし」のこと。「だらしのない女」、「汚らしい恰好をした女」という意味もあるが、マダムには当てはまらないようである。

[⑥下**489**]

マルシベール（大）
【Mulciber】DE S

④30-下361
⑥20-下187

死喰《しく》い人《びと》の結成当初からのメンバー。1956年ころヴォルデモートがホグワーツの教員ポストを求めてダンブルドアを訪問したときに、ロジエールらとともにホッグズ・ヘッドでその帰りを待っていた。服従の呪文を得意として、数えきれないほどの者に恐ろしいことをさせた。カルカロフが魔法法律評議会で仲間の死喰い人の名前を密告した際に名前が出たが、このときすでにアズカバンに収監されていた。その後1996年にベラトリックスらとともに集団脱獄し、魔法省神秘部でハリーたちと戦った。スネイプとホグワーツで同期のマルシベール（小）の父親または親戚と思われる。

マルシベールはローマ神話の火と鍛冶の神ムルキベルのこと（英語名はバルカン）。名前の横の（大）（小）は解説の便宜上つけたもので、本には記載されていない。　→マルシベール（小）（7巻の事典33章）

［⑤下570］

マルフォイ、アブラクサス
アブラクサス・マルフォイ
【Malfoy, Abraxas】

⑥09-上287

ドラコ・マルフォイの祖父。龍痘《りゅうとう》で亡くなった。ホラス・スラグホーンと知り合いで、彼のことを「魔法薬にかけては自分が知っている中で一番（すぐれている）」と高く評価していた。

アブラクサスは、2世紀グノーシス派のバシリデス一派が創造した最高神。雄鶏の頭（＝寝ずの番）と人間の胴体（＝言葉と精霊）を持ち、右手に盾（＝英知）、左手に鞭《むち》（＝力）をかざし、両足が2匹の蛇（＝用心）で4頭立ての馬車（＝宇宙の4つの方向）に乗った姿で描かれる。ABRAXASの7文字は、365という秘数を意味し、宇宙は365の層をなす天によって構成され、その最下層にいる神がアブラクサスだと考えられていた。バシリデス一派によると、アブラクサスが地球や人類を造り、七つの属性の力でこの世を支配しているという。この名は神秘的な力を持つと信じられていたため、(しばしば卵形の)石の上に書き、お守りとして用いられた。

マルフォイ、ドラコ
ドラコ・マルフォイ

【Malfoy, Draco】Ⓢ DE

①06-162
⑥02-上052

(1980–)ハリーと同級のスリザリン生。死喰《しく》い人《びと》のルシウスとナルシッサのあいだに生まれた一人っ子。父親そっくりの滑らかなプラチナ・ブロンドの髪ととんがった顎《あご》、薄青い目を持つ。金持ちの純血、名家の出身であることを鼻にかける高慢な生徒。5年生で監督生に選ばれた。2年生からクィディッチ代表チームのシーカーを務めている。杖はサンザシ(hawthorn)とユニコーンの毛。父親が1996年6月にアズカバンに収監されたのち、死喰い人となった。

1980年6月5日に生まれたドラコは、家族の影響で差別的な思想のわがままな子供に育った。1991年にホグワーツに入学し、行きの列車の中で「有名人」ハリーと友達になろうと近づくが、拒絶されたためそれからは彼を敵視し、人気を妬《ねた》んで意地悪をするようになった。家族と同じスリザリンに組分けされると、クラッブとゴイルというトロール並みの知能の子分を従え、悪だくみを開始。ハリーを挑発して校則違反をさせようとしたり、ドラゴンを連れて天文台の塔に行くことを告げ口したりと、姑息《こそく》な悪知恵を働かせた。しかし、頭のほうは今一つなので、逆にやり込められ、情けない結果に終わることも。5年生の帰りのホグワーツ特急でクラッブとゴイルとともにハリーを待ち伏せしたときは、DA メンバーに逆襲され、巨大ナメクジの姿にさせられてしまった。ハーマイオニーを「穢《けが》れた血」、ロン・ウィーズリーを「貧乏」と馬鹿にして傷つけ、怒ったハーマイオニーから「この汚らわしい―この悪党―」と横っ面を叩《たた》かれたこともある。悪い大人に簡単に操られて利用され、4年生ではコガネムシに変身してホグワーツを嗅《か》ぎ回るリータ・スキーターの手先となり、情報を教えていた。5年のときはアンブリッジの尋問官親衛隊《じんもんかいしんえいたい》に選ばれ、ハリーを捕まえようとやっきになった。

これまで恵まれた境遇にいたドラコであるが、1996年6月父ルシウスが予言を取り戻す任務に失敗し、アズカバンに収監されると状況は一転。ルシウスの大失態に怒ったヴォルデモートからダンブルドア殺害を命じられ、失敗したら家族を皆殺しにすると脅された。ヴォルデモートは最初からドラコを成功させるつもりはなく、ルシウスへの復讐《ふくしゅう》として、息子が途中でダンブルドアに殺されることを望み、この任務を与えたわけであるが、それが分からないドラコは自分の力を証明するチャンスと喜び、最初のうちは期待に心を躍《おど》らせていた。モンタギューから聞いた話から、姿をくらますキャビネットを使えば死喰い人をホグワーツに侵入させることができると考えたドラコは、ボージン・アンド・バークスで修理方法を聞く。そして、ポリジュース薬でクラップとゴイルを女生徒に変身させて、必要の部屋の前を見張らせ、自分はその中でキャビネットの修理を始めた。ドラコの母親と破れぬ誓いを結んだスネイプが、手助けするために彼から計略を聞き出そうとしたが、自分の手柄を横取りされると考えたドラコは、伯母のベラトリックスから閉心術を学び、彼に対して心を閉じていた。

キャビネットはなかなか修理できず、焦ったドラコはマダム・ロスメルタを服従の呪文で操り、呪われたネックレスを校長に届けようとしたが失敗。さらに、彼女を使って毒入りのオーク樽熟成蜂蜜酒《だるじゅくせいはちみつしゅ》を送ろうとしたが、これも上手くいかず徐々に自暴自棄になっていった。しかし、嘆きのマートルを相手に不安な思いを打ち明け泣いたりしながらも、学年末にとうとうキャビネットの修理に成功。これを使ってボージン・アンド・バークスから死喰い人を城内に侵入させる。天文台の塔に闇の印を打ち上げ、ダンブルドアをおびき寄せ、塔の上で校長から杖を奪うが、17歳の無垢《むく》な少年に人殺しは成しがたく、校長と向き合うと声は震え、説得されて杖をわずかに下ろす。しかし、そこに現れたスネイプがダンブルドアを殺害。ドラコはスネイプとともに、ホグワーツから逃走したのであった。

JKRは「ドラコは感情を切り離すのが上手いので、閉心術の才能がありました。彼は自分の中で同情や哀れみといった感情を抑制し、人をいじめていたのです。これ以外にどうやって死喰い人になれるというのでしょう？彼は自分の中の良い面を押し殺していたのです」とし、「ドラコはダンブルドアが殺せなかっただろう、というハリーの推理は正しい」と話している。

Draco はラテン語で「ドラゴン」、「蛇」のこと。Malfoy はフランス語 Mal「悪い」と foi（「信頼」、「信用(仰)」）の合成語。

［⑥上**054**、**171**、**174**、**193**、**198**、**213**、**230**～**234**、**380**～**385**、**445**、**450**、**465**～**466**、**486**～**490**、**492**、下**050**、**087**、**093**～**094**、**137**、**200**～**203**、**214**～**216**、**234**～**235**、**308**、**334**、**404**～**422**、**487**～**488**］［⑤上**186**］［④下**391**］［③**381**］［②**078**］［①**161**、**226**～**233**、**352**］［**JKR**公式サイト「**FAQ**作品について」］［**TLC**・**MN**］［**OBT**］［⑦初出**1**章 **UK015**／**US009**］

マルフォイ、ナルシッサ・ブラック
ナルシッサ・ブラック・マルフォイ／シシー
【Malfoy, Narcissa Black／Cissy】Ⓢ

④**08**–上**157**
⑥**02**–上**032**

(1955–)ドラコ・マルフォイの母親で、ルシウス・マルフォイの妻。ベラトリックス・レストレンジとアンドロメダ・トンクスの妹。ブラック家の出身で、シリウス・ブラックは従弟《いとこ》に当たる。長いブロンドの髪に蒼白《そうはく》で高慢な顔、背が高くほっそりしている。鼻先にいやな臭いを突きつけられたような表情をしているが、それを除けば美しい魔女。愛称はシシー。ドラコを溺愛《できあい》し、ルシウスは当初、闇の魔術を教えるダームストラング校に息子を入学させようとしたが、遠くの学校に送りたくなかったナルシッサが反対。ホグワーツに通わせた。16歳の息子の買い物に同行し、「もう子供じゃないんだ」と煙たがられている。純血結婚をしたので、ブラック家の家系図に名前が載っている。

1955年狂信的な純血主義者のブラック家に生まれたナルシッサは、死喰《しく》い人《びと》のルシウスと結婚し、夫ともどもヴォルデモートに仕えていた。1995年12月ブラック家の屋敷しもべ妖精クリーチャーが、彼女を訪ねて来たときは、温かく迎え入れ、ハリーに関する情報を聞き出しヴォルデモートに報告した。

しかし、1996年6月ルシウスが予言を取り返す任務に失敗し、激怒したヴォルデモートがドラコにダンブルドア殺害を命じると、彼女の忠誠心は消え、闇の帝王の言いつけに背《そむ》いてスネイプの家を訪問。ヴォルデモートはドラコを殺すつもりだと涙ながらに訴え、彼と破れぬ誓いを結び、ホグワーツで息子を護《まも》り、必要な場合は任務を代行することを約束させた。シシーにとって、息子の命の方が、ヴォルデモートの命令よりも大切だったのである。1997年6月彼女の願いは叶い、ドラコは死喰い人をホグワーツに侵入させることに成功。スネイプがダンブルドアを殺害し、ドラコを無事ホグワーツから脱出させた。息子を盲愛しているナルシッサについて、JKRは「彼女に闇の印はないし、死喰い人ではありませんが、ヴォルデモートが息子の死を計画するまで夫と同じ考え方をしていました」と話している。

ナルシッサの由来は、ラテン語や英語で「水仙(植物)」の意のnarcissus。水仙は自己愛や狂気の象徴で、「ナルシシズム」は病的な自己愛を指す。この語の由来となったギリシア神話のナルキッソス(ナルシス)は、美少年で多くのニンフに求愛されたが、いずれも冷淡に拒絶し愚弄《ぐろう》していた。これを恨んだ一人が「彼も恋を知り、その恋する相手を自分のものにできませんように」と祈り、復讐《ふくしゅう》の女神ネメシスがこの願いを聞き入れる。ネメシスは、ナルキッソスが泉に映った自分の姿に恋して虜《とりこ》になるよう仕向けたため、彼は泉のそばから離れなくなり、満たされぬ思いにやつれ死んで、水仙の花に姿を変えたという。ナルシッサの誕生年は、JKR直筆のブラック家家系図より。

[⑥上**033**、**050**~**058**、**172**、下**308**][⑤上**186**、下**634**、**636**][④上**257**][**BLC**]
[⑦初出**1**章 **UK014**/**US008**]

マルフォイ、ルシウス
ルシウス・マルフォイ
【Malfoy, Lucius】DE S

②03-044
⑥02-上042

(1954？-)ドラコ・マルフォイの父親の死《し》喰《く》い人《びと》。魔法族の富裕な旧家であるマルフォイ家の当主。背が高く、滑らかなプラチナ・ブロンドの髪を持ち、血の気のない青白い顔、尖《とが》った顎《あご》や灰色の目は息子に引き継がれている。魔法界の純血家族の出身であることを鼻にかけ、マグルは魔法使いより劣っていると考える差別主義者。長年あらゆることに多額の寄付をしてきたため、魔法界で有利なコネを持っており、ファッジが魔法大臣の時代には魔法省に出入りして、都合の悪い法律の通過を遅らせるなどの計らいを受けていた。アーサー・ウィーズリーやダンブルドアと対立し、アーサーが1992年にマグル保護法を起草したときは危機感を持ち、リドルの日記を娘ジニーの持ち物に忍び込ませて一家を破滅させようとした。1993年にホグワーツの理事たちを脅迫してダンブルドアを停職させたが、のちにその狡《こう》猾《かつ》な計画が明るみに出て理事を辞めさせられた。1996年6月アズカバンに収監され、ウィルトシャー州の屋敷がアーサーにより強制捜査された。

ヴォルデモート第一次全盛期には死喰い人として闇の陣営についていたが、ひとたび闇の帝王が凋落《ちょうらく》すると、本心ではなかったと言い逃れした抜け目のない人物。この件で裁判にかけられず、世間的には立派な体面を保ちながら、1994年のクィディッチ・ワールドカップのときなどに、陰でマグルいじめを楽しんでいた。1995年6月ヴォルデモートが復活すると、再び帝王の許《もと》に馳《は》せ参じたが、裏切ったことへの処罰は受けず、忠誠を誓うだけで許された。しかし翌年、神秘部に保管されている予言を奪うようヴォルデモートから命令されるが失敗。予言の球は取り戻す前に粉々に砕け、自身も捕まりアズカバン送りとなってしまった。さらに、凋落前にヴォルデモートから預かったリドルの日記が分霊箱になっていたことを知らず、軽々しくジニーの持ち物に入れ、ハリーに破壊されてしまったことが帝王の逆鱗《げきりん》に触れ、息子ドラコは死喰い人に入れられ、ダンブルドア殺害を命じられた。ドラコは1997年6月、死喰い人をホグワーツに手引きすることに成功、しかしダンブルドアを殺すことはできず、任務を遂行したのはスネイプであったため、マルフォイ家はいまだ厳しい立場に立たされている。

ルシウスという発音は、7つの大罪を司る悪魔の一人「ルキフェル（ルシファー）」を連想させる。またアーサー王伝説には、王に戦いを挑むが敗退する「ルシウス（ルキウス）」というローマ皇帝（ジェフリー・オブ・モンマス［モンマスのジェフリー］は行政長官と呼んでいる）が登場している。Malfoy はフランス語 mal「悪い（英語の bad）」と foi（「信頼」、「信用（仰）」）をあわせた造語。

［⑥上**205**、**354**、下**287**～**288**、**416**、**487**］［⑤上**186**、**246**～**249**、**480**、**484**、下**259**、**264**～**265**、**558**～**562**、**570**、**594**、**634**、**668**～**669**］［④下**448**～**449**］［⑦初出**1**章 **UK010**／**US002**）

ま

マント
【cloak】

①01-008
⑥01-上009

魔法使いの衣服。ローブの上に羽織《はお》る。旅行用マント、透明マント、冬用マントなどがあり、ダンブルドアの旅行用マントは黒、ホグワーツの制服の冬用マントは黒で銀ボタン。ハリーは1年生のクリスマスに、父親の形見の透明マントをダンブルドアから返してもらった。死《し》喰《く》い人《びと》はフード付きのマントを着用している。

［⑥上**036**、下**346**］［⑤上**097**］［①**101**、**293**～**295**］［⑦初出**1**章 **UK009**／**US001**］

マンドレイク
マンドラゴラ
【Mandrake／Mandragora】

②06-135

強力な回復薬。たいていの解毒剤の主成分となり、呪いをかけられたり、姿形《すがたかたち》を変えられた人を元の姿に戻すときに使われる。別名マ

ンドラゴラ。とても危険な植物で、この泣き声を聞いた者は命を落とす。ホグワーツの三号温室に植えてあり、ハリーは2年生の「薬草学」で、これの植え替え作業をした。土から引き抜くと泣き声を上げるので、授業は耳あてをつけて行い、先生が苗の状態のマンドレイクを引き抜くと、肌が薄緑色でまだらの、ひどく醜い男の赤ん坊が出てきた。秘密の部屋の怪物によって石にされた生徒を蘇生する「マンドレイク回復薬」の材料となるため、スプラウト先生は大雪の日に靴下を履《は》かせたりマフラーを巻いて慎重に育てた。情緒不安定で隠し事をするようになり、にきびができたらマンドレイクが思春期に入ったしるし。にきびがなくなったら二度目の植え替えをし、完全に成熟して乱痴気《らんちき》パーティを繰り広げ、お互いの植木鉢に入り込もうとしたら刈り取り、トロ火で煮込む。石になったハーマイオニーもこの回復薬で元に戻った。

マンドレイクはナス科の多年草で、旧約聖書の「創世記(30章)」や「雅歌(7章)」に“恋なす(び)”の名で登場しているように、昔から媚《び》薬《やく》として知られていた。その多肉質の根はしばしば二股《ふたまた》に分枝し、その形が人間を連想させるため、民間信仰や伝説と結びついて、病人の体内に巣食う悪霊を取り除き、健康を回復させるなど、さまざまな神秘的な効能が伝えられてきた。ヒヨスチアミンやアトロピンなど実際にいくつかの薬効成分を含んでいるため、幻覚症状を起こすこともしばしばあり、それゆえ魔術的なものを表すシンボルとなった。サバト(夜宴)に出かける魔女は、マンドレイクで作った魔女の軟膏《なんこう》を体に塗り空を飛ぶと信じられたのは、その一例である。伝説では、絞首台の下に生《は》え、死刑囚が受刑の際に出した体液で育つが、地中から引き抜くときに身の毛のよだつような悲鳴を上げて、それを聞く者を死に至らしめると考えられていた。このため犬に引き抜かせる方策が取られたという。

[②**136〜139、216、294、349、372**] [⑦初出**31**章 **UK499**/**US620**]

万年万能薬
【Everlasting Elixir】

⑥15-上462

『上級魔法薬』の教科書に載っていた魔法薬。ハリーは図書室で、これについてノートを取った。

み

ミイラ首
【Shurunken head】

②04-080
⑥11-上355

闇の品物。クラッブはこれを学校に持ち込もうとしたが、管理人のフィルチに没収された。2巻ではこれがボージン・アンド・バークスの向かい側の店のショーウィンドウに飾ってあった。2巻では「縮んだ生首」、映画では「縮み首」と和訳されている。

ミジョン、エロイーズ
エロイーズ・ミジョン
【Midgen, Eloise】Ⓗ ?

④13-上302
⑥11-上335

ホグワーツの生徒。自分のニキビに呪いをかけて取ろうとしたが、なぜか鼻が取れてしまった。マダム・ポンフリーに元通りにくっつけてもらったが、まだ鼻が顔の中心からズレたまま。魔法界の治安が悪くなると、父親がホグワーツにやって来て、早々と自宅へ連れて帰ってしまった。学年や寮は不明だが、ハンナ・アボットが彼女と親しげであったので、おそらくハリーと同学年のハッフルパフ生。4巻では「エロイーズ・ミジェン」と表記されていた。

[⑤上557] [④上303、下054]

湖

【lake】

①06-167
⑥08-上237

ホグワーツ城の南側に広がる大きな湖。大イカや水魔が生息し、湖底には水中人が村を作って棲《す》んでいる。冬になると湖面が凍るので生徒はこの上でスケートやリュージュをして楽しむ。ロンはこの下に秘密の部屋があると睨《にら》んでいる。JKRが描いた地図によると、この東岸にホグズミード駅があり、9月1日にホグワーツの新入生は、駅からボートで湖を渡って城に向かう。アルバス・ダンブルドアは、この湖の横に建てられた白い大理石の墓に眠っている。

[⑥下330、488] [⑤上323] [④下215] [②444] [⑦初出23章 UK365／US450]

未成年魔法使い

【underage (wizards)】

②02-033
⑥03-上064

17歳未満の魔法使いのこと（魔法界では17歳で成人となる）。未成年者による魔法使用は法律で制限されており、命が脅《おびや》かされる状況下などの非常事態を除いては、学校外の場所での呪文行使は認められていない。「姿現わし」試験も受けられないため、成人と一緒に「付き添い姿現わし」を使わねばならない。魔法省は、未成年者の魔法使用を独自のやり方で見つけているが、魔法使いが複数いる場所で魔法が使われた場合、その実行者を特定することはできない。このためハリーはドビーが唱えた浮遊術の実行犯の濡《ぬ》れ衣《ぎぬ》を着せられ、魔法省に責められたことがある。

[⑥上082、087、下071～072] [⑤上039、201]

みぞの鏡

【Mirror of Erised】

①12-302
⑥23-下292

人の心の一番奥底にある、最も強い「望み」を映し出す鏡。ハリーが1年のときに、ダンブルドアがホグワーツに置いた。枠には金の装飾が豊かに施され、2本の鉤爪《かぎづめ》状の脚がついている。丈の高い鏡で、枠の上の方に「すつうを　みぞの　のろここ　のたなあ　くなはで　おか　のたなあ　はしたわ」と彫ってあるが、反対から読むと「私はあなたの顔ではなく　あなたの心の望みを映す」となる。11歳のハリーは、この鏡の中に家族に囲まれた自分を見た。6巻では「君の心の望みを映す鏡」で登場。

［⑤下**184**］［①**303～311**］［⑦初出**2**章 **UK025**／**US021**］

緑の閃光
緑の光線

【jet（flash） of green light／green light】

①01-087
⑥28-下425

「アバダ　ケダブラ」（死の呪文）を唱えると、杖先から噴射される光線。6巻のホグワーツの戦いでは、死《し》喰《く》い人《びと》が死の呪文を唱え、ハリーめがけて緑の閃光が飛んできた。4巻のリトル・ハングルトンの教会墓地で、ワームテールが「アバダ　ケダブラ」と唱えると、緑の閃光が光り、セドリックは殺されてしまった。5巻の魔法省の戦いでは、ヴォルデモートがダンブルドアめがけてこれを放ったが、くるりと身を翻《ひるがえ》して避けられた。

［⑤下**593**、**609**］［④下**432**、**467**］［⑦初出**4**章 **UK043**／**US044**］

醜い小男の肖像画
【froglike little man／portrait of the ugly little man】

⑥01-上008

マグルの首相の執務室の壁に飾られている肖像画の主《ぬし》。魔法大臣のメッセンジャー。蛙顔をした醜い小男で、長い銀色の鬘《かずら》をつけ、部屋の一番隅にある汚れた小さな油絵に掛かっている。首相はこの絵を取り外すよう秘書に命じたが、絵の裏に永久粘着呪文がかかっていたので梃子《てこ》でも動かなかった。

魅惑万能薬
アモルテンシア
【Amortentia】

⑥09-上280

この世で最も強力な「愛の妙薬」。真珠貝のような輝きと、渦巻き状に立ち昇る独特の湯気が特徴。実際に愛を創り出すわけではなく、単に強烈な執着心または強迫観念を引き起こす。人によってさまざまな匂いがし、その人の好きな香りがする。ハリーがこれを嗅《か》ぐと、糖蜜パイや箒《ほうき》の柄の木の匂い、そしてジニーの発する花のような香りがした。ハーマイオニーは、刈ったばかりの芝生、新しい羊皮紙やロンの髪の匂いがした。

Amortentia は、ラテン語 amor「愛」と tento「誘う」の合成語。ハーマイオニーは本の中で「芝生と羊皮紙」としか話さなかったが、JKR は「(三つめの匂いは)ロンの髪の香りよ。誰もがその人特有の髪の香りを持っているでしょ？」と答えている。

[⑥上277～278、282、290][BLC]

ミンスパイ
【mince pie】

③11-289
⑥15-上484

イギリスの伝統的なクリスマスのお菓子。スラグホーンのクリスマス・パーティのご馳走《ちそう》に出た。

ミンスパイは、レーズンやリンゴなどのドライフルーツのみじん切りに、砂糖・香辛料・ラム・スエット(suet：牛や羊の腎臓の硬い脂肪)などを加え、それをパイ生地に包んで焼いた伝統的なお菓子。昔はひき肉(ミンス)を長持ちさせるために、ドライフルーツやスパイスなどを入れていたが、次第にひき肉の割合が減っていき、現在ではドライフルーツや香辛料だけを中に詰めるようになった。このミンスパイのフィリング(詰め物)は、肉(ミート)が使われなくなった今でもミンスミートと呼ばれている。伝統的な形はキリストが眠った飼《か》い葉桶《ばおけ》を模した楕円形だが、現在では円形が多い。

〔⑤下133〕

ミンビュラス・ミンブルトニア 【Mimbulus mimbletonia】

⑤10-上298
⑥21-下224

とても貴重な魔法界の植物。ネビル・ロングボトムは、15歳の誕生日に、アルジー大伯父さんからこれを貰《もら》った。小さな灰色のサボテンのような鉢植えで、刺《とげ》の代わりにおできのようなものがびっしりと表面を覆っている。かすかに脈を打つ姿は、病気の内臓のようで気味が悪い。アルジー大伯父さんは、アッシリアでこれを手に入れた。びっくりするような防御機能を持ち、つつかれたりすると腐った肥やしのような臭いの「臭液」を体中から噴出する。ネビルが学校に持ってきたときは、ただの妙な寸詰まりのサボテンだったが、1年間でずいぶん大きく育ち、触ると小声で歌うような、奇妙な音を出すようになった。魔法界にはこれにまつわる冗談があり、ロンはマダム・ロスメルタに話したが、笑ってもらえず30分もすねていた。

〔⑤上299、349、下689〕

む

無言者 【Unspeakable】

④07-上133

魔法省の専門職。神秘部で働いている人は、無言者と呼ばれている。職務内容は不明。これまで分かっている無言者は、クローカーとブロデリック・ボード。

〔⑤下190、202〕〔⑦初出12章 UK189／US230〕

無言呪文 【non-verbal spell】

⑥09-上270

声を出さずに呪文を唱えること。6年生の「闇の魔術に対する防衛術」で学んだ。これの利点は敵対者に何の警告も発せずに魔法をかけられることで、一瞬の先手が取れる。集中力と精神力(マインド・パワー)が必要で、すべての魔法使いが使えるものではない。最初の授業では二人一組となり、一人が無言で呪いをかけ、相手も同じく無言でそれを撥《は》ね返す練習をしたが、ごまかしてこっそり囁《ささや》いて呪文を唱える生徒が続出した。6年生の「呪文学」や「変身術」でもこの術は要求され、談話室や食堂では、顔を紫色にして息張っている生徒が多数目撃された。謎のプリンスの『上級魔法薬』の本には、無言呪文で唱える術には“無(n-vbl)” の印がついていた。6年生の第2学期になるとハーマイオニーはこれをマスターし、一言《ひとこと》も発しないで魔法を唱えるようになった。ホグワーツから逃走する途中、スネイプは呪文を口に出して唱えるハリーに向かって「おまえが口を閉じ、心を閉じることを学ばぬうちは、何度やっても同じことだ(呪文は相手に阻止される)」と冷笑した。

[⑥上271-272、328、359、下084、432]

結び手 【Bonder】

⑥02-上057

破れぬ誓いの立会人のこと。誓いのときに誓約を取り交わす二人のあいだに立ち、結ばれた手の上に杖を置く。誓いが立てられるたびに結び手の杖先から炎の舌が飛び出し、灼熱《しゃくねつ》の赤い紐《ひも》のように、握った手の周りに巻きつく。スネイプがナルシッサと破れぬ誓いを結んだときは、ベラトリックスがこれを務めた。

ムーディ、アラスター・マッド-アイ
アラスター・マッド-アイ・ムーディ
【Moody, Alastor Mad-Eye】OP

④11-上247
⑥05-上123

不死鳥の騎士団の創立当初からのメンバー。灰色まだらの長い髪に、大きく削《そ》ぎ取られた鼻（エバン・ロジエールに奪われた）、斜めに切り裂かれた口のようなシロモノが、傷だらけの顔についている。左右不揃いの目の片方は義眼で、その大きく丸い鮮やかなブルーの魔法の目は、透明マントに壁やドア、自分の後頭部さえも貫き透視できる。片足は義足なので歩くとコツッコツッと鈍い音がする。優秀な闇祓《やみばら》いで、一時はアズカバンの独房の半分は彼が捕まえた闇の魔法使いで埋まっていた。今は年をとったため引退し、騎士団のために働いている。メンバーの中では闇祓いのニンファドーラ・トンクスに目をかけ、可愛がっている。口癖は「油断大敵」。

ハリーが4年のときにホグワーツで「闇の魔術に対する防衛術」を教えるはずであったが、就任前に死喰《しく》い人《びと》（クラウチ息子）に服従の呪文をかけられ、9ヵ月間も魔法のトランクに閉じ込められていた。5巻では不死鳥の騎士団のメンバーとして登場。先発護衛隊として、ハリーをプリベット通りからグリモールド・プレイスに送り届けた。年をとってから被害妄想になり、飲み物は自前の携帯用酒瓶からしか飲まない。食事の前には、わずかに残っている鼻で料理をクンクン嗅《か》ぎ、毒入りかどうか調べる警戒ぶり。この極端な用心深さは仲間からたびたびからかわれ、先発護衛隊の飛行の前に「もしわしらが使命途上で殉職しても―」と演説したときは、「誰も死にはしませんよ」とシャックルボルトからやんわりとたしなめられた。目的地はもう目と鼻の先なのに、尾行されていないか確認のために引き返すと言い出し、トンクスから「マッド-アイ、気は確か？」と怒鳴られたこともある。敵からの攻撃には神経質だが、人の気持ちには鈍感で、ハリーに両親やむごい仕打ちを受けて死んだ騎士団のメンバーの写真を見せて、暗い気持ちにさせた。神秘部の戦いではあっという間《ま》にドロホフにやられて

しまったが、トランクに詰め込まれたときは、ガリガリに痩《や》せながら一年近くも生き続けるというヴォルデモートも驚くほどの生命力を見せつけた。6巻ではキングズリー・シャックルボルトらとダンブルドアの葬儀に参列した。

英語moodyは「偽者《にせもの》の」、「気難しい」の意。Alastor（アラストール）はギリシア神話の「復讐《ふくしゅう》」の擬人化神。中世の悪魔学では「死刑執行人」を表す。

［⑥上**254**、下**479**、**488**］［⑤上**078**、**080**、**093**、**096**、**271**、**277**～**278**、**289**、下**329**、**590**、**592**］［④上**251**、**287**、**514**、下**351**、**361**］［⑦初出**3**章 **UK037**／**US037**］

ムーニー **【Moony】**

③**10**-**249**

忍びの地図の作者の一人、リーマス・ルーピンの学生時代のニックネーム。

Moonyは英語で「月（満月）のような」、「気が狂った」という意味で、ルーピンが満月に照らされると狼に変身する（気も狂う）ところから命名された。

［⑤下**349**］［⑦初出**11**章 **UK168**／**US204**］

め

目くらまし呪文（術） **【Disillusionment Charm】**

⑤**03**-上**091**
⑥**03**-上**064**

人や動物に唱えるとカメレオンのような保護色になる呪文。その存在を環境の中に隠し、見えなくする。6巻で魔法省が配布した安全指針には、家族全員がこの呪文を認識するよう書かれていた。ヒッポグリフを飼っている魔法使いは、動物にこの呪文をかける義務がある。ヒッポグリフを見たマグルのイメージを歪《ゆが》めるためだが、呪文の効果は薄れやすいので毎日唱えなければならない。

［幻**028**］［⑦初出**4**章 **UK043**／**US045**］

メラメラメガネ
スペクタースペックス
【Spectrespecs】

⑥**07**−上**207**

『ザ・クィブラー』の付録についていたサイケなメガネ。ホグワーツ特急の中でルーナ・ラブグッドがこれをかけると、多彩色の呆《ほう》けたふくろうのような顔になった。

スペクタースペックスは、英語 spectre（「幽霊」、「亡霊」）と、specs「メガネ」の合成語。これをかけると、幽霊が見えるようになるのかもしれない……。

メリィソート、ガラテア
ガラテア・メリィソート
【Merrythought, Galatea】

⑥**17**−下**074**

ホグワーツの元教師。「闇の魔術に対する防衛術」をおよそ50年間教え、トム・リドル（ヴォルデモート）が卒業した1945年ころに退職した。リドルは卒業後、学校に残りメリィソートの代わりに「闇の魔術に対する防衛術」の先生となることを希望したが、当時の校長ディペットに断られた。

Galatea（ガラテイア）はギリシア神話の海の精（ニンフ）。乱暴で醜い“一つ目巨人”のポリュペモスから求愛されるが、彼女にはアキスという美少年の恋人がいた。二人の逢引がポリュペモスに見つかり、アキスは怒り狂った巨人が投げた岩に当たり死んでしまうが、ガラテイアは彼を河に変えた。「ガラテア」の初出は6巻下167ページ。

[⑥下167]

も

亡《もう》者《じゃ》
【Inferius（単数）／Inferi（複数）】　⑥03-上065

闇の魔法使いの呪文によって動きを取り戻した死体。生きてはおらず、闇の魔法使いの命令通りのことをするために、操り人形のように使われる。ゴーストはこの世を離れた魂が地上に残した痕跡なので、亡者とは異なる。弱点は火。ハリーがダンブルドアと行ったヴォルデモートの洞窟内の湖は、亡者で埋め尽くされていた。ホークラックス入手後、ハリーが湖の水に触れると息を吹き返し、大軍となって襲ってきたが、ダンブルドアが杖から炎の輪を噴出すると怯《おび》えて逃げていった。複数形はインフェリ(Inferi)。ヴォルデモートは第一次全盛期に亡者を使ったので、復活後の今回もまた利用する可能性がある。

Inferiはラテン語で「死体」の意。

[⑥上093、270、下207、212、378、391～394] [⑦初出3章 UK035／US035]

最も邪悪なる魔術
【Magick Moste Evile】　⑥18-下091

ホグワーツ図書室の蔵書の中で、唯一ホークラックスの説明が書かれていた古めかしい本。閉じると幽霊の出てきそうな泣き声を上げる。ハーマイオニーは、ホークラックスに関する書籍を図書室で探したが、見つけたのはこの本だけ。しかも「ホークラックス、魔法の中で最も邪悪なる発明。我らはそれを語りもせず、説きもせず」としか書いていなかったので「それなら、どうしてわざわざ書くの？」と腹を立てた。

Magick Moste Evile は古英語で、Magic Most Evil のこと。

森番【gamekeeper】

①04-092
⑥06-上166

禁じられた森を管理する人のこと。現在の森番はハグリッド。その前はオッグという魔法使いだった。ウィーズリーおばさんが、三校対抗試合の第三の課題に招待されてホグワーツにやって来たとき、当時の森番オッグの想い出をハリーに長々と話してくれた。

[⑥下**430**] [④下**403**] [⑦初出**22**章 **UK358／US442**]

モリフクロウ【Tawny owl】

①05-109
⑥05-上154

ふくろうの一種。イーロップふくろう百貨店で売っている。6巻では、三羽のモリフクロウが、隠れ穴にいるハリー、ロン、ハーマイオニーの三人に、OWL《ふくろう》 試験の結果を配達した。

モリフクロウは、ヨーロッパで一般的なふくろうで、wood owl や brown owl とも言う。

漏れ鍋【Leaky Cauldron】

①05-104
⑥06-上165

ロンドンのチャリング・クロス通りにある、ちっぽけなみすぼらしいパブ。本屋とレコード店のあいだに位置し、マグル界と魔法界の接点の一つとなっている（ただしマグルにはこの店は見えない）。1階にはバーや食堂、個室があり、歯抜けでしわくちゃの亭主トムが、店のカウンターの奥でバーテンをしている。2階には宿泊できる部屋がいくつか用意され、ハリーは3年生になる前の夏休みに3週間ほどここの11号室に滞在した。

1階の店内を通り抜けると、ダイアゴン横丁に通じる裏庭があり、その壁のレンガのゴミ箱の上の左から3番目（1巻では三つ上がって、

横に二つ目を軽く叩《たた》くと壁にアーチ型の入り口が広がる。これまでは客でいっぱいだったが、1996年8月にハリーが訪れたときは閑古鳥《かんこどり》が鳴いていた。初代の亭主は、女性のデイジー・ドッダリッジ(1467–1555)。

[⑥上**167**][⑤下**509**][③**056**、**066**、**081**、**083**][②**096**][①**108**][**JKR** 公式サイト「今月の魔法使い」][⑦初出**9**章 **UK136**/**US163**]

モンゴメリー姉妹
【Montgomery sisters】

⑥**22**–下**232**

ホグワーツの生徒。母親が死喰《しく》い人《びと》に手を貸すことを拒んだため、姉妹の5歳の弟が狼男のグレイバックに噛《か》まれ、聖マンゴで死亡した。

モンタギュー
【Montague】Ⓢ

③**15**–**397**
⑥**24**–下**315**

(1978?–)5巻でスリザリンのクィディッチ寮代表チームのキャプテンを務めた魔法使い。6巻でキャプテンはウルクハートに代わったので、1996年夏に卒業したと思われる。ダドリー系の体形で、巨大な腕は毛むくじゃらの丸ハムのよう。5巻ではアンブリッジの尋問官《じんもんかん》親衛隊《しんえいたい》となり、グリフィンドールから減点しようとしたため、フレッドとジョージによって姿をくらます飾り棚(キャビネット)に押し込められた。この飾り棚はボージン・アンド・バークスのもう一つの飾り棚と対になって繋《つな》がっており、本来はすぐにボージンの店に移動するはずであったが、壊れていたため二つの場所を行ったり来たりして、どっちつかずに引っ掛かってしまった。結局モンタギューは姿現わしを唱えて脱出したものの、試験にパスしていなかったので5階のトイレに詰まり、死にそうになった。最後はドラコに発見され、そのまま医務室送りになったが、このトイレの旅は彼に相当なダメージを与えたらしく、マダム・ポンフリーが手当てをしても、長いあいだ混乱と錯乱が続いた。回復したモンタギューからこの話を聞いたドラコは、対の飾り棚を使って死喰《しく》い人《びと》をボージン・アンド・バークスからホグワーツに侵入させる方法を思いついた。

モンタギュー(Montague)は、シェークスピアの『ロミオとジュリエット』に登場するロミオの家名。

[⑥下**409**][⑤上**637**～**638**、下**323**、**342**、**403**、**481**]

や

ヤギ【goat】

④24-下148

アバーフォース・ダンブルドアが溺愛している動物。彼はヤギに不適切な魔法をかけた咎《とが》で起訴されたことがある。彼がバーテンをしているパブ「ホッグズ・ヘッド」は、ヤギのような強烈な臭いがする。

ヤギ(牡ヤギ)は、ディオニュシア祭(ディオニュソスの祭り)で生贄《いけにえ》に捧げられ、その際にギリシア人が「ヤギの歌」を歌ったところから、「悲劇的な動物」のシンボルとなった。「悲劇(tragedy)」という言葉の語源は、この「ヤギの歌(ギリシア語で tragoidia[tragos 牡ヤギ+oide 歌])」とされる。また、ヤギは旺盛な精力を持つ動物と見なされ、ギリシア神話のサテュロスや牧神パンなど、好色で放縦な半人半獣を表すときのイメージに利用されていた。やがて時代が下るにつれて「きつい体臭の、不潔で、快楽を追求する」動物と非難されるようになり、キリスト教では悪魔的シンボルとされ、魔女のサバト(夜宴)で使われる動物となった。キリスト教の古典的図像では、悪魔はすべてヤギの角と肢《あし》をつけた姿で描かれている。現代でも「スケープゴート」という言葉が用いられるが、これは古代ユダヤで年に一度の贖罪《しょくざい》の日に、人々の罪を一頭のヤギになすりつけ、荒野に放ち死に至らしめたことから生まれたものである。言葉の意味は「不満や憎悪を他にそらすための身代わり」、「責任を転嫁するための身代わり」であるが、野生味を持ち続けるヤギが「文化」に対して「自然」、「中心(自民族)」に対する「周縁(他民族)」の存在と見なされたために生じたものであろう。

[⑤上**527**][⑦初出**28**章 **UK450**/**US558**]

薬草学 【Herbology】

①08-198
⑥05-上155

ホグワーツ城の裏にある温室に行き、不思議な植物やきのこの育て方、どんな用途に使われるかなどを学ぶ授業。ネビルの得意教科で、担当はスプラウト。ハリーたちの学年は、5年生までグリフィンドールとハッフルパフの合同授業だった。2年のときはマンドレイクの植え替えや、アビシニア無花果《いちじく》の大木の剪定《せんてい》作業などを行い、4年生では「ブボチューバー(腫《は》れ草)」の膿《うみ》の搾《しぼ》り出しや、「ピョンピョン球根」の植え替え作業をした。5年生では「キーキースナップ」にドラゴンの堆肥《たいひ》を施肥した。

ハリーのOWL《ふくろう》試験の結果は「良・E(期待以上)」、ハーマイオニーは「優・O(大いによろしい)」そしてロンも合格したので、3人とも6年生でNEWT《いもり》レベルに進んだ。これまでよりずっと危険な植物を扱うようになり、保護手袋、マウスピース、保護用ゴーグルを着けて「スナーガラソ」の種を採取したり、レポートの宿題をこなした。

[⑥上**156**~**157**、**262**~**265**、**328**、**422**、下**158**][⑤上**256**][⑦初出**37**章 **UK606**/**US757**]

薬草ときのこ千種 【One Thousand Magical Herbs and Fungi】

①05-102
⑥25-下333

「魔法薬学」の教科書。フィリダ・スポア著。1巻では『魔法の薬草ときのこ千種』や『薬草ときのこ百種』と訳されている。

[⑤上**570**][①**204**、**335**]

屋敷しもべ妖精 【house-elf】

②02-020
⑥02-上038

魔法界の大きな館や城に住みこみ、一生その家族のために奴隷のように奉仕する妖精のこと。外見に個人差があるが、禿《は》げ頭でコウモリのような長い耳を持ち、テニスボール大の目をしている点は共通している。男女の区別はつけにくいものの、女性はいくぶん高く、か細いキーキー声で話す。奴隷であることを示すために古い枕カバーなどを身につけ、一つの屋敷、一つの家族に一生仕え、ご主人様から衣服を貰《もら》うまで自由の身になれない。妖精自身も自由になるのは恥ずべきことと考え、「自分たちは楽しんではいけないのでございます」と決めつけて奴隷の身に甘んじている。杖の使用規則により、その使用が禁じられているが、独自の魔法を使って家事をこなしたり、魔法使いが姿現わしできない場所でも出入りできる。主人の家に縛りつけられているものの、本当にそれを望めば家を一時出ることも可能で、ドビーは2巻でハリーに警告を与えるため、マルフォイの屋敷を離れ、ダーズリー家にやって来た。

　ホグワーツにはイギリス中のどの屋敷よりも大勢のしもべ妖精が住み、日中は厨房《ちゅうぼう》に隠れて食事を作り、夜になると出てきて掃除や洗濯、火の始末、生徒のベッドに湯たんぽを入れたりシーツを替えている。ハーマイオニーはこのような奴隷労働に怒り、4巻でしもべ妖精福祉振興協会《S・P・E・W》を設立。5巻では、しもべ妖精を解放させようとグリフィンドール塔のあちこちに洋服をこっそり置いたが、逆に妖精たちから侮辱されたと勘違いされ、計画は失敗に終わった。妖精の中には、わずかだが、進歩的な考えの者もおり、ドビーはハリーに助けられて自由の身となってからは、校長から給料と休みを貰いホグワーツで働いている。しかし、おおかたの妖精は無償でご主人様に尽くすことに誇りを持ち、中にはウィンキーのように解雇されたショックでバタービール浸《びた》りになった者もいる。魔法省は屋敷しもべ妖精を信頼しておらず、ヘプジバ・スミスが毒入りココアを飲んで死亡したときは、しもべ妖精のホキーが真っ先に疑われた。魔法界には、屋敷しもべ妖精が醸造《じょうぞう》したワインなども存在する。

〔⑥上**077**、**478**、下**103**、**168**、**178**、**252**、**255**〕〔⑤上**015**、**185**、**206**、**403**、**606**、下**137～138**〕〔④上**153**〕〔②**022**、**045**〕〔**JKR** 公式サイト「**FAQ** 作品について」〕〔⑦初出37章 **UK091**／**US106**〕

ヤックスリー

【Yaxley】**DE**

⑥**02**-上**042**

死《し》喰《く》い人《びと》。スネイプやルシウス・マルフォイと同じように、ヴォルデモートの凋落《ちょうらく》後、その行方を捜さなかった。

Yaxley ヤックスリーは地名。イングランド東部サフォーク州とケンブリッジシャー州に、それぞれヤックスリーという地名がある。

［⑦初出**1**章 **UK009**／**US001**］

ヤドリギ

【mistletoe】

①**12**-**287**
⑥**15**-上**460**

クリスマスの装飾に使うヤドリギ科の常緑低木。オークなどの落葉広葉樹に寄生する。欧米ではクリスマス・シーズンに白い実のついたヤドリギの枝を飾り、その下では女性にキスすることが許される習慣がある。ハリーも5巻のクリスマス休暇前、必要の部屋に飾られたヤドリギの下で、チョウ・チャンとファーストキスをした。6巻のスラグホーンのクリスマス・パーティでは、ハーマイオニーがこれの下でコーマックにキスされそうになり、ぐしゃぐしゃになりながら逃げ回った。ルーナによると、この木は“ナーグル”だらけのことが多いとか。

古くからヤドリギは、冬になり宿主の落葉樹が葉を落としても、寄生しているこの木だけは濃緑の葉を残し、あたかもその落葉樹が再生したかのように見えるため、聖なる木と見なされ不死の象徴とされてきた。特にオークの木に寄生したヤドリギは、ケルトのドルイド僧のあいだで珍重され、プリニウスによると、ドルイド僧は夏至や冬至の夜などにそれを黄金の鎌で刈り取り、白い布に集めて、生贄《いけにえ》の雄牛とともに祭壇に捧げたという。

［⑥上**481**］［⑤下**057**～**058**、**063**、**124**］［⑦初出**20**章 **UK323**／**US398**］

破れぬ誓い【Unbreakable Vow】

⑥02-上056

魔法界の誓いの呪文（儀式）。この誓いを破った者は死ぬ。これを行うには、まず誓約を取り交わす者同士が跪《ひざまず》き、互いの右手を握り合い、結び手と呼ばれる証人が二人の頭上に立ち、結ばれた手の上に杖を置く。誓いが立てられるたびに、結び手の杖先から炎の舌が飛び出し、灼熱《しゃくねつ》の赤い紐《ひも》のように、握った手の周りに巻きつく。スネイプは、ドラコがヴォルデモートから命じられた仕事について、ナルシッサとこの誓いを結び、ベラトリックスが証人を務めた。フレッドとジョージは、ロンが5歳ぐらいのときにこの誓いをさせようとし、すんでのところで父親に止められ、こっぴどく叱られた。それ以来、フレッドの尻の左半分は、なんとなく調子が出ないという。

［⑥上**057～058**、下**006～007**］

闇の印【Dark Mark】

④09-上199
⑥02-上045

ヴォルデモートの印。口から蛇が舌のように這《は》い出ている緑色の髑髏《どくろ》のマーク。「モースモードル！」と唱えると、空に巨大な闇の印が打ち上がるが、この呪文を知っているのは、ヴォルデモートと死喰《しく》い人《びと》のみ。彼らは誰かを殺したときや、建物に侵入したときに、決まってこの印を空に打ち上げる。6巻では、ホグワーツに侵入した死喰い人ギボンが、天文台の塔の上にこの印を打ち上げた。

闇の印はまた、死喰い人の左腕の内側にも刺青《いれずみ》のように焼きつけられており、互いを見分ける手段になっている。この腕の印が熱くなると、彼らはヴォルデモートの許《もと》に姿現わししなければならない。死喰い人になったドラコ・マルフォイの腕にも、この印がつけられている。

［⑥上**174**、**198**、下**205**、**400～401**、**455**］［⑤上**524**、下**180**］［④上**220**、**223**、下**441**］

闇の帝王
【Dark Lord】

②10-266
⑥02-上034

ヴォルデモートの呼び名の一つ。死喰《しく》い人《びと》やブラック家のような純血主義者は、ヴォルデモートのことをこう呼んでいる。

[⑥上039、051][⑤上178][⑦初出10章 UK159／US193]

闇の魔術
【Dark Arts／Dark Magic】

①07-188
⑥06-上188

邪悪な呪文や術のこと。おもに人に苦痛を与えたり、殺傷する目的で、ヴォルデモートや死喰《しく》い人《びと》、スリザリン出身者が使用している。魔法法律で最も厳しく罰せられる闇の魔術は、許されざる呪文。ホグワーツではこれに対する防衛術しか教えないが、ダームストラング校では闇の魔術自体を教えている。一般的に、蛇語使いは闇の魔術に繋《つな》がるものと考えられ、ハリーが決闘クラブで蛇語を話したときは、彼こそがスリザリンの継承者だと噂された。闇の魔術に関する物は夜の闇《ノクターン》横丁《よこちょう》で売っており、その中で一番大きな店はボージン・アンド・バークス。輝きの手や呪われたネックレスなどを扱っている。最も邪悪な闇の魔術の発明品は、分霊箱。スラグホーンは「闇も闇、真っ暗闇の術だ」と話している。子供のころから闇の魔術に魅せられていたスネイプは、ホグワーツ入学時にすでに7年生の大半の生徒より悪の呪いの知識を持ち、在学中は「セクタムセンプラ！」などの闇の魔術を発明した。

[⑥上273、391、418、下091、270、311][④下264～265][②074～084、219][⑦初出2章 UK027／US025]

闇の魔術に対する防衛術
DADA
【Defence Against the Dark Arts／DADA】

①05-107
⑥02-上043

闇の呪文からどのように身を守るかを学ぶ教科。教室は4階にある。

6年の教科書は『顔のない顔に対面する』であった。1956年ごろヴォルデモートがこの職に就くことを断られて以来、呪いがかけられ、ホグワーツで1年を超えてこの職に踏み留まった教師は一人もいない。ハリーが1年のときのクィレルは死亡し、2年のギルデロイ・ロックハートは記憶を失い、3年のリーマス・ルーピンは辞めさせられ、4年のマッド-アイ・ムーディは9ヵ月もトランク詰めで、5年のドローレス・アンブリッジはケンタウルスに捕まり、禁じられた森の奥に連れ去られた。6年では長年の念願が叶い、スネイプが担当。「無言呪文」を教え、途方もなく難しい「吸魂鬼(ディメンター)」や「服従呪文の抵抗」に関するレポートを出題したが、学年末にホグワーツから逃亡した。

ハリーの得意科目で、OWL(ふくろう)試験で唯一「優・O」を取った。ハーマイオニーは「良・E」、ロンも合格したので三人ともNEWT(いもり)に進み、ハリーのクラスは25人が受講していた。5年のときは、アンブリッジが防衛術の実技を教えなかったので、ハリーたちは生徒だけで防衛術を自習する「ダンブルドア軍団(DA)」を結成した。

[⑥上**155~157**、**253**、**262~265**、**267**、**274**、**360**、下**167**、**190**、**193**、**208**、**210**][⑤上**257**、**385**、**511**、**572**、**581**、下**379**、**458**、**519**、**676**][④上**288**][③**553**][②**066**][⑦初出**11**章 **UK168**／**US204**]

闇の魔術の興亡(4巻)
黒魔術の栄枯盛衰(1巻)
【Rise and Fall of the Dark Arts, The】 ①06-159

ハーマイオニーがホグワーツ入学前に読んだ参考書。ハリーのことや、闇の印について書かれている。

[④上**220**][⑦初出**6**章 **UK082**／**US093**]

闇の魔法使い
【Dark wizard】 ①06-154 ⑥02-上049

ヴォルデモートや死喰い人(しくびと)などの、闇の魔術を使う魔法使いを指す名称。ダンブルドアは1945年、闇の魔法使いグリンデルバルドを破った。ハリーはヴォルデモートの攻撃から生き残ったので、ホグワーツに入学したときは、偉大な闇の魔法使いではないかとの噂が流れた。

[⑥上**417**][⑦初出**3**章 **UK035／US035**]

闇《やみ》祓《ばら》い
オーラー
【Auror】

⑥**11**−上**251**
⑥**01**−上**021**

死喰《しく》い人《びと》などの闇の魔法使いを捕らえる専門家。「闇の魔法使い捕獲人」とも呼ばれている。魔法省の闇祓い本部に所属するエリート集団で、高度な訓練を受けた戦闘のエキスパートであるが、防衛術だけでなく知性や忍耐、献身の能力も必要な職業。これになるためには、NEWT《いもり》試験の少なくとも5科目以上で「良・E」より上の成績を取ることが要求される。学校を卒業したのちは、魔法省の闇祓い本部で厳しい性格・適性テストを受け、変装・隠遁《いんとん》術や隠密追跡術、実践的な防衛術の高度な技術などを3年間みっちり勉強しなければならない。最高の魔法使いしか合格しない狭き門で、1993年〜1996年のあいだは誰も採用されなかった。マクゴナガルは、5年生の進路指導でこの職を希望したハリーに対し、「闇の魔術に対する防衛術」、「変身術」、「呪文学」、「魔法薬学」の4教科を取るよう勧めた。

マッド-アイ・ムーディは、かつては腕利きの闇祓いで、彼が捕らえた闇の魔法使いでアズカバンの独房の半分が埋まっていたほどであった。バーティ・クラウチ(父)は魔法法執行部の部長時代、闇の魔法使いを捕まえるのでなく、殺してもいいという権力を闇祓いたちに与えた。ネビルの両親は人望の厚い闇祓いであったが、ヴォルデモート失脚後、ベラトリックス・レストレンジら死喰い人によって拷問され、二人とも正気を失ってしまった。ハリーが6年のときは、プラウドフット、サベッジ、ドーリッシュ、トンクスら闇祓いがホグワーツの警備にあたった。

■闇祓いリスト

マッド-アイ・ムーディ(引退)、ルーファス・スクリムジョール、ガウェイン・ロバーズ、キングズリー・シャックルボルト、ドーリッシュ、ウィリアムソン、プラウドフット、サベッジ、ニンファドーラ・トンクス、フランク・ロングボトム(入院中)、アリス・ロングボトム(入院中)と片目に眼帯をした魔女。

[⑥上**087〜088**][⑤上**087**、**212**、下**378〜380**、**382〜383**][④下**123**、**258**、**381**][⑦初出**1**章 **UK011**/**US004**]

闇《やみ》祓《ばら》い局 【Auror Office】 ⑥**03**-上**062**

魔法省の部局の一つ。闇祓い本部の内部組織と思われる。現在の局長は、ガウェイン・ロバーズ。その前任者は、ルーファス・スクリムジョール。6巻で魔法省は、住宅その他の建物の上に闇の印が上がった場合は、立ち入らずすみやかに闇祓い局に連絡するよう呼びかけた。

[⑥上**065**、下**038**][⑦初出**1**章 **UK011**/**US004**]

闇《やみ》祓《ばら》い小規模特務部隊 【small task force of Aurors】 ⑥**03**-上**063**

闇祓いから成る部隊。1996年〜1997年にホグワーツ校の護衛を専任で行った。

闇《やみ》祓《ばら》い本部 【Auror Headquarters】 ⑤**07**-上**211**

魔法省・魔法法執行部に直属している部署。闇祓いが所属している。オフィスはロンドンの魔法省地下2階。エレベーターを降りてから、扉がたくさん並んだ廊下を歩き、角を曲がって樫《かし》材のどっしりした両開きの扉を開けると、この本部がある。内部は小部屋に仕切られていて、一番手前の部屋には「闇祓い本部」という表札が掛かっている。各部屋の壁には、お尋ね者の人相書きや家族の写真、贔屓《ひいき》のクィディッチ・チームのポスター、『日刊予言者新聞』の切り抜きなどが貼ってある。ハリーが初めてここに来た1995年には、闇祓いのウィリアムソンがブーツを履《は》いた両足を机に載せ、羽根ペンに報告書を口述筆記させていた。キングズリー・シャックルボルトの小部屋の壁は、当時シリウスを担当していたので、あたり一面シリウスの顔だらけ。新聞の切り抜きや、ポッター夫妻の結婚式で付添い人を務めた古い写真まで、彼に関する情報がびっしり貼ってあった。

［⑤上**212〜213**］［⑦初出**12**章 **UK201／US245**］

ゆ

夕刊予言者新聞

【Evening Prophet, the】

②**05-116**
⑥**11-**上**353**

魔法界の夕刊紙。6巻では、アーサー・ウィーズリーが、マルフォイの屋敷を家宅捜査したことが記事になった。2巻では「空飛ぶフォード・アングリア、いぶかるマグル」の見出しで、ロンとハリーが中古のアングリアで飛行したことが報じられた。

［⑥下**480**］

有毒食《しょく》虫《ちゅう》蔓《づる》（5巻・6巻）

毒《どく》触《しょく》手《しゅ》草《そう》（2巻）

【Venomous Tentacula】

②**06-138**
⑥**11-**上**328**

刺《とげ》だらけの暗赤色の植物。ホグワーツの三号温室に植えてある。人に向けて長い触手を伸ばしてくるが、叩《たた》くと引っ込める。ダーウェント・シンプリングは賭けでこの植物を全部食べ、死ななかったが、まだ紫色のままだという。これの種はＣ級取引禁止品に指定されているため入手は困難。ずる休みスナックボックスに必要な材料なので、ウィーズリー双子はマンダンガス・フレッチャーから10ガリオンで購入した。食虫蔓に歯が生《は》える時期は、危険なので気をつけなければならない。

［⑤上275］［JKR 公式サイト「今月の魔法使い」］［⑦初出30章 UK483／US600］

郵便（配達）ふくろう
【post owl／delivery owl（7巻）】

④03−上057
⑥04−上116

手紙や小包などを足につけて運ぶ通信用のふくろうのこと。このふくろうが運ぶ手紙を「ふくろう便」と呼ぶ。ハリーのペットのヘドウィグや、ウィーズリー家のふくろうのエロールやヘルメス、ピッグウィジョンも郵便配達ふくろう。『日刊予言者新聞』なども配達している。1巻では「伝書ふくろう」と訳されている。

［⑥下206］［⑦初出2章 UK025／US022］

油断大敵
【Constant Vigilance!】

④14−上332

マッド-アイ・ムーディの口癖。確かにハリーは4巻で、彼に対して「油断大敵」の態度で臨むべきであった……。

［⑦初出6章 UK083／US095］

ユニコーン
一角獣
【unicorn】

①05−127
⑥07−上208

白馬の額に長い角を1本生《は》やした動物。禁じられた森に生息しており、ハリーは4年生の「魔法生物飼育学」の授業でこれを勉強した。赤ちゃんは純粋な金色で、2歳ぐらいになると銀色に変わり、4歳ぐらいで角が生える。すっかり大人になる7歳ぐらいまでは、真っ白にはならない。角や尻尾《しっぽ》の毛には魔力があり、魔法薬の材料として使われるほか、尻尾の毛はオリバンダーの杖の芯にも利用されている。この毛は1本10ガリオンもする高価な品だが、ハグリッドは怪我をした動物に包帯を固定するのに使っている。

ユニコーンはヨーロッパの伝説上の生き物。額に1本の長い角を持った、馬または小羊に似た姿で描かれる。キリスト教では聖書に登場する動物として親しまれているが、これはヘブライ語版旧約聖書でre'em(レ・エム)と呼ばれた野牛のような二角獣を、ギリシア語に翻訳する際にmonokerōs(モノケロス＝一角獣)と誤訳し、これがさらにラテン語聖書『ウルガタ』でunicornis(ウニコルニス)と訳されたことに始まっている。中世キリスト教の伝承では、あらゆる動物の中で最強であるが、清純な乙女にだけ近づき、その膝の上に頭を乗せて眠ると考えられたため、「純潔」や「力」のシンボルとなった。その角には解毒の力があるとされ、ユニコーンの角と称されるものを削って杯やナイフの柄にしたが、実際にはイッカク(北極鯨)の牙《きば》が使われていた。中世のフランス王侯の食卓では、毒の検証用に、杯の中にこの角を浸《ひた》しておく習慣があったという。紋章獣としても好まれ、現在のイギリス王室の紋章はライオンとユニコーンが左右から盾を支えている図柄である。なお、日本語版1巻(5章127ページ)では、unicorn hairsが「一角獣《ユニコーン》のたてがみ」と訳されているが、原書にたてがみ(mane)の記述はないので、おそらく「ユニコーンの毛」特にセドリックの杖の芯である「尻尾の毛」を指していると思われる。

[⑥下**254**][⑤下**460**][④上**477**][①**128**、**378**][⑦初出7章 **UK102**／**US120**]

許されざる呪文
【Unforgivable Curses】

④**14**-上**338**
⑥**06**-上**181**

魔法界で使用が禁止されている魔法。「死の呪文(アバダ　ケダブラ)」、「服従の呪文(インペリオ！服従せよ！)」と「 磔《はりつけ》の呪文(クルーシオ！苦しめ！)」の三つを指す。同類であるヒトに対して、このうちのどれか一つでも唱えるだけで、アズカバンで終身刑を受けることになる。おもにヴォルデモートと死《し》喰《く》い人《びと》が使用しているが、有事には普通の魔法使いでも唱えることがある。6巻では、マルフォイから磔の呪文をかけられそうになったハリーが、呪文の内容も知らずに「セクタムセンプラ」を唱え、マルフォイは体中が切り刻まれ、血まみれになってしまった。ホグワーツの戦いでは、死喰い人が当たりかまわず許されざる呪文を唱え、ギボンがそれに当たって死亡。ダンブルドアは、スネイプから死の呪文をかけられ殺された。

［⑥下**422**、**426**、**446**、**455**］［⑤下**605**］［⑦初出**26**章 **UK430**／**US533**］

よ

妖女シスターズ【Weird Sisters】

④**22**-下**049**
⑥**15**-上**480**

魔法界の人気バンド。メンバー全員が異常に毛深く、芸術的に破いたり引き裂いたりしたローブを着ている。6巻では、スラグホーンのクリスマス・パーティに出演。ベース奏者のドナガーン・トレムエットはダンブルドアの葬儀に参列した。5巻では、そのベース奏者が結婚するというゴシップ記事が『日刊予言者新聞』に掲載された。4巻のクリスマス・ダンスパーティで演奏したときには、ドラム一式、ギター数本、リュート、チェロ、バグパイプがステージに用意されたので、5人以上のグループのようである。

妖女シスターズのモデルは、シェークスピアの『マクベス』に登場する、三人の魔女（three Weird Sisters）であろう。主人公マクベスに王になれるとそそのかし、「マクダフ（ファイフの領主）に用心せよ」、「女から生まれた者にお前は負けぬ」、「バーナムの森が動き、攻め込んで来ぬ限り敗れぬ」と三つの謎めいた予言をする。それを信じたマクベスは破滅の道をたどり、最後は魔女を呪って死んでいく。シェークスピアは、北欧神話の三女神(ウルド＝運命、ヴェルダンディ＝現在、スクルド＝未来)から、この三人の無気味な魔女たちのイメージを得たと言われている。この北欧神話の女神(三姉妹)は、Nornir(ノルニル)と呼ばれ、神々と人間の運命を司っていると信じられていた。アングロ・サクソンは、この姉妹のうち、運命の女神「ウルド(Urd)」を「ウィルド(Wyrd)」と呼んでおり、これがweird(無気味な、変な)の語源となった。

[⑥下**489**][⑤上**451**][**JKR** 公式サイト「今月の魔法使い」][⑦初出7章 **UK098**／**US115**]

妖精 【fairy】

③**10-245**
⑥**15** 上**478**

ヨーロッパなどの神話伝承に登場する超自然的な存在や、精霊の総称。6巻では、スラグホーンのクリスマス・パーティの会場で、本物の妖精の入った金色のランプが、天上の中央から垂《た》れ下がっていた。5巻のグリモールド・プレイスでは、クリスマスの時期に、マンダンガスが手に入れてきた大きなツリーに本物の妖精が飾りつけられ、ブラック家の家系図を覆い隠した。

フェアリーはラテン語 fatum（「神託」、「運命」）から派生した言葉で、最初は「幻覚」や「魔法」の意味で使われていた。国や地域によって呼び名や姿などが異なり、大きさを変えられるので、人間の等身大のものから小人サイズまでさまざま。性格は気まぐれで悪戯《いたずら》好きで、人間に友好的なものもいるが、災いをもたらすことも多い。可愛い赤ん坊をさらって丸太やしわくちゃの赤ん坊と替える「取り替え子(チェンジリング)」や、道に迷った旅人を妖精の国に連れ込むなどは朝飯前で、親切にすれば恩返しをするが、こちらが意地悪をすると仕返しをしてくる。性格や棲《す》む場所によって分類されており、人間に好意的なものはシーリー・コート、悪意のある妖精はアンシーリー・コートと呼ばれている。

[⑤下**132**]

羊皮紙
【parchment】

①03-054
⑥01 上015

魔法界で紙代わりに使用されている薄手の動物革のこと。巻紙状になっており、学校のノート、手紙や公文書、設計図の類《たぐい》まで、魔法界ではすべてこの紙が使われている。学校の宿題は「羊皮紙××センチのレポート」といった形で出題され、6年生の「古代ルーン文字」では「40センチのエッセイ」の宿題が出た。丈夫な紙のようであるが、ロンとラベンダーのキスを目撃したハーマイオニーは、羊皮紙に羽根ペンで強烈に句点を打ち、穴を空けてしまった。マダム・ピンスは羊皮紙のような肌をしている。

羊皮紙は羊やヤギなどの薄い革をなめし、乾燥・漂白して作った筆写用材料。紀元前2世紀小アジアで考案され、西洋では中世末まで重要公文書・典礼書などの書写用に使われた。

［⑥上**267**、**462**、**466**］［⑤上**046**］［①**205**］［⑦初出**2**章 **UK020**／**US015**］

ヨークシャー州
【Yorkshire】

①01-013

ハリーが生き残った1981年10月31日に、流れ星が降り注いだイギリスの北東地域。

ヨークシャーは、イングランド北東部の旧州で、1974年の行政改革で廃止された。現在のノースヨークシャー、ウェストヨークシャー、サウスヨークシャーにおおよそ相当する。中心都市のヨークは、南部のカンタベリーとともにキリスト教信仰の中心として栄え、イギリス最大級の大きさを誇る大聖堂ヨーク・ミンスターが有名。

［⑦初出**16**章 **UK261**／**US319**］

予言
【prophecy】

⑤34-下553
⑥02-上040

1980年に告げられたヴォルデモートに関する予言のこと。シビル・トレローニーが、ホッグズ・ヘッドの2階の旅籠《はたご》でダンブルドアと面接した際に語り、神秘部の予言の間《ま》に保管された。内容は「闇の帝王を打ち破る力を持った者が近づいている……七つ目の月が死ぬとき、帝王に三度抗《あらが》った者たちに生まれる……そして闇の帝王は、その者を自分に比肩する者として印すであろう。しかし彼は、闇の帝王の知らぬ力を持つであろう……一方が他方の手にかかって死なねばならぬ。なんとなれば、一方が生きるかぎり、他方は生きられぬ……」というもの。これは「ヴォルデモートを永遠に克服する唯一の可能性を持った人物が、(1980年の)7月の末、ヴォルデモートにすでに三度抵抗した両親の許《もと》に生まれる。ヴォルデモートはその人物に、自分と同等の者として印を与え、その者はヴォルデモートの知らない力を持つ。そして最後には、二人のうちのどちらかが、もう一人を殺さなければならない。なぜなら二人のどちらかが生きているかぎり、もう一人は生き残れないからである」という意味。

この予言はスネイプに盗聴されたが、最初の部分を聞いたところで亭主に見つかり放り出されてしまったため、後半の「生まれた子を襲うことがその子に自分の力を移し、ヴォルデモートと同等の力を持つ者として印をつけてしまう危険がある」ことをヴォルデモートに警告できなかった。予言に当てはまる男の子は二人おり、一人はハリー・ポッター、もう一人はネビル・ロングボトムであった。ネビルは1980年の7月末(7月30日)に生まれ、彼の両親もヴォルデモートと戦い、辛くも三度逃れていた。予言の一部しか聞かされなかったヴォルデモートは、もっとはっきり分かるまで待つ方が賢明であることや、どちらかの男の子はヴォルデモートの知らない力(=愛)を持つであろうということ、また、どちらかを襲うことで魔力を移してしまう危険があることを知らず、自分と同じ半純血のハリーの中に自身を見い出し、彼を殺すことに決める。こうして1981年10月31日、ヴォルデモートはゴドリックの谷に向かい、予言通りハリーに他の魔法使いにないもの、すなわち額の傷や蛇語を理解する能力、ヴォルデモートの心に魔法の窓を開いて中を覗《のぞ》き見る力を与えてしまったのであった。

それから約15年後の1996年、ヴォルデモートは予言の全貌《ぜんぼう》を知ろうとハリーを神秘部におびき出すが、ルシウス・マルフォイの失態で予言の球はヴォルデモートの手に渡る前に砕け散り、内容を聞くことはできなかった。ハリーはその後ダンブルドアから全貌を聞いたが、ダンブルドアは、「予言が予言として意味を持つのは当事者（ヴォルデモート）がそのようにしたからなのじゃ。……予言を聞いたヴォルデモートはすぐさま行動した。その結果、破滅させる可能性の最も高い人物を自ら選んだばかりでなく、その者に無類の破壊的な武器まで手渡したのじゃ。……予言は君が何かをしなければならないという意味ではない。……君がどういう道を選ぼうと自由じゃ」と述べ、予言を重要視せずに自分の意志でヴォルデモートとの戦いに挑むべきであると説いた。ハリーの予言の公式記録は、ヴォルデモートが彼を襲った後に書き換えられ、ラベルには「S.P.T.からA.P.W.B.D.へ　闇の帝王そして（？）ハリー・ポッター」と、細長い蜘蛛《くも》の足のような字で書かれていた（S.P.T.はシビル・パトリシア・トレローニー、A.P.W.B.D.はアルバス・パーシバル・ウルフリック・ブライアン・ダンブルドアの頭文字）。

JKRは、「ヴォルデモートが半純血のハリーではなく純血のネビルの方が脅威だと考えていたらどうなったのか？」という問いに対し「（額に傷を持って生き残った）ネビルはハリーと同じように上手くヴォルデモートの攻撃をかわせたでしょうか？多くの試練を通じて強さと正気を失わなかったハリーと同じ資質が、ネビルにもあったでしょうか？ダンブルドアは、そう思ってはいません。むしろ、ヴォルデモートはまさしく自分を滅ぼす力を持った少年を選んだと思っています。なぜならハリーは額の傷に多くを頼ることなく、生き延びてきたのですから」と答えている。

［⑥上**054**、下**289～294**、**343～345**］［⑤下**560**、**567～568**、**587**、**595**、**606～607**、**650～657**、**666**］［①**440**］［**JKR**公式サイト］［⑦初出**14**章 **UK229**／**US278**］

予見者
占い師(3巻)
【Seer】

③16-416
⑥25-下342

予言や予知の能力を持つ人のこと。シビル・トレローニーは魔法界で有名な予見者カッサンドラ・トレローニーの曾々孫《ひひまご》。シビルによると、ハリーは大した予見者ではないようである。

JKRは予言について、「実生活で予言は信じていません。マクゴナガルが『アズカバンの囚人』で話している通り、真の予言者はめったにいないのです」と述べている。

[⑤上493、下102、569][③145][WBC]

予言の間《ま》
【Hall of Prophecy】

⑤34-下553
⑥03-上061

魔法省神秘部の内部に実在する部屋。伝説の部屋とされており、魔法省はこの部屋の存在を認めていないが、実は予言が保管されている。大聖堂のように広く天井の高い部屋で、棚がぎっしり立ち並び、埃《ほこり》っぽい予言のガラス球がたくさん置いてある。通路は暗く、部屋の中はとても寒い。5巻でハリーたちは、この部屋で死喰《しく》い人《びと》と戦った。ハリーとヴォルデモートに関するトレローニーの予言は、97列目の棚に置かれていた。ここにあるすべての予言が、現実のものとなったわけではない。

[⑥上117、下290][⑤下477、567]

酔っ払い修道士たち
【drunk monks】

⑥17-下047

呪文学の教室のそばに掛かっている絵の主《ぬし》。ハリーが6年のクリスマスのあいだ、太った婦人《レディ》は友人のバイオレットと二人で、この絵にあるワインをすべて飲んでしまった。

呼び寄せ呪文
【Summoning Charm(s)】

④06-上105
⑥26-下370

離れた場所にある物を、自分の手元に呼び寄せる魔法。呪文の言葉は「アクシオ！出てこい！」。ハリーはこれを4年生の「呪文学」で学び、三校対抗試合の課題で使うために、ハーマイオニーに補助してもらいながらマスターした。6巻では、分霊箱を手に入れるためにヴォルデモートの洞窟でこれを唱えたが、何か大きくて青白いものを目覚めさせただけで、上手くいかなかった。

[⑥下**371**] [⑤上**406**] [④上**488**、**532**] [⑦初出**6**章 **UK088**／**US102**]

ヨーロッパにおける魔法教育の一考察
【Appraisal of Magical Education in Europe, An】

④09-上190

ハーマイオニーが4年のときに読んだ本。ボーバトン校やダームストラング校のことが書いてある。

[④上**257**] [⑦初出**6**章 **UK087**／**US100**]

ら

ライオン 【lion】

①03-054
⑥01-上027

グリフィンドール寮のシンボル。グリフィンドール監督生のバッジには、「P」の文字とともにライオンの絵が描かれている。ルーナ・ラブグッドは、グリフィンドールのクィディッチの試合のときに、実物大のライオンの頭(獅子頭《ししがしら》)のついた帽子を被《かぶ》って応援をする。スクリムジョールを初めて見たマグルの首相は、年老いたライオンのようだと思った。

ライオンは「権力」を象徴する動物で、イギリス王室の紋章であることは言うに及ばず、数多くの王家や名門のエンブレムとなっている。古代エジプトでは「太陽」の象徴となり、太陽神ラーは頭の上に日輪《にちりん》を載せたライオンの姿で描かれている。ギリシア・ローマでは人間以外の動物の中で、唯　慈悲の心を持ち、婦女子を襲わない気高い猛獣と考えられた。「用心深さ」と「復活」のシンボルでもあり、ライオンは目を開けたまま眠るだけでなく、その子も目を開けて生まれてくると信じられていた。さらに、ライオンの母親は子を仮死状態で産み落とし、3日目に父親が来て息を吹きかけて蘇生させるという寓話《ぐうわ》がキリストの復活になぞられ、ライオンは中世キリスト教ではキリストの聖獣と見なされた。

[⑤上260][⑦初出29章 UK464／US577]

ライト、ボーマン
ボーマン・ライト
【Wright, Bowman】

2005年12月

(1492～1560)金のスニッチの開発で名高い魔法使い。

[JKR公式サイト「今月の魔法使い」][⑦初出**16**章 **UK261**／**US319**]

ラジオ
【radio】

②**03-051**
⑥**16-下013**

魔法界のラジオのこと。「WWN魔法ラジオネットワーク」などのラジオ局があり、『魔女の時間』といった番組を放送している。モリー・ウィーズリーは大のラジオ好きで、隠れ穴の台所の流しの横に古ぼけた木製の大きなラジオを置き、セレスティナ・ワーベックなどの歌を楽しんでいる。

[⑦初出**19**章 **UK312**／**US383**]

ラズベリー
【raspberry】

①**05-120**
⑥**04-上093**

ダンブルドアが好きなジャムの味。ダンブルドアは、魔法省が1996年に発表した安全指針は役に立つとは思っておらず、ポリジュース薬を飲み自分に成りすました死喰《しく》い人《びと》を見分けられるようにと、好みのジャムをハリーに伝えた。

ラズベリーは、バラ科のキイチゴ属の果樹の総称。花言葉は「後悔」。多くの品種があり、生食のほか、ジャムやゼリー、ジュース、パイ、シロップ漬けなどに加工される。

ラックスパート
【Wrackspurt】

⑥**07-上212**

ルーナが実在すると信じているもの。目に見えない生物で、人の耳にふわふわ入り込み、頭をボーっとさせる。

「雑草」(スコットランド方言)という意味のwrackと、「芽を出す」、「噴出」の意の英語spurtの合成語であろう。

[⑦初出**8**章 **UK125**/**US149**]

ラドフォード、ニーモン
ニーモン・ラドフォード
【Radford, Mnemone】

2007年2月

(1562–1649)「記憶修正術」の発見者。魔法省の“忘却術士”第一号。

[**JKR** 公式サイト「今月の魔法使い」]

ラフォイユ、フィフィ
フィフィ・ラフォイユ
【LaFolle, Fifi】

2005年10月

(1888–1971)『魅惑の出会い』シリーズの著者

[**JKR** 公式サイト「今月の魔法使い」]

ラフキン、アルテミシア
アルテミシア・ラフキン
【Artemisia Lufkin】

2005年2月

(1754–1825)魔法省大臣になった最初の魔女。

[**JKR** 公式サイト「今月の魔法使い」]

ラブグッド、ゼノフィリウス
ゼノフィリウス・ラブグッド/ラブグッド氏
【Lovegood, Xenophilius(Xeno)】

⑤10–上308
⑥15–上477

ルーナ・ラブグッドの父親。魔法界の異色の雑誌『ザ・クィブラー』の編集長(editor)。1990年ころ妻を亡くし、娘と二人でオッタリー・セント・キャッチポール村の近くに住んでいる。偏見をまったく持たない自由人(変わり者)で、未確認動物や正体不明の怪しげな組織の存在を信じている。スクリムジョールの正体は吸血鬼、ファッジ

ら

は私設軍団ハリオパスを持ち小鬼《ゴブリン》を暗殺していると本気で考え、このような変わった物の見方を娘にも教え込んでいるので、ルーナは学校で浮いた存在になっている。ヴォルデモートの復活にも怯《ひる》まず“大衆が知る必要のある重要な記事を出版する”人物で、5巻ではリータ・スキーターの手によるハリーの独占インタビューを自紙に掲載し、大反響を呼んだ。この記事は、魔法省がヴォルデモートの蘇《よみがえ》りを認めたのちに高値で『日刊予言者新聞』に売れ、1996年の夏休みは親子二人でスウェーデンに出かけた。もちろん「しわしわ角スノーカック」を捕まえるためである。ある意味“信念の人”と言えよう。

名前のゼノフィリウス(Xenophilius7巻で登場)は、英語 xenophile「外国(人)好きの人」からの造語。Xeno-は「外部」、「外国」、「異質」、「異種」の意の連結形で phile は「〜を好む人」のこと。姓のラブグッドは、英語 love「愛」と good「善良な」の合成語。この一家の本質を表している。

[⑥上**478**][⑤上**414**、**622**、下**234〜236**、**250**、**252〜255**、**257**、**687**][④上**112**][⑦初出**8**章 **UK117**/**US139**]

ラブグッド、ルーナ

ルーナ・ラブグッド

【Lovegood, Luna/Loony】Ⓡ DA

⑤**10**-上**296**
⑥**07**-上**207**

(1981?-)ハリーより1学年下の一風変わったレイブンクローの女生徒。薄い色の眉毛に、飛び出した淡い色の目を持ち、腰まで伸びた濁り色のブロンドの髪はバラバラ広がっている。父親は『ザ・クィブラー』の編集長(editor)。母親は実験好きの非凡な魔女であったが、ルーナが9歳のときに呪文に失敗して亡くなった。変人のオーラを漂わせ、魔法界で実在しない事物を信じているので、皆から「ルーニー(頭がおかしい)」と呼ばれている。しかし、実際は鋭い観察眼を持ち、ハーマイオニーを「頭が固いから何でも目の前に突きつけられないとダメ」、ロンを「おもしろいけど、思いやりのない(unkind)ところがある」とずばり言い当てている。生徒からからかわれ、私物を隠されたりするが、盗んだ人を責めずに学期末に返して欲しいと貼り紙をするおおらかさを持っている。

普通とは違う装いを好み、ハリーが5巻で初めて彼女に会ったときは、杖を耳に挟《はさ》み、バタービールのコルクを繋《つな》ぎ合わせたネックレスを首から掛け、『ザ・クィブラー』を逆さにして読んでいた。グリフィンドールのクィディッチの試合に実物大のライオンの頭の形をした帽子を被《かぶ》って現れたり、しわしわ角スノーカックやヘリオパスなどの普通と違う生き物の存在を信じているため、初めのうちはハリーからも、変わり者だと思われていた。しかし、皆がハリーのことを「頭のおかしい嘘つき」と思っていた時期に、彼の支持を表明。ダンブルドア軍団(DA)のメンバーになり、ハリーのインタビューを父親の雑誌に掲載させるなど協力をしていくうちに徐々に信頼され、友人になっていった。神秘部の戦いでは、唯一グリフィンドール以外の生徒として勇敢に戦い、ルーナの発言に否定的であったハーマイオニーも、5巻の最後には態度を改め、「生存の証拠のない生き物」について寛大になった。ハリーの孤独や辛い心のうちを理解してくれる数少ない人物で、シリウスが亡くなったときは、悲しみのどん底にいたハリーに、「死者は神秘部のベールの裏側に隠れている」と言って慰めた。

6巻では、ハリーに誘われて一緒にスラグ《なめくじ》・クラブのクリスマス・パーティに参加。皆の前で「闇祓《やみばら》いは“ロットファングの陰謀”の一部で、魔法省を内側から倒すために、闇の魔術と歯槽膿漏《しそうのうろう》を組み合わせて戦っている」と話し、ハリーの気持ちを盛り上げた。クィディッチの試合で解説を担当したが、点数などという俗なことにはまったく関心を示さず、代わりに観衆の注意を面白い形の雲に向けたり、ザカリアス・スミスがクアッフルを1分以上持っていられないのは、「負け犬病」に罹《かか》っている可能性があるなどと解説して、マクゴナガルをうろたえさせた。DA会合が好きで、再開されることを願って頻繁にコインを見ていたため、1997年6月に死《し》喰《く》い人《びと》がホグワーツに現れたときは、ハーマイオニーの呼びかけにすぐに応えて参戦。スネイプの研究室を見張った。ダンブルドアの葬儀には、怪我をしたネビルを支えながら参列した。

実家は隠れ穴の近くにある「ラブグッド家」。名前の通り、外見は変わっている（“luna”tic）が、どんな人にも愛情（love）を注ぐ、善良（good）な女の子である。

［⑥上**209**、**446**、**470〜472**、**477〜478**、**486**、下**139〜144**、**155〜157**、**456**、**489**］［⑤上**413〜414**、**543**、**634**、下**234**、**530**、**663**、**685〜687**］［④上**112**］［⑦初出**8**章 **UK117**／**US139**］

ラブグッド夫人 【Lovegood, Mrs】

⑤**38**–下**686**

ルーナ・ラブグッドの母親。実験好きのとてもすごい魔女であったが、唱えた呪文の一つが失敗し、ルーナが9歳のときに亡くなった。7巻では「young Luna and“a woman”」として登場。

［⑦初出**21**章 **UK339**／**US417**］

ラングロック！舌縛り！ 【Langlock!】

⑥**19**–下**149**

半純血のプリンスが発明した呪文。舌を口蓋《こうがい》に貼りつけてしまう呪いの呪文の言葉。これを唱えられると話せなくなる。ハリーはこれをピーブズに唱えて黙らせた。

フランス語 langue「舌」と、英語 lock「固定する」、「動かなくさせる」の合成語。

り

リーアン

【Leanne】Ⓖ ?

⑥12–上375

ケイティ・ベルの友人のホグワーツの女生徒。学年や寮は不明だが、おそらくケイティと同じグリフィンドールで、ハリーより1学年上であろう。1996年10月ケイティと一緒にホグズミードに行き、彼女がオパールのネックレスに触って呪われたときは、ショックを受けて泣きじゃくった。1997年4月にケイティが聖マンゴから退院すると、ハリーが頭《ず》蓋《がい》骨《こつ》骨折を負ったクィディッチの試合のことなどを話して聞かせた。

［⑥下**300**］

理事

【governors】

②12–329
⑥29–下471

ホグワーツの理事のこと。同校には全部で12人の理事がおり、理事会を開いて校長の任命・停職などの学校管理運営上の意思決定を行っている。ルシウス・マルフォイはこの一人であったが、他の理事を脅して無理やりダンブルドアを停職処分にしたため、1993年に辞めさせられた。1997年にダンブルドア校長が校内で殺されたときは、教師と理事が学校を閉鎖すべきか話し合った。

［②**389**、**500**］

リッジビット、ハーヴェイ

ハーヴェイ・リッジビット

【Ridgebit, Harvey】

2007年1月

(1881–1973)ドラゴン学者。ペルー・バイパートゥース種を初めて捕獲し、ルーマニアに世界最大のドラゴン保護区を設置した。

[JKR 公式サイト「今月の魔法使い」]

リドル、トム(父)

トム・リドル(父)

【Riddle, Tom(Senior)】

④01–上007
⑥10–上316

(1905–1943)ヴォルデモートの父親。ハンサムで黒髪、高慢ちきなマグル。リトル・ハングルトン村の地主の息子で大きな屋敷に住み、魔法を嫌っていたが、1925年に同じ村に住んでいた魔女のメローピー・ゴーントに愛の妙薬を飲まされ、駆け落ち結婚をした。数ヵ月間ロンドンで結婚生活を送るが、妻から正体を打ち明けられると身重の彼女を捨て、リトル・ハングルトンの両親の許《もと》に戻ってしまった。1943年自宅に現れた息子のトム(ヴォルデモート)に死の呪文で殺され、村の教会墓地に埋葬された。ヴォルデモートは1995年、この父親の骨などを使い復活した。誕生年は映画「炎のゴブレット」に登場する墓碑から。

[⑥上319、321~323、393、402、下067~072][④下442~443][②461]

リドル、トム・マールヴォロ

トム・マールヴォロ・リドル

【Riddle, Tom Marvolo】Ⓢ

②13–343
⑥13–上402

(1926年12月31日–)ヴォルデモートの本名。マグルの孤児院で、サラザール・スリザリンの末裔《まつえい》の魔女メローピー・ゴーントとマグルのトム・リドルのあいだに生まれ、父親と母方の祖父の名を取って命名された。黒髪で、ハンサムな父親にそっくりの顔立ちをしている。

→　ヴォルデモート

［⑤上**110**］［⑦初出**6**章 **UK089／US103**］

リドルの日記
トム・リドルの日記
【T. M. Riddle's diary／Riddle's diary】

②13-342
⑥09-上291

ヴォルデモートの昔の学用品。ボロボロの黒い表紙のついた薄くて小さな日記帳。ヴォルデモートが、まだトム・マールヴォロ・リドル（T.M.リドル）という本名を名乗っていたときに、ロンドンのボグゾール通りで購入した。白いページに文字を書くと、リドルの返事が現れる。ホグワーツ在学中（1943年）に秘密の部屋を開けたリドルが、ダンブルドアに監視されるようになったため、いつか誰かが自分の足跡を追い、秘密の部屋を再び開けて中の怪物バジリスクを解放しマグル生まれを淘汰《とうた》することを願い、この日記を分霊箱にし16歳の自分を中に閉じ込めた。

その約40年後の1981年、ヴォルデモートはルシウス・マルフォイに日記を渡し、これが秘密の部屋を再び開かせる物になるだろうと説明する。しかし、その直後に闇の帝王はハリーを殺し損ねて姿を消してしまったため、日記が分霊箱になっていることを知らないルシウスは、自分の計画のためにこれを利用しようと考える。そしてライバルのアーサー・ウィーズリーの信用を失墜し、さらにダンブルドアをホグワーツから追放させ、同時に自分とヴォルデモートとの繋《つな》がりを示す不利な物証を片付けるという一石三鳥を狙い、1992年夏アーサーの娘のジニーの持ち物にこの日記を忍び込ませた。ジニーは自分の話し相手になってくれるこの闇のアイテムに夢中になり、心の底にある恐れや暗い秘密を書き込み、日記の中のトム・リドルは、それを餌食《えじき》にしてどんどん強くなっていった。リドルにコントロールされるようになったジニーは秘密の部屋を開け、バジリスクを解放。ジニーがあまりにも日記に魂を注ぎ込みすぎたため、トムは日記を抜け出すまでになり、部屋の中に彼女を連れて行く。しかし、ハリーたちが救出に向かい、部屋の中でリドルと対決。グリフィンドールの剣でバジリスクを倒し、その牙《きば》で日記帳を破壊したのであった。

［⑥下**276～288**］［②**343～345、455、458～460、493～494**］［⑦初出**6**章 **UK089／US103**］

リドル夫妻（ヴォルデモードの祖父母）
【Riddle, Mr and Mrs】

④**01**－上**007**
⑥**17**－下**070**

トム・リドル（ヴォルデモート）の祖父母のマグル。リトル・ハングルトン村の大地主で、村一番の豪華な屋敷リドルの館に住んでいた。金持ちで高慢ちきで礼儀知らずなので、村ではこの上なく評判が悪い。息子のトム・リドル（ヴォルデモートの父親）が碌《ろく》でなしのゴーントの娘と駆け落ち結婚したときは、村の噂になったが、息子が妊娠中の妻を捨て「たぶらかされた」と戻って来ると、家族は素直に屋敷に受け入れた。1943年の夏、復讐《ふくしゅう》のためにやって来た孫のトム・リドル（ヴォルデモート）に殺された。死体にはまったく傷つけられた様子はなかったが、恐怖の表情を浮かべていた。

リトル・ハングルトン
【Little Hangleton】

④**01**－上**006**
⑥**10**－上**302**

ヴォルデモートの両親が住んでいた村。二つの小高い丘の谷間に埋もれた村で、丘の上にはヴォルデモートの父親の生家「リドルの館」が立っている。この村から1マイル（1.6キロ）ほど行った所にゴーントの家があり、隣村のグレート・ハングルトンから6マイル（9.6キロ）、プリベット通りからは200マイル（320キロ）離れている。村には首吊《つ》り男というパブがあり、1943年にリドルの館で一家三人が殺害されたときは、村中がパブに寄り集まり犯人探しで持ちきりだった。

イギリス南部ブライトンの近くにハングルトンという村が実在しているが、サレー州（プリベット通り）の近くにあり、320キロも離れていない。

［⑥上**393**、下**068**］［④上**007**、**026**］

リトル・ハングルトンの教会墓地

【graveyard／Little Hangleton Churchyard】

④01-上010

リトル・ハングルトン村の教会墓地のこと。ヴォルデモートの父親が埋葬されている。イチイの大木があり、その向こうに小さな教会の輪郭《りんかく》が見える。ヴォルデモートは1995年6月24日、この場所で父親の骨、ワームテールの右手、ハリーの血を使って肉体を取り戻し、ハリー・ポッターと戦った。

［⑤上247］［⑦初出35章 UK577／US721］

リトル・ハングルトンの屋敷（6巻）
リドルの館（4巻）

【manor house in Little Hangleton／Riddle House】

④01-上006
⑥10-上323

リドル一家（ヴォルデモートの父親と祖父母）が住んでいた大きくて瀟洒《しょうしゃ》な屋敷。リトル・ハングルトンの村の小高い丘に、ビロードのような広い芝生に囲まれて建っている。1943年、ヴォルデモートはここに現れ父親と祖父母を殺し、その罪を伯父のモーフィンになすりつけた。そののち屋敷は人手に渡り、ぼうぼうと荒れ果て、見る影もなくなったが、リトル・ハングルトンの村人からはリドルの館と呼ばれ続けている。ヴォルデモートは1994年8月に再びここを訪れ、1週間滞在。自分たちの話を立ち聞きした庭師のフランク・ブライスを殺害した。

［⑥上302、393、下065～068、070］［④下442］［⑦初出22章 UK354／US437］

リナベイト！蘇生《そせい》せよ！

【Rennervate!】

⑥26-下390

失神した人の意識を回復させる呪文。ハリーはホークラックスの洞《どう》窟《くつ》で、エメラルド色の薬を飲んで衰弱したダンブルドアにこれを唱えた。

Rennervate は英語 nerve（「活力」、「気力」）に、接頭語 re（再び）

と en（「～を与える」の意の動詞を作る）、「～させる」意の接尾辞 ate をつけた合成語で、「再び活力を与える」という意味。

リベラコーパス！身体自由！
【Liberacorpus!】

⑥12-上360

「レビコーパス、身体浮上」の反対呪文。謎のプリンス（スネイプ）が発明し、『上級魔法薬』の教科書に書きとめた。

ラテン語 libero（「自由にする」、「束縛を解く」、「無効にする」）と corpus「体」の合成語。

龍《りゅう》痘《とう》
【dragon pox】

⑤22-下107
⑥09-上287

魔法界の感染症の一種。聖マンゴ病院の3階で治療している。これの最初の患者は、ショーンシー・オルドリッジ（1342-1379）。ドラコの祖父のアブラクサス・マルフォイも、この病気で亡くなった。

［**JKR** 公式サイト「今月の魔法使い」］［⑦初出**2**章 **UK021**／**US016**］

寮
【house】

①05-118
⑥04-上105

ホグワーツ魔法学校にはグリフィンドール、レイブンクロー、ハッフルパフとスリザリンという創立者の名前のついた4つの寮があり、生徒は入学式で組分け帽子を被《かぶ》り、ふさわしい寮に組分けされる。各寮には特徴があり、グリフィンドールには、勇気が何よりの徳と考える勇敢な人間が選ばれ、レイブンクローは、賢さを誰よりも高く評価する寮で、頭がいい生徒が入る。ハッフルパフは、正しく忠実で忍耐強い生徒、スリザリンには俊敏で狡猾《こうかつ》、勇敢だが自分自身を救うタイプが所属している。

生徒は寮単位で行動し、教室では同じ寮生と勉強し、寝るのも寮の中の寝室、自由時間は寮の談話室で過ごす。4つの寮は年間を通して勉強や生活態度、クィディッチなどで得点を競い合い、その点数は玄関ホール横の大きな砂時計に記録される。学年末に獲得した総合点の最も高い寮に、栄誉ある寮杯が授与される。概してスリザリンは、どの寮からも好かれていないが、特にグリフィンドールとは敵対関係にある。各寮のシンボル動物やカラー、ゴースト、寮監、談話室の場所などは以下のように決められている。

【グリフィンドール】

■ **創立者**…ゴドリック・グリフィンドール

■ **寮監**…ミネルバ・マクゴナガル

■ **ゴースト**…ほとんど首無しニック

■ **動物**…ライオン

■ **色**…赤（深紅）と金

■ **談話室**…グリフィンドール塔

【レイブンクロー】

■ **創立者**…ロウェナ・レイブンクロー

■ **寮監**…フリットウィック

■ **ゴースト**…灰色のレディ（Grey Lady）

■ **動物**…鷲

■ **色**…青とブロンズ（青銅色）

■ **談話室**…レイブンクロー塔

【ハッフルパフ】

■ **創立者**…ヘルガ・ハッフルパフ

■ **寮監**…ポモーナ・スプラウト

■ **ゴースト**…太った修道士

■ **動物**…穴熊

■ **色**…黄色と黒

■ **談話室**…厨房近くの地下の部屋

【スリザリン】

■ **創立者**…サラザール・スリザリン

■ **寮監**…セブルス・スネイプ、（1997年6月～）ホラス・スラグホーン

- **ゴースト**…血みどろ男爵
- **動物**…蛇
- **色**…緑とシルバー
- **談話室**…地下牢

JKRは「勇気が何よりも大切な寮のグリフィンドールに入りたい」と明かしている。

[⑥下**218**][⑤上**301**、下**122**][④上**368**][①**175**～**176**][**JKR**公式サイト「**FAQ** わたしについて」][⑦初出**31**章 **UK489**／**US608**]

寮監 【Head of House】

①08-200
⑥04-上105

ホグワーツの寮を監督する先生のこと。各寮に一名ずつ定められており、グリフィンドールの寮監はマクゴナガル、レイブンクローはフリットウィック、ハッフルパフはスプラウトの各先生。スリザリンは、1997年6月までスネイプが寮監だったが、逃亡後はホラス・スラグホーンが代わりを務めた。JKRは公式サイトで、寮監の先生は昔その寮の学生で、例えばスネイプはスリザリン生だったと答えている。

[⑥下**092**、**466**][⑤上**273**][**JKR**公式サイト「**FAQ**作品について」][⑦初出**30**章 **UK480**／**US596**]

(寮の点数を記録した巨大な)砂時計 【giant hour-glasses(which record the house-points)】

①15-359
⑥28-下428

ホグワーツの4つの寮の点数を記録している砂時計。玄関ホールの片隅《かたすみ》に置かれている。先生や監督生などが点数の増減を口にするだけで、自動的に砂時計の量が変わる。グリフィンドールの砂時計にはルビー、レイブンクローにはサファイア、スリザリンの時計にはエメラルドが詰まっている(ハッフルパフは記述がない)。

[⑤下**323**、**339**、**669**～**670**][⑦初出**32**章 **UK519**／**US646**]

両面鏡 【two-way mirror】 ⑤23-下166

シリウスが、生前ハリーにプレゼントした小さな四角い鏡。かなり汚れて古そうな代物《しろもの》。二つの鏡がペアになっていて、対の片方はシリウスが持っていた。これを持っている者同士で交信することができ、シリウスは学生時代に親友のジェームズ・ポッターと別々に罰を受けていたとき、よくこれで話をしていたという。5巻で鏡を貰《もら》ったハリーは、交信すれば逃亡中のシリウスの迷惑になるため、「絶対使わない」と決心。トランクに隠し、そのまま忘れていた。シリウスの死後この包みを見つけたハリーは、期待して「シリウス！」と呼びかけるが、鏡には自分の姿が映るだけでシリウスからの応答はなかった。失望したハリーはトランクに向かって投げつけ、鏡は割れてしまった。そのまま荷造りしたので、鏡は今でも割れた状態のままでハリーのトランクの底にある。

JKRは「どうしてハリーは鏡のことを忘れていたのですか？」との問いに、「6巻と7巻に関連することなので詳しくは答えられませんが、簡単に言うと、ハリーはあの鏡を決して使うまいと決心したということです。生涯で初めて好奇心に屈伏せずに鏡を隠して誘惑を遠ざけ、役に立つかもしれないと思われたときには、忘れていたのです。鏡は、皆さんが思っているほど役に立たなかったのかもしれませんが、別の見方をすれば、考えている以上に役に立ちます。この意味を知るには今後の本（7巻）を読む必要があります」と答えている。

[⑥上**370**] [⑤下**678**] [**JKR** 公式サイト「**FAQ** 作品について」] [⑦初出**2**章 **UK020**／**US014**]

る

ルックウッド、オーガスタス

オーガスタス・ルックウッド

【Rookwood, Augustus】DE

④30-下361

あばた面の脂っこい髪の死《し》喰《く》い人《びと》。魔法省神秘部の職員として働きながら、省内の情報をヴォルデモートに流していた。カルカロフの告発によりアズカバンに投獄されたが、1996年1月にベラトリックス・レストレンジらとともに集団脱獄。神秘部に保管されている予言の球は、それにかかわる者だけが棚から取り出すことができるとヴォルデモートに教えた。同年6月の魔法省の戦いでは、キングズリー・シャックルボルトと戦った。

UK版5巻ハードカバーの初版(480ページ)では、AugustusがAlgernonと誤記されている。Rookwoodのrookは英語で「詐欺師」、「ペテン」の意。Augustusはラテン語で「崇高な」、「魔術的」、「8月」の意。

［⑤下**196**、**259**～**262**、**265**、**570**、**593**、**633**］［④下**362**］［⑦初出**32**章 **UK514**／**US640**］

ルパート

【Rupert】

⑥22-下252

アラゴグの埋葬のあと、スラグホーンはロンのことを間違えてこう呼んだ。

映画の中ではルパート・グリントという役者がロン・ウィーズリー

役を演じているが、有名人好きのスラグホーンはロンに関心がないということを強調するため、JKRは故意にこの名前を使用した。

ルーピン、リーマス・ジョン
リーマス・ジョン・ルーピン
【Lupin, Remus John】OP G

③05-099
⑥05-上123

(1960年3月10日-)ハリーの父親の親友の狼人間。不死鳥の騎士団の創立当初からのメンバー。3巻では「闇の魔術に対する防衛術(DADA)」の名教授だった。ふだんは優しく穏やかな人物で、病人のような青白いやつれた顔にみすぼらしく継ぎはぎだらけのローブをまとい、とび色の髪には白髪が混じっている。

父親がグレイバックを怒らせたため、ルーピンは幼いころ彼に噛《か》まれて狼人間になった。マグルと魔法使いの両親はいろいろ手を尽くしたが、当時は治療法がなく、月に一度、完全に成熟した怪物になっていた。このため、ホグワーツに入学するのは不可能と思われていたが、同情したダンブルドアは、ルーピンの入学を許可した。きちんと予防措置を取りさえすれば、人狼が学校に来てはいけない理由などないと考えたからである。入学すると、ホグワーツの校庭から叫びの屋敷に続くトンネルが作られ、ルーピンは満月の晩にマダム・ポンフリーに連れられて屋敷に行き、中で狼人間に変身し、苦痛の叫びを上げていた。トンネルの入り口には暴れ柳が植えられ、変身中の彼に誰も近づけないようにした。同じグリフィンドール寮で親友だったジェームズ・ポッター、シリウス・ブラックとピーター・ペティグリューは、ルーピンが狼男であることに気づき、変身中でも彼と一緒に過ごせるように未登録の動物もどきになった。彼らが動物に変身して付き合ってくれたお陰で、ルーピンは人狼になっても、以前ほど危険ではなくなっていった。学生時代は優等生で、監督生を務め、1978年に卒業すると親友とともに不死鳥の騎士団に入団。半人狼法のせいで就職できなかったため、騎士団の仕事に従事した。

1993年にはホグワーツのDADAの先生に就任し、スネイプが調合したトリカブト系脱狼《だつろう》薬を月に一度飲みながら、授業を行った。邪悪な生き物を使って分かりやすくユーモアを交えながら行う授業は、生徒の心を掴《つか》み、彼の授業は一番人気に。吸魂鬼《ディメンター》から身を護《まも》れるように、ハリーに守護霊の呪文を教えたのもルーピンである。しかし、DADAの教授の座を狙っているスネイプが、彼が人狼であることを暴露したため続けることができなくなり、学年末にホグワーツを去った。1995年6月にヴォルデモートが復活すると、騎士団のメンバーとして地下に潜伏。ヴォルデモート側についていた人狼たちと一緒に生活し、闇の陣営の情報を収集していた。辛い任務であったため、先発護衛隊としてその年の夏にダーズリー家に来たときは、以前よりローブの継ぎはぎや白髪が増えていた。

ハリーたちの行動をよく観察しており、隠れて伸び耳を使っていたこともお見通し。子供たちを信頼し、ある程度情報を与えて自分で判断させることが重要だと考え、15歳のハリーが魔法界の全体的な状況や騎士団について知ることを許可した。

1996年6月の魔法省神秘部の戦いでは、アントニン・ドロホフと戦い、その年の学年末にはハリーを迎えにキングズ・クロス駅に来て、夏休みのあいだにハリーにひどい仕打ちをしたら自分たちが許さないと、ダーズリー親子に釘をさした。このころから同じ騎士団のメンバーのニンファドーラ・トンクスに想いを告白されるようになるが、最初のうちは「自分は歳を取りすぎているし、貧乏すぎるし、危険すぎる」と断っていた。しかし、ビルが狼人間に噛《か》まれて傷だらけの顔になり、それでもフラーが彼との結婚を希望する姿を見てからは考えを改め、トンクスの愛を受け入れるようになった。ダンブルドアの葬儀には二人一緒に手を繋《つな》いで参列している。

JKRはリンゼイ・フレーザーとのインタビューで、「ルーピン先生は私のお気に入りのキャラクターの一人。彼は文字通り、そして比喩的に傷を負った人間です。大人だって問題を抱え、それと闘っているということを、子供たちに分かってもらうことは大切だと思っています。彼が人狼であることは、人々が病気や障害に対しどのように反応するのかを比喩的に示しているのです」と話している。Remus（ラテン語読みレムス）は、ローマを創建した伝説上の王、ロムルスの双子の弟。二人は生後まもなく川に捨てられ、雌オオカミに育てられたと言われている。Lupin（ルピナス）の語源は、ラテン語 Lupus（オオカミ）から。

［⑥上**160**、下**014**、**017**～**018**、**020**、**324**、**426**、**446**、**464**、**489**］［⑤上**078**～**079**、**148**～**150**、**194**、**273**、**384**、**476**、下**167**、**347**、**349**、**388**～**394**、**590**～**598**、**692**～**697**］［③**456**～**462**］［**WBC**］［**JKR** 公式サイトなど］［⑦初出**1**章 **UK016**／**US010**］

ルーマニア
【Romania】

①**14-337**

チャーリー・ウィーズリーが、ドラゴン使いとして働いている国。野生のドラゴンが生息しており、ハリーが4年のときは三校対抗試合の第一の課題で使うドラゴンが、この地から運ばれた。5巻では、チャーリーがこの地の魔法使いと接触し、不死鳥の騎士団の仲間になるよう説得して回っていた。

ルーマニアはバルカン半島北東部の吸血鬼伝説で有名な国。

［⑤上**117**］［④上**504**］［⑦初出**6**章 **UK094**／**US109**］

ルーモス！光よ
【Lumos!】

②**15-402**
⑥**04-**上**094**

杖先に小さな灯《あか》りをともす呪文。暗い場所で、照明代わりに使用する。ダンブルドアは、バドリー・ババートンのスラグホーンの隠れ家を訪ねたときや、ヴォルデモートの洞窟を歩いた際にこれを唱えた。反対呪文は「ノックス、消えよ！」

ルーモスは、ラテン語 Lumen「光」からの造語。

［⑥下**363**］［⑤上**031**］［⑦初出**10**章 **UK147**／**US177**］

ルーン文字

ルーン語　　④**30**-下**352**

【runes／Rune】

「憂いの篩《ふるい》」に刻まれている文字。ホグワーツにはこの文字を学ぶ「古代ルーン文字(学)」の授業がある。

ルーン文字は、ゲルマン民族が3世紀ころから使用していた最古のアルファベット。8文字ずつの組に分かれた24文字(古代ルーン文字)から成り、文字の配列がｆの音を先頭に最初の6文字がf,u,th,a,r,kなので、futhark(フサルク)とも呼ばれている。3〜4世紀のゴート人の移住とともに黒海からバルト海沿岸に広まり、5世紀にはイギリスやドイツなどでも使用された。時代とともにルーン文字は変化し、イングランドでは28文字(9世紀以後33文字)、スウェーデンなど北欧では16文字(新ルーン文字)となり、このほか点のある文字など数種の変形が生まれた。年代記や私文書の記録に用いられたほか、当初から占いの道具としても利用され、ヴァイキングやゲルマン諸族はルーン文字を記した棒や石を放り投げてそのパターンを解釈するという、易経のようなこともしていた。中世ヨーロッパでは、魔術の力を持っていると考えられ、自分の剣が無敵となるようルーン文字を刻んだり、魔よけとして個人所有の宝石などにこれを刻んだという。初期のものは木片に刻まれたため多くは消失したが、石や武器などの金属に彫られたものは現在も残っており、その大半がスウェーデンで発見されている。各ルーン文字には象徴的な意味があり、映画の中でハリーの額の傷は、勝利のルーンと呼ばれる「ᛋ」の形をしている。

[⑤下**175**][⑦初出**6**章 **UK083／US095**]

れ

霊魂課
【Spirit Division】

⑤07-上211

魔法省・魔法生物規制管理部の内部に設けられた課の一つ。19世紀に魔法省が非魔法使いを分類する際に、ゴーストたちは名誉ある「過去形の存在」であるにも拘《かかわ》らず、「現在形の存在」として分けられるのは無神経だと主張したため、彼らは「ヒトたる存在」から外された。これによって当時の魔法大臣グローガン・スタンプは、魔法生物規制管理部の中に「動物課」、「存在課」、「霊魂課」の3課を設置したという。オフィスはロンドンの魔法省地下4階。

［幻**018～019**］［⑦初出**12**章 **UK201**／**US245**］

例のあの人
名前を呼んでは（言っては）いけないあの人
【You-Know-Who／He（-）Who（-）Must（-）Not（-）Be（-）Named】

①01-011
⑥01-上015

おおかたの魔法使いは、ヴォルデモートという名前を口にするのが怖いので、このように呼んでいる。ダンブルドアは、名前を恐れているとそのもの自体に対する恐れも大きくなると考え、ヴォルデモートと呼ぶよう皆を説得し続けている。シリウス・ブラックとルーピンは3巻登場時から、ハリーは1年生のときから、ハーマイオニーは5巻からヴォルデモートと呼んでいる。しかし、ウィーズリー一家は相変わらず、その名を聞くとぎくりとしている。

「例のあの人」のアイデアについて、JKRは「1950年代のロンドン暗黒街のボス、クレイ双子（クレイ・ツインズ／ザ・クレイズ）から得ました」と話している。双子は戦後のイギリス社会最大の犯罪者と言われ、残忍でむごたらしい報復をするので、人々はクレイという名前を口にせず、話題にもしなかった。人が大勢いる場所で双子が人殺しをしても、目撃者は彼らを恐れ、警察に何も話さなかったという。

［⑥上**127**、**199**、**204**］［⑤上**112**］［③**203**、**478**］［①**151**、**438**］［⑦初出**2**章 **UK024**／**US020**］

レイブンクロー、ロウェナ

ロウェナ・レイブンクロー

【Ravenclaw, Rowena】Ⓡ

②**09**-**224**
⑥**23**-下**283**

（中世-正確な年代は不明）ホグワーツ魔法魔術学校の4人の著名な創立者の一人。レイブンクロー寮を作った偉大な魔女。組分け帽子の歌によると、谷川（glen＝スコットランド）からやって来た賢く公平な人物で、知性ある生徒を選んで教えたという。その時代の最も優秀な魔女であったが、伝説によると失意に暮れ、それが原因で早世した。公式サイトのイラストでは、ティアラをつけた美しい女性として描かれている。

Rowena（ロウェナ）は、W.スコットの歴史小説『アイバンホー』（1820）に登場するサクソンの姫の名前。主人公アイバンホーの恋人となる。

［⑤上**324**］［④上**274**］［**JKR** 公式サイト「今月の魔法使い」］［⑦初出**20**章 **UK327**／**US404**］

レイブンクロー寮

【Ravenclaw】

①**06**-**159**
⑥**07**-上**228**

ホグワーツの寮の一つ。創立者のロウェナ・レイブンクローの名に因《ちな》んで命名された。寮のカラーは青とブロンズで、シンボル動物は鷲《わし》（ワーナー・ブラザーズの映画の中では、Raven「ワタリガ（P620へ）

レイブンクローの生徒と卒業生(7巻まで)

創立者：ロウェナ・レイブンクロー
寮監：フィリウス・フリットウィック
ゴースト：灰色の婦人《レディ》(Grey Lady)

入学年	
1940年代	嘆きのマートル
1987年	ペネロピー・クリアウォーター
1980年代？	ステビンズ
1988年以降	S. フォーセット
1989年？	ロジャー・デイビース
1989年以降	チェンバーズ
〃	ブラッドリー
1990年	チョウ・チャン
〃	マリエッタ・エッジコム
〃	エディ・カーマイケル
1991年	パドマ・パチル
〃	アンソニー・ゴールドスタイン
〃	マイケル・コーナー
〃	テリー・ブート
〃	リサ・ターピン
〃	マンディ・ブロックルハースト
〃	モラグ・マクドゥガル？
1992年	ルーナ・ラブグッド
1994年	スチュワート・アッカリー
〃	オーラ・クァーク

(P618から)ラス」)。寮監はフリットウィックで、ゴーストは灰色のレディ(Grey Lady)、クィディッチのユニフォームはブルーである。ルーナが「計り知れぬ英知こそ、われらが最大の宝なり」と述べているように、知性を高く評価する寮で、ハーマイオニーやロンは、組分けされる前に「レイブンクローだったら悪くないかも」と話している。組分け帽子は「古き賢きレイブンクロー/君に意欲があるならば/機知と学びの友人を/ここで必ず得るだろう」と歌っている。談話室は城の西側のレイブンクロー塔にある。

Raven は「ワタリガラス(不吉の予兆とされる)」、claw は「(鳥獣の)鉤爪《かぎづめ》」のこと。

[⑥下**218**][⑤上**297**、**325**、**449**、**623**][④上**275**、**368**][③**336**][①**176**、**306**]
[⑦初出**29**章 **UK465**/**US577**]

レストレンジ、ベラトリックス・ブラック
ベラトリックス・ブラック・レストレンジ
【Lestrange, Bellatrix Black】 DE S

⑤**06**-上**186**
⑥**02**-上**032**

(1951-)シリウスの従姉《いとこ》の死喰《しく》い人《びと》。ナルシッサ・ブラック・マルフォイとアンドロメダ・ブラック・トンクスの姉。背が高く黒髪で薄い唇、厚ぼったい瞼《まぶた》の魔女。素晴らしく整った顔をしていたが、アズカバンの獄中生活がその美しさのほとんどを奪い去った。

純血のブラック家の長女として生まれ、同じく純血のロドルファス・レストレンジと結婚。死喰い人になってからはヴォルデモートの最も忠実な従者となり、ベラと呼ばれて闇の魔術を直々に教わった。ヴォルデモートが失脚すると、死喰い人の夫や義理の弟ラバスタン、そしてクラウチ氏の息子とともにネビルの両親を捕らえ、闇の帝王の消息を吐けと磔《はりつけ》の呪いをかけ廃人にした。魔法省に逮捕され魔法法律評議会の裁判で終身刑の判決を受けたときには、退場の際に「闇の帝王は再び立ち上がる」と演説。ハリーはこの様子を、ダンブルドアの憂いの篩《ふるい》の中で目撃している。

1995年6月にヴォルデモートが復活すると、翌年の1月に他の死喰

い人と共に脱獄。闇の帝王の許《もと》に戻り、同年6月、神秘部でハリーたちを待ち伏せした。残虐な性格で、邪悪そのものの笑みを浮かべながらネビルに磔の呪文を唱えて苦しめ、トンクスを退治すると今度はシリウスと戦闘。従弟を死の間《ま》のベールの奥に倒して殺し、勝ち誇った叫びを上げた。その後キングズリー・シャックルボルトを倒し、アトリウムに下りてハリーと戦い、彼が許されざる呪文を使うと「本気で苦しめようと思わなきゃ―それを楽しまなきゃ」とサディスティックに叫んだ。しかし、忠実な従者といえども、恐怖によってヴォルデモートに支配されている存在であり、ハリーの予言の球が壊れたことを知ると「ご主人様！私は努力しました。どうぞ私を罰しないでください」と悲鳴を上げた。最後は「魔法族の和の泉」の魔女の立像に押さえつけられたが、ヴォルデモートが逃走の際に連れ去った。冷酷無比で凶暴、尊大なベラトリックスに対し、シリウスは生前「この魔女は絶対に家族ではない」と言い放っている。

1996年夏、ドラコ・マルフォイがヴォルデモートからダンブルドア殺害を命じられたときは、妹ナルシッサとともにセブルス・スネイプの家を訪問。スネイプがホグワーツでドラコを見守り、ドラコが失敗しそうなときはスネイプがダンブルドアを殺すという「破れぬ誓い」の結び手となった。妹と異なり、スネイプを信用していないベラトリックスは、ドラコに閉心術を教えスネイプに対して心を閉じるよう命じていた。1997年6月の天文台の塔の戦いには参戦していない。

ベラトリックス(bellatrix)はラテン語で「女戦士」、「戦闘好き」の意。天文学では、オリオン座のγ星のこと。勇士オリオンの左肩に輝き、「アマゾン・スター」とも呼ばれている。

[⑥上**033、036、046、075、490**] [⑤上**187、222、**下**137、154、196～197、561～565、570、588、607～618**] [⑦初出**1**章 **UK015／US009**]

レストレンジ、ロドルファス

ロドルファス・レストレンジ

【Lestrange, Rodolphus】 DE S

④27-下265

ベラトリックスの夫の純血の魔法使い。死喰《しく》い人《びと》。学生時代はスネイプとともに、ほとんど全員が卒業後に死喰い人になったスリザリンのグループに属していた。ネビルの両親に磔《はりつけ》の呪文をかけた罪でアズカバンに送られたが、1996年1月に妻とともに集団脱獄。同年6月に魔法省の神秘部で、ハリーたちを襲った。4巻では「レストレンジたち」として登場し、ハリーは憂いの篩《ふるい》の中で彼らを見かけている。

[⑤上**187**、下**197**、**570**][④下**259**、**369**][⑦初出**5**章 **UK068**／**US076**]

レストレンジ(大)

【Lestrange】 S DE

⑥17-下075

(1926ころ–死亡?)ヴォルデモートの同級生で、取り巻きの一人。おそらく死喰《しく》い人《びと》の結成当初のメンバー。

ラバスタンとロドルファス・レストレンジの父親または親戚と思われる。なお名前の(大)は解説の便宜上つけたもので、本には記載されていない。

[①下**265**]

レダクト!粉々!

【Reducto!】

④31-下412
⑥27-下420

粉々呪文の呪文の言葉。硬いものを吹き飛ばして通り道をあける。映画「不死鳥の騎士団」ではジニーがこれを予言の間《ま》で唱え、部屋中すべての予言を粉々に破壊した。

Reducto はラテン語で「戻す」、「返す」という意味。

[⑥下**458**][⑤下**568**][④下**390**]

レタス食い虫
【Flobberworm】

③06–159
⑥11–上356

ハリーが3年のときの「魔法生物飼育学」で勉強した生き物。体長25センチ程度まで成長する褐色の太い虫。好物はレタスだが、与えすぎると死んでしまう。ハリーは、6年のときにスネイプの罰則で、「レタス食い虫とそうでない虫を、保護手袋を嵌《は》めずにより分ける」仕事を命じられた。

英語 flob は「つばを吐く(英俗)」、worm は「(ミミズのような細長くて柔らかく脚のない)虫」のこと。体の両端から粘液を分泌するので flobberworm の名前がついた。

「⑤上162」「③286」「幻058」

レデュシオ！縮め！
【Reducio!】

④14–上334

肥らせ魔法の反対呪文。縮ませて元の大きさに戻す魔法。4巻でマッド–アイ・ムーディ(クラウチ息子が変身していた)は、「闇の魔術に対する防衛術」授業中に、肥らせ魔法で大きくさせた蜘蛛《くも》にこの呪文を唱えて、元の大きさに戻した。

ラテン語の reduco「元に戻す」からの造語。

［⑦初出20章 UK318／US392］

レパロ、直せ(直れなど)
【Reparo】

④11–上263
⑥10–上310

割れた物を元の姿に修復する魔法。6巻でボブ・オグデンはこの呪文を唱え、メローピーの割った鍋を元通りにした。「薬草学」の授業中、ボウルを割ったハリーは、この呪文で修理した。女生徒に変身して必要の部屋の前で見張りをしていたクラッブとゴイルは、誰かが部屋の前を通ると持っていた真鍮《しんちゅう》の秤《はかり》をわざと落とし、その音で外に人がいることを部屋の中のマルフォイに知らせていた。このことを知らなかったハーマイオニーは、わざわざこの魔法を使い、壊れた秤を修理してあげた。この呪文で割れた容器などは修理できるが、中身は元に戻せない。

Reparoはラテン語で「修理する」という意味。

[⑥上**332**、下**154**、**204**][⑤上**517**][⑦初出**4**章 **UK054**／**US058**]

レビコーパス、身体浮上

レビコーパス！(浮上せよ！)

【Levicorpus】

⑥**12**-上**359**

相手を逆さまに宙吊《づ》りにする無言呪文。反対呪文は「リベラコーパス！身体自由！」。半純血のプリンス(スネイプ)が発明した呪文で、彼がホグワーツの5年生のときはこれが大流行し、少しでも動くとたちまち踝《くるぶし》から吊り下げられてしまう時期があった。スネイプ自身もハリーの父親からこれをかけられ、汚れたパンツをリリー・エバンズに見られてしまった。1994年のクィディッチ・ワールドカップでは、死《し》喰《く》い人《びと》がこれを使い、マグルを宙吊りにした。ハリーは6巻でドラコ・マルフォイとスネイプにこれを唱えたが、どちらも阻止されてしまった。

ラテン語levo「上げる」とラテン語corpus「体」の合成語。

[⑥上**360**、**363**、下**023**、**109**、**309**、**433**][⑤上**356**][⑦初出**26**章 **UK435**／**US539**]

レプラコーン

【Leprechaun】

④**08**-上**162**

1994年のクィディッチ・ワールドカップで、アイルランド・ナショナルチームのマスコットとして登場した顎鬚《あごひげ》を生《は》やした小男。赤いチョッキを着て、手に金色か緑色の豆ランプを持っている。「レプラコーンの金貨(leprechaun gold)」と呼ばれる本物そっくりのお金の雨を降らせるが、魔法の金貨なので2～3時間後には、あとかたもなく消えてしまう。ワールドカップでは、何千人ものレプラコーンが集まり、巨大なシャムロックを形作ったり、「ハッ！ハッ！ハッ！」や「ヒー、ヒー、ヒー」などの空中文字を書いた。

レプラコーン（レプラホーン）はアイルランドの民話に登場する悪戯《いたずら》好きの妖精。一般に靴作りとして描かれ、黄金を隠し持つとされる。

［④上**163**、**171～173**］［⑦初出**26**章 **UK428**／**US530**］

レラシオ！放せ！
【Relashio!】

④**26**–下**213**
⑥**10**–上**318**

何かを掴《つか》んでいる手を緩めさせる呪文。掴んでいる人を吹き飛ばすこともある。ハリーは三校対抗試合の第二の課題でこれを唱え、自分を掴んでいた水魔から逃げようとした。魔法省役人のオグデンは、娘の首を絞めたマールヴォロ・ゴーントに向かってこれを叫び、彼を吹き飛ばした。

［⑦初出**13**章 **UK216**／**US263**］

錬《れん》金《きん》術師
【alchemist】

①**13**–**320**

錬金術に従事する人のこと。1巻で登場した錬金術師ニコラス・フラメルは、賢者の石を所有していた。

錬金術とは、鉄・銅・鉛などの卑金属を金・銀などの貴金属に変えようとする化学技術のことで、不老長寿の妙薬などを作る術も含んで使われる。古代エジプトに始まり、アレクサンドリアを中心とするアラビアの秘教化学において発展し、13世紀以降にヨーロッパに広がり大流行した。科学的・実験的側面と魔術的・秘術的な面をあわせ持ち、前者の研究は今日の化学の礎《いしずえ》を作ったが、後者は薔薇《ばら》十字団などの秘教的思想運動を生み出した。錬金術師たちは、賢者の石と称する卑金属を貴金属に変成する媒材の獲得に狂奔《きょうほん》し、工房で発明が試みられた。富（黄金製造）と不老不死という人間の究極の欲望を求める多分に山師的な研究を行っていたため、錬金術師は「いかがわしい、ふいご吹き（いかさま師）」と言われることもあったが、彼らの行った実験の過程において、火薬の合成や化学薬品などの発見がなされている。実在の錬金術師ニコラス・フラメルは、金の精製に3回成功し、「命の水」の効力で不死の生を得たという伝説が残っている。

［⑦初出**2**章 **UK022**／**US019**］

ろ

ロジエール(大)
【Rosier】DE S

⑥**20**−下**187**

死喰《しく》い人《びと》の初期のメンバーの一人。ヴォルデモートがホグワーツの教員ポストを求めてダンブルドアを訪問した際、ドロホフらとともにホッグズ・ヘッドで帰りを待っていた。スネイプとホグワーツで一緒だったエバン・ロジエールの父親または親戚と思われる。

［④下**265**］

ローストビーフ
【roast beef】

①**07**−**183**
⑥**11**−上**351**

ホグワーツで出された料理。

ローストビーフ(牛肉の蒸し焼き)は、イギリスの代表的な家庭料理。イギリス人は肉好きで、中でもローストビーフの人気は高いが、貧富の差が大きかった18世紀ころまでは、ロースト用の肉は高価だったため、貴族や富裕層だけの特権であった。20世紀になると、労働者階級にとっても日曜日の昼食にこれを食べることがステータスシンボルとなり、それが「日曜日のお昼のごちそう」の習慣として、今日でも続いている。ヨークシャー・プディング(ローストビーフの焼き汁と小麦粉・卵・牛乳を混ぜ合わせた生地をパイ皿で焼いたもの)や、ホースラディッシュ(西洋わさび)などを添えて食べる。

ロスメルタ、マダム

マダム・ロスメルタ

【Rosmerta, Madam】

③10–260
⑥03–上072

ホグズミードの居酒屋・三本の箒《ほうき》の女主人。小粋な顔をした魅力的な曲線美の女性で、カウンターの奥でお客に飲み物を作っている。ファッジから「ロスメルタのママさん」と慕われ、ロンが長いこと密かに思いを寄せている相手であるが、ハリーの父親がホグワーツ在学中にすでに三本の箒を開店しているので、どう計算しても40歳は下らない。彼女のオーク樽熟成蜂蜜酒《だるじゅくせいはちみつしゅ》は、魔法界最高の酒と評価されている。

6巻では、ドラコ・マルフォイに服従の呪文で操られ、魔法のかかったコインで通信しながら、ダンブルドア殺害の手助けをさせられていた。10月半ばに店のトイレで待ち伏せし、やって来たケイティ・ベルに魔法をかけて「呪われたネックレス」の入った箱を校長に届けるよう命令。クリスマスには、ダンブルドアへのクリスマスプレゼントに使われると思い、毒入りのオーク樽熟成蜂蜜酒をホラス・スラグホーンに送りつけた。このどちらも失敗したが、6月に校長がハリーと連れ立ってホグズミードに現れるとドラコに連絡。二人が洞窟から戻るとホグワーツの天文台の塔に闇の印が打ち上がったと伝え、塔に向かわせた。

[⑥上**374**、下**121**、**412**][④上**496**][③**261**]

ロゼット

【rosette】

④07–上144
⑥24–下322

リボンや布で作ったバラの形をした飾りのこと。通常、マグル界では受賞者などが胸につける。

ハリー・ポッターでは、クィディッチ観戦時に観客がお気に入りのチームの色のロゼットを身につける。ワールドカップでは、黄色い声で選手の名前を叫ぶ「光るロゼット」の土産物が売られていた。

ロックケーキ
【rock cake】

①08-208
⑥11-上346

ハグリッドの小屋で出されたお菓子。歯が折れそうになるくらい硬い。お腹がすいていたハリーは6巻でこれを食べたが、奥歯が1本パリッと不吉な音を立てたので、途中で放棄した。ハグリッドはハリーたちが小屋に来ると、このケーキや糖蜜ヌガーなど、歯によくないお菓子を出すことが多い。

ロックケーキは、表面がごつごつした干しぶどう入りの小さなケーキ。おもにイギリスで食される。

[⑥上350] [②172]

ロックハート、ギルデロイ
ギルデロイ・ロックハート
【Lockhart, Gilderoy】

②03-054
⑥19-下147

ハリーが2年のときの「闇の魔術に対する防衛術」の先生。波打つ金髪、明るいブルーの眼を持ち、いつもにっこりと意味のない笑みを浮かべ、輝くような白い歯を見せている。魔女たちに大人気の売れっ子作家で、数々の著作があるが、実はそのいずれもが他人の手柄を横取りして書いたもの。まずは偉業を成し遂げた人に会い、どうやって仕事をやり遂げたのか聞き出してから忘却術をかけるのが、その常套《じょうとう》手段。自分が自慢できるのは「忘却術」だけだと豪語していたが、2巻でその「術」をハリーとロンにかけようとして、持っていた杖が逆噴射したため、自分にかかってしまった。現在もまだ記憶を失った「忘却」状態で、聖マンゴ病院の隔離《かくり》病棟に入院している。そのうぬぼれぶりは変わっておらず、訪れる人に無理やり自分のサインを配っている。自意識過剰で鼻持ちならない性格なので、入院中の彼の許《もと》には誰もお見舞いに来ない。「闇の魔術に対する防衛術」の教授だったときは、部屋を自分の写真で飾り立てていたが、聖マンゴでもベッドの周りを写真だらけにしている。そんな彼を見て、ハリーは「あんまり変わっていないね？」とジニーにささやいた。記憶喪失になってから、「おやまあ、わたしは役立たずのダメ先生だったでしょうね？」と白状しているので、根は正直なのかもしれない。愛用品は孔雀《くじゃく》の羽根ペン。6巻には「どうしようもない無能な先生」という表現で登場している。

JKRはEBFで『ハリー・ポッター』の中でわざと実在の人物をモデルにしたのは、ギルデロイ・ロックハートだけ。本物の方がもっとひどい」と発言している。イギリスのタブロイド紙のサンデー・メール紙は、モデルは前夫のポルトガル人ジャーナリスト、ジョルジ・アランテスと報じたが（2004年8月）、JKRのスポークスマンはこれを否定した。ギルデロイは、スコットランドのハンサムな盗賊の名前。ロックハートは、第一次世界大戦の戦没者記念碑でJKRが見つけたものだという。

［⑤上**417**、下**144**、**146**、**148**、**154**］［②**066**、**438**、**446**、**486**］［**EBF**］

ロットファングの陰謀
【Rotfang Conspiracy】

⑥**15**–上**486**

ルーナが存在を信じている計略。彼女によると、闇祓《やみばら》いはこの陰謀の一部で、闇の魔術や歯槽膿漏《しそうのうろう》を組み合わせたものを使って、魔法省を内部から倒そうとしているという。もちろん、このような陰謀は存在しない。

ロナン
【Ronan】

①**15**–**370**

禁じられた森に棲《す》むケンタウルス。腰から上は赤い髪に赤い鬚《ひげ》の人間の姿で、腰から下はツヤツヤとした栗毛に赤みがかった長い尾を持つ馬。深く悲しげな声で話し、群れの中では穏健派。1巻でフィレンツェがハリーを背中に乗せて安全な場所に運んだときは、非難せずに

「フィレンツェは最善と思うことをしているんだと信じている」と擁護した。5巻では、アンブリッジを森に連れてきたハリーとハーマイオニーに腹を立てたケンタウルスの群れが、二人を攻撃しようとしたが、ロナンだけは「この子たちは幼い。我々は仔《こ》馬を襲わない」と言い、仲間を制止した。

Ronan(ローナーン)はアイルランド伝説に登場するアイルランドの王。若い後妻の言葉に騙《だま》され息子メイル(Mael)を不当に殺し、怒った息子の乳兄弟が王妃の父とその一族を殺害する。それを知った王妃は自害し、王も自身の罪を悔い悲嘆の果てに亡くなった。

[⑤下**521**][⑦初出**34**章 **UK588**/**US734**]

ローニル・ワズリブ

【Roonil Wazlib】

⑥**21**-下**195**

ロン・ウィーズリーのこと。ロンがウィーズリー・ウィザード・ウィーズ(WWW)で買った「綴《つづ》り修正付き羽根ペン」は、呪文が切れかかると修正するどころか、逆にデタラメの綴りを書くようになり、吸魂鬼《きゅうこんき》を「球根《きゅうこん》木《き》」、彼の名前を「ローニル・ワズリブ」と綴って持ち主を落胆させた。ロンの『上級魔法薬』にもこれが書かれており、ハリーはスネイプからすべての教科書を持って来いと命じられたときに自分のプリンスの本の代わりにロンの教科書を見せたが、裏表紙を見たスネイプに「何故ローニル・ワズリブと書いてあるのだ?」と指摘され、罰則を受けた。

[⑥下**316**]

ロバーズ、ガウェイン

ガウェイン・ロバーズ

【Robards, Gawain】MM

⑥**16**-下**038**

スクリムジョールの後任として、魔法省の闇祓《やみばら》い局の局長になった魔法使い。

Gawain(ガーウェイン)は、アーサー王伝説の騎士。初期のジェフリー・オブ・モンマス（モンマスのジェフリー）の『ブリテン列王史』ではワルワヌスと呼ばれ、のちの版ではアーサー王の甥として登場する。力は強いが、1日のうちで正午までは力が徐々に増し、太陽が沈むと弱くなるという不思議な体質の持ち主。正義感が強く礼儀正しい人物と描かれることが多いが、短気なのでしばしば争いに巻き込まれる。同じ円卓の騎士のラーンスロット卿と堅い友情で結ばれていたものの、ラーンスロットがアーサー王に背いて王妃グィネヴィアを火刑場から救出し、ガーウェインの弟ガレスとガヘリスを殺害すると、彼を憎むようになる。復讐《ふくしゅう》のためにラーンスロットと決闘するが、逆に負傷し、それが原因で亡くなってしまう。しかし絶命前にはラーンスロットを許し、モードレッドと戦うアーサー王を援護するよう手紙を残す。

フランスのアーサー王伝説ではしばしば身勝手で好ましくない人物として描かれるが、中世イギリスの同伝説では武勇の誉《ほま》れ高い人物として登場。1390年ころに書かれた頭韻《とういん》詩『ガーウェイン卿と緑の騎士』（アーサー王の宮殿で行われた新年の宴《うたげ》に乗り込んで来た巨大な緑色の騎士と、その挑戦を受けたガーウェイン卿の物語）の主人公となっている。

ろ

ロビンズ、デメルザ

デメルザ・ロビンズ

【Robins, Demelza】Ⓖ

⑥11-上338

グリフィンドールの女生徒。1996年（6巻）からクィディッチ・チームのチェイサーとなった。ブラッジャーを避けるのが上手い。

しばしばロンの攻撃対象となり、彼が試合前に神経質になったときは、練習中にパンチを浴びせられ、唇から血を流した。別の練習では、機嫌の悪いロンから大声で怒鳴られ泣き出してしまった。ハリーには、スネイプからの「パーティへの招待がいくつあっても罰則に来るように。罰則は腐った『レタス食い虫』とそうでないのをより分ける仕事で、保護用手袋は必要ない」というありがたい伝言を届けた。

［⑥上**356**、**431**、**439**］

ロ ーブ

【robe】

①01-016
⑥01-上027

魔法使いの衣服。普段着から式服用のドレスローブまで、さまざまなものがある。制服のローブ(school robe)は学校によって異なり、ホグワーツは黒の普段着、ダームストラングは深紅で、ボーバトンは薄手の絹のローブ。三校対抗試合のクリスマス・ダンスパーティの参加者は、ドレスローブの着用が義務づけられた。クィディッチの選手はクィディッチ・ローブを着てプレイし、ウィゼンガモットのメンバーは、左胸にWの飾り文字のついた赤紫のローブを法廷で身につける。ダンブルドアの葬儀には、全員が式服(ドレスローブ)を着て出席。スラグホーンは、銀色の刺繍《ししゅう》を施した豪華なエメラルド色の長いローブをまとっていた。スラグ《なめくじ》・クラブのクリスマス・パーティに誘われたルーナ・ラブグッドは、スパンコールのついた銀色のローブで現れ、何人かの見物客にクスクス笑われた。ローブなどの衣類はダイアゴン横丁のマダム・マルキン洋装店や古着屋、グラドラグス・魔法ファッション店、トウィルフィット・アンド・タッティングの店で売っている。

[⑥上175、477、下486、488][⑤上086、223][④上379、390、下041][⑦初出2章 UK020／US015]

ロングボトム、アリス

アリス・ロングボトム

【Longbottom, Alice】OP

④31-下369
⑥07-上212

ネビル・ロングボトムの母親で、不死鳥の騎士団の創立メンバー。ネビルそっくりの人懐《ひとなつ》こそうな丸顔の女性。才能豊かな魔女で夫のフランクとともに魔法省の闇祓《やみばら》いとして働いていたが、ベラトリックス・レストレンジら死喰《しく》い人《びと》に磔《はりつけ》の呪文をかけられ、正気を失ってしまった。ネビルを見ても息子だということが分からない状態となり、今も聖マンゴ病院のヤヌス・シッキー病棟に入院している。夫のフランクともどもヴォルデモートから辛くも三度逃れており、ハリーは、「もしヴォルデモートがネビルを選んでいたら、母親はリリーと同じように息子を救うために死んだだろうか」とホグワーツ特急の中で思案した。6巻には、「ネビルの母親」として登場している。

［⑤上**278**、下**152～154**、**210**、**653**］［⑦初出**26**章 **UK419**／**US520**］

ロングボトム、オーガスタ

オーガスタ・ロングボトム／ネビルのばあちゃん

【Longbottom, Augusta／Neville's grandmother】G ？

①06-142
⑥03-上063

ネビル・ロングボトムの猛烈おばあちゃん。聖マンゴに入院中の息子夫婦の代わりにネビルを育てている。長い緑のドレスに、虫食いだらけの狐の毛皮をまとい、尖《とが》った三角帽子のてっぺんには本物のハゲタカの剥製《はくせい》がのっている。骨ばった鼻に、鉤爪《かぎづめ》のような皺《しわ》だらけの手、近寄りがたいオーラを発している。口癖は「家の名誉を上げないといけない」。マクゴナガルがばあちゃんの学生時代の成績に詳しいので、おそらく元グリフィンドール生。

ホグワーツ在学中は、呪文学のOWL《ふくろう》に落第。さほど優秀でなかったようであるが、自分のことは棚に上げ、家族には厳しい評価を下している。人前で「この子は父親の才能を受け継ぎませんでした」と平気で孫を否定するので、低学年のときのネビルは怯《おび》えて集中力がなく、忘れ物が多かった。しかし、5巻でその孫が死喰《しく》い人《びと》と互角に戦うと、「やっと父親に恥じない魔法使いになり始めた」と喜び、新しい杖を買い与えた。ネビルを過小評価しあれこれ干渉するおばあちゃんに対し、マクゴナガルは「あなたのおばあさまは、どういう孫を持つべきかという考えではなく、あるがままの孫を誇るべきだと気づいてもいいころです」と、不満げに鼻を鳴らしている。

［⑥上**208**、**211**、**263**］［⑤上**298**、**348**、下**149～153**、**448**、**579**、**588**］［④上**295**、下**381～382**］［③**178**、**352～353**］［⑦初出**29**章 **UK463**／**US575**］

ロングボトム、ネビル
ネビル・ロングボトム
【Longbottom, Neville】Ⓖ DA

①06 142
⑥03-上063

（1980年7月30日－）ハリーと同級のグリフィンドール生。母親似の丸い人懐《ひとなつ》こそうな顔をした男子。DAのメンバー。「薬草学」が得意で、5巻からミンビュラス・ミンブルトニアという謎の植物を大切に育てている。ペットはヒキガエルのトレバー。

1980年7月30日に純血のロングボトム家に生まれたネビルは、子供のころ両親が死喰《しく》い人《びと》から拷問を受け、聖マンゴ病院に入院したため、父方の祖母に育てられた。祖母は厳しい人で、ネビルを「この子は父親の才能を引き継ぎませんでした」と過小評価し、「家名を上げなければいけない」とうるさく干渉したため、気弱な性格に育った。家族からは長いあいだ純粋マグルだと思われ、何とか魔力を引き出そうと考えたアルジー大伯父さんに、ブラックプール桟橋《さんばし》の端から突き落とされ、溺れそうになったりした。8歳のときに大伯父さんが足首をつかんで2階の窓からぶら下げ、うっかり手を離して庭に落ちた瞬間、ネビルは鞠《まり》のようにはずみ、魔力があることが分かり大喜びされた。1991年にホグワーツに入学し、しばし時間がかかった後にグリフィンドールに決まったが、組分け帽子を被《かぶ》ったまま駆け出してしまい、皆から爆笑された。自分に自信が持てずにおどおどし、入学後は「魔法薬」の授業で大鍋を溶かしたり、パスワードの紙を落としたりと失敗ばかり。ドラコにからかわれ、足縛りの呪いをかけられたこともある。しかし、5年生のときに自分の両親が聖マンゴに入院していることが友人に知られ、さらに両親を襲ったベラトリックスら死喰い人が脱獄したことが、ネビルに大きな変化をもたらした。DAの防衛術のレッスンに活が入り、他の誰よりも一生懸命に呪文を練習し、見違えるほど上達した。1996年6月の神秘部の戦いでは、死喰い人に勇敢に立ち向かい、ハーマイオニーが意識を失い倒れると、彼女を抱えて仲間のところまで運び出した。ハリーがマクネアに絞め殺されそうになったときは、鼻血を出しながらも杖で目を突ついて助けている。ドロホフに「タラントアレグラ」をかけられ予言の球を落としてしまったが、最後まで倒れることなくハリーと一緒に戦った。しかし、死喰い人より祖母の方が怖いのか、父親の杖を真っ二つにされたときは、「ばあぢゃんに殺ざれぢゃう」とふがふが悲鳴を上げた。

OWL《ふくろう》試験の結果は「薬草学」が「優・O」、「闇の魔術に対する防衛術」が「良・E」、「呪文学」が「良・E」、「変身術」が「可・A」を獲得。6年生では「薬草学」、「闇の魔術に対する防衛術」と「呪文学」を取った。この年、DA会合が無くなったことを寂しく思い、再開されることを願って頻繁にコインを見ていたため、1997年6月に死喰い人がホグワーツに侵入した際は、ハーマイオニーの呼びかけに応《こた》えて即座に参戦。死喰い人と戦った。魔法の障壁に突進して空中に放り投げられ、ホグワーツ病棟に入院したが、すぐに回復し、ルーナに支えられてダンブルドアの葬儀に参列した。

「7つ目の月が死ぬとき」に生まれ、両親はどちらも有名な闇祓《やみばら》いでリリーとジェームズと同じように、ヴォルデモートと三度戦ったことがあるため、ネビルは当初、トレローニーの予言に当てはまる男の子だった。しかし、ヴォルデモートはハリーを選んだため、ネビルは普通に育ち、今でも予言の内容を知らずにいる。JKRは彼について「ネビルは、王になりそこねた少年はどうなるのでしょう？そう、ネビルには隠された力も、謎めいた運命もありません。ハリーと同じくらい悲劇的な過去を持ってはいましたが、ごく『ふつう』の魔法使いの少年です。とはいえ5巻に見られるように、ネビル自身にも潜在的な強さはあります。ネビルがいつか、自分がどれほど『選ばれし者』に近い存在だったのかを知ったとき、どんな感情を抱くのかは現時点では分かりません。何か神秘的な形で予言はネビルの運命がハリーの運命と絡み合っていることを示していると信じていた人たちにとって、この回答はつまらないかもしれませんが、私はハリーとヴォルデモートの関係や、予言そのものについて重要と感じる点を強調し、ネビルを落選者(also-ran)として示しました」と述べている。

［⑥上207～208、211、263～264、下096、101、426、445、457～458、479、489］［⑤上279、295～300、406、531、568、570、626、下060、149～154、210、239、448～449、500、530～603、652～654、661］［①180、186］［JKR公式サイト「FAQ 作品について」］［⑦初出12章 UK187／US227］

ロングボトム、フランク

フランク・ロングボトム

【Longbottom, Frank】OP

④30-下369

ネビル・ロングボトムの父親で、不死鳥の騎士団の創立メンバー。闇祓《やみばら》いとして尊敬を集めていたが、ヴォルデモートの凋落《ちょうらく》後ベラトリックスら死喰《しく》い人《びと》に捕らえられ、ヴォルデモートの消息を吐けと磔《はりつけ》の呪いをかけられ、正気を失ってしまった。聖マンゴに入院しているが、ネビルが見舞いに行っても息子だということが分からない容態が続いている。ネビルは父親の杖を使っていたが、1996年6月の神秘部の戦いで折ってしまった。妻のアリスともども、ヴォルデモートと三度戦っている。

［⑤上278、下151～152、154、579、588、653］［⑦初出26章 UK419／US520］

ロンドン

【London】

①03-051
⑥07-上234

イギリスの首都。マグルは気づいていないが、魔法界の施設やお店が多々存在している。ホグワーツ特急が発着する九と四分の三番線やダイアゴン横丁(漏れ鍋)、魔法省本部、グリモールド・プレイス12番地、聖マンゴ病院のほか、トム・リドルが生まれ育った孤児院やマンダンガス・フレッチャーの隠れ家、駆け落ちしたメローピー・ゴーントの家、クィディッチ博物館などがここに隠れている。

［⑥上372、394、397］［⑤上098、120、203、下101］［①096、130～131］［ク024］［⑦初出12章 UK184／US223］

魔法界のロンドン

【魔法界の施設】

◆**魔法省本部**(5巻〜)…「ハリー・ポッター」映画ではイギリス防衛省の真下。本物の役所の下に魔法省があったら面白いということで、防衛省の横に入り口の電話ボックスが設置された。

◆**聖マンゴ魔法疾患傷害病院**(5巻〜)…パージ・アンド・ダウズ商会というデパートの中。

◆**九と四分の三番線**(1巻〜)…キングズ・クロス駅の9番線と10番線のあいだ。

◆**ヴォルデモートの孤児院**(6巻)…モデルは「ストックウェル孤児院(Stockwell orphanage)」？

◆**クィディッチ博物館**(『クィディッチ今昔』)

【魔法界の店】

◆**ダイアゴン横丁**(1巻〜)

◆**夜の闇《ノクターン》横丁**(2巻)

◆**漏れ鍋**(1巻〜)

【魔法使いの住宅】

◆**グリモールド・プレイス12番地**(5巻〜)

◆**駆け落ちしたメローピー・ゴーントの住居**(6巻)

◆**マンダンガスの潜伏先**(6巻)

◆**両親と喧嘩したパーシー・ウィーズリーの住居**(5巻)

【実在の通りや地名】

◆**パディントン駅**(1巻)…ハリーがハグリッドとハンバーガーを食べた。

◆**ボグゾール通り**(2巻)…トム・リドルが日記を購入。

◆**チャリング・クロス通り**(3巻〜)…「漏れ鍋」のある通り。

◆**ダウニング街10番地**(5・7巻)…マグルの首相官邸のある場所。

◆**トッテナム・コート通り**(7巻)

◆**ベスナル・グリーン**(5巻)…ウィリー・ウィダーシンがここの公衆トイレを逆流。

◆**ウィンブルドン**(5巻)…ウィリー・ウィダーシンがここの公衆トイレを逆流。

◆エレファント・アンド・キャッスル(5・6巻)…ウィリー・ウィダーシンの逆流トイレ事件／たちの悪い逆火呪いが発生。

【その他】

◆ダドリーが尻尾《しっぽ》を取ってもらった病院(1巻)

◆ペチュニア叔母さんとダドリーがスメルティングズ校の制服を買いに行った店(1巻)

わ

ワイルドスミス、イグナチア
イグナチア・ワイルドスミス
【Wildsmith, Ignatia】

2004年12月

(1227–1320)煙突飛行粉《フルーパウダー》を発明した魔法使い。

[JKR公式サイト「今月の魔法使い」]

鷲《わし》
【eagle】

①03–054

レイブンクローのシンボルで、ホグワーツの紋章に描かれている動物。ただしワーナー・ブラザーズの映画の中では、鷲ではなくレイブン(ワタリガラス)になっている。

鳥の王である鷲は、至高の権力や戦いの卓越性などを示すシンボルとして知られ、数々の国章や紋章の図案となっている。アメリカ合衆国の象徴は羽を広げた鷲であるし、皇帝カエサルやナポレオンのエンブレムにもなった。しばしば「蛇の敵」、「蛇を殺すもの」と見なされ、ゆえに闇の力に打ち克つ光のシンボルともなっている。10年ごとに高く舞い上がって天の火(太陽)で自分を焼き、その後、海に飛び込んで羽を変え、若返るという不死鳥に似た俗信がある。

[⑦初出29章 UK465/US577]

ワトキンズ、ファビウス
ファビウス・ワトキンズ
【Watkins, Fabius】

2006年5月

(1940–1975)イギリスのクィディッチ・チーム「モントローズ・マグパイズ」の伝説的なキャプテンでチェイサー。ヘリコプターとの異常な衝突で死亡した人物。

[**JKR** 公式サイト「今月の魔法使い」]

ワフリング、アドルバート
アドルバート・ワフリング
【Waffling, Adalbert】

①05–102

ホグワーツの教科書『魔法論』の著者。

英語 waffle には「くだらないことを書く」、「たわごとを並べる」という意味がある。そんな名前の人が書いた教科書を使って大丈夫なのだろうか？

[⑦初出**2**章 **UK022**／**US017**]

ワーベック、セレスティナ
セレスティナ・ワーベック
【Warbeck, Celestina】

②03–051
⑥16–下014

魔法界の人気歌手。わななくような声で歌う。ウィーズリーおばさんのお気に入りの歌手で、ラジオのクリスマス番組で彼女の歌が流れたときは、ボリュームを大きくして聴き入った。フラーは退屈だと感じたらしく、歌が終わると「なんてい《ひ》どい―」(この続きは、妻の爆発を恐れたウィーズリーおじさんに遮《さえぎ》られた)と大声を出した。

[⑥下**019**][⑦初出**20**章 **UK322**／**US397**]

ワームテール

(本名)ペティグリュー、ピーター(ピーター・ペティグリュー)

(別名)スキャバーズ

【Wormtail／Wormy／Pettigrew, Peter／Scabbers】

DE G OP

③10-249
⑥02-上037

(1960？-)ピーター・ペティグリューの学生時代のニックネーム。スキャバーズに変身していたことが露顕《ろけん》し、ヴォルデモートの許《もと》に逃走してからはワームテールと呼ばれている。色の薄い小さな潤《うる》んだ目、尖《とが》った鼻、後頭部に大きな禿《は》げのある色あせた髪の小男。ワーミー(Wormy)と呼ばれることもある。

1971年にホグワーツに入学したピーター・ペティグリューは、ジェームズ・ポッター、シリウス・ブラックそしてリーマス・ルーピンとともにグリフィンドールに組分けされ、この三人と友達になった。とくにジェームズとシリウスを英雄のように崇《あが》め、二人のあとをついて回っていた。ルーピンが狼人間であることを知ると、三人は彼の変身に付き合うために、動物もどきになることを決意。ピーターはジェームズとシリウスに散々手伝ってもらい、5年生になってやっとこの術を習得し、ネズミに変身したのでワームテールと呼ばれるようになった。彼らは動物の姿で校内やホグズミードを徘徊《はいかい》し、地理に詳しくなったので忍びの地図を作り、それぞれのニックネームでサインした。卒業後は不死鳥の騎士団に入団するが、利己的で自分の面倒を見てくれる強い親分に従うのが好きなワームテールは、1980年ごろからヴォルデモート側につき、スパイとなって情報を流していた。それを知らなかったシリウスが、ワームテールを秘密の守人にするようポッター夫妻に勧めたため、隠れ家の情報がヴォルデモートに漏れ、二人は殺されハリーだけが生き残った。

夫妻が殺害された1981年10月31日、ワームテールの隠れ家に行ったシリウスは、家の中がもぬけの殻だったため不審に思い、ポッター夫妻の家に行く。建物は壊され二人が死んでいるのを見た彼はすべてを悟り、ワームテールを追いつめる。しかし、ワームテールは道行く人全員に聞こえるように「シリウスがジェームズとリリーを裏切った」と叫び、隠し持った杖で道路を吹き飛ばして周囲の人間を皆殺しにし、自分の指を1本切り、血だらけにしたローブを残して事故で殺されたように見せかけ、素早くネズミに変わり下水道に逃げ込んだ。

その後12年間スキャバーズという名前でウィーズリー家のペットとして生活したが、魔法使いの家にいたのはヴォルデモートが力を取り戻し、その許に帰っても安全だという事態に備えて情報が聞ける状態にしていたかったから。同時にこの12年の逃亡は、シリウスだけでなくヴォルデモートの昔の仲間からも逃げ回る生活であった。ヴォルデモートはワームテールの情報でポッター家に行き、行方《ゆくえ》知れずとなったため、死喰い人《しくいびと》たちは裏切り者がまた寝返って自分たちを裏切ったと思い、彼を憎んでいたからである。

1993年『日刊予言者新聞』に載った、指のないスキャバーズの写真を見て、ワームテールが生きていることを知ったシリウスは、アズカバンを脱獄してホグワーツに向かう。ワームテールは追いつめられ、叫びの屋敷の中でシリウスに捕まり殺されそうになるが、ハリーが止めに入り吸魂鬼《ディメンター》に引き渡されることに。しかし、ホグワーツに戻る途中ネズミの姿に変身し、再び逃走してしまう。ネズミの仲間から聞いた情報でアルバニアの森に向かったワームテールは、その地でヴォルデモートと再会。再び下僕として過ごすようになり、三校対校試合の陰謀に加担し、自分の右手首、ハリーの血とヴォルデモートの父親の骨で魔法薬を作り、1995年6月闇の帝王を復活させてしまった。ワームテールがヴォルデモートの許に戻ったのは忠誠心からではなく、かつての仲間を恐れたためであるが、ヴォルデモートはそんな彼に、自分を復活させた褒美《ほうび》として、銀の手を与えた。1996年夏以降は、スネイプの家で彼を補佐する任務についている。信用できない人間であるが、ダンブルドアは「魔法使いが魔法使いの命を救うとき、二人のあいだにある種の絆が生まれる……いつか必ずペティグリューの命を助けて本当によかったと思う日が来るじゃろう」とハリーに語っている。

Wormは英語で「(ミミズのような細長い)虫」のこと。ミミズみたいな尻尾《しっぽ》(tail)のついた動物(＝ネズミ)に変身するところから、命名された。Wormには「虫けら同様の人間」、「虐げられたみじめな人」などの意味もある。JKRはこの名前について、「妹はネズミが大嫌いで、特に尻尾が気持ち悪いと言っていたのがヒントになりました」と話している。

[⑥上**038**][⑤上**137**、**280**、下**347**、**349**、**351**][④下**447**、**456**、**506**][③**270**、**471～472**、**476**、**480**、**487**、**558**][**JKR**公式サイト][⑦初出**1**章 **UK014**／**US 007**]

われ、ここに誓う。われ、よからぬことを企《たくら》む者なり
【I solemnly swear that I am up to no good.】

③**10–249**
⑥**18–下100**

忍びの地図を使う前に唱える言葉。杖先で地図(羊皮紙)をコツコツと軽く叩《たた》きこの言葉を唱えると、たちまち杖が触れたところから細いインクの線が蜘蛛《くも》の巣のように広がり、ホグワーツ城と学校の敷地全体の地図が現れる。さらに、地図の一番てっぺんには、渦巻き形の大きな緑色の文字で「ムーニー、ワームテール、パッドフット、プロングズ　われら『魔法いたずら仕掛人《しかけにん》』のご用達商人がお届けする自慢の品」と表示される。

[⑤上**612**]

ワンダーウィッチ製品
【Wonder Witch products】

⑥**06–上183**

ウィーズリー・ウィザード・ウィーズ(WWW)の魔女向けライン。惚《ほ》れ薬など、女性向けの製品。ピンク色のパッケージ。

７巻の事典

7巻の事典の使い方

英語　　**読み方**

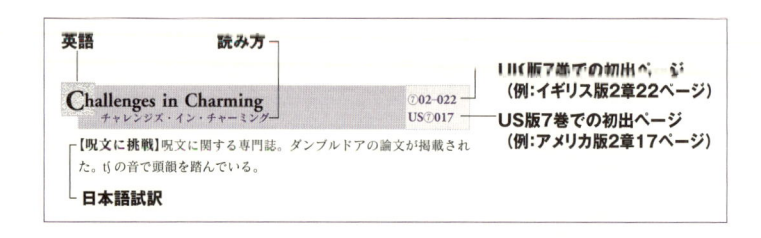

Challenges in Charming　⑦02-022 — **UK版7巻での初出ページ（例：イギリス版2章22ページ）**
チャレンジズ・イン・チャーミング　US⑦017 — **US版7巻での初出ページ（例：アメリカ版2章17ページ）**

【呪文に挑戦】呪文に関する専門誌。ダンブルドアの論文が掲載された。tʃの音で頭韻を踏んでいる。

日本語試訳

・本書が出版された2008年4月現在、7巻“*Harry Potter and the Deathly Hallows*”日本語版『ハリー・ポッターと死の秘宝』は未出版であるため、未読の方に配慮し、7巻用の事典を別途設け、人物・魔法・アイテムなど新出した全ての7巻の用語はこちらで解説した。
・見出し語は、各章ごとに物語に登場する順序で配列した。
・最後のネタばれは避けたが、原書初心者でも理解できるよう詳しい説明を心がけたため、初期の章の見出し語(特に人物)でも、解説の中に後半部分で明らかになることが含まれている場合がある。
・19年後(エピローグ)の登場人物は、既読者であれば分かるため、最低限の説明にとどめた。
・参考として各見出し語の下に読み(カタカナ表記)、試訳を【　】に入れた。
・使用した原書は、UK(イギリス)版、US(アメリカ)版ともに、2007年7月21日発売のハードカバー。
以上のほかは、「1巻～6巻の事典」の使い方に準ずる。

Epigraph
エピグラフ

⑦00-007
US⑦—

最終7巻『死の秘宝』は、宗教的テーマの二つのエピグラフ*で始まっている。一つは『供用する女たち The Libation Bearers』(別名『コエーポロイ Choephoroi』) で、もう一つは『続・孤独の成果 More Fruits of Solitude』。エピグラフがつくるのは、「ハリー・ポッター」シリーズで初めてのことである。

前者はギリシアのアイスキュロス(前525ころ–前456ころ)による三部作形式の悲劇『オレステイア』の中の二番目に当たる作品で、供養する女たち(コエーポロイ)とは、「墓前に死者の霊を慰撫《いぶ》するための注ぎものを献上する人々」のこと。この劇中では、その女たちがコロス(合唱隊)役として登場する。第一部『アガメムノン』で母クリュタイメストラに父アガメムノンを殺された息子オレステスは、第二部『供養する女たち(コエーポロイ)』でデルポイの神アポロンの命を受け、父親の仇を討つため故国に戻る。姉のエレクトラと協力しクリュタイメストラを殺すが、復讐《ふくしゅう》のためとはいえ母殺しの罪からは逃れられず、復讐の女神エリニュスらに追われる身となってしまう。オレステスは第三部『慈みの女神たち(エウメニデス)』で女神アテナの開いた法廷に出席し、最後は女神のとりなしでエリニュスたちと和解する。

JKRが引用したのは、オレステスとエレクトラが父の墓前で出会い、加護を祈る場面(466–478行)。この前節で姉弟とコロスの女たちは、地下に眠る父霊たちに向かって「ここに志をおなじくするものみな、一斉に声をかぎりに祈ります、どうか、ききいれたまえ、光のもとに現れて!われらとともに憎きものらを討ちたまえ!」(岩波書店ギリシア悲劇全集1『コエーポロイ』久保正彰訳458–460行)と光明界に現れ出で、復讐の手助けをするよう求め、「祈りの言葉とともに、からだには戦きがひろがっていく。運命の定めは、とうのむかしから、まちかまえている。しかし祈るものには、その訪れも近かろう」(同463–465行)と姉弟の運命は早くから定まっていたと歌い上げる。

エピグラフに付されたのはコロスの詠唱部分で、「おお、この家を苦しめる業の深さ、そして、調子はずれに、破滅がふりおろす血ぬれた刃、おお、呻《うめ》きをあげても、堪えきれない心の煩《わずら》い、おお、とどめようもなく続く責苦《せめく》」(同466–470行)と一家の苦悩が語られる。続く「この家の、この傷を切り開き、膿《うみ》を出す治療の手だては、家のそとにはみつからず、ただ、一族のものたち自身が、血で血を洗う狂乱の戦いの果てに見出すよりほかはない。この歌は、地の底の神々のみが嘉したまう」(同471–475行)で二人の仇討ちの正義を訴え、「いざ、地下にましますす祝福された霊たちよ、ただいまの祈願を聞こし召されて、助けの力を遣わしたまえ、お子たちの勝利のために、お志を嘉《よみ》したまいて」(同476–478行)と神々の加護を祈る。最終行のchildren(お子たち)はもちろんオレステスとエレクトラを指している。なお、JKRが引用した“The Libation Bearers”は、Robert Faglesによる英訳版である。

後者のエピグラフは、イギリスのクエーカー教徒で米国ペンシルベニア植民地の建設者ウィリアム・ペン(1644–1718)が書いた『続・孤独の成果—省察と箴言《しんげん》集第二部、生活態度について More Fruits of Solitude—Being the Second Part of Reflections and Maxims, Relating to the Conduct of Human Life』からの引用。同名の海軍提督の子として裕福な英国国教会の家に生まれたペンは、12歳のときに接したキリスト教プロテスタントのクエーカー(フレンド派、キリスト友会)の集会が忘れられず、16歳で英国国教会のオックスフォード大学に入学するものの、学校のミサに出席せず退学処分となる。1667年クエーカーに加わり、非国教徒は迫害される時代であったため、投獄されるなどいくたびかの受難を経験するが屈せず、良心と信仰の自由を主張し続けた。1681年父から相続した国王チャールズ二世に対する債務の代償として、北アメリカにおける植民地建設の特許状を獲得。自分の姓を取りペンシルベニア(“ペンの森”の意)と名づけ、1682年渡米し植民地を建設した。民主的な憲法を制定し総督として経営にあたり、インディアンとの友好関係の樹立を図った。

彼らとのあいだに結んだ条約は、フランス哲学者のヴォルテールをして「誓いをかけずに結ばれ、決して破られなかった唯一の条約」といわしめた。1684年帰国したペンは名誉革命後ジェームズ二世との親交のゆえに嫌疑をかけられ、1692年ペンシルベニアの領主権を国王に没収される。1694年に復権し1699年再び植民地に戻るが、経営を託した部下に裏切られ、また家庭内の不和も加わり晩年は不幸であった。

このペンシルベニアを奪われ失意のどん底にあった時期に書かれたのが『孤独の成果(Some) Fruits of Solitude』(1693)と題する本で、エピグラフに付された『続・孤独の成果』はその続編として1702年に出版されたものである。ペンがこれまでの人生で得た処世についての知恵や洞察を書き綴《つづ》った金言集であるが、『死の秘宝』に引用されたのは、その131–134節。「世を超えて想い合う友人同士は、住む世界により分かたれることはない。死は、死なぬものを殺すことはできぬからである They that love beyond the World, cannot be separated by it. Death cannot kill, what never dies.」(127–128節)で始まる「友人同士の結びつき Union of Friends」と題された箴言の一部で、「死は、友人同士が海を超えるがごとく、ただこの世を超えるに過ぎぬ。互いの心の中で相手は生き続けているからである」(131節)と書き、友情の永遠性や、死は友愛(愛情)をもって克服されることを説いている。

これらのエピグラフについてJKRは「引用を選ぶのは楽しい作業でした。一つは多神教の作品で、もう一つはキリスト教のものです。これらは『ハリー・ポッター』の物語のすべてを示しています。『秘密の部屋』が出版されたころから、この二つを引用することになるだろうと考えていました。最終第7巻の冒頭にこれを置けば、シリーズの結末を完璧に暗示することができるとずっと思っていたのです」と、かねてより決めていたことを明かしている。

＊エピグラフ(書物の最初の部分に付す題辞や名句)

第1章

Thickness, Pius
パイウス・シックネス MM

⑦01-012
US⑦005

【ピウス・シックネス】スクリムジョールの後任の魔法大臣。長く垂《た》らした黒い髪と顎鬚《あごひげ》には白いものが混じり、突き出たおでこがキラリと光る目に影を落としている。ハリーは初めてシックネスと会ったとき、岩の下から顔を出すカニを連想した。1996年アメリア・ボーンズの後を継ぎ魔法法執行部の部長に就任。スクリムジョールの死後魔法大臣になったが、死喰《しく》い人《びと》ヤックスリーに服従の呪文をかけられていたため、「マグル生まれ登録」を導入するなどヴォルデモートの指示通りに魔法省を運営した。死喰い人とともにホグワーツの戦いに加わり、アーサーらに倒された。

Pius はラテン語で「義務に忠実な」、「責任感のある」、Thickness は英語で「愚鈍（頭が鈍い）」の意。

［⑦**11**章、**13**章、**36**章］

Elm
エルム

⑦01-014
US⑦008

【ニレ（楡）】 ルシウス・マルフォイの杖に使われている木。

楡はニレ科の落葉高木。花言葉は「威厳」。街路樹や庭木として植えるほか、材は弾性に富むため家具や細工物や薪《まき》墨に用いられる。棺おけの材料にされるので墓場を連想させることがある。ケルトの木の暦には含まれていない。

Burbage, Charity
チャリティ・バーベッジ

⑦01-017
US⑦011

【チャリティ・バーベッジ】ホグワーツの「マグル学」の女性教師。マグルの両親から生まれた魔法使いを擁護する記事を『日刊予言者新聞』に書いたため、1997年夏に闇の陣営に捕らえられた。マルフォイの館でヴォルデモートに殺され、ナギニの餌《えさ》になった。

Charity は英語で「博愛」、「慈悲心」、「寛容」の意。バーベッジの出典はイギリスの俳優リチャード・バーベッジ(1567?-1619)であろう。シェークスピアと親交があり、1584年ころハムレットやオセロ、リア王など彼の主要な役を最初に演じた。兄カスバートとともに父親が創設したシアター座をテムズ川南岸に移築し、グローブ座として開場した。

第2章

Dumbledore, Percival
パーシバル・ダンブルドア

⑦02-021
US⑦016

【パーシバル・ダンブルドア】アルバス・ダンブルドアの父親。顔立ちの整った魔法使い。妻ケンドラとのあいだに、アルバスのほかアバーフォース(第二子)とアリアナ(第三子)を儲《もう》けた。1891年ころ、娘アリアナを襲ったマグルの少年三人組を復讐《ふくしゅう》のため攻撃し、重傷を負わせた。魔法省に捕らえられたが、マグルを襲撃した理由を話すとアリアナの容態が発覚し、娘は一生聖マンゴ病院に監禁されることになるため黙して語らず、そのままアズカバンに収監された。「マグル嫌い」の汚名を着せられ、牢獄で一生を終えた。

[⑦11章、18章、28章]

Challenges in Charming
チャレンジズ・イン・チャーミング

⑦02-022
US⑦017

【呪文に挑戦】呪文に関する専門誌。ダンブルドアの論文が掲載された。tʃの音で頭韻《とういん》を踏んでいる。

Practical Potioneer, The
ザ・プラクティカル・ポーショニア

⑦02-022
US⑦017

【実務的魔法薬師】魔法薬師(魔法薬調合に携《たずさ》わる魔法使い)のための専門誌。ダンブルドアの論文がこれに掲載された。Pで頭韻《とういん》を踏んでいる。

Dumbledore, Kendra
ケンドラ・ダンブルドア

⑦02-023
US⑦018

【ケンドラ・ダンブルドア】(?-1899)アルバス・ダンブルドアの母親。夫のパーシバルとのあいだにアルバスのほかアバーフォースとアリアナを儲《もう》けた。真っ黒な髪に黒い瞳、高い頬骨《ほおぼね》とまっすぐな鼻を持ち、彼女の写真を見たハリーはアメリカインディアンを連想した。モルド・オン・ザ・ウォルド(Mould-on-the-Wold)に住んでいたが、夫がマグルを襲撃しアズカバンに収容されるとゴドリックの谷に引越し、人目を忍んで娘の世話を続けた。1899年癇癪《かんしゃく》を起こした娘の呪文に当たり死亡したが、本当の死因は伏せられ、世間には唱えた魔法が逆噴射したため亡くなったと伝えられた。

[⑦18章、28章]

Dumbledore, Ariana
アリアナ・ダンブルドア

⑦02-023
US⑦019

【アリアナ・ダンブルドア】(1885?-1899年8月)アルバスとア

バーフォース・ダンブルドアの妹。正常な魔女であったが、6歳のときに（子供で魔力を制御できず）魔法を使ったところを垣根越しに三人のマグルの少年に目撃され、魔法に怯《おび》えた彼らに襲われた。これが原因で精神的におかしくなったアリアナは、魔法を意のままに操ることができなくなり、ふだんはおとなしいがときどき魔力を制御できず、魔法を爆発させるようになった。父親は犯人の少年たちを捜し出して復讐《ふくしゅう》し魔法省に捕まるが、襲撃理由を明かすとアリアナは聖マンゴ病院に永久に隔離されてしまうため、何も語らずそのままアズカバンに収監された。アリアナが病院に送られることを恐れた家族は、それまで住んでいたモルド・オン・ザ・ウォルド（Mould-on-the-Wold）からゴドリックの谷に移り、彼女が心穏やかに過ごせるよう、人目に触れぬようにして面倒を見続けた。しかし、アリアナが14歳（1899年）のちょうどアルバスが世界旅行（卒業旅行）に出発する前日、癇癪《かんしゃく》を起こした彼女の魔法に当たり、母親が死んでしまう。アリアナは次兄の方になついていたため、母の死後アバーフォースがホグワーツを辞めて面倒を見ると申し出たが、家長となったアルバスは弟に学校を続けるよう勧め、彼がゴドリックの谷でアリアナの世話をすることになった。しかし、この年の夏グリンデルバルドと出会い意気投合したアルバスは、世界を変える壮大な計画に没頭し、妹の世話をおろそかにしてしまう。夏休みで帰省していたアバーフォースがそれを詰《なじ》ると三人は言い争いになり、杖を抜いたグリンデルバルドはアバーフォースに磔《はりつけ》の呪文をかける。止めに入ったアルバスと三つ巴《どもえ》の戦いになるが、そのさなか兄たちを助けようとしたアリアナに呪文が命中。アリアナは命を落としてしまった。グリンデルバルドはすぐに逃走したため、彼女が誰の呪文で亡くなったのか真実は最後まで分からずじまいであった。

［⑦**18**章、**28**章］

Life and Lies of Albus Dumbledore, The
ザ・ライフ・アンド・ライズ・オブ・アルバス・ダンブルドア

⑦02–026
US⑦022

【アルバス・ダンブルドアの一生と偽《いつわ》り】リータ・スキーターが書いたダンブルドアの伝記(暴露本)。総頁数900頁。バチルダ・バグショットにベリタセラムを飲ませ、彼の家族やグリンデルバルドとのあいだに起こったことを聞き出し、ダンブルドアの死後4週間で書き上げた。9〜12章に家族のこと、16章にダンブルドアの「ドラゴンの血液の十二種類の利用法の発見」に関することが書かれ、まるまる1章をハリーとの関係に充てている。

JKRはダンブルドアについて「複雑なキャラクターですね。わたしは7巻を通して、読者にダンブルドアの一部を疑問に思ってもらいたかったのです。わたしたちはみな、彼のことを心の優しい父親のような人物だと信じていました。そして、ある程度はそういう人です。しかし同時に人々を操り人形のように扱うところがあり、暗い過去を背負い、ハリーには部分的にしか真実を話しませんでした。わたしは読者が最終的に彼のことを—欠点も含めてありのままの彼を—ふたたび愛してくれることを願っています」と述べている。

[Volkskrant][⑦18章]

Braithwaite, Betty
ベティ・ブレイスウェイト

⑦02–026
US⑦023

【ベティ・ブレイスウェイト】『日刊予言者新聞』の記者。『アルバス・ダンブルドアの一生と偽《いつわ》り(The Life and Lies of Albus Dumbledore)』を書いたリータ・スキーターを独占インタビューした。

Braithwaiteの出典は地名。イングランドのカンブリア州やサウスヨークシャーなどにブレイスウェイトという土地がある

Dodgy
ドッジー

⑦02–027
US⑦024

【ドッジー】エルファイアス・ドージのあだ名。リータ・スキーターからこう呼ばれた。

英語 dodgy には「ぺてんの」、「いかがわしい」などの意味がある。

Lake Windermere
レイク・ウィンダーミア

⑦02–027
US⑦024

【ウィンダミア湖】イングランド北西部カンブリア州の湖水地方に実在するイングランド最大の湖。

リータ・スキーターは1997年夏、エルファイアス・ドージのことを「数年前にドージに水中人の取材をしたとき、彼は完全に頭がいかれていて、自分たちがウィンダミア湖の湖底に座っていると思い込んで『“鱒《ます》(trout)” に気をつけろ』と言い続けていた」と『日刊予言者新聞』の中でこき下ろしたが、これは先にドージから“trout(ブス、ガミガミばばあ)” と罵《ののし》られていたことへの意趣返し。同年6月ダンブルドアが亡くなったときに、リータはその死についてドージにしつこく取材を迫ったが、“おせっかいなブス(interfering trout)” と断られたため、同じ trout の語を使って悪口を言い返したのである。

[⑦8章 **UK127／US152**]

Get off his high Hippogriff
ゲット・オフ・ヒズ・ハイ・ヒッポグリフ

⑦02–027
US⑦024

【威張るのをやめる】英語表現“get (come) off (down) one's high horse”「威張らなくなる」の魔法界バージョン。馬(horse)がヒッポグリフ(Hippogriff)に置き換えられている。

Dillonsby, Ivor
アイヴァー・ディロンズビー

⑦02-028
US⑦026

【アイヴァー・ディロンズビー】ドラゴンの血液の8種類の利用法を発見し、その論文をダンブルドアに“借用”されたと言い張った魔法使い。リータ・スキーターの『アルバス・ダンブルドアの一生と偽《いつわ》り(The Life and Lies of Albus Dumbledore)』の中で彼の発言が利用された。

［⑦18章］

第4章

Trace, the
ザ・トレース

⑦04-045
US⑦046

【未成年追跡術】17歳未満の未成年魔法使いの周囲で行われた魔法行為を探知する術。未成年魔法使いにはこの術が唱えられており、魔法省はこれを利用して不正な魔法使用を見つけ出している。17歳になると取り去られることが法律で定められている。

Trace は英語で「追跡する」、「たどる」の意。

Confringo!
コンフリンゴ！

⑦04-054
US⑦059

【コンフリンゴ！爆破！】爆破呪文(Blasting Charm)の呪文の言葉。対象物を粉々に爆破する。

Confringoはラテン語で「粉々にする」、「破砕する」の意。

［⑦17章］

Selwyn
セルウィン DE

⑦04-057
US⑦062

【セルウィン】死《し》喰《く》い人《びと》。ハリーとハグリッドがトンクス家に向かう途中、ヴォルデモートとともに二人を襲った。ヴォルデモートはセルウィンから杖を借りてハリーを攻撃しようとしたが、逃げられた。ラブグッド家にトラバースと現れたときは、ハリーが家にいるとのゼノフィリウスの言葉を信用せず、自分たちを殺すつもりで呼び出したと決めつけ、彼を拷問した。ドローレス・アンブリッジによると、セルウィン家は純血の家系だという。

［⑦13章、21章］

第5章

Saint (-) like
セイント・ライク

⑦05-067
US⑦074

【聖人みたいだ／聖人のような】片方の耳が失われその部分に穴が空いたジョージは、母親から「気分はどう？」と聞かれ、holey（ホーリー「穴のある」）とholy（ホーリー「聖なる」）を掛けて、「聖人みたいだ（Saint-like）」と答えた。重傷を負いながらも家族に心配をかけまいとしてつぶやいたジョージの思いやり溢《あふ》れる哀しいジョークであるが、この言葉はイングランドの守護聖人「聖ジョージ」との言葉遊びにもなっている（「聖人のようなジョージ（Saint-like George）」と「聖ジョージ（Saint George）」）。

聖ジョージは3～4世紀のローマ帝国の軍人で、馬でリビアのセレネを旅行中、その土地の王女クリオリンダが凶暴な竜《ドラゴン》の犠牲に選ばれ巣に向かうところを通り掛かり、王女を救うため竜と戦うと申し出る。壮絶な戦いの末、槍で竜に深手を負わせるが、聖ジョージはすぐに止《とど》めを刺さず、王女の腰帯で竜を縛り、町まで引いて行く。人々に「みながキリストを信じ洗礼すれば、竜を殺してしんぜよう」と告げると、王を含め全員が1日のうちにキリスト教を受け入れたため、竜を殺し首を刎《は》ねたという。聖ジョージは、この後もキリスト教の擁護者として働き、最後はディオクレティアヌス帝の迫害を受け殉教した。この竜退治は、キリスト教徒のあいだで異教(＝竜)、キリスト教会(＝王女)と悪を滅ぼす正義(＝聖ジョージ)の物語として、「黄金伝説」(13世紀のジェノバの大司教ヤコブス・デ・ウォラギネによるラテン語の聖人伝集成)によって広まり、十字軍以降、彼の名のついた騎士団が多数作られた。イタリアではジェノバやベネチアなどで町の守護聖人となり、1222年にはイングランドの守護聖人と定められ多くの教会が建設された。さらには1348年に制定されたガーター勲位の守護聖人になった。

Downing Street
ダウニング・ストリート

⑦05–069
US⑦077

【ダウニング街】ロンドンの官庁街。キングズリー・シャックルボルトは、ここでマグルの首相を護衛する任務についている。

ダウニング街はロンドンのホワイト・ホールからセント・ジェームズ・パークまでの官庁街。首相官邸(10番地)や大蔵大臣官邸(11番地)など高級官邸があるところから「イギリス政府」の代名詞としても使われる。名称は1680年ころこの通りを作ったG.ダウニング卿の名に因《ちな》んでいる。

第6章

Canapé カナッペ

⑦06-078
US⑦089

【カナッペ】ウィーズリー夫人がビルとフラーの結婚式のために作った料理。

カナッペは薄いパンやクラッカーに、キャビアやチーズ、肉類などを載せた前菜のこと。

Vol-au-vents ヴォローヴァン

⑦06-078
US⑦089

【ヴォローヴァン】パイ皮のケースに肉や魚などのクリーム煮を詰めたフランス料理(フランス語)。英語に直すと flight in the wind。ハリーは、自分たちの出発を遅らせようとあれこれ画策するウィーズリー夫人に対し、ヴォルデモートと似た音のこの料理を引き合いに出し、「おばさんがヴォローヴァン作りを命じて僕たちを引き止めるあいだに、誰かがヴォルデモートを殺しちゃうかもしれないよ」と不満をもらした。

Delacour, Monsieur ムッシュー・デラクール

⑦06-081
US⑦092

【デラクール氏】フラー・デラクールの父親(フランス人)。娘の結婚式に参列するためフランスから隠れ穴にやって来た。妻より頭一つ分背の低い、パンパンに太った、人のよさそうな魔法使い。顎《あご》の下には

先の尖《とが》った黒鬚《ひげ》が少しだけ生《は》えている。

Wilkins, Wendell and Monica
ウェンデル・アンド・モニカ・ウィルキンズ

⑦06-084
US⑦096

【ウェンデルとモニカ・ウィルキンズ夫妻】ハーマイオニーの両親の偽名。両親をヴォルデモートの魔の手から守るため、ハーマイオニーは二人に魔法をかけ、“自分たちはウェンデルとモニカ・ウィルキンズという名の子供がいない夫婦”であると思い込ませてオーストラリアに旅立たせた。

Descendo
ディセンド

⑦06-085
US⑦097

【ディセンド！下りよ】物を下におろす呪文。

Descendo はラテン語で「下る」、「降りて来る」の意。

Secrets of the Darkest Arts
シークレッツ・オブ・ザ・ダーケスト・アーツ

⑦06-089
US⑦102

【最も邪悪な闇の魔術の秘密】ダンブルドアが図書館から取り去った本。分霊箱の作り方や、それを元の魂に戻す方法が書いてある。ハーマイオニーは、この本で分霊箱の破壊方法を知った。

How in the name of Merlin’s pants
ハウ・イン・ザ・ネーム・オブ・マーリンズ・パンツ

⑦06-088
US⑦101

【いったいぜんたい】魔法界の感嘆表現。“How in the world”や“in the name of God”と同じで、疑問詞を強調し「いったいぜんたい〜なんだ？」を表す。“Why in the name of Merlin's saggy left —”（UK081/US092）や“What in the name of Merlin's most baggy Y-fronts”（UK187/US227）も同じ意味の卑俗表現。因《ちな》みに“Merlin's saggy left”は「マーリン（男性）のぶら下がっている左側の」、“Merlin's most baggy Y fronts”は「マーリンのものすごくだぶだぶのY

フロントパンツ（前面の縫い目が逆Ｙ字形になった男性のブリーフやトランクス）」のこと。 → マーリン（6巻の事典）

Enchantée アンシャンテ

⑦06-093
US⑦108

【はじめまして】フランス語の初対面の挨拶。Enchanté(e) de faire votre connaissance（はじめまして／お知り合いになれて嬉しい）の略。因《ちな》みに kissed her twice on each cheek「両頬《ほほ》に2回ずつキスをした（UK92/US107）」とあるが、これはフランス式の挨拶のキスのこと。お互いの頬と頬を触れ合わせて左右計4回（左右左右）行い、頬が触れ合うときにチュッと小さなキス音をたてる。頬に直接口をつけてキスをするわけではなく、デラクール氏は4回行ったが、地方によって回数は異なる（2回ないし4回が多い）。イギリスにはない習慣なのでモリーが戸惑ったのである。

Charmant! シャルマン！

⑦06-093
US⑦108

【すばらしい！】フランス語。英語で charming のこと。デラクール氏は娘の結婚式の座席表から花嫁付添い人の靴に至るまで、すべてについて「すばらしい！」と声をかけた。

Millamant's Magic Marquees ミラマンツ・マジック・マーキーズ

⑦06-094
US⑦109

【ミラマントの魔法のテント】パーティ用の大テントのレンタル業者。「いい仕事」をするので、ウィーズリーおばさんはビルとフラーの結婚式のテントをここに依頼した。

Millamant の出典は、イギリス人劇作家ウィリアム・コングリーヴ（1670–1729）の風習喜劇『世の習い（The Way of the World）』（1700）に登場するミラマント。『世の習い』は、互いに好意を寄せ合うミラベルとミラマントが、お互いの過去の恋愛や遺産相続問題などを乗り越え、めでたく結婚する物語。

第7章

Gorgovitch, Dragomir
ドラゴミール・ゴルゴビッチ

⑦07-096
US⑦112

【ドラゴミール・ゴルゴビッチ】有名なチェイサー。1995年に史上最高の移籍料でチャドリー・キャノンズに入団した。クアッフルのシーズン最多ゴール記録保持者。ハリーがグレゴロビッチの名前を聞いて誰なのか思い出せなかったときに、ロンがこの人物の名を挙げた。

Twelve Fail-Safe Ways to Charm Witches
トウェルブ・フェイル・セイフ・ウェイズ・トゥ・チャーム・ウィッチズ

⑦07-097
US⑦113

【魔女を虜《とりこ》にする12の絶対確実な方法】ハリーの誕生日にロンがプレゼントした本。女の子に関する知識がすべて載っている。ロンはフレッドとジョージからこれを貰《もら》ったが、去年のうちに読んでいればラベンダーとの別れ方や別の彼女(おそらくハーマイオニー)との付き合い方が分かったのに、と悔やんだ。

Enchanted razor
エンチャンテド・レイザー

⑦07-098
US⑦114

【魔法の剃刀《かみそり》】ビルとフラーがハリーに贈った誕生日プレゼント。デラクール氏によると、最高に滑らかな剃《そ》り心地だが、自分の要望をはっきり伝えないと短めに髪を切られてしまうことがあるという。

Mokeskin pouch
モークスキン・ポーチ

⑦07-102
US⑦120

【モーク革の巾着ポーチ】ハグリッドがハリーの誕生日に贈ったプレゼント。中に何でも隠すことができ、持ち主しか中身を取り出せない。長い紐《ひも》がついていて、首にかけられるようになっている。

モークはシルバーグリーン色のとかげ(JKRが創作した魔法動物)。自由自在に縮むことができる。革は鱗《うろこ》状の材質で、見知らぬ人が近づくと縮んでしまうので、財布やがま口などの材料として珍重されている。泥棒がモーク革の財布を見つけ出すのは困難だといわれている。

[幻**078**]

Weasel
ウィーゼル

⑦07-103
US⑦121

【イタチ】ウィーズリー(Weasley)おじさんの守護霊。

イギリスでイタチは縁起の悪い動物と見なされており、家の近くにイタチがいると不幸が起こり、それが鳴き声をたてると死人が出ると信じられていた。魔女が最も取りたがる姿はイタチともいわれている。しかしJKRの家族は長いあいだイタチを飼っていて「子供のころからイタチは大好きでした。個人的には意地悪でもなければ、悪運ももたらさないと思っています」と述べている。

[**JKR** 公式サイト]

Decree for Justifiable Confiscation, The
ザ・デクリー・フォー・ジャスティファイアブル・コンフィスケーション

⑦07-104
US⑦123

【正当押収令】遺言の中身など危険な品を押収する権限を、魔法省に与える法令。闇の魔術の品が魔法使いのあいだで遺贈されるのを阻止する目的で制定された。

Deluminator
デルミネーター

⑦07–106
US⑦125

【デルミネーター／消灯器】「灯《ひ》消しライター」の別名。ダンブルドア自らがデザインした、銀のライターのような小さな道具。カチッと鳴らすことで明かりを点けたり消したりできるほか、もう一つ別の機能がついている（会いたい人が自分の名前を言うと、その声がデルミネーターから聞こえ、カチッと鳴らすと移動キー《ポートキー》から発せられるような青い光の玉が現れて、その人の許《もと》に姿現わしできる）。ダンブルドアは遺言でこれをロンに残した。

［⑦**19**章］

Tales of Beedle the Bard, The
ザ・テイルズ・オブ・ビードル・ザ・バード

⑦07–106
US⑦125

【吟遊詩人ビードルの物語】ダンブルドアが遺言の中でハーマイオニーに残した小さな古い童話集。タイトルはルーン語で書かれ、表紙は汚れてところどころ剥《は》がれている。魔法界における『グリム童話』のようなもので、吟遊詩人ビードルが収集（または創作）した物語が紹介されている。ロンによると、魔法使いの家の子供たちは小さいときにこの本の童話を聞かされて育っているという。収録されている物語は「素晴らしい幸運の泉（The Fountain of Fair Fortune）」、「魔法使いと跳《は》ねるポット（The Wizard and the Hopping Pot）」、「バビティ・ラビティとコケコッコの切り株（Babbitty Rabbitty and her Cackling Stump）」や「三兄弟の物語（The Tale of the Three Brothers）」などである。

この本はJKRが実際にハリー・ポッター7巻執筆後に手書きで完成させ、7冊限定で発行された。すべてに別々の献辞がつき、イラストもJKR自らが描いた。銀やさまざまな宝石で装飾された革装丁の豪華本で、そのうちの6冊はJKRが内輪の人に贈ったが、1冊だけは2007年12月13日英サザビーズで慈善オークションにかけられ、オンライン書店のアマゾンが195万ポンド(約4億4,600万円)で落札した。現代文学の手書き原稿としては、史上最高の落札額だという。この手書きの本には上記4話のほか「魔法戦士の毛がはえた心臓(The Warlock's Hairy Heart)」が収められている。

Bard(吟遊詩人)とは、ハープを弾きながら古代ケルト族の伝説的な栄光物語を詠唱したケルト族の詩人のこと。

I open at the Close.

アイ・オープン・アット・ザ・クローズ

⑦07-113
US⑦134

【わたしは最期《さいご》に開く】ダンブルドアが遺言でハリーに残した金のスニッチに刻まれていた言葉。このスニッチは、生まれて初めてのクィディッチの試合で、ハリーが捕まえたもの。そのときのように彼が口の中にスニッチを入れると、ボールの表面にこの言葉が浮かび上がった。

[①279][⑦34章]

Fountain of Fair Fortune, The

ザ・ファウンテン・オブ・フェア・フォーチュン

⑦07-114
US⑦135

【素晴らしい幸運の泉】『吟遊詩人ビードルの物語(The Tales of Beedle the Bard)』に収録されているおとぎ話。タイトルはFで頭《とう》韻《いん》を踏んでいる。

『ビードルの物語』を落札したアマゾンによると、不幸な人に永遠の幸運をもたらす泉を探す旅に出た三人の魔女(不治の病に冒された“アシャ”、魔法使いに財産を奪われ貧しい“アルセダ”、恋人に捨てられ悲しみに暮れる“アマタ”)と鎧《よろい》の騎士(運なし卿)の物語。困難な旅の末に四人は泉を見つけるが、中に浸《つ》かれるのは不幸な者一人だけ。しかもアシャは長旅の疲れで瀕死《ひんし》の状態になってしまう。アシャは三人に泉を譲るが、アルセダが魔法薬を調合して彼女に飲ませると全快。自分に類《たぐい》まれなる魔法薬調合の能力があることに気づいたアルセダは、これを使ってお金を稼げると喜び、アルセダとアシャは泉に入る必要がなくなった。アマタもひとたび恋人に対する悲しみが消えると、彼の本当の姿（残酷で不誠実）が見え、未練のなくなった彼女はこれまで勇敢に助けてくれた運なし卿に入るよう勧める。騎士は驚くが、泉に浸かるとアマタに跪《ひざまず》き求愛。アマタはとうとう自分にふさわしい男を見つけることができ、三人の魔女と一人の騎士は幸せになったのであった。

Wizard and the Hopping Pot, The

ザ・ウィザード・アンド・ザ・ホッピング・ポット

⑦07-114
US⑦135

【魔法使いと跳《は》ねるポット】『吟遊詩人ビードルの物語』に収録されている童話。あるところに親切な魔法使いのおじいさんがいて、ポットを使って近所のマグルたちの病気などを治していた。おじいさんは高齢で亡くなり、魔法使いの息子がポットを相続するが、意地悪な息子は悩みごとを抱えたマグルが訪ねて来ても、扉を閉め相手にしなかった。するとポットから足が生《は》え、訪ねてきたマグルたちの悩みがポットに取り憑《つ》くように。息子はポットから逃げようとするが付き纏《まと》われ、とうとう改心しマグルを助けるようになる。するとポットは元に戻り（足は生えたままであるが）、魔法使いとポットは仲良く暮らしたのであった。

Babbitty Rabbitty and her Cackling Stump

バビティ・ラビティ・アンド・ハー・カックリング・スタンプ

⑦07-114
US⑦135

【バビティ・ラビティとコケコッコの切り株】『吟遊詩人ビードルの物語』に収められているおとぎ話。Babbitty と Rabbitty が-abbitty で脚韻《きゃくいん》を踏んでいる。アマゾンによると、魔法を独り占めしようとした愚かな王様の物語。王様は魔法使い狩りをするが、王の洗濯女で魔女のバビティ・ラビティに懲《こ》らしめられてしまう。JKR は「マグルの迫害に仕返しをする魔女の物語」だと明かしている。

第8章

Cousin Barny

Weasley, Barny／Barry

カズン・バーニー／バーニー・ウィーズリー／バリー

⑦08-115
US⑦137

【いとこのバーニー／バーニー・ウィーズリー／バリー】ビルとフラーの結婚式でハリーが成りすました人物。ハリーはポリジュース薬でマグルの少年に変身し、この名前を名乗っていた。

Lugless

Your Holeyness（US版）

ラッグレス／ユア・ホーリネス

⑦08-116
US⑦138

【耳なし】片方の耳がなくなってしまったジョージに対してフレッドが冗談でつけたあだ名。

Lug はイギリス口語で「耳」のこと。-less は「～がない」という接尾語なので、lugless で「耳なし」を意味する。この語は米国人になじみがないため、原書アメリカ版では Your Holeyness（英語 holeyness は「穴があること」の意）に変更され、ローマ教皇への呼びかけ Your Holiness と掛けている（発音が同じ）。

Permettez-moi to assister vous

ペルメテ・モア・トゥ・アシステ・ヴ？

⑦08-116
US⑦138

【お助けシマショカ？】ビルとフラーの結婚式で、フレッドが二人組の可愛いフランス人にこう声を掛けてエスコートした。

Permettez moi de vous assister (Permit me to assist you)?が正しい表現。

Gernumbli gardensi
ゲルナンブリ・ガーデンシ

⑦08-117
US⑦140

【ゲルナンブリ・ガーデンシ】ラブグッド氏によると、これが庭小人の正しい名称とか。

ラテン語の学名のようであるが、JKRの造語。

Grindelvald's sign
グリンデルバルドズ・サイン

⑦08-124
US⑦148

【グリンデルバルドの印】死の秘宝の三角の目のような印のこと。闇の魔法使いグリンデルバルドは、これを自分のシンボルマークにしていた。彼は学生時代、ダームストラングの校舎の壁に、これを刻みつけたという。　→　デスリー・ハロウズ(20章)

Lancelot
ランスロット

⑦08-130
US⑦156

【ランスロット】ミュリエル叔母のいとこ。アリアナ・ダンブルドアが生きていた時代、聖マンゴ病院で癒師《いし》として働いていた。アリアナは病弱であったと伝えられているが、彼女が聖マンゴに通ったことは一度もなかったと叔母家族に打ち明けた。

ランスロット(ランスロ)はアーサー王伝説の円卓の騎士の一人。王妃グィネヴィアとの密通の罪のため聖杯探索に失敗し、その不義の露《ろ》顕《けん》によりアーサー王と離反。さらにモルドレッドの反乱を招き、王国を滅ぼす。尼となったグィネヴィアが亡くなると「私の誤りと傲慢《ごうまん》さと自尊心ゆえに、この世で比べもののないお二人(アーサーとグィネヴィア)が亡くなった」と嘆き、食を絶ち死を迎えた。最高の騎士であるが、王国崩壊の原因の一つを生み出す悲劇的な人物。

Lynx
リンクス

⑦08-133
US⑦159

【オオヤマネコ】キングズリー・シャックルボルトの守護霊。結婚式の日に魔法省が陥落したことなどを伝えた。

オオヤマネコは、ヨーロッパでは昔から鋭い視力を持つとされ、壁や城壁を見通す能力があると信じられていた。また紋章学では「抜け目なさ」や「すぐれた思考力」を象徴している。

第9章

Tottenham Court Road
トッテナム・コート・ロード

⑦09-135
US⑦161

【トッテナム・コート通り】ハーマイオニーがロンとハリーを連れて結婚式会場から逃げてきた通り。

トッテナム・コート通りは、ロンドンのウェスト・エンドに実在する大通り。電気店が軒を連ねている。地下鉄のトッテナム・コート・ロード駅を挟《はさ》んでチャリング・クロス通りと繋《つな》がっており、駅から北側はトッテナム・コート通り、南側がチャリング・クロス通りと名称が変わる。ハーマイオニーはマグルの両親とチャリング・クロス通りの漏れ鍋（ダイアゴン横丁）に来るときなどにトッテナム・コート・ロード駅を使用し、このあたりに土地勘があったのかもしれない。

Extension Charm, Undetectable

Undetectable Extension Charm

アンデテクタブル・エクステンション・チャーム

⑦09-135
US⑦162

【拡張呪文】物の外側の大きさを変えず、内部だけを広げる呪文。ハーマイオニーは小さなビーズのハンドバッグにこれを唱えて内側を拡張し、中に三人分の着替えの洋服、書籍、テントから歯ブラシのような小物まで、旅に必要な一切合財《いっさいがっさい》をすべて詰め込んでいた。これが唱えられた物の中に、たくさん中身を入れても重量は変わらないが、落とすとドサッと大きな音がする。中身を取り出すときは「アクシオ！」を使う。

［⑦14章など］

Building society

ビルディング・ソサエティ

⑦09-138
US⑦165

【住宅金融組合】イギリスに実在する金融機関。もともとは住宅購入・改築のための抵当融資の銀行であったが、現在は通常の銀行業務のほとんどを行っている。利息が高いので子供のときからここに口座を作り、貯金している人が多い。ホークラックス探しの旅にマグルのお金が必要になると考えたハーマイオニーは、隠れ穴に来る前に、ここに預けていた自分の貯金をすべて引き出していた。

Expulso!

エクスパルソ！

⑦09-138
US⑦165

【エクスパルソ！爆発せよ！】物を爆発させる呪文。トッテナム・コート通りのカフェで、トルフィン・ロウル(Thorfinn Rowle)がこれを唱えると、テーブルが爆発した。

Expulso はラテン語で「放逐する」、「投げる」の意。

Rowle, Thorfinn
トルフィン・ロウル DE

⑦09-139
US⑦166

【トルフィン・ロウル】ブロンドで大柄の死喰《しく》い人《びと》。1997年6月(6巻)にホグワーツに侵入したメンバーの一人。死の呪文をあたり構わず発射し、仲間のギボンを殺してしまった。6巻では「巨大な(大きな)ブロンド」と表現されていたが、7巻では実名で登場。ハリーたちを取り逃がしヴォルデモートから拷問を受けた。

[⑥下446] [⑦9章、34章]

Tongue-Tying Curse
タング・タイイング・カース

⑦09-142
US⑦170

【舌もつれ呪文】舌をもつれさせ、ある特定の言葉を話せなくさせる呪文。スネイプによる不死鳥の騎士団の場所の漏洩《ろうえい》を防ぐため、マッド-アイ・ムーディがグリモールド・プレイス12番地にこれをかけた。これを唱えられると舌が後ろに丸まり、一時的に話せなくなる。すぐに元に戻るが、それ以降、特定の言葉(7巻では「グリモールド・プレイス12番地」)が言えなくなってしまう。呪文の唱え方は『呪いのかけ方、解き方(友人をうっとりさせ、最新の復讐《ふくしゅう》方法で敵を困らせよう—ハゲ、クラゲ脚、舌もつれ、その他あの手この手—)』に載っているようである。

グリモールド・プレイスには、このほかダンブルドアの粉像などのスネイプ対策が取られたが、JKRは「スネイプは、ダンブルドアの死の直後、まだムーディが呪文をかける前に屋敷に入りました」と告白している。

[①122] [BLC2007] [⑦6章 UK079/US090、11章、12章、33章]

Homenum revelio
ホメナム・レベリオ

⑦09-143
US⑦171

【ホメナム・レベリオ、人いでよ!】人の存在をあばき出す呪文。

ハーマイオニーはグリモールド・プレイスでこれを唱え、人が隠れていないことを確認した。

JKRは、アルバス・ダンブルドアが透明マントを見透《とお》していたのはこの呪文を無言で唱えていたからだと説明している。Homenumはラテン語homo(人間)の複数属格hominumからの造語、revelioはラテン語revelo(「あらわにする」、「覆いを取る」、「現す」)からの造語。

[**BLC2007**][⑦**21**章]

第10章

Black, Regulus Arcturus
レギュラス・アルクトゥルス・ブラック DE S

⑦10–153
US⑦186

【レギュラス・アルクトゥルス・ブラック】(1961–1979)シリウス・ブラックの弟。R.A.B.の正体。狂信的な純血主義者の両親の言うことを信じ、1978年ころ死喰《しく》い人《びと》になった。最初のうちは喜んで仕えていたが、1979年ヴォルデモートが屋敷しもべ妖精を殺しかけたため反旗《はんき》を翻《ひるがえ》し、ホークラックスの洞窟に行き、ロケットをすり替え死亡した。シリウスは本当の死因を知らなかったため、5巻で「弟は命令されて自分がやっていることに恐れをなし身を引こうとしたが、ヴォルデモートの命令で殺された」とハリーに話している。

Arcturusは、北天の牛飼い座のアルファ星。全天第6位、北天第3位の明るい星。大角星《おおつのほし》の和名がある。Regulus(レグルス)は獅子《しし》座のα星で1.4等星。ラテン語では「王子」を意味し、自分たちが「王族」だと信じていたブラック夫妻の「子供」であることを示している。既出の人物であるが、7巻の内容に触れるため、こちらでも解説した。生没年はJKR直筆のブラック家家系図から。

［⑤上184〜185］

第11章

Muggle-born Register
マグルボーン・レジスター

⑦11-172
US⑦209

【マグル生まれ登録】マグル生まれ（マグルの両親から生まれた魔法使い）であることを魔法省に登録すること、およびその制度。1997年8月ヴォルデモートの統制化に置かれた魔法省は、魔力は魔法使いのあいだにのみ受け継がれるもので、魔法使いの祖先のいないマグル生まれは、魔力を窃盗《せっとう》または強奪した可能性があるとして、魔力の強奪者の根絶を決定。マグル生まれに召喚状を送り、「マグル生まれ登録委員会」の尋問《じんもん》に出席することを義務づけた。マグル生まれは、最低1名の魔法使いの親戚がいることを証明できなければ、魔力を不正に得たと判断され、罰せられることになった。

Muggle-born Register Commission
マグルボーン・レジスター・コミッション

⑦11-172
US⑦209

【マグル生まれ登録委員会】ヴォルデモート統制下の魔法省に、新たに設置された委員会。マグル生まれはここに出頭し、「マグル生まれ登録」をすることが義務づけられた。委員長はドローレス・アンブリッジ。

［⑦13章］

Blood Status
ブラッド・ステータス

⑦11-173
US⑦210

【血統的身分／血統階級】「純血」や「半純血」など、魔法使いを血統で分けた場合の地位（位置）。1997年8月ヴォルデモートが魔法省を掌《しょう》握《あく》すると、マグル生まれを排除する手段として、イギリスのすべての就学年齢に達した魔女や魔法使いは、ホグワーツに入学することが義務づけられた。対象となった子供は入学前に血統的身分（Blood Status）を調査され、魔法使いの家系の出であることが証明された子供のみが入学を許可された。

［⑦**12**章、**13**章］

Mould-on-the-Wold
モルド・オン・ザ・ウォルド

⑦11-179
US⑦217

【モルド・オン・ザ・ウォルド】ダンブルドア一家が住んでいた場所。アリアナはここでマグルの少年たちに襲われた。一家は、父親パーシバルがマグルに復讐《ふくしゅう》してアズカバン送りになったのち、ゴドリックの谷に引越した。ここには多くの魔法使いの家族が住んでいる。

英語 Mould（米語 mold）は「沃土（肥沃な土地）」、Wold は「不毛の高原」や「広い原野」の意。直訳すると Mould-on-the Wold で「荒れた高原の豊かな土地」という不思議な場所になる。Mould と Wold が ould の音で脚韻《きゃくいん》を踏んでいる。

Plangentine
プランジェンタイン

⑦11-179
US⑦218

【プランジェンタイン】魔法界の植物または果物。バチルダ・バグショットが初めてアリアナを目撃したのは、冬の月夜にこれを採集していたときだった。

英語 plangent「もの悲しく鳴り響く」からの造語。冬の月夜に摘《つ》み取らなくてはならない、物悲しく鳴く植物（果物）なのかもしれない。

第12章

Er wohnt hier nicht mehr!

エア・ヴォーント・ヒア・ニヒト・メーア！

⑦12-191
US⑦232

【彼はもうここに住んでいない】ヴォルデモートにグレゴロビッチの消息を聞かれた女性は、ドイツ語でこう答えた。英語で He does-n't live here anymore! の意。

Das weiß ich nicht!

ダス・ヴァイス・イッヒ・ニヒト！

⑦12-191
US⑦233

【分からないわ】グレゴロビッチの消息を聞かれた女性がヴォルデモートにこう答えた。英語で I don't know！のこと。

Ministry token

ミニストリー・トークン

⑦12-195
US⑦238

【魔法省のコイン(トークン)】 魔法省本部に入る際に必要な小さな金貨。M.O.M.(魔法省 Ministry of Magic の略)の刻印がついている。公衆トイレのような場所で、扉のスロットにこのコインを入れて個室の中に入り、便器の中に立ち自分自身を流すと魔法省に到着する。

　Ministry token は解説の便宜上つけた名前で、本には the tokens と記載されている。

Cattermole, Reginald (Reg)
Magical Maintenance, Mr
レジナルド・キャターモール／レッグMM

⑦12-195
US⑦238

【レジナルド・キャターモール／レッグ】魔法ビル管理部の職員。フェレットのような顔をした小柄な魔法使い。あだ名はレッグ。妻はマグル生まれのメアリー、子供はアルフレッド、エリー、メイジーの三人。ロンは1997年9月2日、この人物に成りすまし魔法省に潜入した。この日、妻が「マグル生まれ登録委員会」に召喚されており、魔法省の取り調べ室で会う約束になっていた。

キャターモールの初出は7巻12章（UK197/US240）、レジナルドの初出は13章（UK213/US259）。

Runcorn, Albert
アルバート・ランコーンMM

⑦12-199
US⑦242

【アルバート・ランコーン】魔法省の背の高い筋肉質の職員。1997年9月2日魔法省に潜入したとき、ハリーはこの人物に変身した。アーサーによると、家系図を偽造している魔法使いを見つけ出す仕事を行っており、ダーク・クレスウェルを摘発しアズカバンに送ったのもランコーン。

ランコーンは、イングランド北西部チェシャー州にあるニュータウンの名前。

Albert の初出は7巻12章（UK201/US245）。

［⑦**13**章］

MAGIC IS MIGHT
マジック・イズ・マイト

⑦12-198
US⑦242

【魔法は力なり】魔法省のアトリウムに設置された巨大な彫像の台座に刻まれていた言葉。Might is right（力は正義なり）という諺《ことわざ》のもじり。

Atmospheric Charm
アトモスフェリック・チャーム

⑦12–201
US⑦244

【気象魔法】天候を操作する魔法。内容は明かされてないが、本物の空と同じ天気を再現する術と推測される（おそらくホグワーツ大広間の天井や魔法省の窓には、これがかかっている）。ハーマイオニーは1997年9月の魔法省潜入の際、ヤックスリーのオフィスに雨が降ったのはこの呪文が故障したからだと推理した。彼女によると、この呪文の修正は難しいので雨を止めるには「フィニート　終われ」か「インパービアス！防水せよ！」が効果的だという。英語 atmospheric は「大気の」、「大気によって引き起こされる」の意。

［⑤上212］

第13章

Undesirable
アンデザイアラブル

⑦13–204
US⑦247

【有害人物】好ましからざる魔法使いのこと。ヴォルデモートに支配された魔法省は、アーサー・ウィーズリーやハリー・ポッターをこれのナンバー1（Undesirable No.1）に指定した。

MUDBLOODS and the Dangers They Pose to a Peaceful Pure-Blood Society

マッドブラッズ・アンド・ザ・デンジャーズ・ゼイ・ポーズ・トゥ・ア・ピースフル・ピュアブラッド・ソサイアティ

⑦13-205
US⑦249

【穢《けが》れた血およびそれが平和な純血社会に及ぼす危険性】魔法省内で作成されていたパンフレットのタイトル。

Armando Dippet：Master or Moron?

アーマンド・ディペット：マスター・オア・モラン？

⑦13-208
US⑦252

【アーマンド・ディペット：名校長？それとも迷校長？】リータ・スキーターが書いた“ベストセラー”のタイトル。

Wakanda

ワカンダ MM

⑦13-209
US⑦254

【ワカンダ】魔法省の職員。ブロンドの髪を逆毛立ててふくらませ、蟻塚《ありづか》のように高くしている年寄りの魔女。ウィーズリー氏と一緒にハリーのいるエレベーターに乗り込んできた。

ワカンダ「wakan(da)／wakonda」は、アメリカインディアンのスー族などが信じている超自然力（守護霊）。

Pillsworth, Bernie

バーニー・ピルズワース MM

⑦13-210
US⑦255

【バーニー・ピルズワース】魔法省の職員。レジナルド・キャターモールに成りすまして魔法省に潜入したロンが、省内で探した人物。気象魔法（Atmospheric Charm）が得意のようである。

Meteolojinx recanto

メテオロジンクス・リカント

⑦13-210
US⑦255

【天候解消魔法】悪天候の原因となっている魔法を取り消す呪文。ブレッチリーのオフィスに雨が降ったときは、この呪文が効果的だった。本に詳しい解説はないが、「気象魔法(Atmospheric Charm)」の反対呪文かもしれない。

Meteolojinxは英語meteorology「気象」とjinx「呪い」の合成語。Recantoはラテン語canto「呪文を唱える」に、「元へ」、「戻って」、「反対に」の意の接頭語re-を付けた合成語で、意味は「呪文を取り消す」。

Bletchley
ブレッチリー MM

⑦13-210
US⑦255

【ブレッチリー】魔法省職員。「天候解消魔法(meteolojinx recanto)」でオフィスの雨を消した。マイルズ・ブレッチリーの父親かもしれない。

Alderton, Arkie
アーキー・アルダートン

⑦13-212
US⑦257

【アーキー・アルダートン】有名な箒《ほうき》デザイナー。この人物の息子と名乗る男が、魔法省でマグル生まれの嫌疑をかけられた。

Cattermole, Mary Elizabeth
メアリー・エリザベス・キャターモール

⑦13-212
US⑦258

【メアリー・エリザベス・キャターモール】レジナルド・キャターモールの妻。夫とのあいだに三人の子供アルフレッド、エリー、メイジーがいる。マグル生まれの魔女で両親は青果商。1997年9月2日魔法省で「マグル登録委員会」の取り調べを受けた。

Cattermole, Maisie
メイジー・キャターモール

⑦13-213
US⑦259

【メイジー・キャターモール】レジナルドとメアリー・キャターモールの娘。

Cattermole, Ellie
エリー・キャターモール

⑦13–213
US⑦259

【エリー・キャターモール】レジナルドとメアリー・キャターモールの娘。

Cattermole, Alfred
アルフレッド・キャターモール

⑦13–213
US⑦259

【アルフレッド・キャターモール】レジナルドとメアリー・キャターモールの息子。

Geminio!
ジェミニオ！

⑦13–216
US⑦263

【ジェミニオ！複製せよ！】もとの物とまったく同じ物を別に作り出す呪文。ハーマイオニーはアンブリッジのロケットにこれを唱えて複製した。

ラテン語 gemino（「複製する」、「重複させる」）からの造語。

Otter
オッター

⑦13–217
US⑦263

【カワウソ】ハーマイオニーの守護霊。

水生哺《ほ》乳《にゅう》類《るい》であるカワウソは聖なる存在とされ、犬と同じように死者の霊魂を導くと考えられていた。紋章学では「思慮分別」を表す。

第14章

Revulsion Jinx
リバルション・ジンクス

⑦14-223
US⑦271

【引き離し呪文】相手を無理に引き離す呪い。ハーマイオニーはこれを使ってヤックスリーから逃げた。

英語 revulsion は「急激な反動」という意味。その語源はラテン語 revulsio「もぎ離す」、「引き裂く」。

Salvio hexia
サルビオ・ヘクシア

⑦14-224
US⑦272

【サルビオ・ヘクシア】保護呪文の一種。内容は明かされていないが、唱えた場所を他の呪いから護《まも》る効果があると思われる。ハーマイオニーは保護したい場所の周りをぐるっと走り(歩き)ながらこれを唱えた。

ラテン語 salveo（「健康である」、「健在する」）と英語 hex「呪い」からの造語。

[⑦22章]

Protego totalum
プロテゴ・トタラム

⑦14-224
US⑦272

【プロテゴ・トタラム、全体保護】唱えた場所を全体的に(完全に)保護する。

Protego はラテン語で「保護する」の意。Totalum はラテン語 totalis

「全体の」に由来する語。

［⑦22章］

Repello Muggletum
レペロ・マグルタム

⑦14-224
US⑦272

【レペロ・マグルタム】マグル避《よ》け呪文の呪文の言葉。マグルを追い払う魔法。これがかけられた場所に来ると、マグルは突然急用を思いつき慌《あわ》てて引き返す。クィディッチ・ワールドカップの競技場や魔法使いの学校に唱えられている。

Repelloはラテン語で「遠ざける」、「追い払う」の意。MuggletumはJKRの造語「マグル」のラテン語風アレンジ。

Erecto!
エレクト！

⑦14-225
US⑦273

【エレクト！組み立てよ！】テントなどを立てる（組み立てる）呪文。ハーマイオニーはこれを唱えてテントを立ち上げた。

Erectoの出典は、英語erect（「建てる」、「組み立てる」）の語源のラテン語erigo（「建立する」、「（建物を）設立する」、「起こす」）。

Cave Inimicum
カーベ・イニミカム

⑦14-225
US⑦273

【カーベ・イニミカム、警戒せよ】敵の侵入から建物などを守る防御呪文。ハーマイオニーはキャンプ地で自分たちのテントを保護するためにこれを唱えた。

ラテン語caveo（「警戒する」、「用心する」）とinimicus「敵」の合成語。

［⑦22章］

Wandlore
ワンドロア

⑦14-232
US⑦282

【杖伝承／杖学】杖にまつわる伝承や知識のこと。杖が持ち主の魔法使いを選ぶことや、勝ち取られた杖はたとえそれが（魔力でなく）力ずくで奪われたものであっても新たな主人に忠誠を尽くすようになる、といった教え。

Lore は英語で「（伝承・信仰・風習などの）知識」、「知恵」、「伝説」の意。

第15章

Pass (-) the (-) parcel
パス・ザ・パーセル

⑦15-239
US⑦290

【包み渡し（小包回し）】 ハリーたちはこのゲームのように、分霊箱を持つ担当を一日ずつ順々に交代していった。

Pass the parcel はイギリスなど海外で定番の子供向けパーティ・ゲーム。あらかじめ包装紙と小さなおもちゃ（お菓子など）を人数分用意し、まず一つのおもちゃを包装紙で包み、それを核にしてその上におもちゃを置いてくるみ、というようにして大きめの小包を作っておく。遊ぶときは子供を輪になって座らせ、音楽（大人が担当）に合わせて包みを順々に手渡していき、音楽が終わったところで持っている子供が包装を一枚開き、出てきた中身を一つ貰《もら》う。音楽担当の大人は、全員にプレゼントが行き渡るようにストップをかける。おもちゃだけでなく、罰ゲームを書いた紙などを入れておくと、パーティはさらに盛り上がる。ハリーたちの場合は、手渡したのが分霊箱であったため盛り上がらなかったが……。

Gamp's Law of Elemental Transfiguration
ガンプス・ロウ・オブ・エレメンタル・トランスフィギュレーション

⑦15–241
US⑦292

【ガンプの基本的変身術の法則】変身術に関する魔法界の法則。これには五大除外（例外）品種があり、その一つが食べ物。何もないところから食べ物を魔法で出すことはできない。

Gornuk
ゴルヌック

⑦15–242
US⑦295

【ゴルヌック】太い声のゴブリン。魔法使いの要求を断ったため身の危険を感じ、グリンゴッツから脱走した。グリップフックやテッド・トンクス、ディーン・トーマス、ダーク・クレスウェルと合流して逃亡生活を送っていたが殺されてしまった。

［⑦**22**章］

Obscuro!
オブスキュロ！

⑦15–247
US⑦301

【オブスキュロ！目隠しせよ！】相手の日を目隠しで覆い、見えないようにする呪文。ハーマイオニーはこれをフィニアス・ナイジェラスの絵に唱えた。

Obscuro はラテン語で「暗く（闇に）する」、「隠す」、「覆う」の意。

第16章

Tinworth
ティンワース

⑦16-261
US⑦318

【ティンワース】イングランド南西部コーンウォール州にあるとされる村。1689年の国際機密保持法の調印以降、マグルの前から姿を隠さなければならなくなった魔法使いたちが、集まって住んだ村の一つ。シェルコテージ(Shell Cottage)は、この村のはずれにある。

Tinworth は架空の村で、イギリスに実在しない。

Upper Flagley
アッパー・フラグリー

⑦16-261
US⑦319

【アッパー・フラグリー】イングランド北東部ヨークシャー州にあるとされる魔法使いの村。

Upper Flagley は架空の村。

[⑦22章]

Where your treasure is, there will your heart be also.
ホウェア・ユア・トレジャー・イズ、ゼア・ウィル・ユア・ハート・ビー・オルソー

⑦16-266
US⑦326

【あなたの宝のあるところには、心もある】ケンドラとアリアナ・ダンブルドアの墓の墓碑銘《ぼひめい》。

新約聖書「マタイによる福音書」第6章21節の言葉で、キリストがガ

リラヤ湖畔の山上で行った有名な“山上の説教”の一節。「ハリー・ポッター」で初めて聖書が引用されたため話題になった。この言葉の前の19～20節で「あなたがたは自分のために、虫が食い、さびがつき、また、盗人《ぬすびと》らが押し入って盗み出すような地上に、宝をたくわえてはならない。むしろ、自分のため、虫も食わず、さびもつかず、また、盗人らが押し入って盗み出すこともない天に、宝をたくわえなさい」と述べ、「あなたの宝のある所には、心もあるからである」と説いている。この場合の「宝」とは“財産”や“お金”ではなく、“自分が大切にしているもの”や“積み上げてきたもの”を指す。宝を何にするかで心が変わり、ひいては人生が変わる。地上にたくわえた宝は“自分だけの宝”であるが、天上の宝は“神の前に永遠に残るもの”となる。だから“(永遠に残る)心を豊かにするもの”、“人生を正しく導くもの(キリスト教会では“キリスト”を指す)” を宝にせよ(＝大切にせよ)と教えている。

JKRは7巻発売後のインタビューで「ハリーがゴドリックの谷で目撃する二つの墓碑銘は、『ハリー・ポッター』シリーズ全体のテーマを要約しています」と解説している。

→ザ・ラスト・エネミー・ザット・シャル・ビー・デストロイド・イズ・デス

Peverell, Ignotus
イグノタス・ペベレル

⑦16–268
US⑦327

【イグノタス・ペベレル】ペベレル家三兄弟の最年少。兄はアンティオク(Antioch)とカドマス(Cadmus)。死の秘宝の一つである透明マントを作ったとされる人物でハリーの先祖にあたる。

Ignotusはラテン語で「知られていない(無名の)」、「卑しい(生まれの)」の意であるが、この名の出典は兄アンティオク(ラテン語名アンティオキア)とともに、「アンティオキアのイグナティオス(Ignatios)」(35–110年ころ)であろう。アンティオキア(古代シリアの町)の第二代司教で、トラヤヌス帝の時代(110年ころ)に逮捕され、野獣の餌食《えじき》として殉教した。処刑のためにローマに護送されるあいだに各地の教会に宛てて手紙を書き、そのうちの7つの書簡が現存している。JKRはペベレル家について「ハリーとヴォルデモートの家系は、ペベレル家を通じて遠縁で繋《つな》がっています。ほとんどの魔法使いの家族は、何百年もさかのぼればみんな繋がっていて、ペベレル家の血は、多くの魔法使いの家族に流れているのです」と述べている。

［**BLC2007**］

The last enemy that shall be destroyed is death

ザ・ラスト・エネミー・ザット・シャル・ビー・デストロイド・イズ・デス

⑦16-268
US⑦328

【最後の敵として滅ぼされるのが死である】ジェームズとリリー・ポッター夫妻の墓の墓碑銘《ぼひめい》。新約聖書「コリント人への第一の手紙」15章26節からの引用。

この墓碑銘は、ハーマイオニーが墓の前でハリーに話したように「死を超えて生きる」、「死後に生きる」を意味し、物語終盤で描かれる復活の伏線となっている。これについてJKRは「ハリーがゴドリックの谷で発見する二つの墓碑銘は、シリーズ全体のテーマを要約するもの」だと告白し、これまで特定の宗教(キリスト教)を物語に入れなかったのは「子供の本に宗教を持ち込むことを恐れたわけではありません。私にとって、キリスト教とハリー・ポッターの類似は最初から歴然としていました。しかし、物語の行き着く先を読者に教えてしまうことになるため、これまで入れなかったのです」とし、キリスト教を引用すると、読者に結末のヒントを与えることになるので挿入しなかったと説明している。

［**OBT** 記者会見］

第17章

Everlasting Ink

エバーラスティング・インク

⑦17-272
US⑦333

【万年インク】永久に消えないインク。ハリーがゴドリックの谷で見つけたポッター家の屋敷の看板は旅行者によって落書きされており、中にはこのインクで書かれたサインもあった。

Blasting Curse

ブラスティング・カース

⑦17-285
US⑦349

【爆破呪文】物を爆破させる呪文。呪文の言葉は「コンフリンゴ！」。ハーマイオニーがナギニにこれを唱えると、呪文があちこちに跳《は》ね返りハリーの杖に当たってしまった。

第18章

Barnabus Finkley Prize for Exceptional Spell-Casting

バーナバス・フィンクリー・プライズ・フォー・エクセプショナル・スペルキャスティング

⑦18–288
US⑦353

【バーナバス・フィンクリー優秀呪文賞】並はずれた呪文のかけ手に贈られる賞。アルバス・ダンブルドアが18歳までに獲得した賞の一つ。

British Youth Representative to the Wizengamot

ブリティッシュ・ユース・リプレゼンタティヴ・トゥ・ザ・ウィゼンガモット

⑦18–288
US⑦353

【ウィゼンガモット・イギリス青年部代表】アルバス・ダンブルドアが18歳までに得た肩書き。

Ground-Breaking Contribution to the International Alchemical Conference in Cairo

グランドブレーキング・コントリビューション・トゥ・ザ・インターナショナル・アルケミカル・カンファレンス・イン・カイロ

⑦18–288
US⑦353

【カイロ国際錬金術会議特別功労者賞】アルバス・ダンブルドアはホグワーツ在学中、これの金賞を受賞した。

Smeek, Enid

イーニッド・スミーク

⑦18–289
US⑦354

【イーニッド・スミーク】1899年にゴドリックの谷の村はずれに住んでいた魔法使い。『アルバス・ダンブルドアの一生と偽《いつわ》り（The Life and Lies of Albus Dumbledore）』の中でアバーフォースのことを

“おかしな奴”と評した。

Trans-Species Transformation
トランススペーシーズ・トランスフォーメーション

⑦18–289
US⑦354

【異種間変化】これに関するアルバス・ダンブルドアの論文が、『変身現代』に掲載された。リータ・スキーターの本によると、この論文に感銘を受けたバチルダ・バグショットがアルバスにふくろう便を送り、ダンブルドア家との交流が始まったという。

The fire's lit, but the cauldron's empty
ザ・ファイアズ・リット・バット・ザ・コールドロンズ・エンプティ

⑦18–290
US⑦355

【頭からっぽ（役に立たない）】マグル界の表現 The lights are on but nobody's（nobody is at）home.「（外見ではわからないが）バカである」の魔法界バージョン。Nobody's home「家の中はからっぽ」が、cauldron's empty「鍋の中はからっぽ」に変わっている。

Grindelwald, Gellert
ゲラート・グリンデルバルド（2）

⑦18–290
US⑦355

【ゲラート・グリンデルバルド】（1883？–1998）アルバス・ダンブルドアが1945年に破った金髪の闇の魔法使い。バチルダ・バグショットの甥（姪）の息子。

1883年ころ生まれたグリンデルバルドはダームストラング校に入学し、在学中はダンブルドアに比肩するほど優秀な生徒であったが、闇の魔術への傾倒が過ぎたため16歳（1899年）で退学処分となった。死の秘宝に魅了されていた彼は、その年の夏イグノタス・ペベレルの墓があるゴドリックの谷に行き、大おばのバチルダ・バグショットの家に滞在。隣人のダンブルドアと知り合い、意気投合した。親密な関係になった二人は、死の秘宝の獲得やマグルを支配する壮大な計画に熱中したが、数週間後アリアナの世話を巡ってアバーフォースと言い合いになる。喧嘩《けんか》に巻き込まれたアリアナが命を落とすと、グリンデルバルドは逃走。ダンブルドアの考えた「より多くの善のために(FOR THE GREATER GOOD)」をスローガンに軍を起こし、監獄「ナーマンガード(Nurmengard)」を建設して反逆者を収容していった。秘宝の一つニワトコの枝(Elter Wand)をグレゴロビッチから盗み、所有していたが、1945年ダンブルドアとの戦いに敗れ奪われた。逮捕されてからはナーマンガードの最上階の独房に幽閉されていたが、1998年ヴォルデモートに殺された。晩年は改心し、殺害される前に「ニワトコの杖を持ったことがない」とヴォルデモートに嘘をついた。

1945年に倒されたグリンデルバルドは、同年に死亡したアドルフ・ヒトラー(1889-1945)を連想させる。ヒトラーはオーストリア生まれのドイツの政治家で、1919年にドイツ労働者党(ナチスの前身)に入党、1921年党首に就任し党の全権を掌握《しょうあく》した。1933年に首相、翌年「総統にしてドイツ国首相」となり、全体主義的独裁体制を確立した。生物の種の保存行動を自然摂理の中の根源的な欲求と考え、「純血」衝動に基づく強者による弱者の支配を肯定し、こうした生物学主義的世界観の中でアーリア人至上主義を掲げた。さらに、ユダヤ人を文化破壊者と決めつけ、最も優秀な人種・民族が世界を支配すべきという狂信的思想から、ユダヤ人絶滅政策を推進。第二次世界大戦を引き起こし、ユダヤ人大量虐殺(ホロコースト)を行ったが、1945年4月敗戦を前に自殺した。

一方、グリンデルバルドと一時的に親交を持ち、思想を利用されたダンブルドアは、戦争中ナチスに加担した20世紀を代表するドイツの哲学者ハイデガーを思い起こさせる。ナチス入党や親ナチス的発言が戦後明らかになり、厳しく咎《とが》められた人物である。著書『存在と時間』の中でハイデガーは、現存在(＝人間)は不安から脱却し、死を先駆的に(＝死に先駆けて)了解・覚悟することによって、本来的な実存が示される(＝自らの本質に目覚める)と主張しているが、ダンブルドアのハリーに対する教育内容も、ある意味ハイデガーのようにハリーに死を先駆的に覚悟させることであったと言える。ヴォルデモートが

1歳のハリーを殺害しようとして起こったことやその復活のいきさつなどから、ダンブルドアはハリーが生き残るための方策を模索し、文字通り命を懸《か》けてそれを教え込む。その甲斐あって、ハリーは自分が死なねばヴォルデモートを倒せないことを知ると、潔く死を覚悟し、これにより新たな生存の可能性が生じる。生に固執し死を恐れ、その覚悟ができず破滅に向かって進んでいくヴォルデモートとは、対照的である。生来ハリーは無欲で道徳的な少年であるが、死すべき自分の運命を怯《ひる》むことなく敢然と受け入れることができたのは、「死を先駆的に了解」させたダンブルドアの教えの賜物《たまもの》と見ることもできる。

グリンデルバルドとダンブルドアの関係について、JKRは「ダンブルドアはグリンデルバルドに恋をしました。そして彼が(邪悪な)本性を現すと、ダンブルドアは恐怖におののきました。でも本性を見抜けなかったことは少なからず許されるのではないでしょうか。恋は盲目なのです。ダンブルドアは自分に匹敵するほどの頭脳を持つ優秀な少年と会い、(ヴォルデモートに惹かれた)ベラトリックスのように彼に強く魅了されたのです。そして彼に残酷に手ひどく裏切られたのです。私は長いあいだこのようにダンブルドアを見てきました」と明かしている。「グリンデルバルド」の7巻初出はUK2章24ページ(US20ページ)。既出の人物であるが、7巻の内容に触れるため、こちらでも解説した。

[**OBT**][⑦巻**25**章、**35**章]

Got on like a cauldron on fire
ゴット・オン・ライク・ア・コールドロン・オン・ファイア

⑦18–291
US⑦357

【急に親しくなる】マグルの慣用句get on like a house on fireの魔法界バージョン。House「家」をcauldron「鍋」に置き換えたもの。

FOR THE GREATER GOOD
フォー・ザ・グレーター・グッド

⑦18–291
US⑦357

【より多くの善のために／よりよき善のために】ダンブルドアの若

いころの思想。のちにグリンデルバルドのスローガンに利用された。18歳のころのダンブルドアは、グリンデルバルドが唱える“魔法使いによるマグル支配”の計画に傾倒し、「より多くの善のために」魔法使いは支配権を握るべきだと考えた。

この表現は本作でたびたび使われているが、「より多くの善のため(For the greater good)」の行動は、一般に功利主義と呼ばれている。功利主義とは、最大多数の最大幸福の原理(最も多くの人間に最大の幸福をもたらすものを行動の最高の原理とする考え)によって、個人の幸福と社会の幸福を調和させようとする思想。結果が重視され、行動の正しさはそれが生み出す幸福と不幸の総和によって判断されるため、「魔法使いに多くの恩恵がもたらされるなら、マグルが少々犠牲になっても仕方がない」という考え方は、正当化されてしまう。資本主義社会を支える基本原理であるが、マグル支配の革命に夢中になったダンブルドアがアリアナの世話をおろそかにし、その結果彼女が命を落としてしまったように、このイデオロギーの集団では、多数者の幸福(利益)のために少数者の存在は軽視されてしまう恐れがある。

一方、「ハリー・ポッター」シリーズには別の原理で行動している人物が登場し、その代表格が主役のハリーである。三校対校試合の第二の課題で人質全員を救出したように、ハリーの行動の礎《いしずえ》になっているのは「試合に勝つ」、「決められた時間内に自分の大切な人だけを助け出す」といった功利的な考えではなく、「死にそうな(とハリーには思われた)人を救出する」という素直な善意志である。この善意志は「多くの人を救出すれば良い点数をもらえるかもしれない」という打算や、「自分一人が犠牲になればみんなが幸福になるから」といった不幸や幸福の数量の多寡《たか》ではなく、「制限時間が過ぎても(＝自分に不利益があっても)、死にそうな人は見殺しにできない」という利害を離れた道徳心から発せられている。カントの言葉を借りれば、ハリーは最高の道徳律である「定言的命法」(理性が出す無条件の命令)で行動しているのである。そしてこの道徳心こそが「死の秘宝」を使いこなす鍵となり、「死ぬと分かっていても、悪(ヴォルデモート)に立ち向かわねばならないと決意したハリーは、「秘宝」の真の所有者となれる。著者のJKRが功利的な行動と道徳的行為のどちらをより崇高なものととらえているかは、ハリーの結末を見れば明らかである。

［⑦初出**2**章 **UK024**／**US020**、**18**章、**25**章、**34～36**章］

Nurmengard ナーマンガード

⑦18–294
US⑦360

【ナーマンガード】グリンデルバルドが反逆者を収容するために建てた監獄。1945年にダンブルドアに敗れてからは、彼自身がここの最上階の独房に収監された。真っ黒な建物で、入り口には「より多くの善のために(FOR THE GREATER GOOD)」のスローガンが刻まれている。

　ナーマンガードのモデルは、ヒトラーの強制収容所であろう。アウシュビッツやダッハウに建てられ、強制労働、拷問、人体実験、毒ガスなどで600万人にものぼるとされるユダヤ人や外国人が命を落とした。またドイツ南東部には、ニュルンベルグ(Nüremberg)というNurmengardと似た音の町がある。第二次世界大戦後にドイツの戦争責任を問う国際軍事裁判「ニュルンベルグ裁判」が開廷された場所である。

第19章

Forest of Dean フォレスト・オブ・ディーン

⑦19–297
US⑦364

【ディーンの森】ハリーたちがキャンプをした場所。

　ディーンの森はイングランド南西部グロスターシャー西部セバン川

とワイ川のあいだにある広大な森林地域。もと王室御料林・狩猟地で、総面積は110平方キロメートルに及ぶ。ハリーたちはこの森で牝鹿に導かれ、池に沈んだゴドリック・グリフィンドールの剣を手に入れるが、これは『アーサー王伝説』に登場する王の宝剣“エクスカリバー”の物語のオマージュであろう。ペリノー卿との戦いで剣が砕かれたアーサー王は、マーリンに導かれ「湖の貴婦人」に会いに行く。湖の真中から乙女の腕が突き出ており、その手が捧げ持っているエクスカリバーを王が引き抜くと、腕も手も消えうせ王の剣となる。

Doe ドウ

⑦19-298
US⑦366

【牝鹿】セブルス・スネイプの守護霊。

牝鹿は神話の中でしばしば超自然的な力を持つ動物として登場し、ギリシア神話の狩りの女神アルテミスの戦車は牝鹿に牽《ひ》かれ、ヘラクレスの12の功業の第三は牝鹿を生け捕りにすることであった。またdoeの音は七音階(ドレミファソラシド)のドの音になっており、「ドレミの歌」では“Doe a deer, a female deer(ドは鹿、牝鹿)”と歌われている。

［⑦**33**章］

第20章

Snatcher
スナッチャー

⑦19—310
US⑦381

【賞金稼ぎ】「マグル生まれ」、「血を裏切る者」や学校をサボっている生徒を捕らえ、魔法省から報奨金を受け取っている人たちのこと。

Snatcher は英語で「引ったくり」、「かっぱらい(泥棒)」の意。

［⑦23章］

Taboo
タブー

⑦20–316
US⑦390

【禁句魔法】これを特定の単語に唱えると、その言葉を口にした人の居場所が探知できるようになる。保護呪文がかかっている人でも追跡可能。死《し》喰《く》い人《びと》が「ヴォルデモート」の語にこれを唱えたため、トッテナム・コートでその名を口に出したハリーは彼らに見つかってしまった。不死鳥の騎士団の数名は、これで探知された。

Taboo は英語で「タブー」、「禁忌(ある集団の中で禁じられている言葉や行動、慣習上禁止されていることや避けられていること)」の意。

［⑦9章、23章］

Blackthorn
ブラックソーン

⑦20–318
US⑦392

【ブラックソーン】ロンがスナッチャー(Snatchers)から奪った杖。

Blackthorn は桜属のリンボクの一種。花言葉は「困難」。

Shell Cottage
シェル・コテージ

⑦20-322
US⑦397

【シェル・コテージ】ティンワース郊外にあるビルとフラーの小さな家のこと。海を見渡す崖の上に建つ一軒家。壁には貝が嵌《は》め込まれ、漆喰《しっくい》が塗られている。人里離れた美しい場所で、家の中や庭など、どこにいても波の音が聞こえる。

［⑦**24**章、**25**章］

Dirigible Plum
ディリジブル・プラム

⑦20-323
US⑦398

【ディリジブル・プラム】オレンジ色のラディッシュ（日本語版では「蕪《かぶ》」）のようなフルーツ。ラブグッド氏いわく、（身につけると）不思議なものを受け入れる能力が高まるそうである。ルーナはこれをイヤリングにして、ときどき耳にぶら下げており、ラブグッド家では自宅の庭でこれを栽培している。英語 dirigible は「可導気球」、「飛行船」、plum は「プラム」、「（セイヨウ）スモモ」の意。

［⑤上**413**］

Erumpent
エルンペント

⑦20-325
US⑦401

【エルンペント】大型で灰色のアフリカ産の動物（JKR が創作した動物）。体重は1トンほどもあり、遠目にはサイと間違われることがある。螺旋《らせん》状の角はあらゆるものを貫くことができ、ほんの少し触っただけで爆発するとても危険な代物《しろもの》。角や尾などは取引可能品目Bクラス（危険物扱い。厳重管理品目）に指定されている。ラブグッド家の壁にこれの角が飾ってあったが、ラブグッド氏は「しわしわ角スノーカック」の角だと言い張った。

Erumpent は英語で「（植物の種子や胞子が表皮を）突き破って突起

する」の意。角が突起しているところから命名されたと思われる。

［幻055〜056］

Freshwater Plimpies
フレッシュウォーター・プリンピーズ

⑦20-326
US⑦402

【淡水プリンピー】ラブグッド氏は、ルーナは近くの川にこれを釣りに行ったとハリーたちに嘘をついた。

　プリンピー（Plimpy）はJKRが創作した球形でブチのある魚。2本の長い脚には水かきがついている。深い湖に棲《す》み、餌《えさ》を探して湖底をうろうろする。好物は水カタツムリ。

　英語blimp「太っちょ」からの造語であろう。

［幻084］

Wrackspurt siphons
ラックスパート・サイフォン

⑦20-327
US⑦404

【ラックスパート耳栓】考え事をしている人の近くから、気を散らすものすべてを取り除く（吸い取る）とされる器具。ラブグッド氏の発明品。

　Siphonは英語で「サイフォン」、「吸い上げ管」のこと。

→　ラックスパート（6巻の事典）

Billywig propeller
ビリーウィグ・プロペラ

⑦20-327
US⑦404

【ビリーウィグ・プロペラ】小さな（ビリーウィグの）羽。ラブグッド氏によると、（身につけると）精神を高めることができる。

　ビリーウィグは、JKRが創作したオーストラリア原産の昆虫。1.5センチほどの大きさのサファイアブルーの虫で、頭のてっぺんにある羽を超高速回転させて猛スピードで飛ぶ。胴体のいちばん下にある細長い針に刺されると眩暈《めまい》を起し、その後空中に浮遊する。この針は「アイアイ・アイズビー」の材料になるといわれている。

Bottom Bridge
ボトム・ブリッジ

⑦20-328
US⑦404

【ボトム橋】ラブグッド家の近くにある橋。ルーナはこの橋の向こうに行ったとラブグッド氏は言い張った。

Deathly Hallows
デスリー・ハロウズ

⑦20-328
US⑦404

【死の秘宝】「ニワトコの杖(Elder Wand／必勝の杖)」、「復活の石(Resurrection Stone／死者を呼び戻す石)」と「透明マント(Cloak of Invisibility／姿を消せるマント)」を指す。三つすべてを集めた者は、死の征服者になれるという。

これらの品は魔法界の童話『三兄弟物語(The Tale of the Three Brothers)』の中で、“死(神)”が三人の兄弟それぞれに与えた贈り物として記され、ごく少数の魔法使いのあいだでは伝説的な秘宝として伝えられていた。しかしダンブルドアによると、実際はペベレル家のアンティオク、カドマス、イグノタスの三兄弟が作ったもので、強力な魔力を有しているため、「死の秘宝」の伝説があとからつけられたという。

ニワトコの杖は、不幸を引き起こしながら持ち主を転々とし、近年ではグレゴロビッチからグリンデルバルドの手に渡り、1945年グリンデルバルドを倒したダンブルドアのものとなった。校長はそれを死ぬまで持ち続け、死後杖は棺(墓)の中に納められたが、1998年ヴォルデモートに盗まれた。復活の石は、ペベレル家の子孫ゴーント家の世襲財産となり指輪につけられたが、1943年ヴォルデモートに盗まれ指輪は分霊箱にされた。透明マントは、ペベレル家の子孫ポッター家のものとなり、ハリーが所有している。

三角の目のようなものが死の秘宝の印とされ、垂直の棒が杖、その上の円が石、それを取り囲む三角形がマントを意味している。このマークはグリンデルバルドの印となり、ダームストラング校の校舎の壁にも刻まれた。

JKRによると、死の秘宝はチョーサー著『カンタベリー物語』の中の「免罪符売りの話」がベースになっているという。「免罪符売りの話」とは、死神を殺そうと考えた三人の無頼漢が、その住処《すみか》に行く途中で金貨を見つけ、独り占めしようと欲深い計略を立てるが、最後は三人ともお互いの陰謀で死んでしまうという物語。

→マスター・オブ・デス

[BLC2007][⑦21章、23章、24章、35章]

第21章

Tale of the Three Brothers, The
ザ・テイル・オブ・ザ・スリー・ブラザーズ

⑦21-329
US⑦406

【三兄弟物語】『吟遊詩人ビードルの物語』に載っている物語。『ビードル』の童話の中でストーリーが明かされた唯一の話。死(神)から「ニワトコの杖Elder Wand」、「復活の石Resurrection Stone」と「透明(の)マントCloak of Invisibility」を貰《もら》った三人の魔法使いの兄弟のおとぎ話で、ハーマイオニーがルーナの家でこれをハリーたちに読み聞かせた。三兄弟とは、ペベレル家のアンティオク、カドマス、イグノタスを指し、死から貰った三つの品は、「死の秘宝」と呼ばれている。

Elder Wand
エルダー・ワンド

⑦21-331
US⑦408

【ニワトコの杖／無敵の杖／必勝の杖】「死の秘宝」の一つ。決闘で必ず勝つ無敵の杖。アンティオクまたはカドマス・ペベレルによって作られた。これの真の主《あるじ》(＝杖の効果を最大限に引き出すことのできる人物)になるには、前の持ち主から杖を奪い取らねばならない。このためペベレル家の手を離れてからは、杖を巡り血塗られた歴史が続いている。持ち主の変遷は容易に跡付けることができ、近年ではグリンデルバルドがグレゴロビッチから盗み出したが、1945年ダンブルドアとの戦いに負けて奪われた。ダンブルドアはこれを死ぬまで使い続け、死後墓の中に納められたが、1998年ヴォルデモートに盗まれた。

ニワトコはスイカズラ科の落葉低木。北ヨーロッパでは死、再生、魔術に関連のある木とされ、ケルトの木の暦で13番目の月の木に当たるため、この数字から連想される不吉な迷信に使われた。魔女はニワトコの木に変身するとされ、この木の中には「ニワトコの母」が住んでおり、木に傷をつけた者に魔法をかけて復讐《ふくしゅう》すると信じられていた。この木を燃やすと家族に死人が出、枝を家の中に持ち込むと悪魔も一緒に家に入るという迷信もある。キリスト教世界でもキリストが磔《はりつけ》にされた十字架や、裏切り者のユダが首を吊《つ》った木とされ不吉な樹木の一つと考えられていた。

[⑦**24章**]

Resurrection Stone
レザレクション・ストーン

⑦21 332
US⑦409

【復活の石】「死の秘宝」の一つ。手の中で石を三度回転させると、死者をこの世に呼び戻すことができる。死者は本当に生き返る訳ではなく、影のような形で出現する。カドマスまたはアンティオク・ペベレルによって作製されたもので、彼らの死後、子孫のゴーント家の持ち物となり指輪につけられた。1943年夏ヴォルデモートはこの指輪を盗み、分霊箱にしてから強力な呪いをかけてゴーントのあばら家に隠したが、1996年ダンブルドアが見つけ出し破壊した。壊された指輪から取り出された石は、金のスニッチに収められ、校長の死後ハリーに遺贈された。この石は、ダンブルドアが長いあいだ探し求めていた品で、指輪を見つけたときに分霊箱になっていることを忘れて嵌《は》めてしまったため、ダンブルドアはヴォルデモートの呪いを受け、命を落とすことになった。

［⑥17章］［⑦7章、33～35章］

Cloak of Invisibility
クローク・オブ・インビジビリティ

⑦21-332
US⑦409

【透明(の)マント】身につけると姿を消すことができるマント。「死の秘宝」の一つ。イグノタス・ペベレルが作り、父から息子へ、母から娘へと代々受け継がれ、イグノタスの最後の子孫であるハリーの手に渡った。魔法界では、旅行用マントに目くらまし呪文を染み込ませたものや、デミガイズの毛が織り込まれたマントが「透明マント」と呼ばれて流通しているが、これらは使っていくうちに効果が徐々に失われていく。しかし、イグノタスの「透明マント」は透明効果が永久に持続し、着用した者を完全に透明にし、いかなる魔法も通さず、常に隠れていることができる。

［⑦35章］

Master of Death
マスター・オブ・デス

⑦21-333
US⑦410

【死の征服者】死の秘宝をすべて集めると、死の征服者になれるという。死の征服者とは、“死から逃げようとしない人”を意味し、“死を免れられないこと(必滅)を受け入れ、この世には死よりも辛いものがあることを理解した者”を指す。ダンブルドアとグリンデルバルドは若いころ、死の征服者とは無敵になれることであると勘違いしていた。

［⑦35章 UK577／US720］

Bedazzling Hex
ビダズリング・ヘックス

⑦21-333
US⑦410

【惑《まど》わし呪い】相手の目をくらませて惑わし、姿を見えなくする呪い。これを唱えて作った透明マントは、年月が経つにつれて透明効果が失われ、姿が見えるようになってしまう。

Bedazzle は英語で「眩惑《げんわく》する」、「目をくらませる」の意。

Demiguise
デミガイズ

⑦21-333
US⑦411

【デミガイズ】優美な猿のような姿をした魔法界の草食動物。細く長い銀の毛が全身を覆っている。極東地域に生息しているが、脅されると姿を消すので、そうやすやすと見ることができない。デミガイズの毛を織ると透明マントができるので、珍重されている。この毛を織って作った透明マントは、年月が経つと透明効果が失われる。

［幻**044～045**］

Egbert the Egregious
エグバート・ジ・エグレジアス

⑦21-334
US⑦412

【エグいエグバート】ニワトコの杖（Elder Wand）のかつての持ち主。悪人エメリックを虐殺して杖を奪った。

Egbert（エグベルト775年ころ–839年）は七王国時代のウェセックスの王。若いころフランク王国のカール大帝の許《もと》に亡命し、帰国後即位した。829年マーシアを征服しノーサンブリアなど他の王国を服属させ、初めてイングランドを統一。その初代の王となった。

Godelot
ゴードロット

⑦21-334
US⑦412

【ゴドロット】ニワトコの杖（Elder Wand）のかつての持ち主。息子のヘレワードに杖を奪われ、自宅の地下室で亡くなった。

Hereward
ヘレワード

⑦21-334
US⑦412

【ヘレワード】ニワトコの杖(Elder Wand)のかつての所有者。父ゴドロット(Godelot)から杖を奪った。

Hereward(ヘリワード)はノルマン朝初期のアングロ・サクソン人の反乱者。ウィリアム1世に反抗したアングロ・サクソン人のリーダーで、1070年ピーターバラ修道院を襲撃しイーリの島に立て籠《こも》った。1世がこの島を占領したときに逃亡したと伝えられるが、以降の消息は不明。

Loxias
ロキシアス

⑦21-334
US⑦412

【ロキシアス】ニワトコの杖(Elder Wand)のかつての持ち主。バーナバス・デベリル(Barnabas Deverill)を殺して杖を手に入れた恐ろしい人物。

Deverill, Barnabas
バーナバス・デヴェリル

⑦21-334
US⑦412

【バーナバス・デベリル】ニワトコの杖(Elder Wand)の所有者となったが、ロキシアスに殺され奪われた。

Barnabas(聖バルナバ)は、1世紀ころの初期キリスト教の使徒。本名はJoseph(ヨセフ)。キプロス島出身のレビ人。イエス・キリストが復活したという説教を聞き回心した。パウロと伝道旅行後キプロス島に戻り、キプロス教会を最初に建立。その地で殉教したといわれている。

Arcus
アーカス

⑦21-335
US⑦412

【アーカス】ニワトコの杖(Elder Wand)の持ち主の歴史は、アーカスとリビアスのところで途絶えてしまった。

Arcus はラテン語で「弓」、「アーチ」、「凱旋門」の意。

Livius
リビアス

⑦21-335
US⑦412

【リビアス】ニワトコの杖(Elder Wand)の所有者の歴史は、アーカスとリビアスのところで途絶えてしまった。

Livius(リウィウス)は古代ローマの歴史家。前27年ころから『ローマ史』をラテン語で出版。そのうちの1〜10巻と21〜45巻が現存している。

Peverell, Antioch
アンティオク・ペベレル

⑦21-335
US⑦413

【アンティオク・ペベレル】ペベレル家三兄弟の一人(おそらく長男)。「死の秘宝」のうち、ニワトコの杖(Elder Wand)または復活の石(Resurrection Stone)を作ったとされる人物。

Antioch(ラテン語名アンティオキア)はトルコ南部オロンテス川河口の都市。前300年に古代シリアのセレウコス1世が首都として創建し、海外貿易の拠点として栄えた。オリエントとヘレニズム両文明の接点となりギリシア人やユダヤ人などさまざまな人種が住み、前2世紀には人口50万もの都市となった。使徒パウロ、バルナバらによる異邦人へのキリスト教伝道の中心地となり、「使徒行伝」によると信者はここで初めて「キリスト教徒(クリスティアノイ=クリスチャン)」と呼ばれるようになった。のちにアンティオキアの司教座は、ローマ、アレクサンドリアに次ぐ第三の地位となった。JKR によると、アンティオクまたはカドマス・ペベレルのどちらかはヴォルデモートの祖先に当たるという。

[BLC2007]

Peverell, Cadmus
カドマス・ペベレル

⑦21 335
US⑦413

【カドマス・ペベレル】ペベレル家三兄弟の一人(おそらく次男)。「死の秘宝」のうち、復活の石(Resurrection Stone)またはニワトコの杖(Elder Wand)を作ったとされる人物。

Cadmus(カドモス)は、ギリシア神話のフェニキアの王子。竜《ドラゴン》(大蛇)を退治しその歯を蒔《ま》くと戦士たちが土の中から現れ互いに殺し合いを始めたが、カドモスは生き残った5人とテーバイを建設し、平和の誓いを取り交わした。JKRによると、アンティオクまたはカドマス・ペベレルのどちらかはヴォルデモートの祖先に当たるという。

[BLC2007]

Poisoning Department
ポイゾニング・デパートメント

⑦21-336
US⑦413

【中毒科】聖マンゴ病院の診療科の一つ。ラブグッド氏が「みんなが我が家の“淡水プリンピー・スープ”のレシピ(材料や調理法を書いたもの)を欲しがるのじゃ」と自家製スープを自慢したときに、ロンは「聖マンゴの中毒科に見せるためだろ」とつぶやいた。

May-born witches will marry Muggles.
メイボーン・ウィッチズ・ウィル・マリー・マグルズ

⑦21-336
US⑦414

【5月生まれの魔女はマグルと結婚】ロンが披露した魔法界の迷信。

Jinx by twilight, undone by midnight.
ジンクス・バイ・トワイライト、アンダン・バイ・ミッドナイト

⑦21-336
US⑦414

【たそがれ時の呪いは解けるのが早い】魔法界の迷信の一つ。直訳すると「たそがれ時にかけた呪いは真夜中までに解ける」。

Wand of elder, never prosper.
ワンド・オブ・エルダー、ネバー・プロスパー

⑦21-336
US⑦414

【ニワトコの杖は縁起が悪い】魔法界の迷信の一つ。直訳すると「ニワトコの杖は成功しない」。

Deathstick
デススティック

⑦21-337
US⑦415

【死の杖】ニワトコの杖(Elder wand)の別名。

Wand of Destiny
ワンド・オブ・デスティー

⑦21-337
US⑦415

【運命の杖】ニワトコの杖(Elder Wand)の別称。

Ten a knut
テン・ア・クヌート

⑦21-338
US⑦416

【ありふれたもの】英語表現“ten a penny”「ありふれた、つまらない」の魔法界バージョン。ペニー(イギリスの通貨単位)がクヌートに置き換えられている。

Deprimo!
ディプリモ!

⑦21-343
US⑦422

【デプリモ!下りよ!】物を押し下げる呪文。ハーマイオニーはこれを唱えてラブグッド家の2階の床を崩落させた。

Deprimo はラテン語で「押し下げる」、「下ろす」、「沈める」の意。

第22章

Potterwatch
ポッターウォッチ

⑦22-355
US⑦437

【ポッターウォッチ】魔法界のラジオ番組。ヴォルデモートの魔法省掌握《しょうあく》後、ほとんどのラジオ番組が「例のあの人」の方針に従い、事実を正しく伝えなくなった中、唯一この番組だけは真実を報じ続けた。パーソナリティはリー・ジョーダン。リーマス・ルーピンやキングズリー・シャックルボルトらがレギュラー出演し、出演者は正体がばれないようコードネーム(仮名)で呼び合った。これを聞くには、ダイアルを回しながら杖でラジオを叩《たた》き、正しいパスワードを言う必要がある。パスワードはたいてい不死鳥の騎士団に関する何かで、ロンが1998年3月受信を成功させたときは“アルバス”だった。

River
リバー

⑦22-356
US⑦439

【リバー】リー・ジョーダン(Lee Jordan)のポッターウォッチでのコードネーム。

リバー(River)は英語で「川」のこと。リー・ジョーダンの姓名はどちらも川の名前からつけられているので(パレスチナ北東部を流れる「ヨルダン川 Jordan River」と、アイルランドやロンドンにある「リー川 River Lee」)、リバーがコードネームになった。

Royal
ロイヤル

⑦22-356
US⑦439

【ロイヤル】キングズリー・シャックルボルトのポッターウォッチでのコードネーム。

ロイヤルは英語で「王の」、「王族」、「国家に奉仕する」の意。名前の“キング(＝王)”ズリーや、これまでマグルの首相の護衛をしていた(＝国家に奉仕していた)ことからこの名がついた。

Romulus
ロミュラス

⑦22-356
US⑦439

【ロムルス】リーマス・ルーピンのポッターウォッチでのコードネーム。

ロムルス(Romulus)は、ローマ伝説のローマの建設者で初代の王。生後まもなくテベレ川に捨てられ雌オオカミに育てられた。リーマス(Remus)とは双子の兄弟であるため、ルーピンのコードネームとなった。

Wizarding Wireless Network News
ウィザーディング・ワイアレス・ネットワーク・ニュース

⑦22-356
US⑦439

【WWN魔法ラジオネットワーク・ニュース】WWN魔法ラジオネットワークが放送しているニュース番組。ダーク・クレスウェルやバチルダ・バグショットらの死亡を隠蔽《いんぺい》して伝えなかった。

Gaddley
ガドリー

⑦22-356
US⑦439

【ガドリー】マグル界にあるとされる地名。ここでマグル一家五人が遺体となって発見された。彼らは殺人魔法で殺されており、新体制の許《もと》でマグルの虐殺が気晴らしのスポーツになりつつあることが、ポッターウォッチの中で指摘された。

Gaddleyという地名はイギリスに実在しない。

Wizards first
ウィザーズ・ファースト

⑦22-357
US⑦440

【魔法使い優先主義】マグルより魔法使いを優先する考え方。ヴォルデモートが勢力を拡大する中、このような思想の魔法使いが増えてきたが、これは「純血優先主義」、ひいては「死喰《しく》い人《びと》」に繋《つな》がるとキングズリーはラジオで注意を呼びかけた。

Pure-blood first
ピュアブラッド・ファースト

⑦22-357
US⑦440

【純血優先主義】純血の魔法使いを何よりも優先させる考え方。

Pals of Potter
パルズ・オブ・ポッター

⑦22-357
US⑦441

【ポッターの友】ポッターウォッチの中で、リーマス・ルーピンが担当している人気のコーナー。ハリーは長いあいだ姿を見せていないが、まだ生きていると訴えた。

Chief Death Eater
チーフ・デス・イーター

⑦22-359
US⑦442

【死喰《しく》い人《びと》の親分】ヴォルデモートのこと。ポッターウォッチ内でヴォルデモートはこう呼ばれている。

Rodent
ローデント

⑦22-359
US⑦442

【ローデント】ポッターウォッチの中で、リー・ジョーダンがフレッドにつけたコードネーム。

英語rodentは「ネズミ・リスなどの齧歯《げっし》動物」のこと。リーはウィーズリーの名から連想されるイタチ(=ウィーゼル)を齧歯類だと勘違いしたようである。イタチは食肉目イタチ科の哺《ほ》乳《にゅう》類《るい》。

Rapier
レイピア

⑦22-359
US⑦443

【レイピア】フレッド・ウィーズリーが自分で指定したポッターウォッチでのコードネーム。

Rapier は英語で「(決闘に使われた)細身で先のとがったの長剣」のこと。双子を連想させる両刃(刃が両方のふちについている)の剣なので、これに決めたようである。

第23章

Scabior
スカビオール

⑦23-363
US⑦448

【スカビオール】スナッチャー(snatcher)の一人。ハリーたちを捕まえた。

Scabior はラテン語 scabio「疥癬《かいせん》(伝染性の皮膚病)にかかっている」からの造語。体に疥癬があるのかもしれない。

第24章

Wand-carriers
ワンドキャリア

⑦24-394
US⑦488

【杖の持ち手】杖の携帯・使用を許されている生き物、すなわち魔法使いのこと。魔法界では杖規制法の使用規則第3条で「ヒトにあらざる生物は、杖を携帯またはこれを使用することを禁ず」と定められており、小鬼《ゴブリン》や屋敷しもべ妖精は杖を持つことができない。

Walnut
ウォールナット

⑦24-398
US⑦493

【クルミ】ベラトリックス・レストレンジの杖に使われている木。

Walnutはクルミ科クルミ属の総称。堅い殻で大切な中身が包まれているため「生命・長寿」や「不滅」を象徴し、多くの民話伝承で秘密の隠し場所になっている。「豊饒《ほうじょう》・多産」のシンボルともなり、結婚式にクルミを贈ったり新婚夫婦にクルミを投げつける風習が(今日では米の方が多いが)残っている。花言葉は「知性」。ケルトの木の暦には含まれていない。

Hawthorn
ホーソン

⑦24-399
US⑦493

【サンザシ】ドラコ・マルフォイの杖の材料。

Hawthorn(セイヨウサンザシ)はバラ科の落葉低木。古代ケルトでは「豊穣《ほうじょう》・結婚・出産」のシンボルで、子宝に恵まれるようにと結婚式にこの花束を持参する風習があった。ギリシア神話では婚姻の神ヒュメーンがこの木の松明《たいまつ》を持ち、ローマ神話では女神カルナの聖木とされ、生まれてきた赤ん坊をこの女神が守っていたことから、揺りかごにサンザシの葉をちりばめる習慣が生まれた。キリスト教ではキリストの荊冠《けいかん》がこれで作られ、飛び散った血がサンザシを清めたという伝説がある。ケルトの木の暦の中でサンザシは6番目(5月13日～6月9日)の木なので、6月5日生まれのドラコにぴったりの材料となっている。

Chestnut
チェスナット

⑦24-399
US⑦494

【クリ】ワームテールの杖の材料。

Chestnut はブナ科クリ属の木の総称。花言葉は「公平に扱え」。実の花言葉は「耐久」、「貞節」、「ぜいたく」。クリはケルトの木の暦には含まれていない。

第25章

Ragnuk the First
ラグヌック・ザ・ファースト

⑦25-409
US⑦505

【ラグヌック1世】ゴドリック・グリフィンドールに剣を盗まれたと主張したゴブリンの王。彼の名はJKR公式サイトで実施された「上級ウォンバット試験」の魔法史第2問に、選択肢の一つとして登場した。問題は「17世紀、18世紀に起きた恐ろしいゴブリンの反乱の原因ではないものを、次のうちから一つだけ選びなさい」というもので、選択肢には「ゴブリン王ラグヌク〔ママ〕1世がゴドリック・グリフィンドールに剣を盗まれたと主張したこと」や「レプラコーン金貨を流通していた“信用ならないウグ”が訴追され、収監されたこと」などがあったが、正解は明らかになっていない。

Au revoir
オルヴワー

⑦25-414
US⑦512

【さようなら】フランス語の別れの挨拶。長い別れや永遠の別離の場合は“Adieu アデュー”と言う。若者のあいだでは“Au revoir”の代わりに“Salut サリュー”(「じゃあね」、「じゃまた」)がよく使われる(Salut はイタリア語の“Ciao チャオ”のように、「こんにちは」、「やあ」としても使用可能)。

Lupin, Ted “Teddy” Remus
テッド・リーマス・ルーピン／テディ・ルーピン

⑦25-415
US⑦514

【テッド・リーマス・ルーピン】(1998-)リーマスとニンファドーラ・ルーピンの長男(第一子)。祖父の名を取り、テッドと命名され、ハリーが名付け親となった。ホグワーツの戦い(1998年)のあとは、祖母のアンドロメダ・トンクスに育てられた。

第26章

Despard, Dragomir
ドラゴミール・デスパルド

⑦26-426
US⑦528

【ドラゴミール・デスパルド】グリンゴッツ潜入の際、ロンが成りすました架空の人物。ヴォルデモートの意図に共感し、トランシルバニアからイギリスにやって来たことになっていた。英語がほとんど話せない。

Confundo コンファンド

⑦26-427
US⑦529

【コンファンド！混乱せよ！】錯乱呪文の呪文の言葉。ハリーはこれをグリンゴッツの守衛にかけた。

Confundo はラテン語で「混乱させる」の意。

Marius マリウス

⑦26-427
US⑦529

【マリウス】グリンゴッツ銀行の守衛の魔法使い。魔法省がヴォルデモートの支配下に置かれてから、ゴブリンの代わりに銀行の入り口に立ち、潔白検査棒で訪れる客をチェックした。ハリーたちが銀行に押し入ったときに、錯乱呪文をかけられた。

Clanker クランカー

⑦26-429
US⑦531

【クランカー】小さな金属の楽器のようなもので、これを振ると小型の金槌《かなづち》で鉄床《かなとこ》を叩《たた》いたような、けたたましい音が鳴り響く。グリンゴッツの金庫を守るドラゴンは、この音を聞くと後退《あとずさ》りするよう調教されている。グリップフックは地下金庫に行く前に、これがいくつか入った袋を用意した。

Clanker は英語で「カンカン（ガンガン）と鳴るもの」の意。

Bogrod ボグロッド

⑦26-429
US⑦532

【ボグロッド】グリンゴッツ銀行で働いている年寄りゴブリン。ハリーに服従呪文をかけられ、レストレンジ家の金庫に案内した。

Cushioning Charm
クッショニング・チャーム

⑦26-431
US⑦534

【クッション呪文】見えない座布団を創り出す呪文。ハーマイオニーは、グリンゴッツ銀行でトロッコから投げ出されたときにこれを唱えた。1820年エリオット・スメスウィックによって発明された呪い。

［ク079］

Thief's Downfall
シーフス・ダウンフォール

⑦26-431
US⑦534

【盗人《ぬすっと》の滝】人にかかっている魔法および魔法で隠蔽《いんぺい》した物をすべて洗い流し、本来の状態に戻してしまう滝。グリンゴッツ銀行に講じられている防犯措置の一つ。ハリーたちがグリンゴッツを襲撃したときにこれが発動した。ポリジュース薬や服従の呪文などの効果は全部流されてしまったが、ハリーの透明マントやハーマイオニーがビーズのバッグに唱えた魔法の効力は失われなかった。

Gemino Curse
ジェミノ・カース

⑦26-433
US⑦537

【増殖呪文】触《さわ》った物を増殖させる呪文。価値のない偽者《にせもの》が複製される。レストレンジ家の金庫の宝にこれがかかっていた。

Gemino はラテン語で「複製する」、「重複させる」、「倍にする」の意。

Flagrante Curse
フラグランテ・カース

⑦26-433
US⑦537

【火傷《やけど》呪文】触れた者を火傷させる呪文。レストレンジ家の金庫の宝にかかっていた。

Flagrante はラテン語 flagro「燃える」、「焦がれる」または flagrans「熱い」からの造語。

Defodio!
デフォーディオ

⑦26-437
US⑦542

【デフォディオ！掘れ！】唱えた場所を掘り開く呪文。ハーマイオニーはグリンゴッツ銀行でこれを天井に唱えて場所を広げた。

Defodio はラテン語で「掘り出す」の意。

第28章

Caterwauling Charm
キャターウォーリング・チャーム

⑦28-450
US⑦558

【さかり猫警報】これがかけられたエリア内に外部から人が侵入すると、発情期の猫の鳴き声のような音が鳴り警告する。夜間外出禁止令が出たホグズミードにこれがかけられた。

Caterwaule は英語で「(発情期の猫が)ギャーギャー鳴く」の意。

第30章

Protego horribilis
プロテゴ・ホリビリス

⑦30-483
US⑦601

【プロテゴ・ホリビリス】防御呪文の一種。フリットウィックが唱えた。

ラテン語で protego は「保護する」、horribilis は「恐ろしい」の意。

Piertotum locomotor!
ピエルトタム・ロコモーター

⑦30-484
US⑦602

【ピエルトタム・ロコモーター！働け！】石像などの無生物に息吹を与え、動けるようにする呪文。マクゴナガルが校内の像や甲冑《かっちゅう》にこれを唱えると、台座から下りて自力で動き出した。

Piertotum はフランス語 pierre「石」とラテン語 totum「すべての」の合成語、locomotor は英語 locomote「自力で動く」からの造語。

第31章

Fiendfyre
フィーンドファイア

⑦31-510
US⑦635

【悪魔の炎】呪われた炎。キマイラやドラゴンなどの姿となり、あたり一面を焼き尽くしながら敵を追いかける。分霊箱でさえも破壊できる。

Fiendfyreは英語fiend「悪魔」と、古英語fyr「火」、「炎」からの造語。

第32章

Glisseo!
グリセオ

⑦32-517
US⑦643

【グリセオ！滑ろ！】唱えた物を滑りやすく平らにする呪文。ハーマイオニーがこれを階段に唱えると、滑り台のように平らになった。

フランス語glisser「滑る（ように進む）」、「滑りやすい」からの造語。

Duro!
デュロ

⑦32-517
US⑦643

【デュロ！堅くなれ！】対象物を堅くする（石にする）呪文。ハーマイオニーがこれをタペストリーに唱えると石に変わった。

Duroはラテン語で「堅くする」、「硬化する」の意。

Hogwartians ホグワーチアン

⑦32–519
US⑦646

【ホグワーツ生】ホグワーツの学生のこと。-ian（-an）は固有名詞などにつけて「～に属する（人・動物）」、「～に住んでいる（人）」などの意の名詞・形容詞を作る。

Terrier テリア

⑦32–521
US⑦649

【テリア】ロンの守護霊。

テリア犬は、キツネや野ネズミなどの小型害獣《がいじゅう》狩りや、カワウソ狩りに使われる小型犬。機敏で勇敢、姿が美しいため現在では愛玩犬、番犬として飼われている。犬は古くから「忠実」や「警戒心」を象徴し、冥界の道案内としてしばしば死者とともに埋葬された。ギリシア神話では猛犬ケルベロスが冥府《めいふ》の入り口を守り、冥界の女神ヘカテは猛犬の群れを従えていた。北欧神話ではガルムという死者の国の番犬がラグナレク（世界の終末）の際に自由になり、神々の軍勢と戦い、チル神（オーディンと並ぶ最高神）と死闘を演じ互いに死ぬことになる。テリアはカワウソ（ハーマイオニーの守護霊）を追い求めるところから、ロンの守護霊になったと思われる。

Hare ヘア

⑦32–521
US⑦649

【野ウサギ】ルーナ・ラブグッドの守護霊。

野ウサギは夜行性の動物で夜になると活発に行動し、また、満月の月面に見える影（月の海）が飛び跳《は》ねるウサギの姿を連想させるところから、古くから多くの文化圏で月と関連のある生き物とされてきた。日本は言うに及ばず、アステカ文明やケルト人、古代エジプトなどにおいても月と結び付けられている。野ウサギがルーナ（luna ラテン語で「月」の意）の守護霊に選ばれたのは、このためである。

Boar
ボア

⑦32–521
US⑦649

【イノシシ】アーニー・マクミランの守護霊。

イノシシは巣穴から飛び出し突進する攻撃的な生き物であることから、勇猛《ゆうもう》果《か》敢《かん》な戦士たちのシンボルとなった。ギリシア神話ではヘラクレスによるイノシシ生け捕りの逸話が語られ、北欧神話ではフレイ神が陸海空を突進できる黄金のイノシシ、グリンブルスティを乗り回した。ケルト人のあいだでも強健や闘争心の象徴として「聖なる獣」と重視され、神への奉納物として使用された。

Fox
フォックス

⑦32–521
US⑦649

【キツネ】シェーマス・フィネガンの守護霊。

キツネは多くの寓《ぐう》話《わ》(たとえば中世ドイツの動物叙事詩『ラインケ狐』や、その流れを汲《く》むフランスの『狐物語』) で「狡猾《こうかつ》」、「背信」、「奸《かん》計《けい》」の象徴となっている。また赤みがかった毛色が火を連想させるため、魔女とつながりのある生き物となった。イギリスでは、キツネを一匹だけ見るのは縁起がいいが、数匹連れ立った姿を見るのは縁起が悪いとされている。

第33章

Tuney
テューニー

⑦33-536
US⑦668

【チューニー】ペチュニアの愛称。姉のリリーからこう呼ばれていた。

Sev
セブ

⑦33-540
US⑦673

【セブ】セブルス・スネイプの愛称。

Mulciber
マルシベール(小) S DE

⑦33-540
US⑦673

【マルシベール(小)】スネイプと同世代のマルシベール。死《し》喰《く》い人《びと》の初期のメンバーのマルシベール(大)の子供または親戚と思われる。(大)(小)の区別は解説の便宜上つけたもので本に記載はない。

Macdonald, Mary
メアリー・マクドナルド

⑦33-540
US⑦673

【メアリー・マクドナルド】ホグワーツ在学中に、マルシベール(小)から闇の魔術をかけられた魔女。おそらくリリー・ポッターやセブルス・スネイプと同学年の生徒。

第35章

Conversation with Dumbledore

カンバセイション・ウィズ・ダンブルドア

⑦35-566～
US⑦707～

【ダンブルドアとの会話】キングズ・クロス駅のような場所でハリーとダンブルドアが交わした会話のこと。

JKRはこれについて次のように説明している。「あの会話は二つの解釈ができます。一つは、ハリーは意識を失った状態にあり、ダンブルドアが話した内容は、すべて彼がすでに心の奥深くで知っていたことだとする考え。無意識の状態の中でハリーの心が遠くを旅する、というものです。この場合、ダンブルドアはハリーの知識を擬人化した存在となり、ハリーは自分の頭の中で彼を見ているので、ダンブルドアはハリーの洞察のようなものになります。もう一つは、ハリーは生と死の間《はざま》に存在する場所に行くという考え方。ハリーとダンブルドアは会話のあと、この場所からそれぞれ反対の世界に別れることになります。ハリーはここでヴォルデモートの“なれの果て”を見ますが、苦悶しながら床に横たわる物体が何なのか分からず、触れたいとは思いません。彼はそれを根本的に邪悪で、よこしまな生き物だと感じます。常に弱者の味方でいたハリーが、このとき初めて誰かが傷ついているのに助けようとしなかったのです」。

なお、「ダンブルドアとの会話」は解説の便宜上つけた名称で、本には載っていない。

[**Volkskrant**]

19年後
(エピローグ)

Supersensory Charm
スーパーセンソリー・チャーム

⑦604
US⑦755

【超感覚魔法】視界外のものが感知できるようになる魔法。車のサイドミラーを見る代わりに、この魔法を使って運転している魔法使いがいるようである。

Supersensory は英語で「五感の及ばない」、「超感覚の」という意味。

Weasley, Victoire
ビクトアール・ウィーズリー

⑦605
US⑦756

【ビクトアール・ウィーズリー】ビルとフラーの長女。

JKRはアメリカNBC『デイトライン』のインタビューで、「ビクトアールはたいへんな美人で、テディー・ルーピンのガールフレンド」だと話している。Victoire は Victoria(ヴィクトリア)のフランス語形。「勝利」の意。

Potter, James Sirius
ジェームズ・シリウス・ポッターⒼ

⑦603
US⑦753

【ジェームズ・シリウス・ポッター】(2005?–)長男(第一子)。グリフィンドール生。ミドルネームは、2007年12月30日にイギリスのITVで放送されたドキュメンタリー“J.K.Rowling—A Year In The Life”で判明。

Potter, Albus Severus
アルバス・セブルス・ポッター

⑦603
US⑦753

【アルバス・セブルス・ポッター】(2006?-)次男(第二子)。あだ名はアル(Al)。2017年ホグワーツ入学。

Potter, Lily Luna
リリー・ルーナ・ポッター

⑦603
US⑦753

【リリー・ルーナ・ポッター】(2008?-)長女(第三子)。2017年9月現在9歳。ミドルネームは、2007年12月30日にイギリスのITVで放送されたドキュメンタリー"J.K.Rowling—A Year In The Life"で判明。

Weasley, Rose
Rosie
ローズ・ウィーズリー/ロージー

⑦604
US⑦755

【ローズ・ウィーズリー】(2006?-)長女(第一子)。あだ名はロージー。2017年ホグワーツ入学。

Weasley, Hugo
ヒューゴ・ウィーズリー

⑦604
US⑦755

【ヒューゴ・ウィーズリー】長男(第二子)。

Malfoy, Scorpius
スコーピウス・マルフォイ

⑦605
US⑦756

【スコーピウス・マルフォイ】マルフォイ家の子供。2017年ホグワーツ入学。

スコーピウスは「さそり座」のこと。ギリシア神話では、オリオンを刺し殺した毒さそりとなっている。

年表

（1～6巻のネタばれが含まれていますので未読の方はご注意ください）

紀元前382年	オリバンダーの店創業。
およそ993年ころ	ホグワーツが創設される。
1296年	マンティコアが誰かを傷つけ裁判にかけられたが、みんな怖がってそばに寄れなかったため放免になった。
1326年ころ	ニコラス・フラメル誕生。
1333年ころ	ペレネレ・フラメル誕生。
1473年	第1回クィディッチ・ワールドカップ開催。
1492年	
10月31日	ニコラス・ド・ミムジー–ポーピントン卿（ほとんど首無しニック）、切れない斧で45回切りつけられて死亡。
1612年	小鬼《ゴブリン》の反乱。
1637年	狼人間の行動綱領。
1692年	国際魔法使い連盟のサミット開催。
1709年	ワーロック法でドラゴンの一般飼育は禁止される。
1722年	ヒッポグリフが襲撃事件を起こして裁判にかけられる。結果は有罪。
1875年	「未成年魔法使いの妥当な制限に関する法令」の1875年法制定。C項で卒業前の未成年魔法使いが学校外で呪文を行使する事を禁じた。
1881年	アルバス・ダンブルドア誕生。
1892年	アルバス・ダンブルドア、ホグワーツ入学。
1897年	ニュート・スキャマンダー誕生。
1899年	
6月	アルバス・ダンブルドア、NEWT《いもり》受験しホグワーツ卒業。
1905年	トム・リドル（シニア／ヴォルデモートの父）誕生。
1907年	メローピー・ゴーント（ヴォルデモートの母）誕生。
1925年	
夏	ボブ・オグデンがゴーントの家に召喚状を届けに行き、父子が暴力をふるったため現行犯逮捕。アズカバンへ。 メローピー、暑い日に愛の妙薬入りの水をトム・リドルに飲ませる。

12月ころ	メローピー、トム・リドルと駆け落ち結婚。
1926年	
3月ころ	メローピーが妊娠。夫のトムに真実を打ち明けるがトムは妻を捨てリトル・ハングルトンへ。
12月	メローピー、カラクタカス・バークにスリザリンのロケットを売る。
12月31日	トム・マールヴォロ・リドル(以下ヴォルデモート)孤児院で誕生。メローピー・ゴーント死亡。
1928年	
夏ころ	モーフィン・ゴーント、アズカバンから出所。
12月 6日	ルビウス・ハグリッド誕生。
1932年	イルフラクーム事件(群れを離れた凶暴なウェールズ・グリーン種ドラゴンが、日光浴をしているマグルで混みあう浜辺を急襲)。
1937年ころ	
10月 4日	ミネルバ・マクゴナガル誕生。(注1)
1938年	
9月1日以前	ダンブルドア、孤児院のヴォルデモートを訪問。魔法使いであることを告げる。
9月 1日	ヴォルデモート、ホグワーツに入学。
1940年	
9月 1日	ハグリッド、ホグワーツに入学。
1942年	
12月31日	ヴォルデモート、16歳になる。
1943年	ヴォルデモートが秘密の部屋を開けバジリスクを解放。嘆きのマートルが殺される。(注2)
6月13日	ハグリッド、退学になる。アラゴグは禁じられた森へ。(注2)
夏休み	ヴォルデモート、ゴーントの家を訪ね、伯父のモーフィンに失神呪文をかけ杖を入手。その杖でリトル・ハングルトン村に住む父親と祖父母を殺害。再びゴーントのあばら家に戻り、複雑な魔法で伯父に偽《にせ》の記憶を植えつけ、伯父の嵌《は》めていた指輪をポケットに入れてその場を去った。魔法省は前科者のモーフィンを取り調べ、自白をしたので逮捕した。
9月 1日	ヴォルデモート、6年生になる。監督生に選ばれた。
9月1日〜12月31日のあいだ	ヴォルデモート、ホラス・スラグホーンからホークラックスの情報を聞き、自分の日記で1個目のホークラックスを作った。

12月31日	ヴォルデモート、17歳になる。
1944年	
9月 1日	ヴォルデモート、7年生に。首席に選ばれる。
1945年	
	アルバス・ダンブルドア、闇の魔法使いグリンデルバルドを破る。
6月ころ	ヴォルデモート、ホグワーツを卒業。ホグワーツの教師を希望するが断られる。ボージン・アンド・バークスに就職。
1946年ころ	ヴォルデモート、ヘプジバを殺害しハッフルパフのカップとスリザリンのロケットを盗む。このときを最後に魔法界から姿を消す。
1950年ころ	
10月30日	モリー・ウィーズリー誕生。
1951年ころ	リータ・スキーター誕生。
1954年ころ	ルシウス・マルフォイ誕生。
1956年ころ	ダンブルドア、ホグワーツの校長に。ヴォルデモートがダンブルドアを訪問し、「闇の魔術に対する防衛術」の教職を志願するが断られる。
	ミネルバ・マクゴナガル、ホグワーツで教鞭《きょうべん》を取り始める。
1959又は60年	シリウス・ブラック、リーマス・ルーピン、ピーター・ペティグリュー誕生。
1960年	
1月 9日	セブルス・スネイプ誕生。
1月30日	リリー・エバンズ誕生。
3月27日	ジェームズ・ポッター誕生。
1965年	ニュート・スキャマンダー、「実験的飼育禁止令」制定。
1970年代	ヴォルデモート第一次恐怖時代（~1981年10月31日）。
1970年	
11月29日	ビル・ウィーズリー誕生。
1971年	
9月 1日	ジェームズ・ポッター、リリー・エバンズ、セブルス・スネイプ、シリウス・ブラック、ピーター・ペティグリュー、リーマス・ルーピン、ホグワーツ入学。
1972年	
12月12日	チャーリー・ウィーズリー誕生。
1973年ころ	ニンファドーラ・トンクス誕生。

1976年	
8月22日	パーシー・ウィーズリー誕生。
1978年	
4月 1日	フレッドとジョージ・ウィーズリー誕生。
夏	ジェームズ、リリー、スネイプ、シリウスら卒業。
1979年	
	チョウ・チャン誕生。
	レギュラス・ブラック死亡。
9月19日	ハーマイオニー・グレンジャー誕生。
1980年	
	トレローニー、ホッグズ・ヘッドで予言。スネイプが予言の一部を盗聴、居酒屋から放り出された。
3月1日	ロン・ウィーズリー誕生。
6月ころ	ダドリー・ダーズリー誕生。
7月30日	ネビル・ロングボトム誕生。
7月31日	ハリー・ポッター誕生。
1981年	
8月11日	ジニー・ウィーズリー誕生。
9月ころ	セブルス・スネイプ、ホグワーツの先生になる。
時期不明	(10月31日より前)ヴォルデモート、ルシウス・マルフォイにリドルの日記を渡し保管を命令。
10月31日	ヴォルデモートがリリーとジェームズ・ポッターを殺害、ハリーを殺し損ねて逃走。
11月 1日	ピーター・ペティグリュー、シリウスにマグル殺しの罪を着せ逃走。シリウス・ブラック、アズカバンへ。ハリーは手紙とともにダーズリー家に預けられた。

1巻の世界

1991年	
7月24日～30日	ハリー宛の手紙がホグワーツからダーズリー家に届く。
7月31日	ハリーの11歳の誕生日。ハグリッドが“海の上、岩の上の小屋”にいるハリーにホグワーツ入学許可証を渡す。
	午後、ハグリッドがハリーをダイアゴン横丁へ連れて行く。グリンゴッツ銀行でお金をおろし、ローブ、教科書、大鍋、薬瓶、杖を購入する。ハリー、ヘドウィグをプレゼントにもらう。
9月 1日	ハリー、キングズ・クロス駅の九と四分の三番線からホグワーツ

	特急に乗車。汽車の中で、ロン・ウィーズリー、ハーマイオニー・グレンジャーと出会う。組分け帽子が三人をグリフィンドールに組分ける。
9月 7日	ハリー、禁じられた森の端にあるハグリッドの小屋に招かれる。
9月19日	ハーマイオニー、12歳の誕生日。
10月31日	ハロウィーンの宴《うたげ》がトロールの侵入で中止に。トロールに襲われたハーマイオニーをハリーとロンが助けて友達になる。
11月 9日	グリフィンドール対スリザリンのクィディッチの試合でハリーが金のスニッチを飲み込み(口でキャッチ)、グリフィンドールが勝利。
12月25日	ハリーは父親の形見の透明マントをダンブルドアから返してもらう。そのマントを着て、みぞの鏡を発見。鏡の中に両親の姿を見る。

1992年

3月 1日	ロン、12歳の誕生日。
	ハリー、ヴォルデモートが賢者の石からできる「命の水」で、新しい体を得ようとしていることを知る。
6月 4日	ハリー、ロン、ハーマイオニーは、仕掛け扉を通り巨大な魔法チェスの部屋へ。ロンはチェスに勝ち、ハリーとハーマイオニーを次の部屋へと導く。ハリー、クィレルに取り憑《つ》いたヴォルデモートと対決。ダンブルドアがハリーを救出し、賢者の石を破壊。
6月 8日	170点の追加点により、グリフィンドールが寮杯を獲得。

2巻の世界

7月31日	ハリー、12歳の誕生日。ドビーがダーズリー家のハリーを訪ねて警告する。「ハリー・ポッターはホグワーツに戻ってはなりません」。
8月 3日	ロン、フレッドとジョージが空飛ぶフォード・アングリアに乗って、ハリーをダーズリー家から救出。
8月19日	ハリー、煙突飛行粉《フルーパウダー》を使って隠れ穴からダイアゴン横丁へ行く途中、夜の闇横丁《ノクターンよこちょう》のボージン・アンド・バークスに迷い込む。ルシウス・マルフォイが、トム・リドルの日記をジニー・ウィーズリーの持ち物に入れる。
9月 1日	ハリーとロン、ホグワーツ特急に乗り遅れ、空飛ぶフォード・アングリアに乗ってホグワーツへ向かい、暴れ柳に衝突。
	ジニー・ウィーズリー、ルーナ・ラブグッド、ホグワーツ入学。

9月 2日	ウィーズリー夫人からロンに吼《ほ》えメールが届く。「今度、ちょっとでも規則を破ってごらん！わたしがおまえをすぐ家に引っ張って帰ります！」。
9月 3日	ギルデロイ・ロックハート、コーンウォール地方のピクシー小妖精を教室に放し、大混乱を起こす。
9月5日以前	ジニー・ウィーズリー、秘密の部屋を開ける。
9月 5日	ハリー、バジリスクの声を聞く。
9月19日	ハーマイオニー、13歳の誕生日。
12月10日	ハーマイオニー、二角獣の角と毒ツルヘビの皮をスネイプの部屋から盗み出した。
12月17日	「決闘クラブ」でハリーが蛇語を話す。
12月18日	ジャスティン・フィンチ-フレッチリーがバジリスクに襲われる。
12月25日	ハーマイオニー、ポリジュース薬に間違えて猫の毛を入れ、毛むくじゃらの顔になる。ハリーとロン、ポリジュース薬を飲んで、クラッブとゴイルに変身、スリザリンの談話室に忍び込む。

1993年

3月 1日	ロン、13歳の誕生日。
5月 8日	ハーマイオニー、バジリスクの犠牲者に。ハグリッドはアズカバンへ送られる。ダンブルドアは停職命令を受け、ホグワーツの校長職を解任。
5月24日	ハリーとロン、アラゴグに会いに禁じられた森へ。襲われそうになり命からがら逃げ出す。
5月29日	ハリー、ロンとロックハートが秘密の部屋に向かう。ロックハートは杖が逆噴射して記憶喪失に。ハリーはフォークスの助けを借りバジリスクとトム・リドルを倒し、ジニーを救出。スプラウト先生とマダム・ポンフリー、バジリスクの犠牲者たちを元に戻す。グリフィンドールが寮杯を獲得。
5月30日	ダンブルドアが再びホグワーツの校長に就任。ドビーはハリーの靴下をルシウス・マルフォイから受けとり自由になる。ハグリッドがアズカバンから戻る。

3巻の世界

7月31日	ハリー、13歳の誕生日。この日からマージおばさんがダーズリー家に一週間の滞在。ハリーの元に、ロンから手紙とエジプト旅行の新聞記事が届く。
8月 7日	ハリー、マージおばさんを膨らませて風船にする。ダーズリー家

	を出た後夜の騎士《ナイト》バスに乗車。車内でシリウス・ブラックのアズカバン脱獄を知る。
8月 8日	夜の騎士バスがハリーを漏れ鍋に届ける。コーネリウス・ファッジが11号室にチェックインさせる。
8月31日	ハリー、ダイアゴン横丁で文房具や本を購入し、ロンとハーマイオニーと再会。ハーマイオニー、魔法動物ペットショップでクルックシャンクスを買った。
9月 1日	ホグワーツ特急に吸魂鬼《ディメンター》が出現。リーマス・ルーピンが追い払う。ハーマイオニーはマグゴナガルから逆転時計《タイムターナー》を受けとる。
9月 2日	ハグリッドの第1回目の「魔法生物飼育学」の授業。マルフォイがバックビークを挑発し、襲われる。
9月 9日	マルフォイが怪我をした右腕を吊《つ》って授業に登場。ルーピン、まね妖怪ボガートの授業をする。
9月19日	ハーマイオニー、14歳の誕生日。
10月31日	第1回目のホグズミード行き。ロンとハーマイオニーが出かけているあいだ、ハリーはルーピンと話す。ルーピンはスネイプから渡された魔法薬を飲む。ハロウィーンの宴でホグワーツのゴーストたちが余興を行う。宴の後、太った婦人《レディ》の絵がシリウスに滅多切りされ、生徒全員が大広間で眠った。
11月 6日	グリフィンドール対ハッフルパフのクィディッチの試合中、吸魂鬼が現れハリーは失神。箒《ほうき》から落下し入院する。ニンバス2000は暴れ柳にぶつかりバラバラに吹き飛ばされた。
11月 8日	ルーピンが復帰。ハリーに吸魂鬼防衛術を教えると約束。
12月18日	第2回目のホグズミード行き。ハリーはフレッドとジョージから忍びの地図をもらう。ホグズミードに行き、シリウス・ブラックが父親の親友で自分の名付け親だということを三本の箒で知る。
12月19日	クリスマス休暇スタート。ハグリッドが危険生物処理委員会から裁判の出頭依頼書を受け取る。
1994年	
1月 2日	クリスマス休暇から戻る生徒を乗せて、ホグワーツ特急が帰って来る。
1月 6日	ハリーの吸魂鬼祓《ばら》いの訓練開始。
2月 3日	ロン、クルックシャンクスがスキャバーズを食べたと激怒。
2月 8日	ハリーとロンはハグリッドから手紙を受けとり、彼の小屋を訪問。
2月12日	ハグリッドが敗訴しバックビークの処刑が確定。

3月 1日　ロン、14歳の誕生日。

春　ハグリッドをからかったマルフォイに激怒し、ハーマイオニーがマルフォイを力いっぱい殴る。

6月 6日　トレローニーが二つ目の本当の予言をする。ハリー、ロン、ハーマイオニーが、バックビークの処刑前に透明マントを着てハグリッドを訪問。バックビーク、処刑される。ロンがパッドフットにひきずられて暴れ柳の中へ。ハリーとハーマイオニーは後を追い、叫びの屋敷の中でシリウス・ブラック、リーマス・ルーピン、ピーター・ペティグリューと会い真実を知る。城に戻る途中でペティグリューが逃走。ルーピンは狼男に変身。シリウスとハリーは湖のそばで吸魂鬼に襲われる。病室でダンブルドアが、「必要なのは時間じゃ」とヒントを与える。

「逆転時計」使用後　ハリーとハーマイオニーは処刑前に時間を戻しバックビークを救出。ハリーは自分が湖のそばで吸魂鬼に襲われそうになるのを見て守護霊の呪文を唱える。更にシリウスを西塔のフリットウィックの事務所から解放し、バックビークの背に乗せて逃亡させる。

4巻の世界

7月ころ　バーサ・ジョーキンズ殺害される。

7月31日　ハリー、14才の誕生日。

8月23日　ヴォルデモート、フランク・ブライスを殺害。ハリーはそれを夢で目撃して額の傷跡の痛みで起きる。

8月25日　ウィーズリーおじさん、フレッドとジョージ、ハリー、ロン、ハーマイオニー、ジニーは第422回クィディッチ・ワールドカップへ行くための移動《ポート》キーのあるストーツヘッド・ヒルへ向けて出発。途中でエイモスとセドリック・ディゴリーが合流し、一緒に会場に行く。アイルランドが170対160でブルガリアに勝利。試合後の夜半過ぎ、キャンプ場にフードを被った死《し》喰《く》い人《びと》が現れ、マグルの家族を中に浮かばせる。闇の印が打ち上げられ、ハリー、ロン、ハーマイオニーが尋問《じんもん》される。

8月31日　バーティ・クラウチ(息子)とワームテールがマッド-アイ・ムーディを襲う。

9月 1日　ハリーたち、ホグワーツ特急でホグワーツへ。新入生歓迎会の席で、三大魔法学校対抗試合がホグワーツで開催されることが発表される。

9月 2日　マッド-アイ・ムーディ、背を向けたハリーに魔法をかけようとし

たドラコを白イタチに変身させ、罰を与える。(注3)

9月 4日　マッド-アイ・ムーディ、初めての「闇の魔術に対する防衛術」の授業で許されざる呪文を教える。

9月19日　ハーマイオニー、15歳の誕生日。

10月30日　ボーバトン校とダームストラング校の代表団がホグワーツに到着。歓迎会。炎のゴブレットが設置される(24時間)。

10月31日　ハロウィーン。フレッドとジョージが三校対校試合の炎のゴブレットに名前を入れようと年齢線の内側に足を踏み入れた途端、3メートルも吹っ飛ばされ、長い白い鬚《ひげ》も生《は》えた。名前を入れていないにも拘《かかわ》らず、炎のゴブレットがハリーを三校対校試合の代表選手に選出。ロンはハリーと口をきかなくなる。

11月13日　リータ・スキーターが『日刊予言者新聞』の記事のために自動速記羽根ペンQQQを使ってハリーにインタビューする。

11月21日　ホグズミード週末。午後11時30分、ハリーはハグリッドの小屋に行き、第一の課題でドラゴンを出し抜かねばならないことを知る。

11月22日　午前1時、ハリーはグリフィンドール寮の暖炉に現れたシリウスと話す。

11月23日　セドリックに第一の課題がドラゴンであることを教える。マッド-アイ・ムーディがハリーにドラゴン撃退のヒントを与える。ハリーはハーマイオニーと呼び寄せ呪文の練習をする。

11月24日　第一の課題。ハリーはいちばん凶暴なハンガリー・ホーンテールを選んでしまうが、最短時間で卵を取った。50点満点で40点を獲得し、クラムと並んで1位になる。ハリーとロンは仲直り。

12月18日　ハリー、クリスマス・ダンスパーティの相手にチョウ・チャンを誘う。残念なことにチョウはセドリックにすでに誘われていた。

12月25日　午後8時、クリスマス・ダンスパーティ開催。ホグワーツ、ダームストラング、ボーバトンの生徒が参加。対抗試合の代表選手は、最初のダンスを踊らなくてはならない。ハリー、ロン、ハーマイオニーはハグリッドが半巨人であることを知る。ロンはクラムのパートナーになったハーマイオニーに怒り大喧嘩。「敵とベタベタしている」。

1995年

1月4日ころ　第2学期初日、『日刊予言者新聞』にリータ・スキーターの特ダネが掲載。ハグリッドの出生の秘密が暴露された。

2月24日　午前9時半、第二の課題が行われる。ハリーは自分の人質以外も助

	けるが45点を獲得し、合計85点でセドリックと並んで1位に。
3月 1日	ロン、15歳の誕生日。
3月	ホグズミード行きの日に、ハリー、ロン、ハーマイオニーはシリウスに会う。
5月	最後の週にルード・バグマンが第三の課題の説明。監禁されていたクラウチ氏、すべてをダンブルドアに告白するためにホグワーツの禁じられた森に行くが、息子に殺害された。
6月24日	第三の課題。優勝カップが移動キーになっていたため、カップに同時に触れたセドリックとハリーはリトル・ハングルトンの墓地へ。セドリックは殺され、父親の骨、ハリーの血、ワームテールの肉を使いヴォルデモートは復活。 ホグワーツに戻ってからハリーはヴォルデモートが蘇《よみがえ》ったことをダンブルドアに報告。ダンブルドアは不死鳥の騎士団のメンバーを召集、復活を信じようとしない魔法大臣コーネリウス・ファッジと決別。
6月	学期末の別れの会で、ダンブルドアはセドリックを語る。

5巻の世界

7月31日	ハリー、15才の誕生日。
8月 2日	午後9時23分、ハリーとダドリーは吸魂鬼に襲われ、ハリーは魔法を使って防御。しかし未成年魔法使いは校外やマグルの前での魔法使用が禁じられているため、ホグワーツ退学の危機にさらされる。フィッグばあさんの正体が明らかになる。魔法省から手紙が届き、ハリーは懲戒《ちょうかい》尋問を受けることに。ダンブルドア、ペチュニアに吼えメールを送る。
8月 6日	夜、不死鳥の騎士団の先発護衛隊がハリーをグリモールド・プレイス12番地へ連れて行く。そこはシリウス・ブラックの実家で、「騎士団」の本部だった。夕食後、ハリーはメンバーから、魔法界の全体的な状況について説明を受ける。
8月 7日	グリモールド・プレイス12番地の客間のドクシー駆除。
8月12日	ハリーとウィーズリーおじさんは懲戒尋問を受けるため電話ボックスから魔法省へ。午前8時、ハリーは魔法省地下10階の10号法廷で懲戒尋問を受ける。ダンブルドアの弁護により無罪となり、ホグワーツへ戻ることが許される。
8月30日	教育令第22号が制定。
8月31日	ホグワーツから教科書リストが届く。ロンとハーマイオニー、監

督生に。スタージス・ポドモアが神秘部に侵入し逮捕される。

9月 1日　ホグワーツ特急でホグワーツへ。ハリー、ホグズミード駅で初めてセストラルを見て驚く。そしてその姿が見えるのは自分のほかに変わり者のルーナ・ラブグッドだけだということに気づく。

9月 2日　授業初日。「闇の魔術に対する防衛術」の新任教師ドローレス・アンブリッジは、ヴォルデモートとの戦いについてハリーが嘘をついたと主張。ハリーに罰則を与える。ハリー、マクゴナガルから注意を受ける。

9月 3日　ハリー、午後5時にアンブリッジの罰則を受ける(1日目)。アンブリッジに渡された特殊な羽根ペンで「僕は嘘をついてはいけない」と書くごとにページに血の文字が浮かび上がり、ハリーの手の甲には文字が刻み込まれた。

9月 6日　グリフィンドール・クィディッチ・チームのキーパー選抜が行われ、ロンが選手に選ばれた。ハリーの罰則最終日。

9月 8日　シリウスがグリフィンドール談話室の暖炉に現れ、「コーネリウス・ファッジはダンブルドアが魔法省を乗っ取るため軍を集めていると信じ込んでいる」とハリー、ハーマイオニー、ロンに伝える。ドローレス・アンブリッジがホグワーツ高等尋問官に任命され、異常なまでに学校を魔法省の支配下に置こうとする。

9月19日　ハーマイオニー、16歳の誕生日。

9月24日　ハーマイオニー、「闇の魔術に対する防衛術」の実技を生徒に教えて欲しいとハリーを説得。

10月 5日　最初のホグズミード行きの日。第一回目の集会が開催。28人の生徒がホッグズ・ヘッドに集まり、ハリーから実践的な防衛術を学ぶことに合意する。

10月 7日　アンブリッジ、学生による組織・チーム・団体・クラブなどは今後すべて解散するよう命令。

10月 9日　必要の部屋で防衛術の会合が始まる。組織の名前は生徒たちによりダンブルドア軍団(DA)に決定。

11月初旬(2日ころ)　グリフィンドール対スリザリンのクィディッチの試合で、ハリーとウィーズリー双子はクィディッチ終身禁止になる。箒も没収。ハグリッドがホグワーツに戻り、ハリー、ロン、ハーマイオニーは小屋を訪ねてハグリッドの話を聞く。

12月18日　学期最後のDA集会の終了後、ハリーはチョウ・チャンとヤドリギの下でファーストキス。その晩アーサー・ウィーズリーが魔法

	省で巨大蛇に襲われ聖マンゴ病院へ。ハリーは自分が蛇となってアーサーを襲った夢を見たため愕然《がくぜん》とする。ハリーとウィーズリー家の子供たちは移動キーでグリモールド・プレイス12番地へ。
12月19日	ハリーとウィーズリー一家、アーサーを見舞うために聖マンゴ病院へ。
12月25日	クリスマス・ランチの後、ハリーとウィーズリー一家はアーサーを見舞いに再び聖マンゴ病院へ。ハリー、ロン、ハーマイオニーとジニーはヤヌス・シッキー病棟でギルデロイ・ロックハートやネビルの両親に会う。
1996年	
1月11日	ダンブルドアの要請により、スネイプがハリーに閉心術の個人レッスンを行うことを知らせる。
1月13日	スネイプとハリーの閉心術レッスン初日。ベラトリックス・レストレンジら死喰い人10人がアズカバンから集団脱獄。
2月14日(土)	ホグズミード行き。ハリーとチョウ・チャンの初めてのデート。チョウはハリーが自分とのデートの後にハーマイオニーと会う約束をしていたことに怒り、途中で帰ってしまう。ハリー、三本の箒でリータ・スキーターからインタビューされる。
3月 1日	ロン、16歳の誕生日。
3月 8日	トレローニー先生はアンブリッジに解雇されるが、ダンブルドアが仲介し今まで通りホグワーツで暮らすことを許される。
4月20日	アンブリッジ、ダンブルドア軍団を発見。ダンブルドアが責任を負い不死鳥フォークスの尾を掴《つか》み炎とともに消える。
4月21日	アンブリッジ、ホグワーツの校長を引き継ぐ。
4月22日	閉心術のレッスンでハリーはスネイプの最悪の記憶を目撃。それはホグワーツの学生時代ハリーの父親からいじめられた記憶だった。怒ったスネイプは閉心術の授業をやめてしまった。
5月 4日	ハリー、マクゴナガルから進路指導を受ける。その後アンブリッジの部屋に忍び込み、暖炉を使ってグリモールド・プレイス12番地へ。シリウスに悩みを打ち明ける。フレッドとジョージ、学校の廊下を沼地に変えて、ホグワーツから逃走。
5月最後の週末	グリフィンドール対レイブンクローのクィディッチの試合。ハリーとハーマイオニー、ハグリッドから彼の不在中グロウプに英語を教えて欲しいと頼まれる。グリフィンドール・クィディッチ・チームが優勝杯獲得。

6月 7日　OWL《ふくろう》試験1日目(月曜)。9時半～11時半「呪文学」の筆記。午後は「呪文学」の実技。

6月 8日　OWL試験2日目(火曜)。午前「変身術」筆記試験。午後「変身術」実技試験

6月 9日　OWL試験3日目(水曜)。午前「薬草学」筆記試験。午後「薬草学」実技試験

6月10日　OWL試験4日目(木曜)。午前「闇の魔術に対する防衛術」筆記試験。午後「闇の魔術に対する防衛術」実技試験。

6月11日　OWL試験5日目(金曜)。「古代ルーン語」の試験。受験したのはハーマイオニーのみ(ハリーとロンは休み)。

6月14日　OWL試験6日目(月曜)。午前「魔法薬学」筆記試験。午後「魔法薬学」実技試験。

6月15日　OWL試験7日目(火曜)。「魔法生物飼育学」(午後実技試験)

6月16日　OWL試験8日目(水曜)。午前は「天文学」筆記試験。午後は「占い学」(ハーマイオニーは「数占い学」)の試験。夜11時からの「天文学」の実技試験中、ハグリッドがアンブリッジと闇祓《やみばら》いに夜襲をかけられ逃走。マクゴナガルは失神光線を1度に4本受け倒れる。マルフォイ夫妻(ヴォルデモート)の命令で、クリーチャーはグリモールド・プレイス12番地でバックビークにケガをさせる。

6月17日　OWL試験最終日(木曜)の「魔法史」の試験中、シリウスが神秘部で拷問されている夢を見たハリーは、事実かどうか確かめるためにアンブリッジの部屋の暖炉からグリモールド・プレイス12番地へ。クリーチャーはシリウスが魔法省に行ったと嘘をつく。暖炉を使ったことがアンブリッジに見つかる。ハーマイオニー、ダンブルドアの秘密の武器があるとだまし、ハリーと一緒に彼女を禁じられた森へ連れて行く。アンブリッジは暴言を吐いたためケンタウルスに森の中に連れ去られる。ハリーはひとりでシリウスを救出しようとするが、ロン、ハーマイオニー、ジニー、ネビル、ルーナが協力すると言い張る。ルーナの提案でセストラルに乗り皆で魔法省へ。

6月18日　17日夜から翌18日にかけて神秘部内部で死喰い人と戦闘。ハリーの後を追ってやってきたシリウスは死亡。ヴォルデモートとダンブルドアが戦うが、ヴォルデモートは勝ち目が無いことを知り逃走。ヴォルデモートの姿はコーネリウス・ファッジや魔法省職員に目撃され、魔法省はしぶしぶその復活を認める。校長室に戻り

	たハリーはダンブルドアからトレローニーの予言の内容を聞く。(注4)

6巻の世界

6〜7月	ダンブルドア、ゴーントの家で分霊箱のマールヴォロの指輪を発見。嵌めてしまったため重傷を負う。指輪は破壊された。
7月	死喰い人や吸魂鬼、マグル界での破壊活動を激化。ブロックデール橋は真っ二つ、西部地域にハリケーン、2件の残酷な殺人事件。
7月	ダンブルドア、ダーズリー家を訪問。ハリーを連れてスラグホーンの家へ行く。その後隠れ穴へ。
7月31日	ハリー、16歳の誕生日。イゴール・カルカロフの死体が発見。フローリアン・フォーテスキューが拉致《らち》。オリバンダーが謎の失踪。
8月 1日	ホグワーツからの手紙と教科書のリストが届く。ハリーがグリフィンドール・クィディッチ寮代表チームのキャプテンに。
8月 3日	ハリー、ハーマイオニー、ロンら、ダイアゴン横丁へ。ウィーズリー・ウィザード・ウィーズ(WWW)に行く。マルフォイを尾行。
9月 1日	ハリーたち、6年生に。ホグワーツ特急の中でスラグホーンが昼食会を開催。ハリー、マルフォイに襲われ怪我をし、新学期の宴会に遅刻。
9月 2日	時間割配布。ハリー、「魔法薬学」の授業で半純血のプリンスの本を借りる。
9月 7日	ダンブルドアの第1回目の個人授業。「ゴーントの家」の記憶を見る。
9月14日	スタン・シャンパイク逮捕の記事が『日刊予言者新聞』に掲載。クィディッチ選抜でロンがキーパーに。選抜後ハグリッドの小屋へ。ハリー、午後8時半にスネイプとの罰則。
9月19日	ハーマイオニー、17歳の誕生日。
9月19日ころ	グリフィンドール、クィディッチ練習1回目。
10月12日ころ	最初のホグズミード行き。ケイティ・ベル、オパールのネックレスの呪いに倒れる。
10月14日	ハリー、夜8時にダンブルドアとの第2回目の個人授業。「孤児室のヴォルデモート」などの記憶を見る。スラグホーンのディナーにグウェノグ・ジョーンズが来校。
11月2日ころ	グリフィンドール対スリザリン戦。ハリーはロンの飲み物にフェリックス・フェリシスを入れるふり。グリフィンドールが勝ち、祝賀会でロンはラベンダーとキス。ロンはハーマイオニーの小鳥に襲われる。

12月20日ころ	スラグ・クラブのクリスマス・パーティ。ハリーはルーナ・ラブグッドと参加。
12月21日ころ	ハリーとロン、隠れ穴へ。
12月25日	ハリー、クリーチャーから蛆虫《うじむし》のプレゼントをもらう。ロン、ラベンダー・ブラウンからネックレスをもらう。スクリムジョールがパーシーと一緒に隠れ穴を訪問。ハリーに協力を要請するが断られる。
1997年	
1月5日ころ(A)	ハリーたち、隠れ穴からホグワーツへ。ロン、ラベンダーからウォン - ウォンと呼ばれる。
1月6日(Aの翌日)	「姿現わし」練習コース告知の貼り紙。ハリー、午後8時にダンブルドアとの第3回目の個人授業。「モーフィン・ゴーント」の記憶やスラグホーンの修正された記憶を見る。ハリー、スラグホーンの本当の記憶を手に入れるようダンブルドアから命じられる。
1月7日(Aの2日後)	ハリー、午後の「魔法薬」の授業でスラグホーンにホークラックスについて質問。以後スラグホーンはハリーを避けるように(スラグ・クラブは開催されなくなった)。
2月1日ころ	第1回姿現わし練習(以後毎土曜日に11回開催)。
3月 1日	ロン、17歳の誕生日。惚《ほ》れ薬入り大鍋チョコレートを食べ、ロミルダ・ベインに夢中になる。スラグホーンの解毒剤で一旦は元に戻るが、先生がふるまった誕生祝いのオーク樽熟成蜂蜜酒《だるじゅくせいはちみつしゅ》は毒入りだったため医務室へ。(6回目「姿現わし」練習)
3月 8日	グリフィンドール対ハッフルパフ戦。ルーナがクィディッチ解説。ハリー、頭蓋骨《ずがいこつ》骨折で入院し、クリーチャーとドビーにマルフォイの見張りを命ずる。
3月10日	ハリーとロン、退院。ハーマイオニーとロンが仲直り。ジニー、ディーンと口論。ハリー、ダンブルドアとの第4回目の個人授業。「ホキーとダンブルドア」の記憶(ヴォルデモート卿の頼み)を見る。
4月20日	アラゴグ死亡。
4月21日	「姿現わし」試験の初日。ハーマイオニーとロンが受験。ハリー、ハグリッドからアラゴグの死亡通知が届き、フェリックス・フェリシスを飲み埋葬に出席。途中でスラグホーンを葬儀に誘い、首尾よく彼からホークラックスの記憶を採取することに成功。校長室でその記憶を見て分霊箱の説明を受ける。ロンとラベンダー・ブラウン、ジニーとディーン・トーマスが別れた。

4月22日	ケイティ・ベル、学校に復帰。
5月6日ころ	ハリー、マルフォイに「セクタムセンプラ！」をかける。そのせいで翌土曜から学期いっぱいスネイプの罰則を受ける。
5月10日ころ	グリフィンドール対レイブンクローのシーズン最後の試合(試合は5月3日、10日、17日のいずれかに開催。)。朝10時、ハリーはスネイプの罰則(試合に欠場)。グリフィンドールが優勝。ハリー、ジニーとキスし、その後数週間は彼女と幸せに過ごす。
6月(B)	ハリー、ダンブルドアからメモが来て校長室に行く途中、シビル・トレローニーと会い予言を盗聴したのはスネイプであることを知る。ダンブルドアと分霊箱の洞窟へ。分霊箱(偽物《にせもの》)を取り、衰弱したダンブルドアとホグズミードに戻る。学校の上空に打ち上がった闇の印を目撃し箒で天文台の塔へ。死喰い人がホグワーツに侵入し、スネイプがダンブルドアを殺害して逃亡。
6月(Bの翌日)	パチル姉妹、両親に家へ連れ戻された。
6月(Bの2日後)	ザカリアス・スミス、父親に護衛されてホグワーツから連れ去られた。シェーマス・フィネガン、母親と口論し家に帰るのを拒否。
6月(Cの前日)	マダム・マクシーム、ホグワーツ来校。魔法省の役人は城内に宿泊。
6月(C)	ダンブルドアの葬儀。

(注1) JKRが2000年のスコラスティック社インタビューで「(4巻の時点で)ダンブルドアの年齢は約150歳、マクゴナガルは70歳」と話したため、当初両者は1844年と1924年生まれと考えられていたが、その後ダンブルドアの誕生年は1881年であることが判明。この発言の信憑《しんぴょう》性は低いと判断し、5巻の「(ホグワーツで教え始めて1995年12月で)39年です」(上505)の記述から、1937年生まれとした。

(注2) ハリー・ポッター映画DVDでは、1942年に秘密の部屋が開きハグリッドが退学処分になっているが、本の記述を優先した。

(注3) DVDでは9月1日となっているが、4巻上300ページに翌朝と書いてあるので2日とした。

(注4) 「不死鳥の騎士団」DVDでは2006年6月17〜18日に魔法省の戦いが行われたことになっているが、2006年の実際の曜日から推測すると6月20〜21日となる。

J.K.ローリング履歴

1965年	
7月31日	チッピング・ソドベリー(イギリス西部ブリストル郊外)に生まれる。「生まれた場所が面白い名前だから、風変わりな名前に興味を持つようになったのよ」。
1967年	
7月28日	妹のダイアン(ダイ)誕生。
1970年	
9月	聖ミカエル英国教会学校の幼児学校に入学。
1971年	近所に住むポッター家の兄妹と「魔法使いごっこ」をして遊ぶ。このころから「ポッター」という名前が大のお気に入りで、のちに『ハリー・ポッター』の姓に借用した。 リチャード・スカーリーの作品に影響され、処女作『ウサギ』(Rabbit)を書きあげる。
1972年	
9月	聖ミカエル英国教会学校の小学校に進学。
1974年	ローリング一家、タッツヒル(南ウェールズのチェプストー近郊の小さな村)に引越す。 父方の祖母のキャスリーンが心臓発作で死亡(享年52歳)。
9月	タッツヒル英国教会小学校に転校。厳格なシルヴィア・モーガン先生(スネイプのモデルの一人)が担任になる。
1976年	
9月	ワイディーン・コンプリヘンシヴ・スクール(公立の中等学校)に入学。同校の化学学科・主任ジョン・ネトルシップ先生もスネイプのモデルの一人となる。
1980年ころ	母親アン・ローリングが多発性硬化症と診断される。

1982年ころ	(6年生)転校してきたショーン・ハリスと友人になる。彼のトルコ石色のフォード・アングリアは、退屈だったJKRの生活に新鮮な風をもたらす。「この車が私にとって自由の象徴になりました」(ショーンはロンのモデルとなり、2巻の献辞は彼に捧げられている)。
1982年	
9月	最終学年で首席(ヘッドガール)に選ばれる。
1983年	オックスフォード大学を受験するも不合格。「ジョアン(JKR)がオックスフォードに受け入れられなかったのは、コンプリヘンシヴ・スクールの生徒だったから。出身校を理由に不当な差別を受けたのです」(ネトルシップ先生)。ワイディーン・コンプリヘンシヴ・スクールを卒業。
9月	エクセター大学に入学。専攻は古典とフランス語。
1987年夏	エクセター大学を卒業。ロンドンで働き始める。一番長く働いたのは「アムネスティ・インターナショナル」。
1990年	
6月	当時の恋人と一緒にマンチェスターに移ることにする。週末を利用してアパートを探し、一人でロンドンに戻る列車に乗車中に『ハリー・ポッター』のアイデアが浮かぶ。「ハリーの姿が、はっきりと見えました。痩《や》せっぽちの少年の姿が。体が震えるほど興奮しました。書くことに関してあんなに興奮した事はなかったわ」。その日に限ってペンも紙も、アイライナーさえ持っていなかったため頭の中にアイデアを記憶。「列車が遅れた4時間の間に、次から次へとアイデアが浮かびました」。白宅に戻りハリー・ポッターの執筆を始める。 マンチェスター商工会議所で派遣秘書の仕事に就く。
12月30日	母親が多発性硬化症で死亡(享年45歳)。
1991年	
11月	ポルトガルのオポルト市に渡り、語学学校の英語教師になる。同居人はアイルランド、コーク出身のアイン・キーリーと英国人ジル・プルウェット(3巻『アズカバンの囚人』の献辞はこの二人に捧げられている)。

1992年	
3月	ポルトガル人ジャーナリスト、ジョルジ・アランテスと出会う。
10月16日	ジョルジ・アランテスと結婚。
1993年	
4月 2日	父親ピーター・ローリング、8歳年下の秘書ジャネット・ガリヴァンと再婚。
7月27日	ジュリオ・ディニス産科病院で長女ジェシカを出産。
9月 3日	妹ダイがエディンバラでレストラン経営者ロジャー・ムーアと結婚。
11月	結婚生活が破綻。ジェシカを連れて妹の住むスコットランドのエディンバラへ。
12月21日	生活保護と住宅手当を申請。サウス・ローン・プレイス7番地で週69ポンドの手当で生活を始める。 ジェシカを乳母車に乗せて家を出て、娘が眠ると義弟が経営する「ニコルソンズ・カフェ」に駆け込み『ハリー・ポッター』を執筆という生活を続ける。
1994年	『賢者の石』が完成。
1995年ころ	著作権代理人のクリストファー・リトルと契約。
6月26日	ジョルジ・アランテスとの離婚が成立。
1996年	
8月	ブルームズベリー社が『賢者の石』の版権をわずか1500ポンドで獲得。 2巻『秘密の部屋』の執筆を始める。
1997年	
6月26日	『賢者の石』(イギリス版)が出版される。 ブックフェアのオークションで、スコラスティック社が米国での版権を10万ドルで落札。
1998年	
7月 2日	2巻『秘密の部屋』(イギリス版)が出版される。
9月	1巻『賢者の石』(アメリカ版)が出版される。

1999年	
6月 2日	2巻『秘密の部屋』(アメリカ版)が出版される。
7月 8日	3巻『アズカバンの囚人』(イギリス版)が出版される。
9月 8日	3巻『アズカバンの囚人』(アメリカ版)が出版される。
12月	ワーナー・ブラザース、シリーズ7作の映画化権などを100万ドルで獲得。
2000年	
6月	英国勲功章(OBE)を受章。
7月 8日	4巻『炎のゴブレット』(イギリス版・アメリカ版)が英米同時発売。エクセター大学から名誉博士号が授与される。
2001年	
3月12日	イギリスの慈善団体コミック・リリーフ社のために「ハリー・ポッター」指定教科書『幻の動物とその生息地』と『クィディッチ今昔』を執筆・出版。
12月26日	6歳年下の麻酔科医ニール・マレーと再婚。
2003年	
3月23日	長男デイビッド・ゴードン・ローリング・マレーを出産。
6月21日	5巻『不死鳥の騎士団』(イギリス版・アメリカ版)が英米同時発売。
2005年	
1月23日	次女マッケンジー・ジーン・ローリング・マレーを出産。
7月16日	6巻『謎のプリンス』(イギリス版・アメリカ版)が英米同時発売。
2007年	
7月21日	7巻『死の秘宝』(イギリス版・アメリカ版)が同時発売。

参考文献

『アガメムノーン』アイスキュロス著、久保正彰訳、岩波文庫、1998年

『アーサー王物語』Ⅰ～Ⅴ、トマス・マロリー著、井村君江訳、筑摩書房、2004～2007年

『アラビアの医術』前嶋信次著、中央公論社、1996年

『アンティゴネー』ソポクレース著、呉茂一訳、岩波文庫、1961年

『イギリス』小池滋監修、新潮社、1992年

『イギリス史』川北稔編、山川出版社、1998年

『イリアス』ホメロス著、松平千秋訳、岩波書店、2004年

『インド神話伝説辞典』菅沼 晃著、東京堂出版、1985年

『英国おいしい物語』ジェーン・B・クック著、原口優子訳／湯澤毅写真、東京書籍、1994年

『英語世界の俗信・迷信』東浦義雄他著、大修館書店、1991年

『エジプト』Abbas Chalaby、BONECHI、1989年

『エッダ―古代北欧歌謡集―』V.G. ネッケルほか編、谷口幸男訳、新潮社、1973年

『ガルガンチュアとパンタグリュエル』1・2・3、フランソワ・ラブレー著、宮下志朗訳、ちくま文庫、2005～2007年

『カンタベリー物語』上中下、チョーサー著、桝井迪夫訳、岩波文庫、1995年

『カント全集〈7〉実践理性批判・人倫の形而上学の基礎づけ』カント著、坂部恵ほか編、岩波書店、2000年

『恐怖の都・ロンドン』スティーブ・ジョーンズ著、友成純一訳、筑摩書房、1994年

『ギリシア神話』ロバート・グレイヴス著、高杉一郎訳、紀伊國屋書店、1998年

『ギリシア悲劇１』アイスキュロス、高津春繁訳、ちくま文庫、1985年

『ギリシア悲劇全集』１、松平千秋ほか編、岩波書店、1990年

『ケルトの木の知恵. 神秘、魔法、癒し』ジェーン・ギフォード文・写真、井村君江監訳、東京書籍、2003年

『ケルトの神話・伝説』フランク・ディレイニー著、鶴岡真弓訳、創元社、2000年

『幻想の国に棲む動物たち』ジョン・チェリー編著、別宮貞徳訳、東洋書林、1997年

『三月兎の調べ：詩篇1909-1917年』T.S. エリオット著、村田辰夫訳、国文社、2002年

『シェイクスピア大全CD-ROM版』坪内逍遥、福田恒存ほか訳、新潮社、2003年

『人生の名著』第16、W. ペンほか著、斎藤光ほか訳、大和書房、1969年

『図説ドルイド』ミランダ・J・グリーン著、井村君江監訳、東京書籍、2000年

『聖書』新共同訳、日本聖書協会

『世界人生論全集』5、河盛好蔵等編、筑摩書房、1963年

『続イギリスのお話は、おいしい。料理編』MOE編集部編、白泉社、1997年

『存在と時間』上下、マルティン・ハイデガー著、細谷貞雄訳、ちくま学芸文庫、1994年

『ニコラ・フラメル錬金術師伝説』ナイジェル・ウィルキンズ著、小池寿子訳、白水社、2000年

『ハイデガーの思想』木田元著、岩波新書、1993年
『薔薇十字の覚醒：隠されたヨーロッパ精神史』フランセス・A.イエイツ著、山下知夫訳、工作舎、1986年
『ファラオの秘薬』リズ・マンカ著、八坂書房編集部訳、八坂書房、1994年
『プリニウスの博物誌』Ⅰ～Ⅲ、プリニウス著、中野定雄ほか訳、雄山閣出版、1986年
『ベンサムの幸福論』西尾孝司著、晃洋書房、2005年
『変身物語』上下、オウィディウス著、中村善也訳、岩波文庫、1990年
『北欧神話物語』キーヴィン＝クロスリイ・ホランド著、山室静ほか訳、青土社、1991年
『魔女狩り』森島恒雄著、岩波新書、1970年
『マルティン・ハイデガー』ジョージ・スタイナー著、生松敬三訳、岩波現代文庫、2000年
『マンスフィールド・パーク』ジェイン・オースティン著、大島一彦訳、中央公論新社、2005年
『ミセス・ギフォードのイギリスパイとプディング』ジェーン・ランザー・ギフォード著、文化出版局、1998年
『民主主義の先駆者　ウィリアム・ペン』ヴァイニング夫人著、高橋たね訳、岩波新書、1950年
『妖術師・秘術師・錬金術師の博物館』グリヨ・ド・ジヴリ著、林瑞枝訳、法政大学出版局、1986年
『妖精の国』井村君江著、新書館、1987年
『妖精の誕生：フェアリー神話学』カイトリー著、市場泰男訳、文元社、2004年
『わが闘争』上下、アドルフ・ヒトラー著、平野一郎／将積茂訳、角川文庫、2001年

事典

『イメージ・シンボル事典』アト・ド・フリース著、山下主一郎訳、大修館書店、1984年
『岩波＝ケンブリッジ世界人名辞典』デイヴィド・クリスタル編集、金子雄司日本語版編集主幹、岩波書店、1997年
『ケルト事典』ベルンハルト・マイヤー著、鶴岡真弓監修、創元社、2001年
『幻獣辞典』ホルヘ・ルイス・ボルヘス／マルガリータ・ゲレロ著、柳瀬尚紀訳、晶文社、1998年
『現代占い事典』上下、W.B.ギブソン／L.R.ギブソン著、金井博典訳、白揚社、1972年
『じてん・英米のキャラクター』船戸英夫／中野記偉著、研究社、1998年
『ジーニアス英和大辞典』小西友七／南出康世編集主幹、大修館書店、2001年
『神話・伝承事典』バーバラ・ウォーカー著、山下主一郎ほか訳、大修館書店、1988年
『図説世界シンボル事典』ハンス・ビーダーマン著、藤代幸一監訳、八坂書房、2000年
『聖書象徴事典』マンフレート・ルルカー著、池田紘一訳、人文書院、1988年

『世界シンボル大事典』ジャン・シュヴァリエ／アラン・ゲールブラン共著、金光仁三郎ほか訳、大修館書店、1997 年
『世界神話大事典』イヴ・ボンヌフォワ著、金光仁三郎訳、大修館書店、2001 年
『世界大百科事典第 2 版』平凡社編、平凡社、2007 年
『大辞泉』松村明監修、小学館、1998 年
『動物シンボル事典』ジャン＝ポール・クレベール 著、竹内信夫ほか訳、大修館書店、1989 年
『百科事典マイペディア』日外アソシエーツ 、2005 年
『ブリタニカ国際大百科事典』ティビーエス・ブリタニカ、1996 年
『妖精事典』キャサリン・ブリッグズ著、平野敬一ほか訳、冨山房、1992 年
『リーダーズ英和辞典第 2 版』松田徳一郎ほか編、研究社、©1990、2005 年
『羅和辞典』増訂新版、田中秀央編、研究社、1966 年

ハリー・ポッター関連書

『クィディッチ今昔』J.K. ローリング著、松岡佑子訳、静山社、2001 年
『J.K. ローリング　その魔法と真実：ハリー・ポッター誕生の光と影』ショーン・スミス著、鈴木彩織訳、メディアファクトリー、2001 年
『ハリー・ポッター裏話』J.K. ローリング／リンゼイ・フレイザー著、松岡佑子訳、静山社、2001 年
『ハリー・ポッターともうひとりの魔法使い』マーク・シャピロ著、鈴木彩織訳、メディアファクトリー、2001 年
『幻の動物とその生息地』J.K. ローリング著、松岡佑子訳、静山社、2001 年

“Egyptian Mummies”, British Museum
“Mein Kampf（My Struggle）”, Adolf Hitler
“Fruits of Solitude”, William Penn, The Harvard Classics P.F.Collier&Son Corp.
“Oxford English Dictionary”, 1-20
“Oxford Latin Desk Dictionary”
“Prufrock and Other Observations”, T.S. Eliot, Faber and Faber
“Some Fruits of Solitude / More Fruits of Solitude”, William Penn, Wildside Pr, 2007/11/30
“Some Fruits of Solitude : Wise Sayings on the Conduct of Human Life”, William Penn, Herald Pr, 2003/3
“The Greek Myths”, Robert Graves
“The Oresteia”, Aeschlus, Robert Fagles（trs）, Penguin Classics

J.K. ローリング公式サイト
http://www.jkrowling.com/

インタビュー

ワールドブックデイ・オンライン・チャット
http://www.pottermania.jp/info/event/log2004/JKROnlinechat0304JP.htm
エディンバラ・ブックフェスティバル 2004
http://www.scholastic.com/harrypotter/author/transcript4.htm
Today Show7 巻発売後インタビュー
http://www.msnbc.msn.com/id/19959323/
ブルームズベリーライブチャット 2007
http://www.pottermania.jp/info/interviewprogram/2007JKRBloomsburyLiveChatEnglish.htm
ハリー、キャリー、ガープとの夕べ
http://www.pottermania.jp/info/event/log2006/HarryCarrieGarp2Aug2006.htm
2007 年オープン・ブック・ツアー
http://www.pottermania.jp/info/interviewprogram/2007OctJKROpenBookTourUSA.htm
TLC Mugglenet インタビュー
http://www.pottermania.jp/info/interviewprogram/20050716TLCMNInterviewJoanneKathleenRowling01.htm
ハリー・ポッターはこうして生まれた
http://www.pottermania.jp/info/interviewprogram/program_harryandme_020531.htm

その他インタビュー
http://www.scholastic.com/harrypotter/author/transcript2.htm
http://news.bbc.co.uk/cbbcnews/hi/newsid_4690000/newsid_4690800/4690885.stm
http://www.msnbc.msn.com/id/8599597/
http://books.guardian.co.uk/departments/childrenandteens/story/0,,310044,00.html
http://extra.volkskrant.nl/animatie/harry_potter/
http://www.mtv.com/news/articles/1572107/20071017/index.jhtml
http://www.pottermania.jp/
など

『吟遊詩人ビードルの物語』アマゾン・レビュー
http://www.amazon.co.jp/gp/feature.html?ie=UTF8&docId=1000126856

分類項目別索引（1巻－7巻）

登場人物

（注）現職、学生のまま死亡した人は生前のカテゴリーで紹介。

【魔法界】

生物

【魔法界】

(注)「架空の生物」とは、魔法界でも想像上の生物だと思われているもの。

施設、場所、地名など

魔法・魔法薬・植物

生活

●特殊能力

●言語

●移動手段

●賞

●通信・交信手段

●闇の魔術

●お菓子

●飲物

1巻 - 6巻の事典索引 (50音順)

あ

か

さ

た

な

は

ま

や

ら

わ

1巻 - 6巻の事典索引（英語）

C

D

E

F

G

H

I

N

O

P

Q

R

S

T

7巻の事典索引

A

B

C

D

E

O

P

R

S

T

U

V

W

【著者紹介】

寺島久美子（てらしま・くみこ）

東京女子大学文理学部英米文学科卒業後、フランスに留学。帰国後、翻訳業のかたわら2001年にハリー・ポッターのファンサイト『ポッターマニア』を開設したところ、膨大なアクセス数を出す人気サイトとなる。現在、ハリー・ポッター研究の第一人者として広く知られている。

著書に『ハリー・ポッター大事典』(東洋館出版社)、『ハリー・ポッターが楽しくなるふしぎな生きもの図鑑』(学研)、『ハリー・ポッター大事典　1巻から6巻までを読むために』(原書房)がある。

ポッターマニア　http://www.pottermania.jp/

ハリー・ポッター大事典《だいじてん》II

1巻《かん》から7巻《かん》までを読《よ》むために

●

2008 年 *4* 月 *20* 日　第 *1* 刷

2025 年 *5* 月 *11* 日　第 *12* 刷

著者…………寺島《てらしま》久《く》美《み》子《こ》

装幀…………渋川育由

本文 AD…………原田恵都子

本文イラスト　原田リカズ

印刷…………三松堂印刷株式会社

製本…………東京美術紙工協業組合

発行者…………成瀬雅人

発行所…………株式会社原書房

〒160-0022東京都新宿区新宿1-25-13

電話・代表　03(3354)0685

http://www.harashobo.co.jp

振替・00150-6-151594

ISBN 978-4-562-04141-1, printed in Japan